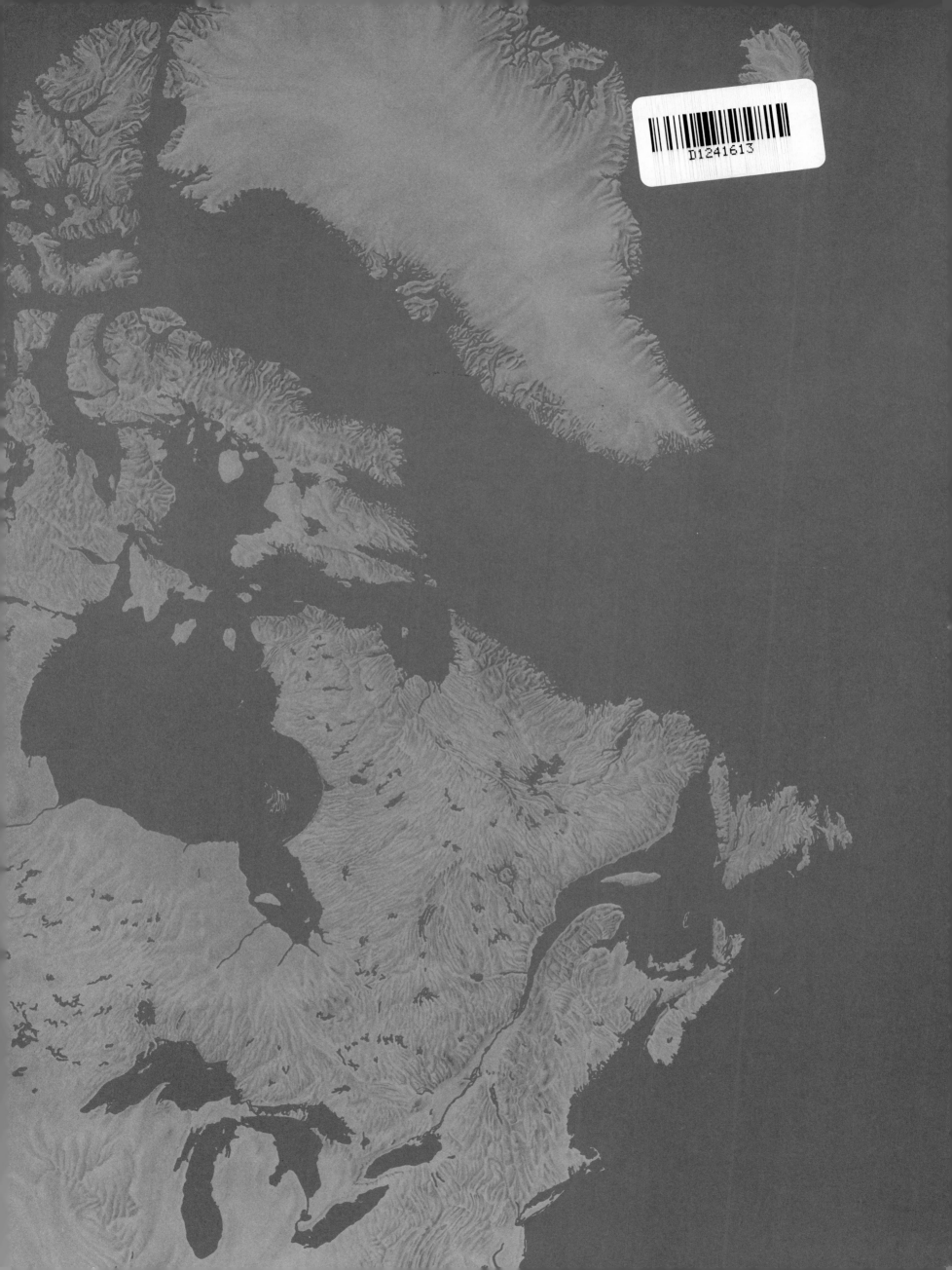

ATLAS DU CANADA

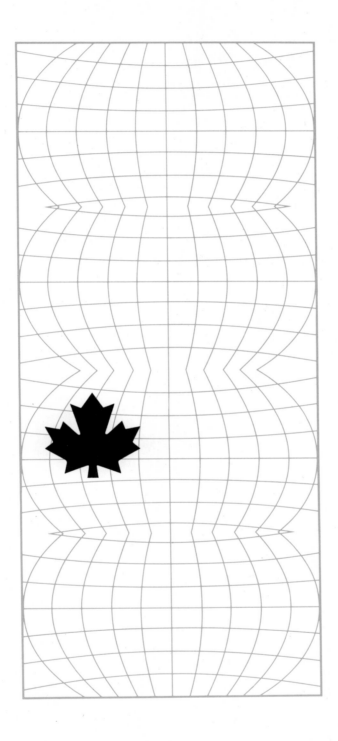

Publié par Sélection du Reader's Digest
Montréal — Paris — Bruxelles — Zurich
en collaboration avec l'Association canadienne des automobilistes

Première édition

Les remerciements de la page 3 et les sources de la page 220 sont incorporés à cette notice.

© 1981, Sélection du Reader's Digest (Canada) Ltée, 215, avenue Redfern, Montréal, Qué. H3Z 2V9
© 1981, Sélection du Reader's Digest, S.A., 216, boulevard Saint-Germain, 75007 Paris
© 1981, N.V. Reader's Digest, S.A., 12-A, Grand-Place, 1000 Bruxelles
© 1981, Sélection du Reader's Digest, S.A., Räffelstrasse 11, « Gallushof », 8021 Zurich

ISBN 0-88850-100-5

Imprimé au Canada — Printed in Canada

81 82 83/5 4 3 2 1

REMERCIEMENTS

Conseiller

Henry W. Castner
Professeur adjoint de géographie
Queen's University, Kingston

Conseillers spéciaux

W. P. Adams
Professeur de géographie
Trent University, Peterborough

James S. Beckett
Conseiller
Direction de la recherche sur les pêches
Ministère des Pêches et Océans

Norbert Berkowitz
Professeur de génie minier
University of Alberta, Edmonton

Andrew Burghardt
Professeur de géographie
McMaster University, Hamilton

A. C. Carlisle
Directeur de projet
Institut forestier national Petawawa
Chalk River, Ontario

Alan Cooke
Conseiller
Centre for Northern Studies and Research
McGill University, Montréal

David Douglas
Professeur adjoint de géographie
Université d'Ottawa, Ottawa

Leonard Gertler
Professeur
School of Urban and Regional Planning
University of Waterloo
Waterloo, Ontario

Leonard Guelke
Professeur de géographie
University of Waterloo
Waterloo, Ontario

C. Richard Harington
Conservateur en zoologie quaternaire
Division de la paléobiologie
Musée national des sciences naturelles
Musées nationaux du Canada, Ottawa

Alexander Himelfarb
Professeur adjoint de sociologie
University of New Brunswick, Fredericton

T. Ainslie Kerr
Conseiller en transport et communications
Montréal

G. A. MacEachern
Président
Conseil de la recherche en économie agricole
   du Canada
Ottawa

J. R. Mallory
Professeur de sciences politiques
McGill University, Montréal

J. K. Morton
Professeur de biologie
University of Waterloo
Waterloo, Ontario

David Phillips
Surintendant
Section du développement
   des systèmes climatologiques
Direction centrale des services
Service de l'environnement atmosphérique
Downsview, Ontario

C. James Richardson
Professeur adjoint de sociologie
University of New Brunswick, Fredericton

E. S. Rodgers
Conservateur
Section de l'ethnologie
Royal Ontario Museum, Toronto

Dale Russell
Chef
Division de la paléobiologie
Musée national des sciences naturelles
Musées nationaux du Canada, Ottawa

John Theberge
Professeur
Faculty of Environmental Studies
University of Waterloo
Waterloo, Ontario

Morley K. Thomas
Directeur général
Direction centrale des services
Services de l'environnement atmosphérique
Downsview, Ontario

William Trimble
Ex-vice-président
Section des études
Humber College of Applied Arts and Technology
Toronto

John Udd
Directeur
Mining Program
Department of Mining
   and Metallurgical Engineering
McGill University, Montréal

P. B. Waite
Professeur d'histoire
Dalhousie University, Halifax

J. Tuzo Wilson
Directeur général
Ontario Science Centre, Toronto

Les cartes et l'index du présent *Atlas du Canada* s'inspirent des cartes et de l'index préparés par la Direction des levés et de la cartographie, au ministère de l'Energie, des Mines et des Ressources, et parus dans le *Canada Atlas Toponymique*. Ils sont publiés ici avec l'autorisation du Centre d'édition du gouvernement du Canada, au ministère des Approvisionnements et Services.

Des renseignements supplémentaires sur les routes et sur les points d'intérêt touristiques ont été ajoutés par Sélection du Reader's Digest. La maison d'édition reconnaît également la part importante des renseignements contenus dans les cartes thématiques qu'elle doit à *L'Atlas national du Canada* (4e édition).

Les éditeurs tiennent à remercier particulièrement Statistique Canada, les bibliothèques de l'université McGill et la bibliothèque de Westmount.

**Equipe de Sélection du Reader's Digest
   (version française)**

RÉDACTION: Agnès Saint-Laurent
SUPERVISION DES ARTS: Jean-Marc Poirier
MISE EN PAGE: Diane Mitrofanow
MONTAGE: Mimi McAdams, Alex Wallach
PRÉPARATION DE COPIE: Joseph Marchetti
COORDINATION: Nicole Samson-Cholette
FABRICATION: Holger Lorenzen

Collaborateurs extérieurs

TRADUCTION: Michelle Pharand (Section
   thématique), Marie Duquette-Tittley
   (Renseignements généraux)
RECHERCHE TOPONYMIQUE: Nicole Carrette,
   Michelle Pharand
MONTAGE: Mary Ashley (cartes),
   Jean-Claude Paré

TABLE DES MATIÈRES

L'*Atlas du Canada* se divise en quatre sections : la section thématique (pp. 6 à 59) ; la section *Renseignements généraux*, qui aborde de nombreux aspects de la vie au Canada et comprend des tableaux statistiques (pp. 60 à 76) ; la section des cartes (pp. 77 à 177) ; et l'index des noms géographiques (pp. 178 à 219). La section thématique traite des principaux aspects de la géologie, de la géographie, de l'histoire, de la population et de l'économie du Canada. Chaque thème est présenté sur une double page. Nous vous donnons ci-dessous la liste des titres thématiques ; chacun est suivi d'une brève énumération des sujets étudiés et de renvois à des sujets connexes dans la section thématique même ou dans celle des *Renseignements généraux*.

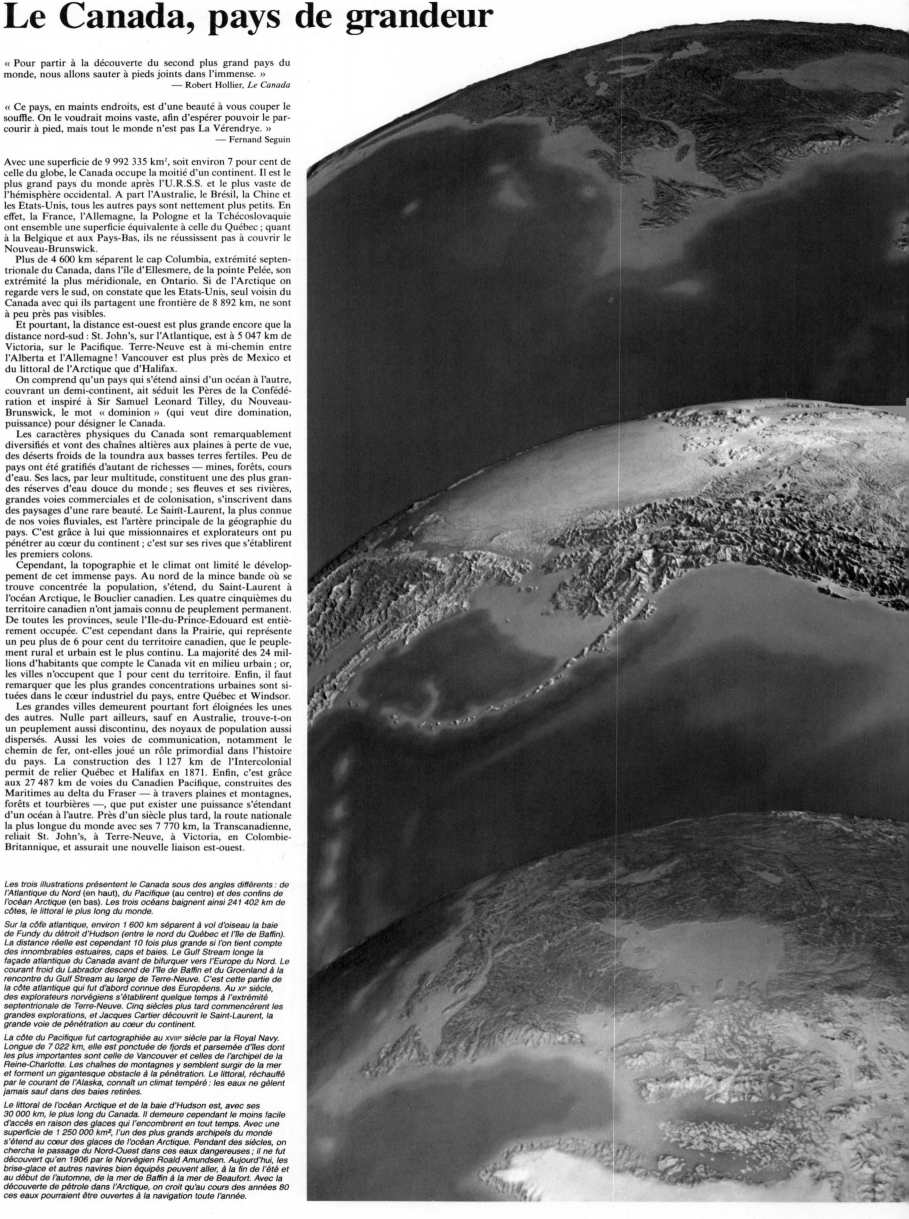

Le Canada, pays de grandeur

« Pour partir à la découverte du second plus grand pays du monde, nous allons sauter à pieds joints dans l'immense. »
— Robert Hollier, *Le Canada*

« Ce pays, en maints endroits, est d'une beauté à vous couper le souffle. On le voudrait moins vaste, afin d'espérer pouvoir le parcourir à pied, mais tout le monde n'est pas La Vérendrye. »
— Fernand Seguin

Avec une superficie de 9 992 335 km², soit environ 7 pour cent de celle du globe, le Canada occupe la moitié d'un continent. Il est le plus grand pays du monde après l'U.R.S.S. et le plus vaste de l'hémisphère occidental. A part l'Australie, le Brésil, la Chine et les Etats-Unis, tous les autres pays sont nettement plus petits. En effet, la France, l'Allemagne, la Pologne et la Tchécoslovaquie ont ensemble une superficie équivalente à celle du Québec ; quant à la Belgique et aux Pays-Bas, ils ne réussissent pas à couvrir le Nouveau-Brunswick.

Plus de 4 600 km séparent le cap Columbia, extrémité septentrionale du Canada, dans l'île d'Ellesmere, de la pointe Pelée, son extrémité la plus méridionale, en Ontario. Si de l'Arctique on regarde vers le sud, on constate que les Etats-Unis, seul voisin du Canada avec qui ils partagent une frontière de 8 892 km, ne sont à peu près pas visibles.

Et pourtant, la distance est-ouest est plus grande encore que la distance nord-sud : St. John's, sur l'Atlantique, est à 5 047 km de Victoria, sur le Pacifique. Terre-Neuve est à mi-chemin entre l'Alberta et l'Allemagne ! Vancouver est plus près de Mexico et du littoral de l'Arctique que d'Halifax.

On comprend qu'un pays qui s'étend ainsi d'un océan à l'autre, couvrant un demi-continent, ait séduit les Pères de la Confédération et inspiré à Sir Samuel Leonard Tilley, du Nouveau-Brunswick, le mot « dominion » (qui veut dire domination, puissance) pour désigner le Canada.

Les caractères physiques du Canada sont remarquablement diversifiés et vont des chaînes altières aux plaines à perte de vue, des déserts froids de la toundra aux basses terres fertiles. Peu de pays ont été gratifiés d'autant de richesses — mines, forêts, cours d'eau. Ses lacs, par leur multitude, constituent une des plus grandes réserves d'eau douce du monde ; ses fleuves et ses rivières, grandes voies commerciales et de colonisation, s'inscrivent dans des paysages d'une rare beauté. Le Saint-Laurent, la plus connue de nos voies fluviales, est l'artère principale de la géographie du pays. C'est grâce à lui que missionnaires et explorateurs ont pu pénétrer au cœur du continent ; c'est sur ses rives que s'établirent les premiers colons.

Cependant, la topographie et le climat ont limité le développement de cet immense pays. Au nord de la mince bande où se trouve concentrée la population, s'étend, du Saint-Laurent à l'océan Arctique, le Bouclier canadien. Les quatre cinquièmes du territoire canadien n'ont jamais connu de peuplement permanent. De toutes les provinces, seule l'Ile-du-Prince-Edouard est entièrement occupée. C'est cependant dans la Prairie, qui représente un peu plus de 6 pour cent du territoire canadien, que le peuplement rural et urbain est le plus continu. La majorité des 24 millions d'habitants que compte le Canada vit en milieu urbain ; or, les villes n'occupent que 1 pour cent du territoire. Enfin, il faut remarquer que les plus grandes concentrations urbaines sont situées dans le cœur industriel du pays, entre Québec et Windsor.

Les grandes villes demeurent pourtant fort éloignées les unes des autres. Nulle part ailleurs, sauf en Australie, trouve-t-on un peuplement aussi discontinu, des noyaux de population aussi dispersés. Aussi les voies de communication, notamment le chemin de fer, ont-elles joué un rôle primordial dans l'histoire du pays. La construction des 1 127 km de l'Intercolonial permit de relier Québec et Halifax en 1871. Enfin, c'est grâce aux 27 487 km de voies du Canadien Pacifique, construites des Maritimes au delta du Fraser — à travers plaines et montagnes, forêts et tourbières —, que put exister une puissance s'étendant d'un océan à l'autre. Près d'un siècle plus tard, la route nationale la plus longue du monde avec ses 7 770 km, la Transcanadienne, reliait St. John's, à Terre-Neuve, à Victoria, en Colombie-Britannique, et assurait une nouvelle liaison est-ouest.

Les trois illustrations présentent le Canada sous des angles différents : de l'Atlantique du Nord (en haut), du Pacifique (au centre) et des confins de l'océan Arctique (en bas). Les trois océans baignent ainsi 241 402 km de côtes, le littoral le plus long du monde.

Sur la côte atlantique, environ 1 600 km séparent à vol d'oiseau la baie de Fundy du détroit d'Hudson (entre le nord du Québec et l'île de Baffin). La distance réelle est cependant 10 fois plus grande si l'on tient compte des innombrables estuaires, caps et baies. Le Gulf Stream longe la façade atlantique du Canada avant de bifurquer vers l'Europe du Nord. Le courant froid du Labrador descend de l'île de Baffin et du Groenland à la rencontre du Gulf Stream au large de Terre-Neuve. C'est cette partie de la côte atlantique qui fut d'abord connue des Européens. Au XIe siècle, des explorateurs norvégiens s'établirent quelque temps à l'extrémité septentrionale de Terre-Neuve. Cinq siècles plus tard commencèrent les grandes explorations, et Jacques Cartier découvrit le Saint-Laurent, la grande voie de pénétration au cœur du continent.

La côte du Pacifique fut cartographiée au XVIIIe siècle par la Royal Navy. Longue de 7 022 km, elle est ponctuée de fjords et parsemée d'îles dont les plus importantes sont celle de Vancouver et celles de l'archipel de la Reine-Charlotte. Les chaînes de montagnes y semblent surgir de la mer et forment un gigantesque obstacle à la pénétration. Le littoral, réchauffé par le courant de l'Alaska, connaît un climat tempéré : les eaux ne gèlent jamais sauf dans des baies retirées.

Le littoral de l'océan Arctique et de la baie d'Hudson est, avec ses 30 000 km, le plus long du Canada. Il demeure cependant le moins facile d'accès en raison des glaces qui l'encombrent en tout temps. Avec une superficie de 1 250 000 km², l'un des plus grands archipels du monde s'étend au cœur des glaces de l'océan Arctique. Pendant des siècles, on chercha le passage du Nord-Ouest dans ces eaux dangereuses ; il ne fut découvert qu'en 1906 par le Norvégien Roald Amundsen. Aujourd'hui, les brise-glace et autres navires bien équipés peuvent aller, à la fin de l'été et au début de l'automne, de la mer de Baffin à la mer de Beaufort. Avec la découverte de pétrole dans l'Arctique, on croit qu'au cours des années 80 ces eaux pourraient être ouvertes à la navigation toute l'année.

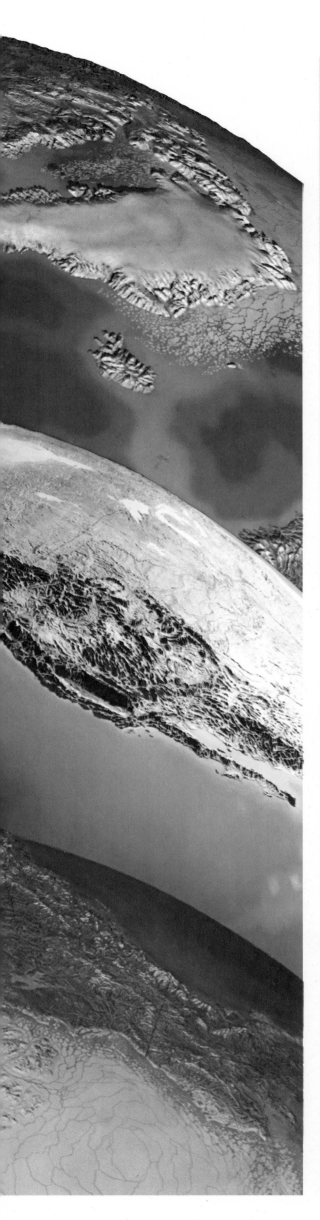

Un pays démesurément grand ?

Le Canada est un pays immense. Pour mieux en juger, il suffit de superposer une carte de l'Europe à une carte du Canada (1). Le continent européen, avec une superficie de 9,9 millions de kilomètres carrés, ne réussit pas à couvrir le pays. La portion septentrionale de la côte de la Colombie-Britannique coïncide avec l'Espagne et le golfe de Gascogne, la région de Winnipeg avec les Balkans, celle de Montréal avec le Caucase et les provinces de l'Atlantique avec l'extrémité orientale de la Russie.

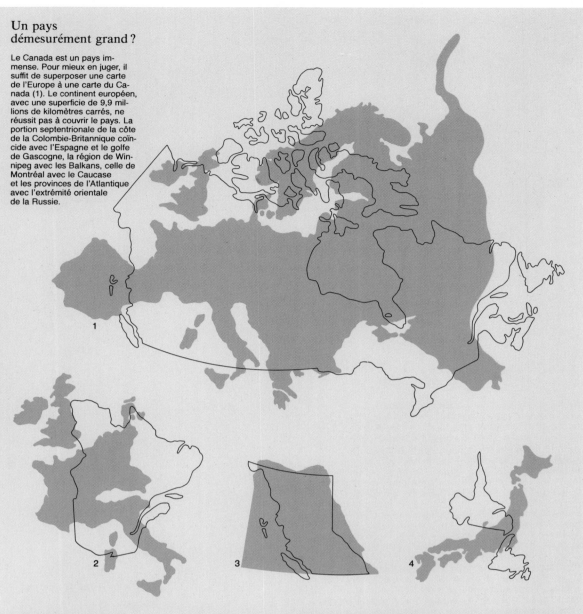

Le Québec couvre à lui seul plus de territoire que les neuf pays du Marché commun : Allemagne de l'Ouest, Belgique, Danemark, France, Grande-Bretagne, Irlande, Italie, Luxembourg et Pays-Bas (2). En effet, tandis qu'il occupe 1 540 687 km², les pays de la C.E.E. en occupent 1 512 143. Pourtant, la superficie du Québec ne représente que 15 pour cent de celle du Canada. L'Ontario, avec 1 068 587 km², vient au deuxième rang des provinces pour sa superficie et fait presque deux fois la France (551 000 km²). La Colombie-Britannique, qui compte pour moins de 10 pour cent du territoire canadien, correspond à peu près à l'Egypte : 950 000 km² contre 1 million (3). Terre-Neuve, avec 4 pour cent de la superficie totale du pays, est plus vaste que le Japon : 405 000 km² contre 380 000 (4). Mais le Japon compte 115 millions d'habitants, Terre-Neuve, 500 000.

Une population bien peu nombreuse

Sur ce territoire immense, la population n'occupe qu'une mince bande le long de la frontière américaine. Avec 24 millions d'habitants, le Canada renferme moins de 0,5 pour cent de la population mondiale. Dans le cartogramme (ci-dessous), les pays occupent un espace proportionnel à leur population. Sur les 4,9 milliards d'habitants du globe, la moitié se trouve concentrée en Chine, en Inde, en U.R.S.S., aux Etats-Unis et en Indonésie. La population chinoise (près de 1 milliard d'habitants) représente le cinquième de la population du globe.

Au Canada, le taux d'accroissement naturel (la différence entre le nombre des naissances et le nombre des décès pour chaque tranche de 1 000 habitants) est faible, ce qui signifie en revanche que l'âge moyen augmente. Au Mexique, en Iran, au Kenya et en Indonésie, à la suite des progrès effectués dans le domaine de la santé, les taux d'accroissement naturel sont élevés : les populations augmentent et l'âge moyen diminue.

La genèse de notre continent

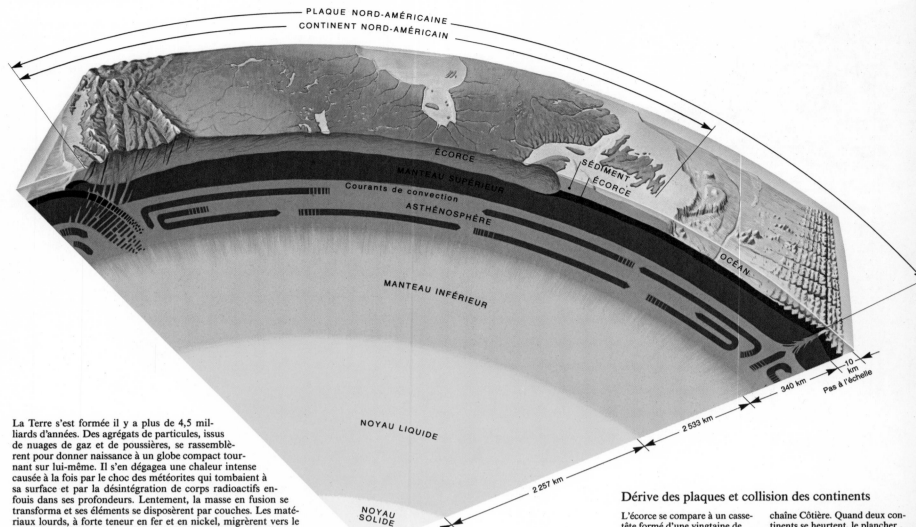

PLAQUE NORD-AMÉRICAINE
CONTINENT NORD-AMÉRICAIN

ÉCORCE
MANTEAU SUPÉRIEUR
Courants de convection
ASTHÉNOSPHÈRE
SÉDIMENT
ÉCORCE
OCÉAN
MANTEAU INFÉRIEUR
NOYAU LIQUIDE
NOYAU SOLIDE

10 km
340 km
2 533 km
2 257 km
1 231 km
Pas à l'échelle

La Terre s'est formée il y a plus de 4,5 milliards d'années. Des agrégats de particules, issus de nuages de gaz et de poussières, se rassemblèrent pour donner naissance à un globe compact tournant sur lui-même. Il s'en dégagea une chaleur intense causée à la fois par le choc des météorites qui tombaient à sa surface et par la désintégration de corps radioactifs enfouis dans ses profondeurs. Lentement, la masse en fusion se transforma et ses éléments se disposèrent par couches. Les matériaux lourds, à forte teneur en fer et en nickel, migrèrent vers le centre pour former le noyau. Tout autour, les silicates de magnésium formèrent le manteau. Les matériaux plus légers remontèrent vers la surface où ils constituèrent l'écorce. Des volcans vomirent des gaz, des roches et de la vapeur donnant naissance à l'atmosphère, à la terre et à l'eau.

Le lent processus de triage des matériaux continue de nos jours. Au centre de la Terre, les températures atteignent 4 000°C. Le noyau interne est solide. Le noyau externe liquide est animé de courants engendrés par la rotation de la Terre ; à l'instar d'une dynamo, il transforme notre planète en un gigantesque aimant doté d'un pôle Nord et d'un pôle Sud. Le manteau se divise en trois parties : une couche inférieure rigide ; une couche visqueuse, l'asthénosphère, et une couche supérieure rigide qui forme avec l'écorce la lithosphère. La lithosphère, d'environ 100 km d'épaisseur, est fragmentée en plaques. L'écorce, qui représente moins de 1 pour cent de l'ensemble de la Terre, comprend les masses continentales et les bassins océaniques. Les premières, composées de roches granitiques, peuvent atteindre 40 km d'épaisseur ; elles flottent mieux sur l'asthénosphère que les fonds océaniques, plus lourds. L'écorce basaltique dont sont constitués ces fonds n'a que 10 km d'épaisseur et elle s'affaisse pour former des bassins profonds occupés par les océans.

La Terre se modifie constamment depuis des milliards d'années. Des régions se soulèvent pour être ensuite aplanies, puis envahies par les mers et sculptées par l'érosion ; les chaînes de montagnes sont arasées et transformées en plaines et plateaux.

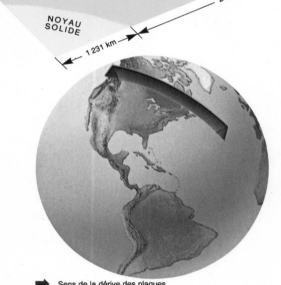

→ Sens de la dérive des plaques
Fosse d'expansion
Zone de compression
Faille transformante
Limite générale ou incertaine

Dérive des plaques et collision des continents

L'écorce se compare à un casse-tête formé d'une vingtaine de pièces, les plaques, qui se déplacent au rythme des mouvements de l'asthénosphère et dont certains atteignent 100 km d'épaisseur. Tremblements de terre et éruptions volcaniques caractérisent la bordure des plaques.

Quand deux plaques s'éloignent l'une de l'autre, comme au niveau de la dorsale médio-atlantique, de la roche en fusion s'épanche sur le plancher océanique, ajoutant 3 cm d'écorce nouvelle tous les ans. Quand deux plaques se rencontrent, l'une d'elles s'enfonce sous l'autre et ses matériaux sont réabsorbés. La plaque américaine refoule vers l'ouest les plaques Juan de Fuca et Explorer, plus petites. Les matériaux en fusion résultant de ce phénomène ont autrefois alimenté des volcans dans toute la Colombie-Britannique ; la chaleur du magma y a constitué une bande granitique longue de 2 000 km sur laquelle repose la chaîne Côtière. Quand deux continents se heurtent, le plancher océanique qui les séparait se plisse et se soulève. C'est ainsi que naquirent les Appalaches de l'est du Canada. Quand deux plaques glissent l'une le long de l'autre, à leurs limites correspondent des failles transformantes, génératrices de séismes. La faille de San Andreas, en Californie, en est une.

L'expansion du plancher océanique éloigne le Canada de l'Europe à raison de 3 cm par an. Simultanément, la plaque du Pacifique rétrécit, et la Colombie-Britannique et le Japon se rapprochent de 12 cm par an. Dans 42 millions d'années, si la dérive se poursuit, l'Amérique du Nord se séparera de l'Amérique du Sud, et l'Afrique se disloquera ; la Méditerranée deviendra un grand lac ; la portion de Californie à l'ouest de la faille de San Andreas se sera détachée et aura dérivé jusqu'au large de la côte ouest du Canada.

La lente formation des continents

Il y a environ 200 millions d'années, les continents formaient un bloc unique, la Pangée (en grec : « terre toute »). Puis, cette masse continentale commença à se disloquer, donnant naissance, au sud, au continent de Gondwana et, au nord, à la Laurasie (qui comprenait le continent nord-américain à l'état embryonnaire). Tandis que se dessinait l'océan Atlantique, la côte est du Canada se détachait du sud de l'Europe ; l'Amérique du Nord pivota, puis se sépara de la Scandinavie.

La coïncidence des côtes de chaque côté de l'Atlantique ainsi que les correspondances lithologiques (minéraux) et paléontologiques (fossiles) viennent appuyer la théorie de la dérive des continents. Les savants sont aujourd'hui capables de dresser des cartes de l'évolution des fonds océaniques et de déterminer la vitesse et le sens de déplacement des plaques continentales.

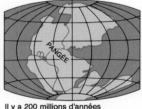

Il y a 200 millions d'années

PANGÉE

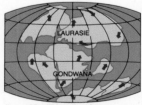

Il y a 135 millions d'années

LAURASIE
GONDWANA

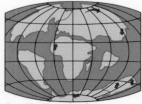

Il y a 65 millions d'années

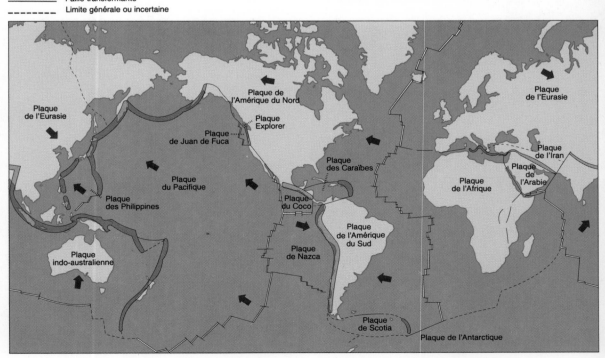

Plaque de l'Eurasie
Plaque de l'Amérique du Nord
Plaque Explorer
Plaque de Juan de Fuca
Plaque du Pacifique
Plaque des Philippines
Plaque des Caraïbes
Plaque du Coco
Plaque de l'Amérique du Sud
Plaque de Nazca
Plaque indo-australienne
Plaque de l'Eurasie
Plaque de l'Iran
Plaque de l'Afrique
Plaque de l'Arabie
Plaque de Scotia
Plaque de l'Antarctique

L'origine des séismes

Le glissement de deux plaques l'une contre l'autre engendre des pressions énormes : 95 pour cent des séismes se produisent à la limite des plaques ; les autres se produisent sur le continent, le long des lignes de faille. Les plaques se déplacent parfois imperceptiblement ; si elles résistent, la roche se déforme jusqu'à ce que la pression l'emporte sur la friction, déclenchant une secousse violente, le tremblement de terre.

Le Québec et la Colombie-Britannique recouvrent des zones sismiques. Les dégâts seraient élevés si les tremble-ments de terre touchaient des grandes villes, des régions côtières exposées aux raz de marée ou des régions particulièrement vulnérables aux glissements de terrain. Un séisme évalué à sept ou plus sur l'échelle de Richter peut faire tordre des rails d'acier et s'écrouler des édifices. Des séismes de cette intensité se sont déjà produits au Canada (voir la carte), mais jamais dans des endroits très peuplés. Faibles ou non, tous les séismes sont enregistrés car des secousses répétées révèlent une augmentation de la pression.

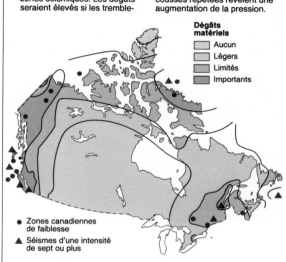

Dégâts matériels
- Aucun
- Légers
- Limités
- Importants

- ● Zones canadiennes de faiblesse
- ▲ Séismes d'une intensité de sept ou plus

Plates-formes
- de l'intérieur
- de l'Arctique
- d'Hudson
- du Saint-Laurent

Bouclier canadien
- Prov. du lac Supérieur
- Prov. de l'Esclave
- Prov. de Nutak
- Prov. de Churchill
- Prov. de l'Ours
- Prov. du Sud
- Prov. de Grenville

Unités orogéniques
- Innuitienne
- des Appalaches
- de la Cordillère

Plaines et plates-formes littorales
- de l'Arctique
- de l'Atlantique
- du Pacifique

- ▲ Volcans
- Faille normale
- Faille inverse

Nos provinces géologiques

Le Canada se divise en 17 provinces géologiques. Le Bouclier canadien, le noyau du continent, est formé de terrains érodés entourant la baie d'Hudson. Il compte sept provinces résultant de trois orogénies (périodes de formation de montagnes) qui se sont produites sur 2 milliards d'années. Près de ses marges, le bouclier disparaît sous les plateaux, plaines et basses terres issues de la mise en place de sédiments. A sa périphérie, le bouclier est ceinturé de montagnes instables et plus jeunes qui constituent les trois provinces orogéniques : la Cordillère, la plus jeune, est ponctuée de volcans éteints, dont plusieurs auraient été encore actifs il y a deux siècles. En marge des unités orogéniques, les sédiments s'accumulent sur les plateaux continentaux des trois provinces littorales.

L'érosion et la tectonique, sculpteurs de paysages

Le vent, la pluie et le gel usent les reliefs et tendent à les aplanir. Sous leur action, les sommets déchiquetés se fissurent et s'écroulent, les blocs se désagrègent lentement et les grains de sable deviennent poussière. Les sédiments meubles, battus par les pluies et les vents, sont entraînés vers la mer par les cours d'eau. Tandis que l'érosion s'acharne à détruire les reliefs, la tectonique en édifie de nouveaux, occasionnant des gauchissements ou des cassures (les terrains peuvent alors se soulever ou s'abaisser). Une faille est dite normale s'il y a déplacement vertical, et in-verse, s'il y a chevauchement. De la roche en fusion monte dans les fissures anciennes et s'y consolide : elle forme des dykes. Près de la zone d'impact de deux plaques, la tectonique érige des montagnes (les Rocheuses et la chaîne Côtière, en Colombie-Britannique). Loin de la bordure des plaques, cependant, l'écorce est plus stable. L'uniformité de la Prairie, les ondulations du Bouclier canadien et le large plateau continental qui porte le Grand Banc de Terre-Neuve révèlent que les forces de l'érosion sont aussi puissantes, sinon plus, que celles de la tectonique.

JEUNESSE

MATURITÉ

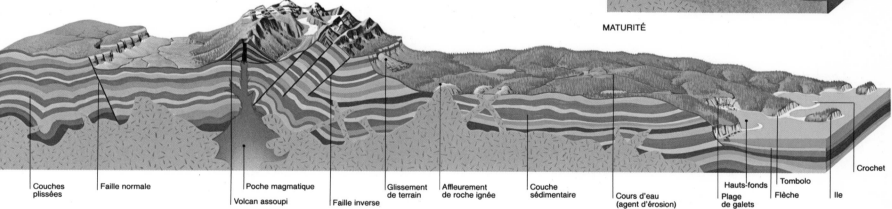

- Couches plissées
- Faille normale
- Poche magmatique
- Volcan assoupi
- Faille inverse
- Glissement de terrain
- Affleurement de roche ignée
- Couche sédimentaire
- Cours d'eau (agent d'érosion)
- Plage de galets
- Hauts-fonds
- Flèche
- Tombolo
- Ile
- Crochet

Grès, gneiss, granite : les trois étapes de la formation des roches

LES ROCHES SÉDIMENTAIRES, comme les schistes, les calcaires ou les grès, se composent de minuscules coquillages marins fossilisés ou de particules arrachées à d'autres roches. Ces matériaux s'accumulent par couches, emprisonnant souvent des fragments de plantes et d'animaux ; ils sont soudés les uns aux autres par des minéraux hydrosolubles. Les roches sédimentaires se forment à la surface ou près de la surface du globe. Elles ne représentent que 8 pour cent de l'écorce, mais constituent 75 pour cent de sa partie superficielle. Les cheminées des fées et les ravins des badlands témoignent de leur peu de résistance à l'érosion.
LES ROCHES MÉTAMORPHIQUES sont principalement des roches sédimentaires anciennes, altérées par des chaleurs volcaniques et des pressions intenses. Mais elles peuvent changer de structure sans passer par la fusion ; leur transformation demande alors des millions d'années. Les minéraux forment des rubans de cristaux allongés, les galets s'aplatissent et les cristaux se soudent. On trouve des gneiss dans le Bouclier canadien.
LES ROCHES IGNÉES (produites par l'action du feu) proviennent de poches magmatiques situées à une cinquantaine de kilomètres de profondeur. Si elles parviennent à la surface à l'état liquide, ce sont des laves. Si elles s'introduisent sous pression dans les fissures de roches déjà en place et s'y consolident, elles deviennent un filon ou un dyke. Elles peuvent se cristalliser en profondeur, formant par exemple les granites. Avec le temps, les roches ignées sont dégagées par l'érosion qui a fait disparaître les roches encaissantes plus tendres.

Qu'elles soient sédimentaires, métamorphiques ou ignées, les roches renferment pour la plupart de la silice. Les illustrations (à droite) présentent l'évolution de la silice aux diverses étapes de la formation des roches.

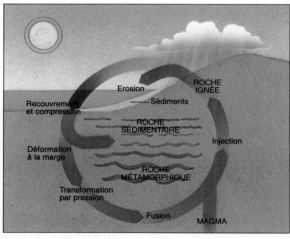

- Erosion
- Sédiments
- Recouvrement et compression
- ROCHE IGNÉE
- ROCHE SÉDIMENTAIRE
- Injection
- Déformation à la marge
- ROCHE MÉTAMORPHIQUE
- Transformation par pression
- Fusion
- MAGMA

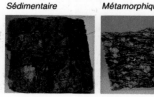
Sédimentaire

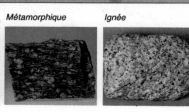
Métamorphique

Ignée

VIEILLESSE

L'assaut d'une mer infatigable façonne un littoral sans cesse en devenir

Les illustrations présentent un trait de côte qui recule lentement. Au stade de la jeunesse, à la suite de l'élévation du niveau de la mer, les vallées ont été submergées et se sont transformées en baies et en estuaires. La mer s'acharne sur des collines autrefois situées à l'intérieur ; les vagues rongent les promontoires et sapent les falaises. Ce genre de littoral offre d'excellents abris naturels.

Au stade de la maturité, les caps s'érodent, des cordons littoraux de sable et des plages de galets naissent des sédiments accumulés par la mer. D'autres sédiments se déposent dans les eaux tranquilles de la baie.

Au stade de la vieillesse, les cordons littoraux contribuent à transformer les baies en lagunes troubles, puis en estrans vaseux. Une partie du littoral du Nouveau-Brunswick est parvenue à ce stade. L'assaut constant des vagues disloque les îles de l'avant-côte. Un jour, l'érosion marine aura régularisé le trait de côte qui aura reculé bien au-delà de sa limite actuelle.

Les âges préhistoriques

Si l'on relevait une à une les couches de l'écorce terrestre en territoire canadien, on découvrirait des terrains anciens, témoins des étapes diverses de l'évolution géologique du pays. Déformées par les intrusions de magma, inversées lors des plissements, emprisonnées par le jeu des failles, ces couches sont rarement restées intactes. Des portions de continent se sont soulevées ou affaissées, et l'érosion a effacé des pages entières de l'histoire géologique. Les fragments qui en restent ont néanmoins permis aux géologues de brosser un tableau de l'état premier du continent : une masse à la dérive, déchirée par les tremblements de terre, engloutie par les mers, soulevée par les forces tectoniques et érodée par les vents et les eaux.

L'évolution de la vie, comme celle des reliefs, se trouve inscrite dans les roches sous forme de fossiles, car les eaux souterraines, riches en minéraux, ont pétrifié les plantes, les ossements et les coquillages (ceux-ci n'ont souvent laissé que leurs empreintes). Les restes d'animaux ont été préservés dans les grottes sèches et les tourbières acides. Les fossiles permettent non seulement d'identifier des espèces disparues, mais ils donnent des indices sur l'âge de la Terre et sur l'évolution de la vie et des climats.

L'histoire commence à l'ère précambrienne avec les premières manifestations de la vie dans les océans : les molécules organiques s'associent et forment des acides aminés (constituants essentiels de la matière vivante), puis des cellules. L'étude des fossiles révèle la lenteur avec laquelle la vie a évolué. Le passage des molécules organiques à des organismes unicellulaires se fait beaucoup plus lentement que celui de la cellule unique à l'*Homo sapiens*. Les premières formes de vie, nées dans des mers chaudes et peu profondes, prolifèrent au Cambrien, il y a 550 millions d'années. Les espèces se diversifient et sortent de la mer pour se répandre sur les continents.

Chacune des ères s'illustre par des espèces adaptées à leur milieu. Au Paléozoïque, les trilobites et autres arthropodes dominent pendant 300 millions d'années. Au Mésozoïque, les reptiles règnent pendant 150 millions d'années. Les dinosaures sont remplacés il y a 65 millions d'années, au Cénozoïque, par les animaux à sang chaud. Les masses continentales s'éloignent les unes des autres et leurs milieux se différencient. Après la période glaciaire, l'homme arrive en Amérique du Nord.

LES TEMPS GÉOLOGIQUES

On a divisé les temps géologiques en quatre ères d'inégale durée : le Précambrien, des origines jusqu'à il y a 570 millions d'années ; le Paléozoïque (présence d'une vie ancienne) ; le Mésozoïque (ère intermédiaire) et le Cénozoïque (ère nouvelle). Chacune se subdivise en périodes : les plus récentes sont le Pléistocène, ou période glaciaire, et l'Holocène, les 10 000 dernières années. Depuis l'apparition des premiers organismes unicellulaires, à la fin du Précambrien, la vie a évolué lentement. Si l'on réduisait la durée des temps géologiques à l'échelle d'une journée, l'existence de l'homme n'occuperait que les quelques secondes de la fin.

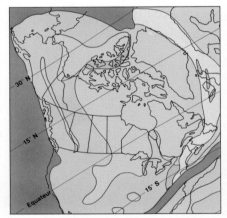

570   475   425   413   355   265   230   185   130   65   2 (millions d'années)   Présent

PRÉCAMBRIEN

PALÉOZOÏQUE
1 Cambrien
2 Ordovicien
3 Silurien
4 Dévonien
5 Carbonifère
6 Permien

MÉSOZOÏQUE
7 Trias
8 Jurassique
9 Crétacé

CÉNOZOÏQUE
10 Tertiaire
11 Quaternaire

| Dépôts marins | Océans | Dépôts continentaux | Iles volcaniques | Terres |

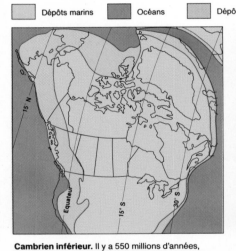 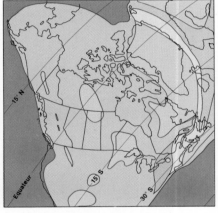 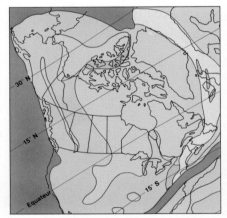 

Cambrien inférieur. Il y a 550 millions d'années, les boucliers continentaux dérivent autour du globe. Les climats sont doux et l'évolution fait un bond : des animaux à parties dures remplacent les organismes simples à corps mous. Dans les mers chaudes apparaissent les premiers invertébrés : crustacés, mollusques, vers et méduses. La ressemblance entre les fossiles de la côte ouest de l'Europe et de la côte est de l'Amérique du Nord vient étayer la théorie de la dérive des continents.

Ordovicien supérieur. Il y a 440 millions d'années, l'Amérique du Nord pivote vers l'Eurasie ; les mers tropicales envahissent les continents. Sur la côte est du Canada, une ceinture d'îles volcaniques précède la surrection d'une chaîne de montagnes. Deux groupes d'animaux marins dominent : les bryozoaires, animaux-mousses vivant en colonies, et les brachiopodes, qui ont déjà compté 30 000 espèces. En eau calme et peu profonde apparaissent les premiers vertébrés, des poissons sans mâchoires.

Dévonien supérieur. Il y a 360 millions d'années, le triomphe des vertébrés s'amorce avec la diversification des poissons. Cinq classes apparaissent : les poissons sans mâchoires, dont il ne reste plus aujourd'hui que les lamproies et les gastrobranches ; les poissons cuirassés à mâchoires et les requins épineux, deux classes aujourd'hui disparues ; les requins et les raies ; les poissons osseux. Les terres se couvrent de plantes et d'arbres sans racines. La végétation des marais se prépare à devenir charbon, pétrole et gaz naturel. Des animaux à respiration aérienne, comme les araignées, et quelque 800 000 espèces d'insectes actuels abondent.

Permien. Il y a 230 millions d'années, les continents à la dérive se rencontrent et se soudent, formant la Pangée. La violence de la collision entre l'Amérique du Nord et l'Afrique soulève la côte Est où des volcans règnent sur des déserts brûlants. Le contact de faunes auparavant isolées engendre la concurrence et la disparition d'espèces. Les mers peu profondes se retirent, découvrant les plateaux continentaux et réduisant les milieux marins. Les espèces marines diminuent, tandis que les amphibiens et les reptiles comme le *Dimetrodon* (ci-dessous) se diversifient.

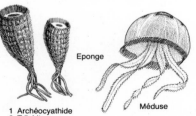
Eponge
Méduse

1 Archéocyathide
2 Trilobite
3 Arthropode
4 Ver annelé
5 Concombre de mer

Brachiopode

1 Coraux solitaires
2 Gastéropode
3 Trilobite
4 Céphalopode
5 Coraux en colonies
Graptolite

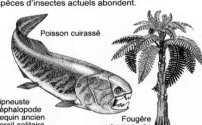
Poisson cuirassé
Fougère arborescente

1 Dipneuste
2 Céphalopode
3 Requin ancien
4 Corail solitaire

Conifère
Cordaites

 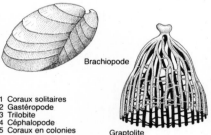  

Les fluctuations du climat

L'étude des fossiles révèle que les températures ont fluctué à plusieurs reprises au cours des âges (*ci-dessous*). Les gisements houillers de la Colombie-Britannique, de la Saskatchewan et de la Nouvelle-Écosse, ainsi que les nappes de pétrole de l'Alberta et du Nord confirment l'existence de paléoclimats chauds et humides. D'autre part, les drumlins du sud de l'Ontario et les moraines témoignent du départ récent de grands glaciers continentaux.

Les écarts de température ne furent jamais très grands. Les mécanismes du climat sont si délicats qu'il suffit d'une différence de quelques degrés pour les dérégler. C'est ainsi qu'une augmentation de 5°C ferait fondre les glaces polaires, provoquant l'envahissement des continents par les océans, et qu'une baisse de 5°C plongerait la planète dans une nouvelle ère glaciaire. Il est normal que les climats fluctuent, et il y a eu, depuis 1 milliard d'années, quatre glaciations.

Le climat réagit tant aux phénomènes de surface qu'aux moindres variations de l'activité solaire, de l'inclinaison de la Terre sur son axe, de la trajectoire de la planète ou des conditions atmosphériques. Au Précambrien, les mers étaient peu profondes, et les masses continentales peu élevées. Chaleur solaire et précipitations se répartissaient assez uniformément sur le globe. Plus tard, l'apparition des chaînes de montagnes et de vastes mers intérieures détermina des conditions plus complexes et les zones climatiques que nous connaissons. Enfin, n'oublions pas que le continent nord-américain s'est déplacé de l'équateur vers le pôle Nord.

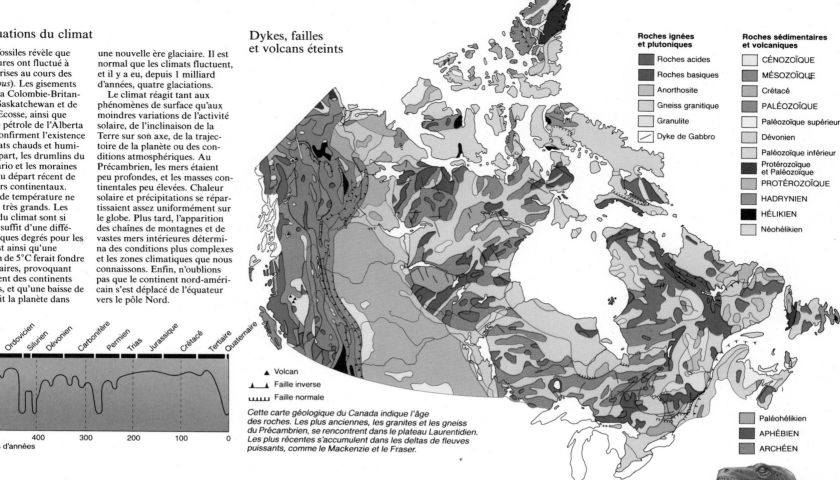

Cambrien | Ordovicien | Silurien | Dévonien | Carbonifère | Permien | Trias | Jurassique | Crétacé | Tertiaire | Quaternaire

Chaud

Froid

600   500   400   300   200   100   0
Age, en millions d'années

Dykes, failles et volcans éteints

Roches ignées et plutoniques
- Roches acides
- Roches basiques
- Anorthosite
- Gneiss granitique
- Granulite
- Dyke de Gabbro

Roches sédimentaires et volcaniques
- CÉNOZOÏQUE
- MÉSOZOÏQUE
- Crétacé
- PALÉOZOÏQUE
- Paléozoïque supérieur
- Dévonien
- Paléozoïque inférieur
- Protérozoïque et Paléozoïque
- PROTÉROZOÏQUE
- HADRYNIEN
- HÉLIKIEN
- Néohélikien

- Paléohélikien
- APHÉBIEN
- ARCHÉEN

▲ Volcan
Faille inverse
Faille normale

Cette carte géologique du Canada indique l'âge des roches. Les plus anciennes, les granites et les gneiss du Précambrien, se rencontrent dans le plateau Laurentidien. Les plus récentes s'accumulent dans les deltas de fleuves puissants, comme le Mackenzie et le Fraser.

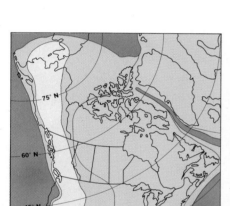

Jurassique supérieur. Il y a 150 millions d'années, l'ère des reptiles s'amorce et la Pangée se disloque pour former les continents actuels. Les dinosaures sont très diversifiés : herbivores à long cou, comme le *Brachiosaurus* (*ci-dessous*) ; carnivores féroces ; reptiles volants ; animaux cuirassés. Ces grands reptiles se nourrissent dans les plaines jurassiques et dans les vastes forêts tropicales où dominent les conifères, les délicates fougères arborescentes, les cycas à port de palmier et les mousses.

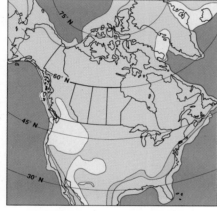

Tertiaire inférieur. Il y a 50 millions d'années, les Rocheuses se soulèvent, les grandes plaines de l'Ouest se mettent en place et les forêts cèdent la place aux prairies. Chênes, érables et noyers se mêlent aux pins, aux palmiers et aux cycas. Des lacs immenses, peuplés de perches, d'orphies et d'autres ancêtres de nos poissons d'eau douce, recouvrent les plaines. Le règne des dinosaures, qui a duré 100 millions d'années, a pris fin brusquement. De nouveaux venus les remplacent : les mammifères à sang chaud, comme l'*Uintatherium* et l'ancêtre du cheval (*ci-dessous*), descendant des animaux belliqueux du Jurassique. Les plaines abritent l'hyène, la marmotte, l'écureuil et le *Smilodectes*, un primate.

Plésiosaure

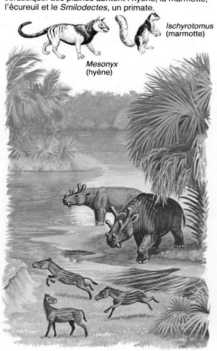

Ischyrotomus (marmotte)

Mesonyx (hyène)

Le règne des reptiles

Le Mésozoïque fut l'ère des géants, surtout en Amérique du Nord subtropicale où les dinosaures atteignirent des dimensions exceptionnelles (jusqu'à 25 m de long). Contrairement aux espèces qui les avaient précédés, ces reptiles se reproduisaient hors de l'eau et vivaient sur la terre ferme. Les herbivores se nourrissaient de la végétation abondante des marécages de cyprès et des forêts de conifères et les carnivores chassaient leurs cousins plus pacifiques. Le *Tyrannosaurus rex*, le plus gros carnivore terrestre ayant existé, mesurait 6 m de haut. L'apatosaure, long de 15 m, pesait autant que 10 gros éléphants.

Les reptiles géants régnaient aussi dans les mers. Le plésiosaure à long cou nageait lentement à la surface ; le mosasaure, un lézard marin, l'ichtyosaure pisciforme et les tortues géantes se mouvaient dans les profondeurs.

Il y a 65 millions d'années, les dinosaures disparurent brusquement. Qu'elle soit attribuable à des changements climatiques, à la dérive des continents, à la concurrence des mammifères ou à l'explosion d'une supernova, leur extinction demeure l'un des grands mystères de la nature.

Struthiomimus

Albertosaurus

Tricératops

Lambeosaurus

Les badlands du Red Deer (à gauche) recèlent quantité de fossiles. Dans cette région de l'Alberta vivaient le Struthiomimus, à apparence d'autruche, l'Albertosaurus, féroce carnivore, le tricératops à cuirasse et le Lambeosaurus à bec de canard. Les restes de ce dernier (ci-dessus) furent découverts près de Manyberries (Alb.).

Le rôle des glaciers

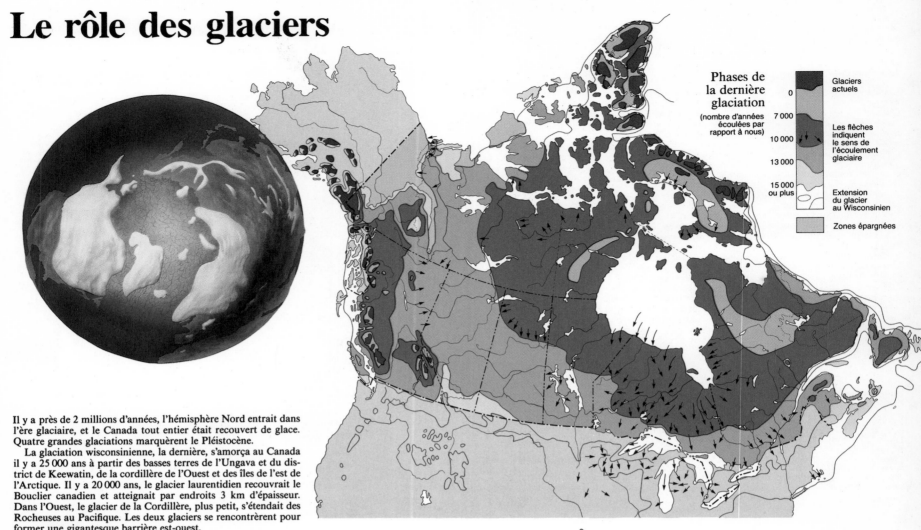

Phases de la dernière glaciation

(nombre d'années écoulées par rapport à nous)

0
7 000
10 000
13 000
15 000 ou plus

Glaciers actuels

Les flèches indiquent le sens de l'écoulement glaciaire

Extension du glacier au Wisconsinien

Zones épargnées

Il y a près de 2 millions d'années, l'hémisphère Nord entrait dans l'ère glaciaire, et le Canada tout entier était recouvert de glace. Quatre grandes glaciations marquèrent le Pléistocène.

La glaciation wisconsinienne, la dernière, s'amorça au Canada il y a 25 000 ans à partir des basses terres de l'Ungava et du district de Keewatin, de la cordillère de l'Ouest et des îles de l'est de l'Arctique. Il y a 20 000 ans, le glacier laurentidien recouvrait le Bouclier canadien et atteignait par endroits 3 km d'épaisseur. Dans l'Ouest, le glacier de la Cordillère, plus petit, s'étendait des Rocheuses au Pacifique. Les deux glaciers se rencontrèrent pour former une gigantesque barrière est-ouest.

L'inlandsis, en progression comme en recul, remodela les paysages. Il avançait lentement mais implacablement, pulvérisant ou faisant éclater la roche sur son passage et déplaçant d'énormes quantités de terre et de pierres. Le climat se réchauffa, et le glacier se mit à reculer à raison de 30 km par siècle. En fondant, il laissa sur place les débris qu'il renfermait. Les vallées qu'il avait sculptées et des lacs remplis de ses eaux de fusion apparurent. De nombreux éléments d'un paysage qui nous est aujourd'hui familier se dégagèrent : les Grands Lacs, les chutes du Niagara, le lac Winnipeg et le littoral accidenté de l'Atlantique.

L'existence d'une barrière de glace et l'intensité du froid avaient refoulé les animaux plus au sud. Une grande partie des eaux se trouvait emprisonnée sous forme de glace, de sorte que les mers se situaient 120 m au-dessous de leur niveau actuel. Le mouvement des plaques continentales fit émerger au sud l'isthme de Panama, qui reliait l'Amérique du Nord à l'Amérique du Sud. Puis une autre bande de terre apparut, reliant l'Eurasie à l'Amérique du Nord au niveau de l'actuel détroit de Béring. Hommes et animaux purent dès lors migrer d'un continent à l'autre.

Y aura-t-il de nouvelles glaciations ?

A la fin du Tertiaire, le climat se refroidit lentement. Dans le Nord, soit au Canada, au Groenland, en Europe du Nord et en Sibérie, la neige s'accumula plus rapidement qu'elle ne fondait et fit grossir les calottes glaciaires qui se mirent en mouvement sous l'effet de leur propre poids.

Les scientifiques cherchent encore à comprendre les raisons de ces brusques changements climatiques. Le refroidissement est-il imputable à la dérive des continents qui influe sur la circulation de l'atmosphère et des eaux ? A

un affaiblissement momentané du rayonnement solaire provoqué par des variations de la dynamique interne de l'astre ou par la présence de nuages de poussières interstellaires ? A la collision d'un météorite ou au déplacement des pôles ? A des oscillations de l'axe ou à un aplatissement de l'orbite terrestre ?

Une nouvelle ère glaciaire s'amorce peut-être. Le climat actuel, relativement chaud, ne correspondrait qu'à un répit interglaciaire, et les glaciers réapparaîtraient d'ici 10 000 ans.

Refuges et ponts naturels

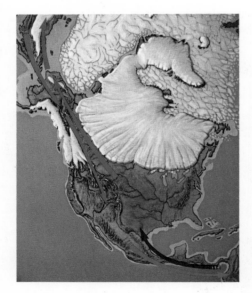

Grâce aux isthmes de Béring et de Panama, les animaux du Pléistocène purent circuler du nord au sud et inversement. D'Eurasie vinrent la plupart des grands mammifères de l'ère glaciaire, aujourd'hui considérés comme indigènes : le bœuf musqué, le wapiti, l'orignal, le caribou, l'ours et le loup. D'Amérique du Sud arrivèrent l'aï et le tatou. Des espèces indigènes de l'Amérique du Nord, dont les

ancêtres du cheval et du chameau, migrèrent vers d'autres continents ou s'éteignirent.

Bloqués par les montagnes, les glaciers qui recouvraient la plus grande partie de l'Amérique du Nord épargnèrent la Béringie. C'est dans ce genre d'aires protégées que vécurent les mammifères. Les prairies du Yukon et de l'Alaska devinrent le refuge naturel des hommes et des bêtes (illustrations à *droite*).

1 Spermophile arctique
2 Caribou
3 Lemming brun
4 Renard roux
5 Cheval
6 Blaireau
7 Antilope saïga
8 Mouflon de Dall
9 Renard arctique
10 Lièvre de la toundra arctique
11 Lynx
12 Bœuf musqué
13 Bison à grandes cornes
14 Bœuf musqué
15 Aï
16 Homme
17 Orignal
18 Mammouth laineux
19 Ours d'Amérique du Nord à petite tête
20 Loup
21 Carcajou
22 Grizzli
23 Lion-chat
24 Orignal-cerf
25 Yack
26 Bœuf musqué
27 Wapiti
28 Chameau
29 Mastodonte d'Amérique
30 Smilodon à canines en forme de sabre

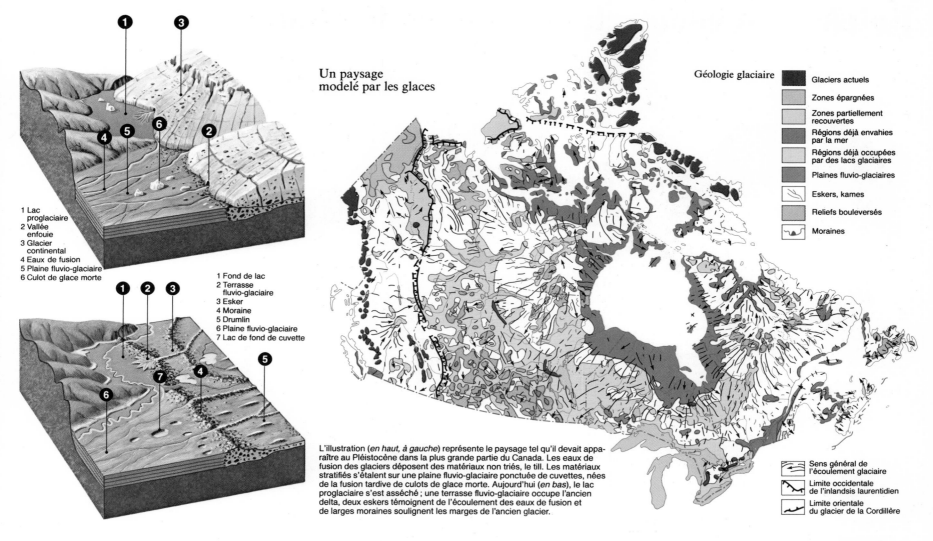

Un paysage modelé par les glaces

1 Lac proglaciaire
2 Vallée enfouie
3 Glacier continental
4 Eaux de fusion
5 Plaine fluvio-glaciaire
6 Culot de glace morte

1 Fond de lac
2 Terrasse fluvio-glaciaire
3 Esker
4 Moraine
5 Drumlin
6 Plaine fluvio-glaciaire
7 Lac de fond de cuvette

Géologie glaciaire

- Glaciers actuels
- Zones épargnées
- Zones partiellement recouvertes
- Régions déjà envahies par la mer
- Régions déjà occupées par des lacs glaciaires
- Plaines fluvio-glaciaires
- Eskers, kames
- Reliefs bouleversés
- Moraines

Sens général de l'écoulement glaciaire
Limite occidentale de l'inlandsis laurentidien
Limite orientale du glacier de la Cordillère

L'illustration (*en haut, à gauche*) représente le paysage tel qu'il devait apparaître au Pléistocène dans la plus grande partie du Canada. Les eaux de fusion des glaciers déposent des matériaux non triés, le till. Les matériaux stratifiés s'étalent sur une plaine fluvio-glaciaire ponctuée de cuvettes, nées de la fusion tardive de culots de glace morte. Aujourd'hui (*en bas*), le lac proglaciaire s'est asséché ; une terrasse fluvio-glaciaire occupe l'ancien delta, deux eskers témoignent de l'écoulement des eaux de fusion et de larges moraines soulignent les marges de l'ancien glacier.

Relèvement du continent, élévation du niveau de la mer

L'inlandsis wisconsinien recouvrait le Canada de millions de tonnes de glace. Sous un tel poids, l'écorce s'enfonça dans le manteau plus visqueux qui la porte. Chaque tranche de glace de 3,5 m d'épaisseur affaissait l'écorce d'environ 1 m.

Libérée de cet énorme poids à la fonte du glacier, l'écorce se releva pour atteindre son niveau actuel. Le relèvement se poursuit de nos jours (*en bas, à gauche*). Par rapport à sa rive sud, la rive nord du lac Ontario se relève de 10 cm par siècle. Un jour, les fonds de la baie d'Hudson émergeront à leur tour.

Les glaciers modifient l'équilibre de la nature en emprisonnant sous forme de glace d'énormes quantités d'eau. Les glaciers actuels renferment un peu moins de 2 pour cent des réserves d'eau de la planète (*en bas, à droite*), tandis que ceux du Pléistocène en renfermaient plus de 5 pour cent, soit 40,5 millions de kilomètres cubes de plus. Le niveau des mers s'abaissa alors de 120 m, découvrant en partie les plates-formes continentales.

Quand les glaciers reculèrent, leurs eaux de fusion gonflèrent les lacs et les cours d'eau, modifièrent le drainage et firent s'élever le niveau des mers. Un lac glaciaire, le lac Agassiz, recouvrait la plus grande partie du Manitoba et submergeait la vallée de la rivière Rouge jusqu'au Minnesota et au Dakota du Nord. A sa place se trouvent maintenant le lac Winnipeg et la Prairie. Les paléolacs, alimentés entre autres par les eaux proglaciaires, laissèrent des sédiments qui tapissent les plaines de la région des Grands Lacs et tout le sud-ouest ontarien. Le lac Bond, au nord de Toronto, doit son existence à la fusion d'un culot de glace morte.

Les Grands Lacs, spectaculaire conséquence de l'érosion glaciaire, ont été surcreusés à chacune des quatre glaciations avant de devenir les plus importantes nappes d'eau douce du monde. En se retirant, les glaciers dégagèrent un passage entre les lacs Erié et Ontario : les chutes du Niagara, qui finiront par s'éroder avec le temps.

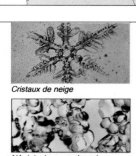

Altitude maximale du relèvement postglaciaire (exprimée en mètres au-dessus du niveau de la mer)

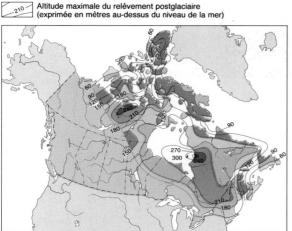

Répartition mondiale des eaux

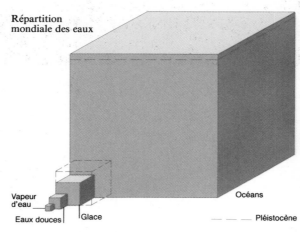

Vapeur d'eau
Eaux douces
Glace
Océans
Pléistocène

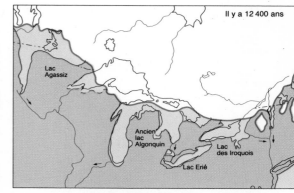

Il y a 12 400 ans, les premiers Grands Lacs se déversaient au sud, dans le Mississippi, par la vallée de l'Illinois.

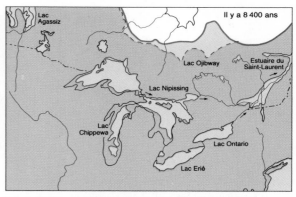

Depuis 8 400 ans, le drainage s'est modifié, et les Grands Lacs se déversent dans l'Atlantique par le Saint-Laurent.

Anatomie d'un fleuve de glace

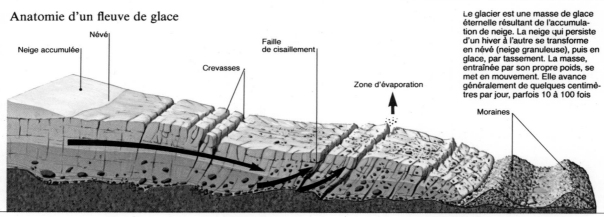

Cristaux de neige
Névé (neige granuleuse)
Glace de glacier

Neige accumulée
Névé
Crevasses
Faille de cisaillement
Zone d'évaporation
Moraines

Le glacier est une masse de glace éternelle résultant de l'accumulation de neige. La neige qui persiste d'un hiver à l'autre se transforme en névé (neige granuleuse), puis en glace, par tassement. La masse, entraînée par son propre poids, se met en mouvement. Elle avance généralement de quelques centimètres par jour, parfois 10 à 100 fois plus rapidement. Au-dessus de la limite du névé, qui oscille en fonction du climat, se situe la zone d'alimentation du glacier ; au-dessous, le glacier diminue par déperdition de la neige nouvelle, sous forme d'avalanche, ou par évaporation. La surface du glacier, parcourue de crevasses, s'écoule plus rapidement que le fond qui est ralenti par la friction. Le glacier entraîne les débris qui le jonchent et, dans sa masse, les fragments arrachés au plancher par débitage. Sous la poussée, les débris s'accumulent pour former les moraines. Le front glaciaire, encombré de matériaux, correspond à la zone d'ablation (point de fonte du glacier).

13

Soleil, vent et eau : les éléments du climat

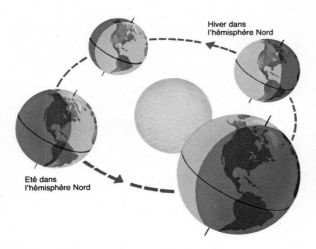

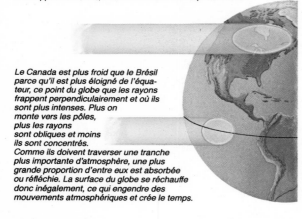

Les mouvements de rotation et de translation de la Terre ont des effets sur le climat. La planète fait un tour sur elle-même d'ouest en est, une fois par jour. Ce mouvement entraîne constamment l'exposition de la moitié du globe au Soleil et conditionne les courants marins et les vents.
Par ailleurs, la Terre effectue un tour complet autour du Soleil tous les ans. L'orbite qu'elle décrit explique les saisons. La planète étant inclinée sur son axe, la quantité de chaleur et de lumière qu'elle reçoit en un lieu donné est fonction du moment de l'année. Quand le pôle Nord « regarde » dans le sens opposé au Soleil, c'est l'hiver dans l'hémisphère boréal.

Le Canada est plus froid que le Brésil parce qu'il est plus éloigné de l'équateur, ce point du globe que les rayons frappent perpendiculairement et où ils sont plus intenses. Plus on monte vers les pôles, plus les rayons sont obliques et moins ils sont concentrés.
Comme ils doivent traverser une tranche plus importante d'atmosphère, une plus grande proportion d'entre eux est absorbée ou réfléchie. La surface du globe se réchauffe donc inégalement, ce qui engendre des mouvements atmosphériques et crée le temps.

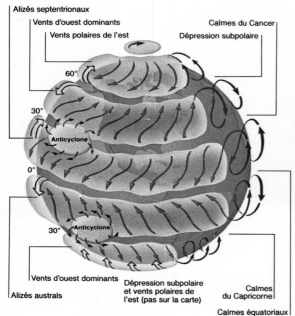

La circulation de l'air

La moyenne des températures du globe est de 14°C. Mais, en réalité, les températures varient énormément d'un endroit à un autre.
Au Canada, il se perd tous les ans une quantité de chaleur supérieure à celle que fournit le soleil dans ce pays, mais la circulation atmosphérique redistribue constamment la chaleur.
L'air chaud des tropiques se dilate et s'élève, ceinturant l'équateur d'une zone de basses pressions (les calmes équatoriaux, chauds et humides). L'air plus frais et plus lourd des zones de haute pression qui se trouvent à des latitudes plus élevées convergent vers l'équateur et alimentent les vents doux et réguliers que sont les alizés.
L'air chaud de l'équateur se refroidit au fur et à mesure qu'il se rapproche des pôles. Au 30e degré de latitude nord et sud, il descend près de la terre et forme la zone des calmes tropicaux. Dans ces vastes « cellules » de haute pression, l'air tourne en spirale et s'écoule vers l'extérieur. Du côté est des cellules, il descend vers l'équateur ; du côté ouest, il monte vers les pôles et se mêle aux vents d'ouest dominants.
L'air polaire, glacial et lourd, descend vers l'équateur. C'est dans les dépressions subpolaires, à la rencontre des vents polaires de l'est et des vents d'ouest dominants, qu'on trouve les perturbations atmosphériques les plus importantes du globe.
La rotation de la Terre fait dévier les masses d'air, dans l'hémisphère Nord vers l'est et dans l'hémisphère Sud vers l'ouest.

Le climat affecte tous les aspects de l'activité humaine. Les brumes des parages de Terre-Neuve interrompent souvent pendant des jours la pêche et la navigation. Bain de vapeur en juillet, Toronto est une chambre frigorifique en janvier.
L'alternance de soleil et de pluie, de chaleur intense et de froid rigoureux résulte, au Canada comme ailleurs, de la combinaison de quatre grands facteurs : l'ensoleillement, la position de la Terre par rapport au Soleil, l'atmosphère et le relief.
Dans 5 milliards d'années, ce four thermonucléaire qu'est le Soleil dégagera encore autant d'énergie qu'aujourd'hui. La plus grande partie du rayonnement solaire se perd dans l'espace, mais ce qui parvient à la Terre (un deux-milliardième) fournit en une minute plus d'énergie que n'en utilise l'humanité entière en un an.
La Terre elle-même contribue à créer des conditions climatiques. La révolution annuelle qu'elle fait autour du Soleil, l'inclinaison de son axe et son mouvement de rotation déterminent la quantité de lumière et de chaleur qu'elle reçoit en un lieu donné.

L'atmosphère joue un rôle primordial dans la régulation du climat. Comme la chaleur se répand inégalement autour du globe, l'atmosphère se charge de mieux la répartir, provoquant par là le mouvement de grandes masses d'air et déterminant jour après jour ce qu'on appelle le temps. Le climat est la moyenne des états quotidiens de l'atmosphère, établie après de nombreuses années d'observation. Tandis que le temps change sans cesse, et parfois de façon imprévisible, le climat, lui, présente des constantes. L'enveloppe atmosphérique distribue la vapeur d'eau autour du globe et protège la planète contre le froid de l'espace et les brûlants rayons du soleil.
Enfin, le relief — les montagnes, les plaines, les lacs et les océans — influe sur le climat. L'immensité et la diversité du territoire canadien entraînent des conditions atmosphériques extrêmes. L'été, un temps doux et venteux sera suivi d'une chaleur humide et accablante. L'hiver, des vents froids et violents viendront perturber en quelques heures un temps calme et clair.

Le moteur de l'atmosphère

Les rayons du soleil parcourent 150 millions de kilomètres avant de nous parvenir. A peine la moitié pénètre la couche protectrice du globe. Là, l'ozone, la vapeur d'eau et les poussières en absorbent environ 17 pour cent (1), dont la plus grande partie des dangereux rayons ultra-violets. A peu près 32 pour cent se perdent par diffusion sur les poussières en suspension (2) et par réflexion sur les nuages (3).
La surface du globe réfléchit en moyenne 2 pour cent des rayons solaires (4), mais cette réflexion dépend de la couverture : une forêt dense absorbe presque tous les rayons qui l'atteignent ; une couche de neige fraîche peut les réfléchir à 90 pour cent.
Enfin, la terre absorbe 19 pour cent du rayonnement solaire (5), et 28 pour cent atteignent sa surface sous forme de lumière diffuse, filtrée par les nuages (6) ou les poussières (7).
Une fois absorbés, les rayons sont transformés en chaleur qui réchauffe le sol, puis rayonne dans l'atmosphère. Une partie de cette énergie se perd (8), mais dans l'ensemble elle est captée par la vapeur d'eau et par le bioxyde de carbone (9) avant d'être renvoyée au sol (10). Simultanément, les vents (11) et les courants marins (12) la redistribuent.
Le tiers de la chaleur s'élève dans l'atmosphère (13) par évaporation ou par l'intermédiaire des courants d'air (voir « Le cycle de l'eau », page ci-contre).
Finalement, tous les rayons qui frappent la surface du globe retournent dans l'espace (14). Ainsi, avant de quitter l'atmosphère, l'énergie solaire aura pris des formes diverses : lumière, puis chaleur et mouvement.

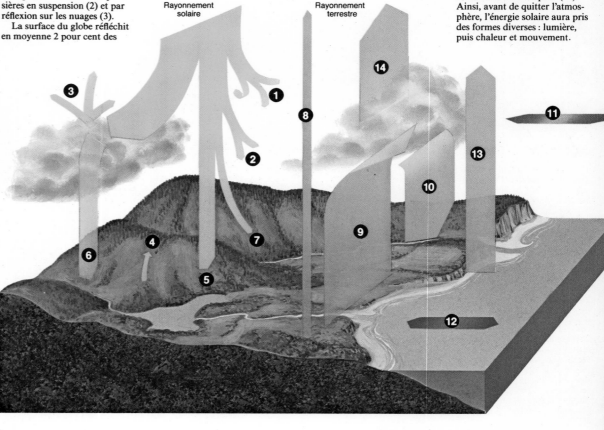

Rayonnement solaire

Rayonnement terrestre

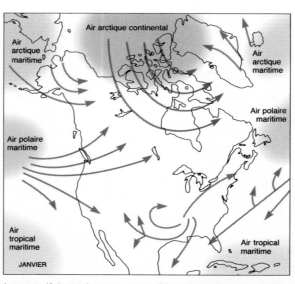

Les vents déplacent de vastes masses d'air au-dessus des terres et des mers. Chacune de ces masses présente une température et un taux d'humidité uniformes qu'elle tient de la région (grande étendue d'eau ou de terre) au-dessus de laquelle elle se forme. Les zones colorées qui apparaissent sur les cartes montrent la provenance des masses d'air qui ont des incidences sur le climat canadien. Les flèches indiquent le sens habituel de leurs déplacements.

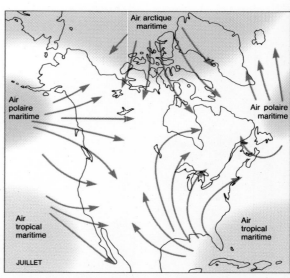

L'hiver, l'air arctique continental apporte un temps froid et sec. L'été, l'air arctique maritime, frais et humide, vient nous soulager des vagues de chaleur. L'air polaire maritime amène pluie ou neige sur les Rocheuses et donne parfois, sur la côte Est, du brouillard. L'air tropical maritime, en provenance du Pacifique, atteint rarement le Canada. Mais à l'est, celui qui vient du golfe du Mexique est porteur de tempêtes de neige, en janvier, et de chaleurs lourdes et humides, en juillet.

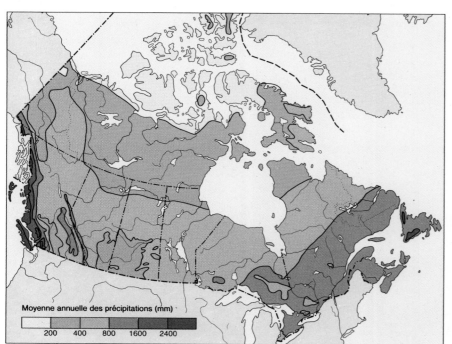

JANVIER :
Moyenne des températures (°C)

−35 −25 −15 −5 0

Au Canada, les saisons se caractérisent par d'importantes variations de température. L'intérieur du pays connaît un climat continental plus froid l'hiver que celui des régions côtières, mais plus chaud l'été. Seul le sud-ouest de la Colombie-Britannique jouit d'un climat tempéré où les températures descendent rarement sous le point de congélation.

Les Rocheuses abritent la côte Ouest des vents glacés de l'Arctique tout en canalisant vers le sud et vers l'est cet air froid ; elles soumettent ainsi la Prairie à des hivers longs et rigoureux. La couverture de neige abaisse les températures, car elle réfléchit une grande proportion des rayons solaires. Malgré sa latitude, le sud du Québec et de l'Ontario se classe parmi les régions les plus froides du globe. Paradoxalement, des cactus croissent à l'extrémité la plus méridionale du Canada, sur la pointe Pelée, en Ontario.

L'île d'Ellesmere, près du pôle Nord, est le point le plus froid du pays. En janvier, les températures moyennes y sont de −37,5°C.

JUILLET :
Moyenne des températures (°C)

5 10 15 20

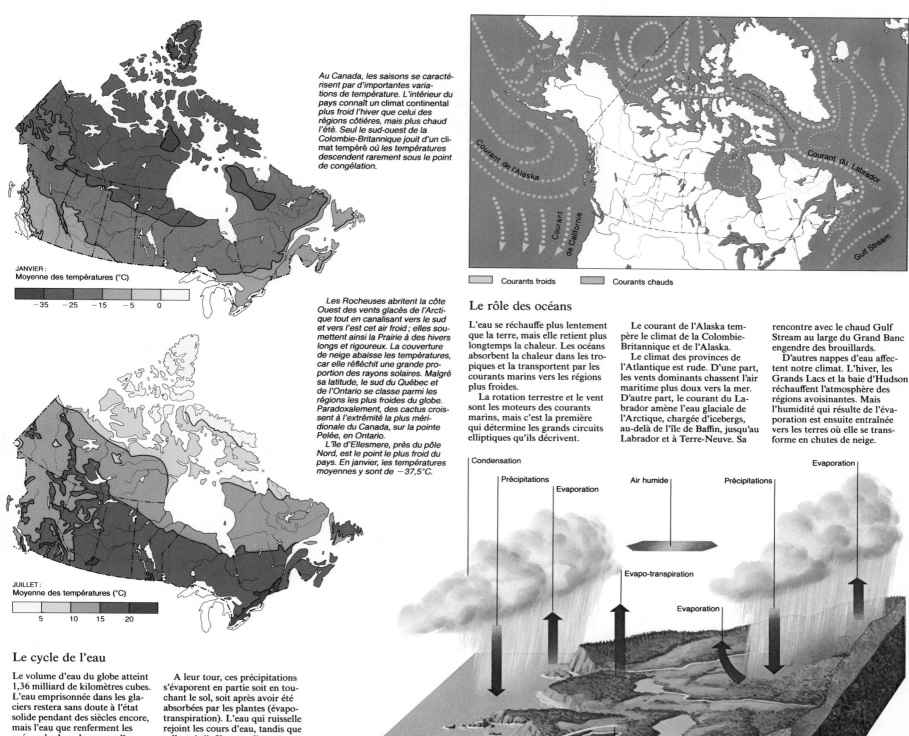

Courants froids   Courants chauds

Le rôle des océans

L'eau se réchauffe plus lentement que la terre, mais elle retient plus longtemps la chaleur. Les océans absorbent la chaleur dans les tropiques et la transportent par les courants marins vers les régions plus froides.

La rotation terrestre et le vent sont les moteurs des courants marins, mais c'est la première qui détermine les grands circuits elliptiques qu'ils décrivent.

Le courant de l'Alaska tempère le climat de la Colombie-Britannique et de l'Alaska.

Le climat des provinces de l'Atlantique est rude. D'une part, les vents dominants chassent l'air maritime plus doux vers la mer. D'autre part, le courant du Labrador amène l'eau glaciale de l'Arctique, chargée d'icebergs, au-delà de l'île de Baffin, jusqu'au Labrador et à Terre-Neuve. Sa

rencontre avec le chaud Gulf Stream au large du Grand Banc engendre des brouillards.

D'autres nappes d'eau affectent notre climat. L'hiver, les Grands Lacs et la baie d'Hudson réchauffent l'atmosphère des régions avoisinantes. Mais l'humidité qui résulte de l'évaporation est ensuite entraînée vers les terres où elle se transforme en chutes de neige.

Condensation

Précipitations   Évaporation   Air humide   Précipitations   Évaporation

Évapo-transpiration

Évaporation

Le cycle de l'eau

Le volume d'eau du globe atteint 1,36 milliard de kilomètres cubes. L'eau emprisonnée dans les glaciers restera sans doute à l'état solide pendant des siècles encore, mais l'eau que renferment les océans, les lacs, les cours d'eau et l'atmosphère est constamment renouvelée.

En effet, l'eau salée (97 pour cent des eaux de la planète) devient eau douce après son évaporation : l'air chargé de l'humidité des océans est entraîné vers les terres où la vapeur d'eau se condense et tombe sous forme de pluie ou de neige.

A leur tour, ces précipitations s'évaporent en partie soit en touchant le sol, soit après avoir été absorbées par les plantes (évapotranspiration). L'eau qui ruisselle rejoint les cours d'eau, tandis que celle qui s'infiltre va alimenter la nappe phréatique. Mais où qu'elle aille, l'eau finit toujours par retourner à la mer.

La vapeur d'eau redistribue la chaleur solaire. Sous les tropiques où l'évaporation est très forte, la vapeur d'eau renferme beaucoup de chaleur qu'elle transporte vers les pôles et libère au fur et à mesure qu'elle se condense.

Océan   Eau d'infiltration   Eau de ruissellement   Eau d'infiltration   Nappe phréatique

Air sec et chaud

Air humide

Le phénomène des précipitations

La répartition des précipitations

Les côtes du Pacifique et de l'Atlantique sont les régions les plus arrosées du Canada. (Les chiffres de l'échelle expriment la somme de la hauteur pluviométrique et du dixième de l'épaisseur des couches de neige fraîche.) En Colombie-Britannique, certaines régions reçoivent plus de 3 200 mm d'eau par an. En effet, les montagnes obligent l'air à monter et à se décharger de son humidité. De l'autre côté, sur le versant sous le vent, l'air est sec.

Ce phénomène, appelé effet de foehn, est à l'origine de sécheresses dans la Prairie.

Dans l'Arctique, région la moins arrosée du Canada, la plus grande partie des précipitations tombe l'été sous forme d'averses. Les chutes de neige, l'hiver, y sont peu abondantes.

L'air humide des régions tropicales (le golfe du Mexique et la mer des Antilles) provoque, été comme hiver, des précipitations abondantes sur la plus grande partie de l'Est canadien.

L'air qui s'élève se refroidit. Il y a alors condensation de la vapeur d'eau et précipitations. Trois facteurs expliquent ce phénomène : le relief, la présence d'une couche d'air froid au sol et l'inégale chaleur du sol. Dans le premier cas, l'air saturé d'humidité (ci-dessus) est poussé par le vent, mais la montagne lui fait obstacle et le contraint à s'élever. Il se refroidit alors et donne des précipitations. Parvenu sur l'autre versant, l'air descend et se réchauffe. Comme il a perdu son humidité, les précipitations de ce côté-là sont faibles : c'est l'effet de foehn.

Dans le deuxième cas, l'air froid, plus lourd que l'air chaud, reste près du sol. L'air chaud qui le rencontre s'élève et la zone de contact entre les deux masses est le lieu de précipitations.

Enfin, l'inégale chaleur de la surface terrestre provoque l'ascension spontanée de l'air. On sait que le soleil réchauffe plus vite un champ qu'une forêt. Un ballon d'air chaud s'élève alors. Avec l'altitude, cet air se refroidit, puis se condense. L'énergie qui se dégage alors contribue à le faire monter plus haut et à déverser son humidité.

Moyenne annuelle des précipitations (mm)

200 400 800 1600 2400

Les mécanismes complexes du temps

Le temps a fait l'objet de nombreux dictons populaires. Ils ne sont cependant pas tous fondés. Ainsi, personne n'abandonnera vraiment ses vêtements d'hiver sous prétexte qu'en février la marmotte n'a pas vu son ombre. Certains dictons cependant sont fondés sur l'expérience. Ainsi, « quand la lune se baigne, risque de pluie » compte parmi les dictons vérifiés. La formation d'un halo autour de la lune ou du soleil, parce que les cristaux de glace que renferment les cirrus diffusent la lumière, est un phénomène généralement annonciateur de pluie ou d'orage.

C'est au XIXᵉ siècle que la science a remplacé le folklore. Un réseau de stations météorologiques desservant tout le Canada signalait les tempêtes dans les années 1870. Quand les lignes télégraphiques furent assez nombreuses pour faciliter la diffusion de l'information, les prévisions furent publiées dans les journaux du matin. Les capitaines de bateau et, plus tard, les pilotes d'avion se mirent à tenir compte de ces précieux renseignements.

Aujourd'hui, on se sert d'ordinateurs pour prédire le temps : leurs mémoires renferment des données venues de tous les points du globe. Et des satellites transmettent les images de formations nuageuses. Malgré ces techniques, la science ne nous a pas rendus maîtres du temps. Le rythme des semailles et des moissons est toujours réglé par les pluies, les sécheresses et le gel. Le maçon interrompt encore ses activités quand les températures descendent sous le point de congélation. Le monde du base-ball lui-même se plie au temps : les hautes pressions favorisent les balles courbes et les basses pressions, les balles rapides. Incapable de maîtriser le temps, l'homme peut dire avec assez de certitude qu'il fera beau ou qu'il pleuvra demain, mais il ne peut encore prédire le temps qu'il fera une semaine à l'avance.

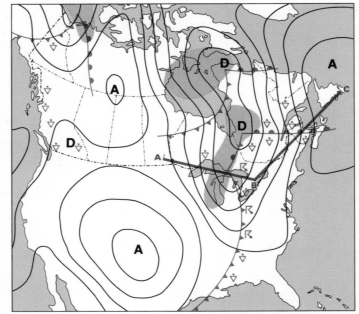

A — Anticyclone
D — Dépression
Front chaud
Front froid
Front stationnaire
Trowal
Averses
Orages
Précipitations continues

Beau ou mauvais temps ? La carte synoptique

Quatre fois par jour, plus de 250 observateurs à travers le Canada enregistrent des données sur la pression atmosphérique, la nébulosité, les vents, les précipitations, les températures et les taux d'humidité. Ces données serviront à dresser la carte synoptique et à préparer les prévisions du lendemain.

D'ordinaire, l'air froid vient du nord, l'air chaud, du sud, l'air humide, des océans, et l'air sec, du continent. La plupart des changements de temps se produisent le long des fronts, zones de contact entre deux masses d'air. C'est là que l'air froid, plus lourd, soulève l'air chaud. Les nuages qui se forment à mesure que l'air ascendant se refroidit et se condense donneront de la pluie, de la neige ou des orages.

Les courbes noires de la carte synoptique sont les isobares. Elles relient tous les points de pression atmosphérique égale. Le

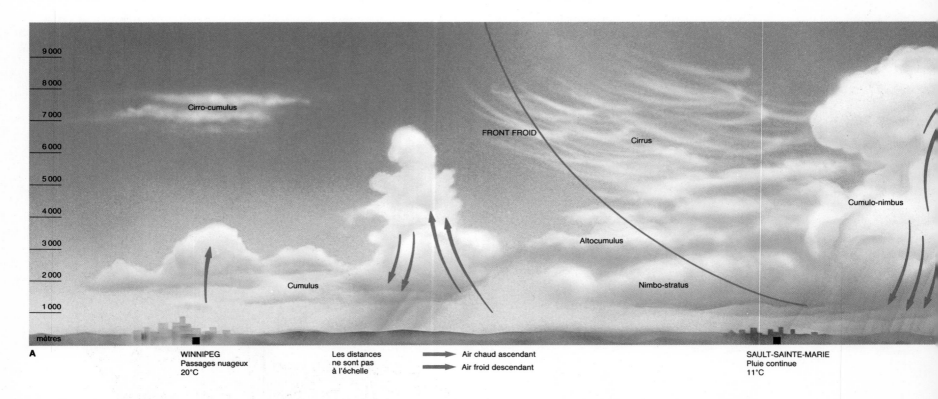

WINNIPEG
Passages nuageux
20°C

Les distances ne sont pas à l'échelle

Air chaud ascendant
Air froid descendant

SAULT-SAINTE-MARIE
Pluie continue
11°C

Les journées d'ensoleillement

Les Canadiens ont dû combattre les rigueurs du climat en isolant leurs maisons et en s'habillant chaudement. Ils aiment les sports d'hiver, mais n'en accueillent pas moins avec joie le retour de l'été et de la chaleur.

Les vacances se prennent souvent pendant le plein été, cette période où les températures maximales se maintiennent au-dessus de 18°C. La carte des heures d'ensoleillement fait ressortir les points du Canada qui reçoivent le plus de soleil. Juillet est presque partout le mois le plus ensoleillé.

Sur la côte sud de la Colombie-Britannique, les étés longs et doux sont accompagnés de vents légers propices à la navigation de plaisance. Par contre, Prince-Rupert, plus au nord, ne jouit que d'un nombre d'heures d'ensoleillement minimal (120 en juillet, 24 en décembre).

Dans la Prairie, les étés sont longs et chauds. La température la plus élevée jamais enregistrée au Canada le fut en 1937, en Saskatchewan, à Midale et à Yellow Grass. Elle atteignit 45°C.

Les chaleurs humides accablent les grandes villes de l'Est. Cependant, les Grands Lacs et les innombrables nappes d'eau du sud du Québec et de l'Ontario attirent les villégiateurs. En outre, les étés y sont plus chauds que n'importe où ailleurs au Canada.

Dans les provinces de l'Atlantique, les journées chaudes sont moins nombreuses en raison de la proximité du courant froid du Labrador et de la présence de brouillards maritimes.

Certaines régions du Nord canadien où le soleil brille pourtant 24 heures sur 24 n'ont jamais de plein été. Les mers glaciales et le pergélisol contribuent à maintenir des températures très basses pendant les mois d'été.

Les colères de la nature

Les orages se révèlent souvent fort destructeurs : les incendies déclenchés par la foudre détruisent chaque année 5 000 km² de forêts au Canada. Des milliers de maisons sont inondées à la suite des pluies diluviennes qui, associées à la fonte des neiges, provoquent la crue de cours d'eau ordinairement paisibles comme le Saint-Jean et la rivière Rouge.

Les orages se produisent la plupart du temps pendant l'été :

la chaleur fait s'élever l'air humide et instable qui les déclenche. La côte du Pacifique connaît des saisons marquées, très humides ou encore très sèches. A Vancouver, il pleut pendant l'hiver un jour sur trois, et la terre détrempée a rarement le temps de sécher.

Les orages porteurs de grêle sont si fréquents en Alberta que la région comprise entre Calgary et Edmonton a été surnommée le

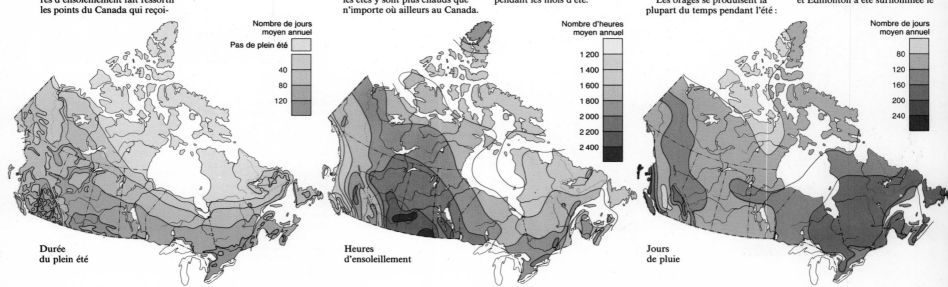

Durée du plein été

Nombre de jours moyen annuel
Pas de plein été
40
80
120

Heures d'ensoleillement

Nombre d'heures moyen annuel
1 200
1 400
1 600
1 800
2 000
2 200
2 400

Jours de pluie

Nombre de jours moyen annuel
80
120
160
200
240

long des isobares, il y a déplacement d'air : les vents sont d'autant plus forts que les isobares sont plus rapprochées.

L'anticyclone amène généralement du beau temps. La dépression, au contraire, entraîne des courants d'air ascendants et instables, générateurs de neige ou de pluie. Au Canada, le mauvais temps est souvent dû à de vastes dépressions qui se déplacent d'ouest en est.

La carte de gauche indique le temps d'une journée de juin. L'illustration ci-dessous représente l'état de l'atmosphère le même jour, de Winnipeg à St. John's.

Une faible dépression couvre la côte Ouest (faible parce que l'absence d'isobares révèle une répartition assez uniforme de la pression). Le ciel est clair au-dessus de la Prairie : le beau temps est dû à la présence d'un anticyclone. Les cumulus qui assombrissent le ciel de Winnipeg résultent de la montée de l'air chaud dans l'après-midi.

La plus grande partie de l'Ontario et du Québec, affectée par

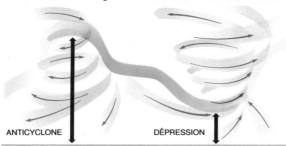

Les systèmes de basse pression portent aussi le nom de cyclones. Ces dépressions amènent un ciel variable. Dans l'hémisphère Nord, l'air tourne en spirale dans le sens contraire des aiguilles d'une montre et converge vers le centre. Un anticyclone est une aire de haute pression. L'air tourne dans le sens des aiguilles d'une montre et s'écoule vers l'extérieur.

ANTICYCLONE   DÉPRESSION

un creux barométrique, connaît du mauvais temps. Deux centres sont visibles et un troisième est en train de se former au-dessus de Sault-Sainte-Marie, où le contact de l'air froid et de l'air chaud déclenche des orages. L'air s'élève rapidement, puis redescend pour former l'enclume caractéristique qui coiffe les menaçants cumulo-nimbus. Derrière la perturbation, l'air est plus frais, et des nimbo-stratus déversent une pluie continue. Plus à l'ouest, des altocumulus et des cirrus obscurcissent le ciel.

Ces types de nuages annoncent à l'observateur, qui à Montréal jouit d'un temps chaud et humide sous un ciel presque dégagé, que l'orage approche. Les cirrus s'effilochent, indiquant une augmentation de l'humidité en altitude et la possibilité d'averses. Des pluies intermittentes dues au passage d'un front chaud arrosent la plus grande partie des Maritimes : les altocumulus menacent de déverser leur pluie sur Charlottetown. St. John's, avec un ciel clair, est sous l'influence d'un anticyclone.

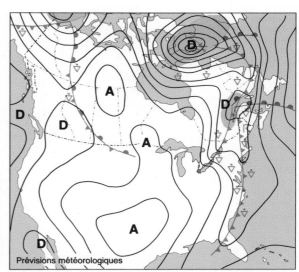

Prévisions météorologiques

En 24 heures, l'anticyclone qui affectait la Prairie s'est déplacé vers l'est ; il apporte un ciel clair au-dessus de l'Ontario. La dépression qui s'est formée au-dessus de Sault-Sainte-Marie s'est rattachée à celle qui se trouve plus au nord. Cette aire de basse pression déverse de la pluie sur le nord du Québec. Une langue d'air chaud en altitude (trowal) souligne l'importante dépression qui coiffe l'île de Baffin.

Enclume

Cirrus

Strato-cumulus

FRONT CHAUD

Altocumulus

Strato-cumulus

TORONTO
Ennuagement
28°C

MONTRÉAL
Ciel variable
28°C

CHARLOTTETOWN
Partiellement dégagé
18°C

ST. JOHN'S
Ensoleillé
19°C

L'homme et les conditions atmosphériques

« corridor de la grêle ». On signale entre 60 et 100 tornades tous les ans, surtout dans la Prairie et le sud de l'Ontario. Quant aux ouragans, s'ils causent certains dommages, rares sont ceux qui, parvenus chez nous, ont encore leur force destructive.

Les périodes d'humidité ou de sécheresse durent rarement dans l'Ouest. C'est le sud-ouest de l'Ontario qui détient le record des orages : plus de 30 jours par an.

Les précipitations augmentent à mesure qu'on se dirige vers l'est, mais le nombre d'orages diminue. Les ouragans qui remontent la côte de l'Atlantique parviennent affaiblis à Terre-Neuve et cette province ne subit que deux à six orages par an.

L'Arctique est la région la moins arrosée. Certains secteurs n'ont même jamais eu d'orages. Ici, l'air est stable en raison des basses températures et du faible taux d'humidité de l'atmosphère.

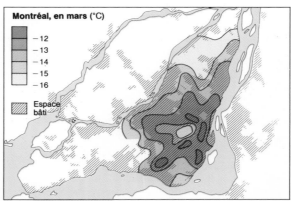

Nombre de jours
moyen annuel

	1
	5
	10
	15
	20
	25
	30
	35

Jours
d'orage

Après avoir mis au point des inventions comme le chauffage central ou la climatisation, destinées à lui assurer le confort et à le protéger des caprices du temps, l'homme cherche maintenant à influencer celui-ci au profit de l'agriculture. Il plante des rangées d'arbres pour protéger ses récoltes contre le vent et déclenche des brouillards artificiels pour tenir ses vergers à l'abri du gel. Mais son rêve le plus ambitieux est de « faire la pluie ». Il ensemence les nuages avec de l'iodure d'argent dont les cristaux deviennent noyaux de condensation.

Le succès de ce genre d'entreprise est encore difficile à évaluer. En Alberta, où la grêle détruit chaque année des récoltes, les météorologues étudient l'ensemencement des nuages comme moyen de supprimer le fléau. Ce procédé risque, par le fait même, de modifier les orages.

Les savants imaginent des projets à long terme visant à produire des changements climatiques permanents. Même si de tels projets étaient réalisables, il faudrait d'abord en étudier les conséquences, car le temps résulte de l'interaction complexe des mers, de l'atmosphère, du relief et des êtres vivants. Aussi, toute transformation de l'un de ces éléments modifierait l'ensemble.

Inversion des températures et pollution

Les vents dispersent l'air pollué. Mais quand une couche d'air froid se trouve retenue près du sol par une couche d'air chaud (phénomène d'inversion des températures), les matières polluantes s'accumulent. C'est pourquoi Toronto est plus sujette à la brumée que des villes plus venteuses.

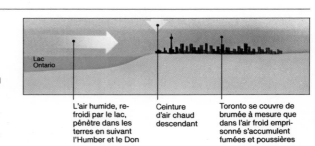

Lac Ontario

L'air humide, refroidi par le lac, pénètre dans les terres en suivant l'Humber et le Don

Ceinture d'air chaud descendant

Toronto se couvre de brumée à mesure que dans l'air froid emprisonné s'accumulent fumées et poussières

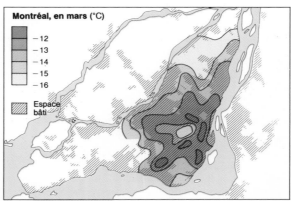

Montréal, en mars (°C)

	– 12
	– 13
	– 14
	– 15
	– 16

Espace bâti

Des îlots de chaleur — enveloppes d'air chaud stationnaire — se forment au-dessus des grandes villes. La chaleur provient des maisons, des usines et des automobiles. La brique et le béton retiennent plus la chaleur que le sol : le parc du Mont-Royal forme une enclave fraîche.

Les principaux effets de l'activité humaine sur le temps sont involontaires. L'air pollué, en réfléchissant les rayons solaires, réduit la température au sol. Le bioxyde de carbone dégagé par les combustibles inhibe le rayonnement de la Terre et augmente les températures. Les pluies acides menacent les forêts, les récoltes et la vie aquatique.

Le refroidissement et le réchauffement résultant de la pollution atmosphérique finiront peut-être par s'annuler. Mais il suffirait d'une faible augmentation de la température (quelques degrés) pour faire fondre les glaces polaires et engendrer des inondations sur tout le globe. D'autre part, un abaissement des températures anéantirait les récoltes sous nos latitudes.

L'homme et la neige

« Quelques arpents de neige », disait Voltaire en parlant du Canada. Bien sûr, la neige caractérise seulement les mois d'hiver, mais elle affecte beaucoup l'économie, l'agriculture et les loisirs. Les Canadiens consacrent énormément de temps, d'argent et d'énergie à lutter contre elle, qu'ils utilisent une simple pelle ou des souffleuses sophistiquées. D'autre part, ils dépensent des millions de dollars en équipement sportif d'hiver : motoneiges, skis et vêtements.

Les Canadiens doivent compter avec la neige et savent pour la plupart reconnaître les conditions idéales à la pratique des divers sports, mais peu la connaissent vraiment. Par ailleurs, ils disposent d'un vocabulaire relativement pauvre pour la décrire. Les Inuits, eux, la connaissent bien ; leur vie est intimement associée à la neige. Ils appellent *qalí* la neige accumulée sur les arbres, *apí* la neige au sol, *upsik* les bancs de neige façonnés par le vent et *tumarínyiq* les moutonnements de la neige. Ils savent ce que sera la texture de la neige en un endroit donné : leur survie en dépend. Pendant des siècles, ils se sont fabriqué des traîneaux et des raquettes pour pouvoir se déplacer sur la neige ; ils se sont servis d'elle pour construire leurs iglous.

Dans l'ensemble, les Canadiens sont peu convaincus de l'utilité de la neige, mais, à l'instar des Inuits, ils sauraient mal se passer d'elle. En effet, la neige joue un rôle d'isolant : elle empêche le gel d'agir en profondeur, protégeant ainsi la végétation ; elle sert d'agent fertilisant en répartissant sur le sol les minéraux nécessaires à la vie végétale. Dans le Nord, elle profite à l'industrie du bois en lui permettant d'ouvrir tous les hivers des milliers de kilomètres de routes saisonnières. Elle rend accessibles, par motoneige, des villages isolés pendant l'été. Elle protège contre le froid les bêtes qui s'y creusent des tanières. Au printemps, ses eaux de fonte irriguent les champs et réalimentent les réservoirs d'eau potable des villes. Enfin, la neige fait également la joie de nombreux animaux : l'ours et la loutre font des glissades, le vison et la belette y jouent à cache-cache.

La neige transfigure les paysages : elle fait jouer l'ombre et la lumière et scintille au soleil. Elle sait aussi perdre son éclat sous un ciel gris ou sous les poussières de la ville. Elle rosit ou bleuit selon le temps et sa texture varie indéfiniment, depuis celle du flocon délicat jusqu'à celle du grain de glace. Elle fond tous les printemps et tombe à nouveau tous les hivers.

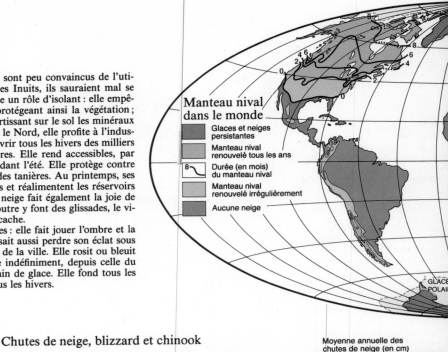

Manteau nival dans le monde

- Glaces et neiges persistantes
- Manteau nival renouvelé tous les ans
- 8 — Durée (en mois) du manteau nival
- Manteau nival renouvelé irrégulièrement
- Aucune neige

GLACE POLAIRE

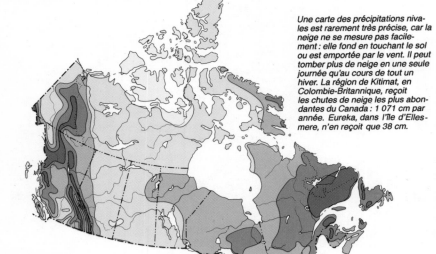

Une carte des précipitations nivales est rarement très précise, car la neige ne se mesure pas facilement : elle fond en touchant le sol ou est emportée par le vent. Il peut tomber plus de neige en une seule journée qu'au cours de tout un hiver. La région de Kitimat, en Colombie-Britannique, reçoit les chutes de neige les plus abondantes du Canada : 1 071 cm par année. Eureka, dans l'île d'Ellesmere, n'en reçoit que 38 cm.

Précipitations nivales moyennes annuelles (en cm)
80 160 280 400

L'homme évalue le poids de la neige sur les bâtiments et l'intensité du ruissellement dans une région par l'épaisseur du manteau nival. L'écoulement continu est essentiel au fonctionnement des centrales hydro-électriques et à l'alimentation en eau des fermes et des réservoirs, mais il s'accompagne souvent au printemps d'inondations. Tous les ans, la fonte de la neige accumulée sur les montagnes de l'Ouest (jusqu'à 6 m) transforme le Fraser et le Skeena en torrents furieux.

Épaisseur maximale moyenne de la neige (en cm)
50 100 160

Cette carte renseigne l'utilisateur, qu'il soit skieur, fermier ou voyageur, sur la durée de la couche de neige, dans les endroits où elle atteint au moins 2,5 cm d'épaisseur. Le début de la saison des neiges s'étale de la fin août, dans l'archipel de la Reine-Elisabeth, à la fin décembre, sur les côtes de la Colombie-Britannique, de la Nouvelle-Ecosse et de Terre-Neuve. La neige persiste parfois dans l'Arctique jusqu'en juin, retardant ainsi la venue de l'été.

Enneigement (nombre de jours moyen annuel)
80 120 160 200 240 280

Chutes de neige, blizzard et chinook

C'est en Colombie-Britannique que l'on enregistre les plus grosses et les plus petites chutes de neige du Canada. Sur la côte ouest de l'île Vancouver, il peut tomber moins de 30 cm de neige par an. Parfois, il n'y neige pas du tout. Par ailleurs, comme les montagnes contraignent l'air humide du Pacifique à s'élever, il peut neiger abondamment sur les hauteurs. Ainsi, en 1971-1972, non loin de Revelstoke, il est tombé 2 446 cm de neige.

La neige qui persiste d'une année à l'autre alimente les glaciers de montagnes comme ceux du massif Saint-Elie, qui s'étend en Colombie-Britannique et au Yukon.

La Prairie reçoit beaucoup moins de neige. Mais elle est balayée par des blizzards qui s'accompagnent de froids intenses.

Le sud-ouest de l'Alberta connaît en hiver des répits extraordinaires grâce au chinook (mangeur de neige). L'air chaud et sec qu'il apporte des Rocheuses provoque des hausses subites de température (parfois de l'ordre de 20°C).

La vapeur d'eau qui s'élève des Grands Lacs est poussée par le vent d'ouest dominant ; elle se condense au-dessus des terrains froids et retombe abondamment sous forme de neige plus à l'est. Par contre, la région la plus méridionale de l'Ontario reçoit peu de neige, à cause de la douceur de son climat.

Le sud de l'Ontario et du Québec se situe dans l'axe des grandes tempêtes qui traversent le continent. C'est la région qui se trouve au nord du golfe du Saint-Laurent qui reçoit les chutes de neige les plus abondantes, à l'est :

Moyenne annuelle des chutes de neige (en cm)
400 — 300 — 200 — 100 — 0

Vancouver 52,4 · Yellowknife 119,4 · Edmonton 131,1 · Regina 114,8 · Winnipeg 131,3 · Toronto

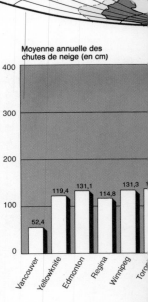

La plupart des grandes villes du Canada doivent lutter contre la neige tous les hivers. Fredericton est aux prises avec une neige lourde et mouillée, Saskatoon, avec une neige légère que le vent accumule en bancs durcis, et Québec doit déblayer des rues étroites et en pente. Montréal consacre plus de 33 millions de dollars au déneigement de près de 1 700 km de rues, tandis que Vancouver, avec 1 400 km de rues, n'a qu'un budget de $400 000.

Les travaux se font en longues processions ; les chasse-neige accumulent la neige le long des trottoirs ; la souffleuse aspire la neige pour la rejeter dans des camions qui la déchargent dans des terrains vagues ou des égouts. Mais malgré les machines, les tempêtes paralysent la circulation et obligent à fermer écoles et aéroports.

L'épandage de sel facilite la circulation dans les grandes villes, mais le sel nuit à la végétation et contamine l'eau potable ; il fait rouiller les véhicules, causant des millions de dollars de dommages.

Les multiples visages de l'hiver

L'hiver conditionne la vie des Canadiens. Les automobilistes dépensent tous les ans des millions de dollars pour l'achat de pneus d'hiver et d'antigel, et pour la réfection de carrosseries rongées par le sel. Bombardier a vaincu l'hiver à sa façon en inventant la motoneige, véhicule motorisé destiné à circuler sur les bancs de neige ; d'autres Canadiens ont mis au point le chasse-neige pour déblayer les routes et les voies ferrées.

Les architectes tiennent compte du climat : les murs extérieurs des édifices sont isolés, et les toits doivent pouvoir résister au poids de la neige.

Le Code national du bâtiment contient des renseignements sur la résistance des toits au poids de la neige et fonde ses évaluations sur les épaisseurs maximales enregistrées dans les divers coins du pays. Le poids de la neige est fonction de son épaisseur et de sa densité moyenne, auxquelles s'ajoute le poids de la quantité prévisible de pluie printanière.

Certaines constructions favorisent l'accumulation de la neige, et un porche ou un balcon, par exemple, pourront finir par s'effondrer. De grands immeubles, mal orientés, auront leurs accès bloqués. Certains types de clôtures arrêtent la progression de la neige et évitent qu'elle n'obstrue les routes ; mais des barrières installées trop près des chemins risquent d'avoir l'effet contraire.

Les ingénieurs étudient les processus d'accumulation de la neige en simulant sur des maquettes les conditions d'accumulation : de l'eau transporte du sable fin comme le vent transporte de la neige. Ces expériences aident à résoudre les problèmes que présentent certains immeubles et à mieux adapter les types de construction au climat.

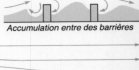

Neige dans un endroit abrité

Vent

Accumulation sur le toit d'un porche

Accumulation le long d'une clôture

Accumulation entre des barrières

Les bancs de neige se forment dès que la vitesse du vent diminue. Ci-dessus, l'air dont le flux est bloqué par un mur devient turbulent du côté sous le vent : les courants d'air descendants font accumuler la neige.

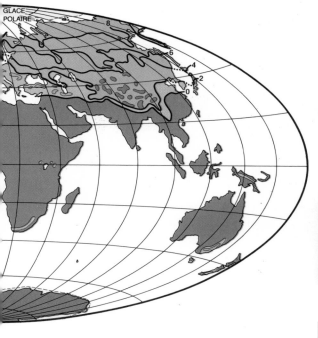

De fragiles chefs-d'œuvre de glace

Les cristaux de neige se forment quand la vapeur d'eau contenue dans l'atmosphère se condense autour de particules de sel ou de poussière. Comme pour les empreintes digitales, aucun n'est identique. Leur forme est hexagonale mais pas symétrique.

Par temps froid et sec, les cristaux de neige sont plutôt petits, en forme de plaques ou de colonnes. Par temps plus doux et humide, ils sont très ciselés et adhèrent les uns aux autres pour former des flocons. Les cristaux sont déchiquetés par le vent.

Cristaux hexagonaux

Cristaux étoilés

 *Colonnes hexagonales*

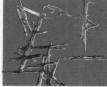 *Aiguilles de glace*

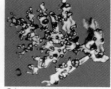 *Cristaux dendritiques*

 *Colonne à coiffe*

 *Cristaux irréguliers*

L'hiver, les animaux s'adaptent ou migrent

Pour la plupart des animaux, l'hiver est dur à passer : l'eau est rare, la neige recouvre les caches et rend les déplacements difficiles.

De nombreuses espèces se sont adaptées. Le lièvre d'Amérique a de larges pattes garnies de poils, qui lui permettent de courir sur la neige profonde ; sa livrée blanche l'aide en plus à se confondre avec le milieu.

Avec ses longues pattes, l'orignal passe partout sauf là où la neige est trop épaisse. Quant au cerf, il vit d'ordinaire en groupes dans des ravages, où la neige est piétinée, et il s'alimente à même les arbres et les arbustes qui l'entourent. Si le mauvais temps l'oblige à y rester trop longtemps, il risque cependant de mourir de faim.

Certains animaux entrent en hibernation : la température de leur corps s'abaisse, la respiration et le rythme cardiaque diminuent, et ils n'ont pratiquement pas besoin de se nourrir.

D'autres survivent en se réfugiant sous la neige. La souris, la musaraigne et le campagnol y creusent des tunnels ; ils sont ainsi à l'abri des vents glacials dans un univers humide où la température se maintient tout juste sous le point de congélation. Leur métabolisme n'est pas affecté.

Les animaux dont l'organisme ou les mœurs ne leur permettent pas de s'adapter disposent d'un moyen pour éviter l'hiver : la migration. A l'automne donc, des millions d'oiseaux et de papillons s'envolent vers le sud.

Orignal

Lapin à queue blanche

Souris à pattes blanches

Musaraigne cendrée

Campagnol des champs (mulot)

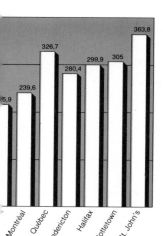

des versants abrupts y contraignent l'air humide à s'élever. Les températures restent froides, et la neige s'accumule. Ainsi, en mars, certaines parties du Nouveau-Québec et du Labrador sont ensevelies sous 2 m de neige.

Il neige aussi abondamment dans les provinces de l'Atlantique, mais, sous l'influence de l'air maritime chaud, le temps s'adoucit souvent le long de la côte, apportant de la pluie ou faisant fondre la neige.

Dans les Territoires du Nord-Ouest, il neige moins que partout ailleurs au Canada. Le vent balaie l'uniforme toundra, emportant la neige rare et laissant le sol à découvert. Quant aux archipels semi-désertiques de l'Arctique, ils connaissent des hivers longs, rigoureux et avec peu de neige, par manque d'humidité.

La neige qu'on enlève dans les rues doit être mise ailleurs. Montréal, qui, de toutes les grandes villes du monde, est celle qui reçoit le plus de neige, en dispose de trois façons : par déversement dans le Saint-Laurent et dans les égouts ; par déchargement dans des fosses énormes où elle fond sous l'action de l'eau chauffée par des brûleurs à mazout ; enfin, par accumulation dans des terrains vagues. Dans ce dernier cas, il faut attendre que le soleil et la pluie fassent fondre la neige. En périphérie d'Ottawa, la neige ainsi entassée ne fond qu'en juin. Par ailleurs, les cours d'eau peuvent être pollués par le sel et les déchets que renferme la neige déversée.

L'avalanche ! La neige dévale un versant du massif Saint-Elie, au Yukon. Un tremblement de terre, le décrochement d'une corniche, le poids d'un skieur suffisent à déclencher une avalanche.

Dans la Prairie, on raconte que des pionniers ont péri pendant des tempêtes, en se rendant de leur maison à leur grange. Aujourd'hui encore, un voyageur surpris par le blizzard courrait de grands dangers.

Mais ce sont les avalanches qui font le plus grand nombre de victimes. Elles surviennent pour la plupart dans les montagnes de l'intérieur de la Colombie-Britannique où la moyenne des précipitations nivales dépasse parfois 900 cm. Une seule avalanche charrie jusqu'à 22 000 t de neige et peut faucher tous les arbres d'un versant de montagne.

Des galeries de béton couvrent la route transcanadienne aux endroits vulnérables ; des digues de terre et des murs de pierre bloquent les petites avalanches. Au col de Rogers, reconnu pour la fréquence de ses avalanches, les observateurs surveillent l'accumulation de la neige et en provoquent le détachement en tirant du canon.

Autrefois, les victimes d'une avalanche avaient peu de chances de survie. Aujourd'hui, nombre de gens qui travaillent ou qui skient dans les régions critiques portent sur eux des émetteurs destinés à permettre aux équipes de secours de les retrouver, s'ils étaient ensevelis.

Deux régions du Canada se prêtent particulièrement bien au ski alpin parce qu'elles jouissent d'hivers longs et neigeux : celle des Rocheuses, en Colombie-Britannique et en Alberta, et celle des Appalaches et des Laurentides, au Québec. Pour pratiquer le ski de randonnée, il suffit de quelques centimètres de neige.

Pour combler les lacunes de la nature, les propriétaires de stations de ski ont recours à la technique et fabriquent de la neige artificielle, mélange d'air et d'eau dont ils arrosent les pentes.

Ci-dessus, un skieur s'enfonce dans la nature sauvage à la recherche de la solitude feutrée de l'hiver. A droite, des motoneigistes longent un lac. Environ un Canadien sur huit possède une motoneige.

Le mont Blackstrap (91 m), près de Saskatoon, a été fait de main d'homme pour les Jeux d'hiver du Canada, en 1971.

Les Canadiens ont la réputation de dépenser davantage pour le ski que pour l'entretien des routes. Ils consacrent également d'importantes sommes d'argent à la motoneige. Quant à la raquette, elle demeure, pour ceux qui recherchent les paisibles paysages d'hiver, le sport le

moins coûteux. Tout compte fait, les Canadiens savent pour la plupart jouir de l'hiver.

Les régions naturelles : la côte Ouest

Le Canada, de par son immensité même, renferme cinq grandes régions naturelles aussi différentes entre elles que les régions économiques. Ce sont, à partir de l'ouest : la forêt tempérée, le plateau intra-cordilléran et la cordillère ; la Prairie ; la forêt boréale ; la forêt mixte de l'Est ; et enfin la toundra.

Certaines régions sont clairement délimitées par leur climat, leur sol et leur topographie : c'est le cas des Rocheuses et de la Prairie dans le sud-ouest de l'Alberta. En général, cependant, deux régions voisines se caractérisent par des zones de transition, les écotones, ayant une faune et une flore communes.

Chaque région se compose d'écosystèmes, c'est-à-dire de milieux où des organismes animaux et végétaux vivent dans une étroite réciprocité. Une lagune de la côte du Pacifique, peuplée d'une quarantaine d'espèces végétales et animales, est un écosystème au même titre que la forêt boréale qui s'étend sur 6 000 km et n'est dominée que par une douzaine d'essences.

Chaque organisme est essentiel à la vie de l'ensemble. Par la photosynthèse, les plantes vertes élaborent de la matière vivante à partir de l'eau, de l'oxygène, des minéraux et de la lumière solaire. Les herbivores se nourrissent ensuite de cette végétation avant de servir à leur tour de pâture aux carnivores. Cette hiérarchisation des êtres vivants en fonction de leur alimentation s'appelle la chaîne alimentaire. Comme la plupart des organismes consomment plus d'une espèce végétale ou animale, les chaînes simples se complexifient. Même morts, ces organismes appartiennent encore à l'ensemble : les bactéries décomposent la matière organique et renvoient ses minéraux au sol où ils seront de nouveau assimilés par les plantes.

Les flores et les faunes actuelles du Canada se sont mises en place il y a environ 10 000 ans, après le retrait du glacier. Les mousses et les lichens colonisèrent les *barren grounds* de l'Arctique ; les conifères occupèrent la forêt boréale et la cordillère ; les graines de conifères et de feuillus du Sud furent transportées par le vent et par l'eau pour donner naissance à la forêt mixte de l'Est ; les herbacées envahirent les sols argileux de la Prairie, anciens fonds de lacs glaciaires.

C'était l'époque des grands mammifères, venus d'Asie pour la plupart par l'isthme de Béring ; mais quelques milliers d'années après la dernière glaciation, environ 70 pour cent d'entre eux (aïs, mammouths, mastodontes, chameaux et chevaux indigènes) avaient disparu. Ils n'avaient pu s'adapter aux changements climatiques survenus à la fin du Pléistocène. L'homme, arrivé de fraîche date sur le continent, ne fut peut-être pas étranger à leur disparition : la chasse aux herbivores priva peut-être les carnivores de leurs proies.

L'action de l'homme se fait encore sentir. La Prairie, occupée jadis par 60 millions de bisons, est aujourd'hui une mosaïque de champs et d'enclos. L'homme a même imprimé sa marque (tours de forage, pipelines, mines) dans le Grand Nord, dernière frontière du Canada. Parcs, réserves et refuges (5 pour cent seulement de la superficie totale du Canada) préservent à peu près tout ce qui reste du milieu originel.

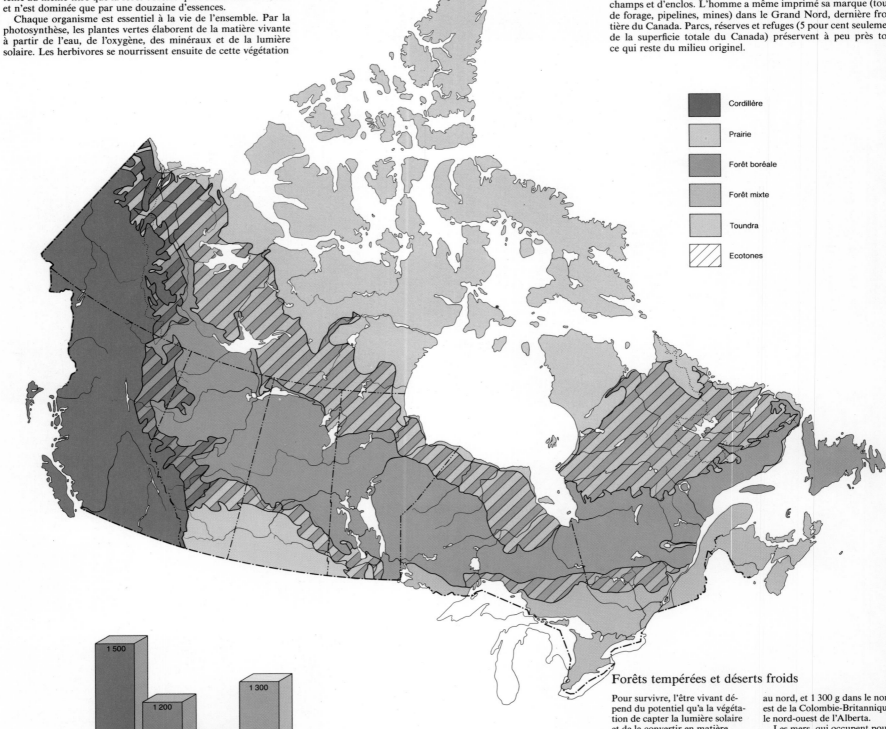

Cordillère

Prairie

Forêt boréale

Forêt mixte

Toundra

Ecotones

Evaluation de la production primaire nette des principaux écosystèmes du Canada (en g/m²/an)

1 500 — 1 200 — 1 300 — 1 000 — 500 — 500 — 350 — 150 — 130

Forêt humide de la côte Ouest — Forêt de feuillus — Forêt mixte — Forêt boréale — Prairie — Plateau continental — Toundra arctique et alpine — Océan

Forêts tempérées et déserts froids

Pour survivre, l'être vivant dépend du potentiel qu'a la végétation de capter la lumière solaire et de la convertir en matière vivante ou biomasse. Les différences de climats et de sols, sur la terre ferme, et d'intensité de la lumière et de turbulence, en milieu marin, font varier ce potentiel dans chaque région.

Le tableau (*à gauche*) indique par région l'élaboration annuelle de biomasse, exprimée en grammes au mètre carré. La biomasse est principalement de la matière végétale dont moins de 1 pour cent sera converti par les herbivores, premiers maillons de la chaîne alimentaire, en matière animale. Le reste meurt et se décompose, en dégageant de la chaleur. La forêt tempérée de l'Ouest produit annuellement dix fois plus de biomasse que la toundra arctique. La forêt boréale, la plus vaste des régions naturelles du pays, élabore entre 500 g de matière vivante au mètre carré, au nord, et 1 300 g dans le nord-est de la Colombie-Britannique et le nord-ouest de l'Alberta.

Les mers, qui occupent pourtant les trois quarts de la surface du globe, ne produisent qu'environ le quart de toute sa biomasse. Les plateaux continentaux, peu profonds et riches en plancton, abondent en espèces diversifiées, tandis que les grandes profondeurs sont pratiquement stériles. Dans les bancs, zones particulièrement fertiles, s'élabore une biomasse deux fois supérieure à celle du reste du plateau continental et quatre fois supérieure à celle des grandes profondeurs. Le Grand Banc de Terre-Neuve, au confluent du froid courant du Labrador et du chaud Gulf Stream, pullule de plancton et attire d'énormes quantités de morues, de harengs, de maquereaux et d'aiglefins. Cependant, à peine quelques kilomètres plus au sud-est, l'Atlantique renferme moins de vie que l'Arctique.

La diversité de la cordillère, de la côte jusqu'aux sommets

La cordillère est la terre des superlatifs : elle connaît le climat le plus humide du Canada et se caractérise par les plus hautes montagnes et les forêts les plus denses du pays. Elle abrite plus de milieux différenciés que toute autre région du Canada. Elle se divise en trois principales zones : la côte du Pacifique (*à gauche sur le croquis*), le plateau intra-cordilléran (*au centre sur le croquis*) et les montagnes de l'intérieur (*à droite sur le croquis*).

La côte du Pacifique (jusqu'à 3 200 mm de précipitations) se caractérise par de luxuriantes forêts où voisinent l'épinette de Sitka, le sapin de Douglas, la pruche et le cèdre de l'Ouest. Le cerf de Sitka, le cerf à queue noire et le wapiti de Roosevelt ne se trouvent que dans cette partie du Canada. Les principaux prédateurs de ces animaux sont le couguar et le loup.

Plus de 300 espèces de poissons et 20 espèces de mammifères marins dont le phoque, la baleine et le morse, hantent les eaux bordières. Sur les falaises nichent des colonies d'oiseaux de mer : guillemots, marmettes, cormorans et pétrels-tempête.

Dans la zone de la chaîne Côtière desséchée par le foehn, s'étend un plateau parcouru de vallées et de basses montagnes. Les vallées semi-arides du Sud reçoivent annuellement quelque 230 mm de pluie qui suffisent à la croissance de l'armoise, de la racine-amère naine, de la fétuque scabre et du *Bouteloua gracilis*. Elles abritent le blaireau et le lièvre de Townsend.

Les lacs regorgent de truites arc-en-ciel. Les saumons remontent tous les ans frayer et mourir dans les rivières où ils ont vu le jour ; le grizzli et la loutre s'en repaissent. Au nord de Kamloops, le Douglas bleu règne dans la montagne. Des forêts d'essences subalpines (épinette bleue, pin lodgepole et sapin de l'Ouest) s'étendent au nord jusqu'au plateau du Stikine. Au-delà, commence la forêt boréale des hautes terres du Yukon.

A l'est du plateau intra-cordilléran se dressent les Rocheuses et les chaînes secondaires : les monts Mackenzie, Richardson et British, au nord de la rivière aux Liards, et les monts Columbia, dans le sud-est de la Colombie-Britannique. Leurs versants abritent des flores et des faunes distinctes. Comme la température moyenne s'abaisse de 1,9°C à chaque tranche de 300 m franchie à la verticale, les transitions entre les milieux qui s'étendent normalement sur des milliers de kilomètres s'observent ici en quelques milliers de mètres seulement. Le caribou, le tétras et l'aigle doré se partagent la zone subalpine, à des altitudes variant entre 1 800 et 2 300 m. Le wapiti, la marmotte des Rocheuses et le spermophile du Columbia habitent les prés fleuris.

Au-delà de 2 300 m, les arbres se raréfient, deviennent tordus et rabougris. Au-dessus de la limite des arbres, mousses, lichens et arbustes se développent au ras du sol. Cette végétation de type alpin met d'ordinaire 15 ans à fleurir : un bouquet de silènes acaules peut avoir germé il y a 100 ans. Peu d'animaux, parmi lesquels une seule espèce d'oiseaux, le lagopède, vivent toute l'année au-delà de la limite des arbres. La chèvre de montagne ne fuit les sommets que lors des très violentes tempêtes et le mouflon redescend à l'automne vers les prés mieux protégés.

Glaciers et champs de glace
Toundra alpine
Forêt boréale
Forêt tempérée
Forêt littorale subalpine
Forêt subalpine de l'intérieur
Forêt de plateau
Prairie et forêt-parc

1 Côte du Pacifique
2 Plateau intra-cordilléran
3 Montagnes de l'intérieur

Chèvre de montagne

Mouflon

Couguar

Wapiti

Grizzli

Aigle doré

Lagopède à queue blanche

Marmotte des Rocheuses

La vie entre terre et mer

Au contact de la mer et du continent, la vie dépend étroitement des marées. Le long de la côte se trouvent trois types de milieux : la zone d'embruns, située au-dessus de la laisse de pleine mer ; l'estran, recouvert à marée haute et découvert à marée basse ; la zone immergée.

Dans ces milieux, les êtres vivants sont capables de résister au flux et au reflux, à l'air et à l'eau. Ceux qui sont fixés aux rochers attendent leur nourriture de la mer. Et à marée basse, si certains animaux guettent les proies que la mer découvre, d'autres se réfugient dans des lagunes peu profondes.

Le milieu marin de la côte Ouest subit l'influence du courant chaud de l'Alaska et, par conséquent, est plus riche qu'ailleurs sous les mêmes latitudes : il abrite quelque 90 espèces d'étoiles de mer alors que l'Atlantique, refroidi par le courant du Labrador, n'en compte que 20.

La zone d'embruns
La vie dans cette zone est exposée à l'air et ce sont les embruns qui lui apportent son alimentation. Le bigorneau (1) respire à l'air libre ; ses petits se développent avec leur coquille, à l'intérieur de la coquille de la femelle. Il se nourrit de minuscules algues bleu-vert qu'il arrache aux rochers à l'aide d'une langue râpeuse appelée radula ; déployée, cette langue est plus longue que lui. Le goéland bourgmestre (2) patrouille le littoral à la recherche de buccins (3) et d'escargots (4). Le vison se nourrit à son tour de crabes (5) et d'œufs de goélands ; l'huîtrier noir avale les moules et les huîtres qu'il ouvre avec son bec.

L'estran
Pour survivre dans cette zone, il faut pouvoir résister au ressac. Les huîtres (6) forment des colonies compactes ; les femelles libèrent 100 millions d'œufs deux ou trois fois par an dans la mer, mais peu éclosent. Les moules (7) se cramponnent parmi les varechs (8). Les larves de la balane (9) passent trois mois dans la mer avant de venir se fixer sur les rochers. Quatre plaques ferment le sommet de la coquille et retiennent l'humidité à marée basse. Elles s'ouvrent sous l'eau à marée haute et, à l'aide de cirres, la balane saisit le plancton dont elle se nourrit. Le chiton (10) a une coquille protectrice, faite de huit plaques. Ce mollusque dépourvu d'yeux cherche sa nourriture la nuit et revient toujours avant l'aube à son point de départ sur le rocher. La patelle (11) a des mœurs à peu près semblables.

La zone immergée
Des laminaires à frondes larges (12) se retiennent par leurs crampons à des rochers couverts de laitue de mer (13) et dansent au gré des vagues. Le chabot (14) nage au milieu des algues pourpres (15). L'oursin (16) s'attache par des centaines d'ambulacres et peut faire pivoter ses piquants pour se défendre contre un agresseur. Les tentacules de l'anémone verte (17) la font davantage ressembler à une fleur qu'à un animal, mais sont munis de dards venimeux. L'étoile de mer pourpre (18) entrouvre les valves d'un mollusque à l'aide de ses ambulacres.

Les régions naturelles : la Prairie, la forêt boréale

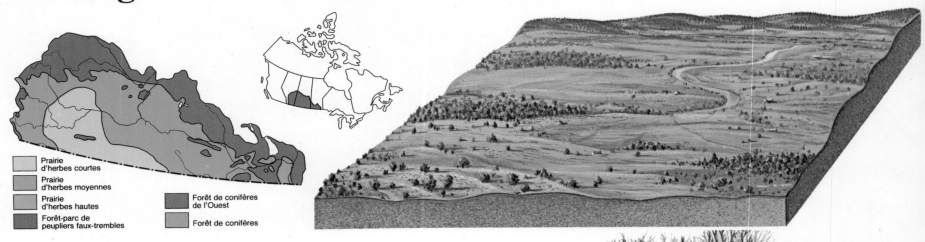

La Prairie, une mosaïque

Le sol et le climat déterminent quatre types de milieux : la prairie d'herbes courtes, la prairie d'herbes moyennes, la prairie d'herbes hautes et la forêt-parc à peupliers faux-trembles qui annonce la forêt boréale.

Sur les sols sablonneux de la prairie d'herbes courtes croissent le *Bouteloua gracilis*, le chiendent et autres herbes peu exigeantes qui atteignent environ 50 cm de haut et se satisfont de 250 mm de pluie par an. L'armoise, la potentille et le foin sauvage fixent les grandes dunes du sud-ouest de la Saskatchewan.

Sur les sols plus riches de la prairie d'herbes moyennes, croissent l'agropyre de l'Ouest, le stipe et le schizachyrium à balais qui atteignent 1 m de haut et reçoivent 400 mm de pluie par an.

Dans les terres noires du sud du Manitoba, les herbes hautes atteignaient 2,5 m. Le barbon fourchu et le faux-sorgho penché y croissent encore le long des routes et des cours d'eau.

La forêt-parc est le royaume du peuplier faux-tremble. L'érable à Giguère et le chêne à gros glands se dressent ici et là dans l'est de la Saskatchewan et le sud-ouest du Manitoba. Le lupin argenté, le cornouiller du Canada et le pin lodgepole,

communs sur les contreforts des Rocheuses, peuplent les collines du Cyprès. Le sapin baumier et l'épinette blanche, caractéristiques de la forêt boréale, couvrent le mont Riding, au Manitoba.

Les grands animaux de la Prairie vivent en marge des terres cultivées ou, comme le bison, dans des parcs ou des réserves. Le cerf mulet, l'antilope d'Amérique et la gélinotte à queue fine hantent les badlands et les dunes. Les animaux fouisseurs, comme le spermophile, sont omniprésents ; ils sont la proie du blaireau, de la belette et du coyote. Les petits marécages, fort nombreux, sont les aires de nidification de la moitié de la population nord-américaine d'oies, de canards, de cygnes et de pélicans.

La Prairie se caractérise par le chernozem (en russe, terre noire). Son profil se compose d'une couche d'humus, d'une couche arable où s'entremêlent racines, matière organique et micro-organismes, ainsi que d'un horizon minéral constitué de particules de calcaire.

La prairie d'herbes hautes et la forêt-parc poussent sur une riche couche d'humus noir qui coiffe un sous-sol argileux humide.

La prairie d'herbes moyennes se satisfait d'un sol plus mince. L'horizon minéral, qui contient de l'argile, se situe à 1 m de profondeur.

Un sol pauvre et sablonneux, de 50 cm, tapisse la prairie d'herbes courtes. La couche de calcaire empêche l'infiltration de l'eau et la pénétration des racines en profondeur.

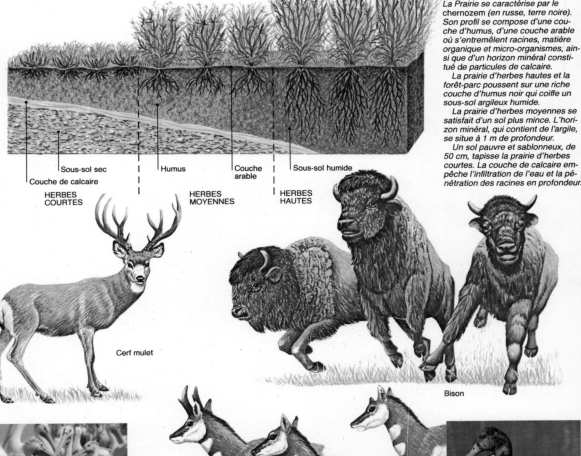

Sous-sol sec — Humus — Couche arable — Sous-sol humide

Couche de calcaire

HERBES COURTES — HERBES MOYENNES — HERBES HAUTES

Coyote

Cerf mulet

Bison

Spermophile de Richardson

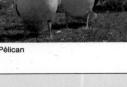

Gélinotte à queue fine

Pélican

Antilope d'Amérique

Canard malard

Caractères des graminées

Il y a au Canada plus de 100 espèces de graminées. (*A droite,* représentation de leurs parties.)

Les épillets de l'inflorescence ne sont exposés qu'une fois (d'ordinaire pendant une heure) pour la pollinisation, lorsque leurs glumes s'ouvrent sous l'effet combiné de la température, de l'humidité et de la lumière.

Le chaume (tige creuse) et les nœuds confèrent aux graminées leur souplesse et leur résistance. Les feuilles naissent à la hauteur des nœuds, la gaine de la tige se transformant en limbe étroit.

Les racines pénètrent dans le sol jusqu'à 6 m de profondeur. Les herbes hautes se reproduisent par des tiges souterraines, les rhizomes ; les herbes courtes et moyennes par des tiges qui courent à la surface, les stolons.

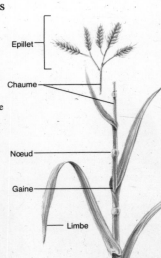

Epillet

Chaume

Nœud

Gaine

Limbe

Stolon

Racines — Rhizome

Les fleurs sauvages et les saisons

Du début du printemps aux premières gelées de l'automne, les fleurs sauvages se succèdent, égayant la Prairie et rythmant les saisons.

Les crocus ouvrent leurs délicats pétales lavande en avril, avant que la neige ait fini de fondre. En mai, les fleurs bleues du penstémon s'épanouissent sur les pentes sèches ; les fleurs jaunes et parfumées du faux lupin préfèrent les lieux humides. En juin,

le tournesol, parvenu à maturité, atteint 2 m de haut, et ses graines font les délices des oiseaux, des petits rongeurs et des cerfs.

Au milieu de l'été, la bergamote sauvage pique de rose et de lilas les fourrés de l'est de la Prairie. Le lis de Philadelphie flamboie dans les prés et les bois. A la fin de l'été, les fleurs pourpres et jaunes de la gaillarde vivace égaient les contreforts des Rocheuses.

De juillet à septembre, les grappes de fleurs rose-pourpre du liatris raboteux colorent les pentes sablonneuses. Au début de l'automne, les prairies sont émaillées des fleurs blanches ou roses des asters.

Aster à fleurs multiples

Bergamote sauvage

Liatris raboteux

Crocus

Lis de Philadelphie

Gaillarde vivace

Tournesol

Faux lupin

Penstémon

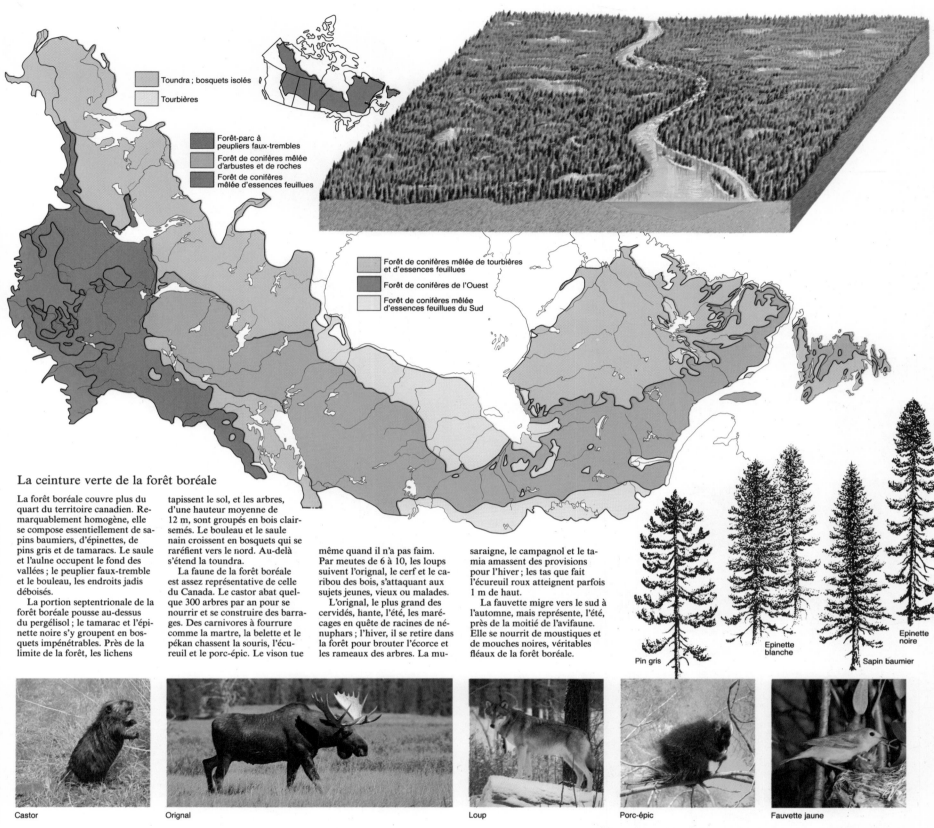

Légende de la carte :
- Toundra ; bosquets isolés
- Tourbières
- Forêt-parc à peupliers faux-trembles
- Forêt de conifères mêlée d'arbustes et de roches
- Forêt de conifères mêlée d'essences feuillues
- Forêt de conifères mêlée de tourbières et d'essences feuillues
- Forêt de conifères de l'Ouest
- Forêt de conifères mêlée d'essences feuillues du Sud

La ceinture verte de la forêt boréale

La forêt boréale couvre plus du quart du territoire canadien. Remarquablement homogène, elle se compose essentiellement de sapins baumiers, d'épinettes, de pins gris et de tamaracs. Le saule et l'aulne occupent le fond des vallées ; le peuplier faux-tremble et le bouleau, les endroits jadis déboisés.

La portion septentrionale de la forêt boréale pousse au-dessus du pergélisol ; le tamarac et l'épinette noire s'y groupent en bosquets impénétrables. Près de la limite de la forêt, les lichens tapissent le sol, et les arbres, d'une hauteur moyenne de 12 m, sont groupés en bois clairsemés. Le bouleau et le saule nain croissent en bosquets qui se raréfient vers le nord. Au-delà s'étend la toundra.

La faune de la forêt boréale est assez représentative de celle du Canada. Le castor abat quelque 300 arbres par an pour se nourrir et se construire des barrages. Des carnivores à fourrure comme la martre, la belette et le pékan chassent la souris, l'écureuil et le porc-épic. Le vison tue même quand il n'a pas faim. Par meutes de 6 à 10, les loups suivent l'orignal, le cerf et le caribou des bois, s'attaquant aux sujets jeunes, vieux ou malades.

L'orignal, le plus grand des cervidés, hante, l'été, les marécages en quête de racines de nénuphars ; l'hiver, il se retire dans la forêt pour brouter l'écorce et les rameaux des arbres. La musaraigne, le campagnol et le tamia amassent des provisions pour l'hiver ; les tas que fait l'écureuil roux atteignent parfois 1 m de haut.

La fauvette migre vers le sud à l'automne, mais représente, l'été, près de la moitié de l'avifaune. Elle se nourrit de moustiques et de mouches noires, véritables fléaux de la forêt boréale.

Pin gris — Epinette blanche — Sapin baumier — Epinette noire

Castor — Orignal — Loup — Porc-épic — Fauvette jaune

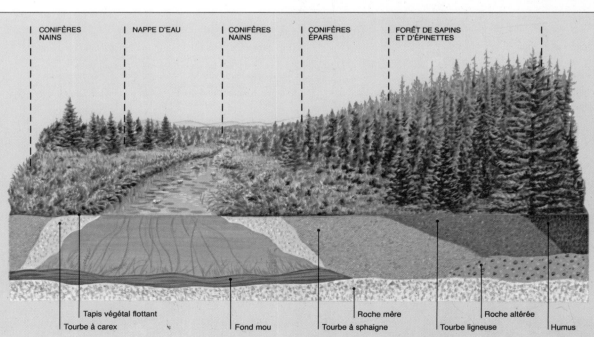

La tourbière : milieu froid, humide et acide

Les marécages (1 300 000 km²) occupent surtout la forêt boréale au Canada. Les glaciers du Quaternaire y ont surcreusé d'innombrables cuvettes qui forment aujourd'hui des nappes d'eau stagnante.

Les tourbières sont la forme la plus caractéristique du marécage. Mal drainées, elles sont ponctuées de mares envahies par une flore aquatique (nénuphar et potamot) dont les restes forment un fond mou où s'accumulent les sédiments.

Le roseau, le carex et la potentille palustre affectionnent les eaux peu profondes ; le trèfle d'eau forme un tapis flottant avec ses stolons. La sphaigne, une mousse, absorbe des quantités d'eau considérables (jusqu'à 20 fois son poids) et comble les espaces libres entre les plantes. Le tapis végétal s'épaissit pour donner çà et là des crêtes et des tertres secs, qui portent des arbustes comme le faux-bleuet, le myrique baumier et l'andromède glauque. L'épinette noire et le tamarac marquent la transition entre la tourbière et la forêt de sapin baumier, d'épinette et de bouleau.

La nature de la tourbe varie selon la végétation (carex, sphaignes, arbustes) ; son épaisseur peut atteindre 30 m. Cette matière organique partiellement décomposée libère des acides qui brunissent l'eau.

Des orchis égaient les tourbières : cypripèdes, corallorhizes maculées, calopogons gracieux, liparis mettent cependant des années à fleurir.

La sarracénie pourpre et le rossolis à feuilles rondes, caractéristiques des tourbières, sont des plantes carnivores friandes d'insectes. La sarracénie emprisonne dans ses feuilles en forme de cruche les insectes qui s'y noient dans une substance mêlée d'eau de pluie et de sécrétions riches en enzymes ; elle digère ensuite leurs cadavres. Quant au rossolis, ses feuilles rondes, pourvues de centaines de petits poils rouges et visqueux, retiennent les insectes et se referment ensuite pour les étouffer.

CONIFÈRES NAINS — NAPPE D'EAU — CONIFÈRES NAINS — CONIFÈRES ÉPARS — FORÊT DE SAPINS ET D'ÉPINETTES

Tapis végétal flottant — Roche mère — Roche altérée — Tourbe à carex — Fond mou — Tourbe à sphaigne — Tourbe ligneuse — Humus

Les régions naturelles : la forêt mixte, la toundra

La forêt mixte : bois et marécages

Il ne reste presque plus rien de la forêt mixte que connurent nos ancêtres. En effet, la plus grande partie est disparue au profit de l'urbanisation et de l'agriculture ; par ailleurs, l'industrie du bois, l'exploitation minière et les incendies ont modifié le caractère de ce qu'il en restait.

Le sud-ouest de l'Ontario se caractérise par le noyer d'Amérique, le sassafras officinal, l'asiminier trilobé et le tulipier de Virginie, espèces à bois dur que l'on trouve aux Etats-Unis.

Les forêts adultes du Saint-Laurent et des Grands Lacs sont dominées par l'érable à sucre et le hêtre ; l'orme, le chêne rouge, le chêne blanc, le tilleul d'Amérique et le cerisier noir prolifèrent dans les forêts plus jeunes. Des résineux, notamment le pin blanc, le pin rouge et la pruche, croissent parmi les feuillus.

Des essences boréales, comme l'épinette noire, l'épinette rouge et le sapin baumier, soulignent la côte des provinces Maritimes et couvrent la péninsule gaspésienne et les plateaux du Cap-Breton.

Dans la forêt mixte, la faune se concentre particulièrement dans les régions marécageuses. Les eaux riches en plancton et en plantes aquatiques (quenouille, lenticule mineure et salicaire) assurent la continuité de la chaîne alimentaire. La loutre se nourrit de crapets, de ménés, de perchaudes et d'achigans ; la tortue peinte se chauffe au soleil sur les roches et les troncs moussus ; le lynx roux guette le lapin et les rongeurs.

A l'automne, c'est à la pointe Pelée, région la plus méridionale du Canada, que les papillons monarques se rassemblent par milliers avant d'entreprendre leur migration vers le sud. C'est également là qu'habite le seul marsupial du pays, l'opossum. Ce mammifère primitif a peu évolué depuis 70 millions d'années ; il donne naissance à une vingtaine de petits qui restent pendant environ six semaines dans sa poche marsupiale.

Légende carte
- Feuillus
- Feuillus ; conifères épars
- Feuillus et conifères
- Conifères ; feuillus épars
- Conifères

Les mystères de la migration

Les deux tiers des 660 espèces d'oiseaux d'Amérique du Nord empruntent deux fois par an l'une des quatre grandes routes migratoires. Plus de 200 espèces survolent la pointe Pelée où se rencontrent la route du Mississippi et celle de l'Atlantique.

Cependant, personne ne sait encore pourquoi les oiseaux migrent. La recherche de nourriture n'explique le phénomène qu'en partie. La plupart des espèces fuient, beaucoup plus loin qu'il n'est nécessaire, des hivers auxquels survivent pourtant les espèces sédentaires.

Sentant les jours raccourcir, les oiseaux engraissent en prévision de leur départ. On pense que les migrateurs nocturnes s'orientent sur les étoiles et reconnaissent les constellations. Les migrateurs diurnes se fient au soleil et suivent les côtes, les chaînes de montagnes et les cours d'eau.

Les rayons ultraviolets, la lumière polarisée et le champ magnétique terrestre associé à la gravité comptent parmi les éléments possibles d'orientation. Les pigeons perçoivent les infrasons à de grandes distances. Le bruit des vagues guide peut-être les oiseaux de mer vers des îles.

Les migrations ne se font pas sans risque. En Amérique du Nord, 100 millions d'oiseaux aquatiques partent tous les automnes ; seuls 40 millions reviennent. Les chasseurs en abattent 20 millions, et les autres meurent de maladies ou sont tués par les prédateurs.

Légendes animaux
- Buse de Swainson
- Sterne arctique
- Bernache cravant
- Achigan à grande bouche
- Monarque
- Opossum
- Loutre
- Tortue peinte
- Lynx roux
- Trille blanc
- Viorne trilobée (pimbina)
- Tulipier de Virginie (fleur)

Légende carte migration
- Buse de Swainson
- Chevalier semi-palmé
- Bernache cravant
- Sterne arctique
- Vers l'Europe
- Vers l'Amérique du Sud en passant par l'Europe et l'Afrique
- Vers l'Amérique du Sud et l'Antarctique
- ROUTE DU PACIFIQUE
- ROUTE DU MISSISSIPPI
- ROUTE CONTINENTALE
- ROUTE DE L'ATLANTIQUE

Les animaux en milieu urbain

La plupart des Canadiens ne connaissent de la faune que ce qu'ils voient dans les villes. Certains animaux se sont, en effet, bien adaptés au milieu urbain. Le pigeon biset est domestiqué depuis l'époque des pharaons ; il vit de la générosité des passants. L'engoulevent niche sur les toits plats qui lui rappellent les plages caillouteuses ; les lumières de la ville lui permettent désormais de chasser toute la nuit. L'écureuil gris, ce mendiant des parcs, semble préférer les niches faites par l'homme aux trous dans les arbres. Le rat surmulot rôde au bord des cours d'eau et dans les quartiers délabrés, se nourrissant de rebuts.

Certaines espèces préfèrent la banlieue et les zones résidentielles. Les « garde-manger » d'hiver attirent la mésange, le gros-bec, le geai bleu et le troglodyte familier. L'étourneau sansonnet et le pinson, plus agressifs, attaquent les nids du merle et du pic. Les potagers regorgent de bonnes choses qui attirent le lapin et la marmotte. La couleuvre, un des rares reptiles à s'être adaptés à la ville, pourchasse les grenouilles ; la taupe, en quête de vers et de larves, creuse des trous dans les pelouses et les potagers ; le raton laveur et la mouffette fouillent dans les poubelles la nuit et passent la journée dans les arbres, les cheminées et sous les ponceaux.

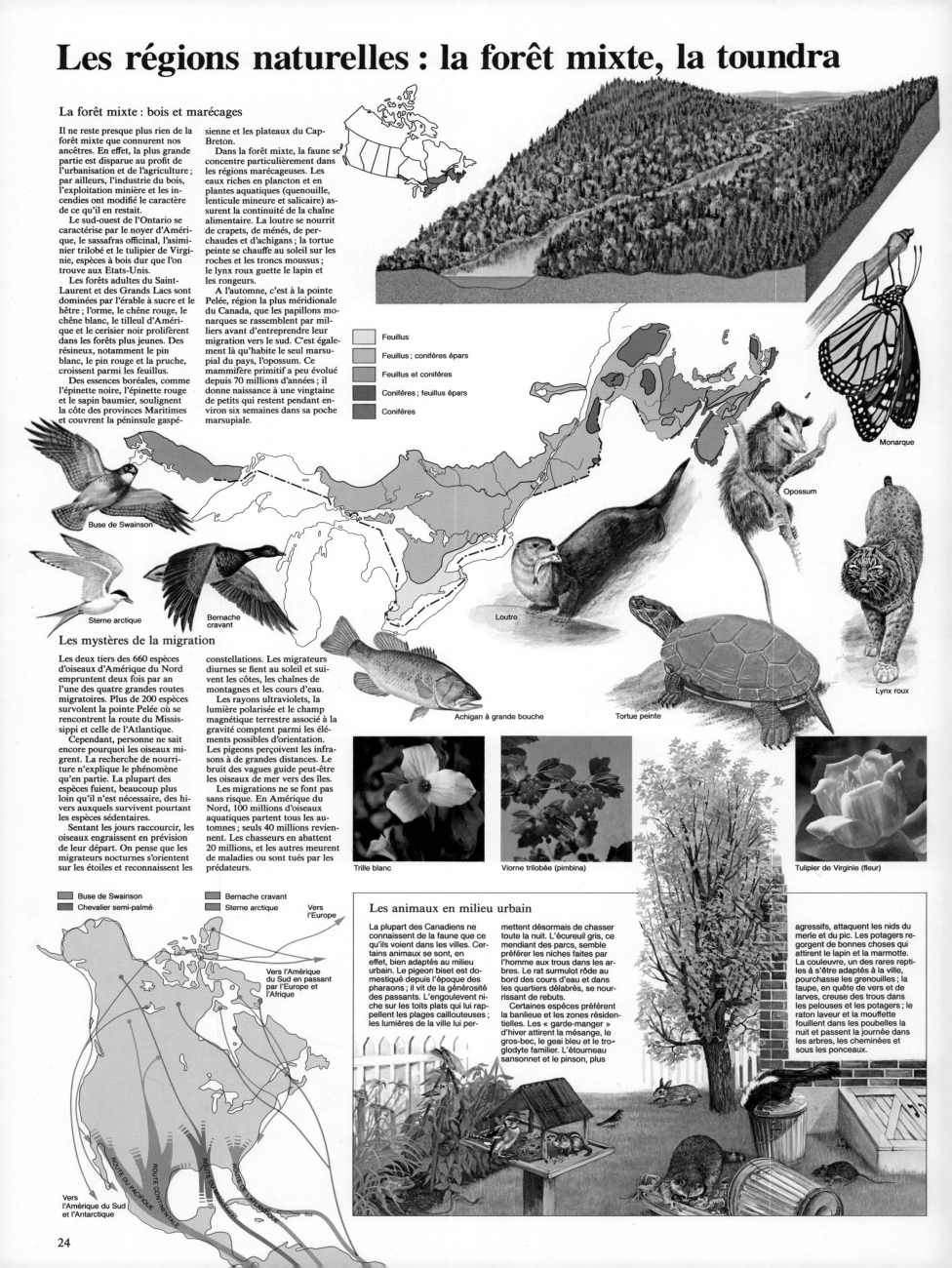

La toundra pendant la brève saison d'été

La toundra, vaste plaine jalonnée de tertres herbeux et de touffes d'arbres nains, s'étend au nord de la limite de la forêt et jusqu'à l'océan Arctique. Les rochers et les glaces, qui couvrent la plus grande partie des îles de l'Arctique, n'y favorisent guère que la croissance du lichen, de la dryade et de la saxifrage.

Les précipitations annuelles sont en moyenne de 250 mm, à peine plus que dans les déserts. Mais comme le sous-sol gelé (pergélisol) empêche l'eau de s'infiltrer, l'été, la toundra reste détrempée. De juin à août, le soleil ne se couche jamais, et quelque 900 espèces de plantes s'épanouissent pendant cette période. Le pavot safrané fleurit et produit des graines en un mois. Le saule et le carex commencent leur croissance sous la neige.

Le réchauffement de la toundra est très important pour les oiseaux qui s'y rassemblent. L'accouplement a souvent lieu pendant la migration. A la mi-juin, la ponte terminée, les parents

préparent leurs petits pour le grand départ, en août.

La toundra est le lieu de rassemblement de grandes populations d'animaux. L'île du Prince-Léopold accueille l'été une immense colonie d'oiseaux de mer. Tous les ans, des milliers de bélugas viennent mettre bas dans les eaux chaudes et peu profondes de l'inlet Cunningham, dans l'île Somerset. L'été, entre 300 000 et 500 000 caribous, répartis en cinq troupeaux, se déplacent dans la toundra ; l'hiver, ils se réfugient dans la forêt boréale. Le bœuf musqué hante surtout les îles de l'Arctique.

L'ours polaire passe l'hiver le long de la côte, à proximité des trous où viennent respirer les phoques annelés. A l'aide de ses défenses, le morse ratisse le fond de l'eau à la recherche de coquillages, dégage des trous dans la glace et se hisse sur la banquise ; il s'en sert également pour se défendre contre ses ennemis, l'ours polaire, sur terre, et l'épaulard, dans la mer.

La toundra abrite une faune peu diversifiée mais extrêmement nombreuse et concentrée, soit dans les eaux au voisinage des courants marins, soit dans des oasis polaires où abonde la végétation.

- **➡** Routes migratoires des cinq troupeaux de caribous
- **■** Autres mammifères terrestres (bœuf musqué, renard, lièvre)
- **□** Mammifères marins (ours polaire, phoque, morse, baleine)
- **●** Oiseaux de mer et gibier d'eau (fulmar, marmette, mouette, goéland, guillemot, canard, cygne siffleur)
- **○** Oies (outarde, oie blanche, oie de Ross, bernache cravant)
- **▼** Oasis polaires (concentrations d'espèces diverses)

Porcupine
Bluenose
Bathurst
Beverly
Kaminuriak

Les pingos (1) se forment à partir d'une poche d'eau emprisonnée dans le pergélisol, qui se déplace vers le haut sous la pression hydrostatique, gèle et prend de l'expansion. Il se crée un relief conique, le pingo, de 3 à 45 m de haut. Le toit éclate, découvrant le noyau de glace (2) ; la fonte provoque l'affaissement du relief et le transforme en un cratère rempli d'eau (3).

On parle de solifluxion (4) lorsque des terrains saturés d'eau se déplacent sur des pentes plutôt faibles, (l'inclinaison peut n'être que de 2 pour cent) sous l'effet du gel et de la gravité. Ce mouvement, rarement violent, se produit à la surface du pergélisol et modifie la topographie par turbation — diffusion des matériaux, redressement de blocs, remplissage, gonflement de masse.

Sous l'effet du gel, les terrains détrempés de la toundra se contractent et se fissurent. L'alternance du gel et du dégel agrandit les fissures et entraîne la formation d'un réseau de polygones (5) ; c'est ce qu'on appelle la figuration périglaciaire. La dimension des polygones est proportionnelle à la rapidité et à l'intensité du gel. Certains peuvent atteindre 90 m de diamètre.

- **▨** Pergélisol continu
- **▥** Pergélisol discontinu
- **▥** Pergélisol sporadique
- **▨** Pergélisol de type alpin
- **⁖** Pingos

Ours polaire   Phoque annelé   Morse   Bœuf musqué

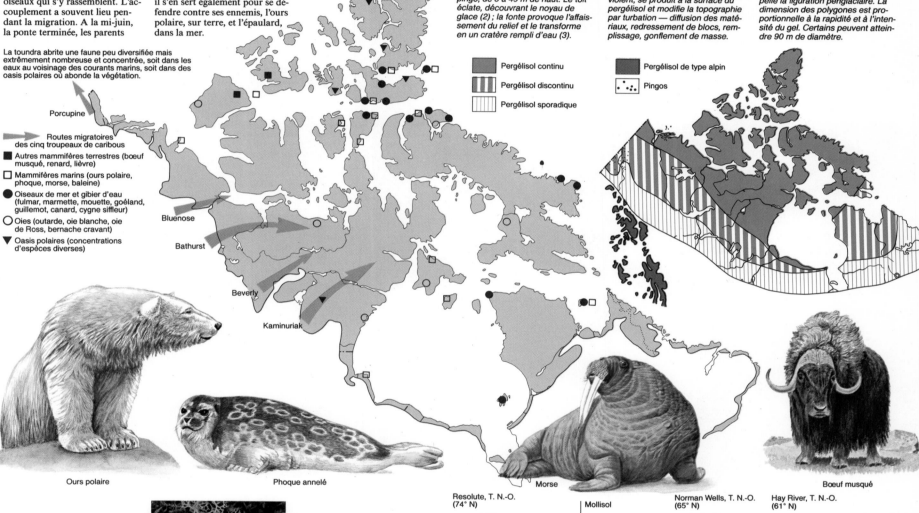

Resolute, T. N.-O. (74° N)   0,5 m   Mollisol   Norman Wells, T. N.-O. (65° N) 1 à 1,5 m   Hay River, T. N.-O. (61° N) 1,5 à 3 m
Pergélisol   400 m   50 m   15 m
Terrain non gelé
(L'illustration n'est pas à l'échelle)
PERGÉLISOL CONTINU   PERGÉLISOL DISCONTINU   PERGÉLISOL SPORADIQUE

Le lichen : deux plantes en une seule

Le lichen croît à peu près n'importe où (désert, haute montagne, toundra), surtout là où ne résiste aucun autre type de végétation.

Le lichen est le fruit de l'association de deux espèces végétales différentes, un champignon et une algue, qui vivent en sym-

Lichen des caribous

Cladonia pyxidata

Cladonia cristatella

biose. Le champignon, dépourvu de chlorophylle, absorbe l'humidité, essentielle à la vie des millions de cellules contenues dans son lacis de filaments. En revanche, l'algue fabrique par photosynthèse les éléments nutritifs nécessaires à tout l'organisme.

Le lichen affecte des formes diverses. Les lichens crustacés forment une croûte, incrustée parfois jusqu'à 1 cm dans le bois et dans le roc par l'intermédiaire de minuscules filaments. Les lichens foliacés, à lobes, s'ancrent au sol, au roc et aux arbres grâce à un ombilic qui ressemble à une racine. Parmi les lichens fruticuleux, on trouve le *Cladonia pyxidata*, en forme de trompette, le *Cladonia cristatella*, à tête rouge, ainsi que le lichen des caribous qui forme des tapis de 25 cm d'épaisseur près de la limite de la forêt. Le lichen cesse de croître pendant les périodes de chaleur et de froid intenses, et lors des sécheresses. Même sous des latitudes plus tempérées, il se développe lentement (au maximum 1 mm par an). Certaines colonies de lichen auraient 4 000 ans.

La puissance du pergélisol

Le sol maigre de la toundra qui gèle et qui dégèle tous les ans s'appelle le mollisol. Il recouvre le pergélisol qui, lui, ne dégèle jamais. Presque la moitié du territoire canadien se situe dans des zones de pergélisol continu, discontinu ou sporadique.

Le pergélisol se forme quand la température du sous-sol, qui dépend de la température ambiante, de la nature du sol, du ruisselle-

ment et du manteau nival, se maintient sous le point de congélation. La température du sous-sol est généralement supérieure de 1° à 5° à la température moyenne de l'air. Il y a donc pergélisol là où les températures moyennes sont d'environ −1°C. Plus la température du sous-sol est basse, plus le pergélisol est épais. A Hay River (T. N.-O.), la température du sous-sol est légèrement inférieure à 0°C : le pergélisol y est discontinu et son épaisseur varie de 1,5 à 15 m.

A Resolute (T. N.-O.), le sous-sol est à −13,3°C : le pergélisol atteint une épaisseur de 400 m.

Le pergélisol combiné à l'action du gel (la cryoplanation) est, dans l'Arctique, plus puissant que toute autre forme d'érosion. Par cryoplanation, le sol se soulève par endroits, formant des tertres, ou se fissure, créant des polygones qui couvrent des centaines de kilomètres carrés. Le pergélisol fond quand disparaît la couverture végétale qui l'isole ; le sol se fissure alors et s'affaisse.

Notre merveilleuse nature

Les premiers colons ont eu à vaincre une nature sauvage qui, d'autre part, livra généreusement ses terres et ses matières premières. Mais cette nature présentait un autre visage, celui de sa beauté envoûtante, si bien décrite par Susanna Moodie en 1853 : « Magnifique, magnifique dans sa grandeur sauvage est ce vaste pays. Combien prenante la solitude sublime de ses bois que ne sillonne aucun sentier ! Combien éloquentes les pensées nées du silence profond qui les étreint ! »

Depuis, on a entamé les forêts, fouillé le sous-sol et aménagé les cours d'eau. Environ 10 pour cent seulement du territoire des provinces est resté intact. A cela s'ajoute le Grand Nord où cependant la nature capitule déjà devant le progrès et l'industrie.

Pour préserver cette nature grandiose, on a créé 28 parcs nationaux, plus de 600 parcs provinciaux, des centaines de voies de canotage et de sentiers de randonnée, des réserves et des refuges.

Ces espaces, qui cherchent à préserver ce qu'il reste de territoires sauvages, recouvrent une extraordinaire variété de paysages : littoral de l'île Vancouver, lacs et rivières du nord de la Saskatchewan, badlands tourmentés du Red Deer, plateaux austères du Cap-Breton, etc.

Parcs, réserves et refuges accueillent tous les ans plus de 20 millions de visiteurs. C'est là un défi de taille, car il faut être capable à la fois d'ouvrir la nature aux visiteurs et de la préserver. On crée donc de nouveaux parcs : depuis 1970, plus de 50 000 km² sont venus s'ajouter à la superficie totale des seuls parcs nationaux. Dans les parcs anciens, on s'efforce de faire une mise en valeur plus rationnelle ; ailleurs, on a remplacé l'automobile, trop polluante, par des navettes. Programmes de présentation, musées, voies de canotage et sentiers d'observation, autant d'éléments qui invitent l'automobiliste à s'arrêter.

Guide des parcs du Canada

Le Canada compte plus de 1 000 parcs naturels et sites historiques. La carte (*à droite*) indique l'emplacement des 28 parcs nationaux et des 56 parcs historiques ; de 67 parcs provinciaux (le dixième seulement du nombre total), de 21 réserves et refuges, ainsi que de 20 cours d'eau sauvages. Ce sont là des lieux privilégiés, qui présentent un caractère unique. La plupart sont ouverts toute l'année, et le visiteur peut s'y adonner, selon la saison, à une foule d'activités : camping, excursions, canotage, pêche, photographie, sports d'hiver, observation de la nature et promenade.

- ⦿ Parc national
- ㉒ Parc provincial
- ⑱ Parc historique national
- ▭ Route transcanadienne
- Réserve nationale ou provinciale
- Refuge national ou provincial
- Cours d'eau sauvage

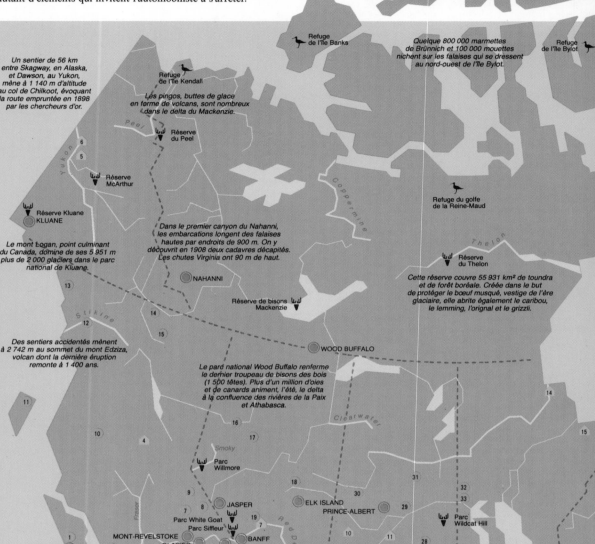

Un sentier de 56 km entre Skagway, en Alaska, et Dawson, au Yukon, mène à 1 140 m d'altitude au col de Chilkoot, évoquant la route empruntée en 1898 par les chercheurs d'or.

Refuge de l'île Banks

Refuge de l'île Bylot

Quelque 800 000 marmettes de Brünnich et 100 000 mouettes nichent sur les falaises qui se dressent au nord-ouest de l'île Bylot.

Refuge de l'île Kendall

Les pingos, buttes de glace en forme de volcans, sont nombreux dans le delta du Mackenzie.

Réserve du Peel

Réserve McArthur

Refuge du golfe de la Reine-Maud

Réserve Kluane
KLUANE

Le mont Logan, point culminant du Canada, domine de ses 5 951 m plus de 2 000 glaciers dans le parc national de Kluane.

Dans le premier canyon du Nahanni, les embarcations longent des falaises hautes par endroits de 900 m. On y découvrit en 1908 deux cadavres décapités. Les chutes Virginia ont 90 m de haut.

Réserve du Thelon

Cette réserve couvre 55 931 km² de toundra et de forêt boréale. Créée dans le but de protéger le bœuf musqué, vestige de l'ère glaciaire, elle abrite également le caribou, le lemming, l'orignal et le grizzli.

NAHANNI

Réserve de bisons Mackenzie

WOOD BUFFALO

Des sentiers accidentés mènent à 2 742 m au sommet du mont Edziza, volcan dont la dernière éruption remonte à 1 400 ans.

Le parc national Wood Buffalo renferme le dernier troupeau de bisons des bois (1 500 têtes). Plus d'un million d'oies et de canards animent, l'été, le delta à la confluence des rivières de la Paix et Athabasca.

Parc Willmore

JASPER

Parc White Goat
Parc Siffleur

ELK ISLAND

PRINCE-ALBERT

Parc Wildcat Hill

MONT-REVELSTOKE
GLACIER
KOOTENAY
Réserve des Purcell

BANFF
YOHO

Les restes de plus de 125 dinosaures ont été mis au jour dans les badlands du Big Muddy.

MONT-RIDING

PACIFIC RIM

LACS-WATERTON

Le West Coast Trail, long de 80 km, amène le randonneur aux chutes Tsuiat et longe sur 11 km Long Beach et Barkeley Sound, le cimetière du Pacifique.

Cours d'eau sauvages, paisibles ou tumultueux

Fleuves et rivières sont à la base même de notre histoire. A travers les forêts et la Prairie, ils ont entraîné l'homme, au nord, vers les fourrures et la fortune, à l'ouest, vers le Pacifique. A la fin du XIXᵉ siècle, ils étaient devenus des voies de communication. De nos jours, ils produisent de l'électricité, irriguent les champs et approvisionnent en eau les usines et les villes.

Mais il en reste que l'homme n'a pas encore apprivoisés et qui, à l'état sauvage, demeurent une ressource inestimable. Le Missinaibi et le Yukon sont des musées vivants qui retracent l'histoire de l'homme et de la nature ; les rivières Moisie et Nahanni roulent des eaux que se plaisent à affronter les canoteurs ; le Winisk, le Coppermine et le Thelon serpentent vers le nord entre ciel et toundra.

Entre 1971 et 1973, Parcs Canada fit un premier pas vers la protection des eaux sauvages en relevant 72 cours d'eau d'intérêt historique, pittoresque ou récréatif (*la carte, à droite, en donne 20*). L'ère des trappeurs est révolue : fleuves et rivières attirent désormais les campeurs, les pêcheurs, les canoteurs et les naturalistes.

Parcs provinciaux, sauvages et aménagés

Les parcs provinciaux protègent des milieux naturels tout en permettant aux visiteurs d'y pratiquer des activités de plein air. On exige parfois des frais d'entrée minimes et, dans certains cas, des frais de camping. Le tableau (*ci-dessous*) donne les principaux d'entre eux. A défaut de parcs provinciaux, les Territoires du Nord-Ouest et le Yukon offrent de nombreux terrains de camping privés. Quant à la Nouvelle-Ecosse, des refuges provinciaux et deux parcs nationaux se partagent son territoire sauvage. Enfin, l'Ile-du-Prince-Edouard s'est dotée d'un réseau de zones récréatives allant du terrain de pique-nique (ouvert le jour seulement) au terrain de camping.

Mont Robson (C.-B.)

Dinosaur (Alb.)

Collines du Cyprès (Sask.)

Algonquin (Ont.)

	Colombie-Britannique															Alberta								Saskatchewan								Manitoba								Ontario									
Camping																																																		
Randonnée																																																		
Canotage																																																		
Pêche																																																		
Sports d'hiver																																																		

1 Strathcona · 2 Garibaldi · 3 Golden Ears · 4 Manning · 5 Kokanee Glacier · 6 Mount Assiniboine · 7 Wells Gray · 8 Mount Robson · 9 Bowron Lake · 10 Naikoon · 11 Tweedsmuir · 12 Mt. Edziza · 13 Atlin · 14 Muncho Lake · 15 Kwadacha · 16 Lac-Cardinal · 17 Winagami Lake · 18 Long Lake · 19 Crimson Lake · 20 Kananaskis · 21 Dinosaur · 22 Writing-on-Stone · 23 Cypress Hills · 24 Cypress Hills · 25 Moose Mountain · 26 Buffalo Pound · 27 Duck Mountain · 28 Greenwater Lake · 29 Nipawin · 30 Meadow Lake · 31 Lac-La-Ronge · 32 Grass River · 33 Clearwater · 34 Duck Mountain · 35 Turtle Mountain · 36 Spruce Woods · 37 Hecla · 38 Grand Beach · 39 Whiteshell · 40 Lake of the Woods · 41 Quetico · 42 Sibley · 43 Polar Bear · 44 Nagagamisis · 45 Missinaibi Lake · 46 Lake Superior · 47 Mississagi · 48 Killarney · 49 Algonquin · 50 Presqu'île

Réserves et refuges

Au début, l'objectif des réserves et des refuges était clair : protéger le gibier, notamment le gibier d'eau migrateur, contre les effets destructeurs d'une société en expansion. Depuis, leur rôle a été défini dans une perspective plus large et, outre le gibier, la loi protège de nombreux animaux dont 34 espèces menacées (*à droite*).

L'agrandissement de ces zones protégées entraîne souvent l'achat de pâturages épuisés et de forêts détruites par le feu ou l'exploitation forestière, exigeant qu'on procède à des réaménagements coûteux, tels que la construction de clôtures ou de barrages et le reboisement.

Dans les réserves et les refuges sans routes ni services, le visiteur doit quitter les lieux le soir ; en certains endroits, l'accès est même interdit pour ne pas perturber la faune. Mais, dans l'ensemble, réserves et refuges sont ouverts au public.

OISEAUX

Faucon pèlerin Bonaparte
Faucon pèlerin (arctique)
Grue blanche d'Amérique
Courlis esquimau
Poule des Prairies

POISSONS

Cisco à grande bouche
Corégone atlantique
Méné à grandes écailles
Gravelier
Petit-bec
Naseux des rapides
Suceur noir
Chabot à tête courte
Omble de fontaine

Faucon pèlerin (arctique)

REPTILES ET AMPHIBIENS

Serpent à sonnettes
Couleuvre bleue
Couleuvre d'eau du lac Erié
Typhlops
Tapaya pygmée
Salamandre tigrée de l'Est
Salamandre à petite bouche
Acris-grillon de Blanchard

MAMMIFÈRES

Marmotte de l'île Vancouver
Chien de prairie
Couguar (sous-espèce de l'Est)
Putois d'Amérique
Loutre de mer
Renard nain

Couleuvre d'eau du lac Erié

Loup des Rocheuses
Bison des bois
Rorqual bleu
Rorqual à bosse
Baleine noire
Baleine grise

Le parc d'Auyuittuq, en partie occupé par la calotte de Penny (5 720 km²), abrite 38 espèces d'oiseaux dont deux sont menacées d'extinction : le faucon pèlerin et le cygne siffleur.

AUYUITTUQ

Refuge Dewey Soper

La plus importante colonie d'oies au monde abrite 1 million d'outardes, d'oies blanches et de bernaches cravants.

Nulle part au monde la toundra s'étend-elle à des latitudes aussi méridionales. Le parc qui occupe cette région abrite l'ours polaire, le renard arctique et le caribou.

Refuge de l'île Akimiski

Dans le parc provincial de Chibougamau, la Chamouchouane se précipite d'une hauteur de 33 m aux chutes Chaudière avant de se transformer en bouillonnants rapides. Le canotage y est une activité populaire. Les nombreux lacs sont peuplés de brochets, de truites, de dorés, de loutres et de castors.

Le parc de la Mauricie est ponctué de 154 lacs. Il offre au visiteur des terrains de camping, des plages, des zones de conservation de la flore et de la faune et une route panoramique.

PUKASKWA

Sur les 13 km de côtes du parc de Fundy, la mer découpe dans les falaises de grès des anses et des baies. Les curieux en exploreront les lagunes ; les ornithologues amateurs s'y adonneront à l'observation : le parc renferme quelque 185 espèces d'oiseaux.

La péninsule de Bruce doit à l'érosion les piliers rocheux qui ponctuent le littoral calcaire de l'île Flowerpot. Ses falaises schisteuses renferment des fossiles datant de 400 millions d'années.

POINTE-PELÉE

Sur la flèche littorale de 17 km qui forme l'extrémité la plus méridionale du Canada, on a observé quelque 300 espèces d'oiseaux, ainsi que des plantes et des animaux très rares.

Les parcs nationaux : une nature intacte

Les 28 parcs nationaux du Canada occupent une superficie de 80 000 km². Ils sont, selon les termes de la loi, « dédiés au peuple... pour son bénéfice, son instruction et sa jouissance », et ils doivent rester « intacts... pour les générations futures ». Le parc de Banff est le plus ancien, celui d'Auyuittuq (le premier du genre situé au-delà du cercle polaire), le plus récent. Le parc Wood Buffalo est, avec ses 27 700 km², le plus grand du monde ; celui des îles du Saint-Laurent, avec ses 400 ha, le plus petit du Canada. D'austères fa- laises caractérisent, dans l'Est, les parcs de Terra Nova, de Gros-Morne (*à droite*) et des hautes terres du Cap-Breton ; des plages merveilleuses bordent les parcs Pacific Rim et de l'Ile-du-Prince-Edouard.

Comme les parcs nationaux recevaient de plus en plus de visiteurs, le gouvernement fédéral, conjointement avec les provinces, en a créé de nouveaux (10 depuis 1968). On vise à atteindre, à plus ou moins long terme, un total de 55, ce qui en fera le plus grand réseau de parcs nationaux au monde.

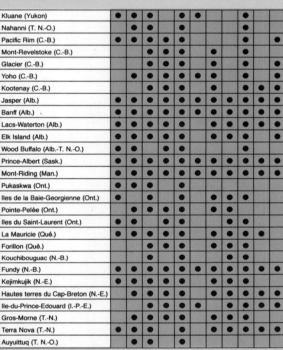

Le lièvre arctique et le caribou de Terre-Neuve hantent le parc dont le nom vient du Gros-Morne, un mont de 806 m. Oursins, éponges et anémones de mer y abondent dans les lagunes.

TERRA NOVA
GROS-MORNE
Parc d'Avalon

Parc de conservation de la faune

FORILLON
HAUTES TERRES DU CAP-BRETON
Réserve Plaster Rock-Renous
ÎLE-DU-PRINCE-ÉDOUARD
Réserve du Kedgwick
KOUCHIBOUGUAC
Réserve du Canaan
Réserve Chignecto
FUNDY
Réserve Lepreau
KÉJIMKUJIK
Réserve Tobeatic

Outre des pétroglyphes indiens, on trouve dans le parc de Kéjimkujik la population d'amphibiens et de reptiles la plus diversifiée du Canada.

ILES DE LA BAIE-GEORGIENNE
ÎLES DU SAINT-LAURENT
LA MAURICIE

	Bateau à moteur	Canot	Sentiers de randonnée	Sentiers d'observation	Pêche	Équitation	Sports d'hiver	Musée	Camping	Caravaning	Services
Kluane (Yukon)	●	●	●	●	●				●		●
Nahanni (T. N.-O.)	●	●	●	●	●						
Pacific Rim (C.-B.)	●	●	●	●	●			●	●		●
Mont-Revelstoke (C.-B.)			●	●			●	●	●		●
Glacier (C.-B.)			●	●			●	●	●	●	●
Yoho (C.-B.)		●	●	●	●	●	●	●	●	●	●
Kootenay (C.-B.)		●	●	●	●	●	●	●	●	●	●
Jasper (Alb.)	●	●	●	●	●	●	●	●	●	●	●
Banff (Alb.)	●	●	●	●	●	●	●	●	●	●	●
Lacs-Waterton (Alb.)	●	●	●	●	●	●	●	●	●	●	●
Elk Island (Alb.)	●	●	●	●	●		●	●	●	●	●
Wood Buffalo (Alb.-T. N.-O.)	●	●	●	●	●				●		●
Prince-Albert (Sask.)	●	●	●	●	●	●	●	●	●	●	●
Mont-Riding (Man.)	●	●	●	●	●	●	●	●	●	●	●
Pukaskwa (Ont.)		●	●	●	●						
Iles de la Baie-Georgienne (Ont.)	●	●	●	●	●				●		●
Pointe-Pelée (Ont.)		●	●	●	●			●			●
Iles du Saint-Laurent (Ont.)	●	●	●	●	●				●		●
La Mauricie (Qué.)	●	●	●	●	●		●		●	●	●
Forillon (Qué.)	●	●	●	●	●	●	●	●	●	●	●
Kouchibouguac (N.-B.)	●	●	●	●	●		●		●	●	●
Fundy (N.-B.)		●	●	●	●	●	●	●	●	●	●
Kéjimkujik (N.-E.)		●	●	●	●		●		●	●	●
Hautes terres du Cap-Breton (N.-E.)			●	●	●		●	●	●	●	●
Ile-du-Prince-Edouard (I.-P.-E.)	●	●	●	●	●			●	●	●	●
Gros-Morne (T.-N.)	●	●	●	●	●		●		●	●	●
Terra Nova (T.-N.)	●	●	●	●	●		●		●	●	●
Auyuittuq (T. N.-O.)			●	●	●						

Les parcs historiques nationaux et notre héritage

Les personnes et les événements qui ont fait du Canada ce qu'il est sont représentés dans 56 parcs historiques nationaux. Historiens, archéologues et anthropologues y font des fouilles et restaurent les sites. Lower Fort Garry, un poste de traite, a été minutieusement restauré : on en a reconstitué les remparts et les tours, et meublé les maisons dans les styles du XVIIᵉ, XVIIIᵉ et XIXᵉ siècles. La forteresse de Louisbourg, érigée en 1720 et abandonnée pendant 200 ans, constitue la plus grande œuvre de restauration faite au Canada. Le parc, avec ses 52 km², renferme une cinquantaine d'édifices, les murs noircis de quelques autres bâtiments et d'importantes portions des fortifications. Les parcs historiques sont plus que des monuments ; on y présente des spectacles « son et lumière » et on peut y visiter des musées.

Sites historiques du Yukon

Fort Lennox (Qué.)

1 Fort Rodd Hill
2 St. Roch
3 Fort Langley
4 Fort St. James
5 Sites historiques du Yukon
6 Magasin-Robert
7 Rocky Mountain House
8 Fort Walsh
9 Massacre-des-Collines-du-Cyprès
10 Battleford
11 Batoche
12 Fort-Espérance
13 Lower Fort Garry
14 Fort-Prince-de-Galles
15 York Factory
16 Fort-Saint-Joseph
17 Fort Malden
18 Woodside
19 Fort George
20 Hauteurs de Queenston et Monument de Brock
21 Caserne de Butler
22 Maison du Docteur Bethune
23 Tours de Kingston
24 Maison Bellevue
25 Bataille-du-Moulin-à-Vent
26 Fort Wellington
27 Canal-Rideau
28 Fort-Témiscamingue
29 Maison de Sir Wilfrid-Laurier
30 Coteau-du-Lac
31 Fort-Chambly
32 Fort Lennox (Qué.)
33 Forges-du-Saint-Maurice
34 Fortifications-de-Québec
35 Parc de l'Artillerie
36 Cartier-Brébeuf
37 Parc national des Champs-de-Bataille
38 Casemate de St. Andrews
39 Tour de Carleton
40 Habitation-de-Port-Royal
41 Tour-Prince-de-Galles
42 Fort Edward
43 Fort-Anne
44 Redoute York
45 Citadelle d'Halifax
46 Grand-Pré
47 Fort-Beauséjour
48 Province House
49 Fort Amherst
50 Alexander Graham Bell
51 Forteresse-de-Louisbourg
52 Castle Hill
53 Phare du cap Spear
54 Signal Hill
55 L'Anse-aux-Meadows
56 Port-au-Choix

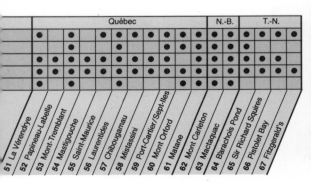

			Québec				N.-B.		T.-N.	
●		●		●		●			●	
●		●		●		●				
●		●		●		●			●	
●		●		●		●				

51 La Vérendrye
52 Papineau-Labelle
53 Mont-Tremblant
54 Mastigouche
55 Saint-Maurice
56 Laurentides
57 Chibougamau
58 Mistassini
59 Port-Cartier/Sept-Îles
60 Mont Orford
61 Matane
62 Mont Carleton
63 Maclaqua
64 Barachois Pond
65 Sir Richard Squires
66 Pistolet Bay
67 Fitzgerald's

Les premiers occupants du territoire

Lors des glaciations, une bande de terre apparut entre la Sibérie et l'Alaska, facilitant les premières migrations en Amérique du Nord. Mais les scientifiques ne s'entendent pas sur le moment précis où l'homme emprunta ce passage. Les restes retrouvés dans le bassin du Old Crow, au Yukon, qui fut épargné par les glaces pendant le Pléistocène, font remonter l'arrivée de l'homme à 27 000 ans. Des découvertes faites en Alberta font reculer cet événement encore plus loin, peut-être à 40 000 ans.

Peu importe le moment où ils arrivèrent en Amérique du Nord, les premiers habitants n'étaient ni des explorateurs, ni des aventuriers, ni des colons, mais des nomades qui suivaient les troupeaux dont dépendait leur survie. Ces ancêtres des Amérindiens et des Inuits durent s'adapter à des milieux divers : toundra glacée, haute montagne, prairie, forêt et littoral déchiqueté.

Pour survivre dans ces milieux, ils confectionnèrent des armes et mirent au point des techniques de chasse, se consacrèrent à la cueillette, apprirent à reconnaître les plantes médicinales et à cultiver la terre. Ils construisirent des habitations adaptées au climat, du simple abri à la grande maison de bois, et conçurent des embarcations diverses, destinées selon le cas à la navigation fluviale ou à la chasse à la baleine. Ils se fabriquèrent des vêtements avec des peaux d'animaux et de l'écorce tressée. Ils taillèrent leurs outils dans la pierre, le bois, l'os et le cuivre.

De plus en plus nombreux, ils développèrent à mesure de leur expansion sur le continent des langues et des modes de vie très différents. Dans les régions boréales et les plaines giboyeuses, ils devinrent chasseurs. Sur les côtes, est et ouest, ils se firent pêcheurs. Sur les sols fertiles à proximité de plans d'eau comme ceux du sud de l'Ontario, ils s'adonnèrent à l'agriculture. Ailleurs, enfin, ils se spécialisèrent dans le troc entre tribus.

Les structures sociales et politiques différaient d'un groupe à l'autre. Les Iroquois des populeuses forêts de l'Est vouaient à leur tribu une loyauté profonde, tandis que les nomades disséminés dans les régions boréales avaient une conscience sociale qui se limitait à la famille. Les Inuits vivaient selon des valeurs démocratiques, contrairement à certaines tribus de la côte Ouest, fortement hiérarchisées, selon le lignage et la richesse.

Malgré tant de diversité, Indiens et Inuits vivaient en harmonie avec leur milieu, convaincus que tout être vivant, animal ou végétal, a une âme et doit être respecté. Ils avaient une compréhension de l'interdépendance fondamentale des choses de la nature, qui fait en partie défaut à l'homme moderne.

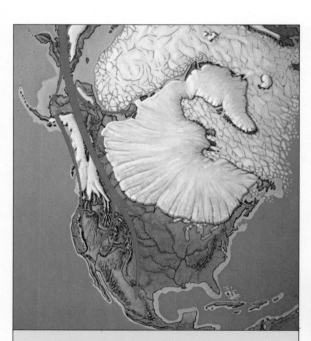

Un pont dans l'Arctique Au Pléistocène, les glaciers occupèrent une grande partie de l'hémisphère Nord, emprisonnant de telles quantités d'eau que le niveau des mers s'abaissa d'environ 120 m. La Béringie, qui relia la Sibérie et l'Alaska (couleur sable, *carte ci-dessus*), disparut et réapparut au rythme des oscillations de l'inlandsis. Elle émergea pendant deux périodes assez longues, soit de 34000 à 30000 av. J.-C., et de 26000 à 11000 av. J.-C. Les premiers chasseurs nomades, venus d'Asie il y a peut-être 40 000 ans, suivaient les troupeaux de mammouths et de caribous le long des corridors épargnés par les glaces (*flèches*).

25000 av. J.-C.	Racloir en os (Yukon) : présence de l'homme en Amérique du Nord.	*Racloir en os de caribou*
10000	Chasse aux grands mammifères de l'ère glaciaire.	
8000	Suivant le glacier en recul, les Paléo-Indiens des régions boréales migrent vers le nord.	
7000	Premiers sédentaires sur la côte Pacifique.	*Pilon et mortier en pierre*
4000	Disparition des grands mammifères de l'ère glaciaire.	
2000	Extraction du cuivre dans la région des Grands Lacs.	*Lame de cuivre*
2000	Arrivée dans l'Arctique de la première vague d'immigrants de tradition microlithique.	*Pointe de harpon en os*
1000	Fabrication de poteries dans l'est du Canada.	
300 ap. J.-C.	Les premiers villages font leur apparition dans la Prairie.	*Canard en jonc (leurre)*
500	Culture du haricot, du maïs et de la courge dans les forêts de l'Est.	
1000	Dans l'Arctique, les Thuléens, dont descendent les Inuits d'aujourd'hui, remplacent les Dorsétiens.	*Lunettes d'ivoire*
1400	Les tribus de la côte Ouest élaborent un vaste réseau d'échange.	*Tête de hibou sculptée*
1600	Tsonnontouans, Onneiouts, Onontagués, Goyogouins et Agniers forment la puissante confédération iroquoise.	

CÔTE OUEST
Commerçants et artisans

Année après année, la remontée du saumon du Pacifique vers ses frayères marquait le retour des Indiens de la côte Ouest dans leurs territoires de pêche traditionnels. En quelques semaines, à l'été et à l'automne, ils réussissaient à accumuler des quantités suffisantes de saumon (mis en filets et fumé) pour passer l'hiver.

Ils se nourrissaient également toute l'année de morue et de flétan frais, d'algues et de coquillages, de mammifères marins dont ils apprêtaient les peaux. Dans les montagnes densément boisées de la côte, ils chassaient le wapiti, le mouflon, le loup, l'ours, le castor et la martre.

Kwakiutl

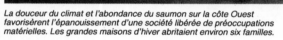

La douceur du climat et l'abondance du saumon sur la côte Ouest favorisèrent l'épanouissement d'une société libérée de préoccupations matérielles. Les grandes maisons d'hiver abritaient environ six familles.

Le climat doux et humide favorisait la croissance des cèdres géants dans lesquels ils creusaient des pirogues (certaines atteignaient 22 m de long) qui servaient à la chasse à la baleine et aux échanges commerciaux avec les tribus voisines. Le cèdre était utilisé aussi pour les totems, les poutres de charpente et les planches des maisons (20 m sur 90). On en tressait l'écorce pour fabriquer des chapeaux coniques, des capes et des nattes.

L'abondance et l'accessibilité des ressources laissaient du temps pour les activités artistiques : le tissage de couvertures en poil de chien ou de chèvre, rehaussées de motifs colorés, la sculpture d'objets de bois, usuels ou rituels.

Comme les tribus de la côte vivaient dans l'abondance, le commerce portait sur le superflu. Les Nootkas troquaient leurs objets sculptés dans de l'os de baleine contre les embarcations de cérémonie fabriquées par les Haidas de l'archipel de la Reine-Charlotte. Les esclaves, considérés comme le plus grand signe de richesse, constituaient un important objet d'échange. Les tribus de la côte entretenaient, par ailleurs, d'étroits liens commerciaux avec celles de l'intérieur par l'intermédiaire des Kwakiutls et des Tlinkits.

Aucune fête n'était plus sacrée que le potlatch, grande cérémonie donnée par une bande pour en humilier une autre. On y procédait à la distribution de riches cadeaux et à la destruction de biens de valeur. C'était l'occasion, pour l'hôte, d'étaler sa richesse et, par conséquent, d'affermir son pouvoir.

PLATEAU
Pêcheurs et cueilleurs

Délimité par la chaîne Côtière et la ligne de partage des eaux, le plateau intra-cordilléran formait une enclave qui, pendant des siècles, accueillit des nomades de cultures diverses.

Dans cette région fermée, les principales voies de communication étaient le Columbia et le Fraser, qui abondaient en saumon. Leurs rives étaient jalonnées de petits villages où on parlait différents dialectes issus de quatre grandes familles linguistiques.

L'été, la plupart des habitants du plateau vivaient dans des

Des Indiens du plateau harponnent le saumon dans le Columbia.

huttes faites de nattes de jonc posées sur des charpentes de peuplier. L'hiver, ils habitaient des abris à demi enfouis sous terre. Ils y entraient par une ouverture pratiquée au milieu du toit ; un tronc entaillé servait d'échelle. Au début du printemps, ils partaient à la recherche de carottes sauvages, d'ail des bois et de tubercules divers, car la rigueur du climat et la pauvreté du sol ne permettaient pas une véritable agriculture. Le poisson, le gibier et les fruits sauvages complétaient leur alimentation.

Sur le plateau, l'abondance des cours d'eau favorisait le commerce. Les marchands de la côte apportaient dans leurs pirogues de cèdre des coquillages, des peaux de loutre de mer et des paniers ; ils transmettaient en même temps leur culte de la hiérarchie sociale et de la richesse. D'autre part, les habitants du plateau descendaient vers la côte dans leurs pirogues de pin remplies de pelleteries, de cuivre, de jadéite et d'herbes.

Chez les tribus du plateau, les structures politiques étaient plutôt lâches. Et leur culture résultait surtout de la juxtaposition d'éléments empruntés aux tribus voisines : religion, vêtements, mœurs et habitations, tout rappelait les habitants des régions d'alentour.

Plateau

PLAINES
Civilisation du bison

Les Indiens des Plaines vivaient du bison. Avant l'avènement du cheval, ils le chassaient à pied, l'obligeant à pénétrer dans des enceintes rudimentaires ou à se jeter du haut de falaises.

Ils utilisaient à peu près toutes les parties de l'animal. Ils séchaient sa chair pour obtenir le charqui ou la broyaient au pilon avec des baies et de la graisse pour faire le pemmican. Ils tannaient sa peau pour confectionner des jambières, des tuniques et des mocassins. Avec les peaux plus laineuses des animaux tués l'automne ou l'hiver, ils faisaient des couvertures et des manteaux. Les poils servaient à rembourrer les coussins ; tressés, ils devenaient des cordes.

Inuit du cuivre

ARCTIQUE
Vie précaire dans les glaces

Les Inuits occupaient un territoire qui s'étendait sur 8 000 km, de l'extrémité orientale de la Sibérie au Groenland. Ils habitaient la toundra, plateau rocheux et ondulé où ne poussaient que des arbustes nains, des mousses et des lichens. L'hiver, la toundra dormait sous la neige ; l'été, elle devenait un marécage infesté de moustiques. Sur la banquise, on chassait le phoque, la baleine et le morse au harpon. Le poisson constituait une part importante de l'alimentation. Sur la terre ferme, on pourchassait tout autant le caribou et l'ours polaire que le campagnol et le lemming. Pour prendre les oiseaux, on se servait de filets faits de lanières de peau de phoque ou de dards, de bâtons et de cailloux.

On mangeait crus le poisson, la viande et la graisse, plus nutritifs ainsi. Le lichen partiellement digéré qu'on prélevait dans l'estomac du caribou était un mets recherché. Le bois de grève, le seul qu'on trouvait dans l'Arctique, entrait dans la confection des harpons et des traîneaux. A défaut de bois, on utilisait les andouillers d'un caribou, et si l'on manquait de tout, on fabriquait des traîneaux avec des peaux ou du poisson gelés qu'on pourrait manger au besoin.

A la fin de l'automne, les Inuits se réunissaient sur la banquise par groupes de cent environ pour édifier des iglous. Lors des tempêtes, le village se rassemblait dans un grand iglou et prenait part à des danses rythmées par le tambour et à des luttes ou suivait les rites d'un chamane qui tentait d'apaiser les mauvais esprits et les éléments.

Les Inuits disposaient d'une centaine de mots pour la neige, mais ils n'en avaient aucun pour rendre la notion de chef. Le pouvoir venait de l'approbation de la communauté. Il n'y avait pas de mauvais chasseurs, seulement des chasseurs malchanceux. Si tous manquaient de chance, c'était la mort.

Ils croyaient au surnaturel. Les monstres et les esprits, l'âme humaine ou animale étaient au centre de leurs préoccupations.

Ils menaient au jour le jour une existence précaire, mais dans une joie qui étonna les premiers explorateurs. « Si vous connaissiez les horreurs que nous devons subir, leur disaient-ils, vous comprendriez pourquoi nous aimons tant rire. »

Un masque de chamane (à gauche), datant de 1 000 ans, révèle l'ancienneté de l'art des civilisations du Nord. Les lunettes d'ivoire (au-dessous) protégeaient les yeux contre la réflexion du soleil sur la neige. La gravure du xixᵉ siècle (en bas) montre un chasseur inuit qui attend à côté d'un trou dans la glace qu'un phoque vienne respirer, pour le harponner.

Le Canada au xviᵉ siècle

Au xviᵉ siècle, la répartition des populations indiennes était bien définie. La carte (à gauche) indique les principaux groupes qui se partageaient le territoire à cette époque. Les noms apparaissant dans chacune des régions identifient les Indiens en fonction des découvertes qu'on y a faites. La localisation de certaines tribus nomades est approximative. Leurs déplacements étaient réglés par le climat, les migrations du gibier ou l'hostilité des groupes voisins. Ce dernier facteur prit de plus en plus d'ampleur avec la colonisation européenne.

INUIT DU CUIVRE

INUIT DU CENTRE

INUIT DU CARIBOU

CHIPEWYAN

INUIT DU LABRADOR

NASKAPI

BÉOTHUK

CRI

MONTAGNAIS

MICMAC

MALÉCITE

ASSINIBOINE

SAUTEUX

ALGONQUIN

HURON

PÉTUN

NEUTRE   IROQUOIS

Naskapi

Inuit du Labrador

Iroquois

Assiniboine

Les tipis eux-mêmes étaient couverts de peaux de bison. Plus qu'un abri, ces tentes étaient un lieu sacré. Le sol représentait la terre nourricière, les parois convergeant vers le haut symbolisaient le ciel, et la forme circulaire de l'habitation évoquait le cycle sacré de la vie, sans commencement ni fin. Même dans les tipis les plus modestes, on dressait derrière l'âtre un autel en terre battue où brûlaient des aromates et devant lequel on invoquait les esprits.

Les tribus quittaient les grandes prairies à la fin de l'automne et s'établissaient dans des vallées boisées. Elles vivaient de la chasse. Les hommes traquaient le cerf ou capturaient les bisons empêtrés dans des bancs de neige où ils les avaient attirés. Certains hivers très rigoureux interdisaient cependant même la chasse au petit gibier, de sorte que, les provisions de pemmican et de viande séchée épuisées, c'était la famine.

L'été, la vie était plus facile. On remerciait le grand manitou par des cérémonies comme celle de la danse du Soleil qui donnait lieu à des épreuves d'endurance et d'automutilation.

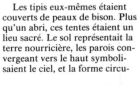

Les Indiens des Plaines pratiquaient, à l'aide de bâtons à bout membrané, un jeu de crosse.

FORÊTS DE L'EST
Hommes des bois et guerriers

Il y a 1 000 ans, l'homme imprimait sa marque dans les forêts de l'est du Canada. Çà et là s'étendaient des champs de maïs et de tabac, mais aussi des lopins de terre abandonnés après une exploitation intensive. Des camps de pêche jalonnaient les cours d'eau ; les pistes de chasse étaient nombreuses et fréquentées.

La nourriture était abondante, et la vie suivait le rythme des saisons. L'automne et l'hiver, les tribus algonquines du Nord vivaient de la chasse au cerf, au caribou et à l'orignal. Au printemps et pendant l'été, elles se nourrissaient de poisson, de castor, d'oiseaux et d'œufs, de baies et de racines. Les surplus étaient séchés en prévision des jours de disette. Les tribus établies au bord de la mer, des lacs ou des cours d'eau comptaient également sur les coquillages et les mammifères marins.

Les Algonquins avaient dans les nations iroquoises confédérées un ennemi de taille, qui occupait les forêts des lacs Ontario, Huron et George. Les Iroquois, comme les Hurons du sud de l'Ontario, vivaient essentiellement d'agriculture. Ils cultivaient le haricot, le maïs, la courge et le tabac.

Les habitants des forêts transformaient l'argile, le bois et l'écorce en ustensiles. Ils utilisaient le jonc pour les nattes et les sacs, et l'écorce de bouleau pour les torches, les canots, les écuelles, les wigwams et les maisons. Ils fumaient 27 espèces de plantes et en consommaient 130 ; ils en utilisaient 25 en teinture et 270 en médecine.

La guerre faisait partie de leur vie, car les rivalités entre tribus étaient profondément ancrées. Les affrontements, plutôt brefs, prenaient la forme de raids au cours desquels on se livrait au massacre et au pillage. Les prisonniers étaient parfois torturés et mis à mort, mais le plus souvent ils étaient adoptés par la tribu pour remplacer les guerriers disparus.

Canots et wigwams en écorce caractérisaient les Indiens des forêts au xixᵉ siècle.

RÉGIONS BORÉALES
Nomades de la taïga

Les habitants du Nord-Ouest, du groupe athapascan, étaient des chasseurs nomades. Ils dépendaient du caribou, se nourrissant de sa chair, fabriquant des vêtements et des abris avec sa peau, et des outils avec ses os et ses andouillers. Au printemps et à l'automne, la chasse devenait une entreprise communautaire. Les caribous étaient poussés dans des enclos ou tués au passage des rivières.

Ces nomades se déplaçaient avec toutes leurs possessions. Les femmes et les enfants portaient des charges qui pouvaient atteindre 60 kg, pendant que les hommes parcouraient les bois en quête de gibier.

Les Algonquins du Nord-Est vivaient de la pêche, de la chasse et de la cueillette. Ils mangeaient la chair et la graisse des animaux et se servaient des os pour faire des outils. Les femmes cousaient des vêtements de peau avec des tendons. L'estomac de l'orignal et du caribou servait de récipient pour la cuisson, et les glandes de ces animaux étaient prisées pour leurs qualités médicinales. Le bois, l'écorce et les racines des arbres entraient dans la confection des canots, des wigwams, des raquettes et des toboggans.

L'hiver, trois ou quatre familles se déplaçaient ensemble ; l'été, plusieurs groupes se réunissaient pour la chasse et la pêche. C'était la saison de la cueillette, des danses, des jeux de hasard et des récits, mais aussi du tannage des peaux et de la construction des canots.

Le gros gibier était une proie facile pour les chasseurs en raquettes.

Les grandes explorations du continent

En 1492, avant d'entreprendre son premier voyage vers l'Asie par la route de l'Occident, Christophe Colomb croyait que l'Espagne n'était séparée des Indes que par une mer de peu d'étendue. Comme la plupart des gens instruits de son époque, Colomb pensait que la Terre était ronde, mais personne encore n'en connaissait la circonférence. Il estima que l'océan qui séparait l'Europe de l'Asie mesurait 4 400 km. En réalité, cette distance était de 16 000 km, et l'Amérique se trouvait entre les deux.

De nombreux récits rapportent que des visiteurs avaient débarqué en Amérique bien avant Colomb : des pèlerins britanniques, en 75 ap. J.-C. ; saint Brendan, missionnaire en quête d'une terre promise, au VIᵉ siècle ; des moines irlandais, sur les bords du Saint-Laurent, vers la fin du IXᵉ siècle. Quant aux Vikings, on sait qu'ils avaient précédé Colomb de 500 ans.

Au XVᵉ siècle, rois et marchands furent séduits par la perspective d'une route maritime donnant accès aux épices, aux soieries et aux pierres précieuses de l'Orient. Certes, on pouvait se procurer les produits exotiques sur les marchés du Moyen-Orient, mais les négociants arabes et les intermédiaires italiens contrôlaient toutes les routes commerciales. A la fin du siècle, la construction de navires plus robustes et la mise au point d'instruments de navigation plus précis rendirent possibles les voyages au long cours. Les nouvelles caravelles portugaises empruntaient leur coque aux navires marchands de l'Europe du Nord et leurs voiles latines aux felouques arabes, alliant rapidité et robustesse.

Les aventuriers se lancèrent dans la traversée de l'Atlantique et prirent pied, non pas aux Indes, mais en Amérique. Au cours de l'été 1497, le Vénitien Jean Cabot, au service d'Henri VII

d'Angleterre, fut le premier depuis les Vikings à débarquer en Amérique du Nord (on ignore où exactement). Il n'aborda pas au pays des épices et des soieries, mais au royaume des poissons : ses relations sur la richesse du Grand Banc attirèrent par la suite les navires de pêche au large des côtes de Terre-Neuve. Convaincu qu'il avait découvert les Indes, Cabot s'embarqua en 1498 à destination du Japon mais ne revint jamais.

En 1501, Gaspar Corte-Real, parti du Portugal, accosta au Labrador. Ses trois navires se séparèrent aux environs du détroit de Belle-Isle, et on ne revit jamais Corte-Real.

En 1524, Giovanni da Verrazzano, au service du roi de France, débarqua près de ce qui s'appelle aujourd'hui le cap Fear, en Caroline du Nord. Il mit ensuite les voiles sur Terre-Neuve. On commença dès lors à avoir une meilleure idée des côtes de l'Amérique. Ce n'est toutefois qu'en 1534 que Jacques Cartier, envoyé par François Iᵉʳ, débarquera au Canada et découvrira que Terre-Neuve est une île. L'année suivante, au cours de son deuxième voyage, il fera connaître l'existence d'une voie de pénétration au cœur du continent, le Saint-Laurent.

La recherche d'une route susceptible de contourner ou de traverser le continent poussa marchands et explorateurs à aller de plus en plus loin et finit par révéler la véritable richesse du Nouveau Monde : les fourrures. Les négociants européens, en quête de nouveaux territoires, se déplacèrent lentement vers l'ouest, et trois siècles allaient s'écouler avant que le Canada ne soit exploré en entier. En 1793, Alexander Mackenzie partait de Montréal et atteignait le Pacifique par la terre : il venait, le premier, de traverser le Canada d'un océan à l'autre.

Jean Cabot découvrit Terre-Neuve et le Grand Banc en 1497. A son retour en Angleterre, il fut accueilli en héros. « Il porte des habits de soie, écrivait-on, et les Anglais ne cessent de le courtiser. » Henri VII, que l'or intéressait plus que le poisson, lui remit seulement £10. Cabot reprit la mer l'année suivante à destination de l'Orient, mais ne revint jamais.

Jacques Cartier dédaigna la région (le Labrador, sans doute) qu'il avait vue en 1534, la décrivant comme « la terre que Dieu donna à Caïn ». L'année suivante, il découvrait le Saint-Laurent. Croyant être sur la route de l'Orient, il remonta le cours du fleuve sur 1 300 km jusqu'au village iroquois d'Hochelaga, où Montréal allait plus tard se développer.

Conquête des fourrures et du continent

Le Nouveau Monde ne livra ni épices ni soieries. L'Europe finit néanmoins par s'apercevoir que les fourrures troquées par les Indiens contre diverses denrées constituaient une richesse aussi grande que les produits de l'Orient.

Les Français revinrent en Amérique du Nord au XVIIᵉ siècle avec Samuel de Champlain. Celui-ci pénétra à l'intérieur du continent par le Saint-Laurent et cartographia la plus grande partie de la région des Grands Lacs. En 1615, il se rendit par eau jusqu'à la baie Georgienne, posant ainsi les jalons, vers l'ouest, de la principale route des fourrures.

Marchands, missionnaires et explorateurs contribuèrent à repousser les frontières de la Nouvelle-France. En 1672, le jésuite Charles Albanel alla jusqu'à la baie d'Hudson. René-Robert Cavelier de La Salle descendit le Mississippi jusqu'au golfe du Mexique et, en 1682, en revendiqua tout le bassin au nom de Louis XIV. Au début du XVIIIᵉ siècle, Pierre de La Vérendrye et ses fils atteignirent les Prairies après avoir établi une série de postes de traite des fourrures.

Entre-temps, une compagnie britannique, la Compagnie de la Baie d'Hudson, s'implantant dans le Nord. Pierre-Esprit Radisson et Médard Chouart

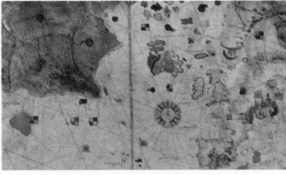

En 1500, Juan de la Cosa établit à l'aide des données recueillies par Jean Cabot la première carte de l'Amérique du Nord (à gauche).

des Groseilliers proposèrent au gouverneur de Québec une route maritime pour les fourrures partant de la « baie du Nord ». Déçus par le gouverneur, ils trouvèrent à la cour de Charles II d'Angleterre des appuis : en 1670, la compagnie se voyait accorder le monopole de la traite dans la baie.

Il était entendu que la compagnie ne devait pratiquer la traite que dans les postes de la baie. Mais certains employés parcouraient l'intérieur pour amener les Indiens à abandonner les trafiquants français et à apporter leurs fourrures à la baie. En 1691, Henry Kelsey atteignit les plaines du nord de la Saskatchewan. En 1754, Anthony Henday fut sans doute le premier Blanc à voir les Rocheuses.

La Compagnie de la Baie d'Hudson dut faire face à la concurrence dès la conquête :

d'entreprenants marchands écossais se lièrent aux voyageurs canadiens-français pour s'emparer du commerce français. La compagnie envoya alors des marchands vers l'intérieur. En 1771, Samuel Hearne découvrit la rivière Coppermine. Il fut le premier Blanc à parvenir à l'océan Arctique par voie de terre.

Les marchands montréalais s'unirent en 1787 pour former la Compagnie du Nord-Ouest. En 1789, le Nor'Wester Alexander Mackenzie découvrit le fleuve qui porte son nom, en cherchant un passage dans les Rocheuses. En 1793, il atteignit le Pacifique. Il devenait le premier Européen à avoir traversé le continent.

La course aux fourrures avait permis d'explorer et de cartographier l'Ouest à partir de deux points à l'est : Montréal et la baie d'Hudson.

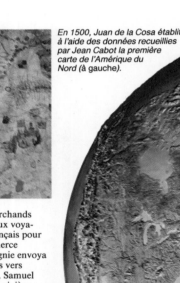

Cabot 1497
Corte-Real 1501
Verrazzano 1524

A la recherche d'un passage à travers la banquise

Dès le milieu du XVIᵉ siècle, les explorateurs savaient que l'obstacle entre l'Europe et l'Asie s'étendait de l'océan Arctique au cap Horn. A l'extrémité sud, le tumultueux détroit de Magellan était territoire espagnol. Les explorateurs anglais dirigèrent donc leurs recherches au nord dans les eaux de l'Arctique.

En 1576, avec l'appui de la reine Elisabeth Iʳᵉ, Martin Frobisher fit la première tentative pour découvrir au nord un passage est-ouest, navigable et libre de glace. Il se rendit jusqu'à l'île de Baffin et découvrit la baie de Frobisher qu'il crut être un détroit débouchant sur l'Asie.

En 1610, l'expédition de l'infortuné Henry Hudson le mena dans le détroit d'Hudson et dans la baie du même nom qu'il prit pour le Pacifique. Son équipage se mutina et l'abandonna sur une chaloupe.

En 1616, William Baffin conclut que la baie d'Hudson ne s'ouvrait pas à l'ouest et fit le tour de

la mer de Baffin. Il alla ainsi plus au nord que tous ceux qui le suivirent dans l'Arctique au cours des deux siècles suivants. A son retour, il découvrit le détroit de Lancaster, mais l'importance de sa découverte ne fut reconnue qu'au XIXᵉ siècle, où l'on se rendit compte que le détroit était l'entrée du passage du Nord-Ouest.

En 1631, après avoir hiverné dans la baie James, Thomas James conclut à l'inexistence du passage. Ses bailleurs de fonds abandonnèrent la partie.

Deux siècles passèrent avant que la Royal Navy prenne la relève. Après les guerres napoléoniennes, la Grande-Bretagne disposait d'hommes et de navires.

En 1819, le lieutenant Edward Parry, profitant de conditions favorables dans l'Arctique, franchit les détroits de Lancaster, de Barrow et du Vicomte-de-Melville. Il alla plus loin à l'ouest que tous ses prédécesseurs.

Au XIXᵉ siècle, la plus importante expédition britannique dans l'Arctique connut une fin tragique. Sir John Franklin et ses hommes quittèrent l'Angleterre en 1845 et on ne les revit jamais plus. Les équipes de secours parties à leur recherche revinrent bredouilles, mais les données qu'ils rapportèrent permirent de cartographier la plus grande partie des côtes continentales et insulaires de l'Arctique.

Un passage existait à travers la banquise, mais il restait à vérifier s'il était praticable. De 1903 à 1906, le Norvégien Roald Amundsen parvint à franchir, sur le Gjøa, le détroit de Lancaster et déboucha dans la mer de Beaufort au sortir d'un dédale d'archipels. Il avait conquis le passage du Nord-Ouest.

L'Investigator, pris dans les glaces, au cours de l'expédition infructueuse (1850-1854) de Robert M'Clure pour retrouver Franklin.

Le Canada, à partir de l'ouest

La côte du Pacifique n'était pas connue quand le capitaine **James Cook** (à droite) débarqua en 1778 dans le détroit de Nootka. Il était le premier Européen à s'y rendre. Auparavant, il avait reconnu les rives du Saint-Laurent. Puis, il s'était proposé de rechercher une voie navigable qui, partant du Pacifique, traverserait le continent. Il finit par conclure à l'impossibilité de l'entreprise.

Le capitaine George Vancouver, jeune aspirant de 20 ans au moment où il avait accompagné Cook sur la côte du Pacifique, explora, de 1791 à 1795, des anses et des baies que Cook n'avait pas vues. Il découvrit, en juin 1793, sept semaines avant l'arrivée d'Alexander Mackenzie au même point, la décharge du Bella Coola. En 1795, il rejeta l'hypothèse selon laquelle le passage du Nord-Ouest serait situé plus au sud.

Martin Frobisher était reconnu pour sa témérité. Il quitta l'Angleterre avec l'appui de la reine Elisabeth Iʳᵉ, à la recherche du passage du Nord-Ouest. En juillet 1576, parvenu au large de l'île de Baffin, il donna son nom aux détroits dans lesquels il croyait se trouver. Ceux-ci allaient se révéler n'être qu'une baie. Frobisher ne fit ensuite que des voyages infructueux.

Samuel Hearne fut envoyé par la Compagnie de la Baie d'Hudson en décembre 1770 à la recherche d'une rivière du nord réputée pour ses gisements de cuivre. En juillet 1771, après un périple de 1 400 km, il découvrit la rivière Coppermine qui se révéla moins riche que prévu. Il poursuivit sa route jusqu'à l'océan Arctique, devenant le premier à l'atteindre par voie de terre.

Alexander Mackenzie était Ecossais. Il suivit en 1789 un émissaire du Grand Lac des Esclaves dans l'espoir d'ouvrir une route des fourrures dans les Rocheuses, qui déboucherait sur le Pacifique. Le cours d'eau l'ayant mené à l'océan Arctique, il l'appela « Disappointment ». Il atteignit néanmoins le Pacifique en 1793 après avoir suivi la rivière de la Paix et le Parsnip.

Edward Parry partit à la recherche du passage du Nord-Ouest avec deux ketches, le *Hecla* et le *Griper*. Dans le détroit de M'Clure, au large de l'île de Melville, il fut bloqué par les glaces. Mais il était allé plus loin à l'ouest que ses prédécesseurs. Ses techniques d'exploration et de survie dans l'Arctique servirent de modèle aux expéditions subséquentes.

Sir John Franklin quitta l'Angleterre en 1845 en quête du passage du Nord-Ouest, avec l'*Erebus* et le *Terror*. On ne le revit jamais. Une quarantaine d'équipes le cherchèrent en vain, tout en cartographiant le littoral de l'Arctique sur des milliers de kilomètres. En 1859, dans l'île du Roi-Guillaume, on trouva un message précisant que Franklin était mort en 1847.

Roald Amundsen réalisa le rêve de tous ses prédécesseurs avec six hommes. Après avoir navigué en eau peu profonde et vaincu glaces et brouillards, le Norvégien découvrit le passage du Nord-Ouest. Il lui avait fallu trois ans, de 1903 à 1906. En 1911, il atteignit le premier le pôle Sud. Il disparut en 1928, au cours d'une expédition de sauvetage dans l'Arctique.

Les grandes explorations du continent sont illustrées ici en trois étapes. Seules les expéditions importantes ont été relevées. Là où plusieurs explorateurs ont suivi une même route, un seul trajet a été retenu. Le premier globe évoque la découverte de la côte atlantique, aux XVᵉ et XVIᵉ siècles. Au milieu se trouvent les routes suivies par les premières expéditions parties à la recherche du passage du Nord-Ouest ainsi que celles effectuées sur le continent vers les Prairies. En bas sont représentées les explorations de la côte Ouest, celles qui avaient pour but de cartographier l'Arctique et les dernières expéditions sur le passage du Nord-Ouest.

Jean Cabot fit son mémorable voyage de 1497 sur le Matthew, un trois-mâts qui mesurait un peu moins de 23 m de long et dont le mât d'artimon était gréé d'une voile latine, semblable à celle des felouques qu'utilisaient les négociants arabes.

Des canots d'écorce, de 5 à 10 m, transportaient les explorateurs vers l'intérieur du pays sur des cours d'eau impraticables autrement.

Le premier navire à franchir le passage du Nord-Ouest fut le Gjøa du Norvégien Roald Amundsen. C'était un bateau de pêche au hareng reconverti, qui mesurait à peine 3 m sur 22. Il était chargé à ras bords d'instruments scientifiques et de provisions. Il réussit là où de plus gros navires avaient échoué.

Jacques Cartier 1535-36
Martin Frobisher 1576-77
John Davis 1585
Samuel de Champlain 1608-09, 1615-16
Henry Hudson 1610-11
Etienne Brûlé 1615-16, 1621
Robert Bylot, William Baffin 1616
Thomas James 1631-32
Médard Chouart des Groseilliers 1654-56
Pierre-Esprit Radisson, Médard Chouart des Groseilliers 1659-60
René-Robert Cavelier de La Salle 1669, 1678-80
Charles Albanel 1672
Henry Kelsey 1689, 1690-92
William Stuart 1715
Pierre de La Vérendrye 1731-41
Louis-Joseph, François de La Vérendrye 1742-43

Anthony Henday 1754-55
Samuel Hearne 1770-72
James Cook 1778-79
Peter Pond 1778-88
Alexander Mackenzie 1789, 1793
George Vancouver 1792-94
David Thompson 1796
Simon Fraser 1808
John Ross 1818, 1829-33
William Edward Parry 1819-20, 1821-22
John Franklin 1819-22, 1825-27, 1845-47
William Hendry 1828
George Back 1833-34
John Rae 1846-47, 1854
Robert Campbell 1851
Roderick Ross MacFarlane 1857
Charles Francis Hall 1871-73
George Strong Nares 1875-76
Albert Peter Low 1892-95
Otto Neumann Sverdrup 1898-1902
Roald Amundsen 1903-06
Robert Edwin Peary 1908-09
Vilhjalmur Stefansson 1913-18

Au Nouveau Monde, un nouveau pays

Les Canadiens d'aujourd'hui n'ont pas pris part aux décisions qui ont fait de leur pays ce qu'il est. Les colonies dont ont émergé le Canada et les Etats-Unis se sont d'abord établies le long de la côte atlantique. La conquête de l'Ouest a, par la suite, fait peu à peu reculer les frontières. Enfin, la lointaine Angleterre, essentiellement intéressée aux routes des fourrures de l'Ouest et du Nord, avait par traité fixé les frontières avec les Etats-Unis, si bien qu'au moment de la Confédération, la frontière méridionale du Canada était déjà tracée d'un océan à l'autre.

L'ère de la survivance : la Nouvelle-France

L'empire français au Nouveau Monde commence en 1605 avec l'établissement des premiers colons à Port-Royal, en Nouvelle-Ecosse. Trois ans plus tard, Samuel de Champlain construit à Québec son Habitation.

Le commerce des fourrures vient au premier rang des facteurs qui expliquent l'établissement de la Nouvelle-France au

En 1700, les Indiens troquaient 100 000 peaux de castors par an.

nord. Mais la richesse en morue du Grand Banc et, surtout, la présence au sud de colonies espagnoles et anglaises doivent également entrer en ligne de compte.

Les rivalités entre la France et l'Angleterre en Europe se répercutent sur l'Amérique. Dès 1613, des Anglais venus de Virginie brûlent Port-Royal. En 1627, la Compagnie des Cent-Associés reçoit de Richelieu le monopole de la traite des fourrures en Nouvelle-France ; en retour, elle s'engage à défendre la colonie et à y envoyer, la première année, « deux à trois cents personnes de tous métiers... et pendant les années suivantes en augmenter le nombre jusqu'à 4 000 de l'un et l'autre sexe ». Mais des flibustiers anglais interceptent les premiers navires, assiègent Québec et obligent Champlain à se rendre. En 1632, Québec est rétrocédé à la France. La Compagnie des Cent-Associés s'intéresse plus aux fourrures qu'à la colonisation, et les établissements, isolés et mal défendus, subissent les attaques des Iroquois. Ceux-ci,

hostiles aux Français qui sont alliés à leurs ennemis, les Hurons et les Algonquins, martyriseront huit missionnaires jésuites.

En 1663, lors de l'instauration du régime royal, le Canada compte moins de 3 000 habitants. Louis XIV met sur pied un conseil souverain composé d'un gouverneur, d'un évêque, d'un intendant et de cinq colons. Jean Talon, le premier intendant, arrive en 1665. Pour stimuler l'immigration, il défraie le passage des futurs colons et leur distribue des provisions, des outils et des terres. Les célibataires, pénalisés, n'ont aucun droit de pêche, de chasse ou de trappe, tandis que les pères de 10 enfants reçoivent une allocation de 300 livres ($750) par année. Talon fait venir aussi les « filles du roi » — orphelines et filles de fermiers — pour les marier. En 1673, la population a plus que doublé.

Les seigneurs reçoivent des fiefs ayant façade sur l'eau et s'engagent, pour les mettre en valeur, à recruter des censitaires. En 1683, arrivent les Troupes de la Marine, premières troupes régulières à s'installer en permanence dans la colonie. Leurs forces, combinées à celles des effectifs coloniaux, tiennent les Iroquois en échec pendant un certain temps. Par ailleurs, Talon met sur pied un chantier naval et une brasserie ; il encourage la culture du houblon et du chanvre (avec lequel on fabrique du fil, des câbles, des tissus et des voiles).

Mais l'Europe est avide de fourrures et c'est sur elles que repose l'économie de la colonie. Nombre de jeunes gens défient l'Eglise et l'Etat et se font coureurs des bois. Leur commerce avec les Indiens les entraînant toujours un peu plus à l'ouest, ils ouvrent le pays. Montréal devient la plaque tournante du commerce des fourrures. Aux foires qui s'y tiennent tous les ans viennent des centaines d'Algonquins, de Hurons et d'Outaouais, attirés par la traite et les festivités.

Au cours des années 1680, les possessions françaises s'étendent à l'ouest, au-delà du lac Supérieur jusqu'au Mississippi, et au sud, jusqu'au golfe du Mexique. Mais elles sont peu peuplées, les colons s'étant sur-

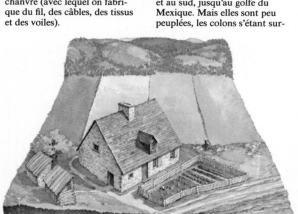

En Nouvelle-France, les domaines seigneuriaux formaient des bandes ayant façade sur le fleuve. Les maisons de pierre, fraîches l'été, chaudes l'hiver, étaient portées par des murs de 1 m d'épaisseur et surmontées de toits à pignon qui facilitaient l'évacuation de la neige. Des lucarnes apparaissaient quand, la famille s'agrandissant, on ajoutait des chambres.

tout concentrés sur les rives du Saint-Laurent, entre Québec et Montréal. Les colonies anglaises, au sud de la Nouvelle-France, comptent au même moment 250 000 habitants. Elles commercent avec l'Europe et les Antilles, et leur économie est florissante. Le climat plus doux favorise l'abondance et la diversification des récoltes. La Compagnie de la Baie d'Hudson, compagnie anglaise formée en 1670, règne au nord de la Nouvelle-France.

La lutte entre l'Angleterre et la France pour la suprématie en Amérique s'amorce en 1689. Les colons anglais et les colons français, avec leurs alliés indiens, s'attaquent mutuellement. En 1690, les Anglais tentent sans succès d'assiéger Québec. En 1713, la France renonce par le traité d'Utrecht au bassin de la baie d'Hudson, à Terre-Neuve et à l'Acadie. Des quelque 1 700 Acadiens qui se voient proposer l'assujettissement ou l'exil, la plupart choisissent de rester dans la région fertile de la baie de Fundy.

La France, qui n'avait plus d'autres accès à la Nouvelle-France que par l'île alors quasi déserte du Cap-Breton, y fait construire une impressionnante forteresse : Louisbourg. En 1745, celle-ci tombe aux mains de colons anglais venus de Nouvelle-Angleterre ; elle est rendue à la France trois ans plus tard. Mais les Anglais fondent Halifax dès 1749 pour faire pendant à Louisbourg.

En 1750, les treize colonies du Sud comptent 1,2 million

La forteresse de Louisbourg défendait l'accès à la Nouvelle-France par l'Atlantique.

d'habitants, tandis que la Nouvelle-France n'en compte encore que 55 000. Or, les possessions françaises à l'ouest des Appalaches sont un frein à l'expansion coloniale anglaise.

La guerre de Sept Ans (1756-1763) va être décisive. La France et l'Angleterre renforcent leurs armées dans les colonies. La France envoie au Canada ses meilleurs généraux et nomme le marquis de Montcalm commandant en chef des armées. En 1757, l'Angleterre dispose de 23 000 hommes, la France, de 6 800. Louisbourg tombe aux mains des Anglais en juin 1758. Un an plus tard, le général James Wolfe arrive au large de Québec à la tête de 168 vaisseaux. Le 13 septembre 1759, après avoir escaladé la falaise, ses hommes envahissent les Plaines d'Abraham et prennent la ville. Montcalm et Wolfe trouvent tous deux la mort dans cette bataille. Montréal, vulnérable, se rend l'année suivante. En 1762, la Louisiane est cédée à l'Espagne. Enfin, en 1763, le Canada devient colonie britannique par la signature du traité de Paris. C'est la fin de la Nouvelle-France.

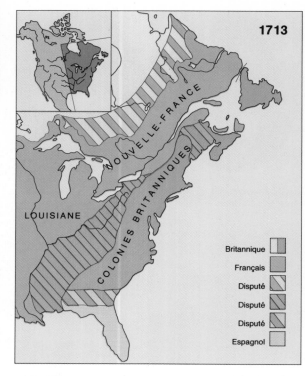

1713

Britannique
Français
Disputé
Disputé
Disputé
Espagnol

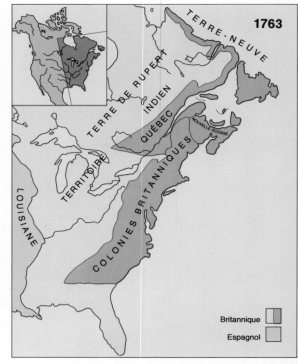

1763

Britannique
Espagnol

La mort de Montcalm en 1759 sonna le glas de la Nouvelle-France.

1600	1610	1620	1630	1640	1650	1660	1670	1680	1690	1700	1710	1720
• Fondation de Port-Royal, première colonie permanente		• Quatre navires français tombent entre les mains des frères Kirke dans le golfe du Saint-Laurent	• Maisonneuve fonde Ville-Marie (Montréal)			• Instauration à Québec du régime royal		• La Salle prend possession de la Louisiane au nom du roi de France		• Paix définitive entre les Iroquois et les colons français		• La France entreprend l'édification de la forteresse de Louisbourg
	• Fondation de Québec par Champlain		• Prise de Québec par les Anglais				• Fondation de la Compagnie de la Baie d'Hudson		• Le massacre de Lachine annonce une nouvelle série d'incursions iroquoises		• Conquête définitive de Port-Royal par les Anglais	
	• Arrivée des premiers jésuites en Nouvelle-France		• Rétrocession de Québec à la France par le traité de Saint-Germain-en-Laye			• Mgr de Laval devient premier évêque de Québec		• La Salle construit le Griffon, premier bateau lancé sur les Grands Lacs		• Mort de Frontenac		• 12 000 soldats anglais, partis de Boston à la conquête de Québec, font naufrage dans le golfe du Saint-Laurent
	• Arrivée de missionnaires récollets en Nouvelle-France		• Champlain meurt à Québec			• Entrée en fonction de Jean Talon, premier intendant de la Nouvelle-France ; arrivée des « filles du roi »		• Phips conquiert Port-Royal, mais essuie un échec à Québec		• Traité d'Utrecht : la Nouvelle-France perd la baie d'Hudson, Terre-Neuve et la péninsule de l'Acadie	
	• Port-Royal est mis à sac par des Virginiens		• Port-Royal est reconstruit à l'emplacement actuel d'Annapolis Royal (N.-E.)			• Frontenac est nommé gouverneur de la Nouvelle-France		• Les Français détruisent les établissements britanniques à Terre-Neuve			
	• Etablissement à Québec du premier colon, Louis Hébert					• Fondation du fort Frontenac (Kingston)		• Restitution de l'Acadie à la France par le traité de Ryswick			
			• Jacques VI, roi d'Ecosse, concède la Nouvelle-Ecosse à Sir William Alexander									

32

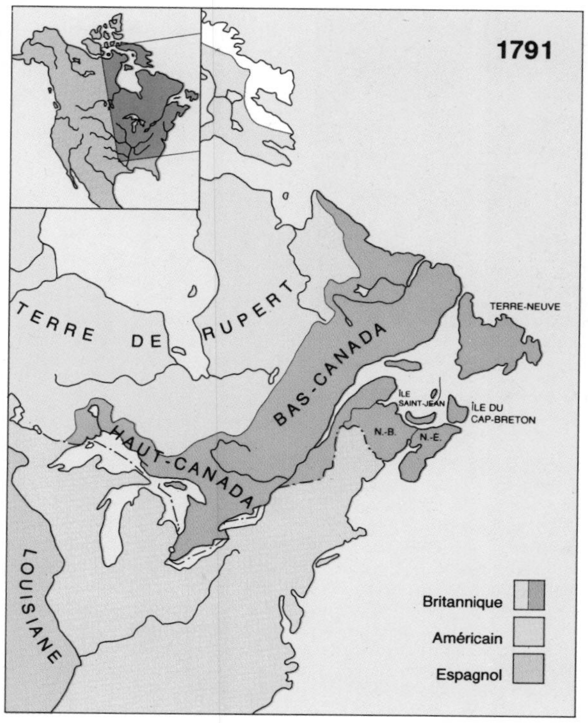
1791
TERRE DE RUPERT
BAS-CANADA
HAUT-CANADA
TERRE-NEUVE
ÎLE SAINT-JEAN
ÎLE DU CAP-BRETON
N.-B.
N.-E.
LOUISIANE
Britannique
Américain
Espagnol

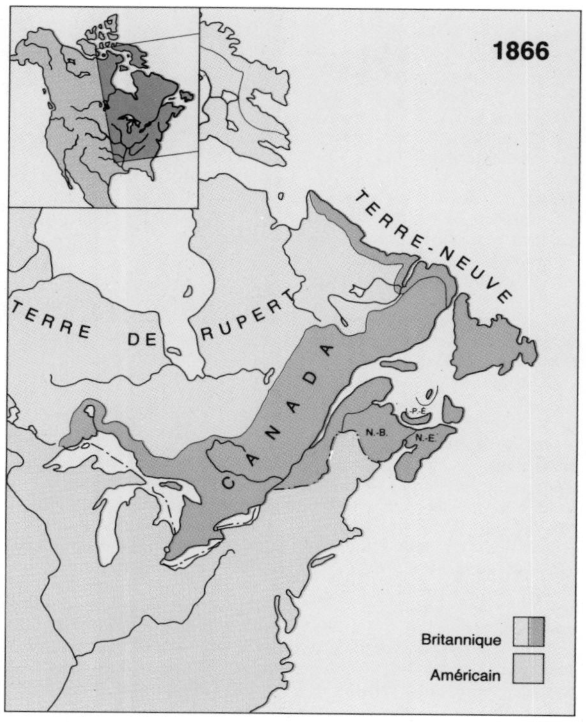
1866
TERRE-NEUVE
TERRE DE RUPERT
CANADA
N.-B.
N.-E.
Britannique
Américain

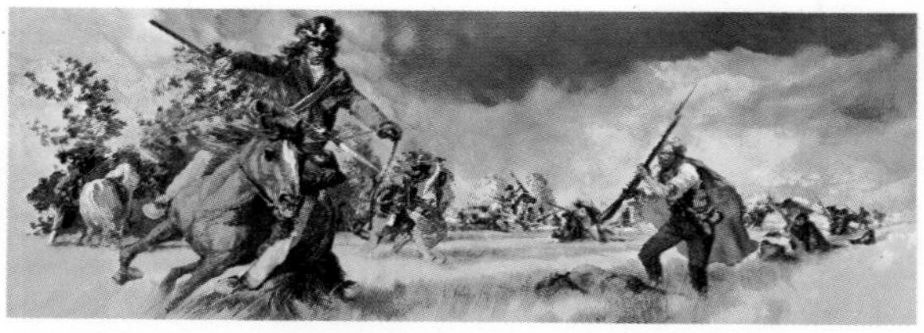

Robert Semple, gouverneur de l'Assiniboia, et 20 colons furent tués par des Métis en 1816, dans le massacre de Seven Oaks.

L'Amérique du Nord britannique, de 1763 à 1867

Au lendemain du traité de Paris, quelque 60 000 Canadiens habitaient un continent désormais dominé par les Britanniques du golfe du Mexique à la baie d'Hudson. Soumis au régime militaire jusqu'en 1774, ils obtiennent du parlement britannique, par l'Acte de Québec, le rétablissement des lois civiles françaises, la liberté de religion par l'abolition du serment du Test et la propriété des terres seigneuriales.

En 1775 éclate la révolution américaine. L'armée britannique et la milice canadienne défendent alors le Canada contre l'invasion des troupes américaines. La signature d'un deuxième traité de Paris met fin à la guerre en 1783 et fixe la première frontière canado-américaine, de l'Atlantique jusqu'au lac des Bois. Les loyalistes, colons anglais restés fidèles à la couronne d'Angleterre, quittent leurs terres. Ils sont 50 000 à se réfugier dans le nord-est du Nouveau-Brunswick, dans la vallée du Saint-Laurent et dans la région des Grands Lacs. L'adaptation est difficile entre deux peuples aux structures juridiques, religieuses et sociales fort différentes. Le problème est en partie résolu en 1791 par le partage du Québec en deux provinces distinctes, le Haut et le Bas-Canada.

En 1812, un demi-million de personnes peuplent les Maritimes, le Haut et le Bas-Canada. Cette année-là, la vallée de la Rivière-Rouge, dans la Prairie, voit arriver les premiers colons européens, recrutés par Lord Selkirk. L'entreprise de colonisation mécontente les Métis, descendants d'Indiens et de marchands de fourrures écossais et français, qui considèrent ce territoire comme le leur ; elle mécontente également les agents de la Compagnie du Nord-Ouest dont la route commerciale traverse les terres de Selkirk. Le conflit s'envenime entre les parties et culmine, en 1816, avec le massacre de Seven Oaks, au cours duquel 20 colons sont tués ; l'incident est suivi de représailles menées par Lord Selkirk. Cinq ans plus tard, la Compagnie du Nord-Ouest se laisse absorber par la Compagnie de la Baie d'Hudson. La colonie de la Rivière-Rouge survit et prospère.

Après la guerre de 1812, l'Amérique du Nord britannique accroît son commerce avec

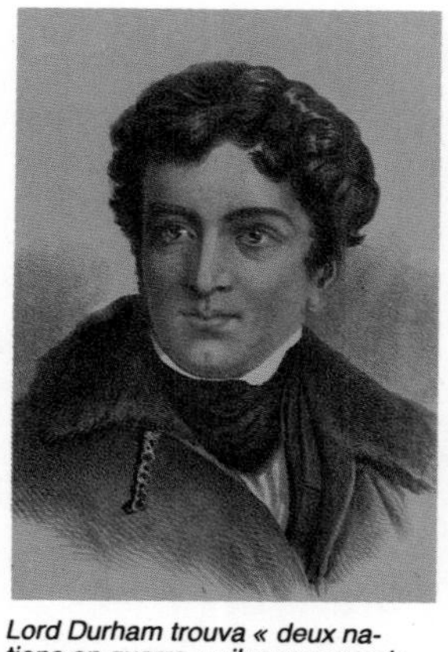

Lord Durham trouva « deux nations en guerre » ; il recommanda l'union des deux Canadas.

l'Angleterre, les Antilles et les pays méditerranéens. Le commerce du bois et l'industrie navale prospèrent. En 1845, le Haut-Canada compte 2 000 scieries ; sa marine marchande se hisse au troisième rang, à l'échelle mondiale. Montréal et Québec sont d'importants centres d'échanges ; York (qui reprit le nom de Toronto en 1834) devient le centre des affaires du Haut-Canada ; Halifax, ville de garnison, est un important port de mer ; Saint-Jean est la plaque tournante du commerce au Nouveau-Brunswick.

Les colonies sont administrées par des gouverneurs qui sont responsables au gouvernement britannique. Des conseils exécutifs contrôlent les charges administratives, les activités bancaires et la concession des terres. L'insatisfaction grandit au Canada et dans les Maritimes vis-à-vis des institutions coloniales et des structures sociales.

Les deux Canadas exigent des réformes. Dans le Haut comme dans le Bas-Canada, la lutte a un caractère politique, social et religieux. Le Bas-Canada veut, entre autres, une meilleure représentation au sein du conseil exécutif. En 1837, des troubles éclatent dans les deux provinces. L'intervention de l'armée britannique et de la milice y met fin, mais le besoin de changement est devenu évident.

Lord Durham est envoyé par le gouvernement britannique en 1838 avec la mission de faire un rapport sur les rébellions et de proposer des solutions à la situation. Son *Rapport sur les affaires de l'Amérique du Nord britannique*, présenté à Londres en 1839, mène à l'union des deux Canadas en 1841 et, par la suite, à l'instauration d'un gouvernement responsable. En 1848, en Nouvelle-Ecosse, le journaliste Joseph Howe, après une longue lutte contre l'oligarchie locale et contre le gouvernement britannique, se trouve à la tête du premier gouvernement responsable des colonies d'outre-mer. La même année, le Canada-Uni aura lui aussi le même type de gouvernement ; en 1855, ce sera au tour de Terre-Neuve, de l'Ile-du-Prince-Edouard et du Nouveau-Brunswick. Enfin, en 1858, la Colombie-Britannique devient colonie de la Couronne.

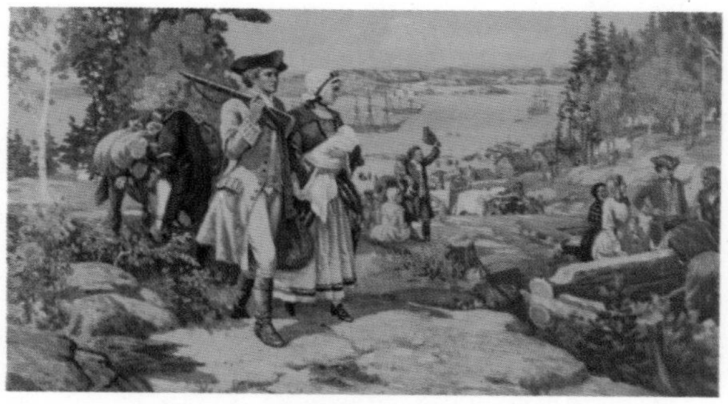

Environ 14 000 loyalistes se réfugièrent à Saint-Jean en 1783.

Lord Durham avait écrit : « Je n'entretiens aucun doute sur le caractère national qui doit être donné au Bas-Canada : ce doit être celui de l'Empire britannique. » Son rapport contribue à précipiter l'union des deux colonies. En 1861, la guerre civile éclate aux Etats-Unis et le malaise s'accroît au pays devant la menace d'une invasion américaine. Entre-temps, l'Angleterre, répugnant de plus en plus à s'engager financièrement dans la défense de ses colonies d'Amérique, les encourage à s'unir et à se doter d'un gouvernement autonome.

En juin 1864, les libéraux-conservateurs et des réformistes de la Province du Canada forment une coalition dans le but de regrouper toutes les colonies au sein d'une confédération. Les Maritimes, qui pensent à s'unir entre elles de leur côté, hésitent. A la conférence de Charlottetown, en 1864, le Canada leur fait valoir l'intérêt d'un chemin de fer intercolonial, de la prise en charge de la dette publique, de la réduction des dettes futures, de la représentation populaire au sein d'une chambre des communes dont les membres seraient élus, et d'une représentation égale à celle des Canadas au sein d'un sénat dont les membres seraient nommés. Aucune résolution n'est cependant adoptée.

Au mois d'octobre de la même année, a lieu la conférence de Québec au cours de laquelle est élaboré le projet de confédération. L'année suivante, la législature canadienne sanctionne le projet. L'opposition grandit dans les Maritimes, notamment en Nouvelle-Ecosse, mais l'Angleterre veut l'union des colonies.

La menace des Etats-Unis paraît renforcée par la victoire des nordistes en 1865. L'année suivante, les féniens se livrent à des attaques armées à partir de l'Etat de New York, dans le but de soulever les colonies contre la domination britannique. Ces attaques finissent par convaincre les hésitants, au Nouveau-Brunswick et en Nouvelle-Ecosse, de la nécessité de se confédérer pour survivre.

Le parlement britannique sanctionne l'Acte de l'Amérique du Nord britannique le 29 mars 1867. Le 1er juillet naît un nouvel Etat formé de quatre provinces, le Québec, l'Ontario, la Nouvelle-Ecosse et le Nouveau-Brunswick. « Un dominion sous le nom de Canada » venait d'être constitué.

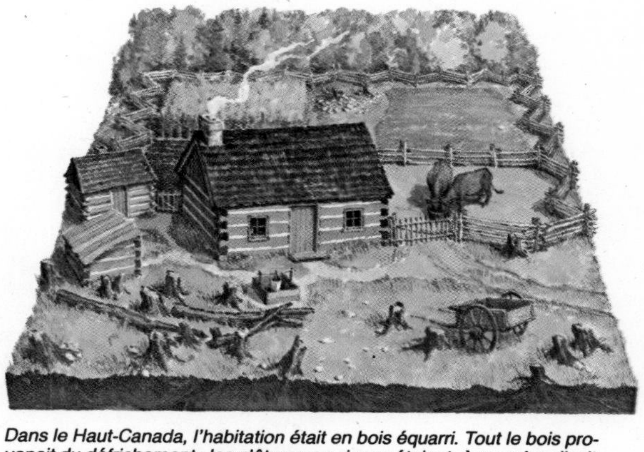

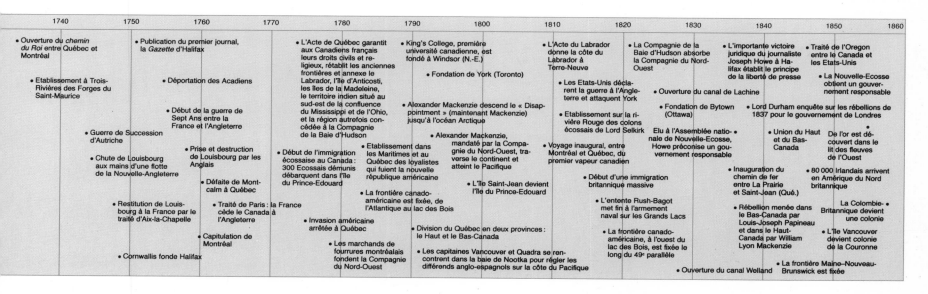

Dans le Haut-Canada, l'habitation était en bois équarri. Tout le bois provenait du défrichement ; les clôtures en zigzag étaient, à ce qu'on disait, autant à l'épreuve des taureaux que des mouffettes. Le colon pouvait mettre trois ans à défricher 30 acres. Les souches rendaient inutilisable le tiers de sa terre et il devait les arracher, les brûler ou les laisser pourrir.

1740 — 1750 — 1760 — 1770 — 1780 — 1790 — 1800 — 1810 — 1820 — 1830 — 1840 — 1850 — 1860

- Ouverture du *chemin du Roi* entre Québec et Montréal
- Etablissement à Trois-Rivières des Forges du Saint-Maurice
- Guerre de Succession d'Autriche
- Chute de Louisbourg aux mains d'une flotte de la Nouvelle-Angleterre
- Restitution de Louisbourg à la France par le traité d'Aix-la-Chapelle
- Cornwallis fonde Halifax
- Publication du premier journal, la *Gazette* d'Halifax
- Déportation des Acadiens
- Début de la guerre de Sept Ans entre la France et l'Angleterre
- Prise et destruction de Louisbourg par les Anglais
- Défaite de Montcalm à Québec
- Capitulation de Montréal
- Traité de Paris : la France cède le Canada à l'Angleterre
- L'Acte de Québec garantit aux Canadiens français leurs droits civils et religieux, rétablit les anciennes frontières et annexe le Labrador, l'île d'Anticosti, les îles de la Madeleine, le territoire indien situé au sud-est de la confluence du Mississippi et de l'Ohio, et la région autrefois concédée à la Compagnie de la Baie d'Hudson
- Début de l'immigration écossaise au Canada : 300 Ecossais démunis débarquent dans l'île du Prince-Edouard
- Invasion américaine arrêtée à Québec
- Les marchands de fourrures montréalais fondent la Compagnie du Nord-Ouest
- Etablissement dans les Maritimes et au Québec des loyalistes qui fuient la nouvelle république américaine
- La frontière canado-américaine est fixée, de l'Atlantique au lac des Bois
- King's College, première université canadienne, est fondé à Windsor (N.-E.)
- Fondation de York (Toronto)
- Alexander Mackenzie descend le « Disappointment » (maintenant Mackenzie) jusqu'à l'océan Arctique
- Alexander Mackenzie, mandaté par la Compagnie du Nord-Ouest, traverse le continent et atteint le Pacifique
- Division du Québec en deux provinces : le Haut et le Bas-Canada
- Les capitaines Vancouver et Quadra se rencontrent dans la baie de Nootka pour régler les différends anglo-espagnols sur la côte du Pacifique
- L'île Saint-Jean devient l'île du Prince-Edouard
- L'Acte du Labrador donne la côte du Labrador à Terre-Neuve
- Voyage inaugural, entre Montréal et Québec, du premier vapeur canadien
- Les Etats-Unis déclarent la guerre à l'Angleterre et attaquent York
- Etablissement sur la rivière Rouge des colons écossais de Lord Selkirk
- Début d'une immigration britannique massive
- L'entente Rush-Bagot met fin à l'armement naval sur les Grands Lacs
- La frontière canado-américaine, à l'ouest du lac des Bois, est fixée le long du 49e parallèle
- La Compagnie de la Baie d'Hudson absorbe la Compagnie du Nord-Ouest
- Ouverture du canal de Lachine
- Fondation de Bytown (Ottawa)
- Ouverture du canal Welland
- Elu à l'Assemblée nationale de Nouvelle-Ecosse, Howe préconise un gouvernement responsable
- L'importante victoire juridique du journaliste Joseph Howe à Halifax établit le principe de la liberté de presse
- Inauguration du chemin de fer entre La Prairie et Saint-Jean (Qué.)
- Rébellion menée dans le Bas-Canada par Louis-Joseph Papineau et dans le Haut-Canada par William Lyon Mackenzie
- Lord Durham enquête sur les rébellions de 1837 pour le gouvernement de Londres
- Union du Haut et du Bas-Canada
- La frontière Maine–Nouveau-Brunswick est fixée
- Traité de l'Oregon entre le Canada et les Etats-Unis
- 80 000 Irlandais arrivent en Amérique du Nord britannique
- La Nouvelle-Ecosse obtient un gouvernement responsable
- L'île Vancouver devient colonie de la Couronne
- De l'or est découvert dans le lit des fleuves de l'Ouest
- La Colombie-Britannique devient une colonie

Grandeurs et misères d'une nation

1867

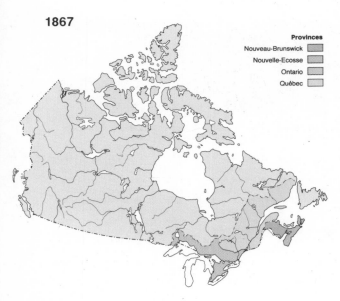

Provinces
Nouveau-Brunswick
Nouvelle-Ecosse
Ontario
Québec

1873

Territoires
Territoires du Nord-Ouest

Provinces
Nouveau-Brunswick
Nouvelle-Ecosse
Ontario
Québec
Manitoba
Colombie-Britannique
Ile-du-Prince-Edouard

1895

Territoires
Territoires du Nord-Ouest
District de Keewatin

Provinces
Nouveau-Brunswick
Nouvelle-Ecosse
Ontario
Québec
Manitoba
Colombie-Britannique
Ile-du-Prince-Edouard

Le 1er juillet 1867 naît le dominion du Canada. Son Premier ministre, Sir John A. Macdonald, va, sauf pour une période de cinq ans, exercer le pouvoir jusqu'à sa mort, en 1891. Le nouveau dominion est bien différent du Canada d'aujourd'hui. L'Ile-du-Prince-Edouard et Terre-Neuve ont refusé de s'y associer, les vastes territoires de l'Ouest et du Nord appartiennent à la Compagnie de la Baie d'Hudson et la Colombie-Britannique semble bien lointaine.

Très rapidement, le Canada va devenir ce qu'il est. Il achète les Territoires du Nord-Ouest à la Compagnie de la Baie d'Hudson et y taille le Manitoba qui deviendra, en 1870, la cinquième province. En 1871, la Colombie-Britannique se fait promettre d'être reliée à l'Est par chemin de fer et entre dans la Confédération. En 1873, celle-ci s'enrichit de l'Ile-du-Prince-Edouard à qui l'on a promis d'établir des liens permanents avec le continent et de racheter sa dette de chemin de fer.

L'Ouest doit maintenant être gouverné et protégé. Après le massacre des collines du Cyprès

Il fallut 30 mois et trois conférences pour que les Pères de la Confédération créent le nouvel Etat composé de quatre provinces, qui devenait par proclamation royale « un dominion sous le nom de Canada ». Le 1er juillet 1867, à Ottawa, Sir John A. Macdonald (debout, au centre) était assermenté comme Premier ministre.

Le Pacific Express, premier train de passagers transcontinental, arrive à Port Moody (C.-B.) le 4 juillet 1886, en provenance de Montréal.

en 1873, où 36 Assiniboines sont abattus par des chasseurs de loup venus du Montana, le gouvernement met sur pied la Police montée du Nord-Ouest. Il conclut également avec les Indiens des Plaines une série de traités déterminant l'occupation du territoire. En septembre 1877, les chefs de la confédération des Pieds-Noirs, derniers Indiens des Plaines à vendre leurs terres, signent le traité no 7 par lequel ils cèdent au gouvernement fédéral 130 000 km² de territoire : tout le sud de l'Alberta.

C'est le chemin de fer qui va relier les diverses parties de la jeune nation. Le chemin de fer Intercolonial, entre Halifax et Québec, est inauguré en juillet 1876. Quant au transcontinental qui doit aboutir au Pacifique, le gouvernement Macdonald se rend compte que sa construction, évaluée à plus de 100 millions de dollars, va engloutir la plus grande partie des capitaux dont il dispose. Il décide d'en confier la réalisation à l'entreprise privée.

Deux compagnies rivales s'intéressent au projet. L'une regroupe des intérêts financiers montréalais et l'autre, des intérêts torontois. C'est la première qui se voit octroyer le contrat. On apprend par la suite que cette compagnie a financé une partie du coût des élections de 1872 : le scandale du Pacifique entraîne la démission du gouvernement Macdonald en 1873.

La construction du chemin de fer est entreprise entre Fort William, en Ontario, et Winnipeg, au Manitoba, sous l'œil vigilant du gouvernement libéral de Mackenzie. Cinq ans plus tard, les conservateurs sont ramenés au pouvoir, mais on doit interrompre les travaux par manque de fonds. Enfin, en février 1881 se forme une nouvelle compagnie, le Canadien Pacifique. Grâce au dynamisme de son directeur général, William Cornelius Van Horne, le service régulier pour passagers est inauguré le 28 juin 1886 : le Pacific Express, en provenance de Montréal, arrive à Port Moody, en Colombie-Britannique, à midi, six jours plus tard, le 4 juillet. Il vient de franchir 4 652 km.

Le chemin de fer permet au gouvernement d'expédier des troupes dans le Nord-Ouest en 1885, pour mettre fin à la rébellion des Métis. Leur chef, Louis Riel, revendique un gouvernement autonome et la reconnaissance des droits des autochtones au territoire. Il proclame un gouvernement provisoire et défie la Police montée.

L'exécution de Riel suscite de vives réactions : le gouvernement est confronté à ceux qui voulaient la mort de Riel et à ceux qui tenaient le gouvernement pour responsable de la rébellion.

Les conservateurs, au pouvoir pendant 24 des 29 premières années du dominion, sont défaits en 1896 sur la question des écoles du Manitoba. Pour les catholiques, l'abolition des écoles confessionnelles cache une réalité : la mise en place d'un système

scolaire protestant. Cette question divise les tories fédéraux qui seront battus par les libéraux de Sir Wilfrid Laurier.

Celui-ci gouverne pendant 15 années au cours desquelles le Canada subit de grandes transformations. L'industrialisation, amorcée dans les années 1880 et stimulée par la « politique nationale » de Macdonald, favorise l'exode des populations rurales vers les villes. Les progrès de la technologie améliorent les communications. En même temps, il y a immigration massive dans l'Ouest. En 1901, le Canada compte 5,4 millions d'habitants. Dix ans plus tard, il en compte 7,2 millions. En 1913 seulement, plus de 400 000 personnes immigrent au Canada. La production du blé passe de 56 millions de boisseaux, en 1901, à 231 millions, en 1912.

L'Alberta et la Saskatchewan deviennent deux provinces distinctes en 1905. L'Ontario, le Manitoba et le Québec acquièrent leurs frontières septentrionales actuelles, en 1912 ; mais la frontière entre le Québec et le Labrador ne sera déterminée qu'en 1927.

La période d'effervescence prend fin en 1914 avec l'entrée en guerre de l'Empire britannique contre l'Allemagne. Cette année-là, en octobre, 33 000 Canadiens s'embarquent pour l'Europe, suivis bientôt de 400 000 autres. En 1917, le nombre de victimes au sein des troupes canadiennes (10 000 lors de la seule bataille de Vimy) déclenche une crise au pays. Comme il y a plus de morts et de blessés que de recrues, le gouvernement conservateur de Sir Robert Borden institue la conscription. A la fin de la guerre, en 1918, plus de 60 000 Canadiens seront restés sur le champ de bataille.

Borden accompagne les représentants de Londres à Versailles et participe aux pourparlers de paix en 1919. A sa demande, le Canada signe séparément les traités de paix. Le Statut de Westminster confirmera en 1931 l'autonomie ainsi amorcée.

Le choix de la capitale nationale se porta sur Ottawa en 1857, et les travaux débutèrent deux ans plus tard.

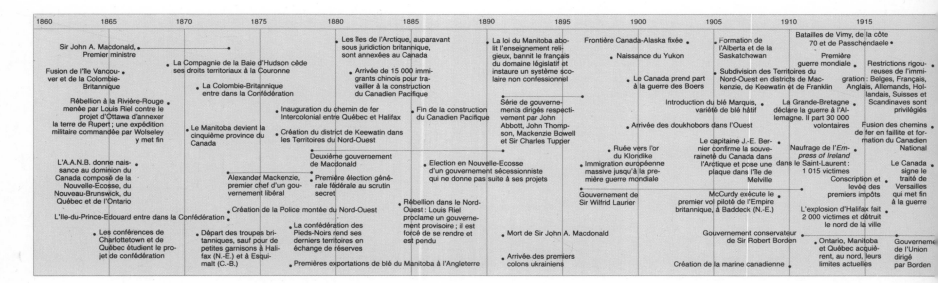

1860	1865	1870	1875	1880	1885	1890	1895	1900	1905	1910	1915

Sir John A. Macdonald, Premier ministre

Fusion de l'île Vancouver et de la Colombie-Britannique

Rébellion à la Rivière-Rouge menée par Louis Riel contre le projet d'Ottawa d'annexer la terre de Rupert ; une expédition militaire commandée par Wolseley y met fin

L'A.A.N.B. donne naissance au dominion du Canada composé de la Nouvelle-Ecosse, du Nouveau-Brunswick, du Québec et de l'Ontario

L'Ile-du-Prince-Edouard entre dans la Confédération

Les conférences de Charlottetown et de Québec étudient le projet de confédération

La Compagnie de la Baie d'Hudson cède ses droits territoriaux à la Couronne

La Colombie-Britannique entre dans la Confédération

Le Manitoba devient la cinquième province du Canada

Alexander Mackenzie, premier chef d'un gouvernement libéral

Création de la Police montée du Nord-Ouest

Départ des troupes britanniques, sauf pour de petites garnisons à Halifax (N.-E.) et à Esquimalt (C.-B.)

Les îles de l'Arctique, auparavant sous juridiction britannique, sont annexées au Canada

Arrivée de 15 000 immigrants chinois pour travailler à la construction du Canadien Pacifique

Inauguration du chemin de fer Intercolonial entre Québec et Halifax

Création du district de Keewatin dans les Territoires du Nord-Ouest

Deuxième gouvernement de Macdonald

Première élection générale fédérale au scrutin secret

La confédération des Pieds-Noirs cèdent leurs derniers territoires en échange de réserves

Fin de la construction du Canadien Pacifique

Election en Nouvelle-Ecosse d'un gouvernement sécessionniste qui ne donne pas suite à ses projets

Rébellion dans le Nord-Ouest : Louis Riel proclame un gouvernement provisoire ; il est forcé de se rendre et est pendu

Premières exportations de blé du Manitoba à l'Angleterre

La loi du Manitoba abolit l'enseignement religieux, bannit le français du domaine législatif et instaure un système scolaire non confessionnel

Série de gouvernements dirigés respectivement par John Abbott, John Thompson, Mackenzie Bowell et Sir Charles Tupper

Gouvernement de Sir Wilfrid Laurier

Mort de Sir John A. Macdonald

Arrivée des premiers colons ukrainiens

Frontière Canada-Alaska fixée

Naissance du Yukon

Le Canada prend part à la guerre des Boers

Arrivée des doukhobors dans l'Ouest

Ruée vers l'or du Klondike

Immigration européenne massive jusqu'à la première guerre mondiale

Création de la marine canadienne

Formation de l'Alberta et de la Saskatchewan

Subdivision des Territoires du Nord-Ouest en districts de Mackenzie, de Keewatin et de Franklin

Introduction du blé Marquis, variété de blé hâtif

Le capitaine J.-E. Bernier confirme la souveraineté du Canada dans l'Arctique et pose une plaque dans l'île de Melville

McCurdy exécute le premier vol piloté de l'Empire britannique, à Baddeck (N.-E.)

Gouvernement conservateur de Sir Robert Borden

Batailles de Vimy, de la côte 70 et de Passchendaele

Première guerre mondiale

La Grande-Bretagne déclare la guerre à l'Allemagne. Il part 30 000 volontaires

Naufrage de l'Empress of Ireland dans le Saint-Laurent : 1 015 victimes

Conscription et levée des premiers impôts

L'explosion d'Halifax fait 2 000 victimes et détruit le nord de la ville

Ontario, Manitoba et Québec acquièrent, au nord, leurs limites actuelles

Restrictions rigoureuses de l'immigration : Belges, Français, Anglais, Allemands, Hollandais, Suisses et Scandinaves sont privilégiés

Fusion des chemins de fer en faillite et formation du Canadien National

Le Canada signe le traité de Versailles qui met fin à la guerre

Gouvernement de l'Union dirigé par Borden

Des mottes de terre retenues par du chiendent et couvertes de chaume servirent de premier abri à de nombreux colons de la Prairie.

La prolifération de l'automobile, l'obtention du droit de vote par les femmes, le retrait de la prohibition et l'apparition de régies des alcools marquent les années d'après-guerre. Ici et en Europe, les cours montent en bourse et leur effondrement en 1929 annonce le début de la grande dépression. En 1930, le gouvernement conservateur de Bennett hérite, avec le pouvoir, d'une grave situation de chômage. Le commerce et le produit national brut diminuent. En 1933, le quart de la population active du Canada est sans emploi. L'effondrement du prix du blé sur les marchés internationaux et les sécheresses de 1931 et de 1934 ruinent des milliers de fermiers de l'Ouest. En 1935, le gouvernement libéral de Mackenzie King institue une commission d'enquête sur les pouvoirs constitutionnels : la dépression a révélé au gouvernement fédéral son impuissance à agir en situation de crise. La commission est prête à soumettre ses conclusions en 1940, mais le pays est de nouveau en guerre, depuis le 10 septembre 1939.

Pendant la seconde guerre mondiale, le *British Commonwealth Air Training Plan* forme au Canada 131 553 aviateurs dans 97 écoles. La marine canadienne escorte les navires marchands dans l'Atlantique Nord infesté de sous-marins allemands ; l'aviation canadienne se révèle l'une des plus importantes armées de l'air alliées ; l'infanterie se distingue à Hong Kong, en Italie et en Europe de l'Ouest.

La guerre fait du Canada un pays industrialisé. D'autre part, 1947 voit sanctionner la Loi sur la citoyenneté canadienne. En 1948, Mackenzie King se retire après 22 ans de pouvoir. Louis Saint-Laurent lui succède et accueille l'année suivante la dixième province, Terre-Neuve, au sein de la Confédération. En 1949, la Cour suprême devient le tribunal canadien de dernière instance, le recours au Conseil privé de Londres étant aboli.

La découverte de gisements pétrolifères stimule l'économie au lendemain de la guerre. En février 1947, le pétrole jaillit au puits Leduc nº 1, au sud d'Edmonton — premier indice de la présence en Alberta d'énormes réserves d'hydrocarbures. L'extraction du minerai de fer le long de la frontière Québec-Labrador et la nécessité d'en faciliter le transport accélèrent l'aménagement de la voie maritime du Saint-Laurent. Le projet de construction d'un pipeline destiné à transporter le gaz naturel de l'Alberta à Montréal est fort controversé. Son financement est au cœur du débat qui contribue à la défaite de Saint-Laurent, en 1957. John Diefenbaker, premier chef du gouvernement à venir de l'Ouest, ramène les tories au pouvoir. Aux élections de l'année suivante, il remporte une victoire sans précédent en obtenant 208 sièges sur 265 à la Chambre des communes.

Les années 60 voient renaître le nationalisme au Québec et sont marquées par l'apparition d'un groupe fédéraliste, dirigé par Pierre Elliott Trudeau, et d'un mouvement indépendantiste. En 1963, le gouvernement libéral de Lester B. Pearson institue une commission d'enquête sur le bilinguisme et le biculturalisme pour étudier les relations entre francophones et anglophones ; il prend alors des mesures pour étendre aux francophones les services du gouvernement fédéral. En 1968, Trudeau remplace Pearson et poursuit les mêmes politiques. L'année suivante, la Loi sur les langues officielles reconnaît le français dans la Fonction publique.

Ce sont les Canadiens qui remportèrent l'importante victoire de Vimy, en 1917.

Le mouvement indépendantiste s'amplifie au Québec pour triompher en 1976 avec l'élection du Parti Québécois, dirigé par René Lévesque, sur la promesse de ne négocier la « souveraineté-association » avec le Canada qu'après en avoir obtenu le mandat par référendum. Entre-temps, le gouvernement Trudeau, aux prises avec l'inflation et le chômage, perd les élections de 1979. Le conservateur Joe Clark devient le seizième Premier ministre du Canada, mais son gouvernement est défait neuf mois plus tard à la présentation de son budget. Trudeau est réélu en février 1980 avec une forte majorité. En mai de la même année, le Parti Québécois perd son référendum.

Immigration et émigration, de 1871 à 1978

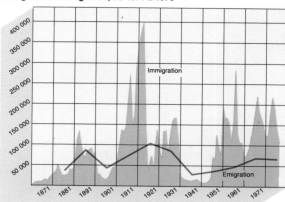

Croissance démographique de la nation depuis la Confédération

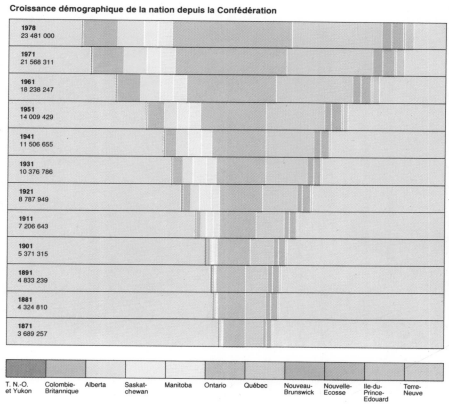

1978 — 23 481 000
1971 — 21 568 311
1961 — 18 238 247
1951 — 14 009 429
1941 — 11 506 655
1931 — 10 376 786
1921 — 8 787 949
1911 — 7 206 643
1901 — 5 371 315
1891 — 4 833 239
1881 — 4 324 810
1871 — 3 689 257

T. N.-O. et Yukon | Colombie-Britannique | Alberta | Saskatchewan | Manitoba | Ontario | Québec | Nouveau-Brunswick | Nouvelle-Ecosse | Ile-du-Prince-Edouard | Terre-Neuve

1905

Territoires
- Territoires du Nord-Ouest
- Yukon

Provinces
- Nouveau-Brunswick
- Nouvelle-Ecosse
- Ontario
- Québec
- Manitoba
- Colombie-Britannique
- Ile-du-Prince-Edouard
- Alberta
- Saskatchewan

1912
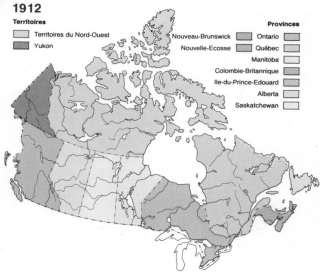

Territoires
- Territoires du Nord-Ouest
- Yukon

Provinces
- Nouveau-Brunswick
- Nouvelle-Ecosse
- Ontario
- Québec
- Manitoba
- Colombie-Britannique
- Ile-du-Prince-Edouard
- Alberta
- Saskatchewan

1949

Territoires
- Territoires du Nord-Ouest
- Yukon

Provinces
- Nouveau-Brunswick
- Nouvelle-Ecosse
- Ontario
- Québec
- Manitoba
- Colombie-Britannique
- Ile-du-Prince-Edouard
- Alberta
- Saskatchewan
- Terre-Neuve

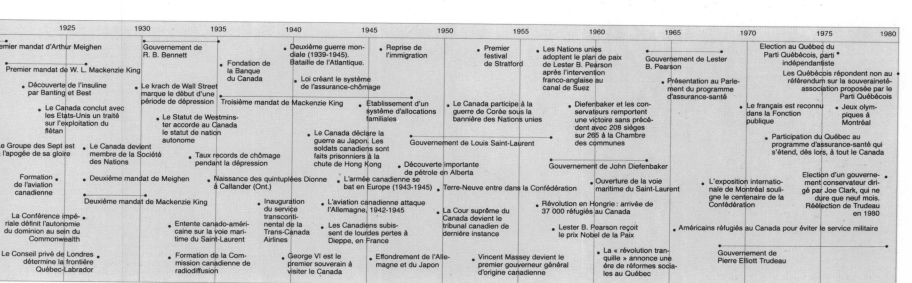

Premier mandat d'Arthur Meighen
Premier mandat de W. L. Mackenzie King
Découverte de l'insuline par Banting et Best
Le Canada conclut avec les Etats-Unis un traité sur l'exploitation du flétan
Le Groupe des Sept est à l'apogée de sa gloire
Formation de l'aviation canadienne
La Conférence impériale définit l'autonomie du dominion au sein du Commonwealth
Le Conseil privé de Londres détermine la frontière Québec-Labrador

Gouvernement de R. B. Bennett
Le krach de Wall Street marque le début d'une période de dépression
Le Statut de Westminster accorde au Canada le statut de nation autonome
Le Canada devient membre de la Société des Nations
Deuxième mandat de Meighen
Deuxième mandat de Mackenzie King

Fondation de la Banque du Canada
Troisième mandat de Mackenzie King
Taux records de chômage pendant la dépression
Naissance des quintuplées Dionne à Callander (Ont.)
Entente canado-américaine sur la voie maritime du Saint-Laurent
Formation de la Commission canadienne de radiodiffusion

Deuxième guerre mondiale (1939-1945). Bataille de l'Atlantique.
Loi créant le système de l'assurance-chômage
Etablissement d'un système d'allocations familiales
Le Canada déclare la guerre au Japon. Les soldats canadiens sont faits prisonniers à la chute de Hong Kong
L'armée canadienne se bat en Europe (1943-1945)
L'aviation canadienne attaque l'Allemagne, 1942-1945
Les Canadiens subissent de lourdes pertes à Dieppe, en France
George VI est le premier souverain à visiter le Canada
Inauguration du service transcontinental de la Trans-Canada Airlines

Reprise de l'immigration
Le Canada participe à la guerre de Corée sous la bannière des Nations unies
Découverte importante de pétrole en Alberta
Terre-Neuve entre dans la Confédération
La Cour suprême du Canada devient le tribunal canadien de dernière instance
Effondrement de l'Allemagne et du Japon

Premier festival de Stratford
Les Nations unies adoptent le plan de paix de Lester B. Pearson après l'intervention franco-anglaise au canal de Suez
Diefenbaker et les conservateurs remportent une victoire sans précédent avec 208 sièges sur 265 à la Chambre des communes
Gouvernement de Louis Saint-Laurent
Gouvernement de John Diefenbaker
Ouverture de la voie maritime du Saint-Laurent
Révolution en Hongrie : arrivée de 37 000 réfugiés au Canada
Lester B. Pearson reçoit le prix Nobel de la Paix
Vincent Massey devient le premier gouverneur général d'origine canadienne
La « révolution tranquille » annonce une ère de réformes sociales au Québec

Gouvernement de Lester B. Pearson
Présentation au Parlement du programme d'assurance-santé
Le français est reconnu dans la Fonction publique
L'exposition internationale de Montréal souligne le centenaire de la Confédération

Election au Québec du Parti Québécois, parti indépendantiste
Les Québécois répondent non au référendum sur la souveraineté-association proposée par le Parti Québécois
Jeux olympiques à Montréal
Participation du Québec au programme d'assurance-santé qui s'étend, dès lors, à tout le Canada
Election d'un gouvernement conservateur dirigé par Joe Clark, qui ne dure que neuf mois. Réélection de Trudeau en 1980
Gouvernement de Pierre Elliott Trudeau
Américains réfugiés au Canada pour éviter le service militaire

1925 1930 1935 1940 1945 1950 1955 1960 1965 1970 1975 1980

Evolution démographique, profils sociaux

Les données recueillies lors des grands recensements réalisés tous les 10 ans permettent de dresser le portrait de la population à un moment précis de son évolution. Mais, alors que le recensement de 1871 fut compilé par 50 fonctionnaires, celui de 1981 aura mis à contribution 42 000 personnes et exigé sept ans de préparation. Les gouvernements consultent ces statistiques avant de construire des routes, des écoles ou des hôpitaux ; les entreprises font de même pour évaluer les marchés ou choisir des sites d'implantation. Entre deux grands recensements, soit au bout de cinq ans, on procède à une mise à jour de certaines données.

Les recensements révèlent l'évolution rapide de la société. D'une part, le coût de la vie ne cesse d'augmenter ; les femmes sont plus nombreuses sur le marché du travail ; le taux de natalité diminue ; les familles sont plus petites que jamais. D'autre part, un nombre croissant de jeunes travailleurs instruits arrivent sur un marché du travail qui répond mal à leurs besoins ; l'espérance de vie continue de s'accroître ; le taux de mortalité infantile baisse grâce à l'amélioration des soins médicaux, de l'hygiène et de l'alimentation ; l'immigration se poursuit dans un pays qui se caractérise déjà par une grande diversité culturelle et sociale.

Naissances et décès

La partie supérieure du diagramme (à droite) fait ressortir la différence entre le taux de natalité et le taux de mortalité au Canada. Cette différence donne le taux d'accroissement naturel de la population. La diminution du taux de mortalité témoigne d'une amélioration constante des soins médicaux, de l'hygiène et de l'alimentation. La fluctuation du taux de natalité reflète quant à elle des changements sociaux complexes. Le taux de natalité, peu élevé de 1929 à 1945, augmenta après la guerre. Les enfants nés entre 1947 et 1961 remplissaient les écoles jusqu'à tout récemment et viennent désormais s'ajouter à la population active.

Le taux de fécondité, soit le nombre d'enfants mis au monde par chaque femme (ci-contre), reflète aussi les conditions sociales. Après la guerre, les familles étaient nombreuses ; en 1979, la moyenne est tombée à 1,7 enfant par famille et ce taux est le plus bas jamais enregistré au Canada.

Le taux de mortalité infantile (extrême droite), bon indice du niveau de vie d'une société, est l'un des plus bas du monde.

Scolarisation

En 1800, un Canadien sur trois était analphabète. En 1900, cependant, l'école était devenue obligatoire. Aujourd'hui, la plupart des enfants étudient jusqu'à l'âge de 15 ou 16 ans. Les niveaux moyens de scolarité varient (ci-dessous, partie supérieure) : les provinces où les gens âgés et la population rurale sont en forte proportion ont les moyennes de scolarité les plus basses.

Le taux de persistance (ci-dessous, à gauche) indique, par province, le pourcentage d'enfants inscrits en deuxième année en 1968-1969 qui se retrouvent en douzième année (en onzième année, au Québec et à Terre-Neuve), 10 ans plus tard. Dans les Territoires du Nord-Ouest, au Yukon et dans les Maritimes, les étudiants quittent l'école plus tôt qu'en Colombie-Britannique, en Alberta et au Québec.

Le diagramme sur la population active (ci-dessous, à droite) illustre, par niveau de scolarité, la population d'hommes et de femmes sur le marché du travail en 1979. Chez les femmes, les possibilités d'avoir un emploi dépendent beaucoup du niveau de scolarité.

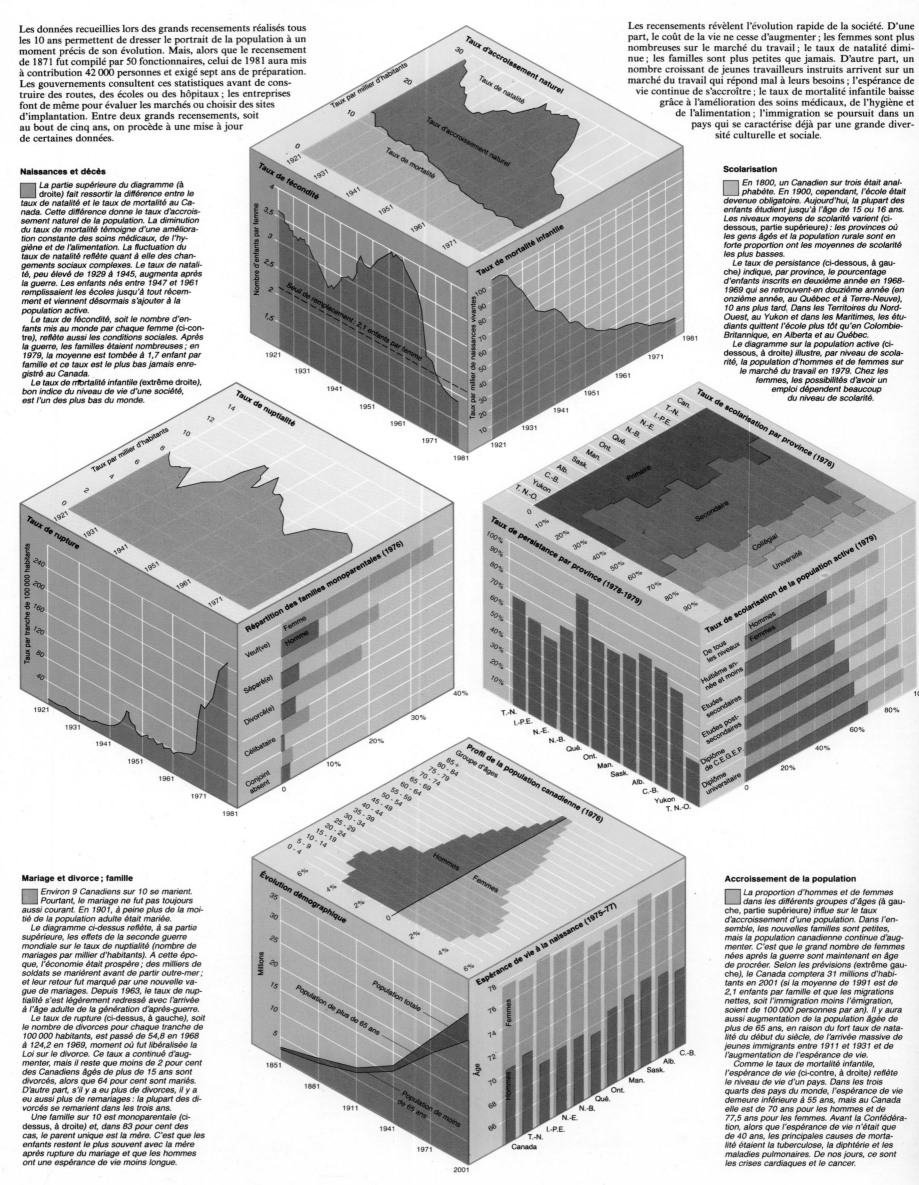

Mariage et divorce ; famille

Environ 9 Canadiens sur 10 se marient. Pourtant, le mariage ne fut pas toujours aussi courant. En 1901, à peine plus de la moitié de la population adulte était mariée.

Le diagramme ci-dessus reflète, à sa partie supérieure, les effets de la seconde guerre mondiale sur le taux de nuptialité (nombre de mariages par millier d'habitants). A cette époque, l'économie était prospère ; des milliers de soldats se marièrent avant de partir outre-mer ; et leur retour fut marqué par une nouvelle vague de mariages. Depuis 1963, le taux de nuptialité s'est légèrement redressé avec l'arrivée à l'âge adulte de la génération d'après-guerre.

Le taux de rupture (ci-dessus, à gauche), soit le nombre de divorces pour chaque tranche de 100 000 habitants, est passé de 54,8 en 1968 à 124,2 en 1969, moment où fut libéralisée la Loi sur le divorce. Ce taux a continué d'augmenter, mais il reste que moins de 2 pour cent des Canadiens âgés de plus de 15 ans sont divorcés, alors que 64 pour cent sont mariés. D'autre part, s'il y a eu plus de divorces, il y a eu aussi plus de remariages : la plupart des divorcés se remarient dans les trois ans.

Une famille sur 10 est monoparentale (ci-dessus, à droite) et, dans 83 pour cent des cas, le parent unique est la mère. C'est que les enfants restent le plus souvent avec la mère après rupture du mariage et que les hommes ont une espérance de vie moins longue.

Accroissement de la population

La proportion d'hommes et de femmes dans les différents groupes d'âges (à gauche, partie supérieure) influe sur le taux d'accroissement d'une population. Dans l'ensemble, les nouvelles familles sont petites, mais la population canadienne continue d'augmenter. C'est que le grand nombre de femmes nées après la guerre sont maintenant en âge de procréer. Selon les prévisions (extrême gauche), le Canada comptera 31 millions d'habitants en 2001 (si la moyenne de 1991 est de 2,1 enfants par famille et que les migrations nettes, soit l'immigration moins l'émigration, soient de 100 000 personnes par an). Il y aura aussi augmentation de la population âgée de plus de 65 ans, en raison du fort taux de natalité du début du siècle, de l'arrivée massive de jeunes immigrants entre 1911 et 1931 et de l'augmentation de l'espérance de vie.

Comme le taux de mortalité infantile, l'espérance de vie (ci-contre, à droite) reflète le niveau de vie d'un pays. Dans les trois quarts des pays du monde, l'espérance de vie demeure inférieure à 55 ans, mais au Canada elle est de 70 ans pour les hommes et de 77,5 ans pour les femmes. Avant la Confédération, alors que l'espérance de vie n'était que de 40 ans, les principales causes de mortalité étaient la tuberculose, la diphtérie et les maladies pulmonaires. De nos jours, ce sont les crises cardiaques et le cancer.

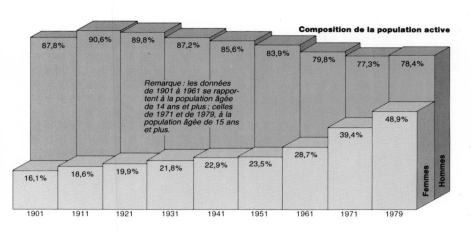

Composition de la population active

87,8% | 90,6% | 89,8% | 87,2% | 85,6% | 83,9% | 79,8% | 77,3% | 78,4%

16,1% | 18,6% | 19,9% | 21,8% | 22,9% | 23,5% | 28,7% | 39,4% | 48,9%

1901 | 1911 | 1921 | 1931 | 1941 | 1951 | 1961 | 1971 | 1979

Remarque : les données de 1901 à 1961 se rapportent à la population âgée de 14 ans et plus ; celles de 1971 et de 1979, à la population âgée de 15 ans et plus.

Femmes / Hommes

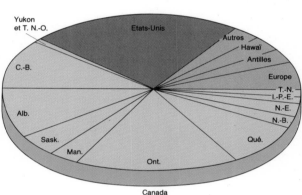

Hommes

Gestion et administration 8,9%
Sciences naturelles, génie et mathématiques 4,8%
Sciences sociales 1,1%
Enseignement 2,9%
Médecine et santé 1,6%
Arts, littérature et activités récréatives 1,5%
Personnel de bureau 6,3%
Vente 10%
Services 9,9%
Agriculture 6,2%
Pêche, chasse et trappage 0,5%
Mines et forêts 1,9%
Transformation 5,1%
Usinage 4,2%
Façonnage, montage et réparation de produits 11,6%
Métiers de la construction 11%
Camionnage 6,5%
Manutention 3,5%
Conduite de machines et d'appareils divers 1,8%
Autres 0,7%

Femmes

Gestion et administration 4,8%
Sciences naturelles, génie et mathématiques 1,1%
Sciences sociales 1,8%
Enseignement 5,9%
Médecine et santé 8,3%
Arts, littérature et activités récréatives 1,2%
Personnel de bureau 33,3%
Vente 10,5%
Services 18,3%
Agriculture 2,8%
Transformation 2%
Façonnage, montage et réparation de produits 5,7%
Manutention 1,4%
Camionnage, construction et usinage 1,2%
Autres 1,7%

Emplois

La population active a considérablement changé depuis l'époque où l'agriculture constituait l'activité prédominante. Le diagramme ci-dessus illustre l'évolution de la composition de la population active, proportion d'hommes et de femmes en âge de travailler, qui travaillent effectivement ou cherchent du travail. En 1901, 88 pour cent des hommes et 16 pour cent des femmes travaillaient. Aujourd'hui, on compte 78 pour cent

des hommes et près de 50 pour cent des femmes.

La diminution du taux chez les hommes s'explique par la durée du séjour en milieu scolaire et par la retraite anticipée. L'écart du taux chez les femmes reflète une évolution sociale profonde. Les femmes sont entrées sur le marché du travail pour des raisons d'ordre économique et la baisse du taux de natalité leur permet d'y accéder en plus grand nombre.

Le diagramme de droite illustre la proportion actuelle d'emploi par branche d'activité. En 1941, une personne sur quatre travaillait encore sur la terre. Aujourd'hui, la population agricole ne représente plus que 5 pour cent de la population active, qui est en majeure partie constituée de gens travaillant dans les bureaux. Les femmes sont deux fois plus nombreuses qu'en 1931 sur le marché du travail.

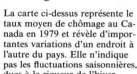

Taux moyen de chômage 1979

15 %
12 %
10 %
5 %

Migrations au Canada

Le recensement de 1976 révèle que la moitié de la population canadienne âgée de 5 ans et plus s'est déplacée au cours des cinq années précédentes. Entre 1966 et 1974 *(ci-dessous)*, ce sont l'Ontario et la Colombie-Britannique qui ont connu le plus fort accroissement de population, les migrations interprovinciales nettes s'établissant en moyenne à 20 000 personnes par année. Depuis, c'est l'Alberta qui attire le plus d'individus.

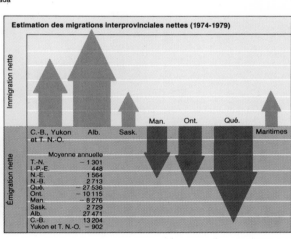

Yukon et T. N.-O.
Etats-Unis
Autres
Hawaï
Antilles
Europe
T.-N.
I.-P.-E.
N.-E.
N.-B.
Qué.
C.-B.
Alb.
Sask.
Man.
Ont.
Canada

Voyages de vacances

Les habitudes des vacanciers changent. En effet, la dévaluation du dollar canadien et l'augmentation du coût de la vie en Europe incitent les Canadiens à aller moins loin. En 1979, 62 pour cent des voyages de vacances *(à gauche)* ont été effectués au Canada ; le quart, aux Etats-Unis dont 7 pour cent en Floride. Par ailleurs, 7 pour cent des Canadiens se sont rendus dans les Antilles, aux Bermudes et à Hawaï.

Chômage

La carte ci-dessus représente le taux moyen de chômage au Canada en 1979 et révèle d'importantes variations d'un endroit à l'autre du pays. Elle n'indique pas les fluctuations saisonnières, dues à la rigueur de l'hiver.

Des facteurs d'ordre climatique, industriel et économique, ainsi que l'âge et la scolarisation de la population active, expliquent les différences régionales du taux de chômage. Au cours des dernières années, ce sont le Québec et les Maritimes, où les revenus moyens sont les plus bas, qui ont connu les taux de chômage les plus élevés. L'Ontario et les provinces des Prairies ont connu les

taux les plus bas. Même en 1973, année prospère, le taux de chômage atteignait 9 pour cent dans l'est du Canada, tandis qu'il n'était que de 4 pour cent en Ontario. A Terre-Neuve, dans certaines régions, le taux de chômage peut grimper l'hiver à 50 pour cent.

Actuellement, le chômage frappe surtout les jeunes. En 1979, les travailleurs âgés de 24 ans et moins constituaient presque la moitié des chômeurs. Il y a ceux, nombreux, qui ne trouvent pas d'emploi en quittant le milieu scolaire ; il y a également ceux qui laissent un emploi dans l'espoir d'en trouver un autre plus satisfaisant.

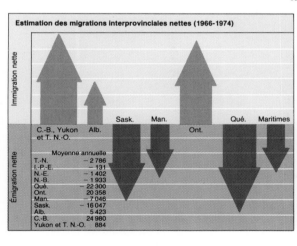

Estimation des migrations interprovinciales nettes (1966-1974)

Immigration nette

C.-B., Yukon et T. N.-O. | Alb. | Sask. | Man. | Ont. | Qué. | Maritimes

Émigration nette

Moyenne annuelle
T.-N. — 2 786
I.-P-E. — 131
N.-E. — 1 402
N.-B. — 1 933
Qué. — 22 300
Ont. 20 530
Man. — 7 046
Sask. — 16 047
Alb. 5 423
C.-B. 24 980
Yukon et T. N.-O. 884

Estimation des migrations interprovinciales nettes (1974-1979)

Immigration nette

C.-B., Yukon et T. N.-O. | Alb. | Sask. | Man. | Ont. | Qué. | Maritimes

Émigration nette

Moyenne annuelle
T.-N. — 1 301
I.-P-E. 448
N.-E. 1 564
N.-B. 2 713
Qué. — 27 536
Ont. — 10 115
Man. — 8 276
Sask. 2 729
Alb. 27 471
C.-B. 13 204
Yukon et T. N.-O. — 902

Mosaïque ou creuset ?

En 1600, le Canada comptait quelque 200 000 Amérindiens et Inuits. Aujourd'hui, il a une population de plus de 23 millions de personnes d'origines ethniques différentes.

Les guerres, les maladies du Blanc, la disparition des troupeaux et le bouleversement des modes de vie traditionnels ont décimé les populations indigènes qui ne comptaient plus, vers 1900, que 100 000 personnes. Mais l'amélioration des services de santé a renversé la situation.

La population européenne fut d'abord constituée de colons français, puis anglais. De nos

jours, cependant, la population anglophone est beaucoup plus nombreuse que la population francophone, et la crainte de l'assimilation est une préoccupation constante. Le gouvernement du Québec a d'ailleurs adopté plusieurs lois faisant du français la langue de l'enseignement et des affaires.

Au début du XXᵉ siècle, des immigrants de tous pays affluèrent au Canada. Ils s'établirent dans les Prairies ou dans les villes. Ils ont conservé en partie leur culture, faisant du Canada davantage une mosaïque qu'un creuset de cultures.

Population par groupe ethnique

- Amérindiens et Inuit
- Français
- Anglais
- Asiatiques
- Hollandais
- Allemands
- Grecs
- Hongrois
- Italiens
- Juifs
- Polonais
- Scandinaves
- Ukrainiens
- Autres

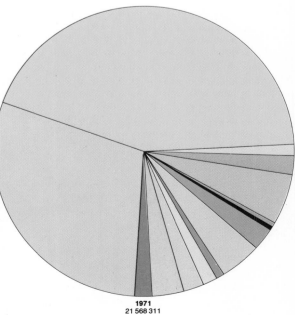

      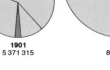

0 (est.) | 1790 (est.) | 1810 (est.) | 1830 (est.) | 1850 (est.) | 1871 | 1901 | 1921 | 1941 | 1971
0 000 | 404 500 | 696 000 | 1 291 500 | 2 581 200 | 3 689 257 | 5 371 315 | 8 787 949 | 11 506 655 | 21 568 311

La vie urbaine

Les premières villes du Canada furent fondées soit au bord de l'eau, soit sur des hauteurs. Pendant tout le XVIᵉ siècle, le havre de St. John's, à Terre-Neuve, était un endroit où les pêcheurs faisaient volontiers relâche. Ils s'y arrêtaient pour faire provision d'eau douce, acheter de la nourriture, réparer leurs navires et faire sécher la morue. Québec, fondé en 1608, avait pour sa part un site défensif. Montréal, stratégiquement placé au confluent du Saint-Laurent et de l'Outaouais, devint la plaque tournante des marchands de fourrures qui partaient en expédition vers l'intérieur. Hull se développa sur l'Outaouais, là où les chutes de la Chaudière obligeaient à un portage. L'endroit devint le lieu de rencontre des Indiens, des explorateurs, des trappeurs, des marchands et des bûcherons.

Même dans l'Ouest, on choisit certains sites pour leur valeur défensive. En 1875, la Police montée du Nord-Ouest érigea le fort Calgary au confluent du Bow et de l'Elbow, pour mieux lutter contre les trafiquants de whisky. Peu après, dans la Prairie, les villes surgirent le long du chemin de fer. Des petites villes qui, comme Calgary ou Vancouver, jalonnaient la route du Canadien Pacifique prirent un grand essor dès 1885, quand le chemin de fer transcontinental fut terminé.

D'autres facteurs interviennent dans le développement d'une ville. Les plaines qui entourent des villes comme Regina et Edmonton favorisent l'étalement urbain. Les villes insulaires, comme Montréal, se développent plutôt à la verticale ; West Vancouver ne connut une croissance rapide qu'après la construction du pont Lion's Gate, en 1938.

La carte, à droite, représente les villes et les provinces en fonction de leur population. Elle illustre bien le caractère urbain de la société canadienne : en effet, trois personnes sur quatre habitent la ville. La couleur indique le taux de croissance des agglomérations urbaines (*en haut, à droite*).

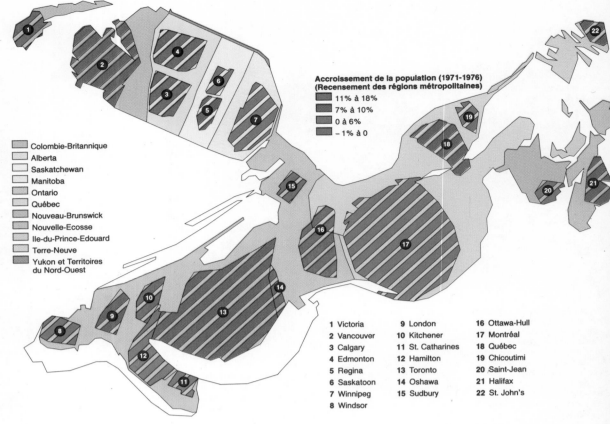

Colombie-Britannique
Alberta
Saskatchewan
Manitoba
Ontario
Québec
Nouveau-Brunswick
Nouvelle-Ecosse
Ile-du-Prince-Edouard
Terre-Neuve
Yukon et Territoires du Nord-Ouest

Accroissement de la population (1971-1976)
(Recensement des régions métropolitaines)
11% à 18%
7% à 10%
0 à 6%
– 1% à 0

1 Victoria	9 London	16 Ottawa-Hull
2 Vancouver	10 Kitchener	17 Montréal
3 Calgary	11 St. Catharines	18 Québec
4 Edmonton	12 Hamilton	19 Chicoutimi
5 Regina	13 Toronto	20 Saint-Jean
6 Saskatoon	14 Oshawa	21 Halifax
7 Winnipeg	15 Sudbury	22 St. John's
8 Windsor		

La divine voiture et l'invasion de la campagne

A l'époque du cheval, la ville formait un ensemble compact. Dans les années 1880 apparurent les tramways qui élargirent les limites des grandes villes. Ce n'est toutefois qu'avec l'avènement de l'automobile que commença l'exode vers la banlieue.

La douceur du climat, la fertilité du sol, l'abondance de l'eau et l'uniformité du relief sont des qualités tout aussi précieuses pour le développement urbain que pour celui de l'agriculture. Les villes croissent rapidement et empiètent peu à peu sur quelques-unes des meilleures terres agricoles : la région du Niagara et les riches terres de la vallée du Fraser et de la plaine du Saint-Laurent en sont des exemples.

Les citadins en quête de maisons de campagne font grimper le prix des propriétés et amènent les agriculteurs à vendre leurs terres. On aménage des aéroports, des barrages et des autoroutes ; enfin, les spéculateurs prélèvent également leur part.

Une législation sévère sur le zonage des terres agricoles pourrait préserver celles-ci tout en prévoyant une croissance harmonieuse. Les Canadiens ont des goûts qui contribuent cependant à l'étalement de la ville : ils préfèrent habiter des maisons unifamiliales. Une plus grande densité d'occupation de la ville contiendrait l'expansion urbaine. Les habitations moyennes à logements multiples consomment moins d'espace et moins d'énergie qu'une maison unifamiliale et sont une solution aux tours d'habitation. Pour freiner le développement tentaculaire, on pourrait mettre en valeur les espaces vides et les terrains autrefois utilisés à des fins industrielles.

La ville déborde ses cadres immédiats et exerce une influence sur la campagne environnante. Le noyau se caractérise par la concentration des affaires et des immeubles à très forte densité d'habitants. La banlieue étale ses pavillons en périphérie jusqu'à 8 km du centre. La frange urbaine, mélange d'agglomérations et de champs non cultivés, s'étend au-delà, deux fois plus loin. La zone d'influence, quant à elle, peut atteindre une trentaine de kilomètres.

North Vancouver, le long de Maine Drive, illustre bien le phénomène des villes tentaculaires.

Zone d'influence (environ 30 km)
Frange urbaine (environ 15 km)
Banlieue (environ 8 km)
Noyau

Types d'habitation dans quelques grandes villes

	10%	20%	30%	40%	50%	60%	70%	80%	90%	100%
St. John's										
Montréal										
Toronto										
Thunder Bay										
Winnipeg										
Saskatoon										
Edmonton										
Vancouver										

Thunder Bay a la plus grande proportion de familles vivant en maison unifamiliale ; Montréal, la plus grande vivant en appartement.

☐ Maison unifamiliale ☐ Appartement ■ Maison mobile
☐ Maison jumelle ☐ Duplex

Les espaces verts : la nature apprivoisée

Les architectes qui construisirent les premières villes du Canada connaissaient heureusement la valeur des espaces verts. Et pourtant, au départ, les villes n'étaient pas toutes des paradis verdoyants. Regina, par exemple, fut fondée en 1882 au milieu d'une plaine sèche et sans arbres. On y créa un lac par l'aménagement d'un barrage sur un filet bourbeux, le Wascana. Aujourd'hui, Wascana Center est une oasis agrémentée de jardins, de fontaines et de pistes cyclables.

Montréal, en revanche, bénéficiait déjà d'un site remarquable. Le parc du Mont-Royal y fut inauguré en 1860. La colline boisée surplombe la ville et le fleuve. Ses flancs gazonnés, ses belvédères et son lac des Castors sont l'œuvre de Frederick Law Olmsted, le grand urbaniste et architecte américain à qui New York doit son Central Park et Winnipeg, son parc Kildonan.

La beauté d'Ottawa tient à l'utilisation rationnelle que la capitale a su faire de ses espaces verts. Une ceinture verte d'une largeur moyenne de 4 km entoure Ottawa et contient l'étalement de la ville.

Vancouver 35,8%
Winnipeg 6,9%
Edmonton 23,1%
Halifax 32,9%
Regina 10,8%
St. John's 37,7%

Au lever du jour, près du centre de Vancouver, la brume enveloppe une lagune dans le parc Jericho. Cette oasis de 50 ha en milieu urbain abrite plus de 150 variétés d'oiseaux. Le citadin peut venir s'y baigner, y faire de la voile et y pratiquer divers sports.

Les cubes (à gauche) illustrent les espaces verts par rapport à la superficie de la ville. (Parcs, terrains de golf et cimetières sont des espaces verts.)

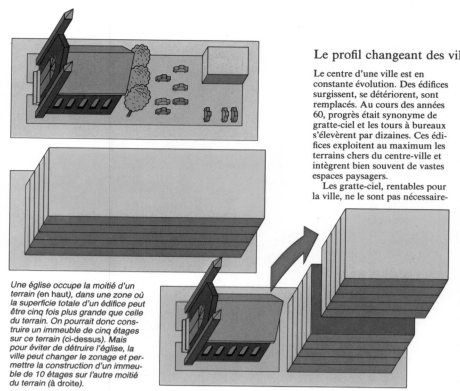

Le profil changeant des villes

Le centre d'une ville est en constante évolution. Des édifices surgissent, se détériorent, sont remplacés. Au cours des années 60, progrès était synonyme de gratte-ciel et les tours à bureaux s'élevèrent par dizaines. Ces édifices exploitent au maximum les terrains chers du centre-ville et intègrent bien souvent de vastes espaces paysagers.

Les gratte-ciel, rentables pour la ville, ne le sont pas nécessairement pour ses citadins. Leur construction suppose souvent la démolition de quartiers entiers.

De nombreuses villes orientent désormais leur développement en fonction de l'homme. Par le zonage, elles réduisent la superficie totale des nouveaux immeubles et incitent les promoteurs à y inclure des logements.

La restauration peut faire revivre de vieux quartiers. Le Bastion Square, à Victoria, le Gastown, à Vancouver, et la place Royale, à Québec, étaient autrefois des quartiers vétustes. Ces coins historiques donnent plus de cachet à une ville que les murs de verre et de béton.

La reconstruction et l'assainissement conduisent également à la rénovation urbaine. Il y a des villes qui accordent aux propriétaires, dans certains quartiers, des subventions et des prêts à des fins de rénovation.

Gastown, quartier historique de Vancouver, était autrefois occupé par des taudis (en haut). Il revit aujourd'hui, ses vieux édifices restaurés et remis à neuf (à droite).

Une église occupe la moitié d'un terrain (en haut), dans une zone où la superficie totale d'un édifice peut être cinq fois plus grande que celle du terrain. On pourrait donc construire un immeuble de cinq étages sur ce terrain (ci-dessus). Mais pour éviter de détruire l'église, la ville peut changer le zonage et permettre la construction d'un immeuble de 10 étages sur l'autre moitié du terrain (à droite).

Des rues embouteillées aux voies rapides

L'automobile fait partie de la vie des Canadiens. Il est toutefois impossible de circuler en grand nombre en ville sans le secours de voies rapides. Or, elles occupent un espace précieux, défigurent la ville et contribuent à polluer l'air et à augmenter le bruit.

Les transports en commun sont une solution à ces problèmes, mais au centre-ville seulement. En effet, il est à peu près impossible d'établir des circuits d'autobus qui desservent efficacement les banlieues tentaculaires. Comme moins de gens utilisent les transports en commun, les parcours sont raccourcis, les tarifs augmentent et les véhicules sont bondés.

Pour faciliter les transports en commun, Québec réserve des voies aux autobus, accélérant ainsi le service. Montréal et Ottawa offrent des réductions de tarif grâce à l'achat d'une carte mensuelle. Toronto possède un réseau de transport réunissant le métro, l'autobus, le trolleybus, le train de banlieue et le tramway. Regina offre à ses banlieusards, en dehors des heures de pointe, un système de Telebus accessible par téléphone. A Vancouver, des traversiers relient, aux heures de pointe, North Vancouver au réseau de transport du centre-ville, de l'autre côté de l'inlet Burrard.

Il y a d'autres modes de transport rapides et non polluants. A Victoria, le réseau de pistes cyclables incite les gens à se rendre au travail à bicyclette. A Ottawa, l'hiver, les mordus chaussent leurs patins et empruntent le canal Rideau.

Le corollaire de l'automobile : des paysages dominés par l'asphalte.

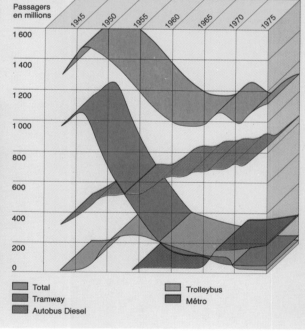

Utilisation des transports en commun par catégorie de véhicule

Passagers en millions

1945 1950 1955 1960 1965 1970 1975

1 600 / 1 400 / 1 200 / 1 000 / 800 / 600 / 400 / 200 / 0

- Total
- Tramway
- Autobus Diesel
- Trolleybus
- Métro

Niveaux moyens d'oxyde de carbone dans l'air

Parties par million

■ 1975 ■ 1977 □ 1979

5 / 4 / 3 / 2 / 1 / 0

Halifax Montréal Ottawa Windsor Toronto Winnipeg Edmonton Vancouver

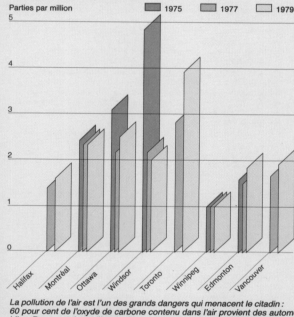

La pollution de l'air est l'un des grands dangers qui menacent le citadin : 60 pour cent de l'oxyde de carbone contenu dans l'air provient des automobiles. Dans certaines villes, ce taux a diminué grâce à des catalyseurs qui transforment les gaz d'échappement en anhydride carbonique et en eau.

La clientèle des transports en commun a baissé régulièrement de la fin de la seconde guerre mondiale jusqu'à 1971. Mais depuis, l'augmentation des prix de l'essence a fait renaître un certain intérêt pour l'autobus et le métro. Pourtant, en 1976, 72 pour cent des Canadiens utilisaient leur voiture pour se rendre au travail et transportaient en moyenne 1,26 passager chacun.

Six villes, six profils

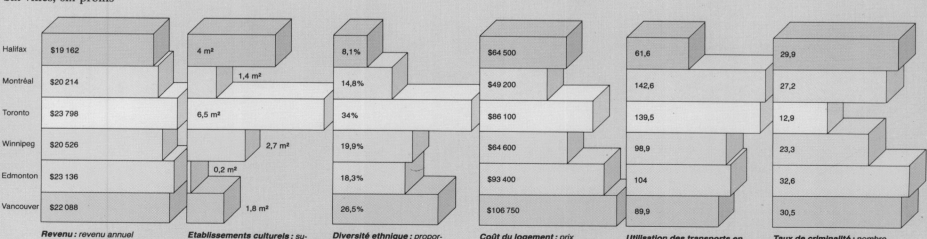

	Revenu	Établissements culturels	Diversité ethnique	Coût du logement	Utilisation des transports en commun	Taux de criminalité
Halifax	$19 162	4 m²	8,1%	$64 500	61,6	29,9
Montréal	$20 214	1,4 m²	14,8%	$49 200	142,6	27,2
Toronto	$23 798	6,5 m²	34%	$86 100	139,5	12,9
Winnipeg	$20 526	2,7 m²	19,9%	$64 600	98,9	23,3
Edmonton	$23 136	0,2 m²	18,3%	$93 400	104	32,6
Vancouver	$22 088	1,8 m²	26,5%	$106 750	89,9	30,5

Revenu : revenu annuel moyen par famille de deux personnes ou plus (1977)

Établissements culturels : superficie des musées et galeries pour 100 habitants (1974)

Diversité ethnique : proportion de la population née ailleurs qu'au Canada (1971)

Coût du logement : prix moyen d'un bungalow de trois chambres à coucher (1980)

Utilisation des transports en commun : nombre de voyages par habitant (1976)

Taux de criminalité : nombre d'atteintes à la propriété pour 1 000 habitants (1975-1977)

Les rouages du gouvernement

Le Canada est à la fois une monarchie constitutionnelle, une démocratie de régime parlementaire avec un gouvernement responsable, et une fédération.

Le Canada, monarchie constitutionnelle, est sous l'autorité d'un souverain qui, sans posséder de pouvoirs réels, représente la permanence et la continuité de l'État. Tous les pouvoirs sont exercés en son nom. Il symbolise également l'héritage politique commun des États membres du Commonwealth.

Le Canada a les mécanismes d'un gouvernement responsable : le pouvoir exécutif est responsable de toutes ses actions et décisions devant les représentants du peuple. En 1848, la Nouvelle-Écosse devint la première colonie d'outre-mer à être dotée d'un tel type de gouvernement qui remplaçait un conseil nommé par le gouverneur. La réforme s'étendit bientôt aux autres colonies britanniques d'Amérique. Le jour de la Confédération, le 1er juillet 1867, le Canada parvenait au rang de nation et devenait une démocratie parlementaire.

Ce jour-là, il devenait également une fédération avec l'union des quatre provinces fondatrices (Nouvelle-Écosse, Nouveau-Brunswick, Québec et Ontario). Une disposition prévoyait l'admission de nouvelles provinces.

Les pouvoirs du fédéral et des provinces sont définis dans l'Acte de l'Amérique du Nord britannique (A.A.N.B.) de 1867, constitution écrite sur laquelle s'appuie le gouvernement. Les pouvoirs non attribués par la constitution sont, en principe, de compétence fédérale. L'exercice du pouvoir s'appuie aussi sur les coutumes et les conventions héritées du parlement britannique. C'est sur elles que se fondent la fonction de Premier ministre, l'existence du Cabinet (pouvoir exécutif), le régime des partis et la répartition des membres du gouvernement et de l'opposition à la Chambre des communes.

Le gouverneur général

Dans les faits, le chef d'État canadien est le gouverneur général, le représentant de la reine (sauf lorsque celle-ci se trouve au Canada). Le gouverneur général est nommé par la reine pour cinq ans sur la recommandation du Premier ministre. Son mandat peut être prolongé.

Le gouverneur général n'a aujourd'hui qu'un rôle symbolique, mais il incarne la dignité du gouvernement, représente la nation et n'est lié à aucun parti. Sa présence confère aux cérémonies un caractère de solennité. C'est lui qui sanctionne les lois et qui préside à l'ouverture et à la clôture du Parlement. C'est devant lui que les ministres prêtent leur serment d'office. Lui seul peut accepter la démission du Premier ministre. (En son absence, ses fonctions sont exercées par le juge en chef de la Cour suprême.)

De 1931 à 1952, le Premier ministre recommandait un Britannique de haut rang au poste de vice-roi. Puis, la nomination d'un Canadien s'imposa de soi et Vincent Massey, diplomate éminent et président de la Commission royale d'enquête sur l'avancement des arts, des lettres et des sciences, devint le premier gouverneur général d'origine canadienne.

Le dernier gouverneur général d'origine britannique fut un maréchal, le comte Alexander of Tunis, l'un des grands commandants des forces alliées pendant la seconde guerre mondiale, qui mena au combat de nombreux soldats canadiens.

L'administration publique

Le secteur de l'administration publique a connu un essor extraordinaire. En 1980, un travailleur sur cinq était à l'emploi du gouvernement (fédéral, provincial ou municipal). La masse salariale versée aux fonctionnaires dépassait $10 milliards.

En 1980, le fédéral employait à lui seul 299 991 personnes, à

Le Premier ministre et son Cabinet

En théorie, le Premier ministre recommande à la Couronne les mesures à prendre pour le bien du Canada. En pratique, le Premier ministre et son Cabinet détiennent le pouvoir exécutif.

Le Premier ministre reste en fonction tant qu'il demeure chef de son parti et reçoit l'appui de la majorité à la Chambre des communes. D'après la loi, le mandat d'un gouvernement ne peut excéder cinq ans. Si le Premier ministre désire renforcer sa position à la Chambre des communes, il peut décider de tenir de nouvelles élections générales au moment de son choix en demandant au gouverneur général la dissolution du Parlement ; s'il est défait par un vote de défiance, il doit le faire.

Une fois nommé, le Premier ministre s'occupe d'abord de former son Cabinet, c'est-à-dire de choisir les personnes qui dirigeront les ministères. Parce que les ministres sont collectivement responsables devant la Chambre des communes, ils y occupent habituellement un siège. Cependant, il arrive que des sénateurs fassent partie du Cabinet.

Le Cabinet propose et exécute la politique du gouvernement ; il élabore les projets de loi et les présente au Parlement. Les ministres ne sont responsables de leurs gestes et décisions que devant la Chambre des communes.

Non seulement le Premier ministre choisit-il ses ministres, mais il nomme les sénateurs ainsi que le président du Sénat. C'est lui qui désigne l'Orateur de la chambre ; cependant, celui-ci n'entre en fonctions qu'après avoir été élu par les parlementaires. Le Premier ministre peut encore nommer les juges en chef des cours fédérales et provinciales, ainsi que les lieutenants-gouverneurs des provinces.

La plupart des projets de loi qu'approuve le Parlement proviennent du Cabinet. Ils reçoivent d'abord l'approbation de l'Exécutif, après quoi ils sont élaborés par les ministères intéressés et par le ministère de la Justice. Une fois approuvés par le Cabinet et signés par le Premier ministre, ils sont présentés au Parlement.

Seul le Cabinet peut soumettre des projets de loi à caractère financier. Il doit obtenir du Parlement, tous les ans, l'autorisation de dépenser les deniers publics, car c'est le Parlement qui vote les sommes affectées aux programmes gouvernementaux et approuve le budget du ministre des Finances.

La Chambre des communes et le Sénat

La Chambre des communes est la chambre basse du parlement canadien. Ses membres sont élus pour un maximum de cinq ans et représentent des circonscriptions électorales, les comtés.

La représentation à la Chambre des communes est proportionnelle à la population des provinces. En 1980, la répartition des sièges était la suivante : Ontario, 95 ; Québec, 75 ; Colombie-Britannique, 28 ; Alberta, 21 ; Manitoba, 14 ; Saskatchewan, 14 ; Nouvelle-Écosse, 11 ; Nouveau-Brunswick, 10 ; Terre-Neuve, 7 ; Ile-du-Prince-Edouard, 4 ; Territoires du Nord-Ouest, 2 ; Yukon, 1.

Quand un parti politique remporte plus de la moitié des sièges aux Communes, il forme un gouvernement majoritaire. Sinon, le parti ayant le plus grand nombre de sièges gouverne minoritairement jusqu'à ce qu'il soit renversé. Le deuxième parti à remporter le plus grand nombre de sièges devient l'opposition officielle. Son rôle principal est de critiquer le gouvernement et de se comporter comme s'il devait former le prochain gouvernement.

Les projets de loi, en particulier ceux à caractère financier, font l'objet de longs débats à la Chambre des communes. Un gouvernement renversé lors d'un vote de défiance démissionne ; le Parlement est dissous et on tient de nouvelles élections.

Le Sénat, ou chambre haute, est composé de membres nommés par le gouverneur général sur recommandation du Premier ministre. En 1980, la répartition des sièges y était la suivante : Ontario, 24 ; Québec, 24 ; Nouveau-Brunswick, 10 ; Nouvelle-Écosse, 10 ; Terre-Neuve, 6 ; Alberta, 6 ; Colombie-Britannique, 6 ; Manitoba, 6 ; Saskatchewan, 6 ; Ile-du-Prince-Edouard, 4 ; Territoires du Nord-Ouest, 1 ; Yukon, 1. Les sénateurs doivent prendre leur retraite à 75 ans.

Tout projet de loi exige l'approbation de la chambre haute : mais celle-ci exerce rarement son droit de veto. Le Sénat a les pouvoirs législatifs de la Chambre des communes, mais exclues de sa compétence la présentation de projets à caractère financier et l'augmentation des dépenses ou des revenus de l'État.

Gouverneur général

Premier ministre et Cabinet

Sénat : 104 sièges

Parlement

Chambre des communes : 282 sièges

Représentation parlementaire par province

● Membres du Parlement
● Sénateurs

des postes allant du ménage des bureaux à la représentation du Canada à l'étranger.

Le service public se compose de ministères ayant chacun à leur tête un chef permanent, le sous-ministre. Celui-ci reçoit ses ordres du ministre responsable, qui rend compte à la Chambre des communes des travaux du ministère. Comme il y a généralement plus de ministres que de ministères, certains d'entre eux

sont affectés à l'administration d'entreprises publiques, comme la Commission canadienne du blé, ou à la réalisation de programmes particuliers, comme dans le domaine du multiculturalisme. En 1980, il y avait 33 postes de ministres (ci-dessous); sous Sir John A. Macdonald, le Cabinet n'en comptait que 13.

Les pouvoirs fédéraux et provinciaux sont définis dans l'Acte de l'Amérique du Nord

britannique. Le parlement du Canada a le droit exclusif de légiférer dans les domaines suivants : « la réglementation des échanges et du commerce », la taxation, les postes, la défense, la navigation, les pêcheries, la monnaie, les banques, la naturalisation, le droit criminel, ainsi que « les chemins de fer, les canaux et les lignes de télégraphe... s'étendant au delà des frontières de la province ».

Les législatures provinciales ont le pouvoir exclusif de légiférer dans les domaines suivants : l'enseignement, le respect des lois, les ressources naturelles, les routes, les institutions municipales, ainsi que la propriété et les droits civils. Par ailleurs, des domaines comme l'agriculture, la main-d'œuvre et la santé sont du double ressort du Parlement et des provinces. L'A.A.N.B. confère au gouvernement fédé-

ral les pouvoirs résiduels. Il fut un temps où l'interprétation des tribunaux favorisait l'accroissement des responsabilités provinciales ; maintenant, la tendance est contraire.

Les structures administratives des provinces sont les mêmes que celles du gouvernement fédéral à la différence que les ministres y sont moins nombreux. Le Québec vient en tête avec 26 ministres ; l'Ile-du-

Prince-Edouard, en dernier avec 10.

Il existe en plus un grand nombre d'agences gouvernementales et de sociétés de la Couronne (propriétés publiques). Au fédéral, les plus connues sont : Radio-Canada, les Chemins de fer nationaux et Air Canada ; au provincial, ce sont : Hydro-Québec, Ontario Hydro ou encore la Saskatchewan Telephone Company.

L'élaboration des lois

Au Parlement, tout projet de loi subit trois lectures (illustration, *à droite*). On s'assure ainsi qu'il a été bien débattu et bien compris. Après avoir reçu l'approbation du Premier ministre, le projet de loi est déposé à la Chambre des communes (ou au Sénat) par le ministre qui l'a parrainé. Ce projet doit recevoir l'approbation des deux chambres avant d'être adopté et de devenir loi.

Au stade de la première lecture, le ministre explique brièvement son projet de loi. Le texte en est ensuite distribué aux membres de l'assemblée pour examen. Lors de la deuxième lecture, les délibérations sont suivies d'un vote de principe. Le projet est ensuite étudié en détail par une commission parlementaire qui l'approuve tel quel ou recommande des amendements. Le rapport de la commission est suivi d'une troisième lecture et de délibérations qui se terminent par le vote final. Le projet de loi est ensuite transmis à l'autre chambre pour la même procédure. Après approbation des deux chambres, le projet reçoit du gouverneur général la sanction royale et devient loi.

Approbation par le Cabinet du projet de loi rédigé par le ministre intéressé et par le ministère de la Justice

Chambre des communes
Première lecture
Deuxième lecture
Commission parlementaire
Rapport de la commission
Troisième lecture

Sénat
Première lecture
Deuxième lecture
Commission sénatoriale
Rapport de la commission
Troisième lecture

Après approbation par les deux chambres, le projet de loi est adopté par sanction royale

Le système judiciaire du Canada

La Cour suprême est la cour de dernier ressort, le plus haut tribunal du pays, qui détient et exerce une juridiction d'appel en matière civile et criminelle dans tout le Canada. Comme le Canada est une fédération, elle joue un rôle de première importance quand il y a désaccord entre le gouvernement central et les provinces en matière d'interprétation constitutionnelle et de partage des pouvoirs.

La cour d'appel (ou suprême) d'une province exerce une juridiction civile et criminelle. Il en est de même pour la cour supérieure. Le droit criminel est de compétence fédérale, tandis que

la propriété et le droit civil sont de compétence provinciale.

Plus de 90 pour cent de toutes les causes sont entendues dans les provinces devant les tribunaux inférieurs : cour des petites créances, tribunal de la jeunesse, cours municipales, etc. L'organigramme ci-dessous indique par des flèches les degrés à franchir dans la hiérarchie des juridictions qui mènent à la Cour suprême.

Cour suprême du Canada

Cour fédérale du Canada

Cour d'appel

Cour supérieure (droit commun)

Cour supérieure (assises criminelles)

Cours de district ou de comté

Tribunaux de la jeunesse

Cours des petites créances

Cours de magistrat ou cour provinciale (au Québec)

Cours spéciales

Les gouvernements provinciaux

Chaque province a sa propre assemblée législative dont les membres sont élus pour un mandat de cinq ans au maximum. Les lieutenants-gouverneurs, les premiers ministres et les ministres gouvernent selon les mêmes traditions que leurs homologues fédéraux.

Comme certains domaines sont du double ressort du fédéral et du provincial (la santé, par exemple) et comme le gouvernement fédéral dispose d'importants pouvoirs en matière de dépense, la coopération entre les deux niveaux de gouvernement est essentielle. Les conférences fédérales-provinciales des premiers ministres, visant à élaborer une politique d'ensemble, font depuis longtemps partie de la vie politique canadienne.

Les Territoires du Nord-Ouest et le Yukon, administrés par Ottawa, n'ont qu'une autonomie restreinte. Un commissaire, nommé par le gouvernement fédéral, représente chacun d'entre eux ; il est à la tête d'un conseil législatif et rend compte au Parlement d'Ottawa.

Terre-Neuve
Capitale : St. John's
Date d'entrée dans la Confédération : 31 mars 1949
Nom de l'assemblée législative : Newfoundland House of Assembly
Nombre de sièges : 52

Ile-du-Prince-Edouard
Capitale : Charlottetown
Date d'entrée dans la Confédération : 1er juillet 1873
Nom de l'assemblée législative : Prince Edward Island Legislative Assembly
Nombre de sièges : 32

Nouvelle-Ecosse
Capitale : Halifax
Date d'entrée dans la Confédération : 1er juillet 1867
Nom de l'assemblée législative : Nova Scotia Legislative Assembly
Nombre de sièges : 52

Nouveau-Brunswick
Capitale : Fredericton
Date d'entrée dans la Confédération : 1er juillet 1867
Nom de l'assemblée législative : New Brunswick Legislative Assembly
Nombre de sièges : 58

Québec
Capitale : Québec
Date d'entrée dans la Confédération : 1er juillet 1867
Nom de l'assemblée législative : l'Assemblée nationale
Nombre de sièges : 112

Ontario
Capitale : Toronto
Date d'entrée dans la Confédération : 1er juillet 1867
Nom de l'assemblée législative : Legislative Assembly of Ontario
Nombre de sièges : 125

Manitoba
Capitale : Winnipeg
Date d'entrée dans la Confédération : 15 juillet 1870
Nom de l'assemblée législative : Manitoba Legislative Assembly
Nombre de sièges : 57

Saskatchewan
Capitale : Regina
Date d'entrée dans la Confédération : 1er septembre 1905
Nom de l'assemblée législative : Saskatchewan Legislative Assembly
Nombre de sièges : 61

Alberta
Capitale : Edmonton
Date d'entrée dans la Confédération : 1er septembre 1905
Nom de l'assemblée législative : Alberta Legislative Assembly
Nombre de sièges : 79

Colombie-Britannique
Capitale : Victoria
Date d'entrée dans la Confédération : 20 juillet 1871
Nom de l'assemblée législative : Legislative Assembly of British Columbia
Nombre de sièges : 57

Yukon
Capitale : Whitehorse
Statut de territoire séparé sous juridiction fédérale : 13 juin 1898
Nom du conseil : Yukon Legislative Council
Nombre de sièges : 16

Territoires du Nord-Ouest
Capitale : Yellowknife
Statut de territoire séparé sous juridiction fédérale : 15 juillet 1870
Nom du conseil : Council of the Northwest Territories
Nombre de sièges : 22

L'économie et la monnaie

L'histoire économique du Canada se caractérise par l'alternance de périodes d'expansion et de récession, de prospérité et de dépression, accompagnant des politiques tantôt conservatrices, tantôt progressistes. Les divers facteurs de dépression vont de la spéculation irrationnelle et de l'optimisme béat à l'interaction complexe d'éléments sociaux, politiques et économiques comme ceux qui ont mené à l'effondrement de la bourse de New York, en 1929. Cependant, malgré des reculs et des problèmes constants d'inflation et de chômage, les Canadiens jouissent d'un des niveaux de vie les plus élevés au monde.

Le Canada est passé en moins d'un siècle de l'état de pays agricole à celui de grande puissance industrielle. Avant la Confédération, il était une juxtaposition de colonies britanniques fournisseuses de matières premières et consommatrices de produits finis importés. Après la Confédération, les marchés intérieurs se développèrent avec l'amélioration des réseaux de transport et de communication. La politique de protection tarifaire aida la jeune industrie canadienne à percer sur les marchés internationaux.

C'est au XXᵉ siècle que les structures de l'économie canadienne subirent leurs principales transformations. Malgré des retours de nationalisme économique, les cycles de l'économie canadienne (voir le graphique, *ci-dessous*) reflètent ordinairement la situation économique américaine. Au cours des années 20 et 30, les syndicats, plus puissants, purent exiger pour les travailleurs une plus grande part des profits de l'industrie. La libre entreprise avait longtemps été une notion sacrée en Amérique du Nord ; mais l'urbanisation et l'industrialisation incitèrent le gouvernement à tenter de régulariser les cycles. La crise de 1929 et l'instabilité des dernières années ont habitué les Canadiens à voir intervenir le gouvernement dans l'économie.

Des fourrures aux cartes plastifiées. La monnaie est tout instrument dont la fonction est de servir d'étalon de valeur et de moyen d'échange. Au Canada, elle a, à travers l'histoire, pris plusieurs formes (*à droite*).

Des biens comme les **peaux de castors** servaient de base au troc.

Les **sols** d'argent, monnaie de la Nouvelle-France, étaient importés.

La **Compagnie de la Baie d'Hudson** frappait des pièces comme celles-ci.

La **monnaie de carte** apparut au XVIIIᵉ lors d'une pénurie de numéraire.

Les **billets de banque** privés indiquaient l'absence d'une unité monétaire.

L'unité monétaire actuellement en cours au Canada remonte à 1934.

Les **cartes de crédit** ont remplacé l'argent liquide dans la société actuelle.

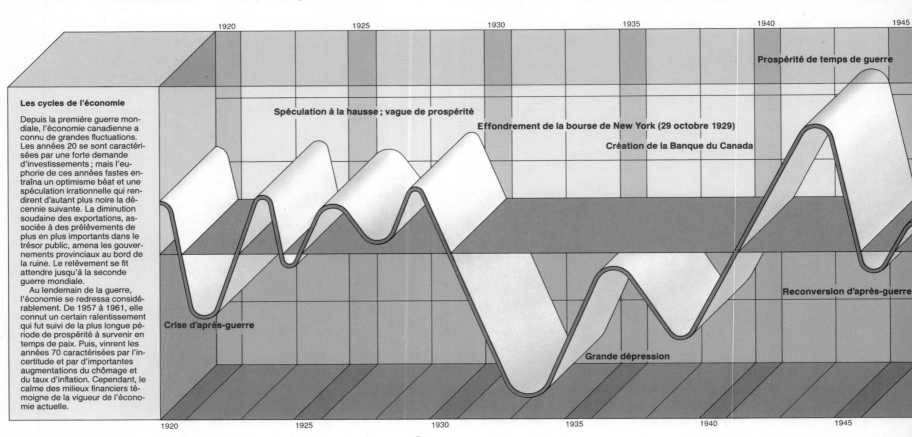

Les cycles de l'économie

Depuis la première guerre mondiale, l'économie canadienne a connu de grandes fluctuations. Les années 20 se sont caractérisées par une forte demande d'investissements ; mais l'euphorie de ces années fastes entraîna un optimisme béat et une spéculation irrationnelle qui rendirent d'autant plus noire la décennie suivante. La diminution soudaine des exportations, associée à des prélèvements de plus en plus importants dans le trésor public, amena les gouvernements provinciaux au bord de la ruine. Le relèvement se fit attendre jusqu'à la seconde guerre mondiale.

Au lendemain de la guerre, l'économie se redressa considérablement. De 1957 à 1961, elle connut un certain ralentissement qui fut suivi de la plus longue période de prospérité à survenir en temps de paix. Puis, vinrent les années 70 caractérisées par l'incertitude et par d'importantes augmentations du chômage et du taux d'inflation. Cependant, le calme des milieux financiers témoigne de la vigueur de l'économie actuelle.

Spéculation à la hausse ; vague de prospérité

Effondrement de la bourse de New York (29 octobre 1929)

Création de la Banque du Canada

Prospérité de temps de guerre

Reconversion d'après-guerre

Crise d'après-guerre

Grande dépression

L'inégale répartition de la richesse

En 1979, le revenu national s'élevait à $210 milliards, soit environ $8 800 par habitant. Dans la réalité, l'argent n'est cependant pas uniformément réparti. La carte (*à droite*) illustre le niveau de vie dans chacune des provinces : on le calcule en divisant le produit provincial brut (la valeur de tous les biens et services d'une province) par le nombre d'habitants. La carte fait ressortir les disparités régionales dont les conséquences, politiques et économiques, constituent un problème auquel le Canada a toujours dû faire face.

Les différences du secteur industriel sous-tendent ces disparités. L'économie des provinces de l'Atlantique, basée sur les pêcheries, la forêt et les mines, est plus sensible au chômage et aux fluctuations des marchés mondiaux. En revanche, le Québec et l'Ontario ont des économies diversifiées jouissant souvent d'une protection tarifaire : 80 pour cent des industries canadiennes sont concentrées autour des Grands Lacs et du Saint-Laurent. Les revenus du Manitoba et de la Saskatchewan ont souvent été légèrement inférieurs à ceux des autres provinces ; mais, parce qu'elles sont agricoles, elles ont dans l'ensemble un taux de chômage moins élevé qu'ailleurs. C'est au cours des années 70 que le revenu par habitant en Alberta a dépassé celui de l'Ontario et de la Colombie-Britannique ; l'économie équilibrée de cette dernière province repose sur l'industrie primaire et manufacturière et sur le commerce.

Le coût de la vie varie à son tour d'un endroit à l'autre au Canada (*ci-dessous*), mais il présente moins d'écarts que la richesse. Les composantes du graphique représentent plus de la moitié du budget d'un citadin moyen. Le plus grand écart se situe au niveau du coût du logement (qui n'apparaît pas sur le graphique) : en 1980, il en coûtait deux fois plus pour se loger à Edmonton qu'à Montréal.

Produit provincial brut par habitant (en 1979)

Alberta $14 410
Colombie-Britannique $11 024
Saskatchewan $10 191
Manitoba $9 272
Ontario $10 650
Québec $8 941
Ile-du-Prince-Edouard $5 194
Terre-Neuve $5 250
Nouvelle-Ecosse $6 701
Nouveau-Brunswick $6 325

Indice des prix (moyenne = 100)
- Aliments
- Entretien ménager
- Transport
- Santé
- Loisirs et éducation

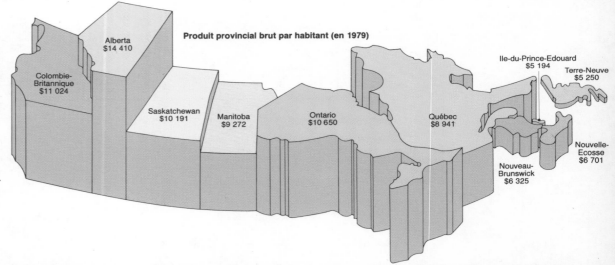

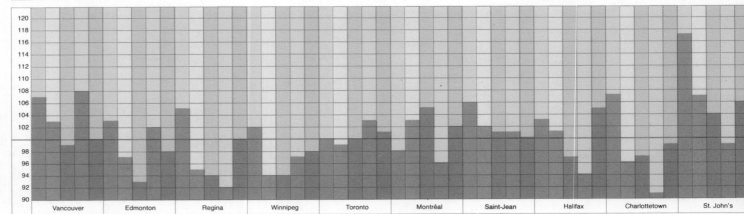

Vancouver · Edmonton · Regina · Winnipeg · Toronto · Montréal · Saint-Jean · Halifax · Charlottetown · St. John's

Biens et services

Au début du siècle, les travailleurs engagés dans les secteurs primaire et secondaire (agriculture, pêcheries, forêt, mines, construction et industrie manufacturière) étaient deux fois plus nombreux que ceux du secteur tertiaire (services). En 1980, plus de la moitié des travailleurs canadiens œuvraient dans le secteur tertiaire, les services représentant 60 pour cent du produit national brut (*à gauche*). Cet essor est imputable à l'intervention des divers paliers de gouvernement dans l'économie. Les dépenses de l'Etat, dans le calcul du P.N.B., sont passées de 20 pour cent qu'elles étaient au début des années 50 à environ 40 pour cent aujourd'hui.

Biens
Agriculture
Industrie
Construction
Autres

Services
Transport et communications
Commerce de gros et de détail
Finance, assurances, immobilier
Services communautaires, commerciaux et personnels
Administration publique, défense

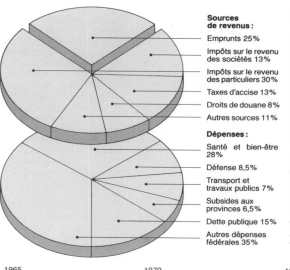

Sources de revenus :
Emprunts 25%
Impôts sur le revenu des sociétés 13%
Impôts sur le revenu des particuliers 30%
Taxes d'accise 13%
Droits de douane 8%
Autres sources 11%

Dépenses :
Santé et bien-être 28%
Défense 8,5%
Transport et travaux publics 7%
Subsides aux provinces 6,5%
Dette publique 15%
Autres dépenses fédérales 35%

Le dollar canadien

Environ 20 pour cent de toutes les dépenses faites au Canada le sont par le gouvernement fédéral. Celui-ci tire l'argent de quatre sources : prêts bancaires, prêts individuels (obligations, par exemple), augmentation de la masse monétaire et impôts. En 1941, l'impôt moyen payé par les contribuables était de $22,50 ; en 1980, il dépassait $600.

Le gouvernement dépensait $42,56 par habitant en 1931 ; aujourd'hui, il en dépense $2 000. En 1979, les dépenses de l'Etat se chiffraient à $47 milliards ; les revenus, à $37 milliards. Pour combler le déficit (25 pour cent du budget), le gouvernement doit emprunter, ce qui accroît la dette nationale.

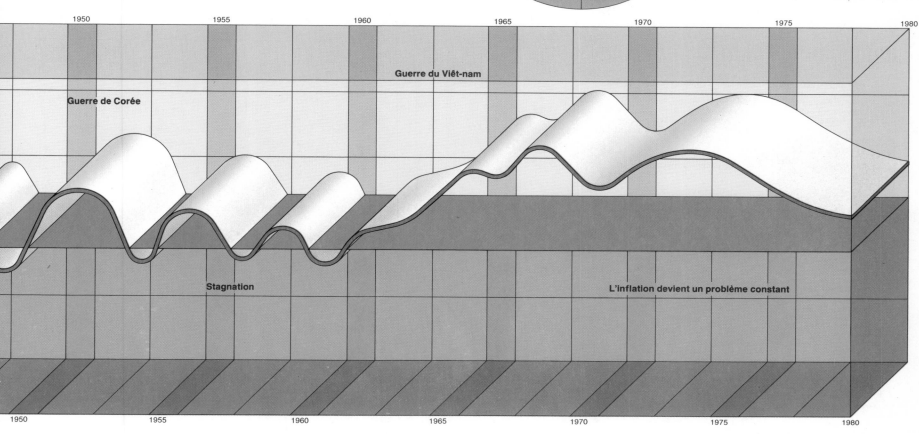

Guerre de Corée
Guerre du Viêt-nam
Stagnation
L'inflation devient un problème constant

1950 1955 1960 1965 1970 1975 1980

Les mécanismes de l'inflation

L'inflation, longtemps définie comme un déséquilibre entre la masse monétaire et les biens de consommation, revêt la forme d'une augmentation soutenue des prix ou d'une dévaluation de la monnaie. Deux aspects la caractérisent : l'augmentation de la demande et la hausse des prix.

L'augmentation de la demande résulte d'une expansion du crédit, d'un excédent des dépenses gouvernementales et de la spéculation. La hausse des prix suit l'augmentation des coûts des matières premières, des capitaux ou de la main-d'œuvre, qui se répercute sur les prix à la consommation.

C'est le gouvernement fédéral qui détient les principaux outils pouvant combattre l'inflation. Comme c'est lui qui administre la politique fiscale, il peut réduire ses dépenses, augmenter les impôts, légiférer ou établir une politique en matière de prix et de salaires. La Banque du Canada, qui fixe la quantité de monnaie en circulation, peut restreindre le crédit en élevant les taux d'intérêt, en modifiant le coefficient d'encaisse (liquidités que détiennent en réserve les banques à charte), en achetant et en vendant des titres sur le marché libre et en influençant les cours du change.

Forces anti-inflationnistes
• Gouvernement du Canada
• Banque du Canada

Indice des prix à la consommation

Forces inflationnistes
• Monopoles d'entreprises et grands syndicats
• Cartels internationaux
• Coûts élevés de l'énergie
• Hausse des matières premières

• Hausse des taux d'intérêt
• Expansion du crédit
• Baisse de la productivité
• Spéculation
• Budget gouvernemental déficitaire
• Augmentation indue des salaires

1971 1972 1973 1974 1975 1976 1977 1978 1979 1980
100 120 140 160 180 200

Gonflement des prix, dépréciation du dollar

L'ensemble des biens et services qui coûtaient $100 en 1970, en coûtaient $132,40 en 1975 et $201,80 en février 1980. Autrement dit, le dollar de 1980 ne vaut plus que $0,50.

Pour mesurer l'inflation, Statistique Canada met périodiquement à jour l'indice des prix à la consommation qui comprend 300 biens et services, allant des obturations dentaires aux coupes de cheveux. L'évolution des coûts de ces produits est illustrée à droite.

L'indice des prix mesure leurs fluctuations et non leur valeur réelle. Si l'indice du lait est de 110 et celui du beurre de 105, cela ne signifie pas que le lait coûte plus que le beurre, mais que le prix du lait a augmenté deux fois plus. On tient également compte de l'importance des produits ; ainsi, une augmentation de 5 pour cent du prix de l'essence aura un plus grand impact qu'une hausse de 50 pour cent du prix du poivre.

Nombre de biens et services ont augmenté de plus de 100 pour cent depuis 1971 ; d'autres ont subi des hausses moins importantes. Un seul élément, les appels interurbains, a vu son prix baisser. Partout au Canada, c'est au niveau des biens essentiels (vêtements, nourriture et logement), qui représentent 65 pour cent du budget familial, que les augmentations les plus fortes se sont fait sentir.

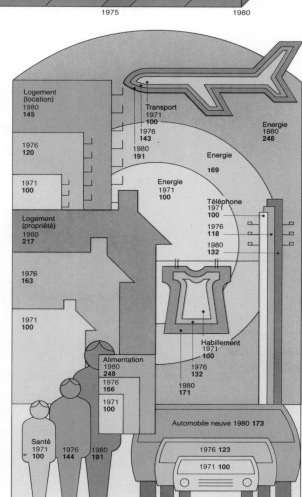

Logement (location) 1980 145
Transport 1971 100, 1976 143, 1980 191
Energie 1980 248
Energie 169
Energie 1971 100
Logement (propriété) 1980 217
Téléphone 1971 100, 1976 118, 1980 132
1976 163
1971 100
Habillement 1971 100, 1976 132, 1980 171
Alimentation 1980 248, 1976 166, 1971 100
Santé 1971 100, 1976 144, 1980 191
Automobile neuve 1980 173
1976 123
1971 100

L'exploitation du territoire : l'agriculture

Le huitième seulement du territoire canadien se prête à l'agriculture ; il s'étend au sud, le long de la frontière. On y cultive des produits fort variés : pommes, asperges, blé, vigne, tournesol, pommes de terre ; on y élève aussi du bétail.

De nos jours, le secteur agricole n'occupe plus que 5 pour cent de la population active, tandis qu'il en occupait jadis la majorité. Les Indiens furent les premiers à travailler la terre. Ils défrichaient la forêt, puis brûlaient les souches et plantaient du maïs, des haricots et des courges. Sur les sols fertiles du sud-ouest de l'Ontario, ils cultivaient le tabac.

Les premiers Européens s'intéressaient plus à la pêche et aux fourrures qu'à l'agriculture. Puis, les colons s'établirent et, dès lors, durent se nourrir. C'est Louis Hébert qui fut le premier agriculteur européen. En 1618, il défricha 4 ha de terres à l'aide d'une hache, d'un pic et d'une bêche. Ses récoltes de céréales et de légumes servirent à nourrir la colonie de Champlain, à Québec.

Au début du XIXe siècle, l'agriculture s'étendit à la Prairie avec l'établissement de la colonie écossaise de Selkirk dans la vallée de la Rivière-Rouge, au Manitoba. A la fin du siècle, les immigrants affluèrent dans l'Ouest, et l'agriculture prit une ex-

tension considérable. Le gouvernement fit aux Etats-Unis et en Europe de la publicité en vingt langues, invitant les agriculteurs à venir s'établir dans l'Ouest. Il promettait une concession de 65 ha après trois ans de résidence et de mise en valeur. Le Canadien Pacifique stimula aussi l'immigration. Sa publicité vantait la fertilité du sol, la qualité du climat et le prix incroyablement bas des terres, dont la compagnie possédait 10 millions d'hectares. Des photos représentaient ce paradis l'été, si bien que les rudes hivers de la Prairie mirent les premiers colons à dure épreuve. Ceux-ci étaient néanmoins établis sur un sol qui, pendant des siècles, avait donné naissance à un sol fertile, retenant l'eau, excellent pour la culture du blé.

Les premiers agriculteurs eurent à affronter le vent, la grêle, le gel, la sécheresse, les insectes, les mauvaises herbes et la maladie. Mais ils durent avant tout vaincre la solitude, conséquence de leur isolement. Il s'établit entre les familles des liens étroits : on se retrouvait aux assemblées religieuses et à des repas communautaires. La construction d'une grange ou la moisson étaient prétextes à s'entraider. La famille qui venait d'abattre une bête la

partageait avec ses voisins, ce qui permettait aux gens de manger de la viande fraîche au moins une fois par mois.

Les foires agricoles devinrent des événements sociaux. On y exposait ses meilleurs produits, sa truie la plus grasse, ses chevaux de trait les plus forts ; on s'y mesurait dans des concours de labour ou de souque à la corde ; on y échangeait des conseils. Les femmes exposaient leurs plus belles courtepointes, leurs meilleurs plats et conserves.

De nombreuses techniques sont disparues avec la charrue primitive et la traite manuelle. Le fermier d'autrefois retenait son taureau par l'anneau qu'il avait dans le nez ; l'éleveur moderne surveille sur moniteur, grâce à la télévision en circuit fermé, un bétail de grande valeur qu'il garde dans une étable d'une propreté impeccable. L'eau d'érable, jadis recueillie dans des seaux galvanisés qu'on rapportait à la cabane à sucre en traîneau, est aujourd'hui canalisée par des tubulures de plastique vers une cuve centrale. Les chevaux se sont vu remplacer par des tracteurs aux cabines climatisées. Et pourtant, quelque modernes que soient les techniques actuelles, l'agriculteur reste toujours à la merci des caprices du temps.

Produits du Canada

L'expansion vers l'ouest fut favorisée par une grande découverte canadienne dans le domaine agricole. Au début du siècle, la Prairie était accessible par chemin de fer, mais la saison de croissance y était tellement courte que l'agriculture restait aléatoire. En 1904,

Blé Marquis

un chimiste de la Ferme expérimentale, à Ottawa, réussissait le croisement de deux variétés de blé : le *Red Fife* et le *Red Calcutta*. On obtenait ainsi une variété plus hâtive ayant une saison de croissance de cent jours. Nommée Marquis, elle allait faire du Canada l'un des plus grands producteurs de blé du monde.

Quand la rouille détruisit le blé Marquis, on se tourna vers de nouvelles variétés. Les chercheurs continuent d'ailleurs à croiser des souches résistantes, car la rouille réapparaît périodiquement sous de nouvelles formes.

Les pommes du Canada sont également reconnues à travers le monde depuis l'avènement

de la McIntosh. En 1811, un fermier du comté de Dundas, en Ontario, découvrait sur sa terre un pommier remarquable dont les fruits fermes et juteux devinrent célèbres dans toute la région. Cependant, les variétés ne se reproduisant pas par semis, il demeura le producteur exclusif de son pommier, jusqu'à ce qu'il apprenne à obtenir le même fruit par greffage. Aussitôt, des vergers de McIntosh apparurent dans tout le comté, puis dans tout le pays.

Les horticulteurs cherchent à créer les hybrides les mieux adaptés aux sols et aux climats du pays, ainsi que des variétés susceptibles de résister à la récolte mécanique ou au transport transcontinental.

Dans le domaine de l'élevage, la vache Holstein

Pomme McIntosh

appartient à une race qui s'adapte bien et dont la production laitière est exceptionnelle. Un excellent taureau reproducteur peut valoir jusqu'à $600 000. Et grâce à l'insémination artificielle, un animal peut engendrer des milliers de descendants.

Vache Holstein

1 Rabatteur d'épi
2 Barre de coupe
3 Vis sans fin
4 Batteur
5 Tambour engreneur
6 Elévateur à chaîne
7 Secoueur
8 Evacuation de la paille
9 Ventilateur
10 Grille de nettoyage
11 Réservoir à grains
12 Goulotte de décharge du grain

L'or de la Prairie : du champ à la table

Dans la Prairie, le producteur choisit d'abord une variété de blé adaptée au sol et au climat, puis il sème en mai dès qu'il n'y a plus de risque de gel. Les dents d'acier d'une impressionnante charrue tirée par un tracteur en-

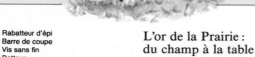

taillent le sol, traçant des sillons de 8 cm où, tous les 2,5 cm, sont enfouies les graines. S'il pleut suffisamment, les jeunes pousses apparaissent en une semaine. Au moins deux fois par été, on répand des produits chimiques pour fertiliser le sol ou tuer les mauvaises herbes.

La moisson a lieu quand les blés sont mûrs, vers la mi-août. C'est un moment important, car la récolte peut être endommagée par le vent ou la pluie, ou encore détruite par la grêle.

Certains producteurs fauchent le blé, puis le laissent sécher et durcir au soleil. D'autres le récoltent à l'aide d'une moissonneuse-batteuse (*ci-dessous*),

La réponse aux besoins alimentaires d'une population croissante

En Colombie-Britannique, les terres agricoles n'occupent pas 5 pour cent du territoire. La saison de croissance y est pourtant la plus longue du Canada, favorisant, sur la côte méridionale, la culture des fruits et des légumes. Par ailleurs, l'irrigation a transformé l'aride vallée de l'Okanagan en jardin luxuriant.

On élevait jadis, dans les contreforts des Rocheuses, de grands troupeaux destinés à la boucherie et à l'industrie laitière. On trouve encore d'immenses troupeaux dans les ranchs, mais ils ne paissent plus librement ; on les engraisse avec du fourrage et du grain de façon à accroître le

poids de chaque bête de 1 kg par jour environ.

Un Canadien consomme en moyenne 50 kg de bœuf par an et apprécie la viande du bœuf de l'Alberta, nourri au grain. Or, le grain est produit dans la Prairie toute proche, le grenier du Canada. Dans ce vaste territoire, les longues journées d'été, les températures moyennes et les précipitations peu abondantes favorisent la production d'un des meilleurs blés du monde. L'uniformité du relief y facilite, en outre, le travail des machines.

A la culture du blé, de l'orge, de l'avoine et du seigle est venue s'ajouter celle des oléagineux,

comme le lin et le colza. Dans les années 50, la culture du colza était pratiquement inexistante ; elle occupe maintenant plus de 3 millions d'hectares.

Comme le lait supporte mal le transport, la plupart des fermes laitières du sud du Québec et de l'Ontario se trouvent à proximité des centres urbains qu'elles ravitaillent. C'est l'Ontario qui compte le plus grand nombre de fermes d'élevage, souvent hautement mécanisées. On y élève du porc et du poulet. Dans le sud de cette province, la douceur du climat favorise la culture du maïs, de la vigne et du tabac. Au Québec, il n'est pas rare qu'élevage et

culture soient combinés. Le secteur agricole y est néanmoins dominé par la production du lait et de ses dérivés.

Le Québec et l'Ontario sont tous deux producteurs de pommes, mais nul endroit n'est plus réputé pour ce fruit que la vallée de l'Annapolis, en Nouvelle-Ecosse. Cette province pratique également l'élevage du bétail et du poulet. Les sols rouges et acides du Nouveau-Brunswick et de l'Ile-du-Prince-Edouard produisent la pomme de terre. Les sols maigres et le climat rigou-

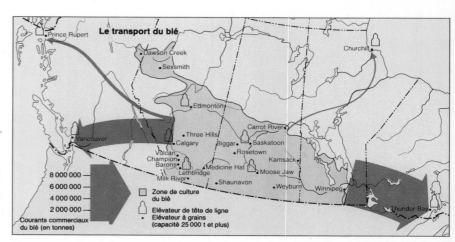

machine autonome, mise au point au Canada en 1938, et qui a révolutionné la production des céréales. Elle fauche et bat le blé (détache les grains de l'épi), puis sépare le grain du chaume et le nettoie en enlevant la balle. En une journée, une personne seule peut ainsi moissonner 20 ha. Il fallait jadis 200 hommes pour

faire le même travail. Le blé de l'Ouest est acheminé par camion vers des élévateurs à grain où il est pesé et classé. De là, il est expédié par chemin de fer aux villes portuaires du Pacifique ou à Churchill et à Thunder Bay ; il est entreposé dans d'énormes terminaux, ou encore chargé dans des navires à desti-

nation de l'est du Canada ou d'outre-mer.

Les principaux acheteurs de blé canadien sont la C.E.E., la Chine et le Japon.

Plus du quart de la production de blé est consommé au pays. Cette céréale entre dans l'alimentation de tous les Canadiens et également du bétail.

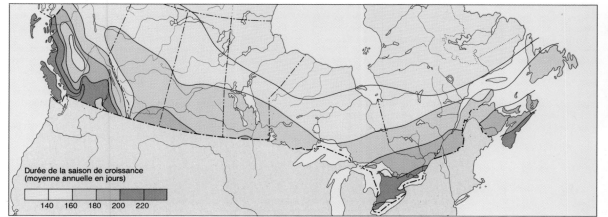

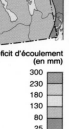

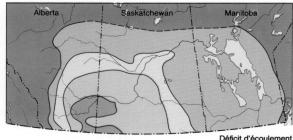

Le climat détermine les cultures. La carte de la saison de croissance (à gauche) indique la durée des températures moyennes supérieures à 5,6°C. Ci-dessus, la carte du déficit d'écoulement illustre le problème de la Prairie : dans certaines parties de la Prairie, les cultures exigent un surplus de précipitations allant jusqu'à 300 mm et l'irrigation ne compense pas toujours.

Durée de la saison de croissance (moyenne annuelle en jours)

140 160 180 200 220

Déficit d'écoulement (en mm)

300
230
180
130
80
25

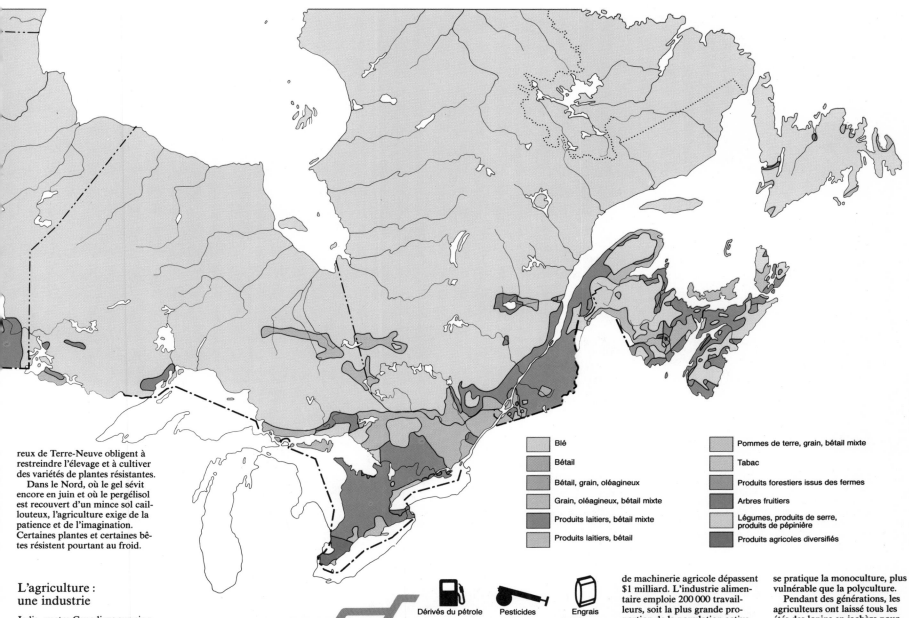

Blé

Bétail

Bétail, grain, oléagineux

Grain, oléagineux, bétail mixte

Produits laitiers, bétail mixte

Produits laitiers, bétail

Pommes de terre, grain, bétail mixte

Tabac

Produits forestiers issus des fermes

Arbres fruitiers

Légumes, produits de serre, produits de pépinière

Produits agricoles diversifiés

reux de Terre-Neuve obligent à restreindre l'élevage et à cultiver des variétés de plantes résistantes.

Dans le Nord, où le gel sévit encore en juin et où le pergélisol est recouvert d'un mince sol caillouteux, l'agriculture exige de la patience et de l'imagination. Certaines plantes et certaines bêtes résistent pourtant au froid.

L'agriculture : une industrie

Jadis, quatre Canadiens sur cinq vivaient de l'agriculture ; aujourd'hui, cette proportion est de 1 sur 22 ou moins. Une famille consacrait tout son temps à produire ce qu'il lui fallait pour vivre ; de nos jours, un seul travailleur agricole produit de quoi nourrir une cinquantaine de personnes.

La technologie a considérablement augmenté le rendement. Au siècle dernier, un homme pouvait avec deux chevaux labourer 1 ha par jour ; aujourd'hui, il laboure jusqu'à 48 ha en une journée. C'est la machine qui récolte les pommes de terre, trie les fruits et classe les œufs par grosseurs. Dans le domaine de l'industrie laitière, seules les vaches ne sont pas automatisées.

La science a trouvé de nouvelles façons d'améliorer le rendement : les pesticides limitent l'action des insectes et des mauvaises herbes ; les engrais chimiques, l'hybridation et d'autres techniques ont fait plus

que doubler le rendement du blé à l'hectare.

En se modernisant, l'agriculture est devenue moins un mode de vie qu'une industrie. Les fermes sont moins nombreuses, mais plus grosses. L'utilisation de matériel coûteux sur de petites surfaces n'est pas rentable. Par ailleurs, la spécialisation est

plus avantageuse : les agriculteurs qui réussissent le mieux sont ceux qui se consacrent à l'élevage ou à la monoculture.

Le prix de la terre exige qu'on la mette pleinement en valeur. En Ontario, des terres excellentes pour la culture des tomates se vendaient, en 1980, jusqu'à $12 400 l'hectare.

La mécanisation de plus en plus poussée, la spécialisation et l'importance des capitaux investis ont contribué à rapprocher l'agriculture et l'industrie, d'autant que l'agriculteur est devenu un important consommateur de combustible, de produits chimiques et de matériaux de construction. Les ventes annuelles

de machinerie agricole dépassent $1 milliard. L'industrie alimentaire emploie 200 000 travailleurs, soit la plus grande proportion de la population active. Les produits de la ferme font vivre les compagnies de transport ferroviaire, routier et maritime.

La terre demeure néanmoins l'élément essentiel à toute forme d'agriculture ; or, certaines pratiques semblent avoir un effet néfaste sur cette précieuse ressource. La machinerie lourde tasse la terre, empêchant l'infiltration de l'eau. Les pesticides détruisent, en même temps que les micro-organismes nuisibles, d'autres micro-organismes producteurs d'éléments nutritifs ; par ailleurs, on doit utiliser plus de pesticides dans les régions où

se pratique la monoculture, plus vulnérable que la polyculture.

Pendant des générations, les agriculteurs ont laissé tous les étés des lopins en jachère pour permettre au sol de se reposer. Apparemment, les substances nutritives dont ont besoin les plantes sont lessivées à ce moment de l'année, ce qui oblige les producteurs à ajouter des quantités toujours plus importantes d'engrais. En outre, à mesure que le sol se détériore, ses capacités de rétention d'eau diminuent et le vent l'emporte.

L'expansion des villes engloutit tous les ans les meilleures terres agricoles. La péninsule fertile du Niagara, la plus peuplée du Canada, disparaît peu à peu sous l'asphalte et les constructions.

Dérivés du pétrole   Pesticides   Engrais

Matériaux de construction   Machinerie agricole   Moulée

Laine, fibres   Tabac

Viande   Sous-produits (cuir, produits chimiques)

Produits laitiers   Œufs

Céréales, farine   Malt   Fruits, légumes   Huiles comestibles

Expansion ou abandon des exploitations agricoles

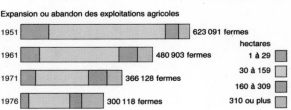

1951   623 091 fermes

1961   480 903 fermes

1971   366 128 fermes

1976   300 118 fermes

hectares

1 à 29

30 à 159

160 à 309

310 ou plus

L'exploitation du territoire : les forêts

Les forêts couvrent le tiers de la superficie du Canada et elles caractérisent certains de nos paysages les plus familiers : bois de conifères mêlés de bouleaux blancs, érablières flamboyantes de l'automne, bosquets de trembles isolés dans la Prairie. Les forêts ont toujours été chez nous la plus grande source de richesse. A l'ère du plastique et de l'acier, le bois et ses produits continuent à faire vivre des milliers de Canadiens.

Les forêts sont presque toutes du domaine public, ce qui signifie que chaque citoyen en détient 8 ha. Elles sont administrées par les provinces qui les louent à des sociétés privées. Autrefois, comme elles paraissaient inépuisables, on les exploitait sans penser au lendemain ; or, un arbre met de 50 à 100 ans pour parvenir à maturité. Il reste au Canada des milliers d'hectares de

forêts vierges, mais loin des centres ou trop au nord pour que les arbres atteignent une taille intéressante. Hélas ! le bois qui présente une valeur industrielle disparaît plus vite qu'il ne pousse.

La forêt joue plusieurs rôles importants : elle réduit l'érosion, régularise l'écoulement des eaux et protège la faune. Par ailleurs, le bois reste une matière première essentielle pour l'industrie (construction, pâte à papier, poteaux de téléphone, bâtons de hockey...). L'augmentation des frais d'abattage et le problème de la conservation des ressources incitent de plus en plus l'industrie à une exploitation rationnelle de la forêt et au reboisement. Les sols seront moins endommagés si les chemins forestiers sont mieux conçus. Si l'on défriche en tenant compte du paysage, les cicatrices pourront être moins visibles. Si l'on reboise certaines

aires accessibles, le rendement pourra s'en trouver augmenté. Des essences à croissance rapide, comme le peuplier hybride, atteignent leur maturité en moins de 10 ans.

A mesure que la demande augmente, l'utilisation que l'on fait du bois s'améliore. La machine réduit l'arbre en copeaux sur place, l'apprêtant pour l'usine de pâtes sans qu'il y ait de gaspillage. Par ailleurs, on étudie actuellement la possibilité de faire entrer les résidus du bois dans la nourriture des animaux.

Les superficies boisées diminuent, et les vœux du forestier, du naturaliste et du villégiateur risquent de ne jamais coïncider tout à fait. Mais une exploitation rationnelle de la forêt laissera aux Canadiens une ressource à la fois productive, génératrice d'emplois et irremplaçable par sa beauté et son dynamisme.

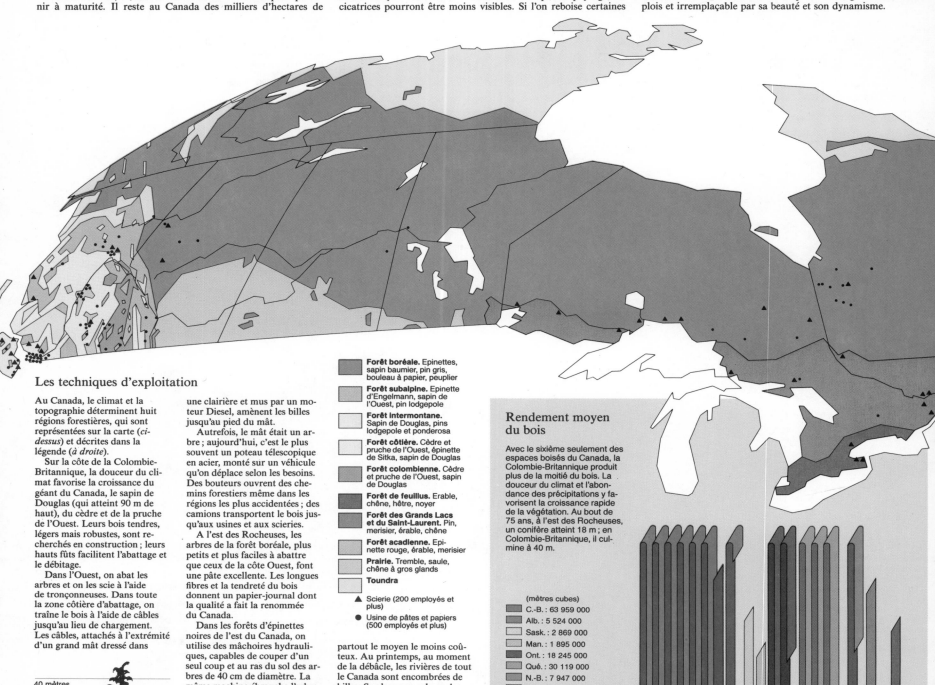

Forêt boréale. Epinettes, sapin baumier, pin gris, bouleau à papier, peuplier

Forêt subalpine. Epinette d'Engelmann, sapin de l'Ouest, pin lodgepole

Forêt intermontane. Sapin de Douglas, pins lodgepole et ponderosa

Forêt côtière. Cèdre et pruche de l'Ouest, épinette de Sitka, sapin de Douglas

Forêt colombienne. Cèdre et pruche de l'Ouest, sapin de Douglas

Forêt de feuillus. Erable, chêne, hêtre, noyer

Forêt des Grands Lacs et du Saint-Laurent. Pin, merisier, érable, chêne

Forêt acadienne. Epinette rouge, érable, merisier

Prairie. Tremble, saule, chêne à gros glands

Toundra

▲ Scierie (200 employés et plus)

● Usine de pâtes et papiers (500 employés et plus)

Les techniques d'exploitation

Au Canada, le climat et la topographie déterminent huit régions forestières, qui sont représentées sur la carte (*ci-dessus*) et décrites dans la légende (*à droite*).

Sur la côte de la Colombie-Britannique, la douceur du climat favorise la croissance du géant du Canada, le sapin de Douglas (qui atteint 90 m de haut), du cèdre et de la pruche de l'Ouest. Leurs bois tendres, légers mais robustes, sont recherchés en construction ; leurs hauts fûts facilitent l'abattage et le débitage.

Dans l'Ouest, on abat les arbres et on les scie à l'aide de tronçonneuses. Dans toute la zone côtière d'abattage, on traîne le bois à l'aide de câbles jusqu'au lieu de chargement. Les câbles, attachés à l'extrémité d'un grand mât dressé dans

une clairière et mus par un moteur Diesel, amènent les billes jusqu'au pied du mât.

Autrefois, le mât était un arbre ; aujourd'hui, c'est le plus souvent un poteau télescopique en acier, monté sur un véhicule qu'on déplace selon les besoins. Des bouteurs ouvrent des chemins forestiers même dans les régions les plus accidentées ; des camions transportent le bois jusqu'aux usines et aux scieries.

A l'est des Rocheuses, les arbres de la forêt boréale, plus petits et plus faciles à abattre que ceux de la côte Ouest, font une pâte excellente. Les longues fibres et la tendreté du bois donnent un papier-journal dont la qualité a fait la renommée du Canada.

Dans les forêts d'épinettes noires de l'est du Canada, on utilise des mâchoires hydrauliques, capables de couper d'un seul coup et au ras du sol des arbres de 40 cm de diamètre. La même machine ébranche l'arbre et le débite, puis mesure le bois, le réunit et l'empile.

Le transport du bois s'effectue par camion, par train et par bateau, mais le flottage demeure

partout le moyen le moins coûteux. Au printemps, au moment de la débâcle, les rivières de tout le Canada sont encombrées de billes. Sur les eaux calmes des lacs et des grandes rivières, les billes sont groupées en trains de bois que des remorqueurs acheminent vers les usines et les scieries, en aval.

Rendement moyen du bois

Avec le sixième seulement des espaces boisés du Canada, la Colombie-Britannique produit plus de la moitié du bois. La douceur du climat et l'abondance des précipitations y favorisent la croissance rapide de la végétation. Au bout de 75 ans, à l'est des Rocheuses, un conifère atteint 18 m ; en Colombie-Britannique, il culmine à 40 m.

(mètres cubes)
C.-B. : 63 959 000
Alb. : 5 524 000
Sask. : 2 869 000
Man. : 1 895 000
Ont. : 18 245 000
Qué. : 30 119 000
N.-B. : 7 947 000
N.-E. : 3 653 000
I.-P.-E. : 166 000
T.-N. : 2 631 000
Yukon et T. N.-O. : 149 000

40 mètres

25 mètres

20 mètres

Pruche de l'Ouest : bois blanc et robuste de Colombie-Britannique. Pâtes à papier, parquets, revêtements, caisses et contre-plaqué.

Epinette blanche : bois léger et souple dont la pâte blanche donne le meilleur papier-journal. Aussi utilisé comme bois d'œuvre.

Pin gris : bois mi-dur. Pâtes à papier, revêtements, traverses de chemin de fer, poteaux, boisage de galeries de mine.

Sapin baumier : principale matière première de l'industrie des pâtes et papiers. Arbres de Noël. Contre-plaqué, caisses, bois d'œuvre.

Bouleau à papier : bois robuste, blanchâtre et fin qui fait de l'excellent contre-plaqué. Meubles et ébénisterie.

Erable à sucre : bois dur de grande valeur. Meubles, parquets, contre-plaqué. La sève est bouillie pour donner du sirop et du sucre.

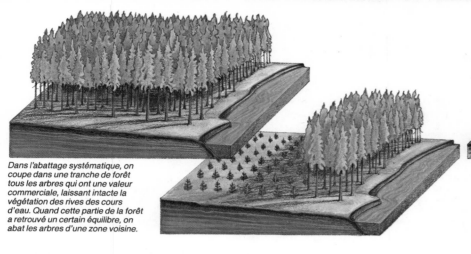

Dans l'abattage systématique, on coupe dans une tranche de forêt tous les arbres qui ont une valeur commerciale, laissant intacte la végétation des rives des cours d'eau. Quand cette partie de la forêt a retrouvé un certain équilibre, on abat les arbres d'une zone voisine.

Dans la coupe sélective, on n'abat que certaines espèces d'une certaine taille. Ce genre de coupe se limite d'habitude aux forêts mixtes où voisinent des essences à bois dur et des essences à bois tendre d'âges différents. Moins de 20 pour cent de la forêt canadienne est exploité de cette façon. Les frais d'exploitation sont plus élevés, car on doit éviter d'endommager les arbres qui restent. Avec cette méthode, la forêt se reconstitue habituellement d'elle-même.

Profit immédiat ou ressource renouvelable ?

Au Canada, l'abattage se fait généralement de façon systématique : on coupe tout le bois compris dans une zone déterminée (qui peut atteindre 400 ha). C'est cette méthode qu'on applique dans la forêt boréale où les peuplements naturels se composent d'essences homogènes.

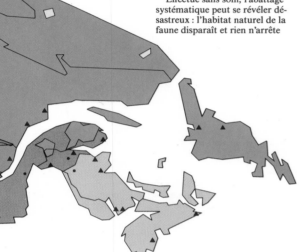

Après l'abattage, on brûle les déchets et on répand des herbicides ; ou on procède au scarifiage du sol, en brisant la croûte. La forêt se reconstitue ensuite naturellement ; elle risque cependant de n'avoir aucune valeur commerciale. L'ensemencement ou le reboisement, à la main ou à la machine, bien que coûteux, assurent par contre la croissance d'arbres utilisables.

Effectué sans soin, l'abattage systématique peut se révéler désastreux : l'habitat naturel de la faune disparaît et rien n'arrête plus le ruissellement. La disparition des arbres sur les rives entraîne l'érosion du sol, des inondations et l'accumulation de dépôts dans les cours d'eau.

La coupe sélective (l'abattage d'individus et de petits groupes d'arbres) perturbe moins le milieu. Mais si, dans une zone donnée, des arbres restent debout, il faut que la végétation de remplacement puisse se développer à l'ombre, ce qui exclut beaucoup d'essences à bois tendre.

L'éclaircissage par la coupe sélective favorise néanmoins les arbres qui restent : ils ont plus de lumière, plus d'eau et plus de substances nutritives. Par ailleurs, cette pratique conserve à la forêt son visage et à la faune, son habitat.

Autrefois, on considérait le bois comme une ressource non renouvelable ; aujourd'hui, les forestiers tentent d'assurer la constance de la production en reboisant. Mais ces efforts ne compensent pas le gaspillage passé. Pour répondre à la demande, on doit aller chercher de plus en plus loin le bois destiné à l'industrie. De meilleurs rendements seraient souhaitables, mais l'exploitation rationnelle de la forêt est coûteuse.

Une meilleure préparation du sol, la plantation de jeunes individus sains issus des meilleures essences, le sarclage, l'éclaircissage et la fertilisation peuvent doubler le rendement d'une forêt et assurer des réserves pour les générations futures.

La vie du bûcheron

Pour les premiers colons, la forêt constituait bien davantage un obstacle qu'une ressource. Ils se servaient d'un peu de bois pour se chauffer et pour se construire des abris et des embarcations ; et le reste, c'est-à-dire la plus grande partie, ils le brûlaient pour « faire de la terre ».

A la fin du XVIII⁰ siècle, la Royal Navy commença à acheter son bois au Canada. Le grand pin blanc faisait d'excellents mâts. On expédiait également outre-mer de grandes pièces de bois équarri.

Bientôt, les forêts traversées par le Saint-Jean, le Miramichi et l'Outaouais se mirent à résonner de coups de hache. Abattre un arbre était un dur travail. Dans les chantiers, les hommes travaillaient à deux, bûchant à tour de rôle des arbres qui pouvaient atteindre 2 m de diamètre.

L'hiver, les hommes s'entassaient dans une mauvaise cabane, la cambuse, sans fenêtre ni cheminée. Ils faisaient du feu au centre : un peu de fumée et beaucoup de cha-

leur s'échappaient par le trou pratiqué dans le toit. Ils avaient peu de loisirs, buvaient du thé ou du saindoux fondu et mangeaient la même chose à tous les repas : du pain, du porc et des fèves au lard.

Les bûcherons quittaient la forêt les poches pleines après une saison de labeurs et de risques, et allaient se défouler en ville. Certains, comme Jos. Montferrand, se rendirent célèbres : maître draveur et querelleur, ce Montréalais était agile et fort comme un ours. Ses légendaires coups de pied laissèrent leurs marques au plafond de plus d'une taverne.

En 1860, le pin blanc se fit plus rare dans l'est du Canada ; on dut désormais abattre des individus plus petits ou d'autres essences, ou encore aller plus à l'ouest, là où croissait un géant : le sapin de Douglas. En 1866, on construisit à Valleyfield, au Québec, une usine de transformation du bois en pâte à papier. Le Canada se préparait à devenir le plus grand producteur mondial de papier-journal.

L'utilisation optimale du bois

Presque la moitié des arbres abattus au Canada servent de bois d'œuvre. Quelque 1 100 scieries transforment en planches les bois tendres de l'épinette, de la pruche et du sapin de Douglas, et les bois durs du bouleau et de l'érable. Chaque année, le Canada exporte une quantité de bois équivalant à ce qu'il faudrait pour construire 1,3 million de maisons de trois chambres à coucher.

Le contre-plaqué, le bardeau (surtout en cèdre de l'Ouest) et le bois de placage résultent d'une première transformation. Moulures, armoires de cuisine, portes, châssis et pièces pour maisons préfabriquées sont le produit d'une transformation plus poussée.

La hausse des coûts incite l'industrie à utiliser les restes de bois qu'elle laissait autrefois sur place. Bran de scie et copeaux deviennent donc pâte à papier ou combustible ; recouverts de colle et comprimés, ils se transforment en panneaux d'aggloméré peu coûteux, qui entrent dans la fabrication des meubles.

L'industrie des pâtes et papiers, depuis longtemps l'une des plus importantes au Canada, fabrique toute une gamme de produits (pâtes à papier, cartons, boîtes) et de sous-produits (rayonne, éponges, térébenthine). Le papier-journal représente 40 pour cent de la production mondiale. La demande de ce produit n'est jamais satisfaite : une seule édition d'un quotidien canadien consomme 8 ha de forêt.

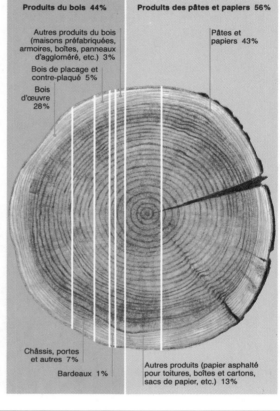

Valeur des produits de la forêt (en pourcentage)

Produits du bois 44% — Produits des pâtes et papiers 56%

Autres produits du bois (maisons préfabriquées, armoires, boîtes, panneaux d'aggloméré, etc.) 3%
Bois de placage et contre-plaqué 5%
Bois d'œuvre 28%
Châssis, portes et autres 7%
Bardeaux 1%
Pâtes et papiers 43%
Autres produits (papier asphalté pour toitures, boîtes et cartons, sacs de papier, etc.) 13%

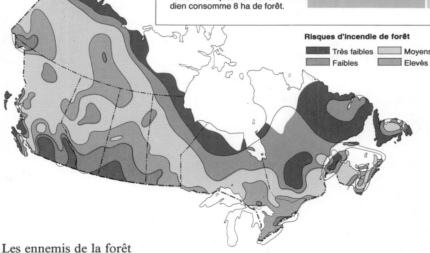

Risques d'incendie de forêt

- Très faibles
- Faibles
- Moyens
- Elevés
- Très élevés
- Extrêmement élevés

Les ennemis de la forêt

Chaque année, au Canada, le feu détruit plus de 1 million d'hectares de forêt, occasionnant des dommages incalculables au sol et à la faune. La foudre n'est à l'origine que du quart des incendies, car la plupart d'entre eux sont causés par l'homme (cigarettes ou feux de camp mal éteints).

Les risques d'incendie peuvent être réduits en période critique de sécheresse, en faisant brûler les déchets sous contrôle et en interdisant au public l'accès aux forêts. La carte (ci-dessus) illustre les risques d'incendie que l'on détermine par plusieurs facteurs : taux

d'humidité, vélocité des vents, températures et précipitations. Parfois l'incendie est combattu du sol : on pompe l'eau de réservoirs fixés au dos des hommes ; ou on abat des arbres sur une certaine étendue et on creuse des tranchées. Parfois, il est du haut des airs : des hydravions déversent des tonnes d'eau prélevées dans les lacs voisins.

Par ailleurs, la forêt est exposée aux maladies et aux insectes. La tordeuse de l'épinette, le plus vorace des insectes nuisibles, est fort active dans les forêts du Nouveau-Brunswick, du Québec et de l'Ontario. On a abondamment recours à l'arrosage pour

détruire ces insectes, mais l'on craint que les produits chimiques ainsi utilisés n'affectent l'homme et ne nuisent à l'environnement. Les scientifiques cherchent maintenant à utiliser des virus, des bactéries ou des parasites pour détruire les insectes nuisibles.

Mais la science ne peut arrêter dans la forêt l'expansion de certaines maladies. La carie du cœur détruit tous les ans environ 28 millions de mètres cubes d'arbres. Dans sa lente progression, la maladie hollandaise de l'orme s'est attaquée, dans l'Est particulièrement, aux grands arbres qui ombragent les rues.

La photographie aérienne à l'infrarouge sert à détecter les zones endommagées d'une forêt, imperceptibles à l'œil nu : en effet, la chlorophylle des arbres sains réfléchit les rayons infrarouges ; on peut donc enregistrer les variations de teneur en chlorophylle. Ci-dessus, le feuillage d'automne d'arbres sains vus à l'infrarouge : les couleurs passent du magenta au rose et au jaune. Un bois de pins rouges sains ressort en rouge ; une petite tache jaune-vert révèle l'existence d'arbres malades.

L'exploitation des eaux : la pêche

En 1497, à son retour en Angleterre, Jean Cabot parla d'une mer du Nouveau Monde où le poisson était si abondant qu'on n'avait qu'à le cueillir dans un panier. Il faisait alors allusion aux eaux qui, sur 1 600 km, du cap Cod au Labrador, submergent un vaste relief de plateaux et de plaines. En effet, ces eaux, alimentées par les grands fleuves et riches des substances nutritives entraînées par les courants de l'Atlantique, pullulent de poissons.

Sur la côte du Pacifique, où le généreux plateau continental prolonge le continent de 100 km sous la mer, le saumon et le hareng se rassemblent par millions tous les ans. Enfin, le poisson abonde dans les innombrables lacs et cours d'eau du continent.

De cette immense ressource, les pêcheurs canadiens tirent chaque année plus de 1 million de tonnes de poissons — principalement de la morue de l'Atlantique, du saumon du Pacifique et du homard. Le Canada se classe parmi les 10 premiers pays du monde pour les pêcheries, secteur qui emploie quelque 82 000 personnes. En 1979, le Canada était le plus grand exportateur de poissons du monde avec la vente à l'étranger de plus des deux tiers de ses prises.

La diminution des populations de poissons et une baisse importante de l'activité des pêcheries ont incité le gouvernement, en janvier 1977, à étendre à 200 milles marins les limites de pêche au large des côtes. Depuis, la valeur d'espèces comme la morue ou les pétoncles a quadruplé, le prix du hareng a décuplé et celui d'espèces accessoires comme le calmar, qu'on employait comme appât, a grimpé à son tour. Mais l'industrie de la pêche demeure soumise aux risques de la surexploitation et fait face à une dure concurrence internationale. Malgré le moratoire de 1972 sur la pêche industrielle du saumon de l'Atlantique, le braconnage, la pollution et la surexploitation ont entraîné une diminution de l'espèce. Sur la côte Ouest, on a mis sur pied, en 1977, un programme de $150 millions visant à refaire les populations de saumon du Pacifique dont dépendent les pêcheries de l'Ouest.

L'aquiculture (élevage d'espèces marines) prend de plus en plus d'importance. Elle produit à travers le monde plus de 6 millions de tonnes de poissons et de crustacés. Au Canada, on élève ainsi de la truite dans les étangs de la Prairie, des huîtres dans les Maritimes et du saumon en Colombie-Britannique.

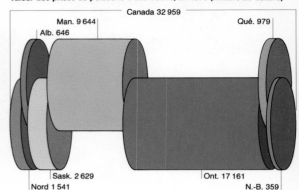

Valeur des prises de poissons d'eau douce, en 1978 (milliers de dollars)

Canada 32 959
Man. 9 644
Alb. 646
Qué. 979
Sask. 2 629
Ont. 17 161
Nord 1 541
N.-B. 359

▨ Pêche industrielle en eau douce

La Colombie-Britannique et le saumon

Les cinq espèces de saumon du Pacifique — les saumons rose, quinnat, coho, kéta et sockeye rouge — dominent la pêche sur la côte Ouest : 70 pour cent de la valeur des prises annuelles de la province, qui s'élève à $200 millions. Jusqu'en 1968, on transformait d'énormes quantités de hareng en farine et en huile ;

mais, à la suite d'une importante diminution des populations, on ne capture plus désormais que le hareng destiné à la consommation humaine. Les poissons de fond (ophiodon et morue charbonnière) et les palourdes, crabes et huîtres viennent ensuite.

Le saumon naît dans les eaux froides et limpides des rivières, parfois à des centaines de kilomètres de la mer. Il vit jusqu'à un an, selon l'espèce, dans des lacs. C'est à l'état de saumoneau qu'il atteint le Pacifique. Au bout de quatre ans, le saumon quitte la mer pour aller frayer et mourir dans les eaux qui l'ont vu naître. (Contrairement aux espèces du Pacifique, le saumon de l'Atlanti-

que peut frayer plus d'une fois.) Un œuf sur 1 000 seulement produit un saumon qui parviendra à maturité.

La pêche se pratique souvent en vue des côtes. Les bateaux sont dotés de moteurs puissants, d'instruments de navigation ultramodernes et de sonars, qui leur permettent de parcourir de grandes distances dans leur poursuite saisonnière du poisson. La majeure partie des prises est mise en conserve ; le reste est vendu frais, surgelé ou fumé.

● Saumon du Pacifique
● Hareng du Pacifique
— Limite de 200 milles

Diversité des espèces d'eau douce

Les lacs et les cours d'eau du Canada renferment la moitié des eaux douces du monde. Plus d'une douzaine d'espèces font l'objet de la pêche industrielle ; le corégone, la perchaude et le doré jaune représentent la moitié de la valeur totale des prises. Dans les espèces locales, signalons le doré noir au Manitoba, le touladi en Ontario et l'anguille au Québec.

L'été, la pêche se pratique à l'aide de filets maillants et de verveux, et à bord d'embarcations diverses qui vont du simple canot

aux bateaux de pêche de 15 m (sur le lac Winnipeg). L'hiver, la pêche se fait sous la glace, au filet maillant. On traite le poisson d'eau douce à proximité des lieux de prise, dans des établissements qui offrent des possibilités de congélation, de réfrigération, de triage et d'entreposage. Il est vendu sur le marché frais ou surgelé.

Dans certaines régions, la pêche industrielle a disparu ou perdu de l'importance, non par manque de poissons, mais en raison de problèmes d'ordre écologique et économique. Les pluies acides ont affecté un grand nombre d'espèces. Et malgré un effort pour stabiliser les prix du poisson d'eau douce, la rentabilité reste souvent insuffisante pour la pêche artisanale.

Valeur (milliers de dollars)

56 817
55 181
33 336
29 461
27 269
12 835

Hareng/Pacifique
Sockeye rouge
Coho
Quinnat
Kéta
Saumon rose

Prises (tonnes)
7 887
9 152
15 331
15 885
22 321

81 400

Filet maillant : Ce filet droit, réseau serré de mailles de nylon (à gauche), forme un obstacle fixe ou dérivant. Des flotteurs et des plombs en assurent la verticalité, et une bouée en marque la position. Le poisson qui tente de passer au travers reste pris par les branchies. Cette technique présente toutefois un inconvénient : à moins qu'on ne ramène souvent le filet, le poisson se détériore.

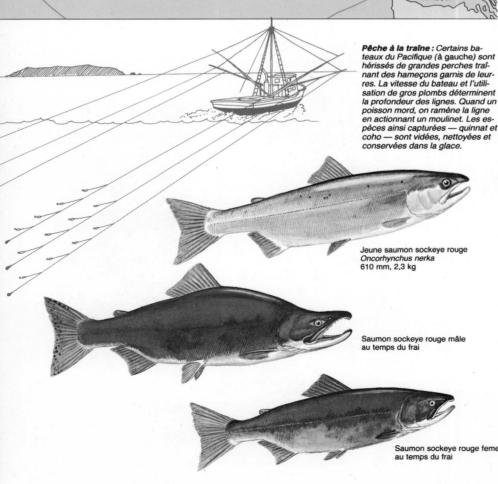

Pêche à la traîne : Certains bateaux du Pacifique (à gauche) sont hérissés de grandes perches traînant des hameçons garnis de leurres. La vitesse du bateau et l'utilisation de gros plombs déterminent la profondeur des lignes. Quand un poisson mord, on ramène la ligne en actionnant un moulinet. Les espèces ainsi capturées — quinnat et coho — sont vidées, nettoyées et conservées dans la glace.

Jeune saumon sockeye rouge
Oncorhynchus nerka
610 mm, 2,3 kg

Saumon sockeye rouge mâle
au temps du frai

Saumon sockeye rouge femelle
au temps du frai

Doré jaune
Stizostedion vitreum
406 mm, 700 g

Perchaude
Perca flavescens
178 mm, 200 g

Corégone
Coregonus clupeaformis
381 mm, 700 g

Quantité et valeur des prises

Les cartogrammes (*à gauche*) indiquent la part des provinces dans le secteur des pêcheries en 1978 : ici, la petite Ile-du-Prince-Edouard domine l'Ontario.

Les pêcheries des provinces de l'Atlantique et du Québec représentent 83 pour cent du poisson capturé et presque les deux tiers de la valeur totale des prises. Le homard, qui constitue moins de 2 pour cent des prises sur la côte atlantique, représente cependant 18 pour cent de leur valeur.

En dehors de cette zone, la quantité des prises, en tonnes, n'est pas très élevée. Cependant, la valeur du poisson d'eau douce rend la pêche industrielle sur le continent rentable. Le saumon du Pacifique, fort recherché, représente la part de l'Ouest sur le marché : 14 pour cent des prises nationales et 36 pour cent de leur valeur.

La richesse des bancs de l'Atlantique

Plus de 30 espèces de poissons, de crustacés et de mammifères marins sont exploitées dans l'Atlantique, dont principalement la morue et le homard. On pêche, avec la morue, d'autres poissons de fond : l'aiglefin, la goberge, le merlu, le brosme, le sébaste et les poissons plats.

Les principaux crustacés sont les palourdes, les huîtres et les pétoncles. Le hareng domine les espèces pélagiques et celles qui sont pêchées dans les estuaires.

La pêche artisanale se pratique à moins de 20 km des côtes. On a recours à la seine, au filet maillant et aux verveux pour pêcher le maquereau et le hareng, aux casiers pour le homard. On pratique également la pêche à la traîne. Enfin, on recueille les huîtres au râteau ou avec des pinces, les pétoncles, à la drague.

Au large, les chalutiers remorquent d'énormes filets, les chaluts (*ci-dessous*) ; d'autres types de bateaux traînent des milliers d'hameçons garnis d'appâts.

On sale et on sèche encore la plus grande partie des poissons de fond destinés à l'exportation. Sur les marchés américains, ils sont vendus congelés ou surgelés. Si le homard s'achète vivant, les autres espèces se vendent surtout en conserve.

Légendes

Total des prises en 1978 : 1 399 505 tonnes

Province	Tonnes
T.-N.	463 959
N.-E.	444 869
N.-B.	153 673
I.-P.-E.	25 660
Qué.	67 998
Ont.	25 413
Man.	12 830
Sask.	3 748
Alb.	997
C.-B.	198 703
Nord	1 655

Valeur totale des prises en 1978 : $701 150 000

T.-N.	$118 364 000
N.-E.	$195 388 000
N.-B.	$49 975 000
I.-P.-E.	$23 376 000
Qué.	$30 234 000
Ont.	$17 161 000
Man.	$9 644 000
Sask.	$2 629 000
Alb.	$646 000
C.-B.	$252 192 000
Nord	$1 541 000

- Homard
- Morue
- Pétoncles
- Hareng de l'Atlantique
- Limite de 200 milles

Graphique

Valeur (milliers de dollars) / **Prises (tonnes)**

Espèce	Valeur (milliers de dollars)	Prises (tonnes)
Morue	86 382	296 859
Hareng / Atlantique	75 591	246 132
Poissons plats	63 482	109 404
Pétoncles	43 279	109 176
Sébaste	24 317	77 076
Homard	13 066	19 179

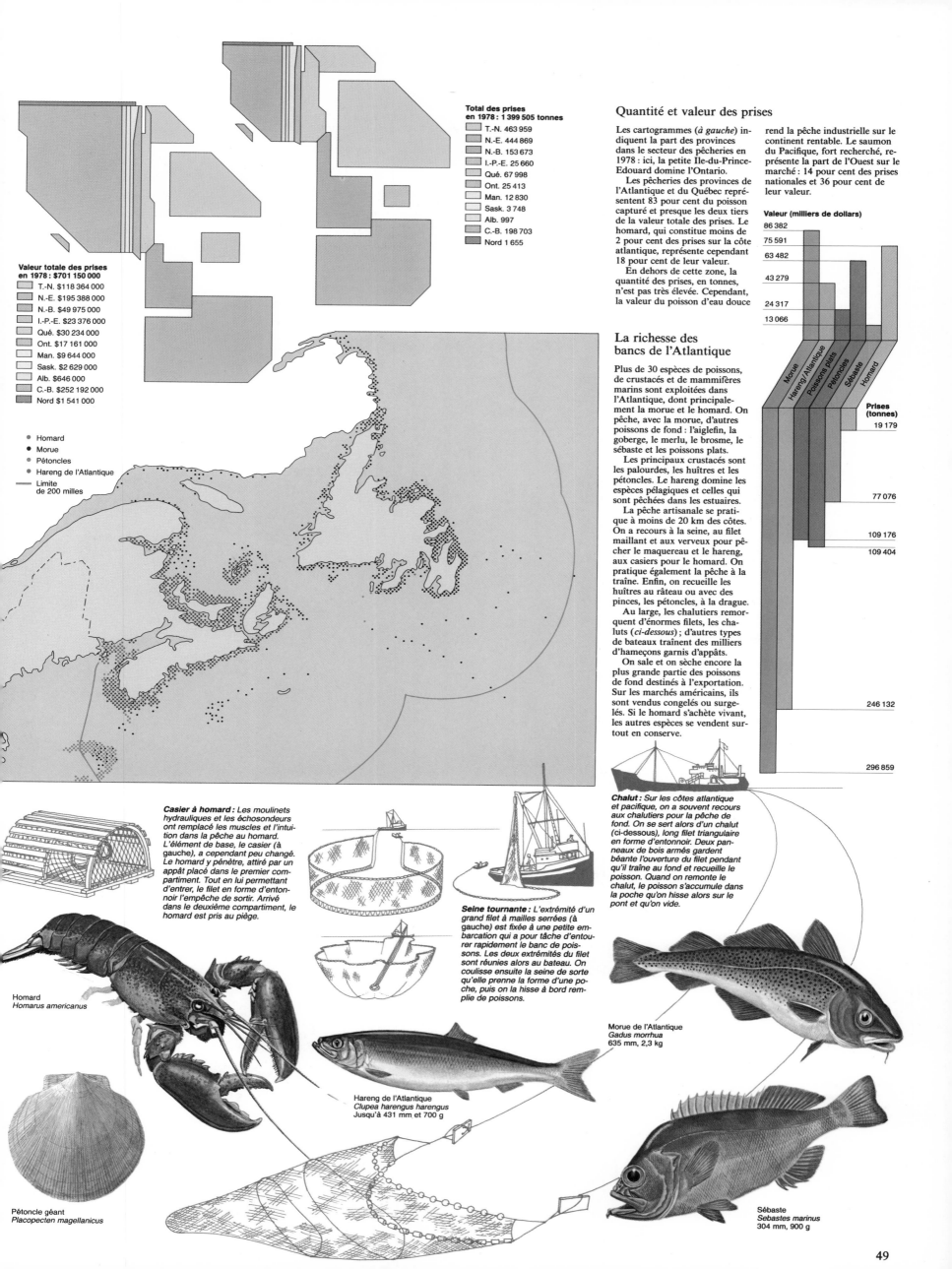

Casier à homard : Les moulinets hydrauliques et les échosondeurs ont remplacé les muscles et l'intuition dans la pêche au homard. L'élément de base, le casier (à gauche), a cependant peu changé. Le homard y pénètre, attiré par un appât placé dans le premier compartiment. Tout en lui permettant d'entrer, le filet en forme d'entonnoir l'empêche de sortir. Arrivé dans le deuxième compartiment, le homard est pris au piège.

Seine tournante : L'extrémité d'un grand filet à mailles serrées (à gauche) est fixée à une petite embarcation qui a pour tâche d'entourer rapidement le banc de poissons. Les deux extrémités du filet sont réunies alors au bateau. On coulisse ensuite la seine de sorte qu'elle prenne la forme d'une poche, puis on la hisse à bord remplie de poissons.

Chalut : Sur les côtes atlantique et pacifique, on a souvent recours aux chalutiers pour la pêche de fond. On se sert alors d'un chalut (ci-dessous), long filet triangulaire en forme d'entonnoir. Deux panneaux de bois armés gardent béante l'ouverture du filet pendant qu'il traîne au fond et recueille le poisson. Quand on remonte le chalut, le poisson s'accumule dans la poche qu'on hisse alors sur le pont et qu'on vide.

Homard
Homarus americanus

Pétoncle géant
Placopecten magellanicus

Hareng de l'Atlantique
Clupea harengus harengus
Jusqu'à 431 mm et 700 g

Morue de l'Atlantique
Gadus morrhua
635 mm, 2,3 kg

Sébaste
Sebastes marinus
304 mm, 900 g

L'exploitation du territoire : les mines

L'exploitation minière au Canada remonte à près de 1 000 ans : non loin de L'Anse-aux-Meadows, à Terre-Neuve, des Norvégiens tirèrent du minerai de fer d'un marécage et s'en firent des outils rudimentaires. Cinq siècles plus tard, Jacques Cartier trouvait près de Québec ce qu'il croyait être de l'or et des diamants et qui se révéla être de la pyrite de fer et du quartz.

C'est par hasard que le Canada entra dans l'ère de l'exploitation moderne. En 1883, alors qu'on dynamitait du roc pour la construction du chemin de fer du Canadien Pacifique, dans le nord de l'Ontario, on mit au jour des gisements de cuivre et de nickel près de Sudbury. Cette découverte allait en entraîner d'autres : de l'argent à Cobalt, de l'or à Kirkland Lake et à Timmins ; puis, dans les années 20, de l'or et du cuivre en Abitibi.

Au Canada, le secteur minier emploie 160 000 personnes dans les domaines de la prospection, de l'extraction et de l'affinage. Sa production, la plus diversifiée du monde avec l'exploitation de 60 minéraux différents, vient juste après celle des États-Unis et de l'U.R.S.S. Le Canada est premier producteur mondial de zinc, deuxième d'amiante, de nickel et de potasse, troisième d'or et d'argent, et quatrième de cuivre et de plomb.

L'exploitation minière est coûteuse et risquée. Les sociétés canadiennes de pétrole dépensent annuellement jusqu'à $2 milliards en recherche : forage de quelque 7 800 puits de pétrole et de gaz naturel dont un petit nombre seulement se révèlent rentables. La découverte d'un gisement qui offre un bon potentiel coûte en moyenne $25 millions. La planification et la construction des installations peuvent précéder de six ans la mise en opération d'une mine. Les nouvelles découvertes se font dans des régions éloignées, ce qui suppose qu'on construise des maisons pour le personnel et qu'on établisse des voies de communications. Les riches gisements de fer, relevés dès 1894 le long de la frontière Québec-Labrador, ne devinrent rentables qu'au cours des années 50, après qu'on eut terminé l'aménagement de la voie maritime du Saint-Laurent, d'un chemin de fer de 560 km et de ports capables d'accueillir des cargos jaugeant 200 000 t.

Les minéraux sont des matières premières non renouvelables, mais on prévoit avoir du fer pour 240 ans, du cuivre pour 140 ans et de l'uranium pour 190 ans. Les nouvelles découvertes, les progrès de la technologie et la hausse des prix permettent d'exploiter des gisements éloignés et d'augmenter les réserves.

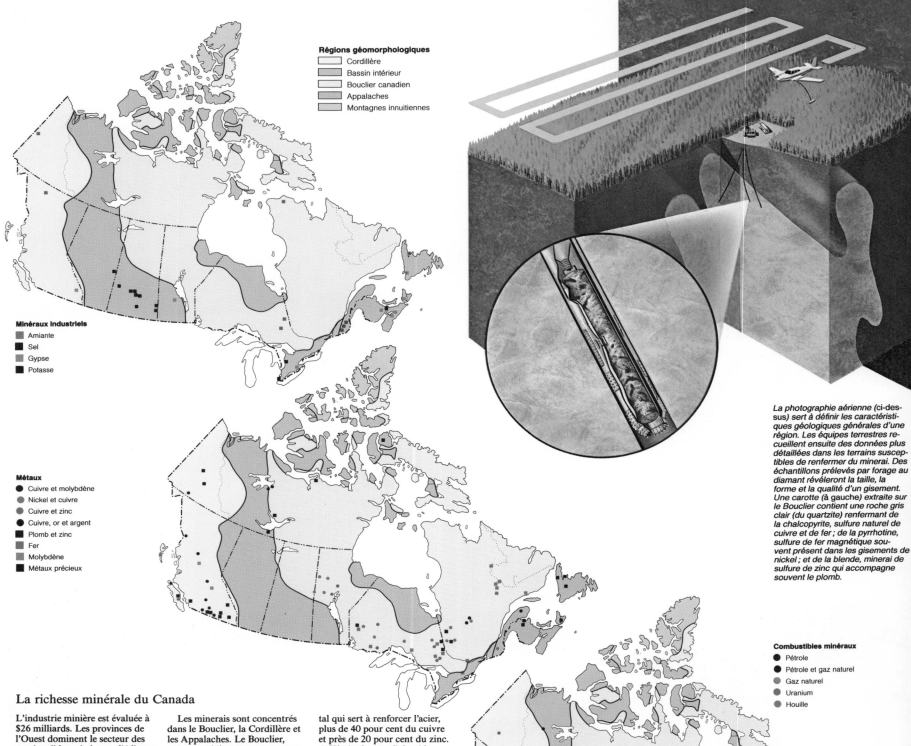

Régions géomorphologiques
- Cordillère
- Bassin intérieur
- Bouclier canadien
- Appalaches
- Montagnes innuitiennes

Minéraux industriels
- Amiante
- Sel
- Gypse
- Potasse

Métaux
- Cuivre et molybdène
- Nickel et cuivre
- Cuivre et zinc
- Cuivre, or et argent
- Plomb et zinc
- Fer
- Molybdène
- Métaux précieux

Combustibles minéraux
- Pétrole
- Pétrole et gaz naturel
- Gaz naturel
- Uranium
- Houille

La photographie aérienne (ci-dessus) sert à définir les caractéristiques géologiques générales d'une région. Les équipes terrestres recueillent ensuite des données plus détaillées dans les terrains susceptibles de renfermer du minerai. Des échantillons prélevés par forage au diamant révéleront la taille, la forme et la qualité d'un gisement. Une carotte (à gauche) extraite sur le Bouclier contient une roche gris clair (du quartzite) renfermant de la chalcopyrite, sulfure naturel de cuivre et de fer ; de la pyrrhotine, sulfure de fer magnétique souvent présent dans les gisements de nickel ; et de la blende, minerai de sulfure de zinc qui accompagne souvent le plomb.

La richesse minérale du Canada

L'industrie minière est évaluée à $26 milliards. Les provinces de l'Ouest dominent le secteur des combustibles minéraux : l'Alberta produit 85 pour cent du pétrole canadien et 90 pour cent du gaz naturel, le reste venant principalement de la Saskatchewan et de la Colombie-Britannique. Le secteur houiller est dominé par la Colombie-Britannique qui produit 40 pour cent de la houille canadienne ; l'Alberta, avec 30 pour cent, et la Nouvelle-Écosse, avec 15 pour cent, en sont les autres grands producteurs. Plus de la moitié de l'uranium provient de cinq mines situées en Ontario ; le reste est extrait en Saskatchewan.

Les minerais sont concentrés dans le Bouclier, la Cordillère et les Appalaches. Le Bouclier, qu'on considère souvent comme un vaste réservoir de minéraux, est en réalité principalement constitué de granite et de gneiss. Une trentaine de mines entre Sudbury et Timmins, en Ontario, et à Val-d'Or, au Québec, produisent plus de 15 métaux différents, dont le nickel, le cuivre, le zinc, l'or et l'argent. Les mines installées le long de la frontière Québec-Labrador, autre grande région minière du Bouclier, produisent les trois quarts du minerai de fer du Canada.

De la Cordillère proviennent 90 pour cent du molybdène, métal qui sert à renforcer l'acier, plus de 40 pour cent du cuivre et près de 20 pour cent du zinc. À Kimberley, en Colombie-Britannique, la gigantesque mine Sullivan est assise sur le plus important gisement mondial de plomb, de zinc et d'argent, métaux souvent associés.

Quant aux minéraux industriels, environ 85 pour cent de l'amiante est extrait dans neuf mines installées dans le sud-est du Québec ; la totalité de la potasse, deuxième en importance pour sa valeur industrielle, provient de la Saskatchewan ; les deux tiers du gypse proviennent de la Nouvelle-Écosse, et les deux tiers du sel, de l'Ontario.

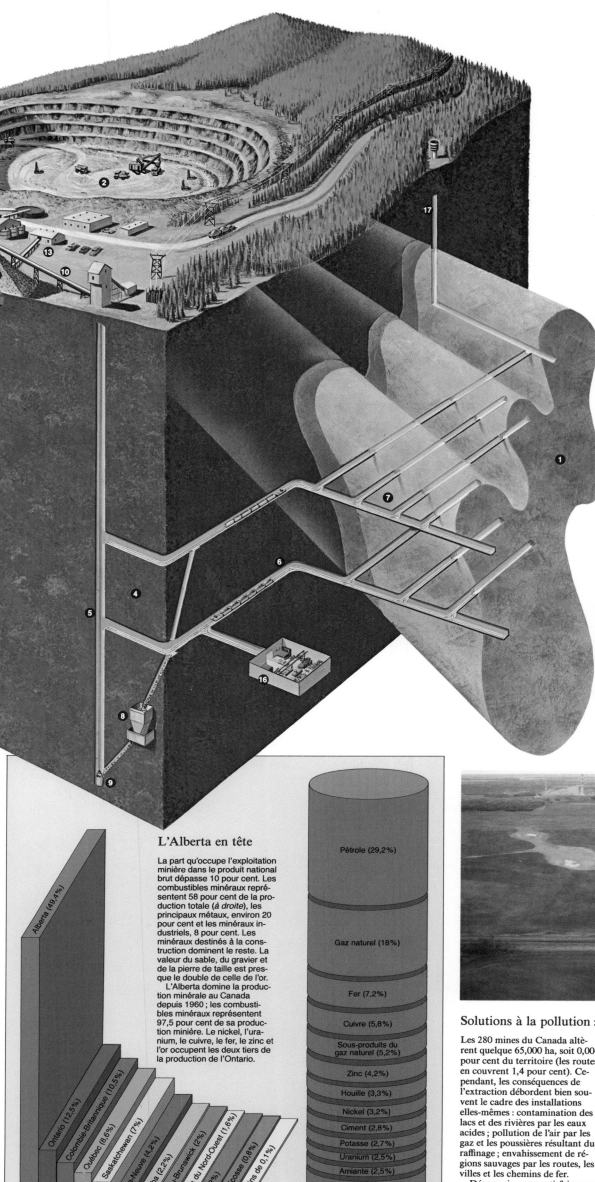

Exploitation et extraction

C'est par l'exploration et par la consultation des cartes géographiques publiées par les gouvernements que les sociétés minières localisent les anomalies géologiques (irrégularités susceptibles de renfermer des minéraux). Des levés photogrammétriques et terrestres déterminent ensuite avec précision l'emplacement des gisements. Magnétomètres, gravimètres et autres instruments électromagnétiques évaluent la profondeur et la nature du gisement enfoui sous la roche stérile. Des géochimistes recherchent des concentrations de minéraux dans des échantillons de sol, d'eau et de végétation. Des géobotanistes étudient les associations végétales et les plantes ; la radioactivité de l'uranium, par exemple, entraîne des mutations : formes bizarres des bleuets et couleur blanche des fleurs, normalement pourpres, de l'herbe à feu.

L'illustration (*à gauche*) renseigne sur l'exploitation d'un gisement (1). Dans le cas d'une mine à ciel ouvert (2), on enlève la végétation, le sol et la roche stérile pour mettre au jour le minerai. On le détache de la paroi à l'aide d'explosifs ; des pelles électriques le chargent ensuite dans des camions qui l'acheminent jusqu'à un concasseur primaire (3).

Si les frais d'enlèvement des morts-terrains s'avèrent trop élevés, on peut creuser une mine souterraine (4). Un puits (5) abrite l'ascenseur destiné au transport du personnel, du matériel et des produits d'extraction. Des tunnels ou galeries (6) partent du puits et courent parallèlement à la veine ; des traversbancs (7) la recoupent. Dans ce type d'exploitation, l'abattage est obtenu par l'éclatement de charges d'explosifs dans des chantiers ou aires de travail situés entre les niveaux. Les fragments de roche sont expédiés vers un concasseur primaire (8). Un élévateur (9) remonte le minerai à la surface où des convoyeurs (10) l'entasseront (11). D'autres convoyeurs (12) alimentent un concasseur secondaire (13) qui broie plus finement la roche ; des moulins la pulvérisent ensuite. Un concentrateur (14) sépare le minerai des résidus qui sont accumulés par pompage dans un bassin (15). Le minerai concentré est ensuite expédié vers les fonderies où se poursuivra l'affinage.

Font aussi partie de la mine les installations suivantes : ateliers d'entretien (16), entrepôts et bureaux, ainsi qu'un puits d'aérage (17), qui sert également d'issue de secours.

Autrefois, extraire la houille signifiait souiller l'environnement. Désormais, une réglementation stricte oblige à reconstituer le milieu à peu près partout au Canada. Dans une mine à ciel ouvert (ci-dessus), à 200 km au sud-est d'Edmonton, des racloirs ont entassé la terre, en prévision de la reconstitution du milieu. La taille progresse de droite à gauche et une machine prélève les déblais et comble le vide laissé par l'extraction. Une pelle électrique charge la houille dans des camions de 60 t qui la transporteront à la centrale électrique visible à l'arrière-plan.

Deux ans plus tard (à gauche), les déblais ont été nivelés, et la terre a été ensemencée de blé et de fourrage. Au mois de juillet suivant, la récolte correspondait à peu près à la moyenne régionale.

L'Alberta en tête

La part qu'occupe l'exploitation minière dans le produit national brut dépasse 10 pour cent. Les combustibles minéraux représentent 58 pour cent de la production totale (*à droite*), les principaux métaux, environ 20 pour cent et les minéraux industriels, 8 pour cent. Les minéraux destinés à la construction dominent le reste. La valeur du sable, du gravier et de la pierre de taille est presque le double de celle de l'or.

L'Alberta domine la production minérale au Canada depuis 1960 ; les combustibles minéraux représentent 97,5 pour cent de sa production minière. Le nickel, l'uranium, le cuivre, le fer, le zinc et l'or occupent les deux tiers de la production de l'Ontario.

Alberta (49,4%)
Ontario (12,5%)
Colombie-Britannique (10,5%)
Québec (8,6%)
Saskatchewan (7%)
Terre-Neuve (4,2%)
Manitoba (2,2%)
Nouveau-Brunswick (2%)
Territoires du Nord-Ouest (1,6%)
Yukon (1,2%)
Nouvelle-Écosse (0,8%)
I.-P.-E. (moins de 0,1%)

Pétrole (29,2%)
Gaz naturel (18%)
Fer (7,2%)
Cuivre (5,8%)
Sous-produits du gaz naturel (5,2%)
Zinc (4,2%)
Houille (3,3%)
Nickel (3,2%)
Ciment (2,8%)
Potasse (2,7%)
Uranium (2,5%)
Amiante (2,5%)
Autres (13,4%)

Solutions à la pollution : recyclage et reconstitution

Les 280 mines du Canada altèrent quelque 65,000 ha, soit 0,006 pour cent du territoire (les routes en couvrent 1,4 pour cent). Cependant, les conséquences de l'extraction débordent bien souvent le cadre des installations elles-mêmes : contamination des lacs et des rivières par les eaux acides ; pollution de l'air par les gaz et les poussières résultant du raffinage ; envahissement de régions sauvages par les routes, les villes et les chemins de fer.

Désormais, pour satisfaire aux réglementations locales, régionales, provinciales et fédérales, les sociétés doivent faire des études approfondies sur l'impact écologique et social de la mine. La re-constitution du milieu est obligatoire presque partout au Canada : le règlement stipule qu'on doit s'efforcer de rendre au territoire son visage originel. A la mine de charbon de Luscar, en Alberta, on a aménagé 500 ha en y semant 29 variétés de plantes.

Une réglementation stricte a entraîné la mise sur pied de contrôles efficaces de la pollution. Des bactéries mises au point pour neutraliser l'acidité des eaux rendent insoluble le fer qui se dépose dans les bassins de retenue. Après l'addition de calcaire, l'eau neutralisée et débarrassée de son fer est libérée dans la nature. Certaines mines recyclent jusqu'aux trois quarts des eaux usées. Les mines canadiennes traitent 600 millions de tonnes de roches par année. Il faut, en effet, quelque 50 t de minerai pour obtenir 1 t de cuivre raffiné.

Bien que les résidus ou la roche stérile puissent servir à remblayer les chambres souterraines, on les accumule généralement dans des bassins où ils finiront par disparaître sous l'action de l'érosion. Dans maints endroits, on fixe les résidus à l'aide de végétation. Près d'Elliot Lake, en Ontario, on a mêlé les déchets de scieries et de villes voisines aux résidus et à la terre d'une mine d'uranium ; une étendue de terre réfractaire a été transformée en champ de céréales.

L'énergie : problèmes et perspectives

Exception faite du Luxembourg, le Canada est le pays qui consomme le plus d'énergie par habitant, soit l'équivalent de 9 t de pétrole par année pour chaque homme, femme et enfant. En raison de son climat et de son étendue, le Canada consacre au transport, au chauffage et à la climatisation d'énormes quantités d'énergie. Le secteur de la production de l'énergie consomme à lui seul 20 pour cent de toute l'énergie. La pétrochimie et l'industrie des pâtes et papiers sont également « énergivores ». La plus grande partie des 105 000 m³ de pétrole importés quotidiennement va à la fabrication de plastiques, d'engrais et de papiers destinés à l'exportation. Mais si nous avons tant besoin de pétrole, c'est aussi parce qu'il y a du gaspillage, hérité d'une époque où l'énergie était abondante et bon marché.

Les réserves énergétiques du Canada sont difficiles à évaluer. On entend par réserves les quantités de charbon, de pétrole, de gaz naturel et d'uranium exploitables, provenant de gisements connus et situées assez près des voies de communication pour être expédiées aux marchés. On estime qu'au rythme de l'exploitation de 1979, le Canada a du charbon pour 200 ans et de l'uranium pour 30 ans. En 1976, on prévoyait avoir du gaz naturel pour 26 ans ; des découvertes récentes ont reporté l'échéance à 31 ans, toujours au rythme de la production de 1979.

Le Canada tire la moitié de son énergie du pétrole. Sans la découverte de nouveaux gisements pétrolifères, les réserves pourraient être épuisées vers 1990. En 1970, les réserves de pétrole brut ordinaire étaient estimées à 1,7 milliard de mètres cubes ; ce chiffre n'était plus que de 1,1 milliard, 10 ans plus tard. De meilleures techniques de récupération dans les gisements connus et de nouvelles découvertes pourront toutefois accroître les réserves. La découverte en 1977 du gisement de West Pembina, en Alberta, n'avait pas été égalée en importance au Canada depuis 1965.

Les sables bitumineux et les nappes d'huile lourde du nord de l'Alberta renferment plus de 159 milliards de mètres cubes de pétrole (plus que toutes les réserves du Moyen-Orient). Ils ne sont cependant exploitables que dans une proportion de 15 pour cent selon la méthode actuelle à ciel ouvert. Avec la mise au point de techniques permettant de chauffer le pétrole souterrain, on accroîtra la production de 15 pour cent, mais les 70 pour cent restants ne pourront sans doute jamais être exploités.

Utilisation des ressources énergétiques au Canada

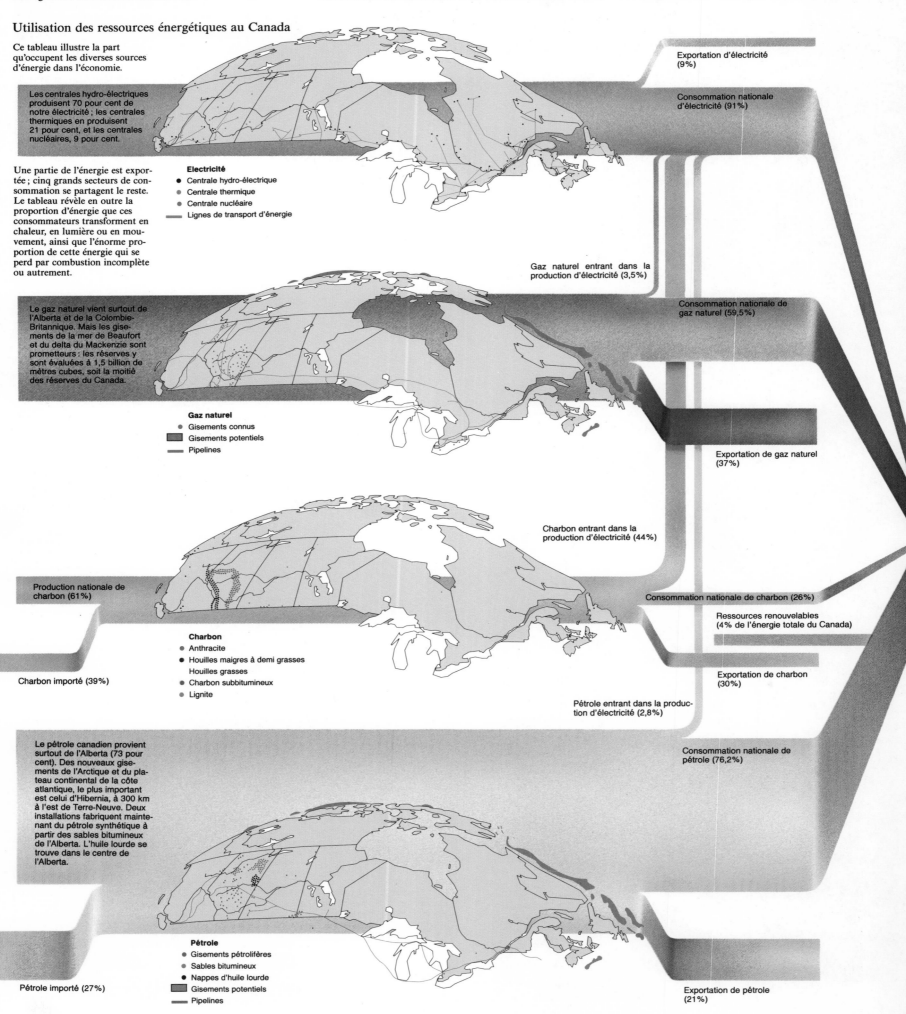

Ce tableau illustre la part qu'occupent les diverses sources d'énergie dans l'économie.

Les centrales hydro-électriques produisent 70 pour cent de notre électricité ; les centrales thermiques en produisent 21 pour cent, et les centrales nucléaires, 9 pour cent.

Une partie de l'énergie est exportée ; cinq grands secteurs de consommation se partagent le reste. Le tableau révèle en outre la proportion d'énergie que ces consommateurs transforment en chaleur, en lumière ou en mouvement, ainsi que l'énorme proportion de cette énergie qui se perd par combustion incomplète ou autrement.

Le gaz naturel vient surtout de l'Alberta et de la Colombie-Britannique. Mais les gisements de la mer de Beaufort et du delta du Mackenzie sont prometteurs : les réserves y sont évaluées à 1,5 billion de mètres cubes, soit la moitié des réserves du Canada.

Le pétrole canadien provient surtout de l'Alberta (73 pour cent). Des nouveaux gisements de l'Arctique et du plateau continental de la côte atlantique, le plus important est celui d'Hibernia, à 300 km à l'est de Terre-Neuve. Deux installations fabriquent maintenant du pétrole synthétique à partir des sables bitumineux de l'Alberta. L'huile lourde se trouve dans le centre de l'Alberta.

Électricité
- ● Centrale hydro-électrique
- ○ Centrale thermique
- ● Centrale nucléaire
- — Lignes de transport d'énergie

Gaz naturel
- · Gisements connus
- ▧ Gisements potentiels
- — Pipelines

Charbon
- ● Anthracite
- ● Houilles maigres à demi grasses
-   Houilles grasses
- ● Charbon subbitumineux
- ○ Lignite

Pétrole
- · Gisements pétrolifères
- ○ Sables bitumineux
- ● Nappes d'huile lourde
- ▧ Gisements potentiels
- — Pipelines

Exportation d'électricité (9%)

Consommation nationale d'électricité (91%)

Gaz naturel entrant dans la production d'électricité (3,5%)

Consommation nationale de gaz naturel (59,5%)

Exportation de gaz naturel (37%)

Charbon entrant dans la production d'électricité (44%)

Consommation nationale de charbon (26%)

Ressources renouvelables (4% de l'énergie totale du Canada)

Exportation de charbon (30%)

Production nationale de charbon (61%)

Charbon importé (39%)

Pétrole entrant dans la production d'électricité (2,8%)

Consommation nationale de pétrole (76,2%)

Pétrole importé (27%)

Exportation de pétrole (21%)

Ressources de l'avenir

D'après les experts, nos besoins énergétiques doubleront d'ici l'an 2000 et auront encore augmenté de 25 pour cent en 2025. L'électricité, et non plus le pétrole comme à l'heure actuelle, répondra à la moitié de ces besoins. L'énergie nucléaire aura septuplé et dépassera même en importance l'hydro-électricité.

En 2025, d'autres ressources auront remplacé le pétrole dans une proportion de 50 pour cent. On alimentera les centrales thermiques au charbon, réservant le pétrole à des secteurs où il est plus difficilement remplaçable comme la pétrochimie et le transport ; et on transformera le charbon en pétrole synthétique.

Le soleil réduira de moitié les comptes de chauffage dans des maisons bien isolées et orientées vers le sud pour capter, stocker et répartir son rayonnement.

Le vent alimentera en électricité des régions éloignées des centres. Déjà, aux Iles-de-la-Madeleine, balayées par des vents d'une vélocité moyenne de 32 km/h, une éolienne à deux pales dont l'axe vertical mesure 37 m satisfait une partie des besoins de la population.

La biomasse, sous forme de déchets urbains ou agricoles et de ceux qui résultent de l'exploitation des forêts, peut être transformée en combustible solide, liquide ou gazeux et produire de l'électricité. Les marées de la baie de Fundy, d'une amplitude considérable (15 m), pourraient produire de l'électricité et remplacer, d'ici 1990, 950 000 m³ de pétrole étranger par an. Cela ne se ferait cependant pas sans atteinte à l'environnement : l'aménagement d'un barrage dans une partie de la baie risquerait de la transformer en une vaste étendue vaseuse.

Il revient moins cher d'économiser l'énergie que d'en trouver de nouvelles sources. En l'an 2000, les comptes de chauffage (résidentiel et commercial) pourraient être de 50 pour cent inférieurs aux prévisions si l'on accordait plus d'attention à l'isolation et à l'éclairage.

1975
(8 000 billions)

Electricité (35%)
Nucléaire (5%)
Charbon (33%)
Eau (62%)

Gaz naturel (19%)

Pétrole (46%)

2000 (16 000 billions)

Ress. renouvelables (2,5%)

Electricité (47,5%)
Nucléaire (31%)
Charbon (28%)
Eau (33%)
Ressources renouvelables (6%)
Autres (2%)

Gaz naturel (20%)

Pétrole (30%)

2025 (20 000 billions)

Ressources renouvelables (5%)

Electricité (52%)
Nucléaire (34%)
Charbon (24%)
Eau (26%)
Ressources renouvelables (8%)
Autres (8%)

Gaz naturel (18%)

Pétrole (25%)

Si l'on se réfère aux prévisions du gouvernement fédéral présentées ci-dessus, il faudra, pour équilibrer le budget énergétique des années à venir, plus d'électricité et moins de pétrole et de gaz naturel. L'unité calorifique utilisée correspond à 1 000 billions de B.T.U. (Il faut 170 pétroliers géants pour transporter 1 000 billions de pétrole.) Environ la moitié des ressources renouvelables produira de l'électricité ; le reste ira au chauffage.

L'Ark (ci-dessus), aménagé dans l'Ile-du-Prince-Edouard, ne fonctionne que par l'intermédiaire de ressources renouvelables.

Près d'Annapolis Royal (N.-E.), un prototype de centrale marémotrice met à profit les plus grandes marées du monde (ci-dessous).

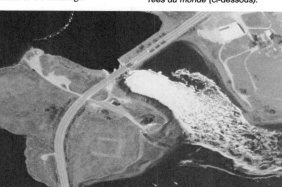

Aux Iles-de-la-Madeleine, une éolienne (ci-dessus) de 37 m de hauteur, à deux pales incurvées, produit jusqu'à 200 kW.

Production à l'Ouest et consommation à l'Est

Le tableau ci-dessous fait ressortir le déséquilibre qui existe entre les régions productrices d'énergie primaire (combustibles fossiles, énergie hydro-électrique et nucléaire) et les régions consommatrices d'énergie primaire et secondaire (pétrole raffiné et électricité thermique).

Les trois quarts de l'énergie primaire du Canada proviennent de l'Ouest, surtout sous la forme de combustibles fossiles. Le pétrole constitue la moitié de la production de l'Alberta, et le gaz naturel, plus de 40 pour cent. La Colombie-Britannique tire 30 pour cent de son énergie primaire du charbon, et environ 40 pour cent du gaz naturel.

Toute la production du Québec et la moitié de celle de l'Ontario proviennent de l'hydro-électricité, principale forme d'énergie primaire dans l'Est. L'Ile-du-Prince-Edouard ne dispose d'aucune forme d'énergie primaire ; elle doit son électricité au pétrole importé.

Seules l'Alberta, la Saskatchewan et la Colombie-Britannique produisent plus d'énergie qu'elles n'en consomment. L'Ontario utilise 37,3 pour cent de toute l'énergie primaire produite au Canada et son industrie en consomme 45 pour cent, soit cinq fois plus que les Maritimes.

L'énergie primaire de l'Alberta est exportée dans une proportion de 75 pour cent aux Etats-Unis et dans le reste du Canada.

Production	Consommation
C.-B. (11,3%)	C.-B. (10,4%)
Alb. (58,9%)	Alb. (13,2%)
Sask. (5%)	Sask. (4,4%)
Man. (2,3%)	Man. (3,8%)
Ont. (7,8%)	Ont. (37,3%)
Qué. (9%)	Qué. (23,1%)
N.-B. (0,4%)	N.-B. (2,5%)
N.-E. (0,7%)	N.-E. (3%)
I.-P.-E. (nil)	I.-P.-E. (0,3%)
T.-N. (4,3%)	T.-N. (1,7%)
T. N.-O. et Yukon (0,3%)	T. N.-O. et Yukon (0,3%)

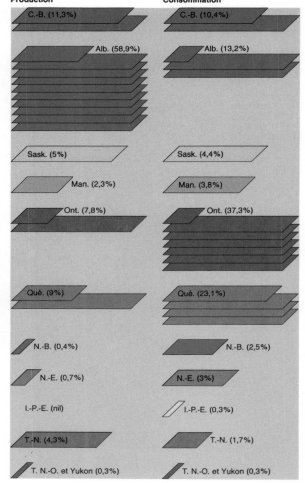

Les secteurs résidentiel et agricole utilisent 28 pour cent de l'énergie à des fins d'éclairage, de chauffage, de cuisson et de climatisation. Les consommateurs commerciaux sont inclus dans ce groupe.

Le secteur de l'industrie (minière, manufacturière et autres) consomme 41 pour cent de l'énergie produite au Canada. On retrouve dans ce secteur l'industrie productrice d'énergie, c'est-à-dire qui utilise de l'énergie pour raffiner et transporter plus d'énergie encore.

L'énergie utilisée représente 60 pour cent de l'énergie disponible. Elle sert au chauffage et à l'éclairage de nos maisons, et fait fonctionner les automobiles et l'industrie. Le secteur résidentiel et le secteur agricole mettent à profit 75 pour cent de l'énergie qu'ils consomment, celui de l'industrie, 85 pour cent, celui du transport, 20 pour cent, et celui de la production d'électricité, 33 pour cent.

Le secteur du transport (automobiles, camions, autobus, navires et avions) consomme 22 pour cent de l'énergie, dont les trois quarts sont utilisés par les seuls transporteurs routiers.

L'énergie perdue représente le reste, soit 40 pour cent. Quand l'énergie passe d'une forme à une autre, il y a perte par absorption de chaleur ou par friction. Cependant, la moitié de l'énergie perdue dans le secteur des transports pourrait être récupérée si l'on améliorait les habitudes de conduite et les moteurs.

Cette portion du tableau illustre la totalité de l'énergie disponible. L'électricité représente 21 pour cent ; le gaz naturel, 21 pour cent ; le charbon, 4 pour cent ; le pétrole, 50 pour cent ; les ressources renouvelables, 4 pour cent. On entend ici par ressources renouvelables surtout les déchets de l'abattage que l'industrie du bois destine au chauffage.

La production et le transport de l'électricité consomment 7 pour cent de l'énergie.

Les stocks de charbon, de pétrole et de gaz naturel dont s'assurent les aciéries et les services publics retiennent 2 pour cent de l'énergie.

53

Notre industrie de transformation

La fabrication d'un seul gant fournit du travail à 60 personnes qui vont soit tanner la peau, tailler et coudre le cuir, filer et tisser le coton, soit assembler les machines à coudre, transformer l'acier en poutres, soit encore construire l'usine et étendre l'asphalte sur les toits. Le secteur industriel emploie 1,3 million de personnes ; il fabrique plus de 10 000 produits et représente presque 25 pour cent de la production totale du Canada.

Avant la Confédération, le Canada exportait des matières premières, telles que le bois et les fourrures, en échange de produits finis ; le commerce se faisait principalement avec la Grande-Bretagne et les Etats-Unis. Avec la politique de protection tarifaire de Sir John A. Macdonald et l'essor du chemin de fer, on vit apparaître une industrie nationale.

La prospérité du début du siècle entraîna une forte augmentation dans la construction de centrales électriques et d'usines, notamment dans le domaine de l'automobile et de l'appareillage électrique. Les années 30, avec la crise, virent les investissements s'effondrer et le chômage atteindre des proportions telles qu'un Canadien sur quatre se trouva sans emploi. L'économie ne se rétablit qu'avec la seconde guerre mondiale : le gouvernement soutint massivement l'industrie de guerre. La production augmenta alors de façon spectaculaire : le secteur agricole, de 40 pour cent ; le fer et l'acier, de 100 pour cent et l'aluminium, de 500 pour cent.

La paix revenue, il y eut une grande vague de croissance économique. Beaucoup d'industries, où la fabrication était fonction d'une main-d'œuvre considérable, adoptèrent l'automatisation pour accélérer et accroître la production. Aujourd'hui, les filiales de sociétés américaines (établies ici pour contourner la barrière tarifaire) représentent environ 40 pour cent de la production canadienne. Et notre industrie se trouve à 80 pour cent concentrée sur les rives du Saint-Laurent et des Grands Lacs.

Les Forges du Saint-Maurice (à gauche) furent la première fonderie du Canada. Elles fabriquaient en 1738 des poêles, des socs de charrue, des outils et des ancres. Elles employèrent jusqu'à 300 hommes. Le travail ne cessait jamais, les hommes se relayant toutes les six heures pour chauffer les hauts fourneaux. Les Forges fermèrent leurs portes en 1883 avec l'épuisement du minerai de fer des tourbières avoisinantes.

Avant la Confédération, la plupart des fabricants avaient moins de cinq employés. Ils fournissaient aux marchés locaux des meubles, des souliers, de la farine et des instruments aratoires.

GUIDE DE L'INDUSTRIE CANADIENNE

La carte de droite représente les six régions économiques du Canada et leurs secteurs industriels prédominants. Les produits, fort variés, vont du papier et du pétrole aux ampoules électriques et aux croustilles. On les subdivise en 23 catégories énumérées ci-dessous et dont les symboles sont reportés sur la carte.

- Nord
- Colombie-Britannique
- Prairies
- Ontario
- Québec
- Maritimes

- Alimentation
- Appareils électriques
- Automobiles
- Caoutchouc
- Chantiers navals
- Conserveries de fruits et de légumes
- Conserveries de poissons
- Cuir
- Engrais
- Imprimerie
- Machinerie
- Matériel roulant
- Métallurgie
- Métallurgie primaire
- Meubles
- Pâtes et papiers
- Produits chimiques
- Produits laitiers
- Raffinage du pétrole
- Tabacs
- Textiles
- Viande
- Autres produits

Le Nord

Les territoires du Nord-Ouest et du Yukon ne comptent que 25 industries manufacturières d'où sortent, néanmoins, quelques-uns de nos biens les plus luxueux (fourrures, or, artisanat). Les scieries de la région du Mackenzie fournissent aux mines le bois nécessaire au blindage des puits et des galeries. Les raffineries de pétrole de Whitehorse et de Norman Wells produisent de l'essence et du mazout, ainsi que des carburants lourds destinés aux marchés locaux.

Colombie-Britannique

Les pâtes et papiers, le bois de construction, le bois de placage et le contre-plaqué représentent la moitié de la production de la province et emploient 4 travailleurs industriels sur 10. Les usines et les scieries fournissent le tiers des pâtes et papiers du Canada, et suffisamment de bois pour construire 1 million de maisons par an.

Grâce au chemin de fer, l'Ouest put écouler ses matières premières sur les marchés de l'Est à la fin du XIXᵉ siècle. L'industrie primaire prit rapidement de l'expansion. Les progrès de la technologie et du transport (dimensions des navires, cargos aériens et conteneurisation) hissèrent l'industrie de la Colombie-Britannique à l'échelle internationale.

Aujourd'hui, la Colombie-Britannique est la plus active des provinces exportatrices. Près de 40 pour cent de ses produits manufacturés, dont une grande partie des pâtes, du papier-journal, du bois et des produits de la pêche, quittent le pays.

Vancouver, porte commerciale du Pacifique, vient au troisième rang des villes manufacturières du Canada. Ses produits comprennent la machinerie, les véhicules automobiles et les appareils électriques.

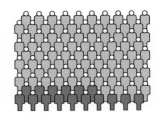

Pourcentage de la main-d'œuvre régionale engagée dans l'industrie

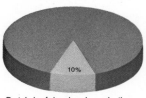

10%

Part de la région dans la production manufacturière du Canada

La Colombie-Britannique compte de nombreuses villes fondées sur une seule activité industrielle et situées près des lieux d'exploitation. Powell River, par exemple, vit des pâtes et papiers. A Trail, les fonderies et les raffineries transforment le minerai d'argent, de plomb et de zinc extrait sur place. A Kitimat, l'hydro-électricité et l'implantation d'un vaste complexe métallurgique (aluminium) ont attiré des milliards de dollars par le biais de nouvelles industries : pâtes, pêche et tourisme.

Prairies

La concession des terres et la construction du chemin de fer ouvrirent l'Ouest à la colonisation à la fin du XIXᵉ siècle. Des villes surgirent dans les Prairies, nouveaux débouchés pour le bois de Colombie-Britannique, les outils d'Ontario et le fer et l'acier de Nouvelle-Ecosse.

En 1929, on trouvait dans les Prairies des abattoirs, des moulins à farine, des brasseries, des imprimeries et des centrales électriques. Winnipeg devint la plaque tournante du réseau de transport de l'Ouest. L'industrie pétrolière, en plein essor, s'implanta en Alberta. Winnipeg, Regina, Saskatoon, Calgary, Edmonton et Medicine Hat se mirent à fabriquer une grande variété de produits destinés aux marchés locaux. Le développement s'accéléra après la seconde guerre mondiale avec la découverte de pétrole, de gaz naturel et de potasse. Les grandes exploitations attirèrent capitaux et main-d'œuvre et favorisèrent la croissance d'industries connexes.

La Saskatchewan, d'abord productrice de blé, se mit à fournir sur les marchés mondiaux de la potasse destinée à l'agriculture et à l'industrie. Des 18 usines de potasse de la province, celle d'Esterhazy est la plus importante. Regina et Saskatoon,

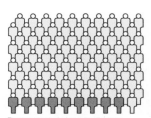

Pourcentage de la main-d'œuvre régionale engagée dans l'industrie

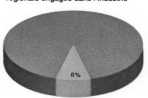

8%

Part de la région dans la production manufacturière du Canada

dont les populations ont doublé de 1941 à 1966, ont diversifié leur industrie — acier, ciment, produits chimiques et engrais.

Dynamiques symboles de l'évolution de l'industrie pétrolière, Calgary et Edmonton sont devenus en moins d'un siècle des villes importantes. A Calgary seulement, plus de 400 sociétés œuvrent directement dans la prospère industrie pétrolière. Usines pétrochimiques et raffineries ont attiré des industries connexes comme celles du plastique et du textile synthétique.

Ontario

Quelque 55 pour cent des biens manufacturés au Canada le sont en Ontario. La province produit 90 pour cent des véhicules automobiles, de la machinerie agricole, des tabacs et du savon de tout le Canada, et 80 pour cent des objets de caoutchouc, des cuirs tannés, des vins, des tapis, des piles et des aliments à base de céréales.

Dans le cœur industriel qu'est le sud de l'Ontario, la moitié de la main-d'œuvre manufacturière du pays travaille dans la moitié des usines du Canada à fabriquer la plus grande partie des produits manufacturés.

En effet, l'Ontario offre à l'industrie un vaste réservoir de main-d'œuvre et de consommateurs ; la proximité des marchés, des matières premières et de l'hydro-électricité ; un important réseau de communication (cours d'eau, routes, chemins de fer).

La principale région industrielle de la province s'étend en fer à cheval le long du lac Ontario. Parmi les centres industriels qui jalonnent les rives du lac, citons St. Catharines, Hamilton, Oakville, Toronto et Oshawa ; puis le long du Saint-Laurent, Belleville, Kingston et Brockville. A l'ouest, entre Toronto et Windsor, on trouve d'autres villes industrielles, dont Brant-

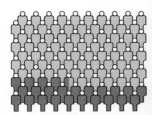

Pourcentage de la main-d'œuvre régionale engagée dans l'industrie

51%

Part de la région dans la production manufacturière du Canada

ford, London, St. Thomas et Chatham.

A Hamilton, destination des cargos chargés de charbon et de minerai de fer, la moitié de la main-d'œuvre industrielle travaille dans trois aciéries. Septième ville en importance au Canada, Hamilton produit environ 80 pour cent de tout l'acier du pays. Une partie du minerai de fer, une fois traité, entre sur place dans la fabrication d'outils, de chaudières, de câbles et de plaques matricées. On expédie les pièces d'acier matricé à

A Powell River, dans l'une des plus grandes fabriques de pâtes à papier du monde, des machines à perte de vue broient des copeaux, travaillent et assèchent la pâte. L'usine emploie plus de 2 000 travailleurs.

Dans un établissement de Winnipeg, on abat le bœuf, on l'écorche, on le fend en deux et on le suspend dans une chambre frigorifique. Plus tard, un inspecteur du gouvernement classera chacun des côtés de la bête.

Dans une usine sidérurgique d'Hamilton, on chauffe l'acier dans des fours et on le coule toutes les quatre heures dans des cuillers qui versent ensuite le métal incandescent dans des lingotières.

La main-d'œuvre
L'industrie se situe à proximité des marchés et des bassins de main-d'œuvre (à droite). Quatre travailleurs canadiens sur cinq habitent entre Québec et Windsor. Des 20 pour cent restants, les trois quarts vivent dans l'Ouest, les autres dans les Maritimes. Le sud du Québec et de l'Ontario représente la portion septentrionale du cœur industriel du continent nord-américain. A cet endroit, matières premières et produits finis franchissent dans les deux sens l'invisible frontière canado-américaine. L'industrie de la Colombie-Britannique, pour sa part, se tourne vers des marchés outre-Pacifique.

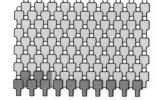

250 000 travailleurs de l'industrie
200 000
150 000
100 000
50 000
1 000

Production en dollars courants 2 962 %

Production en dollars constants (1920) 696 %

Main-d'œuvre 285 %

1920 1930 1940 1950 1960 1970 1980

Produire plus, plus vite et moins cher
En 1920, 600 000 travailleurs canadiens fabriquaient des produits pour une valeur de $3,7 milliards ; à la fin des années 70, 1,3 million de travailleurs (deux fois plus qu'en 1920) en fabriquaient pour plus de $110 milliards (26 milliards en dollars de 1920). Cet accroissement spectaculaire de la production est lié aux progrès de la technologie, à la mécanisation et à l'automatisation.

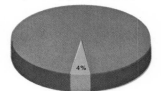

Pourcentage de la main-d'œuvre régionale engagée dans l'industrie

4 %

Part de la région dans la production manufacturière du Canada

(Carte du Canada avec localités : LABRADOR CITY, WABUSH, SEPT-ÎLES, POINTE-NOIRE, PORT-CARTIER, DOLBEAU, BAIE-COMEAU, ALMA, MURDOCHVILLE, CHANDLER, CORNER BROOK, CARBONEAR, RED ROCK, MARATHON, KAPUSKASING, CHICOUTIMI-JONQUIÈRE, CLERMONT, RIVIÈRE-DU-LOUP, DALHOUSIE, CARAQUET, COME BY CHANCE, HARBOUR GRACE, THUNDER BAY, TERRACE BAY, IROQUOIS FALLS, LA TUQUE, EDMUNSTON, BATHURST, NEWCASTLE, ST. JOHN'S, TÉMISCAMING, QUÉBEC, GRAND FALLS, GRAND BANK, SAULT-SAINTE-MARIE, SUDBURY, FALCONBRIDGE, MATTAWA, DONNACONA, VALLÉE DU SAINT-MAURICE, MONCTON, AMHERST, TRENTON, SYDNEY, ESPANOLA, COPPER CLIFF, SAINTE-THÉRÈSE, LOUISEVILLE, SOREL-TRACY, SAINT-JEAN, TRURO, POINT TUPPER, PORT HAWKESBURY, GATINEAU, MONTRÉAL, OTTAWA-HULL, BLACKS HARBOUR, VALLÉE DE L'ANNAPOLIS, HALIFAX, BRAMPTON, OAKVILLE, PETERBOROUGH, CORNWALL, BEAUHARNOIS, ESTRIE, LUNENBURG, GUELPH, OSHAWA, PORT HOPE, KINGSTON, BELLEVILLE, YARMOUTH, SHELBURNE, KITCHENER-WATERLOO, STRATFORD, TORONTO, HAMILTON, ST. CATHARINES-NIAGARA, PÉNINSULE DU NIAGARA, SARNIA, LONDON, WINDSOR, PORT COLBORNE, WELLAND, CHATHAM, LEBEL-SUR-QUÉVILLON)

divers fabricants qui en feront des appareils ménagers, des jouets, des caisses de camions.

Des centres comme Toronto, Windsor, St. Catharines, Kitchener et London, grands consommateurs de fer, sont dominés par la métallurgie et l'industrie automobile. A Sarnia, les plus grandes raffineries du Canada ont attiré des industries connexes : plastiques, engrais, produits pharmaceutiques, peintures, savons, cosmétiques et produits chimiques industriels.

Toronto produit 20 pour cent des biens manufacturés au Canada : machinerie, matériel roulant, appareils électriques, produits de caoutchouc, de bois, de métal et de plastique. Les pénuries de matières premières et l'inertie des marchés spécialisés, ruineuses pour les villes ne dépendant que d'une seule industrie, ont moins de conséquences sur l'économie diversifiée d'un centre comme Toronto.

Des fabriques de pâtes et papiers ponctuent le nord de l'Ontario. Dans cette région, une autre industrie importante, le raffinage des métaux, se concentre autour de Sudbury.

Québec

Avec la production de quelque 30 pour cent des biens manufacturés du pays, le Québec vient au deuxième rang, après l'Ontario. L'industrie des pâtes et papiers occupe la première place, suivie par la métallurgie primaire. Le Québec produit également des appareils électriques, du matériel roulant, des textiles, des vêtements et des produits chimiques. Certaines régions se spécialisent dans la fabrication de meubles ou de produits pharmaceutiques, dans le raffinage du pétrole ou le traitement de l'amiante ou du fer.

Au Québec, l'industrialisation coïncida avec la diminution du nombre des entreprises agricoles familiales. Des industries avides de main-d'œuvre comme celles du textile, du vêtement et du meuble attirèrent une partie de la population rurale vers Montréal, Québec et Trois-Rivières.

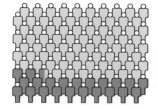

Pourcentage de la main-d'œuvre régionale engagée dans l'industrie

27 %

Part de la région dans la production manufacturière du Canada

Le commerce maritime et l'électricité à bon marché contribuèrent à stimuler l'économie. Des industries utilisatrices de matières premières importées s'installèrent à proximité des ports du Saint-Laurent. L'hydro-électricité attira manufactures de textile, fabriques de pâtes et papiers et raffineries d'aluminium.

En 1940, l'électrométallurgie offrait à l'industrie de nouvelles perspectives. Les mines de Chibougamau, Matagami, Schefferville, Gagnon, Wabush, Labrador City et Lac-Allard produisaient l'or, l'argent, le cuivre, le plomb et le zinc qui alimentaient les usines de transformation de Montréal.

Le Québec produit le tiers des pâtes et du papier-journal du Canada, 40 pour cent de la métallurgie et traite 20 pour cent du pétrole.

On trouve à Montréal 50 pour cent de la production, de la main-d'œuvre et des industries du Québec. Les principaux secteurs industriels de cette ville sont les produits pharmaceutiques, le matériel roulant, les appareils électriques. Quant à l'industrie dominante, celle du vêtement, elle reste sensible aux baisses saisonnières et aux fluctuations du marché.

Maritimes

Les provinces de l'Atlantique sont depuis toujours tournées vers la mer. Au milieu du XIXe siècle, elles comptaient 200 chantiers navals qui exportaient des navires pour une valeur de $2,5 millions. Quelque 2 000 scieries fournissaient le bois nécessaire à la construction des bateaux et à la fabrication de barils et de tonneaux.

Entre 1876 et 1900 cependant, avec l'avènement de la vapeur et de l'acier, l'activité des chantiers maritimes diminua de 90 pour cent. L'industrie laitière et celle du textile apparurent en Nouvelle-Ecosse et à l'Ile-du-Prince-Edouard. La demande en poissons s'accroissant en Nouvelle-Angleterre, le traitement de ce produit prit de l'importance. Les capitaux engagés dans les complexes sidérurgiques du Cap-Breton entraînèrent l'implantation d'usines connexes. Pendant quelque temps, les aciéries de Sydney furent les plus importantes du pays et les industries de la laine, du coton et de la toile prospérèrent. Puis, les aciéries du continent se mi-

rent à produire davantage que celles de Sydney et l'industrie textile du Québec s'imposa.

Plus récemment, le secteur du traitement des aliments a connu un certain essor ; celui des pâtes et papiers répond désormais aux demandes en papier-journal de la Grande-Bretagne et des Etats-Unis. Terre-Neuve, autrefois très démunie, possède des ressources énergétiques et un potentiel pétrolier qui attirent maintenant l'industrie.

Plus de 800 véhicules sortent tous les jours des chaînes de montage d'une usine d'automobiles, à Oshawa. Certains travailleurs assemblent les châssis, d'autres soudent ou peignent les carrosseries.

Dans une usine de textile de Montréal, des doigts agiles posent les fermetures éclair, cousent les boutons ou assemblent les pantalons. Dans ce type d'industrie, le travail à la pièce exige vitesse et précision.

Dans cette conserverie de sardines de Blacks Harbour, les emballeurs expérimentés trient, nettoient et mettent en boîte 2 500 sardines à l'heure. Une fois remplies, les boîtes sont soudées et stérilisées automatiquement.

55

Le transport et les communications

Le Canada est devenu une nation malgré son immensité. Ses frontières, fixées par des traités négociés dans une lointaine Europe, traversent de part en part le continent. Pour réaliser leur rêve politique, les Canadiens ignorèrent les routes commerciales du Sud, pourtant plus rapides et plus facilement accessibles. A mesure qu'ils franchissaient, vers l'ouest, les tourbières, les déserts de neige ou de granite et les chaînes de montagnes, ils prenaient possession d'un bout de pays et de ses richesses.

Routes, canaux et chemins de fer traversèrent le pays, dessinant un réseau linéaire qui allait déterminer le peuplement. Les colons vinrent s'établir le long des routes et des voies de chemin de fer. Des villes apparurent et l'industrie se développa à la jonction des voies de communication. Le commerce stimula l'expansion et la diversification de l'industrie.

En quelques générations, les progrès de la technologie ont littéralement transformé les modes de communication. Entreprises jadis risquées et épuisantes, les voyages s'effectuent aujourd'hui dans des véhicules rapides et confortables. La transmission des messages, autrefois lente et aléatoire, est désormais instantanée grâce au téléphone, au télex ou à la télévision. Cependant, d'autres types de problèmes surgissent : le prix du combustible qui augmente, ou le mauvais temps, sur un aussi vaste territoire, qui peut interrompre les communications et paralyser la société la plus avancée. Assurer la liaison entre toutes ses régions demeure l'immense défi de ce grand pays.

Les principales routes fluviales, terrestres et aériennes forment un étroit faisceau le long de la frontière américaine. Les villes situées dans cette espèce de corridor constituent autant de points de contact avec les Etats-Unis. Des routes moins importantes se greffent sur cette ceinture, donnant accès à l'arrière-pays. La densité de la circulation sur le réseau de communications est extrêmement variable ; elle dépend de la distance entre les villes et de l'importance de celles-ci.

Il y a au Canada plus de 872 000 km de routes et 12,9 millions de véhicules automobiles. La Transcanadienne, la nationale la plus longue du monde, s'étend sur 7 821 km et relie les 10 provinces.

Le Canada s'est développé grâce aux chemins de fer construits à la fin du XIXᵉ et au début du XXᵉ siècle. Le réseau compte 70 000 km de voies ferrées et vient au troisième rang, pour la longueur, après ceux des Etats-Unis et de l'Union soviétique.

Les trois cinquièmes des activités portuaires sont axées sur le commerce international (marchandises en vrac et pondéreux comme le blé ou les minerais). L'économie du Canada côtier dépend en grande partie de ces activités. Deux océans, la baie d'Hudson, les Grands Lacs et le Saint-Laurent ont permis l'implantation de grands ports dans toutes les provinces, à l'exception de l'Ile-du-Prince-Edouard, de l'Alberta et de la Saskatchewan.

En raison de l'immensité du pays, le service aérien intérieur est plus important que dans la plupart des autres pays du monde. Quelque 130 000 km de corridors aériens relient des villes éloignées et rendent accessibles des régions comme le Nord que ne dessert aucun autre mode de communication.

Aéroport international de Toronto

Transport des personnes

Environ 80 pour cent des familles canadiennes possèdent une automobile. En 1979, on devait à ce mode de transport 84 pour cent des migrations interurbaines, et on consommait de cette façon plus de la moitié de toute l'essence utilisée par les divers véhicules de transport. L'automobile surpasse d'ailleurs en popularité le train et l'autobus qui se disputent un marché de plus en plus restreint. Quant à l'avion, il n'effectue que 12,5 pour cent du transport ; il a considérablement réduit la durée des voyages (*voir la carte ci-dessous*), mais il coûte cher. Les gouvernements fédéral et provinciaux tentent de ranimer le train et les transports en commun dans le but d'amener les Canadiens à utiliser des modes de transport moins « énergivores ». Ils ont éliminé des services et en ont combiné d'autres qui, comme les trains transcontinentaux, faisaient double emploi.

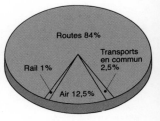

L'autoroute Don Valley, à Toronto

L'éloignement n'est plus

La rapidité des communications a considérablement réduit les distances au pays. La carte illustre à quel point les progrès technologiques ont diminué la durée des voyages entre Montréal et Vancouver.

- 1893 Train à vapeur (bois et charbon) : 115 heures
- 1935 Train à vapeur (charbon) : 90 heures
- 1971 Train Diesel : 60 heures
- 1939 Avion à hélices : 18 heures
- 1981 Avion à réaction : 5 heures

Les liaisons

- ■ Région métropolitaine
- ┼ Canadien Pacifique
- ┼ Canadien National
- ── Route transcanadienne
- ── Autoroute Macdonald-Cartier
- ── Route de Yellowhead
- ── Autoroute de l'Alaska
- ▲ Aéroport septentrional
- ● Récepteur Telesat
- ● Récepteur Telesat principal

Densité de la clientèle des aéroports

- 10 000 000
- 5 000 000
- 2 500 000
- 1 000 000
- 500 000
- 250 000
- 100 000

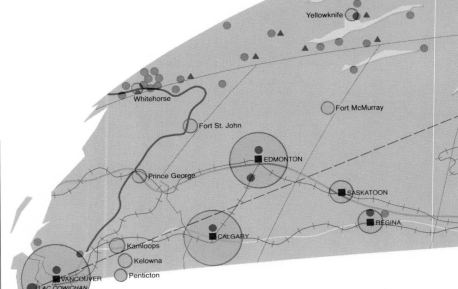

Traversiers

En Colombie-Britannique, 24 traversiers font la navette entre les îles et le continent, jusqu'à Prince-Rupert. Ils transportent des automobiles, des autobus et des camions de marchandises ; ils peuvent accueillir en quelques minutes environ 200 véhicules répartis sur trois ponts.

Traversier, Queen of Cowichan

Flottage et barges

Un camion transporte rarement plus de quelques douzaines de billes à la fois, mais un bateau peut en transporter des centaines. Aussi le bois récolté sur les lieux d'abattage est-il transporté en camion jusqu'à la mer ;

Barge déchargeant du bois

là, on le rassemble en grands radeaux qu'on remorque ensuite jusqu'aux scieries de la côte.

Les barges remplacent les trains de flottage sur les longues distances et les eaux agitées. Des grues font le chargement. Parvenues aux scieries, les barges sont déséquilibrées (on remplit les ballasts d'un seul côté) pour permettre au chargement de bois de glisser dans l'eau.

Un superport

A Roberts Bank, en Colombie-Britannique, une étroite bande de terre et de béton s'avance de 2 km dans la mer. La péninsule artificielle qui la termine permet aux pétroliers géants et aux cargos d'accoster en eau profonde. Les opérations sont automatisées. Un déchargeur rotatif retire des wagons de charbon de la voie ferrée toutes les 100 secondes, les vide et les remet en place ; le charbon est acheminé par convoyeur et mis en attente ou déversé dans un cargo.

Dans les Rocheuses

L'aménagement de routes en montagne suppose qu'on dégage des corniches, creuse des tunnels et construise des ponts. De tels travaux peuvent coûter plus de $600 000 le kilomètre. Au col Kicking Horse (1 625 m), deux tunnels ferroviaires traversent en spirale deux sommets

Transport des billes, île Vancouver

voisins pour permettre aux trains de monter en douceur. Toutefois, les avalanches et les éboulements sont une menace constante. Des clôtures à neige et des remparts de béton protègent les routes et les voies aux endroits les plus vulnérables. L'hiver, au col de Rogers (1 320 m), on tire du canon pour provoquer de petites avalanches et empêcher ainsi les accumulations dangereuses de neige et de glace.

Trains de marchandises

Les wagons d'autrefois disparaissent au profit des conteneurs, des remorques à deux ou trois étages pour le transport des automobiles, des plates-

Gare de triage de Winnipeg

formes munies d'attaches pour retenir le matériel lourd, et des wagons réfrigérés. Il y a aussi les wagons destinés au bétail pourvus de tout l'équipement nécessaire pour alimenter les animaux en cours de route ; les wagons bâchés à toit amovible ; les wagons-citernes chargés de liquides allant de la mélasse à l'acide. Dès leur arrivée à la gare de triage, les wagons sont détachés et triés. A la gare Symington, de Winnipeg, l'ordinateur trie ainsi jusqu'à 6 000 wagons par jour. Dès l'entrée en gare, le numéro de code des wagons est enregistré électroniquement. Une locomotive pousse les wagons vers un dos d'âne qui précède un faisceau de

Gare de céréales, Carmangay

62 voies. Pendant que les wagons descendent, au rythme de quatre à la minute, l'ordinateur les dirige vers la voie qui leur convient et les fait freiner lorsqu'ils ont atteint leur nouveau train.

Cargos hors mer

La flotte des Grands Lacs et de la voie maritime du Saint-Laurent comprend 150 cargos, conçus spécialement pour le transport des marchandises en vrac sur ces eaux. Les cargos hors mer, adaptés aux écluses qu'ils doivent franchir, ont un faible tirant d'eau et sont 10 fois plus longs que larges. Ils ne peuvent être utilisés pour la navigation en haute mer.

Cargo hors mer, canal Welland

Transport des biens

Le transport par chemin de fer demeure le meilleur moyen d'expédier des marchandises, mais le camionnage se développe plus rapidement. Grâce au transport de biens plus légers et de plus grande valeur, il est devenu très rentable.

Il revient en moyenne cinq fois moins cher de transporter des marchandises par bateau que par train, cinq fois moins cher de les transporter par train plutôt que par camion, et presque trois fois moins cher de les expédier par camion plutôt que par avion. Cependant, la navigation commerciale doit

s'interrompre avec les glaces. Le mode de transport importe peu dans le cas de marchandises en vrac comme le blé ou le minerai de fer. Il n'en va pas de même cependant des biens périssables ou manufacturés. Par ailleurs, le poids et la taille des marchandises peuvent déterminer le mode de transport.

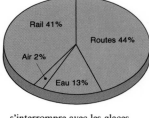

Rail 41% *Routes 44%* *Air 2%* *Eau 13%*

Tunnel ferroviaire en spirale, en Colombie-Britannique

Les communications

Alexander Graham Bell fit le premier appel interurbain en 1876, de Brantford à Paris, en Ontario. Le Canada, toujours en tête en matière de télécommunications, lança en 1972 le satellite *Anik I* (frère en inuktitut), le premier du genre au monde à assurer une liaison téléphonique entre les villes. Ce type de satellite, en orbite à 35 900 km de la terre, transmet en outre des signaux de radio et de télévision. Auparavant, la transmission des signaux se faisait par l'intermédiaire de fils ou de tours à micro-ondes de 60 m, situées tous les 50 km. Les communications par téléphone et par télévision étaient impossibles dans le Grand Nord, qui entrait en contact avec le reste du Canada par radio.

Chez 96 pour cent des foyers canadiens, on trouve au moins un téléphone. Chaque personne fait en moyenne 1 000 appels par année. Les progrès technologiques ont amélioré le rendement et la vitesse des télécommunications qui coûtent moins cher que jamais. Les téléphonistes dispa-

Insolite mais efficace, Anik B, lancé en 1978, devenait le quatrième satellite canadien de télécommunications. Il fait partie du réseau Telesat qui comprend en outre des satellites de retransmission en orbite stationnaire, un poste de contrôle, des instruments de commande et d'observation, et plus de 120 récepteurs terrestres (ci-dessous). Les signaux envoyés au satellite sont amplifiés et transmis aux récepteurs terrestres.

- ☐ B.C. Tel (C.-B.)
- Alberta Government Telephones
- SASK Tel
- Manitoba Telephone System
- Bell Canada
- NB Tel (N.-B.)
- Maritime Tel & Tel
- Island Tel (I.-P.-E.)
- ☐ Newfoundland Telephone
- ☐ Autres sociétés

Artères hertziennes
— Réseau Dataroute
–– Réseau Datapac
— Réseau hertzien

raissent avec l'automatisation du système, comme les câbles ont disparu avec l'installation des tours de transmission. La fibre optique, la dernière découverte dans le domaine, remplacera bientôt le courant électrique : des impulsions lumineuses se propageront dans des fibres en verre pas plus grosses que des cheveux.

La poste demeure un important moyen de communication. Les 8 000 bureaux de poste du Canada traitent 6 milliards de pièces par année que des trieuses électroniques qui décodent le courrier.

La radio et la télévision rejoignent tous les coins au Canada et présentent, instantanément et d'un océan à l'autre, des émissions sur des personnalités et des sujets divers. Environ 98 pour cent des foyers ont la radio et 97 pour cent la télévision, souvent en couleurs. Un foyer sur trois est abonné au câble. Les régions très peuplées bénéficient d'un vaste choix de programmes émanant tant des postes locaux que des deux réseaux nationaux. En outre, 73 pour cent des téléspectateurs ont accès aux émissions américaines.

Vers le Nord

Il a toujours été plus facile pour les Canadiens d'aller en Europe qu'au Yukon ou dans les Territoires du Nord-Ouest où une population de 64 900 habitants se trouve disséminée sur plus de 4 millions de kilomètres carrés. Les routes permanentes, rares, desservent surtout le sud-ouest du Yukon et la vallée du Mackenzie. Le chemin de fer relie Whitehorse à l'Alaska et à Hay River, d'une part, le Grand Lac des Esclaves au nord de l'Alberta, d'autre part. La construction

Train de péniches remorquées, en mer de Beaufort

de routes et de chemins de fer permanents coûte cher : le muskeg et le tapis spongieux de la toundra les engloutissent ; le gel soulève les piliers des ponts et les déchausse ; le bois d'œuvre et le gravier sont inexistants.

Ces éléments déterminent, selon les saisons, le déplacement des biens et des personnes. L'hiver, la surface glacée des lacs se

transforme en piste d'atterrissage ; la motoneige y est aussi courante que l'automobile dans le Sud ; les tracteurs remorquent des traîneaux de marchandises sur des routes de neige durcie. L'été, sur les avions, les flotteurs remplacent les skis ; les péniches et les cargos envahissent les voies navigables. La saison est courte (de cinq à sept semaines) ; il faut faire vite. Le printemps et l'été, le transport terrestre est en grande partie interrompu. Seul l'avion assure des communications rapides. Les villages de l'est de l'Arctique doivent attendre, pour recevoir provisions, marchandises et carburants, que les navires du gouvernement se fraient un chemin à travers les glaces. Dans l'ouest de l'Arctique, les provisions et les marchandises venues par train jusqu'à Hay River sont chargées sur des péniches de 1 300 t qui font 1 720 km sur le Mackenzie jusqu'à Tuktoyaktuk. Remorquées par trains de 12, elles mettent neuf jours pour parvenir à destination. Au retour, bien que vides, il leur faut deux semaines pour remonter le fleuve.

Voie de pénétration

La voie maritime du Saint-Laurent, inaugurée en 1959, relie l'Atlantique aux Grands Lacs. Longue de 3 700 km, elle donne accès au cœur industriel et agricole du continent. Pour l'aménager, on a dû contourner 293 km de rapides et élargir les canaux de la région de Niagara Falls ; la construction de cinq barrages a obligé 6 500 personnes de l'est de l'Ontario à quitter leurs terres. Aujourd'hui, les navires de l'Atlantique doivent franchir 16 écluses avant de parvenir, à 183 m au-dessus du niveau de

la mer, au lac Supérieur. Les céréales de la Prairie transitent à la tête des Grands Lacs et sont expédiées outre-mer ou dans les provinces de l'Est. Au retour, les cargos reviennent vers les aciéries de l'Ontario

chargés cette fois du minerai de fer extrait dans le nord du Québec et au Labrador. La perception de péages sur la voie maritime ne parvient pas à amortir les frais d'aménagement. Par ailleurs, les glaces réduisent même la période de navigation à 250 jours ; et le tirant d'eau maximal fixé à 8 m interdit l'accès de la voie à de nombreux navires.

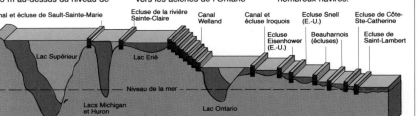

Canal et écluse de Sault-Sainte-Marie | Canal et écluse Sainte-Claire | Canal Welland | Canal et écluse Iroquois | Écluse Snell (E.-U.) | Écluse de Côte-Ste-Catherine
Écluse Eisenhower (E.-U.) | Beauharnois (écluses) | Écluse de Saint-Lambert
Lac Supérieur | Lac Érié | Niveau de la mer | Lacs Michigan et Huron | Lac Ontario

Brise-glace

L'hiver, les brise-glace permettent l'accès aux grands ports de l'Atlantique et ouvrent des passages dans le Saint-Laurent, jusqu'à Montréal. L'été, ils sont à l'œuvre dans l'est de l'Arctique. Les icebergs ou les glaces flottantes menacent même de retenir les traversiers qui desservent régulièrement l'Île-du-Prince-Edouard, Terre-Neuve et le Labrador. Au printemps, la glace qui paralyse la voie maritime et les Grands Lacs doit être brisée pour prévenir les inondations en amont.

Ports à conteneurs

La conteneurisation a révolutionné le domaine de la manutention des biens manufacturés. Les conteneurs sont des caisses de la dimension d'un wagon de chemin de fer que l'on charge

sur des camions ou des trains. Des ports à conteneurs comme celui de Saint-Jean, au Nouveau-Brunswick, sont équipés de grandes grues à portique capables de décharger 500 conteneurs en 24 heures.

Entre deux mers ?

La chaussée du détroit de Canso, longue de 1 370 m, relie l'île du Cap-Breton au reste de la Nouvelle-Ecosse. Large de 243 m à la base, elle n'a plus que

Port à conteneurs d'Halifax

Brise-glace à coussin d'air sur le Saint-Laurent

24 m au sommet. Cette chaussée, en eau profonde, s'élève à 66 m au-dessus du fond de la mer et porte la route transcanadienne, un chemin de fer et un trottoir. Une écluse de 25 m de large, du côté de l'île du Cap-Breton, permet le passage des cargos et des bateaux de pêche, ainsi que la navigation de plaisance. Un pont tournant permet aussi aux plus gros navires de franchir le détroit. Point Tupper, jadis lieu de transbordement des trains, est maintenant doté d'un quai en eau profonde. Le port, aménagé à l'abri de la chaussée, accueille certains des plus grands pétroliers du monde.

Le Canada dans le monde

Le Canada a obtenu son autonomie en 1867 ; elle ne fut cependant véritablement confirmée qu'avec le Statut de Westminster, en 1931, qui reconnaissait les changements survenus au sein de l'Empire britannique, et surtout au Canada, au XXᵉ siècle. De 1867 à 1931, les intérêts du pays furent subordonnés à ceux de l'ancienne métropole. Ainsi, en 1914, lorsque l'Angleterre déclara la guerre à l'Allemagne, le Canada se trouva à entrer automatiquement en guerre lui aussi. En 1919, cependant, forte moralement des pertes subies pendant la guerre, la délégation canadienne à la conférence de paix insista pour signer séparément et à titre d'Etat souverain le traité de Versailles.

La Société des Nations concéda au Canada le rang d'Etat autonome et l'admit en son sein. En 1923, le gouvernement britannique autorisa pour la première fois le dominion à signer seul une entente : le traité canado-américain du flétan. A la fin des années 20, le Canada était représenté à Washington, Paris et Tokyo. En 1939, il déclara séparément la guerre à l'Allemagne et joua un rôle de premier plan dans la création de l'Organisation des Nations unies. Les derniers vestiges de subordination à l'ancienne métropole disparurent en 1949 avec l'abolition de l'appel devant le Conseil privé de Londres et l'institution de la Cour suprême comme tribunal de dernier recours.

Tout en faisant partie du Commonwealth, le Canada a affermi sa présence sur le plan international depuis la seconde guerre mondiale. Il fournit une aide importante aux pays en voie de développement, au sein du Commonwealth et à l'extérieur de celui-ci. Il a participé activement aux missions de paix et d'entraide de l'O.N.U. : Lester B. Pearson s'est vu décerner le prix Nobel de la Paix pour avoir désamorcé la crise du canal de Suez en 1956 ; Paul Martin, ensuite, organisa les forces de l'O.N.U. qui empêchèrent la guerre à Chypre, en 1964.

En 1945, le Canada venait, parmi les Alliés, au troisième rang pour sa marine et au quatrième rang pour son aviation. En 1949, il réduisait considérablement ses effectifs et optait pour la préservation de la sécurité collective en se joignant aux Etats-Unis et aux pays de l'Europe de l'Ouest dans l'Organisation du traité de l'Atlantique Nord. Il appartient également au NORAD (Commandement de la défense aérienne de l'Amérique du Nord). Ce sont là ses principales responsabilités militaires.

Au Canada, pays riche et relativement peu peuplé, le commerce a toujours tenu une place importante. Les principaux partenaires du pays ont d'abord été les Etats-Unis et la Grande-Bretagne ; mais, depuis 25 ans, le Canada a établi d'importants liens commerciaux avec d'autres pays.

Les biens et les services : richesse d'une nation

Les Canadiens ont l'un des plus hauts niveaux de vie du monde, comme on le voit sur le tableau ci-dessous, qui compare le produit intérieur brut (production totale annuelle de biens et de services par habitant) de pays représentatifs de chaque continent. Il y a 15 pays qui ont un produit intérieur brut supérieur à celui du Canada ; quatre pays — les Etats-Unis, l'U.R.S.S., le Japon et l'Allemagne de l'Ouest — ont ensemble un produit intérieur brut qui représente la moitié de la production mondiale. Si l'on répartissait la valeur totale des biens et des services à travers le monde, la valeur moyenne de ceux-ci ne serait que de $1 500 par habitant, soit 15 fois l'indice du niveau de vie de l'Ethiopie et l'équivalent de celui de l'Argentine.

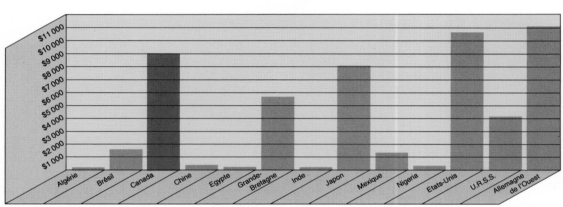

Les importations et les exportations

La moitié de tous les biens produits au Canada sont destinés à l'exportation. Plus grand exportateur de papier-journal, de nickel, d'argent, d'amiante, de blé, d'orge et de poisson, le Canada se classe parmi les 10 premières puissances commerciales du monde. Il est l'un des quatre pays qui exportent plus qu'ils n'importent. Comme le revenu national est étroitement lié aux exportations, le commerce est essentiel à sa prospérité.

Depuis deux cents ans, les principaux partenaires commerciaux du Canada ont été la Grande-Bretagne et les Etats-Unis. Aujourd'hui, aucun pays au monde n'a de liens commerciaux aussi importants que ceux qu'entretiennent le Canada et les Etats-Unis. En 1965, le pacte de l'automobile (accord canado-américain sur les produits de l'automobile) a fait des véhicules automobiles et de leurs pièces de rechange les produits d'exportation les plus rentables : ils représentent, dans le calcul des revenus provenant de l'exportation, presque un dollar sur quatre. Les produits manufacturés (bois de construction, papier-journal, produits chimiques) et les matières premières (blé, minerais, pétrole brut) représentent à peu près tout le reste des produits exportés. En réalité, le Canada échange tout cela contre d'autres biens. Il importe ainsi une gamme de produits qui vont des moteurs d'avion aux objets courants de plastique, de la machinerie agricole aux jeans.

Etats-Unis

Importations au Canada
(en millions de dollars)
26 302

Exportations du Canada
(en millions de dollars)
26 128

A.E.L.E.*
678 | 444

Europe de l'Est
199 | 701

Marché commun
3 371 | 4 467

Moyen-Orient
1 803 | 569

Asie
1 122 | 1 106

Japon
1 511 | 2 345

Antilles
227 | 434

255 | 423
Venezuela

Afrique
443 | 435

Reste de l'Amérique du Sud
366 | 535

Australie/Nouvelle-Zélande
411 | 405

*Association européenne de libre échange

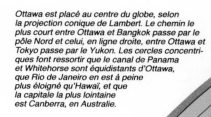

PAPOUASIE-NOUVELLE-GUINÉE

AUSTRALIE

NAURU

Canberra

FIJI

SAMOA

TONGA

NOUVELLE-ZÉLANDE
Wellington

9000 km
10 500 km
12 000 km
13 500 km
15 000 km
16 500 km
18 000 km

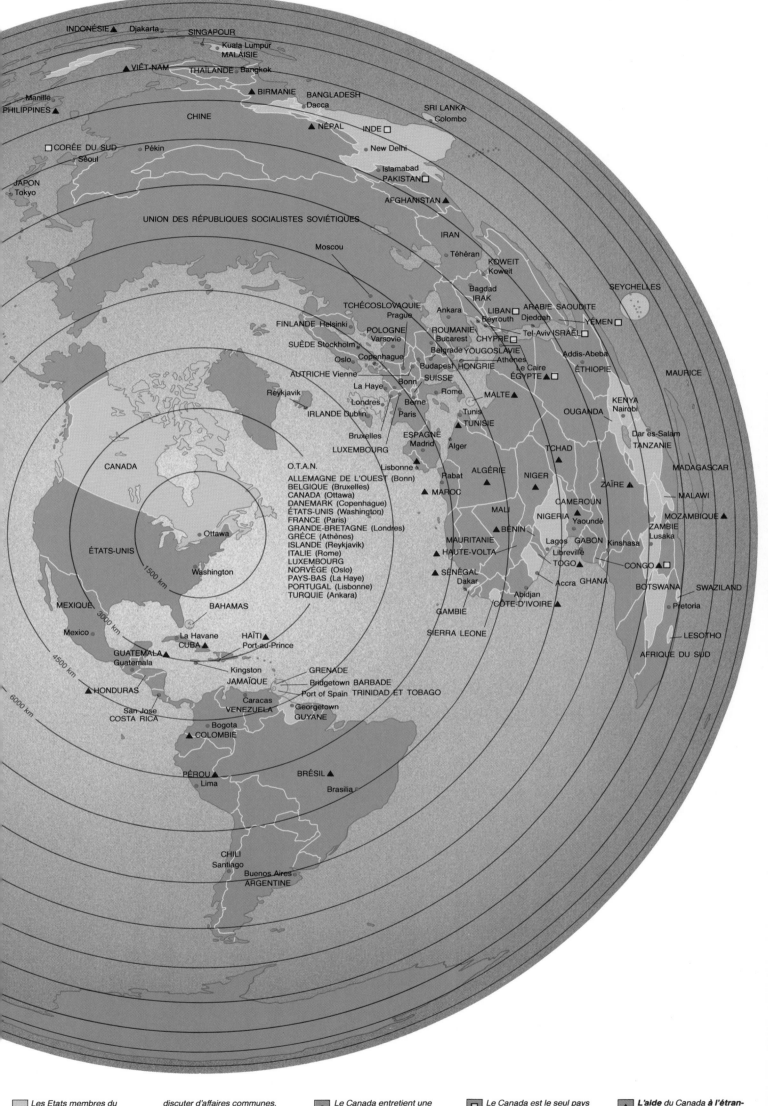

Aide à l'étranger et investissements

Le dollar canadien (sous forme d'aide extérieure ou d'investissements privés) sert à financer divers projets dans plus de 70 pays. La moitié de l'aide accordée (plus de $1 milliard) parvient directement aux divers gouvernements sous forme d'aliments, de matériaux de construction, d'assistance technique, d'équipement agricole ou industriel. L'Agence canadienne de développement international (A.C.D.I.) répartit 40 pour cent de ses fonds entre une soixantaine d'organismes internationaux dont un grand nombre, comme l'UNICEF (Fonds de l'O.N.U. pour l'enfance) et le Groupe de la Banque mondiale, sont affiliés à l'O.N.U.

Créé en 1950, le programme canadien d'aide extérieure s'inscrivait dans le plan Colombo (aide aux pays du Commonwealth). A cette époque, le blé expédié en Inde, au Pakistan et à Ceylan représentait, pour les 14 millions de Canadiens, une valeur de $200 000, soit 1 cent par personne. A la fin des années 70, l'aide du Canada à plus de 70 pays équivalait à un don de plus de $40 par Canadien.

La masse des investissements privés à l'étranger a aussi considérablement augmenté, passant de $3,7 milliards qu'elle était en 1966 à plus de $13 milliards en 1977. Les Etats-Unis viennent en tête : $7 milliards y ont été investis, soit 52 pour cent de la masse totale. La Grande-Bretagne et le Brésil suivent : $1,4 milliard chacun, soit en tout 20 pour cent des investissements.

Aide extérieure

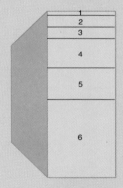

1. Autres pays 2%
2. Amérique latine 7%
3. Commonwealth : Antilles 7%
4. Commonwealth : Afrique 18%
5. Afrique francophone 19%
6. Asie 47%

Investissements à l'étranger

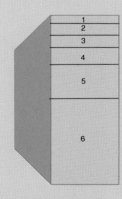

1. Australasie 4%
2. Autres pays 7%
3. Antilles et Mexique 7%
4. Brésil 10%
5. Europe 20%
6. Etats-Unis 52%

☐ Les Etats membres du **Commonwealth** sont tous d'anciennes colonies britanniques partageant la même tradition et ayant consenti au Statut de Westminster. Répartis sur le quart des terres émergées, ils représentent également le quart de la population mondiale. Les chefs de ces divers pays se rencontrent périodiquement pour discuter d'affaires communes. Par ailleurs, les pays membres tiennent tous les ans une cinquantaine de conférences ayant pour thèmes entre autres l'éducation, la science et la santé. Au sein du Commonwealth, le Canada apporte son aide à quatre pays sur cinq ; ce sont ceux des Antilles qui reçoivent le plus d'aide par habitant.

● Le Canada entretient une **représentation permanente** dans 74 pays par l'entremise de ses ambassadeurs ou, au sein du Commonwealth, de ses hauts-commissaires. Il a établi environ 300 consulats dans des villes autres que les capitales, où ses ressortissants ont des intérêts divers. Cela contribue à élargir davantage sa représentation.

☐ Le Canada est le seul pays du monde à avoir participé à toutes les **missions de paix** de l'Organisation des Nations unies depuis la dernière guerre mondiale. A la fin des années 70, il avait des troupes ou des observateurs militaires officiels au Moyen-Orient, à Chypre et au Cachemire, le long de la frontière indo-pakistanaise.

▲ **L'aide** du Canada **à l'étranger** déborde les cadres du Commonwealth pour s'étendre à 32 autres pays. Elle s'accroît dans les Etats de l'Amérique latine et dans les ex-colonies françaises d'Afrique où le pays développe des liens culturels et commerciaux. La carte illustre la répartition mondiale, en 1980, de l'aide canadienne à l'étranger.

RENSEIGNEMENTS GÉNÉRAUX

CANADA : Ce terme semble avoir pour origine le mot iroquois « kanata », qui signifie « village » ou « communauté » ; il apparaît pour la première fois dans la description que fait Jacques Cartier, en 1534, du village indien de Stadacona (nommé ensuite Québec).

L'Etat canadien et les provinces

AU PREMIER RANG

Ile la plus grande : Baffin (T. N.-O.), 507 451 km²
Fleuve le plus long : Mackenzie, 4 241 km
Lac le plus grand : Huron (Ont.) ; superficie au Canada : 36 001 km² (superficie totale du lac, en ajoutant les eaux territoriales américaines : 59 570 km²)
Sommet le plus haut : Mont Logan (Yukon), 5 951 m
Lac le plus élevé : Chilco (C.-B.), 1 171 m
Endroit le plus arrosé : Seymour Falls (C.-B.), 3 504,5 mm/an
Chute la plus haute : Takakkaw (C.-B.), 503 m
Chutes ayant le plus fort débit : Niagara (Ont.), 5 365 m³/s
Zone métropolitaine la plus étendue (recensement de 1976) : Ottawa-Hull (Ont. et Qué.), 3 998,9 km²
Pont le plus long : Pont suspendu Pierre-Laporte, Québec (Qué.), 668 m
Tunnel le plus long : Celui de la Connaught Railway au col de Rogers (C.-B.), 8,08 km
Barrage le plus haut : Mica, fleuve Columbia (C.-B.), 244 m
Ville la plus froide : Yellowknife (T. N.-O.) ; température annuelle moyenne : − 5,6°C
Ville la plus chaude : Vancouver (C.-B.) ; température annuelle moyenne : 9,8°C
Point le plus septentrional : Cap Columbia, île d'Ellesmere (T. N.-O.), 83°07′ N
Lieu habité le plus septentrional : Alert, île d'Ellesmere (T. N.-O.), 82°30′ N
Point le plus méridional : Ile Middle, lac Erié (Ont.), 41°41′ N
Lieu habité le plus méridional : Pelee Island Sound (Ont.), 41°45′ N
Point le plus occidental : Mont Saint-Elie (Yukon), 141° O
Ville la plus occidentale : Beaver Creek (Yukon), 142°52′ O
Point le plus oriental : Cap Spear (T.-N.), 52°37′ O
Ville la plus orientale : Blackhead, district sud de St. John's (T.-N.), 52°39′ O
Ville la plus haute : Lake Louise (Alb.), 1 540 m
Marées les plus hautes : Baie de Fundy à Burntcoat Head (N.-E.), 14,25 m (écart moyen de printemps)

SUPERFICIE DES PROVINCES ET DES TERRITOIRES, 1980

Province ou territoire	Terre (km²)	Eau douce (km²)	Total (km²)	Pourcentage de la superficie totale
Terre-Neuve	370 485	34 032	404 517	4,1
Ile-du-Prince-Edouard	5 657	—	5 657	0,1
Nouvelle-Ecosse	52 841	2 650	55 491	0,6
Nouveau-Brunswick	72 092	1 344	73 436	0,7
Québec	1 356 792	183 889	1 540 681	15,5
Ontario	891 195	177 388	1 068 583	10,8
Manitoba	548 495	101 592	650 087	6,5
Saskatchewan	570 269	81 631	651 900	6,6
Alberta	644 389	16 796	661 185	6,6
Colombie-Britannique	930 529	18 068	948 597	9,5
Yukon	478 034	4 481	482 515	4,9
Territoires du Nord-Ouest	3 246 392	133 294	3 379 686	34,1
CANADA	9 167 170	755 165	9 922 335	100,0

POPULATION DES PROVINCES (en milliers)

Province ou territoire	1961	1971	1976	1978	1979 (juillet)
Terre-Neuve	458	522	558	569	574
Ile-du-Prince-Edouard	105	112	118	122	123
Nouvelle-Ecosse	737	789	829	841	847
Nouveau-Brunswick	598	635	677	695	701
Québec	5 259	6 028	6 234	6 285	6 301
Ontario	6 236	7 703	8 264	8 444	8 505
Manitoba	922	988	1 022	1 032	1 030
Saskatchewan	925	926	921	947	957
Alberta	1 322	1 628	1 838	1 950	2 014
Colombie-Britannique	1 629	2 185	2 467	2 530	2 570
Yukon	15	18	22	22	21
Territoires du Nord-Ouest	23	35	42	44	43

POPULATION : Prévisions d'accroissement pour le Canada

Année (1er juin)	Total (milliers)	Evolution (%)	Groupes d'âge 0-14	15-24	25-44	45-64	65 +
1971	21 563,3	6,60	6 380,9	4 003,8	5 415,9	4 023,3	1 744,4
Projections							
1981	24 573,5	6,88	5 691,8	4 712,4	7 232,5	4 622,7	2 314,1
1991	28 091,9	6,69	6 668	3 893,8	9 312,4	5 218,7	2 999
2001	30 980,7	4,51	6 849,9	4 519,2	9 217,9	6 931,3	3 462,3

POPULATION DES RÉGIONS MÉTROPOLITAINES DE RECENSEMENT

Région métropolitaine	1951	1956	1961	1966	1971	1976	1978
Calgary	142 315	201 022	279 062	330 575	403 319	469 917	504 900
Chicoutimi-Jonquière	91 161	110 317	127 616	132 954	133 703	128 643	129 700
Edmonton	193 622	275 182	259 821	425 370	495 702	554 228	581 400
Halifax	138 427	170 481	193 353	209 901	222 637	267 991	271 200
Hamilton	281 901	341 513	401 071	457 410	489 523	529 371	536 300
Kitchener	107 474	128 722	154 864	192 275	226 846	272 158	280 100
London	167 724	196 338	226 669	253 701	286 011	270 383	274 100
Montréal	1 539 308	1 830 232	2 215 627	2 570 982	2 743 208	2 802 485	2 823 000
Oshawa					120 318	135 196	139 300
Ottawa-Hull	311 587	367 756	457 038	528 774	602 510	693 288	726 400
Québec	289 294	328 405	379 067	436 918	480 502	542 158	554 500
Regina	72 731	91 215	113 749	132 432	140 734	151 191	160 000
St. Catharines-Niagara	189 046	233 034	257 796	285 453	303 429	301 921	306 000
Saint-Jean, N.-B.	80 689	88 375	98 083	104 195	106 744	112 974	117 200
St. John's, T.-N.	80 869	92 565	106 666	117 533	131 814	143 390	146 500
Saskatoon	55 679	72 930	95 564	115 900	126 449	133 750	139 200
Sudbury	80 543	107 889	127 446	136 739	155 424	157 030	155 000
Thunder Bay	73 713	87 624	102 085	108 035	112 093	119 253	120 700
Toronto	1 261 861	1 571 952	1 919 409	2 289 900	2 628 043	2 803 101	2 856 500
Vancouver	586 172	694 425	826 798	933 091	1 082 352	1 166 348	1 173 300
Victoria	114 859	136 127	155 763	175 262	195 800	218 250	222 500
Windsor	182 619	208 456	217 215	238 323	258 643	247 582	246 300
Winnipeg	257 229	412 741	476 543	508 759	540 262	578 217	589 100

POPULATION
Le Canada dans le monde

Rang	Pays	Population (1er janv. 1980)	Densité (au km²)
1	Chine	969 650 710	101
2	Inde	660 002 000	200
3	Union soviétique	264 803 970	12
4	Etats-Unis	221 089 000	24
5	Indonésie	153 535 228	75
6	Brésil	119 501 000	14
7	Japon	118 258 000	317
8	Bangladesh	89 278 137	620
9	Pakistan	81 455 500	101
10	Nigeria	71 507 300	77
11	Mexique	70 405 500	36
12	Allemagne de l'Ouest	61 703 500	248
13	Italie	57 439 300	191
14	Grande-Bretagne	55 721 100	228
15	France	54 210 700	99
16	Viêt-nam	51 423 700	156
17	Philippines	47 805 300	159
18	Thaïlande	47 191 200	92
19	Turquie	44 921 300	58
20	Egypte	41 515 448	41
21	Corée du Sud	39 872 500	405
22	Espagne	37 359 500	74
23	Iran	36 890 200	22
24	Pologne	35 484 300	113
25	Birmanie	33 458 700	49
26	Ethiopie	30 618 900	25
27	Colombie	29 916 700	26
28	Zaïre	28 057 600	12
29	Argentine	26 911 600	10
30	Afrique du Sud	24 708 651	22
31	CANADA	23 690 500	2
32	Roumanie	22 210 300	93
33	Yougoslavie	22 210 200	87
34	Afghanistan	21 635 800	33
35	Maroc	19 646 400	28
36	Corée du Nord	19 010 500	158
37	Algérie	18 226 500	8
38	Pérou	17 530 500	14
39	Soudan	17 527 800	7
40	T'ai-wan	17 432 200	484

POPULATION : Répartition géographique de l'accroissement

Province	Recensement, 1976 (milliers)	Accroissement d'ici 2001 (%)
Terre-Neuve	557,7	11,2
Ile-du-Prince-Edouard	118,3	12,3
Nouvelle-Ecosse	828,6	12,5
Nouveau-Brunswick	677,2	15,4
Québec	6 234,5	22,1
Ontario	8 264,5	44,2
Manitoba	1 021,4	16
Saskatchewan	921,4	5,1
Alberta	1 838	54,2
Colombie-Britannique	2 466,6	56,6
Yukon	21,8	104,6
Territoires du Nord-Ouest	42,6	108
CANADA	22 992,6	34,7

SUPERFICIE
Les plus grands pays

Rang	Pays	Superficie (milliers de km²)
1	U.R.S.S.	22 402
2	Canada	9 922
3	Chine	9 596
4	Etats-Unis	9 363
5	Brésil	8 511
6	Australie	7 686
7	Inde	3 287
8	Argentine	2 766
9	Soudan	2 505
10	Algérie	2 381
11	Zaïre	2 345
12	Arabie Saoudite	2 149
13	Mexique	1 972
14	Indonésie	1 919
15	Libye	1 759
16	Iran	1 648

ALBERTA

La plus riche des provinces canadiennes porte le nom de la fille de la reine Victoria, épouse du marquis de Lorne, lequel fut gouverneur général de 1878 à 1883. Le premier Européen à fouler son sol fut probablement La Vérendrye. Il fut suivi par Anthony Henday, envoyé par la Compagnie de la Baie d'Hudson auprès des Indiens pieds-noirs, puis par Peter Pond qui établit un poste de traite au lac Athabasca, en 1774. Ce n'est cependant qu'à la fin du XIXe siècle que les immigrants commencèrent à y affluer. La prospérité de la province repose sur la culture du blé et sur l'exploitation du pétrole et du gaz naturel.

Capitale : Edmonton
Devise : Aucune
Emblème floral : Rose sauvage
Date d'entrée dans la Confédération : 1er septembre 1905
Superficie totale : 661 185 km²
Pourcentage de la superficie totale du Canada : 6,66%
Longueur des frontières : 3 926 km
Longueur des côtes : Néant
Population (en juillet 1979) : 2 014 000
Pourcentage de la population totale du Canada : 8,5%
Population urbaine (1976) : 75%
Densité de population (1977) : 3/km²
Revenu provincial par tête : $14 410

Manifestations: Stampede de Calgary, Calgary (juillet) ; Journées du Klondike, Edmonton (juillet) ; Festival des arts de Banff (mai à août).

Sites historiques : Fort Macleod ; Card's Cabin, Cardston ; fort Dunvegan, Dunvegan.

Attractions naturelles : Parc provincial Dinosaur ; vallée des Dinosaures, Drumheller ; vallée du Red Deer ; parc Willmore ; Rocheuses ; champ de glace Columbia.

COLOMBIE-BRITANNIQUE

L'exploration de l'extrême-ouest canadien faillit déclencher un conflit armé entre l'Espagne et l'Angleterre, car les Espagnols avaient abordé sur ces rivages dès 1774. Le capitaine Cook n'y accosta qu'en 1778 ; puis, en 1792, la Marine britannique chargea le capitaine Vancouver d'explorer le territoire et, un an plus tard, Alexander Mackenzie atteignait le Pacifique par voie de terre. L'Espagne se retira en 1795. En 1821, la Compagnie de la Baie d'Hudson avait la haute main sur tout ce territoire. L'île de Vancouver et le continent formaient alors deux colonies distinctes qui furent rattachées en 1866 pour entrer, cinq ans plus tard, dans la Confédération, sur la promesse d'un chemin de fer. La construction de celui-ci terminée, une première vague d'immigrants arriva. Il y eut deux autres grandes vagues d'immigration, l'une après une sécheresse dans la Prairie, l'autre lors de la seconde guerre mondiale. Jusqu'en 1858, la province s'appelait Nouvelle-Calédonie ; pour éviter toute confusion avec une île française du même nom située dans le Pacifique Sud, la reine Victoria lui donna son nom actuel.

Capitale : Victoria
Devise : *Splendor sine occasu*
(« Splendeur sans défaut »)
Emblème floral : Cornouiller du Pacifique
Date d'entrée dans la Confédération : 20 juillet 1871
Superficie totale : 948 597 km²
Pourcentage de la superficie totale du Canada : 9,5%
Longueur des frontières : 30 801 km
Longueur des côtes : 25 726 km
Population (juillet 1979) : 2 570 000
Pourcentage de la population totale du Canada : 10,8%
Population urbaine (1976) : 76,9%
Densité de population (1977) : 2,8/km²
Revenu provincial par tête : $11 024

Manifestations : Exposition nationale du Pacifique, Vancouver (août) ; fête internationale de l'Air, Abbotsford (août) ; Course internationale de baignoires, Nanaimo (juillet) ; Festival marin, Vancouver (juillet).

Sites historiques : Barkerville, ancienne capitale de l'or du Caribou ; fort Steele, parc historique de Fort Steele ; cairn du « dernier tire-fond » du C.P., col de l'Aigle, Craigellachie ; *St. Roch*, goélette de la G.R.C., Musée maritime de Vancouver ; école Craigflower, Victoria.

Attractions naturelles : Iles du Golfe ; fjords de la côte Pacifique ; Cathedral Grove, parc provincial MacMillan ; parc national Pacific Rim ; chute Della, parc provincial Strathcona ; chute Takakkaw, parc national Yoho ; vallée de l'Okanagan ; parc national Glacier ; Rocheuses.

ÎLE-DU-PRINCE-ÉDOUARD

La plus petite et la plus densément peuplée des provinces canadiennes est une île pittoresque. Les Indiens micmacs l'appelaient *Abegweit* ou « terre bercée par les vagues ». En 1663, les Français y installèrent un avant-poste et la nommèrent île Saint-Jean. Conquise par l'Angleterre en 1758, l'île fut rebaptisée St. John pour devenir plus tard l'Ile-du-Prince-Edouard en l'honneur du duc de Kent, père de la reine Victoria. Des loyalistes s'y réfugièrent pendant la révolution américaine et des pionniers écossais, menés par Lord Selkirk, y arrivèrent en 1803. L'île vit actuellement de l'agriculture, du tourisme et de la pêche.

Capitale : Charlottetown
Devise : *Parva sub ingenti*
(« Les grands protègent les petits »)
Emblème floral : Sabot de la Vierge
Date d'entrée dans la Confédération : 1er juillet 1873
Superficie totale : 5 657 km²
Pourcentage de la superficie totale du Canada : 0,1%
Longueur des frontières : 1 260 km
Longueur des côtes : 1 260 km
Population (juillet 1979) : 123 000
Pourcentage de la population totale du Canada : 0,51%
Population urbaine (1976) : 37,1%
Densité de la population (1977) : 20,2/km²
Revenu provincial par tête : $5 194

Manifestations : Festival de Charlottetown, Charlottetown (juin-septembre) ; Semaine du patrimoine, Charlottetown (août) ; Festival acadien, Abrams Village (août).

Sites historiques : Province House, Charlottetown ; parc historique provincial Green, Port Hill ; Village micmac et parc historique national du fort Amherst, Rocky Point.

Attractions naturelles : Parc national de l'Ile-du-Prince-Edouard ; Basin Head ; collines Bonshaw.

MANITOBA

A l'origine, le Manitoba était habité par des Indiens cris, sauteux et assiniboines. En 1612, Sir Thomas Button fut le premier Européen à passer l'hiver à la baie d'Hudson. On entreprit bientôt le commerce des fourrures et, en 1670, Charles II d'Angleterre accordait des droits de traite exclusifs à la Compagnie de la Baie d'Hudson. York Factory, aujourd'hui Port Nelson, fut fondé en 1682. En 1812, Lord Selkirk envoya un groupe de fermiers écossais dans la vallée de la Rivière-Rouge, près de l'actuel Winnipeg, afin d'approvisionner les marchands de fourrures en produits agricoles. En 1869, pour la somme de 300 000 livres, le Canada acquit ce territoire qui devint, en 1870, la cinquième province du Dominion. On appelait jadis le Manitoba « Lac de la Prairie » ; ce nom a peut-être pour origine deux mots indiens, « Minne Toba », qui signifient « prairie d'eau ». Jusqu'au XXe siècle, les immigrants furent principalement des Canadiens anglais, ainsi que des Britanniques, des Islandais, des Ukrainiens et des mennonites.

Capitale : Winnipeg
Devise : Aucune
Emblème floral : Anémone pulsatille
Date d'entrée dans la Confédération : 15 juillet 1870
Superficie totale : 650 087 km²
Pourcentage de la superficie totale du Canada : 6,5%
Longueur des frontières : 4 063 km
Longueur des côtes : 917 km
Population (juillet 1979) : 1 030 000
Pourcentage de la population totale du Canada : 4,3%
Population urbaine (1976) : 69,9%
Densité de population (1977) : 1,9/km²
Revenu provincial par tête : $9 272

Manifestations : Folklorama, Winnipeg (août) ; Festival du voyageur, Saint-Boniface (février) ; Festival national ukrainien, Dauphin (juillet-août) ; Carnaval d'hiver de Beauséjour, Beauséjour (février-mars) ; Festival islandais de Gimli, Gimli (août).

Sites historiques : Eglise ukrainienne orthodoxe St. Michael, Gardenton ; monument aux morts de la guerre 1914-1918, Winnipeg ; musée de Saint-Boniface, Winnipeg ; fort Prince-de-Galles, Churchill.

Attractions naturelles : Colline Baldy, parc provincial Duck Mountain ; dunes Carberry, parc provincial Spruce Woods ; lac Winnipeg.

NOUVEAU-BRUNSWICK

Les premiers Européens à s'établir au Nouveau-Brunswick furent des colons français. Au XVIe siècle, Da Verrazano et Cartier en explorèrent les côtes et Champlain établit la première colonie française en terre canadienne sur l'île Sainte-Croix en 1604. La France dut, toutefois, céder la colonie à l'Angleterre en 1713. Des loyalistes s'y installèrent lors de la révolution américaine. En 1784, le territoire fut détaché de la Nouvelle-Ecosse pour devenir la colonie du Nouveau-Brunswick, nommée en l'honneur de la famille régnante d'Angleterre. Au XIXe siècle, la colonie accueillit des milliers d'immigrants britanniques. Saint-Jean est la plus vieille cité constituée du Canada. Et l'université Mount Allison, de Sackville, fut la première à décerner un diplôme à une femme.

Capitale : Fredericton
Devise : *Spem reduxit* (« L'espoir restauré »)
Emblème floral : Violette cucullée
Date d'entrée dans la Confédération : 1er juillet 1867
Superficie totale : 73 436 km²
Pourcentage de la superficie totale du Canada : 0,7%
Longueur des frontières : 3 078 km
Longueur des côtes : 2 269 km
Population (juillet 1979) : 701 000
Pourcentage de la population totale du Canada : 2,95%
Population urbaine (1976) : 52,3%
Densité de population (1977) : 9,5/km²
Revenu provincial par tête : $6 325

Manifestations : Festival acadien, Caraquet (août) ; Fête des loyalistes, Saint-Jean (juillet) ; Exposition nationale de l'Atlantique, Saint-Jean (août) ; Journées du chemin de fer, Moncton (juillet) ; Festival du saumon, Campbellton (juin).

Sites historiques : Monument à Champlain, Saint-Jean ; tour Martello, Saint-Jean ; église anglicane Trinity, Kingston ; Village historique acadien, près de Caraquet.

Attractions naturelles : Pain de sucre, parc provincial Sugarloaf ; Grand Falls ; parc national de Kouchibouguac ; île du Grand-Manan.

NOUVELLE-ÉCOSSE

On croit que des moines celtes d'origine islandaise se seraient établis à l'île du Cap-Breton dès 875 et que le Norvégien Thorfinn Karlsefni aurait séjourné sur les côtes de Nouvelle-Ecosse aux environs de 1008. Les historiens s'accordent à dire que Jean Cabot y débarqua en 1497 et que des pêcheurs portugais y passaient l'hiver. Mais la première colonie permanente d'Acadie ne fut établie qu'en 1605 par Champlain et de Monts, à Port-Royal. En 1621, le roi d'Angleterre donna la colonie à Sir William Alexander ; l'acte de donation la désignait sous le nom de *Nova Scotia*. En 1848, la colonie fut la première de l'Empire à obtenir un gouvernement responsable. Anglais, Allemands, Ecossais et loyalistes furent les principaux pionniers de cette province de tradition maritime.

Capitale : Halifax
Devise : *Munit haec et altera vincit*
(« L'une défend, l'autre conquiert »)
Emblème floral : Fleur de mai
Date d'entrée dans la Confédération : 1er juillet 1867
Superficie totale : 55 491 km²
Pourcentage de la superficie totale du Canada : 0,6%
Longueur des frontières : 7 613 km
Longueur des côtes : 7 579 km
Population (juillet 1979) : 847 000
Pourcentage de la population totale du Canada : 3,57%
Population urbaine (1976) : 55,8%
Densité de population (1977) : 15,8/km²
Revenu provincial par tête : $6 701

Manifestations : Festival des pommiers de la vallée de l'Annapolis (mai-juin) ; Jeux écossais d'Antigonish, Antigonish (juillet) ; Festival de la pêche, Lunenburg (septembre) ; Festival des clans écossais, Pugwash (juin-juillet).

Sites historiques : Parc historique national de Port-Royal ; parc historique national du Fort-Anne, Annapolis Royal ; forteresse de Louisbourg, Louisbourg ; le phare le plus ancien du Canada (1759), île Sambro ; le *Bluenose II*, Halifax ; musée des Mineurs du Cap-Breton, Glace Bay ; parc historique national de Grand-Pré ; parc historique national Alexander Graham Bell, Baddeck.

Attractions naturelles : Chaussée du Géant, île Brier ; parc national de Kéjimkujik ; vallée de l'Annapolis ; parc provincial Five Islands ; fossiles de Joggins, baie de Chignectou ; vallée de la Margaree ; route de Cabot, île du Cap-Breton.

ONTARIO

A lui seul, l'Ontario renferme le quart de toute l'eau douce du globe, d'où son nom qui signifie en iroquois « les eaux luisantes ». Au début du XVIIe siècle, un jeune lieutenant de Champlain, Etienne Brûlé, en avait atteint l'extrémité ouest, mais il fut tué par les Hurons. En 1610, Henry Hudson revendiqua la partie nord de l'Ontario pour la Couronne d'Angleterre. L'acte de 1791 créa la province du Haut-Canada. La rébellion manquée de 1837, dirigée par William Lyon Mackenzie, aura cependant pour effet de donner des pouvoirs accrus à l'assemblée législative de la province. Anglais, Allemands, Hollandais, Ecossais, Irlandais et esclaves fugitifs formèrent le premier groupe d'immigrants auxquels s'ajoutèrent, à partir de 1881, d'autres Européens.

Capitale : Toronto
Devise : *Ut incepit fidelis sic permanet*
(« Loyale elle était, loyale elle reste »)
Emblème floral : Trille grandiflore
Date d'entrée dans la Confédération : 1er juillet 1867
Superficie totale : 1 068 583 km²
Pourcentage de la superficie totale du Canada : 10,8%
Longueur des frontières : 6 263 km
Longueur des côtes : 1 210 km
Population (juillet 1979) : 8 505 000
Pourcentage de la population totale du Canada : 35,9%
Population urbaine (1976) : 81,2%
Densité de population (1977) : 9,1/km²
Revenu provincial par tête : $10 650

Manifestations : Festival de Stratford (juin-novembre) ; festival Shaw, Niagara-on-the-Lake (mai-octobre) ; Exposition canadienne nationale, Toronto (août-septembre) ; Oktoberfest, Kitchener-Waterloo (octobre) ; Festival folklorique Mariposa, Toronto (été).

Sites historiques : Fort William, Thunder Bay ; cimetière de Drummond Hill, Niagara Falls ; fort George, Niagara-on-the-Lake ; fort Henry, Kingston ; musée de Bytown, Ottawa ; colline du Parlement, Ottawa ; Maison Laurier, Ottawa ; Maison Stephen Leacock, Orillia.

Attractions naturelles : Chute Kakabeka, parc provincial Kakabeka Falls ; lac des Bois ; canyon Ouimet, parc provincial Ouimet Canyon ; baie Agawa, parc provincial du Lac-Supérieur ; île Manitoulin ; parc provincial Killarney ; chutes Niagara ; parc provincial Algonquin ; les Mille Iles ; parc national des îles de la Baie-Georgienne ; parc national Pukaskwa.

QUÉBEC

En 1608, Champlain fonda sur l'emplacement du village indien de Stadacona un poste de traite appelé Québec, mot indien qui signifie « là où les eaux se rétrécissent ». En 1642, Paul de Chomedey, sieur de Maisonneuve, fonda une colonie sur les lieux de l'ancien village indien d'Hochelaga ; devenue Montréal, cette ville est aujourd'hui la deuxième métropole du Canada. Après la guerre de Sept Ans, en 1663, le Canada devint colonie française, mais il devait passer, un siècle plus tard, sous la tutelle de l'Angleterre. L'acte de 1791 divisa le Canada en deux : le Bas-Canada et le Haut-Canada (Québec et Ontario). Les deux provinces furent réunies en 1841 pour être de nouveau séparées en 1867. Malgré l'afflux d'immigrants loyalistes et britanniques à la fin du XVIIIe et du XIXe siècle, le Québec a conservé son caractère français distinctif.

Capitale : Québec
Devise : *Je me souviens*
Emblème floral : Lis blanc
Date d'entrée dans la Confédération : 1er juillet 1867
Superficie totale : 1 540 681 km²
Pourcentage de la superficie totale du Canada : 15,5%
Longueur des frontières : 20 683 km
Longueur des côtes : 13 773 km
Population (juillet 1979) : 6 301 000
Pourcentage de la population totale du Canada : 26,59%
Population urbaine (1976) : 79,1%
Densité de population (1977) : 4,6/km²
Revenu provincial par tête : $8 941

Manifestations : Festival Western de Saint-Tite (septembre) ; Carnaval d'hiver de Québec (janvier-février) ; Festival des films du monde, Montréal (août) ; Floralies internationales, Montréal (mai-septembre) ; Saint-Jean-Baptiste, dans toute la province (24 juin).

Sites historiques : Réplique de la *Grande Hermine*, parc historique national Cartier-Brébeuf, Québec ; premier poste de traite au Canada, Tadoussac ; cap Diamant, Québec ; fort Chambly, Chambly ; château Ramezay, Montréal ; Citadelle, Québec ; parc historique national des Forges-du-Saint-Maurice, Trois-Rivières ; monument Wolfe-Montcalm, Québec.

Attractions naturelles : Laurentides ; Estrie ; chute Montmorency ; baie Saint-Paul ; lac Saint-Jean ; parc de la Gaspésie ; Gaspésie.

SASKATCHEWAN

La Saskatchewan tire son nom d'un mot cri signifiant « la rivière qui coule rapidement ». On peut supposer qu'il y a 20 000 ans, les Indiens du paléolithique parcouraient déjà ce territoire occupé plus tard par les Chippewas, les Pieds-Noirs et les Assiniboines. En 1774, avec l'établissement de Cumberland House par Samuel Hearne, pour le compte de la Compagnie de la Baie d'Hudson, commençait l'ère de la traite des fourrures qui devait durer un siècle. A partir de 1872, des colons attirés par ces terres inoccupées s'établirent dans la région ; ils fondèrent Regina, appelée à l'origine le « Tas d'Os » parce que l'endroit était encombré d'ossements de bisons.

Capitale : Regina
Devise : Aucune
Emblème floral : Lis de Philadelphie
Date d'entrée dans la Confédération : 1er septembre 1905
Superficie totale : 651 900 km²
Pourcentage de la superficie totale du Canada : 6,6%
Longueur des frontières : 3 571 km
Longueur des côtes : Néant
Population (juillet 1979) : 957 000
Pourcentage de la population totale du Canada : 4,03%
Population urbaine (1976) : 55,5%
Densité de population (1977) : 1,6/km²
Revenu provincial par tête : $10 191

Manifestations : Journées Saskachimo, Saskatoon (juillet) ; Journées de la frontière, Swift Current (juillet).

Sites historiques : Musée de la G.R.C., Regina ; église de Saint-Antoine-de-Padoue, Batoche ; maison de la famille Diefenbaker, Wascana Centre, Regina.

Attractions naturelles : Rapides Otter, parc provincial du Lac-La-Ronge ; parc provincial Cypress Hills ; badlands du Big Muddy ; vallée de la Rivière-Qu'Appelle.

TERRE-NEUVE

La dernière province à entrer dans la Confédération, Terre-Neuve fut cependant la première colonie britannique du Nouveau Monde. Des marchands anglais de Bristol, attirés par la richesse des grands bancs de poissons, commencèrent à y pratiquer la pêche dès 1481. On sait aussi que des danseurs venus d'Angleterre donnèrent une représentation à St. John's en 1583, mais ce n'est qu'en 1610 que John Guy y établit la première colonie. En 1855, Terre-Neuve devint un dominion autonome ; elle se joignit aux autres provinces canadiennes en 1949.

Capitale : St. John's
Devise : *Quaerite prime regnum dei*
(« Cherchez d'abord le royaume de Dieu »)
Emblème floral : Sarracénie pourpre
Date d'entrée dans la Confédération : 31 mars 1949
Superficie totale : 404 517 km²
Pourcentage de la superficie totale du Canada : 4,1%
Longueur des frontières : 33 479 km
Longueur des côtes : 28 957 km
Population (juillet 1979) : 574 000
Pourcentage de la population totale du Canada : 2,4%
Population urbaine (1976) : 58,9%
Densité de population (1977) : 1,5/km²
Revenu provincial par tête : $5 250

Manifestations : Régates de St. John's (août) ; Festival annuel des cerfs-volants, St. John's (juillet-août) ; Festival artistique d'été, Eastport (début de l'été) ; Festival d'été de St. John's (juillet-août).

Sites historiques : Etablissement viking à L'Anse-aux-Meadows ; tour Cabot, St. John's ; Signal Hill, St. John's.

Attractions naturelles : Parc national de Gros-Morne ; Longue Pointe, près de Twillingate ; baie de la Conception ; parc national de Terra Nova.

TERRITOIRES DU NORD-OUEST

Capitale : Yellowknife
Emblème floral : Dryade
Date d'entrée dans la Confédération : 15 juillet 1870
Superficie totale : 3 379 686 km²
Pourcentage de la superficie totale du Canada : 34,1%
Longueur des frontières : 165 389 km
Longueur des côtes : 161 764 km
Population (juillet 1979) : 43 000
Pourcentage de la population totale du Canada : 0,18%
Population urbaine (1976) : 49,7%
Densité de population (1977) : 0,01/km²
Revenu provincial par tête : $10 853 (Yukon et T. N.-O.)

Manifestations : Carnaval du caribou, Yellowknife (mars) ; fête du Delta, Inuvik (septembre) ; Jeux transarctiques, Inuvik (juillet).

Sites historiques : Cénotaphe aux membres de l'expédition Franklin, île Beechey ; pointe Victoria, dans l'île du Roi-Guillaume, où Franklin abandonna ses navires.

Attractions naturelles : Parc national Wood Buffalo ; pingos, Tuktoyaktuk ; chute Alexandra, rivière au Foin ; parc national de la Nahanni ; parc national d'Auyuittuq.

YUKON

Capitale : Whitehorse
Emblème floral : Epilobe
Date d'entrée dans la Confédération : 13 juin 1898
Superficie totale : 482 515 km²
Pourcentage de la superficie totale du Canada : 4,9%
Longueur des frontières : 4 409 km
Longueur des côtes : 343 km
Population (juillet 1979) : 21 000
Pourcentage de la population totale du Canada : 0,08%
Population urbaine (1976) : 61%
Densité de population (1977) : 0,04/km²
Revenu provincial par tête : $10 853 (Yukon et T. N.-O.)

Manifestations : Rendez-vous des « sourdoughs » (prospecteurs), Whitehorse (février) ; Jour de la découverte, Dawson (août) ; « Frantic Follies » (spectacle de variétés), Whitehorse (mai-septembre) ; « Gaslight Follies » (spectacle de variétés), Dawson (mai-septembre).

Sites historiques : Cabane de Robert Service, Dawson ; vieille église en bois rond, Whitehorse ; vapeur à roue arrière *Klondike*, Whitehorse.

Attraction naturelle : Parc national Kluane.

PREMIÈRES AU CANADA

Etablissement permanent : Port-Royal, 1605
Cité constituée : Saint-Jean, N.-B., 1785
Mine de charbon : Ile du Cap-Breton, N.-E., 1677
Fabrique de textiles : Mme de Repentigny, Montréal, 1703
Forge : Les Forges du Saint-Maurice, près de Trois-Rivières, Qué., 1737
Exploitation de pétrole : Oil Springs, Ont., 1857
Usine de papier : Lachute, Qué., 1803
Usine hydro-électrique : Niagara Falls, Ont., 1905
Centrale nucléaire : Rolphton, Ont., 1962
Papier-monnaie : Cartes à jouer, Québec, 1686
Banque : Banque de Montréal, 1817
Monnaie décimale : 1858
Compagnie d'assurances : Canada Life Assurance Company, Hamilton, Ont., 1847
Service postal : De Montréal à Québec, 1721
Bureau de poste : Halifax, 1755
Service postal aérien : 1928
Télégraphe : De Montréal à Québec, 1847
Appel téléphonique interurbain : Brantford-Paris, Ont., 1876
Programmation radiophonique régulière : CFCF, Montréal, 1920
Emission de télévision : Montréal, 1952
Cheval : Amené au Québec, 1647
Navire : Construit à Québec, 1669
Phare : Louisbourg, 1734
Route : Du cap de Digby à Port-Royal, 1606
Poste d'essence : Vancouver, 1908
Navire à vapeur : Montréal, 1809
Canal : Coteau-du-Lac, Qué., 1780
Chemin de fer : De Saint-Jean à La Prairie, Qué., 1836
Vol aérien : J. A. D. McCurdy, Baddeck, N.-E., 1909
Transport commercial à réaction : Jetliner, 1949
Service aérien polaire : Vancouver-Amsterdam, CP Air, 1955
Tramway : Toronto, 1861
Métro : Toronto, 1954
Hôpital : Hôtel-Dieu de Québec, 1639
Pharmacien : Louis Hébert, Port-Royal, 1606
Femme médecin : Emily Howard Stowe, Ontario, diplômée en 1880
Femme dentiste : Emma Casgrain, Québec, diplômée en 1898
Ecole : Port-Royal, 1606
Institution d'enseignement supérieur : Séminaire de Québec, 1668
Université à charte : King's College, Windsor, N.-E., 1799
Martyr : René Goupil, 1642
Mariage : Québec, 1654
Divorce : Halifax, 1750
Synagogue : Montréal, 1777
Drapeau officiel : Union Jack, 1763
Accord commercial avec les Etats-Unis : Traité Elgin Marcy, 1854
Tarif protecteur : Tarif Galt, 1859
Femme député aux Communes : Agnes Macphail, 1921
Femme ministre du Cabinet : Ellen Fairclough, 1957
Sénateur d'origine amérindienne : James Gladstone, 1958
Club de curling : Montréal, 1807
Court de tennis : Montréal, 1836
Match de hockey : Kingston, Ont., 1855
Gagnant de la Coupe Stanley : Montreal Amateur Athletic Association, 1893
Gagnant d'une médaille d'or aux Olympiques : Etienne Desmarteau (lancer du marteau), 1904
Match de hockey diffusé en direct : Foster Hewitt, 1923

LES GOUVERNEURS GÉNÉRAUX DU CANADA

VICOMTE MONCK (1867-1868)

Sir Charles Stanley, 4e vicomte Monck, joua un rôle prépondérant dans la confédération des colonies britanniques d'Amérique du Nord. Nommé premier gouverneur général du Dominion du Canada le 1er juillet 1867, il se trouvait dans une situation délicate, car il devait assurer les prérogatives de la Couronne sans empiéter sur les pouvoirs du nouveau gouvernement.

Né en Irlande, en 1819, il entra au parlement britannique en 1852 et fut ministre des Finances. En 1868, il retourna en Irlande où il fut lord lieutenant du comté de Dublin pendant 20 ans. Il mourut dans son pays natal en 1894.

BARON LISGAR (1868-1872)

Le baron Lisgar fut gouverneur général à l'époque de la rébellion de la Rivière-Rouge (1870) et des raids des féniens ; sa pondération et son expérience d'administrateur facilitèrent la résolution de ces conflits. Le baron ne mit pas autant de zèle à défendre les intérêts nationaux dans une affaire de droits de pêche entre le Canada et les Etats-Unis. Le traité de Réciprocité de 1871 relatif aux droits de pêche et de navigation fut, en effet, nettement favorable aux Etats-Unis.

Né à Bombay, en 1807, de parents irlandais, cet homme pratique et réfléchi mena une vie assez retirée pendant son mandat, malgré plusieurs tournées officielles. Il mourut en Irlande en 1876.

COMTE DE DUFFERIN (1872-1878)

Le troisième gouverneur général, Frederick Temple Blackwood, comte de Dufferin, était un homme charmant et enthousiaste. Orateur éloquent, il s'appliqua à promouvoir l'unité canadienne, ce qui ne l'empêcha pas d'entrer en conflit avec le gouvernement. En 1875, il usa de sa prérogative de clémence pour commuer la sentence de mort imposée à l'adjudant général de Riel qui avait été condamné pour le meurtre de Thomas Scott. Le ministre de la Justice, Edward Blake, contesta le geste du comte qui avait agi sans consulter le cabinet canadien. A la suite de ce différend, les gouverneurs généraux reçurent des instructions les enjoignant de n'exercer leurs prérogatives que sur l'avis des ministres.

Né en 1826, Dufferin fit une brillante carrière dans la fonction publique britannique. Pendant son séjour au Canada, il donna, avec sa femme Hariot, d'innombrables réceptions et fut l'hôte d'activités culturelles aussi bien que sportives. En 1875, il persuada les citoyens de Québec de préserver les murs de la ville qu'on voulait démolir.

Après son départ du Canada en 1878, Dufferin fut ambassadeur en Russie, en Italie, en France, puis vice-roi des Indes. Il mourut en 1902.

MARQUIS DE LORNE (1878-1883)

Sir John Douglas Sutherland Campbell, marquis de Lorne, avait épousé la princesse Louise, fille de la reine Victoria. Ils furent particulièrement influents dans le domaine des arts et des lettres, prêtant leur concours à la fondation de la Société royale du Canada et de l'Académie canadienne des beaux-arts d'où devait émaner la Galerie nationale du Canada.

En 1878, Lorne se soumit malgré lui à l'avis du Premier ministre Sir John A. Macdonald et renvoya le lieutenant-gouverneur du Québec, Letellier de Saint-Just. Il approuva la création du poste de haut-commissaire pour représenter les intérêts canadiens à Londres, manifestant encore une fois sa volonté de ne pas s'ingérer dans les affaires politiques. Né en 1845, il devint duc d'Argyll à la mort de son père et s'éteignit en 1914.

MARQUIS DE LANSDOWNE (1883-1888)

Personnage controversé, Henry Charles Keith Petty-Fitzmaurice, 3e marquis de Lansdowne, fut membre du cabinet Gladstone de 1868 à 1872. En 1880, il fut nommé Secrétaire des Indes, mais donna sa démission par suite d'un désaccord avec Gladstone au sujet du « Home Rule » d'Irlande.

Lansdowne assuma les fonctions de vice-roi à une époque mouvementée de l'histoire canadienne ; au printemps de 1885, les troupes de Riel se soulevèrent une seconde fois ; le différend avec les Etats-Unis au sujet des droits de pêche refit surface, mais Lansdowne réussit à intervenir en faveur du Canada auprès du Colonial Office. Dans son discours d'adieu en 1888, il souligna avec fierté « les progrès paisibles de l'industrie, de l'enseignement et des arts » accomplis pendant son mandat. Vice-roi des Indes de 1888 à 1893, il fut ensuite Secrétaire d'Etat aux Affaires étrangères de 1900 à 1905. Né en 1845, il était issu de la noblesse irlandaise ; il mourut en 1927 à Clonmore, en Irlande.

BARON STANLEY DE PRESTON (1888-1893)

Né en 1841, Sir Frederick Arthur Stanley était le plus jeune fils d'un premier ministre de Grande-Bretagne, le comte de Derby. Homme de tact et de jugement, il fut député et remplit plusieurs fonctions ministérielles, dont celle de Secrétaire d'Etat aux Colonies, avant son arrivée au Canada.

Pendant son mandat, le baron Stanley se distingua par l'appui qu'il accorda à la culture et aux sports ; c'est lui qui créa la coupe Stanley. Après avoir quitté le Canada, il occupa le poste de lord maire de Liverpool et fut le premier chancelier de l'université de cette ville. Il mourut en 1908.

COMTE D'ABERDEEN (1893-1898)

Dès leur arrivée au Canada, John Campbell Gordon, 7e comte d'Aberdeen, et son épouse se fixèrent comme objectif « d'adoucir et d'améliorer la vie de la population » et se consacrèrent à des activités sociales et philanthropiques. Lady Aberdeen fonda le YWCA d'Ottawa, la maternité d'Ottawa, le Conseil national des femmes et l'Ordre des infirmières de Victoria. Elle mit aussi sur pied l'aide aux victimes de la famine aux Indes, le Club des camelots et demanda la réforme des prisons. En 1896, Lord Aberdeen s'abstint de donner son approbation à des nominations qu'il jugeait « politiques » ; ce geste lui coûta l'amitié du Premier ministre, Sir Charles Tupper.

Né en 1847, Aberdeen fut lord lieutenant d'Irlande avant et après son mandat au Canada. Il reçut le titre de marquis d'Aberdeen et Temair en 1915. Il mourut en 1934.

COMTE DE MINTO (1898-1904)

Gilbert John Elliott, 4e comte de Minto et militaire de carrière, avait pris part aux guerres russo-turque (1877) et afghane (1879), ainsi qu'à la campagne d'Egypte de 1882. Pendant son mandat à Rideau Hall, il fut un fervent partisan de la participation canadienne à la guerre des Boers. Par ailleurs, il s'intéressa à l'aménagement d'un réseau de parcs nationaux. Il recommanda au gouvernement de sauvegarder la culture des Amérindiens et de réparer les injustices commises à leur endroit. En outre, il persuada le gouvernement de construire à Ottawa un édifice destiné à conserver les archives publiques. En 1905, il fut nommé vice-roi des Indes, poste qu'il occupa jusqu'en 1910. Il mourut en 1914.

COMTE GREY (1904-1911)

Albert Henry George Grey, 4e comte Grey, amorça un mouvement en faveur de la préservation des Plaines d'Abraham comme parc national et de la restauration de la forteresse de Louisbourg. Il légua aux Canadiens la coupe Grey. Il dirigea une campagne pour l'amélioration du traitement de la tuberculose. Il présida aux cérémonies d'inauguration de la Saskatchewan et de l'Alberta en 1905 et à la création du ministère des Affaires extérieures en 1909.

Né en 1851, il fut élu député aux Communes en 1880 et entra à la Chambre des lords en 1894. Bien que fervent impérialiste et ami d'enfance du roi Edouard VII, Lord Grey encouragea le nationalisme canadien. Il mourut en 1917.

DUC DE CONNAUGHT (1911-1916)

Le prince Arthur, duc de Connaught, fils de la reine Victoria et mari de la princesse Louise de Prusse, fut le premier gouverneur général de sang royal. Lors de la première guerre mondiale, le duc s'occupa activement des services auxiliaires et des fonds de secours pendant que son épouse œuvrait à la Croix-Rouge.

Avant son départ, le duc fit don d'un vitrail à l'église Saint-Barthélémy, à la mémoire des nombreux membres de son personnel de Rideau Hall, qui avaient péri à la guerre. Dernier survivant des enfants de la reine Victoria, il mourut en Angleterre en 1942.

DUC DE DEVONSHIRE (1916-1921)

Dernier gouverneur nommé sans consultation préalable avec le Premier ministre, Victor Christian William Cavendish, duc de Devonshire, arriva au Canada durant la première guerre mondiale, en pleine crise de la conscription. L'entrée en vigueur de la loi avait soulevé une amère controverse, mais Devonshire se garda d'intervenir dans les questions de politique interne. Sa dignité, sa sagesse et son esprit lui valurent la confiance du Premier ministre, Sir Robert Borden. Il s'intéressa particulièrement à l'agriculture et fut un grand amateur de hockey.

Il était né en 1868. Après s'être lancé dans les affaires, il étudia le droit à Londres. Elu député en 1891, il fut aussi lord de l'Amirauté. Il avait hérité de son titre en 1908. En 1921, à son retour en Angleterre, il fut nommé Secrétaire d'Etat aux Colonies. Il mourut en 1938.

BARON BYNG DE VIMY (1921-1926)

Julian Hedworth George Byng fut au centre de l'incident Byng-King de 1926. Afin de se soustraire au vote sur une motion de censure, le Premier ministre Mackenzie King demanda au gouverneur général de dissoudre le Parlement ; Byng refusa et confia au conservateur Meighen le soin de former un nouveau gouvernement. A la demande de Meighen, défait en Chambre, il accepta finalement de dissoudre le Parlement. King fit campagne sur l'ingérence de Byng dans les questions politiques et remporta la victoire aux élections. La plupart des historiens ont cependant donné raison à Byng dans cette affaire.

Militaire de carrière, Byng commanda le corps d'armée canadien à la crête de Vimy en 1917 ; il y gagna une solide réputation qui lui valut son titre de baron. A son retour en Angleterre, en 1926, il fut nommé vicomte, puis promu feld-maréchal. De 1928 à 1931, il fut commissaire de police du Grand Londres. Il mourut en 1935.

VICOMTE WILLINGDON DE RATTON (1926-1931)

Diplomate chevronné, le vicomte Willingdon était tout désigné pour le rôle de gouverneur général à cette époque où le Canada s'apprêtait à obtenir son autonomie par le statut de Westminster. Il vit s'ouvrir les premières missions diplomatiques à l'étranger.

Freeman Freeman-Thomas, né en 1866, fut gentilhomme de service du roi George V de 1911 à 1913. De 1913 à 1924, il fut gouverneur de Bombay, puis de Madras. Après son départ du Canada, Willingdon retourna aux Indes en tant que vice-roi. Il mourut en 1941.

COMTE DE BESSBOROUGH (1931-1935)

Arrivé au Canada au milieu de la crise des années 30, Sir Vere Brabazon Ponsonby, 9e comte de Bessborough, remboursa volontairement un dixième de son traitement. Malgré les restrictions économiques, les Bessborough favorisèrent les arts et relancèrent le festival dramatique du Dominion ; ils virent la création de la Commission canadienne de radiodiffusion, qui précéda Radio-Canada. En raison de sa timidité et de sa rigidité, alliées à un sens élevé du devoir, Bessborough ne réussit pas à gagner autant de popularité que son épouse Roberte de Neuflize, d'origine française. Il fut critiqué dans les journaux lorsqu'il réprimanda le maire de Toronto pour avoir manqué de courtoisie à son égard.

Né en 1880, il se lança dans les affaires à Londres. Il fut député de 1913 à 1920 et servit en France et à Gallipoli, en Turquie, pendant la première guerre mondiale. Il reçut le titre de comte en 1920. En 1935, Bessborough retourna au monde des affaires à Londres. Au cours de la seconde guerre mondiale, il organisa un service pour venir en aide aux Français réfugiés en Grande-Bretagne. Il mourut en 1956.

BARON TWEEDSMUIR D'ELSFIELD (1935-1940)

Lord et Lady Tweedsmuir s'intéressaient peu aux relations mondaines, mais se plaisaient en la compagnie d'intellectuels. Ils constituèrent une véritable bibliothèque à Rideau Hall et créèrent le Prix du gouverneur général pour la littérature. Né en 1875, John Buchan était le fils d'un pasteur ; éminent écrivain, il publia des ouvrages historiques, des biographies et des romans. Son célèbre roman, *The Thirty-nine Steps*, fut porté à l'écran par Alfred Hitchcock. Pendant la première guerre mondiale, il fut correspondant du *Times* en France. De 1927 à 1935, il représenta les universités écossaises à la Chambre des communes.

Il se dévoua à la cause de l'unité canadienne, défendit avec éloquence la diversité des races et des religions et déplora l'étroitesse des politiques provinciales qui ne tiennent pas compte de l'ensemble du pays. Fort du prestige attaché à son poste, il voyagea énormément d'un bout à l'autre du pays. En 1939, le roi George VI et la reine Elisabeth effectuèrent une tournée au Canada ; la même année, la guerre éclata en Europe. De santé fragile, Tweedsmuir fut fortement ébranlé par ces événements et succomba en février 1940 ; il fut le premier gouverneur général à mourir avant l'expiration de son mandat.

COMTE D'ATHLONE (1940-1946)

Le comte d'Athlone arriva au Canada au début de la seconde guerre mondiale alors qu'on réclamait dans divers milieux la nomination d'un gouverneur général canadien. La dignité d'Athlone et de son épouse, la princesse Alice, contribua cepen-

MONARQUES FRANÇAIS ET ANGLAIS DU CANADA

FRANÇAIS

François Ier	1515-1547
Henri II	1547-1559
François II	1559-1560
Charles IX	1560-1574
Henri III	1574-1589
Henri IV	1589-1610
Louis XIII	1610-1643
Louis XIV	1643-1715
Louis XV	1715-1774

ANGLAIS

Henri VII	1485-1509
Henri VIII	1509-1547
Edouard VI	1547-1553
Marie Ire	1553-1558
Elisabeth Ire	1558-1603
Jacques Ier	1603-1625
Charles Ier	1625-1649
Charles II	1660-1685
Jacques II	1685-1688
William III	1689-1702
Marie II	1689-1694
Anne	1702-1714
George Ier	1714-1727
George II	1727-1760
George III	1760-1820
George IV	1820-1830
William IV	1830-1837
Victoria	1837-1901
Edouard VII	1901-1910
George V	1910-1936
Edouard VIII	1936-1936
George VI	1936-1952
Elisabeth II	1952-

PREMIERS GOUVERNEURS

FRANÇAIS

Samuel de Champlain	1612-1629, 1633-1635
(pendant l'occupation britannique)	1629-1632
Charles Huault de Montmagny	1636-1648
Louis d'Ailleboust de Coulonge	1648-1651
Jean de Lauzon	1651-1656
Pierre de Voyer, vicomte d'Argenson	1658-1661
Pierre Dubois, baron d'Avaugour	1661-1663
Augustin Saffray, chevalier de Mézy	1663-1665
Daniel de Rémy de Courcelle	1665-1672
Louis de Buade, comte de Frontenac	1672-1682, 1689-1698
Joseph-Antoine Lefebvre de La Barre	1682-1685
Jacques-René de Brisay, marquis de Denonville	1685-1689
Louis-Hector, chevalier de Callières	1699-1703
Philippe de Rigaud, marquis de Vaudreuil	1703-1725
Charles, marquis de Beauharnois	1726-1747
Jacques-Pierre Taffanel, marquis de La Jonquière	1749-1752
Ange, marquis Duquesne de Menneville	1752-1755
Pierre de Rigaud, marquis de Vaudreuil-Cavagnal	1755-1760

ANGLAIS

James Murray	1764-1766
Sir Guy Carleton	1768-1770, 1774-1778
Frederick Haldimand	1778-1784
Sir Guy Carleton, Lord Dorchester	1786-1791
	1793-1796
Robert Prescott	1797-1799
Sir James Henry Craig	1807-1811
Sir George Prevost	1812-1815
Sir John Coape Sherbrooke	1816-1818
Duke of Richmond	1818-1819
Lord Dalhousie	1820-1828
Lord Aylmer	1831-1835
Lord Gosford	1835-1838
Lord Durham	1838-1838
Sir John Colborne	1838-1839
Charles Poulett Thomson (Lord Sydenham)	1839-1841
Sir Charles Bagot	1842-1843
Sir Charles Metcalfe	1843-1845
Lord Cathcart	1846-1847
Lord Elgin	1847-1854
Sir Edmund Head	1854-1861
Lord Monck	1861-1867

INTENDANTS DE NOUVELLE-FRANCE

Jean Talon	1665-1668, 1670-1672
Claude de Bouteroue	1668-1670
Jacques Duchesneau	1675-1682
Jacques de Meulles	1682-1686
Jean Bochart de Champigny	1686-1702
François de Beauharnois	1702-1705
Jacques Raudot	1705-1711
Antoine Denis Raudot	1705-1710
Michel Bégon	1710-1726
Claude Thomas Dupuy	1726-1728
Gilles Hocquart	1731-1748
François Bigot	1748-1760

GOUVERNEURS DE L'ACADIE

Par le traité d'Utrecht de 1713, la France cédait à l'Angleterre la partie continentale de l'Acadie qui allait devenir la Nouvelle-Ecosse. Un gouvernement civil y fut instauré et sept gouverneurs s'y succédèrent jusqu'en 1786, où la Nouvelle-Ecosse fut placée sous la juridiction du gouverneur de Québec.

Edward Cornwallis	1749-1752
Peregrine Thomas Hopson	1752-1753
Charles Lawrence	1756-1760
Montague Wilmot	1764-1766
William Campbell	1766-1773
Francis Legge	1773-1776
John Parr	1782-1786

dant à assurer la stabilité pendant ces années difficiles. Ils s'intéressèrent de près à l'effort de guerre du Canada : ils visitèrent les bases et les collèges militaires, de même que les hôpitaux et les usines d'armement.

Né en 1874, le prince Alexander de Teck embrassa la carrière militaire ; engagé dans l'armée britannique en 1894, il participa à la guerre des Boers et à la première guerre mondiale. En 1917, il renonça à son titre allemand et devint comte d'Athlone. Il fut promu major général en 1923, alors qu'il était gouverneur général d'Afrique du Sud. Il s'éteignit à Londres en 1957.

VICOMTE ALEXANDER DE TUNIS (1945-1952)

Dernier gouverneur général envoyé d'Angleterre, Sir Harold Alexander était considéré comme l'un des plus grands dirigeants militaires de l'histoire de son pays. Officier en 1910, il commanda un bataillon pendant la première guerre mondiale au cours de laquelle il fut blessé. Lorsque la seconde guerre mondiale éclata, il prit le commandement de la 1re division en France ; c'est lui qui dirigea l'évacuation de Dunkerque et qui fut le dernier à s'embarquer. Il fut commandant en chef au Moyen-Orient en 1942 et dirigea la campagne d'Italie en 1943. En 1944, après la prise de Rome, il fut promu feld-maréchal. Puis il assuma les fonctions de commandant en chef des forces alliées en Méditerranée. Il reçut alors le titre de vicomte.

Lord et Lady Alexander effectuèrent de longues tournées dans tout le Canada, pendant leur séjour. A son retour en Angleterre, Alexander fut nommé ministre de la Défense dans le cabinet Churchill. Il mourut en 1970.

VINCENT MASSEY (1952-1959)

Vincent Massey, premier Canadien nommé au poste de gouverneur général, était l'une des plus éminentes figures du pays. C'est lui qui ouvrit la légation canadienne à Washington, devenant le premier diplomate à représenter le Canada à l'étranger. De 1936 à 1947, il séjourna à Londres en tant que haut-commissaire. De 1949 à 1951, il présida la Commission royale d'enquête sur les arts, les lettres et les sciences au Canada, d'où devait naître le Conseil des arts du Canada.

Né à Toronto le 20 février 1887, Massey fit ses études à l'université de Toronto et à Oxford. Il enseigna l'histoire à l'université de Toronto en 1913, puis il entra dans la fonction publique. Son autobiographie, *What's Past Is Prologue*, fut publiée en 1963. Il mourut le 30 décembre 1967, à son domicile, près de Port Hope, en Ontario.

GÉNÉRAL GEORGES-PHILIAS VANIER (1959-1967)

Ce brillant militaire remplit son rôle de gouverneur général avec une remarquable énergie. Il voyagea énormément, s'intéressa à divers aspects de la vie du pays et convoqua, en 1964, une conférence nationale à la suite de laquelle fut créé l'Institut Vanier pour la famille.

Né à Montréal le 23 avril 1888, Georges Vanier était diplômé en droit de l'université Laval. La première guerre mondiale, au cours de laquelle il perdit la jambe droite, changea sa destinée. De 1925 à 1928, il commanda le célèbre 22e régiment royal. Il représenta ensuite le Canada à la Commission consultative permanente de la Société des Nations sur les questions militaires, navales et aériennes. De 1931 à 1938, il fut secrétaire du haut-commissariat du Canada à Londres. Nommé ministre du Canada à Paris en 1939, il revint au pays l'année suivante lorsque la France capitula. Il prit alors le commandement du district militaire de Québec. En 1943, il retourna en Europe comme ministre du Canada auprès des gouvernements alliés en exil à Londres et fut nommé représentant de son pays au Comité français de libération nationale. De 1944 à 1953, il occupa le poste d'ambassadeur en France. Il fut l'un des gouverneurs généraux les plus admirés des Canadiens. Il mourut à Rideau Hall le 5 mars 1967.

ROLAND MICHENER (1967-1974)

Dès son entrée en fonctions, Roland Michener créa l'Ordre du Canada dont il devint le premier chancelier ; cette décoration canadienne récompense les réalisations ou le mérite exemplaire des citoyens.

Né à Lacombe, en Alberta, le 19 avril 1900, Michener fit ses études à l'université de l'Alberta. En 1918, il fit son service militaire dans la Royal Air Force. Boursier Rhodes, il partit pour Oxford en 1920. En 1924, il commença à pratiquer le droit à Toronto. Elu à l'assemblée législative de l'Ontario en 1945, il en fut secrétaire jusqu'en 1948. Il fut l'Orateur de la Chambre des communes de 1957 à 1962. En 1964, il fut nommé haut-commissaire du Canada aux Indes.

Michener fut le premier gouverneur général à se rendre à l'étranger en visite officielle ; sa vaste expérience d'avocat, d'homme politique et de diplomate lui permit de bien s'acquitter de cette tâche. Il s'intéressait particulièrement au sport et aux mouvements de jeunesse. Il quitta son poste en 1974 et retourna s'établir à Toronto.

JULES LÉGER (1974-1979)

A peine quelques mois après son accession au poste de gouverneur général, Jules Léger fut victime d'une crise d'apoplexie qui affecta son élocution et le laissa paralysé du bras droit. Il offrit sa démission au gouvernement qui le pria de rester en fonctions. Après sa convalescence, il sillonna le pays afin de rencontrer les gens dans leur milieu de tous les jours et de remettre personnellement les certificats de citoyenneté aux nouveaux Canadiens. Il était très préoccupé par le maintien de l'unité nationale.

Né à Saint-Anicet, au Québec, le 4 avril 1913, Léger étudia le droit à l'université de Montréal et à la Sorbonne où il obtint un doctorat. Il fut rédacteur associé au quotidien *Le Droit* d'Ottawa pendant un an avant d'entrer au ministère des Affaires extérieures. De 1943 à 1947, il occupa un poste à la légation du Canada au Chili ; en 1948, il se trouvait à l'Assemblée générale des Nations unies à titre de conseiller auprès de la délégation canadienne. En 1950, il devint sous-secrétaire d'Etat adjoint aux Affaires extérieures. Trois ans plus tard, il fut nommé ambassadeur au Mexique. En 1954, il fut promu au poste de sous-secrétaire d'Etat aux Affaires extérieures, poste qu'il occupa pendant quatre ans. Il fut ensuite ambassadeur en Italie, en France, en Belgique et au Luxembourg. Jules Léger, dont le courage face à la maladie avait suscité l'admiration de tous, se démit de ses fonctions en 1979. Il s'éteignit en 1980.

EDWARD SCHREYER (1979-)

Vingt-deuxième gouverneur général du Canada, Edward Richard Schreyer a vu le jour à Beauséjour, au Manitoba, le 21 décembre 1935. Il songea un moment à une carrière dans le baseball professionnel qu'il abandonna cependant pour entreprendre des études supérieures à l'université du Manitoba. Il obtint une maîtrise en sciences politiques et économiques et fut professeur au collège Saint-Paul de Winnipeg. En 1960, il se mariait avec Lily Schulz.

Elu député la première fois en 1958, il devenait le plus jeune membre de l'assemblée législative du Manitoba. Sept ans plus tard, il remporta le siège de la circonscription de Springfield aux élections fédérales. Mais il retourna vite au Manitoba où il prit la direction du Nouveau Parti démocratique pour devenir ensuite Premier ministre de cette province de 1969 à 1977. Son gouvernement amenda la loi de l'Instruction publique afin d'offrir l'enseignement dans les deux langues officielles et il se fit lui-même le champion de la politique fédérale de bilinguisme.

A Rideau Hall depuis janvier 1979, Ed Schreyer est le premier gouverneur général originaire de l'ouest du pays. Une atmosphère simple et chaleureuse caractérise le mandat de Schreyer et la présence de ses quatre jeunes enfants anime la résidence officielle.

LES PREMIERS MINISTRES DU CANADA

SIR JOHN A. MACDONALD

Né à Glasgow, en Ecosse, le 11 janvier 1815, John Alexander Macdonald arriva au Canada à l'âge de cinq ans. Fils d'un courtier en coton, il entra dès l'âge de 15 ans comme clerc chez un jeune avocat de Kingston et fut admis au barreau en 1836. Il se fit connaître comme avocat de la défense dans des causes impopulaires ; son charme et sa finesse lui valurent également une réputation de dandy. En 1843, il épousa sa cousine, Isabella Clark. L'année suivante, il fut élu député conservateur de Kingston au Parlement : il occupa son siège presque sans interruption jusqu'à sa mort, en 1891. Il fut receveur général en 1847 dans le gouvernement Draper ; puis, quelques années plus tard, procureur général du Haut-Canada. Il joua un grand rôle dans la coalition de 1864 dont devait naître la Confédération. Principal artisan de l'union, il devint le premier chef du gouvernement du Canada.

Fervent défenseur de la Couronne, Macdonald s'opposa au libre-échange avec les Etats-Unis et instaura un régime protectionniste connu sous le nom de « politique nationale ». Il fut également l'instigateur de la construction d'un chemin de fer transcontinental. Il eut à faire face à la rébellion de la Rivière-Rouge et aux raids des féniens (1870-1871).

Macdonald perdit le pouvoir en 1873 à la suite du scandale du Pacifique ; cinq ans plus tard, il redevint Premier ministre et le demeura jusqu'à sa mort. Opportuniste adroit, il avait l'art de diriger les hommes et faisait passer la raison politique avant les détails d'ordre moral. Il mourut Premier ministre le 6 juin 1891.

ALEXANDER MACKENZIE

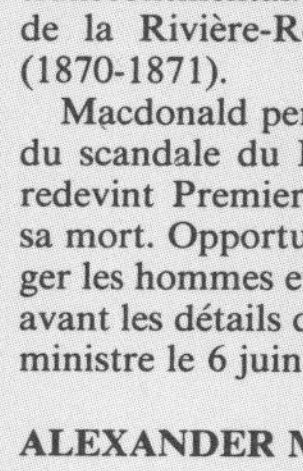

Né près de Dunkeld, en Ecosse, le 28 janvier 1822, Alexander Mackenzie arriva au Canada à l'âge de 20 ans. Il épousa Helen Neil en 1845. Entrepreneur en travaux publics de son métier, il fut, de 1852 à 1854, rédacteur en chef du *Lambton Shield*, journal réformiste qui cessa de paraître après qu'un ministre conservateur eut intenté contre lui une poursuite en libelle diffamatoire. Entré en politique pour aider son frère, Mackenzie fut lui-même élu député en 1861. Bon organisateur et ardent orateur, il obtint un siège aux Communes en 1867. Un peu malgré lui, il prit la tête du Parti libéral en 1872 et devint Premier ministre un an plus tard après la défaite de Macdonald.

En 1874, il présenta un projet de loi qui aboutit à la fondation de la Police montée du Nord-Ouest. S'étant réservé le portefeuille des Travaux publics, Mackenzie se consacra personnellement à la construction du Canadien Pacifique.

Prudent, rigoureux et intègre, il n'avait ni l'imagination ni la largeur de vues de Macdonald. Défait aux élections de 1878, il garda la tête du Parti libéral pendant trois ans, en dépit des protestations de ses membres. Il quitta finalement son poste, mais demeura député jusqu'à sa mort, à Toronto, le 17 avril 1892.

SIR JOHN J. C. ABBOTT

Fils d'un missionnaire anglais, John Abbott naquit le 12 mars 1821, à St. Andrews, dans le Bas-Canada (future province de Québec). A 22 ans, il commença ses études de droit à l'université McGill dont il allait devenir recteur en 1855. Candidat conservateur dans Argenteuil, il siégea au Parlement pendant 14 ans. Nommé solliciteur général en 1862, il n'occupa son poste que peu de temps. En 1887, il devint sénateur et fut élu à la mairie de Montréal.

Mêlé de près à la construction du chemin de fer transcontinental, il joua un rôle important dans le scandale du Pacifique. A la mort de Macdonald, en 1891, il dut prendre la charge de Premier ministre, mais il démissionna l'année suivante pour des raisons de santé. Premier canadien d'origine à devenir Premier ministre, il mourut à Montréal le 30 octobre 1893.

SIR JOHN S. D. THOMPSON

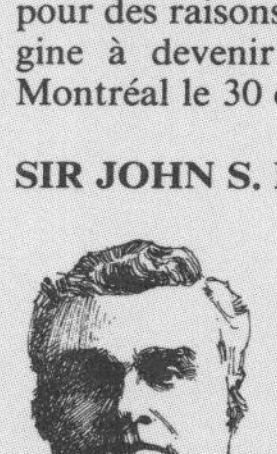

John David Sparrow Thompson naquit à Halifax, en Nouvelle-Ecosse, le 10 novembre 1844. A l'âge de 15 ans, il quitta l'école pour s'engager comme clerc dans un bureau d'avocat ; il fut admis au barreau en 1865. Au début de sa carrière, il fut reporter à l'assemblée législative de Nouvelle-Ecosse. Il se maria en 1870 avec Annie Affleck, qui lui donna cinq enfants. Avant son élection comme député conservateur d'Antigonish à l'Assemblée législative en 1877, il avait été président de la Commission des écoles d'Halifax. Il devint procureur général en 1878 et Premier ministre de Nouvelle-Ecosse en 1882. Mais son gouvernement fut défait aux élections tenues la même année ; Thompson remit finalement sa démission pour devenir juge de la cour suprême de la province. En 1885, il accepta le ministère de la Justice dans le cabinet fédéral à la demande de Macdonald ; il joua un rôle important dans la négociation du traité sur les droits de pêche à Washington, en 1887.

Après la démission d'Abbott, Thompson le remplaça à la tête du gouvernement et soumit de nombreux projets de lois au Parlement. Sa grande habileté politique et sa noblesse de caractère lui valurent le respect tant de ses collègues que de ses concitoyens. Il mourut subitement en décembre 1894 au château de Windsor : alors qu'il venait tout juste d'être assermenté comme membre du Conseil privé, il eut une attaque et s'effondra. Homme lucide, spirituel et loyal, John Thompson fut regretté de tous.

SIR MACKENZIE BOWELL

Né à Suffolk, en Angleterre, le 27 décembre 1823, Mackenzie Bowell vint au Canada avec ses parents en 1833. Peu après son arrivée, il s'engagea au journal *Belleville Intelligencer* comme apprenti imprimeur, emploi qu'il occupa jusqu'à l'âge de 18 ans. Après six mois d'études dans une école du Haut-Canada, il revint au journal à titre de contremaître. En 1847, il épousa Harriet Louise Moore et se porta acquéreur de l'*Intelligencer.* Il fonda le corps de fusiliers de Belleville et entra dans la loge d'Orange, organisation hostile aux Canadiens français et aux catholiques, dont il devint le grand maître.

Candidat conservateur dans Belleville en 1863, il fut défait ; quatre ans plus tard, il gagna le siège de Hastings North aux Communes et l'occupa jusqu'en 1892. Il entra dans le Cabinet en 1878 comme ministre des Douanes ; c'est lui qui mit en œuvre la « politique nationale ». Il prit ensuite le portefeuille de la Milice dans le cabinet Abbott avant de devenir le premier ministre du Commerce dans le cabinet Thompson. En 1892, il fut nommé sénateur ; il devint Premier ministre après la mort subite de Thompson. Son cabinet le força à démissionner sur l'épineuse question des écoles du Manitoba, mais il conserva son siège au Sénat jusqu'en 1896.

Reconnu pour son goût de la discussion et ses talents de critique, Mackenzie Bowell ne se fit jamais une très bonne réputation d'administrateur. Il mourut chez lui, à Belleville, en Ontario, le 10 décembre 1917.

LES PÈRES DE LA CONFÉDÉRATION

Les conférences de Charlottetown, Québec et Londres réunirent 36 délégués des colonies de l'Amérique du Nord britannique ; leur projet de constitution de la Confédération canadienne reçut la sanction royale le 29 mars 1867 et le nouveau régime fut inauguré le 1er juillet 1867.

Canada
Etienne Paschal Taché
John A. Macdonald
Georges-Etienne Cartier
William McDougall
William P. Howland
George Brown
Alexander Tilloch Galt
Alexander Campbell
Oliver Mowat
Hector L. Langevin
James Cockburn
Thomas d'Arcy McGee
Jean-Charles Chapais

Nouvelle-Ecosse
Charles Tupper
William A. Henry
Robert B. Dickey
Jonathan McCully
Adams G. Archibald
John W. Ritchie

Nouveau-Brunswick
Samuel Leonard Tilley
John M. Johnson
Edward B. Wilmot
Peter Mitchell
Charles Fisher
Edward B. Chandler
William H. Steeves
John Hamilton Gray

Terre-Neuve
Fréderick B. T. Carter
Ambrose Shea

Ile-du-Prince-Edouard
John Hamilton Gray
Edward Palmer
William H. Pope
George Coles
Thomas Heath Haviland
Edward Whelan
Andrew A. Macdonald

SIR CHARLES TUPPER

Fils d'un pasteur baptiste, Charles Tupper naquit à Amherst, en Nouvelle-Ecosse, le 2 juillet 1821. Il étudia la médecine à l'université d'Edimbourg et obtint son diplôme à 22 ans ; il revint alors exercer sa profession dans sa province natale. Il se maria en 1846 avec Frances Amelia Morse. En 1855, il fut élu député conservateur de Cumberland à l'assemblée législative de sa province. Deux ans plus tard, il était secrétaire provincial. Il devint Premier ministre de la Nouvelle-Ecosse en 1864 ; il prépara la Conférence de Charlottetown.

En 1867, défait aux élections provinciales, Tupper aurait pu réclamer un ministère dans le nouveau gouvernement fédéral ; il se contenta de siéger aux Communes comme simple député. Entré au Cabinet en 1870, il devint président du Conseil privé. En 1872 et 1873, il occupa successivement les postes de ministre du Revenu et des Douanes. En 1878, il fut nommé ministre des Travaux publics et surveilla la construction du Canadien Pacifique. En 1887, il assuma le ministère des Finances ; sa participation à la négociation du traité de pêche entre le Canada et les Etats-Unis lui valut le titre de baronnet en 1888. Il occupa la fonction de haut-commissaire du Canada à Londres de 1883 à 1896, date à laquelle il fut nommé secrétaire d'Etat.

Tupper ne fut Premier ministre que trois mois, en 1896. Il demeura toutefois à la tête du parti conservateur jusqu'à la nouvelle défaite de ce parti en 1900. Il mourut à Bexley Heath, en Angleterre, le 30 octobre 1915.

SIR WILFRID LAURIER

Né à Saint-Lin, au Québec, le 20 novembre 1841, Sir Wilfrid Laurier était le fils d'un arpenteur. Il étudia le droit à l'université McGill jusqu'en 1864. Pendant deux ans, il pratiqua le droit à Montréal, mais sa santé fragile l'obligea à s'installer à Arthabaska où il dirigea *Le Défricheur* jusqu'à sa fermeture, en 1867. L'année suivante, il épousait Zoë Lafon-

taine. Il entra à l'assemblée législative du Québec en 1871, mais donna sa démission trois ans plus tard afin de siéger aux Communes comme député de Drummond-Arthabaska. Nommé ministre du Revenu en 1877, il prononça la même année un discours dans lequel il donna une définition désormais classique du libéralisme canadien. Il prit la tête du Parti libéral en 1887.

Laurier sut gagner la faveur du public par son charme et ses remarquables dons d'orateur. Elu Premier ministre en 1896, il forma un Cabinet brillant. Le pays entra dans une ère de prospérité économique et connut un accroissement démographique rapide, grâce à une énergique politique d'immigration. On doit aussi à Laurier l'autonomie du pays : les troupes britanniques quittèrent le sol canadien, le commandement de la milice fut pris en charge par le Canada et le pays se dota d'une marine de guerre ; le Canada acquit également le droit de négocier lui-même ses traités de commerce. Enfin, en 1909, le gouvernement créa le ministère des Affaires extérieures.

Laurier fut réélu à trois reprises (en 1900, 1904 et 1908), mais il perdit le pouvoir sur la question du traité de réciprocité avec les Etats-Unis, en 1911. Chef de l'Opposition, il favorisa la participation du Canada à la guerre de 1914, mais refusa de faire partie d'un cabinet de coalition avec Borden pour voter la conscription. Il siégea aux Communes jusqu'à sa mort, le 17 février 1919.

SIR ROBERT BORDEN

Robert Laird Borden naquit à Grand-Pré, en Nouvelle-Ecosse, le 26 juin 1854. Il commença à enseigner les classiques et les mathématiques à son école à l'âge de 14 ans. En 1874, il entreprit des études de droit à Halifax et fut admis au barreau quatre ans plus tard. Il épousa Laura Bond en 1879.

Borden vint à la vie politique par devoir ; élu député d'Halifax aux Communes en 1896, il prit la direction du Parti conservateur en 1901 et devint Premier ministre en 1911. Au pouvoir pendant le premier conflit mondial, il encouragea la participation canadienne à l'effort de guerre.

En 1917, il forma un cabinet de coalition dont Laurier se dissocia ; il fit voter le service militaire obligatoire et remporta la victoire aux élections générales. Borden se rendit à la conférence de Paix qui suivit la Grande Guerre et obtint que le Canada y soit représenté comme un état distinct.

Des ennuis de santé forcèrent Borden à se retirer en 1920. Il occupa le poste de recteur honoraire de l'université McGill de 1918 à 1920 et de l'université Queen's de Kingston, en Ontario, de 1924 à 1930. Il mourut à Ottawa, le 10 juin 1937.

ARTHUR MEIGHEN

Né près d'Anderson, en Ontario, le 16 juin 1874, Arthur Meighen étudia les mathématiques à l'université de Toronto et obtint son diplôme avec grande distinction en 1896. Il fut instituteur pendant un an, mais quitta l'enseignement par suite d'un désaccord avec l'administration. Après une expérience malheureuse dans les affaires, il partit pour le Manitoba où il enseigna de nouveau pendant quelque temps. En 1903, il embrassa la profession d'avocat et s'y fit une situation enviable. Un an plus tard, il épousa Isabel Cox.

Il entra aux Communes en 1908 en tant que député conservateur de Portage-la-Prairie et fut nommé solliciteur général en 1913 ; il devint membre du Conseil privé et fut promu secrétaire d'Etat, puis ministre de l'Intérieur en 1917. En 1920, Borden demanda à Meighen de le remplacer à la tête du gouvernement, malgré l'opposition du cabinet. A peine 18 mois plus tard, les conservateurs furent défaits et Meighen devint chef de l'Opposition. Il reprit le pouvoir durant quelques mois, en 1926, lorsque le gouverneur général, Lord Byng, lui demanda de former un gouvernement. Meighen ne put obtenir la majorité parlementaire et demanda de nouvelles élections qui lui coûtèrent son siège trois mois plus tard.

Meighen revint aux affaires en 1926. Après un bref retour à la politique active, il perdit une élection partielle en 1942. Il s'établit alors à Toronto où il mourut le 5 août 1960.

LE CANADA EN GUERRE

La première armée canadienne, une force modeste composée de volontaires, fut constituée 10 ans avant l'avènement de la Confédération. Jusqu'à ce moment-là, la défense de l'Amérique du Nord britannique dépendait des garnisons britanniques, dont les effectifs se comparaient alors à ceux de l'armée régulière des Etats-Unis. En 1870, la Grande-Bretagne ne laissait au Canada que les bases navales et les garnisons d'Halifax et d'Esquimalt et ce, jusqu'à la création de la Marine royale canadienne, en 1910. En 1871, deux batteries d'artillerie canadiennes étaient formées, suivies, en 1883, d'unités de cavalerie et d'infanterie.

De 1899 à 1902, 7 300 Canadiens combattirent dans la guerre des Boers. Il y eut 476 victimes parmi eux, dont 224 morts.

Le 4 août 1914, le Canada entrait en guerre aux côtés de la Grande-Bretagne ; le 3 octobre, un contingent canadien de 30 808 hommes s'embarquait pour l'Angleterre. En août 1916, quatre divisions canadiennes combattaient en Europe ; en 1917, l'armée canadienne connaissait sa première grande victoire, à la crête de Vimy. En juin de la même année, le corps canadien fut placé pour la première fois sous commandement canadien, celui du lieutenant général Sir Arthur Currie. Lorsque survint l'armistice, en novembre 1918, les Canadiens étaient à Mons, en Belgique.

De toutes les guerres, c'est la première guerre mondiale qui fit le plus de victimes parmi les Canadiens : 59 544 morts et 172 950 blessés dans l'armée de terre ; 225 morts dans la marine, encore peu importante ; et 1 600 morts parmi les Canadiens qui combattaient dans l'armée de l'air britannique.

Lors du second conflit mondial, le Canada entra en guerre le 10 septembre 1939. La marine commença immédiatement à effectuer des convoiements ; la 1re division arriva en Europe avant la fin de 1939 ; et, en 1940, des unités de l'aviation étaient postées en Grande-Bretagne. La population s'engagea dans un prodigieux effort de guerre, qui permit de produire 16 000 avions, 1 000 vaisseaux, 8 000 petits navires, 50 000 chars blindés et chars mitrailleurs légers, et 800 000 camions militaires.

La Marine royale canadienne passa de 1 585 hommes au début des hostilités à 106 522 hommes et femmes pendant la guerre ; à la fin des combats, sa flotte comptait 404 bateaux de guerre et 566 navires auxiliaires. Son rôle principal était de protéger les convois alliés dans l'Atlantique Nord.

Les troupes canadiennes participèrent aux vaines tentatives entreprises pour défendre Hong Kong contre les Japonais en décembre 1941 ; en août 1942, elles étaient au premier rang du célèbre débarquement allié à Dieppe, sur la côte de Normandie. L'année suivante, la 1re division prit part à l'invasion de la Sicile et remonta l'Italie. En juin 1944, la 3e division prenait d'assaut la côte normande et, peu après, la 1re armée canadienne, commandée par Crerar, entrait en opération sur le front de l'Ouest. Lors de l'offensive alliée de 1944-1945, les soldats canadiens jouèrent un grand rôle dans la libération des Pays-Bays.

Au cours de la seconde guerre mondiale, l'aviation canadienne devint la quatrième en importance chez les Alliés. Nos aviateurs participèrent à la bataille d'Angleterre, patrouillèrent l'Atlantique Nord et firent des missions de bombardement sur l'Allemagne entre 1942 et 1945. La principale formation canadienne en Europe était le groupe n° 6.

Les forces canadiennes combattirent également pendant la guerre de Corée, de 1950 à 1953. Une flottille de destroyers, dépêchée dans les eaux coréennes en juillet 1950, demeura en poste jusqu'à la fin de la guerre. Une escadrille de transport participa au pont aérien de ravitaillement établi au-dessus du Pacifique, et des pilotes de combat prirent part aux missions des Nations unies. Une brigade d'infanterie canadienne fut également placée sous le commandement des Nations unies.

WILLIAM LYON MACKENZIE KING

Petit-fils du chef de la rébellion de 1837, William Lyon Mackenzie King naquit à Kitchener, en Ontario, le 17 décembre 1874. Diplômé de l'université de Toronto, il étudia les sciences sociales à Harvard. En 1900, il entra comme sous-ministre au ministère du Travail, créé par Laurier. Huit ans plus tard, il fut élu député de Waterloo aux Communes. En 1909, il reçut le portefeuille du ministère du Travail qu'il dirigea jusqu'en 1911. Il succéda à Laurier à la tête du Parti libéral en 1919 et devint chef d'un gouvernement minoritaire deux ans plus tard. En 1925, les libéraux remportèrent une victoire incertaine ; ils perdirent le pouvoir au bout de trois mois, mais le reprirent aux élections de 1926. King fut défait aux élections de 1930 pour avoir sous-estimé la gravité de la crise économique. Il prit sa revanche en 1935 et demeura Premier ministre jusqu'en 1948 : il avait passé 22 ans de sa vie à la tête du gouvernement. Pendant ce long règne, il encouragea l'effort de guerre du Canada et évita la rupture entre Canadiens français et Canadiens anglais au sujet de la conscription.

En 1948, il céda la direction du Parti libéral à Louis Saint-Laurent. Célibataire, King croyait au surnaturel et fréquentait les médiums. Il s'éteignit à Kingsmere, au Québec, en juillet 1950.

RICHARD BEDFORD BENNETT

Richard Bennett naquit le 3 juillet 1870 à Hopewell, au Nouveau-Brunswick. Fils d'un constructeur naval, il fut instituteur, puis principal d'école, avant l'âge de 20 ans. Il étudia ensuite le droit à l'université de Dalhousie, à Halifax. Il commença à pratiquer sa profession à Chatham, au Nouveau-Brunswick, et fut élu conseiller municipal de cette ville en 1896. En 1897, il s'établissait à Calgary. En 1898, il fut élu à l'assemblée législative des Territoires du Nord-Ouest, puis remporta un siège à celle de l'Alberta en 1909. Il donna sa démission en 1911 pour siéger aux Communes comme député conservateur de Calgary-Est. Il exerça durant quelques mois les fonctions de ministre de la Justice et de procureur général en 1921, puis de ministre des Finances en 1926. Choisi comme chef des conservateurs l'année suivante, il remporta une victoire écrasante en 1930.

A partir de 1934, Bennett présenta des projets de lois sur le salaire minimum, les heures de travail, les pensions, la réglementation des prix, l'assurance-chômage et l'assurance-maladie. Il créa la Commission canadienne du blé, la Banque du Canada, ainsi que les sociétés qui précédèrent Radio-Canada et Air Canada.

Bennett fut défait en 1935, mais continua à diriger l'Opposition jusqu'en 1938, année où il se retira en Angleterre ; il y reçut le titre de vicomte et c'est là qu'il mourut, le 26 juin 1947.

LOUIS SAINT-LAURENT

Louis Saint-Laurent naquit à Compton, au Québec, le 1er février 1882. Il entreprit d'abord des études en vue de la prêtrise au séminaire Saint-Charles-Borromée, puis étudia le droit à l'université Laval. Il refusa une bourse Rhodes, préférant s'engager dès 1905 dans la carrière d'avocat. Il épousa Jeanne Renault la même année. Il fut nommé bâtonnier général du Québec en 1929 et président de l'Association du barreau canadien en 1930.

En 1941, King le fit entrer dans son cabinet comme ministre de la Justice et procureur général. Jusqu'à la fin de la guerre, il remplit les fonctions de vice-premier ministre. Il présida la délégation canadienne à la conférence de fondation des Nations unies. Après la guerre, il devint secrétaire d'Etat aux Affaires extérieures et fut l'un des premiers défenseurs du Pacte de l'Atlantique.

Choisi comme successeur de King en 1948, il fut élu Premier ministre peu de temps après. Le mandat de Saint-Laurent vit l'entrée de Terre-Neuve dans la Confédération en 1949, la construction de la voie maritime du Saint-Laurent et de la Transcanadienne, la création du Conseil des arts du Canada. Il contribua à rendre la Cour suprême la cour de plus haute instance et à faire reconnaître le Canada comme une puissance internationale. Défait en 1957, il quitta la vie politique. Il mourut à Québec, le 25 juillet 1973.

JOHN GEORGE DIEFENBAKER

Né à Grey County, en Ontario, le 18 septembre 1895, John Diefenbaker quitta sa province natale pour la Saskatchewan à l'âge de huit ans. Il fit ses études à l'université de Saskatchewan où il se distingua par ses talents d'orateur. En 1916, il fut mobilisé et partit pour la guerre. Il devint ensuite avocat et se bâtit une brillante réputation de criminaliste. Il tenta vainement de se faire élire aux Communes en 1925 et en 1926. En 1929, il épousa Edna Bower qui mourut en 1951 ; il se remaria avec Olive Palmer. Il finit par obtenir un siège de député aux Communes en 1940. Il fut choisi comme chef des conservateurs 16 ans plus tard, et devint Premier ministre du Canada en 1957.

C'est Diefenbaker qui déposa la charte des droits devant le Parlement en 1960 et mit sur pied des organismes fédéraux destinés à venir en aide aux provinces de l'Ouest et de l'Atlantique. Il s'appliqua aussi à faire expulser l'Afrique du Sud du Commonwealth. Il amorça les ventes de céréales à la Chine et continua à entretenir des relations commerciales et diplomatiques avec Cuba après la crise des missiles de 1961.

Il réussit à réaliser l'unité politique dans l'Ouest, mais ne sut gagner l'appui des Québécois, ni établir une politique de défense claire : il perdit le pouvoir en 1963.

Diefenbaker resta chef de l'Opposition jusqu'en 1967 où il perdit la direction de son parti. Mais il continua de siéger aux Communes jusqu'à sa mort, en août 1979.

LESTER BOWLES PEARSON

Fils d'un pasteur méthodiste, Pearson vit le jour à Toronto, le 23 avril 1897. Il commença des études à l'université de Toronto, mais fut mobilisé en 1915. Il obtint son diplôme d'histoire en 1919, puis fréquenta l'université d'Oxford où il s'illustra en tant qu'athlète. Il rentra au pays en 1923 et devint professeur d'histoire à l'université de Toronto. Il épousa Maryon Elspeth Moody en 1925.

A l'âge de 32 ans, il entra dans la diplomatie canadienne. Il fut nommé premier secrétaire au haut-commissariat de Londres en 1935 ; sa deuxième affectation le conduisit à l'ambassade canadienne à Washington, en 1941, et il devint ambassadeur aux Etats-Unis quatre ans plus tard. Il joua un rôle important dans la création des Nations unies. En 1946, il revint au Canada à titre de sous-secrétaire aux Affaires extérieures ; il prit la direction de ce ministère deux ans plus tard. En 1952, il présida l'Assemblée générale des Nations unies et le Conseil de l'O.T.A.N. Il reçut le prix Nobel de la Paix en 1957.

Chef du Parti libéral à partir de 1958, Pearson fit élire un gouvernement minoritaire en 1963 et en 1965. Son gouvernement instaura le régime d'assurance-maladie et de pensions de vieillesse ; il fit aussi adopter le drapeau national en 1964. Pearson se retira de la scène politique en 1968 et mourut à Ottawa, le 27 décembre 1972.

PIERRE ELLIOTT TRUDEAU

Issu d'une riche famille de Montréal, Pierre Elliott Trudeau est né le 18 octobre 1919. Il fit ses études classiques au collège Jean-de-Brébeuf et son droit à l'université de Montréal. Après son admission au barreau, il étudia l'économie politique à Harvard, à Paris et à Londres. En 1965, il fut élu député libéral de Mont-Royal aux Communes ; deux ans plus tard, il devenait ministre de la Justice et procureur général. Il succéda à Lester Pearson à la tête du Parti libéral en 1968 et remporta la victoire aux élections la même année.

En 1970, la crise d'Octobre éclata au Québec ; Trudeau décida d'appliquer la Loi sur les mesures de guerre pour maintenir l'ordre. Les élections de 1972 amenèrent au pouvoir un gouvernement libéral minoritaire et firent ressortir des dissensions économiques et culturelles entre les régions. En 1974, il obtint de nouveau une forte majorité. Les libéraux, défaits en 1979, reprirent le pouvoir au début de 1980. En mai 1980, Trudeau mena les forces fédéralistes à la victoire lors du référendum québécois sur la souveraineté-association.

Le pays doit au gouvernement Trudeau la Loi sur les langues officielles, la reconnaissance de la Chine populaire, la réglementation des prix et des salaires et l'extension de la zone de pêche à 200 milles marins au large des côtes.

JOE CLARK

Charles Joseph Clark naquit à High River, en Alberta, le 5 juin 1939. Il fit ses études à l'université de l'Alberta et à l'université de Dalhousie ; il fut président national de la Fédération des étudiants progressistes-conservateurs, de 1963 à 1965. En 1967, Clark agit comme conseiller auprès de Davie Fulton et fut adjoint de Robert Stanfield au cours des trois années suivantes. Elu aux Communes pour la première fois en 1972, il remplaça Stanfield à la tête du Parti conservateur en 1976.

Clark fut Premier ministre du Canada durant six mois, à l'issue de la victoire conservatrice de juin 1979. Le vote du premier budget provoqua la chute de son gouvernement minoritaire qui fut battu aux élections de février 1980. Il devint alors chef de l'Opposition.

RÉPARTITION RÉGIONALE DES PARTIS POLITIQUES (1949-1980)

Région	1949	1953	1957	1958	1962	1963	1965	1968	1972	1974	1979	1980
CANADA												
Parti libéral	193	171	105	40	100	129	131	155	109	141	114	147
Parti conservateur	41	51	112	208	116	95	97	72	107	95	136	103
Nouveau Parti démocratique	13	23	25	8	19	17	21	22	31	16	26	32
Crédit Social	10	15	19	—	30	24	14	14	15	11	6	0
Autre	5	5	4	—	—	—		1	2	1	0	0
ONTARIO												
Parti libéral	56	51	21	15	44	52	51	64	36	55	32	52
Parti conservateur	25	33	61	67	35	27	25	17	40	25	57	38
Nouveau Parti démocratique	1	1	3	3	6	6	9	6	11	8	6	5
QUÉBEC												
Parti libéral	68	66	62	25	35	47	56	56	56	60	67	74
Parti conservateur	2	4	9	50	14	8	8	4	2	3	2	1
Crédit social	—	—	—	—	26	20	9	14	15	11	6	0
MARITIMES												
Parti libéral	26	27	12	8	14	20	15	7	10	13	12	19
Parti conservateur	7	5	21	25	18	13	18	25	22	17	17	13
Nouveau Parti démocratique	1	1	—	—	1	—	—	—	—	1	2	0
OUEST												
Parti libéral	43	27	10	1	7	10	9	27	7	13	3	2
Parti conservateur	7	9	21	66	49	47	46	25	42	49	60	49
Nouveau Parti démocratique	11	21	22	5	12	11	12	16	19	6	18	26
Crédit social	10	15	19	—	4	4	5	—	—	—	—	0

100 GRANDES FIGURES DE L'HISTOIRE DU CANADA

Emma Albani (Lajeunesse) (1848-1930) : Cantatrice.
François Amyot (1904-1962) : Six fois champion canadien de canot, médaille d'or aux Olympiques (1936).
Frère André (1845-1937) : Mystique ; fit construire un sanctuaire à saint Joseph sur le mont Royal, à Montréal.
Olivar Asselin (1874-1937) : Journaliste. Directeur du *Canada* ; fondateur de *L'Ordre* et de *La Renaissance*.
Philippe Aubert de Gaspé (1786-1871) : Ecrivain ; auteur des *Anciens Canadiens*.
Sir Frederick Banting (1891-1941) : Médecin et homme de science ; lauréat, avec le docteur J. J. R. MacLeod, du prix Nobel de 1923 pour la découverte de l'insuline.
Big Bear (mort en 1888) : Chef des Indiens cris durant la rébellion du Nord-Ouest de 1885.
Joseph-Elzéar Bernier (1852-1934) : navigateur ; confirma la souveraineté du Canada sur le haut Arctique.
Charles Best (1899-1978) : Biochimiste ; découvrit l'insuline avec Sir Frederick Banting.
Norman Bethune (1890-1939) : Chirurgien ; organisa le premier service mobile de transfusions sanguines au monde.
William Avery (Billy) Bishop (1894-1956) : As de l'aviation durant la première guerre mondiale ; décoré de la croix de Victoria.
Paul-Emile Borduas (1905-1960) : Peintre et écrivain.
Henri Bourassa (1868-1952) : Homme politique ; fondateur et rédacteur en chef du *Le Devoir* (1910).
Marguerite Bourgeoys (1620-1700) : Fondatrice de la congrégation de Notre-Dame, à Montréal.
Ignace Bourget (1799-1885) : Evêque de Montréal de 1840 à 1876.
Joseph Brant (1742-1807) : Chef mohawk et principal chef des Six Nations qui s'allièrent aux Anglais pendant la guerre de Sept Ans.
Jean de Brébeuf (1593-1649) : Jésuite ; missionnaire et martyr.
Samuel Bronfman (1891-1971) : Industriel ; président des Distillateurs Seagram Ltée (1928-1971).
Tommy Burns (1881-1955) : Boxeur ; seul Canadien à détenir le championnat mondial des poids lourds (1906).
Emily Carr (1871-1945) : Peintre et écrivain.
Sir Georges-Etienne Cartier (1814-1873) : Homme d'Etat ; un des Pères de la Confédération.
Jean-Olivier Chénier (1806-1837) : Médecin, patriote ; il fut l'un des chefs de l'insurrection de 1837 et mourut dans l'église de Saint-Eustache assiégée par Colborne.
Laure Conan (1845-1924) : Romancière.
Octave Crémazie (1827-1879) : Poète ; le « père de la poésie canadienne-française ».
Henry Crerar (1888-1965) : Général, commandant en chef de la 1re armée canadienne (1939-1945).
Sir Samuel Cunard (1787-1865) : Armateur d'Halifax ; fondateur de la compagnie de navigation Cunard.
Louis Cyr (1863-1912) : Haltérophile, devenu homme fort légendaire.
John Dafoe (1866-1944) : Journaliste et rédacteur en chef du *Winnipeg Free Press* (1901-1944).
Mazo De La Roche (1879-1961) : Romancière et dramaturge ; auteur de *Jalna*.
Alphonse Desjardins (1854-1920) : Journaliste, rédacteur au *Canadien* et fondateur des caisses populaires en 1900.
Etienne Desmarteau (1877-1905) : Premier Canadien à se mériter une médaille d'or aux Olympiques (lancer du marteau, 1904).
Adam Dollard des Ormeaux (1635-1660) : Prit la tête d'un groupe de colons qui furent massacrés par les Iroquois au Long Sault, 1660.
Sir James Douglas (1803-1877) : Gouverneur de l'île Vancouver (1851-1863) et de la Colombie-Britannique (1853-1864).
Gabriel Dumont (1838-1906) : Chef militaire lors de la rébellion du Nord-Ouest en 1885.
Maurice Duplessis (1890-1959) : Premier ministre du Québec (1936-1939 ; 1944-1959) et chef du parti de l'Union nationale.
Ludger Duvernay (1799-1852) : Editeur et publiciste, fondateur de la Société Saint-Jean-Baptiste (1834).
Timothy Eaton (1834-1907) : Commerçant ; fondateur de la compagnie Eaton (1869).
Sir Sandford Fleming (1827-1915) : Ingénieur civil ; proposa la division du monde en 24 fuseaux horaires et dessina le premier timbre canadien.
Sir Rodolphe Forget (1861-1919) : Financier et homme politique, fondateur de la Banque internationale en 1911.
Louis Francœur (1895-1941) : Journaliste, auteur de *La situation ce soir*.
Simon Fraser (1776-1862) : Marchand de fourrures et explorateur.
Louis-Honoré Fréchette (1839-1908) : Homme politique et écrivain.
François-Xavier Garneau (1809-1866) : Ecrivain et historien célèbre pour son *Histoire du Canada depuis sa découverte jusqu'à nos jours* (1847).
Abraham Gesner (1797-1864) : Médecin, géologue, écrivain, inventeur du kérosène (1852).
James Gladstone (1887-1971) : Premier sénateur canadien d'origine amérindienne.
Alain Grandbois (1900-1975) : Ecrivain.
Claude-Henri Grignon (1894-1976) : Ecrivain, célèbre pour son roman *Un homme et son péché*.
Médard Chouart, sieur des Groseilliers (1618-1696) : Marchand de fourrures et explorateur.
Lionel Groulx (1878-1967) : Historien.
Germaine Guèvremont (1896-1968) : Ecrivain. Auteur du *Survenant*.
T. C. Haliburton (1796-1865) : Juge et écrivain humoriste sous le pseudonyme de Sam Slick.
Louis Hébert (mort en 1627) : Apothicaire et médecin ; premier agriculteur du Canada.
Camilien Houde (1889-1958) : Maire de Montréal.
C. D. Howe (1886-1960) : Ministre du Cabinet fédéral durant la seconde guerre mondiale ; participa à l'instauration de Radio-Canada.
Joseph Howe (1804-1873) : Journaliste et homme politique de la Nouvelle-Ecosse.
Pierre Le Moyne d'Iberville (1661-1706) : Le plus grand homme de guerre qu'ait produit la Nouvelle-France. Fondateur et premier gouverneur de la Louisiane.
A. Y. Jackson (1882-1974) : Artiste ; membre du Groupe des Sept.
Pauline Johnson (1862-1913) : Poète amérindien.
Cornelius Krieghoff (1815-1872) : Peintre.
Antoine Labelle (1834-1891) : Surnommé le Roi du Nord, curé de Saint-Jérôme de 1868 à 1891.
Père Albert Lacombe (1827-1916) : Missionnaire catholique dans l'Ouest canadien.
Alfred Laliberté (1878-1953) : Sculpteur.
François-Xavier de Laval (1623-1708) : Premier évêque de Québec.
Calixa Lavallée (1842-1891) : Compositeur de l'hymne national canadien « O Canada ».
Pierre de La Vérendrye (1685-1749) : Marchand de fourrures et explorateur.
Stephen Leacock (1869-1944) : Humoriste et écrivain.
Osias Leduc (1864-1956) : Peintre.
Arthur Lismer (1885-1969) : Artiste, membre du Groupe des Sept.
John McCrae (1872-1918) : Médecin et poète.
J. A. D. McCurdy (1886-1961) : Pionnier de l'aviation ; réalisa le premier vol de l'Empire britannique (1909).
James McGill (1744-1813) : Commerçant montréalais et philanthrope.
Sir Alexander Mackenzie (1764-1820) : Marchand de fourrures et explorateur.
William Lyon Mackenzie (1795-1861) : Homme politique, chef de la rébellion du Haut-Canada de 1837.
R. S. (Sam) McLaughlin (1871-1972) : Philanthrope ; président de General Motors du Canada (1918-1945).
Agnes Macphail (1890-1954) : Première femme député aux Communes.
Jeanne Mance (1606-1673) : Fondatrice de l'Hôtel-Dieu de Montréal.
Marie de l'Incarnation (1599-1672) : Fondatrice des ursulines de Québec ; béatifiée en 1877.
Frère Marie-Victorin (1885-1944) : Naturaliste ; fondateur de l'Institut et du Jardin botanique de Montréal ; auteur de *La flore laurentienne*.
Honoré Mercier (1875-1937) : Avocat et homme politique ; Premier ministre libéral du Québec (1887-1891).
Lucy Maud Montgomery (1874-1942) : Romancière, auteur de *Ann of Green Gables*.
Edouard Montpetit (1881-1954) : Avocat, professeur et écrivain. Fondateur en 1921 de l'Ecole (plus tard Faculté) des sciences sociales de l'université de Montréal.
Emily Murphy (1868-1933) : Ecrivain et première femme élevée à la magistrature dans l'Empire britannique.
James Naismith (1861-1939) : Professeur d'éducation physique, instaurateur du basket-ball (1891).
Emile Nelligan (1879-1941) : Poète.
Louis-Joseph Papineau (1786-1871) : Homme politique, leader des Patriotes lors de la rébellion de 1837.
Wilder Penfield (1891-1976) : Neurochirurgien, fondateur de l'Institut neurologique de Montréal.
Poundmaker (1826-1886) : Chef indien cri ; prit part à la rébellion du Nord-Ouest avec Louis Riel (1885).
Louis-Amable Quevillon (1749-1823) : Sculpteur sur bois.
Pierre Radisson (1636-1710) : Marchand de fourrures et explorateur.
Louis Riel (1844-1885) : Leader métis des rébellions du Nord-Ouest (1870, 1885).
Jean-Baptiste Rolland (1816-1888) : Industriel, fondateur de la papeterie Rolland ; sénateur en 1887.
Hector de Saint-Denys Garneau (1912-1943) : Poète.
Charles-Michel de Salaberry (1778-1829) : Le héros de Châteauguay.
Laura Secord (1775-1868) : Héroïne de la guerre entre la Grande-Bretagne et les Etats-Unis (1813).
Vilhjalmur Stefansson (1879-1962) : Explorateur.
Emily Stowe (1831-1903) : Première femme médecin au Canada et figure marquante du mouvement féministe.
Marc-Aurèle Suzor-Côté (1869-1937) : Peintre-sculpteur, célèbre pour ses croquis illustrant *Maria Chapdelaine*.
Kateri Tekakwitha (1656-1680) : Amérindienne convertie au catholicisme, la première de sa race à recevoir de l'Eglise catholique le titre de vénérable.
David Thompson (1770-1857) : Géographe et explorateur ; premier homme blanc à descendre le Columbia.
Sir William Van Horne (1843-1915) : Président-directeur général du Canadien Pacifique.

Le milieu physique

Régions naturelles remarquables

1. Ile d'Ellesmere septentrionale : Le haut plateau entourant le lac Hazen contient les plus hauts sommets des îles de l'Arctique (altitude : 2 590 m).
2. Ile Axel Heiberg : Les côtes, entaillées par les fjords et prises dans les glaces presque toute l'année, sont dominées par un chaînon de montagnes coiffé de glaciers (2 290 m).
3. Péninsule de Fosheim : Excellent exemple d'écosystème du Haut-Arctique : paysage ondulé et climat tempéré, compte tenu de la latitude (80° N).
4. Ile Bylot-détroit Eclipse : Les sommets de cette île rectangulaire montagneuse atteignent 1 830 m.
5. Péninsule de Borden occidentale : Les roches-mères précambriennes et paléozoïques ont donné un relief varié à la péninsule qui comprend un vaste désert polaire.
6. Baie Creswell : Une flore variée s'est installée dans les déserts rocheux.
7. Ile Banks septentrionale : Un plateau dévonien raviné et des lagunes s'y côtoient ; l'île abrite le plus vigoureux troupeau de bœufs musqués de l'Arctique.
8. Yukon septentrional : Le milieu géographique varié de cette région fournit un habitat extrêmement important aux mammifères et aux oiseaux de l'Arctique.
9. Collines Caribou-Napoiak Channel : A l'embouchure du delta du Mackenzie, la terre et la mer sont les hôtes de diverses espèces animales et végétales.
10. Rivières Horton et Anderson : Le canyon du Brock dont les parois atteignent par endroits 110 m de haut s'étend sur 16 km ; les collines Smoking se caractérisent par leurs dépôts bitumineux en ignition.
11. Inlet de Bathurst : Pénétrant de 160 km vers le sud dans le Bouclier canadien, ce bras de mer est un fossé d'effondrement submergé. Les chutes Wilberforce (50 m) sont les plus hautes au nord du cercle polaire.
12. Basses terres de Foxe : La plaine de Koukdjuak abrite la plus importante colonie d'oies au monde.
13. Baie Wager : Fossé d'effondrement submergé pénétrant de 160 km vers le nord dans le Bouclier canadien, sur la côte occidentale de la baie d'Hudson.
14. Réserve du Thelon : Remarquable par la richesse de sa végétation de toundra et par sa population animale, qui comprend entre autres le plus gros troupeau de bœufs musqués survivant sur le continent.
15. Grand Lac des Esclaves : Le lac de l'Artillerie, qui le prolonge à l'est, est situé dans la zone de transition entre la taïga et la toundra ; il renferme diverses espèces végétales et animales.
16. Plateau Spatsizi : Il fait partie du grand plateau Stikine ; il est traversé par le cours supérieur du Stikine, l'un des fleuves les plus spectaculaires du nord de la Colombie-Britannique.
17. Mont Edziza-chaîne Côtière : Aux abords du mont Edziza, volcan composite, on remarque des coulées de lave, des cônes de scories et des cheminées bréchiques. Le chaînon Spectrum est recouvert de laves colorées.
18. Côte septentrionale de la Colombie-Britannique : Région représentative de la côte du Pacifique, caractérisée par un milieu biologique et géologique très varié.
19. Archipel de la Reine-Charlotte : Des espèces végétales uniques au monde témoignent de l'existence sur ces îles d'un refuge glaciaire au Pléistocène.
20. Iles du Golfe-île Saltspring-estuaire du Cowichan : Dans le détroit de Georgie, la diversité biologique de ces îles est remarquable.

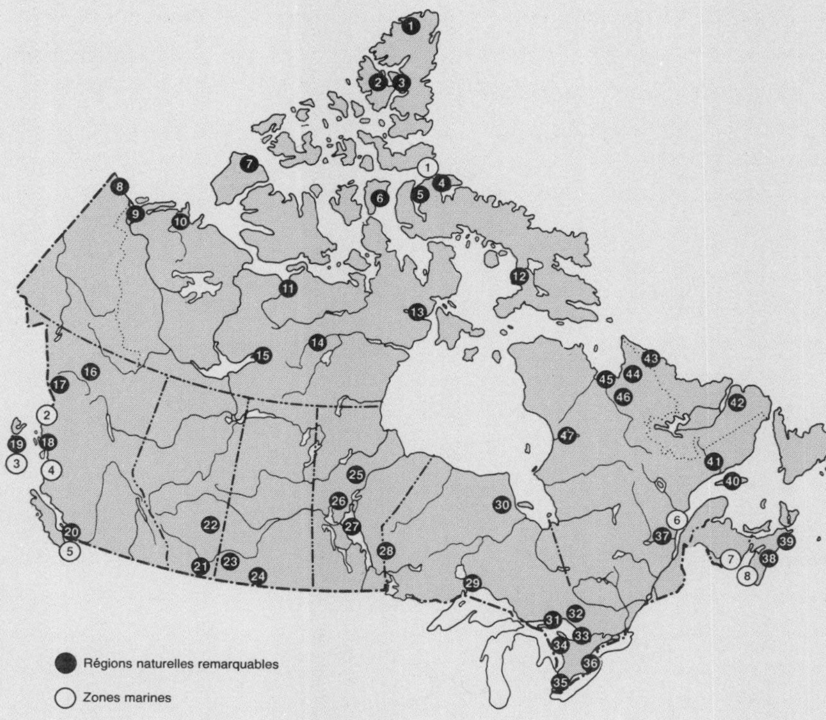

21. Rivière Milk : Cette région du sud-est de l'Alberta se compose d'une prairie ondulée creusée par la rivière Milk. Les parois abritées du canyon sont ornées de nombreuses sculptures indiennes, la plus importante collection du genre au Canada.
22. Suffield : Région très riche en vestiges archéologiques ; on y a trouvé des cairns indiens, des cercles de tipis et des cromlechs.
23. Collines du Cyprès : Ces collines, de 760 m d'altitude, rompent l'uniformité de la prairie sans arbres.
24. Prairies : Le relief étrange des mauvaises terres (badlands) du Killdeer forme une cassure dans le paysage de la région de Val Marie-Killdeer, en Saskatchewan. On y a découvert des restes de dinosaures en 1874.
25. Fleuve Churchill : Cette région précambrienne boisée renferme des peintures rupestres indigènes de sens sacré.
26. Petit Lac Limestone : Dans la partie nord des basses terres du Manitoba, la région présente des plaines inondables, des dolines et des rivières à méandres.
27. Long Point : Des manifestations géologiques siluriennes et ordoviciennes se rencontrent dans cette région, par ailleurs renommée pour ses oiseaux (rapaces migrateurs, oiseaux de littoral et oiseaux aquatiques).
28. Rivière Bloodvein-Atikaki : Cette région constitue l'un des plus remarquables exemples de la géologie des lacs et des cours d'eau au Canada.
29. Iles et péninsules au nord du lac Supérieur : La région comprend la plus haute falaise de l'Ontario, longue de 11 km et haute de 300 m, qu'on appelle le Géant endormi ; on y trouve aussi le canyon Ouimet, de 110 m de haut.
30. Région de la rivière Attawapiskat et de l'île Akimiskitwin : Elle couvre plusieurs zones de transition et offre des exemples de végétation de delta et d'écologie marine.
31. Ile Manitoulin : Située dans la partie nord du lac Huron, elle est la plus grande île en eau douce du globe.
32. Rivière des Français : Son embouchure, située dans une zone boisée, est l'une des plus spectaculaires étendues d'eau des Grands Lacs.
33. Détroit de Parry : On y rencontre plusieurs espèces végétales rares et toutes les espèces animales de la région.
34. Péninsule de Bruce : Située dans le prolongement de l'escarpement du Niagara, elle surplombe de 90 m le littoral de la baie Georgienne.
35. Pointe Pelée : La pointe la plus méridionale du Canada est un refuge d'oiseaux ; située en grande partie sous le niveau de la mer, elle est marécageuse.
36. Long Point : Les fragiles écosystèmes des milieux sableux particuliers à cette région sont tout à fait uniques au Canada. Les marais et le littoral sont un lieu de prédilection pour les oiseaux migrateurs.
37. Fjord du Saguenay : Reliant le golfe du Saint-Laurent aux basses terres du lac Saint-Jean, le fjord recèle de multiples espèces marines et terrestres ; ses escarpements atteignent 460 m de hauteur.
38. Cape La Have : Trois importants écosystèmes marins de la Nouvelle-Ecosse y sont représentés (eaux saumâtres, cordons littoraux et récifs en eaux froides).
39. Ship Harbour : Le littoral présente des plages de galets, des îles rocheuses, des criques, des drumlins, des marais salés, des dunes, des marécages et des îles stériles.
40. Ile d'Anticosti : A l'embouchure du golfe du Saint-Laurent, ses terrasses postglaciaires résultent du soulèvement du continent et des variations du niveau de la mer.
41. Rivière Manitou : La topographie de la région est typique du Bouclier canadien avec ses hautes terres, ses vallées, ses escarpements et ses basses terres. Au-dessus de 910 m d'altitude, on a des paysages de toundra.
42. Monts Mealy : Région du Labrador qui couvre 7 680 km² et possède un environnement marin, des plaines côtières et un plateau accidenté culminant à 1 100 m.
43. Monts Torngat : Les plus hautes montagnes de l'est du Canada dont certains pics dépassent 1 520 m d'altitude.
44. Région de la rivière George : Ce corridor de 352 km ceinture la rivière George, à partir du lac de la Hutte-Sauvage jusqu'à la baie d'Ungava. Des fouilles ont permis de mettre au jour d'anciens établissements humains.
45. Région de la rivière Koksoak : Dans cette zone de 13 800 km², délimitée par la baie d'Ungava, la rivière à la Baleine et la baie aux Feuilles, les marées sont de 19 m.
46. Région de Caniapiscau : Aire de diffusion d'espèces représentatives de la taïga et de la toundra.
47. Golfe Richmond : Dans la zone de transition entre la forêt boréale et la toundra arctique, le golfe présente des falaises de 460 m de haut.

Zones marines

1. Détroit de Lancaster : Cette étendue d'eau située entre l'île de Baffin et l'île Devon joue un rôle important dans la reproduction et la survie des oiseaux aquatiques.
2. Iles Dundas : Cette zone située au nord-ouest de Prince-Rupert se compose des îles Dundas, Zayas, Baron, Dunira et Melville.
3. Archipel de la Reine-Charlotte (sud de l'île Moresby) : La région est renommée pour la variété d'invertébrés et d'algues qui s'y développent.
4. Ile Calvert et île Hunter : La zone comprend les îles Calvert, Hunter et Goose et d'autres îles environnantes plus petites. Leurs côtes exposées sont les hôtes d'une faune et d'une flore variées.
5. Iles du Golfe : Archipel soumis à un climat méditerranéen doux et sec ; l'action des vagues a creusé des grottes impressionnantes dans le grès des côtes.
6. Tadoussac-Les Escoumins : Dernier bastion des belugas ou dauphins dont la population diminue sans cesse.
7. Archipel Deer : Les eaux salées froides contiennent du zooplancton en abondance ; les îles et les îlots abritent des colonies d'oiseaux aquatiques.
8. Ile Brier : L'une des plus riches parties de la baie de Fundy du point de vue biologique ; ses marécages côtiers sont intacts et on y trouve une faune et une flore atlantiques uniques.

TERRES ET EAUX DOUCES, 1980

Province ou territoire	Terres (km²)	Eaux douces (km²)	Total (km²)
T.-N.	370 485	34 032	404 517
Île (de)	(106 614)	(5 685)	(112 299)
Labrador	(263 871)	(28 347)	(292 218)
I.-P.-E.	5 657	—	5 657
N.-E.	52 841	2 650	55 491
N.-B.	72 092	1 344	73 436
Québec	1 356 792	183 889	1 540 681
Ontario	891 195	177 388	1 068 583
Manitoba	548 495	101 592	650 087
Saskatchewan	570 269	82 631	948 597
Alberta	644 389	16 796	661 185
C.-B.	930 529	18 068	948 597
Yukon	478 034	4 481	482 515
T. N.-O.	3 246 392	133 294	3 379 686
CANADA	9 167 170	755 165	9 922 335

LES PLUS HAUTS SOMMETS

Province et sommet	Altitude (m)
Terre-Neuve Un des monts Torngat	1 652
Île-du-Prince-Edouard Dans le comté de Queens	142
Nouvelle-Ecosse Cap-Breton	532
Nouveau-Brunswick Mont Carleton	820
Québec Mont d'Iberville	1 652
Ontario Dans le district de Temiskaming	693
Manitoba Colline Baldy	832
Saskatchewan Collines du Cyprès	1 392
Alberta Mont Columbia	3 747
Colombie-Britannique Mont Fairweather	4 663
Yukon Mont Logan	5 951
Territoires du Nord-Ouest Mont Sir James MacBrien	2 762

UTILISATION DES TERRES (km²), 1976

Statut	T.-N.	I.-P.-E.	N.-E.	N.-B.	Qué.	Ont.	Man.	Sask.	Alb.	C.-B.	Yukon	T. N.-O.	CANADA
Terres de la Couronne (autres que celles de ci-dessous)	440	16	181	1 489	1 295	1 158	259	5 452	2 896	904	513 193	3 340 849	3 868 132
Parcs nationaux	2 339	21	1 331	433	790	1 922	2 978	3 875	54 084	4 690	22 015	35 690	130 168
Réserves indiennes	—	8	114	168	4 077	6 703	2 383	5 688	6 566	3 390	5	135	29 237
Stations fédérales d'expérimentation forestière	—	—	—	91	28	103	—	—	155	—	—	—	377
Terres privées ou terres de la Couronne en voie d'aliénation	17 788	4 944	37 438	39 754	112 664	119 023	—	247 662	181 925	55 040	168	72	795 800
Ensemble des stations forestières et terres privées	—	—	—	—	—	138 008	—	—	—	—	—	—	138 008
Terres provinciales et territoriales (parcs provinciaux et réserves forestières non compris)	382 842	435	2 652	28 495	1 210 799	891 261	482 204	34 758	63 525	539 280	943	2 937	3 621 560
Parcs provinciaux	805	31	109	215	194 249	48 412	10 230	4 944	7 700	41 629	—	—	308 187
Forêts provinciales	303	202	13 665	2 792	16 778	—	14 025	349 521	344 334	303 663	—	—	1 084 669
Superficie totale	404 517	5 657	55 490	73 437	1 540 680	1 068 582	650 087	651 900	661 185	948 596	536 324	3 379 683	9 976 138

Principaux bassins hydrographiques
1. Océan Atlantique
2. Baie d'Hudson
3. Golfe du Mexique
4. Océan Pacifique
5. Océan Arctique

GLACIERS

	Superficie des glaces (km²)	Nombre de glaciers relevés
Îles arctiques		
Axel Heiberg	11 383	1 121
Baffin	35 690	10 526
Bylot	4 851	579
Cobourg	218	106
Devon	15 714	1 907
Ellesmere	77 596	N/D
— Calotte	484	N/D
Meighen	83	N/D
Melville	155	N/D
North Kent et Calf	148	68
	146 522	14 307
Continent		
Sur le Nelson	319	1 616
Sur le Yukon	10 246	N/D
Dans le Grand Lac des Esclaves	606	N/D
Dans l'océan Pacifique	36 527	N/D
Dans l'océan Arctique	816	N/D
Dans l'océan Atlantique	N/D	N/D
Au Labrador	23	N/D
	48 537	1 616

N/D : non disponible
Estimation de la superficie totale des glaces au Canada : 195 059 km²

ÎLES

Région et île	Superficie (km²)
Baffin	507 451
ARCHIPEL DE LA REINE-ÉLISABETH	
Ellesmere	196 236
Devon	55 247
Axel Heiberg	43 178
Melville	42 149
Bathurst	16 042
Prince Patrick	15 848
Ellef Ringnes	11 295
Cornwallis	6 996
Amund Ringnes	5 255
Mackenzie King	5 048
Borden	2 795
Cornwall	2 258
Eglinton	1 541
Graham	1 378
Lougheed	1 308
Byam Martin	1 150
Vanier	1 127
Cameron	1 059
AUTRES ÎLES DE L'ARCTIQUE	
Victoria	217 290
Banks	70 028
Prince-de-Galles	33 338
Somerset	24 786
Roi-Guillaume	13 111
Bylot	11 067
Prince-Charles	9 521
Stefansson	4 463
Richards	2 165
Aviation	1 720
Galles (de)	1 137
Rowley	1 090
BAIE ET DÉTROIT D'HUDSON	
Southampton	41 214
Coats	5 499
Mansel	3 181
Akimiski	3 002
Flaherty	1 585
Nottingham	1 373
Resolution	1 015
PACIFIQUE	
Vancouver	31 284
Graham	6 361
Moresby	2 608
Princess Royal	2 251
Pitt	1 375
ATLANTIQUE	
Terre-Neuve et Labrador	
Terre-Neuve (île)	108 860
Aulatsivik-Sud	456
Killinek	269
Fogo	254
Random	249
Golfe du Saint-Laurent	
Cap-Breton	10 311
Anticosti	7 941
Prince-Edouard	5 657
Baie de Fundy	
Grand Manan	137

LES GRANDS LACS

Lac	Altitude (m)	Longueur (km)	Largeur (km)	Profondeur maximale (m)	Superficie totale (km²)	Superficie en territoire canadien (km²)
Erié	174	388	92	64	25 667	12 769
Huron	176	332	295	229	59 570	36 001
Michigan	176	494	190	281	57 757	—
Ontario	75	311	85	244	19 011	10 049
Sainte-Claire	175	42	39	6	1 114	694
Supérieur	183	563	257	405	82 103	28 749

COURS D'EAU

Bassin hydrographique et cours d'eau	Longueur (km)
SE JETANT DANS LE PACIFIQUE	
Yukon (de l'embouchure au Nisutlin)	3 185
(de la frontière au Nisutlin)	1 149
Columbia (de l'embouchure à la tête du lac Columbia)	2 000
(de la frontière à la tête du lac Columbia)	721
Fraser	1 368
Skeena	579
Stikine	539
Thompson	489
SE JETANT DANS L'ARCTIQUE	
Mackenzie (depuis le Finlay)	4 241
Back (depuis l'extrémité du lac Muskox)	974
Coppermine	845
Anderson	692
Horton	618
SE JETANT DANS LA BAIE ET LE DÉTROIT D'HUDSON	
Nelson (depuis le Bow)	2 575
(depuis l'extrémité du lac Winnipeg)	644
Churchill (depuis la tête du lac Churchill)	1 609
Severn (depuis le Black Birch)	982
Albany (depuis le Cat)	982
Thelon	904
La Grande	893
Koksoak (depuis la Caniapiscau)	874
Nottaway (via la Bell, depuis la Mégiscane)	776
Rupert (depuis la Témiscamie)	763
Eastmain	756
Attawapiskat (depuis la tête du lac Bow)	748
Kazan (depuis la tête du lac Ennadai)	732
Grande Rivière de la Baleine	724
George	563
Moose (depuis la Mattagami)	547
Harricanau	533
Hayes	483
Feuilles (aux)	480
Winisk	475
Broadback	451
Baleine (à la)	428
Povungnituk (de)	389
SE JETANT DANS L'ATLANTIQUE	
Saint-Laurent	3 058
Outaouais	1 271
Saguenay (depuis le Péribonka)	698
Saint-Maurice	563
Manicouagan (depuis la Mouchalagane)	560
Outardes (aux)	499
Romaine	496
Betsiamites (depuis le Kanouanis)	444
Moisie	410
Bersimis	386
Saint-François	280
Saint-Augustin	233
Chaudière	193
Richelieu (depuis l'extrémité du lac Champlain)	171
Churchill (depuis l'Ashuanipi)	856
Saint-Jean	673
Petit-Mécatina (du)	547
Natashquan	410
Exploits	246
Eagle	233
Miramichi	217
Gander (depuis le Gander du Nord-Ouest)	175

LACS

Province et lac	Altitude (m)	Superficie (km²)
TERRE-NEUVE ET LABRADOR		
Ashuanipi	529	598
Atikoniak	518	433
Grand	87	539
Joseph	518	451
Lobstick	457	510
Melville	niveau de la mer	3 069
Michikamau	460	2 031
Ossokmanuan (réservoir)	479	834
Smallwood (réservoir)	471	6 475
NOUVELLE-ÉCOSSE		
Bras d'Or	niveau de la mer	1 098
QUÉBEC		
Albanel	389	445
Bienville	427	1 248
Cabonga (réservoir)	361	679
Dozois (réservoir)	346	404
Eau-Claire (à l')	241	1 383
Evans	241	546
Feuilles (aux)	niveau de la mer	453
Gouin (réservoir)	404	1 570
Kaniapiskau	564	471
Loups-Marins	262	578
Manouane	494	585
Minto	168	761
Mistassini	372	2 336
Payne	130	534
Pipmuacan	396	979
Saint-Jean	98	1 002
Sakami	195	593
ONTARIO		
Abitibi	265	932
Big Trout	213	660
Lac des Bois (total 4 349 km²)		
Section canadienne	323	3 149
Lac à la Pluie (total 932 km²)		
Section canadienne	338	741
Nipigon	261	4 848
Nipissing	196	831
St. Joseph	371	492
Sandy	276	526
Seul	357	1 658
Simcoe	219	743
Trout (English River)	394	414
MANITOBA		
Cross	207	756
Dauphin	260	521
Gods	178	1 150
Granville	258	490
Indiens du Sud	255	2 248
Island	227	1 222
Lac des Cèdres	253	1 352
Manitoba	248	4 659
Molson	221	399
Moose	255	1 368
Oxford	187	401
Playgreen	217	658
Sipiwesk	183	456
Winnipeg	217	24 390
Winnipegosis	253	5 374
SASKATCHEWAN		
Amisk	294	430
Athabasca	213	7 936
Black	281	464
Caribou	337	6 651
Churchill	421	559
Deschambault	324	541
Doré	459	642
Frobisher	421	515
Île à la Crosse	421	391
Lac des Cris	487	1 435

Province et lac	Altitude (m)	Superficie (km²)
La Ronge	364	1 414
Montreal	490	456
Peter Pond	421	777
Pinehouse	385	404
Primrose	599	448
Scott	444	394
Tazin	344	391
Wollaston	398	2 681
ALBERTA		
Bistcho	552	427
Claire	213	1 437
Petit Lac des Esclaves	577	1 168
COLOMBIE-BRITANNIQUE		
Atlin	668	774
Babine	711	495
Kootenay	532	407
Ootsa	853	404
Williston	664	1 761
YUKON		
Kluane	781	409
TERRITOIRES DU NORD-OUEST		
Aberdeen	80	1 101
Amadjuak	113	3 116
Angikuni	257	510
Artillery	365	552
Aubry	258	391
Aylmer	375	847
Baker	2	1 888
Bluenose	557	401
Bois (des)	297	469
Buffalo	265	614
Clinton Colden	375	736
Colville	245	456
Contwoyto	445	958
Dubawnt	236	3 833
Ennadai	311	681
Eskimo-Nord	0,3	839
Eskimo-Sud	2	629
Faber	213	440
Ferguson	11	588
Garry	148	976
Grand Lac des Esclaves	156	28 570
Grand Lac de l'Ours	156	31 328
Gras (de)	416	632
Hall	6	492
Hazen	158	541
Hottah	180	917
Kamilukuak	266	635
Kaminak	53	601
Kaminuriak	92	549
Kasba	336	1 342
Keller	247	394
La Martre	265	1 777
MacAlpine	176	448
Mackay	431	1 062
Mallery	158	479
Netilling	29	5 543
Netsilik	8	391
Nonacho	319	785
Nueltin	278	2 279
Point	375	702
Princess Mary	116	523
Selwyn	398	717
Snowbird	359	505
South Henik	184	513
Takiyuak	381	1 080
Tathlina	280	572
Tebesjuak	146	575
Tehek	133	482
Trout	503	505
Tulemalu	279	668
Wholdaia	364	679
Yathkyed	141	1 448

Ville	Heures d'ensoleil-lement	Jours sans ensoleil-lement	Jours de précipi-tations mesurables	Jours de précipi-tations neigeuses mesurables	Jours de précipi-tations ver-glaçantes	Jours de chutes de neige su-périeures à 2,5 cm	Tempé-rature minimale moyenne en janvier	Tempé-rature maximale moyenne en juillet	Jours de tempé-rature mini-male infé-rieure à 0°C	Heures de tempé-rature supérieure à 30°C	Heures de tempé-rature inférieure à − 20°C
Toronto	2 046	65	134	45	10	62	− 10,5	27	154	72,8	32,1
Montréal	1 959	67	163	60	14	116	− 14,3	26,3	153	30,5	130,2
Vancouver	1 931	76	161	12	1	7	− 0,4	22,2	57	1,3	0
Ottawa	1 995	69	152	60	16	116	− 15,6	26,4	166	48,8	190,1
Winnipeg (aéroport municipal)	2 232	48	121	58	11	126	− 23,2	25,9	195	56,2	884
Edmonton (aéroport municipal)	2 246	44	121	60	6	121	− 19,4	23,4	192	15,1	517,3
Québec	1 827	81	164	67	16	139	− 16,2	25,1	177	16,6	233
Hamilton (Royal Botanical Gardens)	2 035	62	125	38	12	—	− 8,6	27,2	134		
Calgary	2 207	41	113	61	3	99	− 16,7	23,5	201	17	415
Kitchener	1 950	—	113	31		—	− 9,9	26,9	154		
London	1 929	69	165	66	12	—	− 9,9	26,4	152	35	31,7
Halifax (Shearwater)	1 945	77	142	36	17	60	− 7,8	21,9	142	2	7,8
Windsor	—		137	42	8	43	− 7,8	27,8	135	80,5	7,7
Victoria (Gonzales Heights)	2 183	51	142	9	< 1	5	+ 1,9	20,8	18	1,3	0
Sudbury	—	—	155	73	19	139	− 18,4	24,8	183	15,9	396
Regina	2 278	45	114	58	12	130	− 22,6	26,2	207	91,4	744
St. John's	1 458	108	210	85	36	120	− 7	20,1	177	0	2,1
Oshawa (Pickering)	—	—	122	32		—	− 10,9	25,7			
Saskatoon	2 402	44	103	54	9	130	− 23,9	25,9	206	64,8	845,9
Saint-Jean	1 819	88	164	58	11	82	− 12,6	22,3	175	1,9	92
Sherbrooke	1 901	72	170	63	9	—	− 17,8	24,6	161	12,9	292,7
Trois-Rivières	—	—	152	53	7	—	− 17,4	26,2	177		
Kingston	2 113	51	130	39	—	—	− 11,6	25	148		

REFROIDISSEMENT ÉOLIEN

Des vents forts par des températures proches du point de congélation peuvent produire le même effet de refroidissement que des températures beaucoup plus basses par un jour sans vent. Ainsi, une température de − 15°C avec un vent de 40 km/h produit un effet comparable à celui d'une température de − 40°C par temps calme.

Le facteur de refroidissement éolien est la mesure de l'effet combiné du vent et de la température. Le calcul de ce facteur, fonction du coefficient de refroidissement de l'eau sous l'influence conjuguée du vent et d'une basse température, s'applique également au corps humain. Vent et froid combinés peuvent causer des gelures sur les parties exposées du corps et faire chuter dangereusement la température du corps humain (hypothermie) ; voir le tableau ci-dessous.

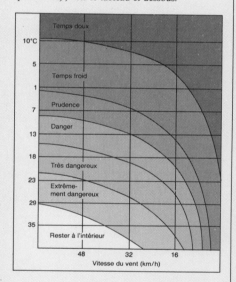

HUMIDITÉ ET CONFORT

Lorsque des températures élevées et un fort pourcentage d'humidité (vapeur d'eau en quantité importante dans l'atmosphère) se combinent, le temps est très chaud, lourd et souvent oppressant. Le tableau ci-dessous exprime le degré d'inconfort sous forme numérique. L'humidex est l'indice de la relation air humide/air sec par rapport à une échelle de confort. Exemple : une humidité relative de 75° combinée à une température de 32°C donne l'équivalent de 46°C.

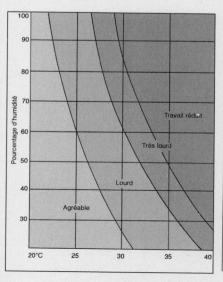

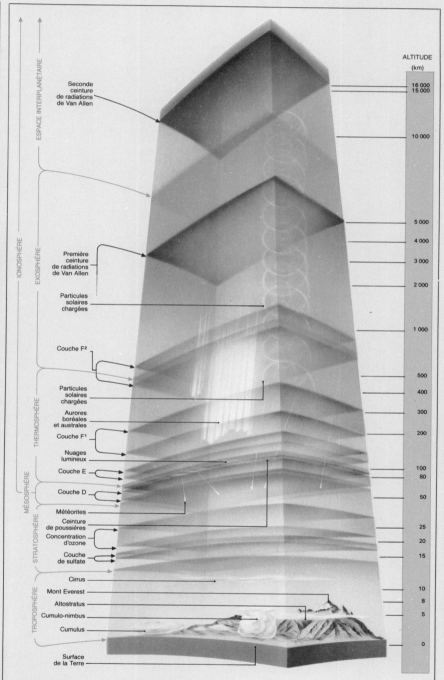

COUCHES DE L'ATMOSPHÈRE

L'atmosphère terrestre est constituée de plusieurs couches gazeuses : la troposphère, la stratosphère, la mésosphère, enfin la thermosphère et l'exosphère que l'on appelle aussi l'ionosphère. Ces diverses zones agissent les unes sur les autres et subissent l'influence des radiations solaires. La température varie de l'une à l'autre et elles sont soumises à de constantes modifications physiques et chimiques.

La **troposphère** n'est pas réchauffée directement par les radiations solaires de longueur d'onde trop courte pour être absorbées par le gaz carbonique et la vapeur d'eau dont elle se compose. Mais elle reçoit la chaleur indirecte des infrarouges, de plus grande longueur d'onde, qui lui sont renvoyés par la surface de la Terre. La température de la troposphère décroît de 6°C par kilomètre d'altitude.

La température de la **stratosphère**, au contraire, s'accroît avec l'altitude, passant de − 60°C à 0°C. L'ozone, gaz toxique produit par l'action des ultra-violets sur les atomes d'oxygène, se trouve en

grande quantité dans la stratosphère et a un double effet : d'une part, il emprisonne dans la troposphère les courants de convection, facteurs des fluctuations météorologiques ; d'autre part, il filtre les ultra-violets qui, autrement, pourraient détruire la vie sur la Terre.

Dans la **mésosphère**, qui se trouve entre 50 et 80 km d'altitude, la température s'abaisse pour atteindre − 100°C à sa limite supérieure. Au-delà se situe l'**ionosphère**, zone où se modifie la structure atomique de l'azote et de l'oxygène, en raison de l'intensité des radiations solaires. Dépouillés de leurs électrons, les atomes produisent des particules chargées d'électricité qui agissent sur la gravité et le champ magnétique terrestre.

Il se produit une interaction entre l'ionosphère et l'espace interplanétaire. Ce dernier subit l'influence du champ magnétique terrestre qui, en détournant du soleil le barrage permanent des particules chargées d'électricité, forme la **magnétosphère**.

LE PÔLE NORD SE DÉPLACE

Durant des siècles, le pôle Nord magnétique fit l'objet de spéculations et de recherches. On le définissait comme le point du globe vers lequel une boussole guiderait un voyageur parti de tout autre point. Au Moyen Age se répandit une légende au sujet d'une énorme montagne, située très loin au nord, dont le magnétisme faisait dévier l'aiguille des boussoles, attirant ainsi tout navire assez imprudent pour s'aventurer dans ses parages. Par la suite, les découvertes permirent de démontrer que l'aiguille aimantée n'indiquait pas le nord véritable (géographique), mais un point situé à quelque distance de celui-ci.

Déplacements du nord magnétique (1831-1980)

En 1600, le physicien anglais William Gilbert établissait que la Terre elle-même était un aimant ; c'était donc cela, et non une lointaine montagne, qui expliquait les déviations de l'aiguille aimantée. Il fallut encore des années d'explorations polaires avant que James Ross, en 1831, situât le pôle Nord magnétique en un point qui se trouvait à 2 100 km du pôle Nord géographique. Mais le pôle magnétique, à l'instar des voyageurs qu'il guide, se déplace continuellement. Il décrit quotidiennement un mouvement elliptique vers la droite autour d'un point moyen qui se déplace d'année en année et qui se trouve présentement à quelque 1 400 km du pôle Nord géographique.

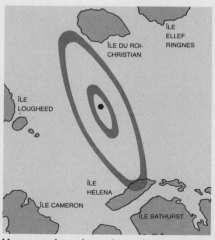

Mouvement du nord magnétique, deux journées de 1980 : l'ellipse interne indique une faible activité magnétique, l'ellipse externe une grande activité.

MÉTÉORITES

Les météorites sont des fragments de roche ou de métal qui, venus de l'espace, tombent sur la Terre. La plupart se sont formées entre Mars et Jupiter et résultent de collisions entre des corps célestes qu'on nomme astéroïdes. Leur taille peut varier de la grosseur d'une tête d'épingle à une masse de plusieurs tonnes.

On classe les météorites en trois catégories : les météorites pierreuses (aérolithes), qui sont les plus communes ; les météorites mixtes (sidérolithes), qui contiennent à peu près la même pro-portion de silicates et d'éléments métalliques ; les météorites ferreuses (sidérites), qui sont généralement de lourdes masses de métal contenant de faibles quantités de silicates.

Bien que les météorites ressemblent aux roches naturelles et aux minéraux, elles présentent des caractéristiques propres : elles possèdent presque toutes une croûte de fusion, de consistance molle, dont la couleur va du noir mat au brun. Les aérolithes contiennent du fer et des chondrites, tandis que les sidérolithes et les sidérites sont riches en nickel et fortement magnétiques. Un tiers des grands cratères météoriques du globe (1 km ou plus de diamètre) sont situés au Canada. En 1979, on en avait dénombré 24.

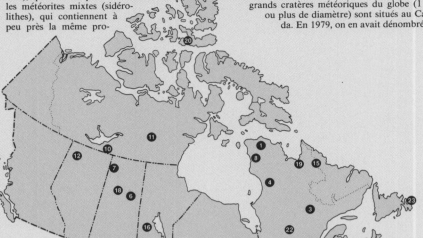

CRATÈRES MÉTÉORIQUES (homologués)

Lieu	Diamètre (km)	Age (millions d'années)	Caractéristiques
1. Cratère du Nouveau-Québec, Qué.	3,2	5	Lac circulaire à encorbellement
2. Brent, Ont.	3,8	450 ± 30	Dépression peu profonde remplie de sédiments
3. Manicouagan, Qué.	70	210 ± 4	Lac circonférentiel à élévation centrale
4. a) Lac à l'Eau-Claire Est, Qué.	22	290 ± 20	Lac circulaire
b) Lac à l'Eau-Claire Ouest, Qué.	32	290 ± 20	Anneau insulaire dans un lac circulaire
5. Holleford, Ont.	2	550 ± 100	Dépression peu profonde remplie de sédiments
6. Baie Deep, Sask.	12	100 ± 50	Baie circulaire
7. Carswell, Sask.	37	485 ± 50	Crête circulaire discontinue
8. Lac Couture, Qué.	8	420	Lac circulaire
9. Lac Hawk Ouest, Man.	2,7	100 ± 50	Lac circulaire
10. Lac Pilot, T. N.-O.	6	‹300	Lac circulaire
11. Lac Nicholson, T. N.-O.	12,5	‹450	Lac irrégulier avec îles
12. Rivière Steen, Alb.	25	95 ± 7	Aucune ; enterré à 200 m
13. Sudbury, Ont.	140	1 840 ± 150	Bassin elliptique
14. Charlevoix, Qué.	46	360 ± 25	Fossé semi-circulaire, élévation centrale
15. Lac Mistastin, Labrador	28	38 ± 4	Lac elliptique et île centrale
16. Lac Saint-Martin, Man.	23	225 ± 40	Aucune ; enterré et érodé
17. Lac Wanapitei, Ont.	8,5	37 ± 2	Recouvert par un lac ; partiellement circulaire
18. Lac Gow, Sask.	5	‹200	Lac et île centrale
19. Lac La Moinerie, Qué.	8	400	Recouvert par un lac ; partiellement circulaire
20. Haughton, T. N.-O.	20	15	Dépression circulaire peu profonde
21. Iles Slate, Ont.	30	350	Soulèvement central d'une structure submergée
22. Ile Rouleau, Qué.	4	‹300	Soulèvement central d'une structure submergée
23. Baie de la Conception, T.-N.	?	500	Quatre régions de roches choquées

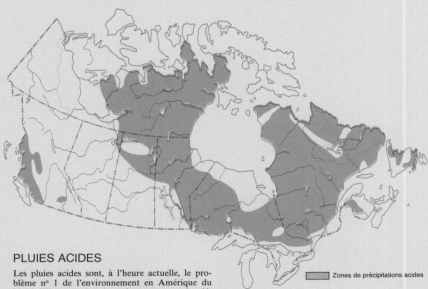

PLUIES ACIDES

Les pluies acides sont, à l'heure actuelle, le problème n° 1 de l'environnement en Amérique du Nord. Elles corrodent les métaux, causent des dégâts aux forêts, aux sols et aux récoltes sans parler des lacs qu'elles tuent littéralement en compromettant le frai des poissons et en détruisant des organismes aquatiques. En outre, elles menacent dangereusement notre santé puisqu'elles s'attaquent aux tissus des poumons et de la gorge.

Les précipitations acides sont largement attribuables à la combustion des carburants fossiles. L'anhydride sulfureux et les oxydes d'azote se combinent avec la vapeur d'eau contenue dans l'atmosphère et, par réaction chimique, forment deux acides corrosifs, l'acide nitrique et l'acide sulfurique. Plus le pH des précipitations est faible, plus celles-ci seront acides. Comparativement à l'eau qui a un pH de 5,6, une pluie acide a un pH de 3 (acidité comparable à celle du vinaigre).

Les industries de l'est du continent nord-américain produisent la vapeur d'eau contenue d'anhydride sulfureux. Les fonderies, les centrales thermiques, les raffineries et les usines de pâtes et papiers rejettent dans l'atmosphère des fumées polluantes qui peuvent être transportées à des milliers de kilomètres des sources d'émission.

Les lacs dont le fond est calcaire peuvent neutraliser l'acide, mais pas les lacs qui, comme c'est souvent le cas au Canada, reposent sur du granite : en Ontario, 140 lacs sont « morts » ou « agonisants ». Le meilleur gibier aquatique est habituellement le premier à disparaître : les pluies acides ont décimé le saumon de sept rivières de la Nouvelle-Ecosse.

La réduction des émissions d'anhydride sulfureux représente la seule solution à long terme au problème des pluies acides. Les chercheurs ont mis au point divers procédés de réduction, comme le lessivage du charbon avant la combustion et l'arrêt des émissions nocives pendant la combustion. De nombreuses industries refusent cependant d'entreprendre des innovations coûteuses à moins que les gouvernements ne les y obligent. Il reste que le danger des pluies acides menace l'ensemble du globe et que les pays devront s'entendre entre eux pour trouver une solution définitive à ce fléau.

VENT : L'ÉCHELLE DE BEAUFORT

En 1806, l'amiral britannique Sir Francis Beaufort établit une échelle, codée de 0 à 12, pour indiquer la force du vent. Il décrivit la vitesse de l'ouragan (force 12), en termes de marine, comme « celle à laquelle aucune voile ne peut résister ».

Des modifications furent apportées à l'échelle originale, pour l'appliquer aux objets terrestres : un vent de force 6 sur l'échelle de Beaufort correspond à un vent frais (40 à 50 km/h) capable de retourner les parapluies.

Notation Beaufort	Caractéristique du vent	Vitesse (km/h)	Effets observés
0	Calme	0-1	Calme ; la fumée monte verticalement.
1	Très légère brise	2-5	La fumée, mais non la girouette, indique la direction du vent.
2	Légère brise	6-11	Les girouettes tournent ; on sent le vent sur la figure ; les feuilles bruissent.
3	Petite brise	12-19	Les petits drapeaux claquent ; les brindilles bougent
4	Jolie brise	20-29	Poussière et bouts de papier s'envolent ; les petites branches remuent.
5	Bonne brise	30-39	Les vagues se brisent dans les eaux intérieures ; les petits arbres se balancent.
6	Vent frais	40-50	Il devient difficile de se servir d'un parapluie ; les grandes branches bougent.
7	Grand vent	51-61	Il est difficile de marcher contre le vent. Les grands arbres bougent.
8	Coup de vent	62-74	Il est presque impossible de marcher contre le vent ; les petites branches se cassent.
9	Fort coup de vent	75-88	Les bardeaux des toitures s'envolent ; peut endommager les bâtiments.
10	Tempête	89-102	Peut coucher et renverser des arbres entiers ; peut endommager sérieusement les bâtiments.
11	Violente tempête	103-117	Dégâts importants aux récoltes, aux arbres et aux bâtiments.
12	Ouragan	plus de 118	Catastrophique, violents effets destructeurs.

L'ÉCHELLE RICHTER

L'échelle Richter (du nom du savant américain Charles F. Richter qui l'inventa en 1935) sert à mesurer la magnitude d'un séisme ; elle est un indice de l'énergie libérée par le foyer d'un séisme donné. L'échelle ne sert pas à indiquer l'importance des dégâts, mais, en règle générale, les effets dévastateurs d'un séisme sont proportionnels à la quantité d'énergie libérée. L'intensité des dégâts, surtout observable au voisinage de l'épicentre (point de la surface terrestre situé exactement au-dessus du séisme), diminue à mesure que l'on s'éloigne de ce point.

Comme la notation de l'échelle Richter est logarithmique, tout accroissement d'une unité indique une intensité sismique multipliée par 10. La force 3, par exemple, correspond à des secousses assez fortes pour fermer les portes et réveiller les dormeurs. Quant à la force 5, 10 fois plus intense que la force 4, elle indique des vibrations capables de renverser les meubles et de lézarder les murs.

Echelle Richter modifiée

Magnitude	Estimation du nombre annuel de secousses	Importance des dégâts
10	Possible, mais jamais enregistrée	Sur toute la surface du globe
9	Possible, mais jamais enregistrée	Dans la plupart des régions du globe
8 à 8,6	Rare	Dommages très considérables
7,4 à 7,9	4	Dommages considérables
7 à 7,3	15	Dommages importants : structures de ponts et rails tordus
6,2 à 6,9	100	Dommages étendus à la plupart des bâtiments
5,5 à 6,1	500	Dommages modérés à légers
4,9 à 5,4	1 400	Séisme ressenti par tous les gens de la région
4,3 à 4,8	4 800	Ressenti par la plupart
3,5 à 4,2	30 000	Ressenti par une minorité
2 à 3,4	Plus de 150 000	Non ressenti mais enregistré

COURANTS-JETS

Les courants-jets (jet streams) sont des rubans tubulaires de vents de grandes vitesses qui encerclent la Terre sous forme d'ondes se propageant généralement d'ouest en est. Les courants-jets se déplacent à des vitesses supérieures à celles de l'air ambiant. Ils se forment dans la tropopause ; leur largeur peut atteindre 450 km et leur hauteur, 6 km. La vitesse des vents dépasse souvent 400 km/h au centre du courant, décroissant progressivement vers les bords.

Les courants-jets varient en nombre et les tracés qu'ils décrivent autour du globe diffèrent en fonction des saisons. Un courant-jet, situé au-dessus du Canada, suit une trajectoire qui va de Vancouver à Halifax. Grâce à ce courant favorable, les avions peuvent traverser le continent d'ouest en est en une heure de moins que dans le sens contraire.

Trajectoires des courants-jets en janvier, à 9 km d'altitude

Population et société

SANTÉ : Principales causes de décès

	%
Maladies de cœur	34,8
Cancer	21,5
Congestion cérébrale	9,3
Accidents	6,7
Maladies de l'appareil respiratoire	6,5
Maladies des artères	3,4
Suicide	1,9
Diabète	1,8
Cirrhose du foie	1,6
Maladies du système nerveux	1
Anomalies congénitales	0,9
Autres	10,6

ESPÉRANCE DE VIE (années), 1977

	Hommes	Femmes
A la naissance	70,19	77,48
1 an	70,24	77,41
2	69,31	76,49
3	68,37	75,53
4	67,42	74,57
5	66,46	73,60
10	61,57	68,71
15	56,70	63,80
20	52,09	58,95
25	47,55	54,10
30	42,90	49,25
35	38,21	44,43
40	33,59	39,67
45	29,11	35,02
50	24,86	30,51
55	20,88	26,14
60	17,23	21,96
65	13,95	18
70	11,05	14,33
75	8,55	11,03
80	6,44	8,15
85	4,73	5,81
90	3,39	4,03
95	2,39	2,74
100	1,68	1,84

Population selon la langue maternelle, 1976

Langue	Nombre	%
Anglais	14 122 765	61,4
Allemand	476 715	2,1
Balte	34 190	0,1
Celte	10 060	—
Chinois	132 560	0,6
Croate, serbe, etc.	77 570	0,3
Espagnol	44 130	0,2
Finnois	28 470	0,1
Français	5 887 205	25,6
Grec	91 530	0,4
Hongrois	69 305	0,3
Indo-Pakistanais	58 420	0,3
Inuktitut	15 900	0,1
Italien	484 045	2,1
Japonais	15 525	0,1
Langues amérindiennes	117 110	0,6
Langues sémites	37 100	0,2
Néerlandais et flamand	122 555	0,5
Polonais	99 845	0,4
Portugais	126 535	0,5
Roumain	8 755	—
Russe	23 480	0,1
Scandinave	59 410	0,3
Tchèque et slovaque	34 955	0,2
Ukrainien	282 060	1,2
Yiddish	23 440	0,1
Autres	63 950	0,3
Non spécifiée	445 020	1,9
Total	22 992 605	100,0

Langue maternelle dominante, 1976

Province ou territoire	Langue	%
Colombie-Britannique	Anglais	84,8
	Allemand	3,4
	Chinois	1,9
	Français	1,6
Alberta	Anglais	82,4
	Allemand	4,4
	Ukrainien	3,6
	Français	2,5
Saskatchewan	Anglais	79
	Allemand	6,8
	Ukrainien	5,1
	Français	2,9
	Langues amérindiennes	2,3
Manitoba	Anglais	72,7
	Allemand	7,3
	Ukrainien	6
	Français	5,5
	Langues amérindiennes	2,5
Ontario	Anglais	79,7
	Français	5,7
	Italien	3,8
	Allemand	1,9
Québec	Français	81,5
	Anglais	13,1
	Italien	2
Nouveau-Brunswick	Anglais	65,4
	Français	33,6
Ile-du-Prince-Edouard	Anglais	93,6
	Français	5,6
Nouvelle-Ecosse	Anglais	93,8
	Français	4,5
Terre-Neuve	Anglais	98,8
	Français	0,5

POPULATION: Estimation par province (en milliers), au 1er juin 1976

Province ou territoire	0-4 ans		5-9 ans		10-14 ans		15-19 ans	
	Hommes	Femmes	Hommes	Femmes	Hommes	Femmes	Hommes	Femmes
Terre-Neuve	29,7	28,1	32,1	30,8	34,3	32,7	32,1	30,6
Ile-du-Prince-Edouard	5,0	4,6	5,4	5,1	6,8	6,3	6,5	6,4
Nouvelle-Ecosse	33,7	31,9	36,9	34,9	44,1	42,2	44,6	42,1
Nouveau-Brunswick	29,7	28,5	31,7	29,8	37,6	35,8	38,0	35,8
Québec	227,3	215,4	248,6	237,0	318,7	303,4	338,4	327,9
Ontario	311,7	295,5	342,0	325,8	409,3	389,5	412,7	395,3
Manitoba	42,5	39,8	43,3	41,6	49,8	48,0	51,0	49,3
Saskatchewan	38,0	36,7	39,9	38,1	48,6	46,8	49,4	47,5
Alberta	78,4	74,6	83,5	79,5	95,6	91,6	99,0	94,3
Colombie-Britannique	88,6	84,6	99,2	94,8	116,2	111,7	121,0	116,9
Yukon	1,1	1,0	1,1	1,0	1,2	1,1	1,1	1,0
Territoires du Nord-Ouest	2,8	2,7	2,9	2,7	2,7	2,6	2,2	2,1
CANADA	886,6	843,4	966,7	921,1	1 164,6	1 111,7	1 196,0	1 149,3

Province ou territoire	20-24 ans		25-34 ans		35-44 ans		45-54 ans	
	Hommes	Femmes	Hommes	Femmes	Hommes	Femmes	Hommes	Femmes
Terre-Neuve	26,0	26,1	41,6	40,4	26,9	25,1	23,4	22,0
Ile-du-Prince-Edouard	5,0	5,0	8,3	8,0	6,0	5,7	5,3	5,3
Nouvelle-Ecosse	38,2	37,2	62,3	60,4	42,9	42,0	39,1	40,8
Nouveau-Brunswick	32,0	31,8	51,1	48,7	33,5	33,1	31,1	32,3
Québec	229,2	299,3	515,6	514,2	363,9	365,0	330,3	346,3
Ontario	368,3	376,1	652,0	650,2	488,0	476,5	466,1	470,8
Manitoba	47,0	47,0	75,8	74,0	53,0	51,8	52,0	54,5
Saskatchewan	41,7	39,7	59,3	56,7	45,9	44,9	48,6	48,3
Alberta	94,6	91,4	150,0	144,0	106,0	99,8	93,2	90,2
Colombie-Britannique	110,3	111,2	200,8	194,9	144,8	135,1	134,4	134,3
Yukon	1,2	1,2	2,5	2,2	1,5	1,1	1,1	0,8
Territoires du Nord-Ouest	2,2	2,1	4,0	3,5	2,4	2,0	1,6	1,3
CANADA	1 065,8	1 068,0	1 823,2	1 797,3	1 314,9	1 282,1	1 226,2	1 246,8

Province ou territoire	55-64 ans		65-69 ans		70 ans et plus		Tous âges	
	Hommes	Femmes	Hommes	Femmes	Hommes	Femmes	Hommes	Femmes
Terre-Neuve	20,0	19,0	7,0	6,8	10,2	12,6	283,4	274,3
Ile-du-Prince-Edouard	5,0	5,3	2,1	2,1	3,9	5,1	59,3	59,0
Nouvelle-Ecosse	36,2	38,3	14,0	14,5	22,0	30,3	414,2	414,4
Nouveau-Brunswick	27,3	28,5	10,6	11,1	16,8	22,6	339,3	337,9
Québec	237,9	264,7	84,5	101,6	120,3	175,0	3 084,6	3 149,8
Ontario	336,5	359,2	120,5	140,4	189,8	288,2	4 096,9	4 167,6
Manitoba	45,8	48,6	17,5	19,3	30,4	39,4	508,0	513,5
Saskatchewan	44,1	45,0	17,4	17,4	31,9	35,5	464,8	456,6
Alberta	66,4	68,2	23,9	24,6	41,8	47,6	932,4	905,7
Colombie-Britannique	107,3	118,4	40,7	44,2	69,2	88,0	1 232,5	1 234,1
Yukon	0,6	0,4	0,2	0,1	0,2	0,2	11,7	10,1
Territoires du Nord-Ouest	0,9	0,7	0,3	0,2	0,3	0,3	22,4	20,2
CANADA	928,1	996,4	338,5	382,3	536,9	744,6	11 449,5	11 543,1

Profil démographique, 1977

Province ou territoire	Mariages	Divorces	Naissances	Décès
Terre-Neuve	3 895	456	11 110	3 323
Ile-du-Prince-Edouard	892	136	1 969	1 095
Nouvelle-Ecosse	6 304	1 802	12 374	6 955
Nouveau-Brunswick	5 275	961	11 515	5 202
Québec	47 230	14 501	95 690	43 011
Ontario	67 730	19 735	122 758	60 645
Manitoba	8 238	2 085	16 716	8 262
Saskatchewan	7 237	1 474	16 547	7 809
Alberta	17 976	5 843	34 401	11 584
Colombie-Britannique	21 540	8 251	36 030	18 788
Yukon	204	59	432	123
Territoires du Nord-Ouest	266	67	1 191	212
CANADA	186 787	55 370	360 733	167 009

Familles et nombre de personnes par famille en 1966, 1971 et 1976

Province ou territoire	Familles			Personnes par famille		
	1966	1971	1976	1966	1971	1976
Terre-Neuve	97 011	107 960	124 655	4,6	4,4	4
Ile-du-Prince-Edouard	22 728	24 170	27 560	4,2	4	3,7
Nouvelle-Ecosse	166 237	179 595	200 480	4	3,8	3,5
Nouveau-Brunswick	129 307	139 720	162 035	4,3	4	3,7
Québec	1 229 301	1 353 655	1 540 400	4,2	3,9	3,5
Ontario	1 657 933	1 877 055	2 104 540	3,7	3,6	3,4
Manitoba	222 735	234 595	251 975	3,8	3,6	3,4
Saskatchewan	216 674	241 840	225 685	3,9	3,7	3,5
Alberta	331 158	380 220	448 765	3,9	3,7	3,5
Colombie-Britannique	445 297	530 830	628 445	3,6	3,5	3,3
Yukon	7 885	10 530	4 930	4,5	4,3	4,3
Territoires du Nord-Ouest			8 425			
CANADA	4 526 266	5 053 170	5 727 875	3,9	3,7	3,5

Population urbaine et rurale

Province ou territoire	Urbaine		Rurale non agricole		Agricole		Rurale totale		Population totale
	Nombre	%	Nombre	%	Nombre	%	Nombre	%	Nombre
Terre-Neuve	328 270	58,9	228 365	40,9	1 095	0,2	229 460	41,1	557 725
Ile-du-Prince-Edouard	43 880	37,1	62 155	52,6	12 190	10,3	74 345	62,9	118 230
Nouvelle-Ecosse	462 590	55,8	353 815	42,7	12 170	1,5	365 985	44,2	828 570
Nouveau-Brunswick	354 420	52,3	311 150	46	11 685	1,7	322 835	47,7	677 250
Québec	4 932 755	79,1	1 110 580	17,8	191 110	3,1	1 301 690	20,9	6 234 445
Ontario	6 708 520	81,2	1 276 890	15,4	279 055	3,4	1 555 945	18,8	8 264 465
Manitoba	714 480	69,9	205 570	20,2	101 455	9,9	307 025	30,1	1 021 510
Saskatchewan	511 330	55,5	217 425	23,6	192 570	20,9	409 995	44,5	921 325
Alberta	1 379 165	75	269 225	14,7	189 650	10,3	458 875	25	1 838 035
Colombie-Britannique	1 897 085	76,9	525 950	21,3	43 575	1,8	569 525	23,1	2 466 605
Yukon	13 310	61	8 525	39	—	—	8 525	39	21 835
Territoires du Nord-Ouest	21 165	49,7	21 435	50,3	10	—	21 445	50,3	42 610
CANADA	17 366 970	75,5	4 591 070	20	1 034 560	4,5	5 625 630	24,5	22 992 605

GROUPES ETHNIQUES, 1971

Origine	Nombre	%
Britanniques	9 624 115	44,6
Français	6 180 120	28,7
Autres Européens	4 959 680	23,0
Allemands	1 317 200	6,1
Autrichiens	42 120	0,2
Belges	51 135	0,2
Danois	75 725	0,4
Espagnols	27 515	0,1
Finlandais	59 215	0,3
Grecs	124 475	0,6
Hongrois	131 890	0,6
Islandais	27 905	0,1
Italiens	730 820	3,4
Juifs	296 945	1,4
Lithuaniens	24 535	0,1
Néerlandais	425 945	2,0
Norvégiens	179 290	0,8
Polonais	316 425	1,5
Portugais	96 875	0,4
Roumains	27 375	0,1
Russes	64 475	0,3
Suédois	101 870	0,5
Tchèques et Slovaques	81 870	0,4
Ukrainiens	580 660	2,7
Yougoslaves	104 950	0,5
Autres	70 460	0,3
Asiatiques	285 540	1,3
Chinois	118 815	0,6
Japonais	37 260	0,2
Autres	129 460	0,6
Autres	518 850	2,4
Inuits	17 550	0,1
Indiens	295 215	0,2
Noirs	34 445	0,2
Antillais	28 025	0,1
Autres et non précisés	143 620	0,7
Total	21 568 310	100,0

POPULATION INDIENNE, 1977

Province ou territoire	Nombre de bandes	Effectifs
Maritimes	29	11 093
Québec	39	30 175
Ontario	115	66 057
Manitoba	57	43 349
Saskatchewan	68	44 986
Alberta	41	35 162
Colombie-Britannique	194	54 318
District de Mackenzie	16	7 541
Yukon	14	3 217
CANADA	573	295 898

POPULATION INUITE, 1979

Territoires du Nord-Ouest	15 712
Reste du Canada	7 580
CANADA	23 292

UNIVERSITÉS ET COLLÈGES CANADIENS

(ainsi que leur date de fondation et le nombre d'étudiants qui y sont inscrits)

Acadia : Wolfville, N.-E. ; 1838 (3 489).
Alberta : Edmonton, Alb. ; 1906 (22 006).
Athabasca : Edmonton, Alb. ; 1970 (2 273).
Bishop : Lennoxville, Qué. ; 1843 (983).
Brandon : Brandon, Man. ; 1899 (2 044).
Brescia College (université Western Ontario) : London, Ont. ; 1919 (340).
Brock : St. Catharines, Ont. ; 1964 (4 803).
Calgary : Calgary, Alb. ; 1945 (13 682).
Campion College (université de Regina) : Regina, Sask. ; 1917 (395).
Carleton : Ottawa, Ont. ; 1942 (14 642).
Collège d'agriculture de la Nouvelle-Ecosse : Truro, N.-E. ; 1905 (462).
Collège des beaux-arts et de design : Halifax, N.-E. ; 1887 (565).
Collège du Cap-Breton : Sydney, N.-E. ; 1974 (1 530).
Collège dominicain de philosophie et de théologie : Ottawa, Ont. ; 1900 (836).
Collège militaire royal du Canada : Kingston, Ont. ; 1874 (717).
Collège technique de la Nouvelle-Ecosse : Halifax, N.-E. ; 1907 (752).
Colombie-Britannique : Vancouver, C.-B. ; 1890 (25 355).
Concordia : Montréal, Qué. ; 1974 (21 968).
Dalhousie : Halifax, N.-E. ; 1818 (8 924).
Guelph : Guelph, Ont. ; 1964 (10 416).
Huron College (université Western Ontario) : London, Ont. ; 1863 (587).
Ile-du-Prince-Edouard : Charlottetown, I.-P.-E. ; 1969 (2 206).
Institut polytechnique Ryerson : Toronto, Ont. ; 1948 (11 291).
King's College (université de Dalhousie) : Halifax, N.-E. ; 1789 (361).
King's College (université Western Ontario) : London, Ont. ; 1966 (1 022).
Lakehead : Thunder Bay, Ont. ; 1946 (4 121).
Laurentienne de Sudbury : Sudbury, Ont. ; 1960 (6 002).
Laval : Québec, Qué. ; 1852 (23 872).
Lethbridge : Lethbridge, Alb. ; 1967 (2 070).
Luther College (université de Regina) : Regina, Sask. ; 1926 (226).
McGill : Montréal, Qué. ; 1821 (19 956).
McMaster : Hamilton, Ont. ; 1887 (13 315).
Manitoba : Winnipeg, Man. ; 1877 (19 370).
Mémoriale de Terre-Neuve : St. John's, T.-N. ; 1949 (9 385).
Moncton : Moncton, N.-B. ; 1963 (6 449).
Montréal : Montréal, Qué. ; 1876 (35 566).
Mount Allison : Sackville, N.-B. ; 1843 (1 416).
Mount Saint Vincent : Halifax, N.-E. ; 1925 (2 289).
Nouveau-Brunswick : Fredericton, N.-B. ; 1785 (7 907).
Ontario Institute for Studies in Education : Toronto, Ont. ; 1965 (le nombre d'étudiants de cet institut est inclus dans celui de l'université de Toronto).
Ottawa : Ottawa, Ont. ; 1848 (18 705).
Québec : Sainte-Foy, Qué. ; 1968 (42 673).
Queen : Kingston, Ont. ; 1841 (12 864).
Regina : Regina, Sask. ; 1974 (7 004).
Sainte-Anne : Church Point, N.-E. ; 1890 (650).
Saint-François-Xavier : Antigonish, N.-E. ; 1853 (2 894).
St. Jerome's College (université de Waterloo) : Waterloo, Ont. ; 1864 (1 010).
St. John's College (université du Manitoba) : Winnipeg, Man. ; 1849 (le nombre d'étudiants de ce collège est inclus dans celui de l'université du Manitoba).
St. Mary's : Halifax, N.-E. ; 1802 (3 736).
St. Michael's College (université de Toronto) : Toronto, Ont. ; 1852 (2 730).
St. Paul : Ottawa, Ont. ; 1965 (730).
St. Paul's College (université du Manitoba) : Winnipeg, Man. ; 1926 (le nombre d'étudiants de ce collège est inclus dans celui de l'université du Manitoba).
St. Thomas : Fredericton, N.-B. ; 1910 (1 219).
St. Thomas More College (université de la Saskatchewan) : Saskatoon, Sask. ; 1936 (680).
Saskatchewan : Saskatoon, Sask. ; 1907 (13 371).
Sherbrooke : Sherbrooke, Qué. ; 1954 (9 763).
Simon Fraser : Burnaby, C.-B. ; 1963 (11 637).
Sudbury : Sudbury, Ont. ; 1913 (le nombre d'étudiants de cette université est inclus dans celui de l'université Laurentienne).
Toronto : Toronto, Ont. ; 1837 (47 166).
Trent : Peterborough, Ont. ; 1963 (3 254).
Trinity College (université de Toronto) : Toronto, Ont. ; 1852 (1 074).
Victoria : Victoria, C.-B. ; 1963 (7 746).
Victoria (université de Toronto) : Toronto, Ont. ; 1836 (2 893).
Waterloo : Waterloo, Ont. ; 1959 (19 248).
Western Ontario : London, Ont. ; 1878 (21 293).
Wilfrid Laurier : Waterloo, Ont. ; 1973 (5 978).
Windsor : Windsor, Ont. ; 1963 (10 219).
Winnipeg (cette université est née de la fusion du Manitoba College, fondé en 1871, et du Wesley College, fondé en 1877) : Winnipeg, Man. ; 1967 (4 650).
York : Downsview, Ont. ; 1959 (22 842).

Source : Association des universités et collèges du Canada

ÉDUCATION : Ecoles, enseignants et effectifs

	Canada	T.-N.	I.-P.-E.	N.-E.	N.-B.	Qué.	Ont.	Man.	Sask.	Alb.	C.-B.	Yukon	T. N.-O.
Nombre d'écoles :													
Primaire et secondaire	15 442	688	76	617	484	2 990	5 186	824	1 064	1 529	1 881	22	70
Postsecondaire :													
Non universitaire	186	6	2	14	9	73	30	8	3	20	21	—	—
Universitaire	65	1	1	10	4	7	22	7	3	5	5	—	—
Total	15 693	695	79	641	497	3 070	5 238	839	1 070	1 554	1 907	22	70
Nombre d'enseignants :													
Primaire et secondaire	269 768	7 711	1 426	11 083	7 812	68 514	97 526	12 460	11 392	22 590	28 035	271	667
Postsecondaire :													
Non universitaire	19 678	225	70	368	208	9 500	5 004	356	367	1 867	1 713	—	—
Universitaire	32 634	791	120	1 635	1 073	7 340	12 803	1 648	1 405	2 842	2 977	—	—
Formation technique	6 112	602	129	696	344		1 997	370	252	730	992	—	—
Total	328 192	9 329	1 745	13 782	9 437	85 354	117 330	14 834	13 416	28 029	33 717	271	667
Nombre d'étudiants :													
Primaire et secondaire	5 286 017	153 565	27 853	196 811	160 673	1 297 419	1 981 826	232 470	220 979	447 249	545 062	5 247	12 903
Postsecondaire :													
Non universitaire	247 034	1 960	770	2 768	1 656	136 123	64 499	3 019	2 397	17 063	16 779	—	—
Universitaire	367 973	6 161	1 390	17 932	10 904	84 017	154 396	17 017	14 446	31 171	30 539	—	—
Total	5 901 024	161 686	30 013	217 511	173 233	1 517 559	2 200 721	252 506	237 822	495 483	592 380	5 247	12 903

LA RELIGION AU CANADA

L'histoire religieuse du Canada remonte à ce jour d'été 1534 où Jacques Cartier planta une croix de bois de 9 m, sur la côte de Gaspé, au nom du Christ et du roi de France.

L'activité missionnaire ne commença vraiment qu'avec l'arrivée de Champlain en 1603. Malgré les difficultés et le martyre de quelques-uns des premiers missionnaires, les récollets, les jésuites, les capucins et les sœurs grises vinrent nombreux dans le Nouveau Monde pour répandre la foi, éduquer et guérir.

La religion catholique est la principale confession religieuse du Canada ; on dénombrait 10 202 625 catholiques lors du recensement de 1971. La hiérarchie de l'Eglise catholique canadienne se compose du nonce apostolique, représentant du pape au Canada, des archevêques, placés à la tête des provinces ecclésiastiques et dont les plus éminents portent le titre de cardinal, et des évêques, responsables de la conduite des diocèses. L'Eglise catholique a joué un rôle important dans l'éducation et les changements sociaux au Canada.

Les origines du protestantisme canadien remontent à la fin du XVIe et au début du XVIIe siècle avec l'établissement de huguenots français sur les rives du Saint-Laurent et dans la baie de Fundy. Certains congrégationalistes originaires de la Nouvelle-Angleterre s'installèrent en Nouvelle-Ecosse entre 1749 et 1752. En 1772, l'Eglise méthodiste comptait déjà de nombreux adeptes ; la plupart des membres de son clergé étaient des pasteurs itinérants ou des prêcheurs laïques.

La plus nombreuse des églises protestantes, avec ses 3 768 800 fidèles, est l'Eglise unie du Canada, un amalgame des églises méthodiste, presbytérienne et congrégationaliste. Son régime est presbytéral : le consistoire et les assemblées se composent d'un nombre égal de ministres et de représentants laïques. Le principal dignitaire, appelé modérateur, est élu tous les deux ans, lors d'un concile général.

L'Eglise anglicane du Canada fait partie de la grande communion anglicane qui forma un courant séparé du christianisme au XVIe siècle. L'anglicanisme a toutefois conservé la hiérarchie épiscopalienne de l'Eglise catholique et la même structure ecclésiale composée de provinces ecclésiastiques et de diocèses. Chaque diocèse détient l'autorité réelle sur les fidèles, mais l'un des archevêques porte le titre de primat du Canada. Le chef d'un diocèse est un évêque, élu par des représentants du clergé et des laïcs lors d'un synode diocésain. L'Eglise anglicane compte 2 543 180 membres au Canada.

Le premier service religieux dont il est fait mention dans l'histoire de notre pays est une cérémonie eucharistique anglicane célébrée pendant l'été de 1578 par Robert Wolfall, à bord du navire de l'explorateur Martin Frobisher. Cinq ans plus tard, Sir Humphrey Gilbert réclamait Terre-Neuve pour la couronne anglaise, et la nouvelle colonie était placée sous l'autorité de l'Eglise d'Angleterre. On retrouve le clergé anglican aux côtés de la Compagnie de la Baie d'Hudson en 1683, mais les premières églises permanentes ne furent construites qu'au début du XVIIIe siècle, à Terre-Neuve et en Nouvelle-Ecosse. En 1893, la communion anglicane canadienne devint une église autonome.

L'Eglise presbytérienne, qui rassemble 872 335 membres, est la quatrième religion en importance au Canada. L'une des trois églises presbytériennes se dissocia du mouvement d'union qui donna naissance à l'Eglise unie du Canada et conserva la dénomination d'Eglise presbytérienne du Canada. Au Canada, l'Eglise presbytérienne est dirigée par un modérateur, les comités d'une assemblée générale et huit synodes.

L'Eglise luthérienne, également issue de la Réforme, s'implanta au Canada dès les débuts de la colonie. En août 1619, le capitaine danois Jens Munck touchait les côtes de la baie d'Hudson, près du Churchill ; son équipage comptait 36 membres dont un pasteur, le révérend Rasmus Jensen. A Pâques, il ne restait plus que trois hommes, les autres ayant été emportés par une épidémie de scorbut. Néanmoins, on commença à célébrer des services luthériens en Nouvelle-Ecosse, dès 1740. De nouveaux immigrants de confession luthérienne, originaires des Etats-Unis et d'Europe, s'établirent dans les Maritimes, en Ontario et dans l'Ouest, au cours du XIXe siècle. Cette église s'appuie sur la doctrine religieuse des réformateurs du XVIe siècle, Martin Luther et Philip Melanchthon. L'Eglise luthérienne du Canada se subdivise en trois branches, chacune étant dirigée par un président ; elles sont toutes réunies au sein du Conseil luthérien. Cette Eglise compte 715 740 membres.

Eglises et sectes	1951 Nombre	1951 %	1971 Nombre	1971 %
Adventiste	21 398	0,2	28 590	0,1
Anglicane du Canada	2 060 720	14,7	2 543 180	11,8
Armée du Salut	70 275	0,5	119 665	0,6
Baptiste	519 585	3,7	667 245	3,1
Catholique romaine	6 069 496	43,3	9 974 895	46,2
Catholique ukrainienne (grecque)	191 051	1,4	227 730	1,1
Chrétienne réformée	—	—	83 390	0,4
Eglise unie du Canada	2 867 271	20,5	3 768 800	17,5
Grecque orthodoxe	172 271	1,2	316 605	1,5
Judaïque	204 836	1,5	276 025	1,3
Luthérienne	444 923	3,2	715 740	3,3
Mennonite	125 938	0,9	181 800	0,8
Mormone	32 888	0,2	66 635	0,3
Pentecôtiste	95 131	0,7	220 390	1
Presbytérienne	781 747	5,6	872 335	4
Témoins de Jéhovah	34 596	0,2	174 810	0,8
Autres	317 303	2,2	1 330 480	6,2
Total	14 009 429	100,0	21 568 310	100,0

LOGEMENT

Type de logement		1966	1971	1976
Ensemble des logements occupés par des particuliers	Nombre	5 180 475	6 034 510	7 166 095
	Pourcentage	100	100	100
Maison individuelle	Nombre	3 234 125	3 591 770	3 991 540
	Pourcentage	62,4	59,5	55,7
Maison individuelle attenante	Nombre	401 755	679 590	587 180
	Pourcentage	7,8	11,3	8,2
Appartement et duplex	Nombre	1 516 420	1 699 045	2 412 660
	Pourcentage	29,3	28,2	33,7
Maison mobile	Nombre	28 180	64 105	174 710
	Pourcentage	0,5	1,1	2,4
Mode d'occupation :				
Occupé par le propriétaire	Nombre	3 269 970	3 636 925	4 431 235
	Pourcentage	63,1	60,3	61,8
Occupé par un locataire	Nombre	1 910 505	2 397 580	2 734 860
	Pourcentage	36,9	39,7	38,2

TYPE DE LOGEMENT, PAR PROVINCE ET PAR VILLE, 1976

Province ou territoire	Total des logements	Maisons individuelles	Appartements, duplex et maisons attenantes	Maisons individuelles %	Appartements %
Terre-Neuve	131 665	95 925	31 455	72,9	23,9
Ile-du-Prince-Edouard	32 930	24 315	7 000	73,8	21,3
Nouvelle Ecosse	243 000	162 550	66 570	66,9	27,4
Nouveau-Brunswick	190 435	125 830	52 585	66,1	27,6
Québec	1 894 110	745 595	1 120 630	39,4	59,2
Ontario	2 634 620	1 494 465	1 117 365	56,7	42,4
Manitoba	328 005	219 950	100 140	67,1	30,5
Saskatchewan	291 155	224 510	55 755	77,1	19,2
Alberta	575 280	372 420	174 610	64,7	30,4
Colombie-Britannique	828 290	516 485	268 690	62,4	32,4
Yukon	6 495	3 425	2 165	52,7	33,4
Territoires du Nord-Ouest	10 020	6 070	2 865	60,6	28,7
CANADA	7 166 095	3 991 540	2 999 840	55,7	41,9
Région métropolitaine					
Calgary, Alb.	155 155	90 765	62 475	58,5	40,3
Chicoutimi, Qué.	33 850	16 165	17 080	47,8	50,5
Edmonton, Alb.	179 635	100 345	77 350	55,9	43,1
Halifax, N.-E.	81 845	39 335	39 030	48,1	47,7
Hamilton, Ont.	172 510	101 470	70 805	58,8	41
Kitchener, Ont.	87 880	47 305	40 455	53,8	46
London, Ont.	91 770	51 505	39 830	56,1	43,4
Montréal, Qué.	924 635	223 365	698 750	24,2	75,6
Oshawa, Ont.	41 445	24 935	16 440	60,2	39,7
Ottawa-Hull, Ont./Qué.	225 105	94 105	129 445	41,8	57,5
Québec, Qué.	164 600	60 065	103 180	36,5	62,7
Regina, Sask.	49 790	33 310	16 195	66,9	32,5
St. Catharines, Ont.	97 395	67 860	29 205	69,7	30
Saint-Jean, N.-B.	34 065	14 780	17 635	43,4	51,8
St. John's, T.-N.	36 800	18 475	17 690	50,2	48,1
Saskatoon, Sask.	44 800	28 315	16 045	63,2	35,8
Sudbury, Ont.	45 710	26 080	19 030	57,1	41,6
Thunder Bay, Ont.	37 270	26 240	10 735	70,4	28,8
Toronto, Ont.	909 530	361 560	547 435	39,8	60,2
Vancouver, C.-B.	407 560	231 915	171 080	56,9	42
Victoria, C.-B.	81 005	46 995	32 680	58	40,3
Windsor, Ont.	80 190	53 705	25 565	67	31,9
Winnipeg, Man.	197 305	115 400	81 090	58,5	41,1

SALAIRES HEBDOMADAIRES MOYENS, 1961–1979

Source et région	1961	1976	1977 (dollars)	1978	1979
Industrie :					
Forêts	79,02	287,36	312,81	326,48	360,29
Mines (y compris le broyage)	95,57	317,13	348,12	376,40	419,39
Industries manufacturières	81,55	241,19	266,04	285,67	311,19
Biens durables	88,22	257,46	284,66	305,97	331,44
Biens non durables	76,17	225,60	248,39	266,13	291,33
Construction	86,93	331,02	369,88	389,64	422,28
Transport, communications et autres services publics	82,47	262,02	291,14	313,28	341,45
Commerce	65,54	176,59	190,96	201,79	218,75
Finances, assurances et affaires immobilières	72,82	213,71	229,57	248,43	272,10
Services	57,87	160,49	171,28	108	193,26
Province ou territoire :					
Terre-Neuve	71,06	221,63	242,43	248,36	271,64
Ile-du-Prince-Edouard	54,91	170,88	187,73	196,72	209,77
Nouvelle-Ecosse	63,72	193,21	212,09	223,72	245,33
Nouveau-Brunswick	63,62	202,56	223,34	232,89	256,49
Québec	75,67	222,41	244,77	262,89	284,35
Ontario	81,30	228,72	249,46	264,04	285,57
Manitoba	73,66	208,55	227,95	239,71	259
Saskatchewan	74,38	214,87	235,61	250,44	275,79
Alberta	80,29	236,89	261,96	276,32	306,79
Colombie-Britannique	84,99	259,52	284,13	301,26	327,14
Yukon	—	304,17	351,49	364,93	393,31
Territoires du Nord-Ouest	—	290,97	306,03	310,32	355,85

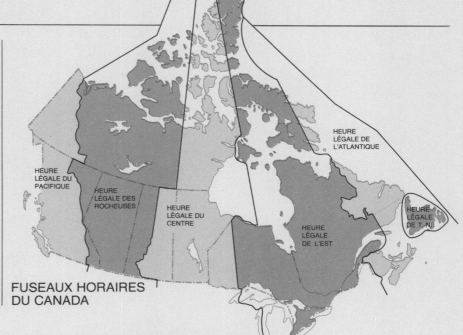

FUSEAUX HORAIRES DU CANADA

HEURE LÉGALE DE L'ATLANTIQUE
HEURE LÉGALE DU PACIFIQUE
HEURE LÉGALE DES ROCHEUSES
HEURE LÉGALE DU CENTRE
HEURE LÉGALE DE L'EST
HEURE LÉGALE DE T.-N.

DÉPENSES PERSONNELLES

Biens et services	1971	1975	1978 (Millions de dollars)
Aliments, boissons et tabac	12 148	20 757	27 833
Vêtements et chaussures	4 143	7 155	9 537
Loyer brut, combustible et électricité	10 582	16 445	24 638
Meubles, appareils électroménagers et entretien de la maison	5 295	9 884	13 078
Soins médicaux et d'hygiène	1 619	2 896	3 971
Transport et communications	8 014	14 292	19 652
Loisirs, divertissements, études et services culturels	5 364	9 972	13 844
Biens et services personnels	8 355	15 062	21 277
Autres	96	532	1 390
Total	55 616	96 995	135 220

LOISIRS : Utilisation des temps libres (pourcentage d'adultes participant à une activité, février 1978)

Télévision	Radio	Disques et bandes magnétiques	Journaux	Revues	Lecture	Sports ou exercices physiques	Etudes	Passe-temps et bricolage	Activités artistiques	Activités musicales
95%	83%	50%	83%	58%	43%	47%	11%	33%	13%	12%

LOISIRS : Arts et culture (pourcentage d'adultes participant à une activité, février 1978)

Musées	Galeries d'art	Bibliothèques publiques	Librairies	Cinéma	Concerts de musique populaire	Concerts de musique classique	Théâtre
6%	6%	21%	40%	33%	11%	7%	9%

MÉNAGES POSSÉDANT DES APPAREILS MÉNAGERS, 1953–1978

Année	Réfrigérateur %	Congélateur %	Laveuse %	Sécheuse %	Lave-vaisselle %	Machine à coudre %	Aspirateur %	Climatiseur %
1953	66,3	2,2	—	—	—	23,4	48	—
1961	92	13,1	14,2	14,7	1,5	44,8	69	1,7
1965	95,8	22,6	23,1	27,4	2,7	52,4	74,9	2,2
1971	98,2	34	39,4	43,1	8,6	64,3	82,8	5,3
1975	99,3	41,8	52,1	51,6	15,2	65,4	86,5	12,4
1978	99,4	47,2	59,1	56	23,8	—	—	15,3

CRIMINALITÉ

Genre de crime	1973 Nombre	1973 Taux (pour 100 000 habitants)	1977 Nombre	1977 Taux (pour 100 000 habitants)	1973–1977 Evolution en %
Tout acte criminel :	117 764	533,0	135 745	582,8	9,2
Meurtre	475	2,1	624	2,6	23,8
Viol	1 594	7,2	1 886	8,0	11,1
Vol qualifié	13 166	59,6	19 491	83,6	40,1
Tout crime contre la propriété :	883 329	371,6	1 059 688	4 544,9	20,5
Introduction par effraction	198 043	896,3	270 659	1 160,8	29,5
Vol de plus de $200	63 383	286,9	114 000	488,9	70,4
Toute autre infraction au Code criminel :	336 312	1 522,1	458 587	1 968,9	14,9
Prostitution	3 573	16,2	2 843	12,1	— 25,3
Jeux et paris	3 011	13,6	3 487	14,9	9,6
Total	1 302 938	5 897,1	1 654 020	7 094,0	20,3

RADIO, TÉLÉVISION ET AUTRES APPAREILS DE DIFFUSION, 1979

Province ou territoire	MA	MF	TV	ER	OC	CH	Total
Terre-Neuve	28	28	117	17	1		191
Ile-du-Prince-Edouard	4	1	3				8
Nouvelle-Ecosse	23	13	46	17	1	1	101
Nouveau-Brunswick	19	7	27	11	1	1	66
Québec	92	87	148	43	1	8	379
Ontario	110	116	115	58	1	11	411
Manitoba	20	33	57	6		2	118
Saskatchewan	20	19	80	1		1	121
Alberta	44	39	110	17	1	2	213
Colombie-Britannique	79	59	296	78	2	6	520
Yukon	3	1	18	11			33
Territoires du Nord-Ouest	7	13	28	14			62
Total	449	416	1 045	273	8	32	2 223

MA : modulation d'amplitude (AM). MF : modulation de fréquence (FM). ER : émetteurs-relais. OC : ondes courtes. CH : chaîne.

JOURNAUX : Nombre et tirage, septembre 1978

Province ou territoire	Journaux du matin	Journaux de l'après-midi	Nombre total de quotidiens	Tirage total des journaux du matin	Tirage total des journaux de l'après-midi	Journaux du dimanche	Tirage total des journaux du dimanche
Terre-Neuve	1	2	3	8 759	41 367	2	58 065
Ile-du-Prince-Edouard	1	2	3	22 300	33 303		
Nouvelle-Ecosse	2	4	6	129 012	175 944	1	8 638
Nouveau-Brunswick	3	3	6	122 500	127 593	2	84 444
Québec	5	7	12	601 459	510 469	10	1 222 629
Ontario	5	44	49	913 716	1 725 371	11	1 816 474
Manitoba	0	8	8	—	271 400	2	267 477
Saskatchewan	0	4	4	—	131 842	—	
Alberta	2	7	9	78 486	344 706	5	411 448
Colombie-Britannique	3	14	17	452 523	556 556	3	418 618
Yukon/Territoires du Nord-Ouest	—	—	—	—	—	—	
Total	22	95	117	2 328 755	3 918 550	36	4 287 793

BIBLIOTHÈQUES

Au Canada, l'organisation des bibliothèques publiques relève des provinces qui définissent les services à fournir et le mode de financement. Les municipalités peuvent organiser et gérer leurs propres bibliothèques publiques ou s'unir pour créer des bibliothèques régionales en conformité avec les lois provinciales.

En 1977, le nombre de prêts s'élevait à 114 millions de livres et les 760 bibliothèques publiques employaient 1 690 bibliothécaires. Le fonds de livres total, y compris les documents catalogués comme livres, se chiffrait à 39 millions.

BIBLIOTHÈQUES

Province ou territoire	Bibliothèques publiques	Fonds de livres	Prêts
Terre-Neuve	4	731 946	2 051 716
Ile-du-Prince-Edouard	1	173 676	523 649
Nouvelle-Ecosse	12	944 714	3 367 238
Nouveau-Brunswick	6	841 788	2 236 814
Québec	100	6 059 263	13 955 576
Ontario	365	19 713 454	53 547 849
Manitoba	29	1 425 515	4 422 995
Saskatchewan	10	1 867 051	5 810 347
Alberta	167	3 303 536	9 828 885
Colombie-Britannique	64	4 301 057	18 662 518
Yukon	1	127 633	128 984
Territoires du Nord-Ouest	1	88 290	111 523
CANADA	760	39 577 923	114 648 094

COMMUNICATIONS À LA MAISON

	Nombre de ménages	% de ménages
Télévision[1]	7 121 000	97,3
couleur	5 294 000	72,3
noir et blanc	3 819 000	52,2
Radio (MA et MF)[2]	7 206 000	98,4
Téléphone[3]	7 063 000	96,5
Câblovision	3 625 000	49,5
Nombre total de ménages canadiens	7 320 000	100

[1] Certains ménages possèdent plus d'un récepteur de télévision.
[2] Comprend les ménages possédant un récepteur ou plus.
[3] Comprend les ménages possédant un téléphone ou plus.

VOYAGES DE VACANCES

Le tableau indique la baisse de popularité de l'automobile, depuis 1966, chez les vacanciers canadiens. L'automobile, utilisée dans 73 pour cent des voyages de vacances en 1966, ne l'était plus que dans 55 pour cent des cas en 1980. L'avion, par contre, connaît une vogue grandissante : 30 pour cent des vacanciers voyagent par avion en 1980, contre 10 pour cent en 1966.

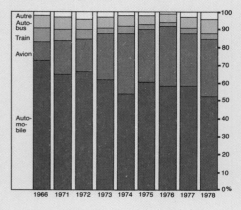

Autre / Autobus / Train / Avion / Automobile
1966 1971 1972 1973 1974 1975 1976 1977 1978

« ALLÔ ! MONTRÉAL ?... »

L'Ecossais Alexander Graham Bell est mort citoyen américain. Néanmoins, la vie de l'inventeur du téléphone et l'exploitation de son invention ont été étroitement liées au Canada. C'est, en effet, dans la demeure familiale, à Brantfort, en Ontario, qu'il rédigea sa demande de brevet d'invention du « téléphone parlant électrique ».

Le 3 août 1876, Bell faisait l'essai de sa nouvelle invention à la Dominion Telegraph de Mount Pleasant, en Ontario. La première conversation téléphonique entre deux immeubles lui permit d'entendre la voix de son oncle récitant du Shakespeare (« Etre ou ne pas être... »). Une semaine plus tard, le premier interurbain reliait Brantfort et Paris, en Ontario, deux localités éloignées de 13 km. La Compagnie de Téléphone Bell fut fondée et, en novembre 1877, elle comptait quatre clients. Le cinquième abonné fut le Premier ministre Alexander Mackenzie.

L'établissement d'un réseau téléphonique pancanadien ne se fit pas du jour au lendemain. Au début du XXᵉ siècle, on encourageait même les usagers des régions rurales à construire des lignes téléphoniques autonomes. Pourtant, la première communication téléphonique entre Montréal et Vancouver, en 1916 (transmise en partie par les lignes américaines), se fit en grande pompe. Les journaux de Vancouver rapportèrent l'événement avec enthousiasme sous le titre : « Allô ! Montréal ? Ici, Vancouver ! »

La compagnie de téléphone privée TransCanada, inaugurée en 1932, fut la première à transmettre des communications d'un océan à l'autre, sans passer par les lignes américaines. Bien que la plupart des appels soient acheminés, à l'heure actuelle, par micro-ondes et par satellites, le Canada possède encore suffisamment de câbles pour faire 2 333 fois le tour de l'équateur.

SPORTS D'ORIGINE CANADIENNE

Le Canada a une longue tradition du sport. La crosse, qui devint notre sport national en 1867, tire son origine d'un jeu indien : plusieurs tribus s'affrontaient au cours d'épreuves qui réunissaient jusqu'à 400 joueurs, duraient plusieurs jours et se soldaient souvent par des fractures, parfois par la mort. Vers 1840, les colons commencèrent à pratiquer une variante moins violente de ce sport.

Le premier match de hockey eut probablement lieu en 1855 à Kingston, entre des soldats du régiment des Royal Canadian Rifles ; mais les troupes anglaises avaient pratiqué une variante de ce jeu, appelée *shinny*, dès 1783. Vers 1880, des étudiants de l'université McGill rédigèrent les règles officielles du hockey qui ont subi, depuis lors, d'importantes modifications. Signalons, entre autres, la suppression du patrouilleur et la reconnaissance des passes à l'avant au début du XXe siècle. En 1893, le gouverneur général Lord Stanley offrit une coupe à la meilleure équipe d'amateurs. A partir de 1912, cette coupe fut décernée aux joueurs professionnels et, à compter de 1926, aux champions de la Ligue nationale de hockey.

Les premiers Canadiens ne tardèrent pas à transformer en sports le canot et la raquette, à l'origine utilisés par les autochtones comme moyens de transport. Lorsque la traite des fourrures leur en laissait le temps, les voyageurs s'adonnaient par plaisir à la course et à la descente des rapides. La compétition annuelle du lac Winnipeg, qui attirait jusqu'à 100 canots, pouvait durer 40 heures. Des clubs de canotage furent fondés à Montréal et à Toronto au cours des années 1870. Ce sport devint une discipline olympique aux Jeux de 1936.

Le Club des raquetteurs de Montréal, fondé en 1840, organisait des défilés aux flambeaux, des combats de boules de neige et des randonnées dans les villages environnants qui attiraient des centaines d'amateurs. Les coureurs pouvaient atteindre une vitesse de 11 km/h. L'habillement du raquetteur se composait d'une tuque, d'un capot d'étoffe à capuchon et d'une ceinture fléchée.

COUPE STANLEY AVANT LA CRÉATION DE LA L.N.H.

Saison	Champions	Instructeur
1892-1893	A.A.A. de Montréal	
1893-1894	A.A.A. de Montréal	
1894-1895	Victorias de Montréal	Mike Grant
1895-1896	Victorias de Winnipeg (fév.)	J. C. G. Armytage
1895-1896	Victorias de Montréal (décembre 1896)	Mike Grant
1896-1897	Victorias de Montréal	Mike Grant
1897-1898	Victorias de Montréal	F. Richardson
1898-1899	Shamrocks de Montréal	H. J. Trihey
1899-1900	Shamrocks de Montréal	H. J. Trihey
1900-1901	Victorias de Winnipeg	D. H. Bain
1901-1902	A.A.A. de Montréal	C. McKerrow
1902-1903	Silver Seven d'Ottawa	A. T. Smith
1903-1904	Silver Seven d'Ottawa	A. T. Smith
1904-1905	Silver Seven Ottawa	A. T. Smith
1905-1906	Wanderers de Montréal	Cecil Blachford
1906-1907	Thistles de Kenora (janvier)	Tommy Phillips
1906-1907	Wanderers de Montréal (mars)	Cecil Blachford
1907-1908	Wanderers de Montréal	Cecil Blachford
1908-1909	Senators d'Ottawa	Bruce Stuart
1909-1910	Wanderers de Montréal	Pud Glass
1910-1911	Senators d'Ottawa	Bruce Stuart
1911-1912	Bulldogs de Québec	C. Nolan
1912-1913	Bulldogs de Québec	Joe Malone
1913-1914	Blueshirts de Toronto	Scotty Davidson
1914-1915	Millionaires de Vancouver	Frank Patrick
1915-1916	Canadiens de Montréal	George Kennedy
1916-1917	Metropolitans de Seattle	Pete Muldoon

COUPE GREY

27 nov. 1954	Edmonton	26	Montréal	25
26 nov. 1955	Edmonton	34	Montréal	19
24 nov. 1956	Edmonton	50	Montréal	27
30 nov. 1957	Hamilton	32	Winnipeg	7
29 nov. 1958	Winnipeg	35	Hamilton	28
28 nov. 1959	Winnipeg	21	Hamilton	7
26 nov. 1960	Ottawa	16	Edmonton	6
2 déc. 1961	Winnipeg	21	Hamilton	14
1-2 déc. 1962	Winnipeg	28	Hamilton	27
30 nov. 1963	Hamilton	21	C.-B.	10
28 nov. 1964	C.-B.	34	Hamilton	24
27 nov. 1965	Hamilton	22	Winnipeg	16
26 nov. 1966	Saskatchewan	29	Ottawa	14
2 déc. 1967	Hamilton	24	Saskatchewan	1
30 nov. 1968	Ottawa	24	Calgary	21
30 nov. 1969	Ottawa	29	Saskatchewan	11
28 nov. 1970	Montréal	23	Calgary	10
28 nov. 1971	Calgary	14	Toronto	11
3 déc. 1972	Hamilton	13	Saskatchewan	10
25 nov. 1973	Ottawa	22	Edmonton	18
24 nov. 1974	Montréal	20	Edmonton	7
23 nov. 1975	Edmonton	9	Montréal	8
28 nov. 1976	Ottawa	23	Saskatchewan	20
27 nov. 1977	Montréal	41	Edmonton	6
26 nov. 1978	Edmonton	20	Montréal	13
25 nov. 1979	Edmonton	17	Montréal	9
23 nov. 1980	Edmonton	48	Hamilton	10

COUPE STANLEY

Saison	Champions	Instructeur
1917-1918	Arenas de Toronto	Dick Carroll
1918-1919	Aucune équipe	
1919-1920	Senators d'Ottawa	Pete Green
1920-1921	Senators d'Ottawa	Pete Green
1921-1922	St. Pats de Toronto	Eddie Powers
1922-1923	Senators d'Ottawa	Pete Green
1923-1924	Canadiens de Montréal	Léo Dandurand
1924-1925	Cougars de Victoria	Lester Patrick
1925-1926	Maroons de Montréal	Eddie Gerard
1926-1927	Senators d'Ottawa	Dave Gill
1927-1928	Rangers de New York	Lester Patrick
1928-1929	Bruins de Boston	Cy Denneny
1929-1930	Canadiens de Montréal	Cecil Hart
1930-1931	Canadiens de Montréal	Cecil Hart
1931-1932	Maple Leafs de Toronto	Dick Irvin
1932-1933	Rangers de New York	Lester Patrick
1933-1934	Black Hawks de Chicago	Tommy Gorman
1934-1935	Maroons de Montréal	Tommy Gorman
1935-1936	Red Wings de Détroit	Jack Adams
1936-1937	Red Wings de Détroit	Jack Adams
1937-1938	Black Hawks de Chicago	Bill Stewart
1938-1939	Bruins de Boston	Art Ross
1939-1940	Rangers de New York	Frank Boucher
1940-1941	Bruins de Boston	Cooney Weiland
1941-1942	Maple Leafs de Toronto	Hap Day
1942-1943	Red Wings de Détroit	Jack Adams
1943-1944	Canadiens de Montréal	Dick Irvin
1944-1945	Maple Leafs de Toronto	Hap Day
1945-1946	Canadiens de Montréal	Dick Irvin
1946-1947	Maple Leafs de Toronto	Hap Day
1947-1948	Maple Leafs de Toronto	Hap Day
1948-1949	Maple Leafs de Toronto	Hap Day
1949-1950	Red Wings de Détroit	Tommy Ivan
1950-1951	Maple Leafs de Toronto	Joe Primeau
1951-1952	Red Wings de Détroit	Tommy Ivan
1952-1953	Canadiens de Montréal	Dick Irvin
1953-1954	Red Wings de Détroit	Tommy Ivan
1954-1955	Red Wings de Détroit	Jimmy Skinner
1955-1956	Canadiens de Montréal	Toe Blake
1956-1957	Canadiens de Montréal	Toe Blake
1957-1958	Canadiens de Montréal	Toe Blake
1958-1959	Canadiens de Montréal	Toe Blake
1959-1960	Canadiens de Montréal	Toe Blake
1960-1961	Black Hawks de Chicago	Rudy Pilous
1961-1962	Maple Leafs de Toronto	Punch Imlach
1962-1963	Maple Leafs de Toronto	Punch Imlach
1963-1964	Maple Leafs de Toronto	Punch Imlach
1964-1965	Canadiens de Montréal	Toe Blake
1965-1966	Canadiens de Montréal	Toe Blake
1966-1967	Maple Leafs de Toronto	Punch Imlach
1967-1968	Canadiens de Montréal	Toe Blake
1968-1969	Canadiens de Montréal	Claude Ruel
1969-1970	Bruins de Boston	Harry Sinden
1970-1971	Canadiens de Montréal	Al MacNeil
1971-1972	Bruins de Boston	Tom Johnson
1972-1973	Canadiens de Montréal	Scotty Bowman
1973-1974	Flyers de Philadelphie	Fred Shero
1974-1975	Flyers de Philadelphie	Fred Shero
1975-1976	Canadiens de Montréal	Scotty Bowman
1976-1977	Canadiens de Montréal	Scotty Bowman
1977-1978	Canadiens de Montréal	Scotty Bowman
1978-1979	Canadiens de Montréal	Scotty Bowman
1979-1980	Islanders de New York	Al Arbour

MÉDAILLES D'OR OLYMPIQUES CANADIENNES

Jeux d'été

Athènes 1896
Pas de représentation canadienne

Paris 1900
3 000 m steeple : George Orton

St. Louis 1904
Lancer du marteau, 56 livres : Etienne Desmarteau
Football : Club de football Galt
Golf : George S. Lyon
Crosse : Shamrocks de Winnipeg

Londres 1908
200 m : Robert Kerr
Tir au pigeon d'argile : W. H. Ewing
Crosse : équipe canadienne

Stockholm 1912
10 000 m marche : George Goulding
400 m nage : George Ritchie Hodgson
1 500 m nage : George Ritchie Hodgson

Anvers 1920
110 m haies : Earl Thompson
Boxe, poids mi-moyen : Albert Schneider

Paris 1924
Pas de médaille d'or

Amsterdam 1928
100 m : Percy Williams
200 m : Percy Williams
400 m relais, dames : équipe canadienne
Saut en hauteur, dames : Ethel Catherwood

Los Angeles 1932
Saut en hauteur : Duncan McNaughton
Boxe, poids coq : Horace Gwynne

Berlin 1936
Canot, monoplace : Francis Amyot

Londres 1948
Pas de médaille d'or

Helsinki 1952
Tir au pigeon d'argile : George Patrick Généreux

Stockholm-Melbourne 1956
Aviron, quatre sans barreur : Université de la Colombie-Britannique
Tir à la carabine, position couchée : Gérard Ouellette

Rome 1960
Pas de médaille d'or

Tokyo 1964
Aviron, deux sans barreur : George Hungerford, Roger Charles Jackson

Mexico 1968
Concours équestre, épreuve de saut par équipe (Prix des Nations) : James Day, Jim Elder, Tom Gayford

Munich 1972
Pas de médaille d'or

Montréal 1976
Pas de médaille d'or

Moscou 1980
Pas de représentation canadienne

Jeux d'hiver

Anvers 1920
Hockey sur glace : Falcons de Winnipeg

Chamonix 1924
Hockey sur glace : Granites de Toronto

Saint-Moritz 1928
Hockey sur glace : Grads de l'université de Toronto

Lake Placid 1932
Patinage artistique, hommes : Montgomery Wilson
Patinage de vitesse, dames, 500 m : Jean Wilson
Hockey sur glace : Monarchs de Winnipeg

Garmisch-Partenkirchen 1936
Pas de médaille d'or

Saint-Moritz 1948
Patinage artistique, dames : Barbara Ann Scott
Hockey sur glace : Flyers de la R.C.A.F.

Oslo 1952
Hockey sur glace : Mercurys d'Edmonton

Cortina D'Ampezzo 1956
Pas de médaille d'or

Squaw Valley 1960
Ski, slalom, dames : Anne Heggveit
Patinage artistique, couples : Barbara Wagner, Bob Paul

Innsbruck 1964
Bobsleigh à quatre : équipe canadienne

Grenoble 1968
Ski, slalom géant, dames : Nancy Greene

Sapporo 1972
Pas de médaille d'or

Innsbruck 1976
Ski, slalom géant, dames : Kathy Kreiner

Lake Placid, 1980
Pas de médaille d'or

MUSÉES

Nationaux

Musée de Guerre du Canada, Ottawa : Exposition d'objets relatifs à l'histoire militaire du Canada.

Musée national de l'homme, Ottawa : Objets façonnés et œuvres d'art (archéologie, ethnologie, anthropologie physique, ethnolinguistique, ethnohistoire, folklore et histoire du Canada).

Musée national des sciences naturelles, Ottawa : Botanique, minéralogie, paléontologie des vertébrés, zoologie des vertébrés et des invertébrés.

Musée national des sciences et de la technologie, Ottawa : Transport, aviation, agriculture, navigation, technologie industrielle, physique et astronomie.

Provinciaux

Colombie-Britannique : Musée provincial, Victoria ; musée du Centenaire, Vancouver.

Yukon et Territoires du Nord-Ouest : Centre national d'exposition et musée de la Vie nordique, Fort Smith, T. N.-O.

Alberta : Musée provincial de l'Alberta, Edmonton ; institut Glenbow-Alberta, Calgary.

Saskatchewan : Musée d'Histoire naturelle de la Saskatchewan, Regina.

Manitoba : Musée de l'Homme et de la Nature, Winnipeg.

Ontario : Musée royal de l'Ontario, Toronto ; centre des Sciences de l'Ontario, Toronto.

Québec : Musée du Québec, Québec ; musée McCord, Montréal ; musée des Beaux-Arts, Montréal.

Nouveau-Brunswick : Musée du Nouveau-Brunswick, Saint-Jean.

Nouvelle-Ecosse : Musée de la Nouvelle-Ecosse, Halifax.

Ile-du-Prince-Edouard : Musée et galerie d'Art du Centre de la Confédération, Charlottetown ; Musée acadien, Miscouche.

Terre-Neuve : Musée de Terre-Neuve, St. John's.

Source : Association des musées canadiens.

TROUPES DE DANSE

Nationales

Ballet national du Canada, Toronto
Ballet royal de Winnipeg, Winnipeg
Grands Ballets Canadiens, Les, Montréal

Par province

Alberta
Alberta Ballet Company, Edmonton (ballet classique/ballet moderne)
Alberta Contemporary Dance Theatre, Edmonton (danse moderne/danse expérimentale)

Colombie-Britannique
Anna Wyman Dance Theatre, Vancouver (danse moderne)
Fulcrum, Vancouver (danse expérimentale)
Mountain Dance Theatre, Burnaby (danse moderne)
Pacific Ballet Theatre, Vancouver (ballet classique et moderne)
Paula Ross Dancers, Vancouver (danse moderne)
Prism Dance Theatre, Vancouver (danse moderne)

Manitoba
Contemporary Dancers, Winnipeg (danse moderne)

Ontario
Ballet Ys of Canada, Toronto (ballet/ballet moderne)
Dance Plus Four, Kitchener (danse moderne)
Danny Grossman Dance Company, Toronto (danse moderne)
Groupe de la Place Royale, Le, Ottawa (danse moderne/danse expérimentale)
Marijan Bayer City Ballet, The, Toronto (ballet classique/ballet moderne)
Ottawa Dance Theatre, Ottawa (ballet/danse moderne/ballet jazz)
Toronto Dance Theatre, The, Toronto (danse moderne)

Québec
Ballets Jazz de Montréal, Les, Montréal (ballet jazz)
Compagnie de danse Eddy Toussaint, Montréal (ballet contemporain)
Danse-Partout, Aberdeen (danse moderne)
Groupe Nouvelle Aire, Montréal (ballet moderne)
Sortilèges Troupe Folklorique, Les, Montréal (danses folkloriques du Québec)

D'UN OCÉAN À L'AUTRE EN 1912

Le Britannique Thomas Wilby entreprit de traverser le Canada en 1912. Le 27 août, près d'Halifax, Wilby, accompagné de son chauffeur, F. V. Haney, s'installait dans sa chic Réo neuve, faisait (symboliquement) marche arrière dans l'océan Atlantique et quittait la côte Est.

L'expédition se révéla une suite de mésaventures et de déboires frisant la catastrophe. A Québec, la Réo ne parvenait pas à grimper la pente raide d'une rue en cailloutis ; Haney, sans se départir de son calme, monta la côte en marche arrière. Près de North Bay, on dut atteler des chevaux à la voiture pour la dégager d'un fossé sablonneux. Au nord du lac Supérieur, l'absence de chemins força Wilby à interrompre momentanément son périple. Il fit transporter sa voiture par chemin de fer jusqu'à Sudbury, puis la fit monter sur un bateau pour traverser le lac.

La Prairie produisit une forte impression sur Wilby. Puis, aux pistes planes se succédèrent les dangereux sentiers sinueux de la Colombie-Britannique. Un soir où il longeait le Fraser, les phares à acétylène de son automobile tombèrent en panne ; on dut demander à un auto-stoppeur de s'étendre sur le capot afin d'éclairer la route en balançant une lampe à l'huile. Cinquante-deux jours après le départ d'Halifax, Wilby aligna les roues de sa Réo au bord de l'océan, près de Port Alberni, dans l'île de Vancouver, et versa un flacon d'eau de l'Atlantique dans le Pacifique...

Troupe de danse Pointépiénu, La, Montréal (danse moderne)

Saskatchewan
Pavlychenko Folklorique Ensemble, Saskatoon (danse ukrainienne, folklorique, ethnique classique)
Regina Modern Dance Works, Regina

TROUPES DE THÉÂTRE

Colombie-Britannique
Arts Club Theatre, Vancouver
Bastion Theatre Company, Victoria
Belfry, The, Victoria
Caravan Stage Company, Armstrong
Citystage, Vancouver
Frederic Wood Theatre, université de la Colombie-Britannique, Vancouver
Tamahnous Theatre Workshop Society, Vancouver
Vancouver East Cultural Centre Theatre, Vancouver
Vancouver Playhouse, The, Vancouver
Western Canada Theatre Company, Kamloops

Yukon
Frantic Follies Theatre, Whitehorse

Alberta
Citadel Theatre, The, Edmonton
Loose Moose Theatre Company, Calgary
Lunchbox Theatre, Calgary
Northern Light Theatre, Edmonton
Stage West, Edmonton
Theatre Calgary, Calgary
Theatre Network, Edmonton
Theatre 3, Edmonton

Saskatchewan
Globe Theatre, Regina
Persephone Theatre, Saskatoon
Stage West, Regina
25th Street House Theatre, Saskatoon

Manitoba
Cercle Molière, Le, Saint-Boniface
Manitoba Theatre Centre, Winnipeg
Manitoba Theatre Workshop, Winnipeg
Neighbourhood Theatre, The, Winnipeg
Rainbow Stage, Winnipeg

Ontario
Actor's Lab (Théâtre de l'Homme), Hamilton
Black Theatre Canada, Toronto
Centre Stage Theatre, London
Factory Theatre Lab, Toronto
Great Canadian Theatre Company, Ottawa
Hamilton Place Theatre, Hamilton
Magnus Theatre North-West, Thunder Bay
New Theatre, Toronto
O'Keefe Centre, Toronto
Penguin Theatre Company, Ottawa
Phoenix Theatre, Toronto
Press Theatre, St. Catharines
Road Show Theatre Company, The, Guelph

LE BALLET AU CANADA

Les troupes de ballets canadiennes sont l'un des plus beaux fleurons de la vie artistique du pays. Le Ballet royal de Winnipeg a été la première troupe du Commonwealth à mériter la mention « royale », en 1953. Fondée en 1938 par la maîtresse de ballet anglaise Gweneth Lloyd et l'une de ses anciennes élèves, Betty Hey Farrally, la troupe porta d'abord le nom de Club de ballet de Winnipeg. Miss Lloyd voulait que ses chorégraphies soient comprises par un vaste public. Parmi ses 21 pièces, *Kilowatt Magic* rend hommage aux grands travaux hydro-électriques du Manitoba.

Des œuvres classiques et expérimentales composent encore aujourd'hui le répertoire étonnamment varié de cette petite troupe de 30 danseurs. Signalons entre autres : une pièce western (*Les Whoops-de-doo*) ; le premier ballet rock au monde (*Balley High*), présenté en collaboration avec le groupe de musiciens Lighthouse ; un ballet écrit d'après un poème de Leonard Cohen ; une version audio-visuelle de *The Ecstasy of Rita Joe*, et même l'hallucinante *Fall River Legend*, d'Agnès de Mille, qui n'est dansée que par une seule autre troupe en Amérique du Nord, l'American Ballet Theater. Le Ballet royal de Winnipeg a créé une cinquantaine d'œuvres originales ; en 1977, il présentait, en première nord-américaine, une fantaisie du chorégraphe argentin Oscar Araiz, intitulée *The Unicorn, the Gorgon and the Manticore.*

Le Ballet national du Canada a vu le jour à Toronto en 1951. Son répertoire comprend des œuvres classiques de Balanchine, Valois et Ashton, ainsi que des pièces plus récentes de Bruhn, Neumeier et Nureyev. Ses tournées en Europe et ses apparitions sur la scène new-yorkaise ont valu à cette troupe une renommée mondiale.

Les Grands Ballets canadiens, fondés en 1958 et établis à Montréal, ont exécuté des classiques et des œuvres nouvelles comme *Tommy*, chorégraphié sur une musique du groupe anglais The Who. La troupe a mis sur pied une école permanente, l'Académie des Grands Ballets canadiens, où sont formés danseurs et chorégraphes.

Parmi les troupes de danseurs régionales qui sont connues à l'échelle du pays, mentionnons : les Ballets Jazz et la Compagnie de danse Eddy Toussaint de Montréal, le Marijan Bayer City Ballet de Toronto, l'Alberta Ballet Company d'Edmonton et le Prism Dance Theatre, troupe d'avant-garde de Vancouver.

Royal Alexandra Theatre, Toronto
Second City Theatre, Toronto
Shaw Festival Theatre, Niagara-on-the-Lake
Stratford Festival Theatre, Stratford
Sudbury Theatre Centre, Sudbury
Tarragon Theatre, Toronto
Theatre Aquarius, Hamilton
Théâtre du Centre national des arts, Ottawa
Theatre 5, Kingston
Theatre London, London
Théâtre Passe Muraille, Toronto
Théâtre du P'tit Bonheur, Toronto
Toronto Arts Productions, Toronto
Toronto Free Theatre, Toronto
Toronto Truck Theatre, Toronto
Toronto Workshop Productions, Toronto
Young People's Theatre, Toronto

Québec
Centaur Théâtre, Montréal
Compagnie de Quat'Sous, Montréal
Compagnie des Deux-Chaises, La, Montréal
Compagnie Jean-Duceppe, Montréal
Festival Lennoxville Théâtre, Lennoxville
Grand Théâtre de Québec, Québec
Montréal Théâtre Lab, Montréal
Patriote, Le, Québec
Phoenix Theatre, Ville Mont-Royal
Piggery Theatre, The, North Hatley
Rallonge, La, Montréal
Saidye Bronfman Centre Theatre, Montréal
Studio Théâtre da Silva, Le, Sainte-Sophie-de-Lacorne
Théâtre d'Aujourd'hui, Montréal
Théâtre Denise-Pelletier, Montréal
Théâtre international de Montréal (La Poudrière), Montréal
Théâtre de la Manufacture, Le, Montréal
Théâtre national de mime du Québec, Montréal
Théâtre du Nouveau-Monde, Montréal
Théâtre de la Place-des-Arts, Montréal
Théâtre populaire du Québec, Montréal
Théâtre du Rideau-Vert, Montréal
Théâtre du Trident, Québec
Théâtre du Vieux-Québec, Haute-Ville, Québec

Nouveau-Brunswick
Theatre New Brunswick, Fredericton
Théâtre populaire d'Acadie, Caraquet

Nouvelle-Ecosse
Mermaid Theatre, Wolfville
Neptune Theatre, Halifax
Portus Productions, Halifax

Ile-du-Prince-Edouard
Charlottetown Summer Festival Theatre, Charlottetown

Terre-Neuve
Arts and Culture Centre Theatre, The, St. John's
Mummers Troupe of Newfoundland, St. John's
Newfoundland Travelling Theatre, St. John's
Rising Tide Theatre, St. John's

ORCHESTRES

Colombie-Britannique
Orchestre de chambre de Radio-Canada, Vancouver
Orchestre symphonique de Vancouver, Vancouver
Orchestre symphonique de Victoria, Victoria

Alberta
Philharmonie de Calgary, Calgary
Orchestre symphonique d'Edmonton, Edmonton

Saskatchewan
Symphonie de Regina, Regina
Symphonie de Saskatoon, Saskatoon

Manitoba
Orchestre symphonique de Winnipeg, Winnipeg

Ontario
Orchestre philharmonique d'Hamilton, Hamilton
Orchestre du Centre national des arts, Ottawa
Symphonie de Toronto, Toronto

Québec
Orchestre symphonique de Montréal, Montréal
Orchestre symphonique de Québec, Québec

Nouvelle-Ecosse
Orchestre symphonique de l'Atlantique

Ile-du-Prince-Edouard
Orchestre symphonique de l'Ile-du-Prince-Edouard, Charlottetown

Terre-Neuve
Orchestre symphonique de St. John's, St. John's

LES DÉBUTS DU JOURNALISME CANADIEN

L'*Halifax Gazette* fut le premier journal publié dans ce qui est aujourd'hui le Canada : fondée par John Bushell, un immigrant originaire de Boston, elle parut pour la première fois le 23 mars 1752. Quelque 30 ans plus tard, en 1783, deux autres journalistes américains du Rhode Island et de New York publiaient le deuxième journal de langue anglaise, le *Royal Gazette and Nova Scotia Intelligencer*, à Saint-Jean, au Nouveau-Brunswick. De nouveaux périodiques virent bientôt le jour : la *Royal American Gazette* de Charlottetown, en 1787, et l'*Upper Canada Gazette* de Newark (l'actuelle Niagara-on-the-Lake), en 1793.

Les premiers journaux survécurent grâce au gouvernement qui leur assurait un travail régulier et rémunérateur ; en effet, la jeune industrie de la presse vivait essentiellement de la publication des statuts, décrets, proclamations et autres documents officiels. Les premiers journaux des Maritimes et du Haut-Canada étaient en fait les imprimeurs du roi, sans en porter officiellement le titre. Les autorités exigeaient en retour entière loyauté et n'hésitaient pas à ordonner la fermeture des journaux par trop critiques et l'emprisonnement des propriétaires récalcitrants. Le principe de la liberté de la presse ne devait être énoncé qu'au milieu du XIXᵉ siècle, au moment de l'instauration d'un gouvernement responsable.

Les tout premiers journaux canadiens étaient de format modeste (l'*Halifax Gazette* tenait dans une demi-feuille de papier ministre) et ne comportaient guère plus de quatre pages. Ils étaient imprimés sur du papier importé, au moyen de caractères mobiles et de presses en bois actionnées à la main. Les illustrations consistaient en quelques gravures sur bois signalant une vente de bestiaux ou encore un avis de recherche d'un esclave ou d'un débiteur fugitif. On ne songeait alors aucunement aux attirantes mises en page que les lecteurs d'aujourd'hui considèrent comme tout à fait normales. L'imprimeur, qui était aussi rédacteur, préposé aux abonnements et comptable, disposait les nouvelles comme elles se présentaient.

Outre les publications du gouvernement, les premiers journaux contenaient quelques articles périmés tirés des journaux britanniques ou américains, des nouvelles littéraires et des annonces publicitaires locales.

Les premiers journaux de langue française comprenaient, entre autres, *La Gazette de Québec* (1764) et *La Gazette du commerce et littéraire* (1778) ; cette dernière prit par la suite le nom de *Montreal Gazette*, seul quotidien de langue anglaise de Montréal encore publié à l'heure actuelle. Dans l'ensemble, les journaux canadiens-français n'eurent pas la tâche aussi facile que leurs vis-à-vis de langue anglaise ; ils ne jouissaient pas de la protection du gouvernement et s'adressaient à des lecteurs ruraux, généralement moins enclins à encourager un journal que les citadins.

Avec l'expansion du pays vers l'ouest, de nouveaux journaux poussèrent comme des champignons. En 1858, quatre Californiens fondaient le premier journal de la Colombie-Britannique, la *Victoria Gazette and Anglo-American*. Au cours de la même année, naissait le *British Colonist*, sur une initiative d'Amor de Cosmos, un original qui allait devenir le deuxième Premier ministre de la Colombie-Britannique. En 1859, Winnipeg eut le *Nor'Wester* et Battleford, le *Herald*, en 1878. Les premiers journaux de l'Ouest se distinguaient passablement de ceux de l'est du pays ; une population en pleine croissance leur assurait un fort bon tirage. Par ailleurs, les revenus provenant de la vente des annonces garantissaient leur indépendance à l'égard du gouvernement. Le journalisme entrait dans une nouvelle ère, les journalistes commençaient à se poser en critiques du gouvernement, en porte-parole de l'opinion publique et en champions de la vérité.

Economie et industrie

PRINCIPAUX INDICATEURS ÉCONOMIQUES, 1978–1980

	1978 (millions $)	Variation annuelle %	1979 (millions $)	Variation annuelle %	Prévisions pour 1980 (millions $)	Variation annuelle %
STATISTIQUES DES COMPTES NATIONAUX						
Produit national brut	230 407	10	260 533	13,1	285 200	9,5
P.N.B. en dollars de 1971	126 127	3,4	129 826	2,9	130 300	0,4
Revenu personnel disponible (revenu personnel après impôts)	153 954	11,1	172 215	11,9	190 700	10,7
Dépenses de consommation	135 220	10,5	150 831	11,5	167 900	11,3
— en dollars de 1971	79 563	3	81 399	2,3	82 700	1,6
Bénéfices des sociétés avant impôts	26 069	17,6	34 709	33,1	36 500	5,2
Investissement des entreprises (usines, machines et outillage)	31 262	9,3	37 316	19,4	43 600	16,8
— en dollars de 1971	17 337	1	19 142	10,4	20 400	6,6
Dépense de logement	13 358	4,3	13 832	3,5	14 300	3,4
— en dollars de 1971	5 940	−4,6	5 498	−7,4	5 100	−7,2
Transactions internationales						
Balance des paiements (déficitaire)	(5 345)		(5 639)		(7 100)	
Exportations de biens et services	62 296	18,5	76 412	22,7	86 700	13,5
Importations de biens et services	67 641	18,1	82 051	21,3	93 800	14,3
AUTRES STATISTIQUES						
Chômeurs (en milliers)	9 972	3,4	10 369	4	10 612	2,3
Taux de chômage (pourcentage)	8,4	—	7,5	—	8,2	—
Indice des prix à la consommation (1971 = 100)	175,2	9	191,2	9,1	210,3	10
Indice de la production industrielle (1971 = 100)	132,4	5,8	137,9	4,2	138,2	0,2
Mises en chantier de logements	227 667	−7,3	197 049	−13,4	180 000	−8,7

RICHESSE DES PROVINCES : Produit provincial brut, 1978

Province ou territoire	Produit provincial brut	Population	P.P.B. par tête
Terre-Neuve	$ 2 987,8 millions	569 000	$ 5 250,97
Ile-du-Prince-Edouard	633,7	122 000	5 194,26
Nouvelle-Ecosse	5 636,1	841 000	6 701,66
Nouveau-Brunswick	4 396,5	695 000	6 325,90
Québec	56 180,9	6 283 000	8 941,73
Ontario	89 940,0	8 445 000	10 650,09
Manitoba	9 300,3	1 003 000	9 272,48
Saskatchewan	9 661,5	948 000	10 191,46
Alberta	28 128,9	1 952 000	14 410,30
Colombie-Britannique	27 890,7	2 530 000	11 024,00
Yukon et Territoires du Nord-Ouest	705,5	65 000	10 853,85
Total	$235 461,9	Total 23 483 000	P.P.B. moyen $10 026,00

Population active, 1979

Province ou territoire	Population active 1979	Personnes occupées	Chômeurs	Taux de chômage	Taux d'activité
Terre-Neuve	207 000	175 000	32 000	15,4	52,7
Ile-du-Prince-Edouard	53 000	47 000	36 000	11,3	59,3
Nouvelle-Ecosse	352 000	316 000	6 000	10,2	56,9
Nouveau-Brunswick	280 000	249 000	31 000	11,1	55,3
Québec	2 878 000	2 602 000	277 000	9,6	60,1
Ontario	4 289 000	4 008 000	280 000	6,5	66,6
Manitoba	478 000	453 000	26 000	5,4	63,7
Saskatchewan	433 000	415 000	18 000	4,2	62,6
Alberta	1 015 000	976 000	39 000	3,9	69,4
Colombie-Britannique	1 223 000	1 129 000	94 000	7,7	62,7
CANADA	11 207 000	10 369 000	832 000	7,5	63,3

Produit national brut (milliards $)

Chômage (en milliers de personnes)

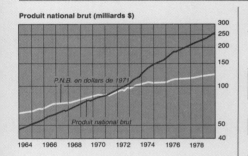

Indice des prix à la consommation (1971 = 100)

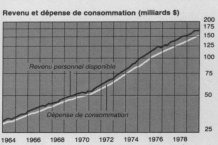

Revenu et dépense de consommation (milliards $)

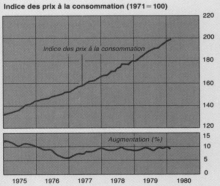

Logement (milliards $)

Le dollar canadien (cents américains)

Marché des valeurs (indice de 1975 = 1 000)

Investissement des entreprises (milliards $)

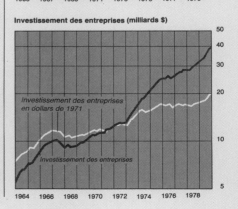

BANQUES : Nombre de succursales, 1979

	T.-N.	I.-P.-E.	N.-E.	N.-B.	Qué.	Ont.	Man.	Sask.	Alb.	C.-B.	Yukon	T. N.-O.	Au Canada	A l'étranger	Total
Banque de la Colombie-Britannique									10	35			45	1	46
Banque de Montréal	39	5	34	28	223	492	71	66	132	167	2	3	1 262	8	1 270
Banque nationale du Canada	1	2	7	29	755	67	8		3	3			875	8	883
Banque de la Nouvelle-Ecosse	59	10	68	54	95	409	35	47	105	110			994	83	1 077
Banque commerciale et industrielle du Canada				1		1		1	2	1			6	1	7
Banque canadienne impériale de Commerce	18	9	38	26	214	763	89	110	199	229	6	9	1 710	97	1 807
Banque continentale du Canada			1		2	5			1	1			10		10
Banque mercantile du Canada			1	1	2	5	1	1	2	1			14		14
Nord banque							1	2	2	1			6		6
Banque royale du Canada	20	6	84	31	228	587	103	102	148	209	3	3	1 524	81	1 605
Banque Toronto Dominion	6	2	11	9	98	546	55	49	116	114	2	1	1 009	11	1 020
Total	143	34	245	178	1 617	2 875	363	378	720	871	14	17	7 455	290	7 745

LE SYSTÈME BANCAIRE

Le Canada compte 11 banques à charte (banques commerciales privées possédant une charte du Parlement) ; en 1980, ces banques avaient plus de 7 500 succursales, dont 290 à l'étranger. La Banque du Canada, banque centrale du pays appartenant au gouvernement fédéral, réglemente la monnaie et le crédit. L'actif global des banques à charte se répartit ainsi : valeurs en espèces et autres liquidités, telles que prêts remboursables sur demande et titres du gouvernement (35 pour cent) ; prêts aux entreprises commerciales à court terme (35 pour cent) ; prêts aux agriculteurs et aux consommateurs, hypothèques et prêts aux provinces et aux municipalités (30 pour cent).

GRANDES SOCIÉTÉS DU CANADA

Nom et siège social	Participation étrangère (%)	Revenus (en milliers de $)
General Motors du Canada Ltée (Oshawa, Ont.)	100	9 409 838
Canadien Pacifique (Montréal)	35	8 150 000
Ford du Canada (Oakville, Ont.)	89	7 149 200
Compagnie pétrolière impériale Ltée (Toronto)	71	6 623 000
George Weston Ltée (Toronto)	—	5 867 102
Bell Canada (Montréal)	4	5 264 739
Alcan Aluminium Ltée (Montréal)	61	5 132 163
Massey-Ferguson Ltée (Toronto)	37	3 483 424
Shell Canada Ltée (Toronto)	71	3 436 000
Compagnie de la Baie d'Hudson (Winnipeg)	—	3 435 209
Canadien National (Montréal)	—	3 294 335
Gulf Canada Ltée (Toronto)	60	3 007 000
Inco Ltée (Toronto)	38	2 915 079
Canada Packers Ltée (Toronto)	2	2 711 214
Les Supermarchés Dominion Ltée (Toronto)	—	2 663 857
Texaco Canada Inc. (Toronto)	91	2 642 626
Simpsons-Sears Ltée (Toronto)	50	2 618 213
Trans-Canada Pipe-Lines Ltée (Calgary)	—	2 580 972
Chrysler Canada Ltée (Windsor, Ont.)	100	2 570 160
Hydro Ontario (Toronto)	—	2 568 120
Mines Noranda Ltée (Toronto)	6	2 484 690
Canada Safeway Ltée (Winnipeg)	100	2 321 308
Provigo Inc. (Montréal)	—	2 314 407
MacMillan Bloedel Ltée (Vancouver)	4	2 180 318
Stelco Inc. (Toronto)	—	2 091 213
Steinberg Inc. (Montréal)	—	2 082 710
Hiram Walker-Consumer's Home Ltée (Toronto)	—	1 967 873
Canada Development Corporation (Vancouver)	—	1 965 828
Hydro-Québec (Montréal)	—	1 956 391
La Compagnie Seagram Ltée (Montréal)	—	1 880 881

PRINCIPAUX SYNDICATS CANADIENS, 1980

Nom	Effectifs
Syndicat canadien de la Fonction publique	257 180
Métallurgistes unis d'Amérique	203 000
Syndicat national de la Fonction publique provinciale	195 754
Alliance de la Fonction publique du Canada	155 731
Syndicat international des travailleurs unis de l'automobile, de l'aéronautique et de l'astronautique et des instruments aratoires du Canada	130 000
Union internationale des travailleurs unis de l'alimentation et de commerce	120 000
Fraternité internationale d'Amérique des camionneurs, chauffeurs, préposés d'entrepôts et aides	91 000
Fraternité unie des charpentiers et menuisiers d'Amérique	89 010
Centrale de l'enseignement du Québec	81 033
Fédération des Affaires sociales	70 000
Fraternité internationale des ouvriers en électricité	68 637
Union internationale des employés des services du Canada	65 000
Association internationale des machinistes et des travailleurs de l'aéronautique	61 500
Syndicat international des travailleurs canadiens du papier	61 500
Syndicat international des travailleurs du bois d'Amérique	61 300
Union internationale des journaliers d'Amérique du Nord	51 176

ÉNERGIE : Production et consommation (milliards de B.T.U.), 1977

Production	Maritimes	Qué.	Ont.	Man.	Sask.	Alb.	C.-B., Yukon T. N.-O.	Canada
Charbon	67 852	—	—	—	79 717	263 898	238 485	649 952
Pétrole et gaz de pétrole liquéfié	29	—	3 985	23 211	360 913	2 818 736	97 749	
Gaz naturel	86	—	8 526		56 812	2 405 711	380 091	2 851 226
Electricité	151 579	282 324	209 320	38 020	7 181	5 206	142 713	836 343
Total	219 546	282 324	221 831	61 231	504 623	5 493 551	859 038	7 642 144
Consommation								
Industrie productrice d'énergie	43 004	118 617	129 302	21 058	42 481	229 561	81 157	665 180
Transport	151 240	385 794	561 297	76 136	84 275	193 681	194 729	1 647 152
Usage domestique et agricole	106 496	286 046	343 076	50 313	68 741	121 113	113 511	1 139 296
Usage commercial	54 565	191 324	309 950	34 406	17 816	126 720	80 388	815 169
Usage industriel	138 363	401 155	767 318	44 818	68 456	243 604	204 579	1 868 283
Usage non énergétique (pétrochimie, etc.)	—	19 010	23 878		50	5 438	5 496	53 872
Pertes et ajustements	12 972	854	17 035	1 577	7 444	33 792	9 038	66 121
Total	506 630	1 401 092	2 201 856	228 353	274 375	953 914	688 898	6 255 118

CONSOMMATION D'ÉNERGIE PAR HABITANT (tonnes de pétrole)

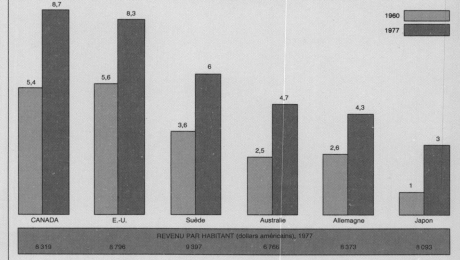

	CANADA	E.-U.	Suède	Australie	Allemagne	Japon
1960	5,4	5,6	3,6	2,5	2,6	1
1977	8,7	8,3	6	4,7	4,3	3

REVENU PAR HABITANT (dollars américains), 1977

| 8 319 | 8 796 | 9 397 | 6 766 | 8 373 | 8 093 |

PRODUCTION MINÉRALE DU CANADA (milliards de dollars)

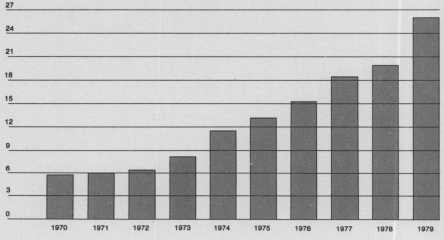

SUPERFICIE DES FORÊTS

Province ou territoire	Superficie (km²)	Total des forêts (%)
Québec	614 000	17,8
Ontario	570 000	16,7
Colombie-Britannique	521 000	15,2
Alberta	341 000	9,8
Terre-Neuve	338 000	9,8
Territoires du Nord-Ouest	307 000	8,9
Manitoba	257 000	7,5
Yukon	219 000	6,4
Saskatchewan	140 000	4,1
Nouveau-Brunswick	66 000	1,8
Nouvelle-Ecosse	41 000	1,2
Ile-du-Prince-Edouard	3 000	0,8
CANADA	3 417 000	100,0

SYLVICULTURE (millions de m³), 1978

Province ou territoire	Résineux	Feuillus	Total
Terre-Neuve	573	47	620
Ile-du-Prince-Edouard	—	—	—
Nouvelle-Ecosse	151	65	216
Nouveau-Brunswick	482	185	667
Québec	1 906	856	2 762
Ontario	2 589	1 681	4 270
Manitoba	410	163	573
Saskatchewan	274	185	459
Alberta	939	592	1 531
Colombie-Britannique	7 561	205	7 766
Yukon	214	39	253
Territoires du Nord-Ouest	103	61	164
CANADA	15 202	4 079	19 281

MINES : Production par province, 1968 et 1978

Province ou territoire	Rang 1968	Rang 1978	1968 Millions de dollars	Pourcentage	1978 Millions de dollars	Pourcentage
Alberta	2	1	1 092	23,1	9 749	49,6
Ontario	1	2	1 356	28,7	2 595	13,2
Québec	3	3	725	15,4	1 822	9,3
Colombie-Britannique	4	4	389	8,2	1 818	9,2
Saskatchewan	5	5	357	7,6	1 554	7,9
Terre-Neuve	6	6	310	6,6	611	3,1
Manitoba	7	7	210	4,4	464	2,4
Territoires du Nord-Ouest	8	8	116	2,4	306	1,6
Nouveau-Brunswick	9	9	88	1,9	306	1,6
Yukon	11	10	21	0,5	228	1,2
Nouvelle-Ecosse	10	11	57	1,2	204	1
Ile-du-Prince-Edouard	12	12	1	0,02	2	0,01
CANADA			4 722		19 661	

MINES : Valeur de la production pour certaines années, 1945-1978

Année	Métaux	Autres minerals	Matériaux de construction	Charbon	Pétrole brut et gaz naturel	Total
1945	$ 316 962 810	$ 39 841 422	$ 48 419 673	$ 67 588 402	$ 25 942 874[1]	$ 498 755 181
1950	617 238 340	94 721 564	132 296 212	110 140 399	91 053 558[1]	1 045 450 073
1955	1 007 839 501	144 920 841	228 232 439	93 579 471	320 738 544	1 795 310 796
1960	1 406 558 061	197 505 783	322 594 308	74 676 240	491 175 589[2]	2 492 509 981
1965	1 907 575 899	327 238 901[1]	434 161 904	75 901 126	969 589 742[2]	3 714 467 572
1970	3 073 344 135	480 537 626[1]	450 446 081	86 067 421	1 631 663 328[2]	5 722 058 591
1975	4 793 853 123	939 180 019[1]	960 336 160	586 423 000	6 057 835 000[2]	13 337 627 299
1976	5 072 755 901	1 162 351 587[1]	1 103 435 203	607 100 000	7 502 012 000[2]	15 447 654 691
1977	5 987 885 986	1 362 468 079[1]	1 249 362 040	609 517 000	9 263 295 000[2]	18 472 528 105
1978p	5 519 569 000	1 553 878 000[1]	1 355 349 000	733 350 000	10 499 193 000[2]	19 661 339 000

p Préliminaire.   [1] Comprend la tourbe.   [2] Comprend les sous-produits du gaz naturel.

AGRICULTURE : Pourcentage des exploitations agricoles selon leur spécialisation

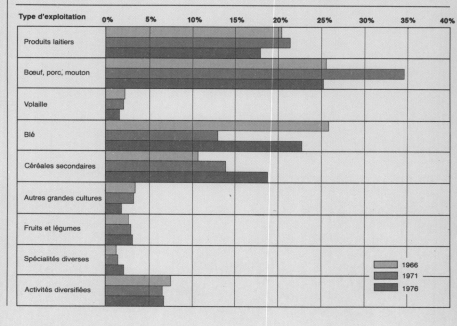

Type d'exploitation	0%	5%	10%	15%	20%	25%	30%	35%	40%
Produits laitiers									
Bœuf, porc, mouton									
Volaille									
Blé									
Céréales secondaires									
Autres grandes cultures									
Fruits et légumes									
Spécialités diverses									
Activités diversifiées									

1966 / 1971 / 1976

PÊCHES : Prises et valeur, 1977-1978

Pêche en mer et en eau douce	1977 Quantité (tonnes)	1977 Valeur marchande (milliers de dollars)	1978 Quantité (tonnes)	1978 Valeur marchande (milliers de dollars)
PAR RÉGION				
Côte atlantique	1 003 074	750 240	1 153 231	973 054
Côte pacifique	204 350	364 801	198 703	517 557
Poissons d'eau douce	47 289	59 940	47 571	58 910
TOTAL	1 254 713	1 174 981	1 399 505	1 549 521
PAR PROVINCE — POISSONS DE MER				
Nouvelle-Ecosse	407 074	315 037	444 869	441 305
Nouveau-Brunswick	129 117	139 329	151 393	165 866
Ile-du-Prince-Edouard	19 801	28 128	25 660	42 614
Québec	54 296	43 064	67 350	52 285
Terre-Neuve	392 786	252 726	463 959	325 004
Total (Atlantique)	1 003 074	750 240	1 153 231	973 054
Colombie-Britannique	204 350	364 801	198 703	517 557
TOTAL	1 207 424	1 115 041	1 351 934	1 490 611
PAR PROVINCE — POISSONS D'EAU DOUCE				
Nouveau-Brunswick	2 541	298	2 280	359
Québec	703	819	648	979
Ontario	23 529	29 110	25 413	34 322
Manitoba	12 540	19 334	12 830	15 242
Saskatchewan	5 214	6 936	3 748	4 521
Alberta	1 131	1 384	997	1 154
Yukon et Territoires du Nord-Ouest	1 631	2 059	1 655	2 333
TOTAL	47 289	59 940	47 571	58 910

LE CANADA ET LE COMMERCE INTERNATIONAL

La valeur des exportations représente environ 17 pour cent du produit national brut du Canada. L'économie canadienne dépend aussi fortement des importations : d'une part, le climat canadien ne se prête pas à la production de certaines denrées comme le sucre, le café, les fruits tropicaux et les légumes, et, d'autre part, pour maintenir le niveau de vie élevé que nous connaissons, nous importons de grandes quantités de produits finis allant des jeans aux livres.

Importations (milliers $), 1979

Animaux vivants	75 419
Denrées alimentaires, aliments pour animaux, boissons, tabac	4 159 194
Matières brutes non comestibles : minerai de fer, pétrole brut, gaz naturel, charbon, bauxite, etc.	7 901 083
Produits semi-finis non comestibles : bois et papier, textiles, produits chimiques, fer, acier et métaux non ferreux	12 058 846
Produits finis non comestibles : machines industrielles, machines agricoles, matériel de transport, etc.	37 914 059
Transactions spéciales : importations non classées, envois d'une valeur inférieure à $500 et marchandises renvoyées dans un délai de 5 ans	569 082
TOTAL	62 677 683

Exportations (milliers $), 1979

Animaux vivants	245 634
Denrées alimentaires, aliments pour animaux, boissons, tabac	6 090 952
Matières brutes non comestibles : minerai de fer, pétrole brut, gaz naturel, charbon, bauxite, etc.	12 549 406
Produits semi-finis non comestibles : bois et papier, produits chimiques, fer, acier et métaux non ferreux	24 528 786
Produits finis non comestibles : machines industrielles, machines agricoles, matériel de transport, etc.	21 923 704
Transactions spéciales : effets d'émigrants, dons et cadeaux privés, exportations pour fins d'expositions ou de concours, exportations à des diplomates ou à des militaires canadiens	179 836
TOTAL	65 518 318

VILLES DE PLUS DE 5 000 HABITANTS

Le nom, le statut et les pouvoirs administratifs des municipalités varient selon chaque province :

- **BOR** Borough
- **C** Cité
- **DM** District (municipalité de)
- **DAL** District d'amélioration locale
- **ID** District d'amélioration
- **MD** District municipal
- **MUN** Municipalité
- **RM** Municipalité rurale
- **TM** Municipalité de canton (township)
- **V** Ville
- **V/C** Ville/Cité
- **VL** Village

COLOMBIE-BRITANNIQUE	Statut	Pop.
Vancouver	C	410 188
Burnaby	DM	131 870
Surrey	DM	116 497
Richmond	DM	80 034
Saanich	DM	73 383
Delta	DM	64 492
Victoria	C	62 551
Prince George	C	59 929
Kamloops	C	58 311
Coquitlam	DM	55 464
Kelowna	C	51 955
Nanaimo	C	40 336
New Westminster	C	38 393
West Vancouver	DM	37 144
Langley	DM	36 659
North Vancouver	C	31 934
Matsqui	DM	31 178
Maple Ridge	DM	29 462
Chilliwack	DM	28 421
Port Coquitlam	C	23 926
Penticton	C	21 344
Port Alberni	C	19 585
Oak Bay	DM	17 658
Vernon	C	17 546
North Cowichan	DM	15 956
Esquimalt	DM	15 053
Mission	DM	14 997
Prince Rupert	C	14 754
Powell River	DM	13 694
Cranbrook	C	13 510
White Rock	C	12 497
Campbell River	DM	12 072
Kitimat	DM	11 956
Port Moody	C	11 649
Dawson Creek	C	10 528
Terrace	DM	10 251
Langley	C	12 123
Trail	C	9 976
Abbotsford	DM	9 507
Salmon Arm	DM	9 391
Nelson	C	9 235
Fort St. John	C	8 947
Chilliwack	C	8 634
Squamish	DM	8 368
Courtenay	C	7 733
Quesnel	V	7 637
Central Saanich	DM	7 413
Kimberley	C	7 111
Sidney	V	6 732
Summerland	DM	6 724
Castlegar	C	6 255
Williams Lake	V	6 199
Merritt	V	5 680
Comox	V	5 359
Mackenzie	DM	5 338

ALBERTA	Statut	Pop.
Calgary	C	469 917
Edmonton	C	461 361
Lethbridge	C	46 752
Strathcona, County No. 20		42 278
Medicine Hat	C	32 811
Red Deer	C	32 184
St. Albert	V	24 129
Parkland, County No. 31		17 762
Grande Prairie	C	17 626
0.44 Rocky View	MD	15 469
Fort McMurray	V	15 424
Red Deer, County No. 23		13 321
090 Sturgeon	MD	12 861
017	ID	11 145
Leduc, County No. 25		10 949
Lethbridge, County No. 26		10 262
Camrose	C	10 104
087 Bonnyville	MD	9 837
Grande Prairie, County No. 1		9 147
031 Foothills	MD	8 685
Leduc	V	8 576
018	ID	8 511
Lacombe, County No. 14		8 399
Fort Saskatchewan	V	8 304
Wetaskiwin, County No. 10		8 260
010	ID	7 811
014	ID	7 586
Camrose, County No. 22		7 344
Spruce Grove	V	6 907
Ponoka, County No. 3		6 903
Wetaskiwin	C	6 754
Hinton	V	6 731
Vermilion River, County No. 24		6 646
Westlock	MD	6 612
Lac Ste. Anne, County No. 28		6 586
Brooks	V	6 339
Drumheller	C	6 154
014 Taber	MD	5 909
Kneehill	MD	5 830
Newell, County No. 4		5 828
Lloydminster (Part)	C	5 818
023	ID	5 765
St. Paul, County No. 19		5 443
Athabasca, County No. 12		5 406
Taber	V	5 296
Barrhead, County No. 11		5 148

SASKATCHEWAN	Statut	Pop.
Regina	C	149 593
Saskatoon	C	133 750
Moose Jaw	C	32 581
Prince Albert	C	28 631
Swift Current	C	14 264
Yorkton	C	14 119
North Battleford	C	13 158
Weyburn	C	8 892
Estevan	C	8 847
Corman Park	RM	5 625
Melville	C	5 149
Melfort	V	5 141

MANITOBA	Statut	Pop.
Winnipeg	C	560 874
Brandon	C	34 901
Thompson	C	17 291
Portage La Prairie	C	12 555
Selkirk	V	9 862
Dauphin	V	9 109
Flin Flon (Part)	C	8 152
Portage La Prairie	RM	7 193
Springfield	RM	6 944
Hanover	RM	6 931
St. Andrews	RM	6 831
The Pas	V	6 602
Steinbach	V	5 979
Rockwood	RM	5 962

ONTARIO	Statut	Pop.
Toronto	C	633 318
York, North	BOR	558 398
Scarborough	BOR	387 149
Hamilton	C	312 003
Ottawa	C	304 462
Etobicoke	BOR	297 109
Mississauga	C	250 017
London	C	240 392
Windsor	C	196 526
York	BOR	141 367
Kitchener	C	131 870
St. Catharines	C	123 351
Thunder Bay	C	111 476
Oshawa	C	107 023
York East	BOR	106 950
Burlington	C	104 314
Brampton	C	103 459
Sudbury	C	97 604
Sault-Sainte-Marie	C	81 048
Nepean	TM	76 947
Cambridge	C	72 383
Niagara Falls	C	69 423
Oakville	V	68 950
Guelph	C	67 538
Brantford	C	66 950
Peterborough	C	59 683
Gloucester	TM	56 516
Markham	V	56 206
Kingston	C	56 032
Sarnia	C	55 576
North Bay	C	51 639
Waterloo	C	46 623
Cornwall	C	46 121
Welland	C	45 047
Timmins	C	44 747
Chatham	C	38 685
Belleville	C	35 311
Richmond Hill	V	34 716
Halton Hills	V	34 477
Barrie	C	34 389
Newcastle	V	31 928
Stoney Creek	V	30 294
Whitby	V	28 173
Pickering	C	27 879
St. Thomas	C	27 206
Woodstock	C	26 779
Stratford	C	25 657
Newmarket	V	24 795
Kingston	TM	24 737
Orillia	C	24 412
Fort Erie	V	24 031
Flamborough	TM	23 580
Caledon	V	22 434
Ajax	V	20 774
Milton	V	20 756
Port Colborne	C	20 536
Brockville	C	19 903
Vanier	C	19 812
Valley East	V	19 591
Owen Sound	C	19 525
Nanticoke	C	19 489
Dundas	V	19 179
Georgina	TM	18 530
Vaughan	V	17 782
Haldimand	V	16 375
Woolwich	TM	16 238
Rayside–Balfour	V	16 035
Grimsby	V	15 567
Trenton	V	15 465
Sidney	TM	15 318
Delhi	TM	15 209
Thorold	C	14 944
Pembroke	C	14 927
Innisfil	TM	14 839
Lincoln	V	14 460
Essa	TM	14 369
Ancaster	V	14 255
Aurora	V	14 249
Simcoe	V	14 189
King	TM	14 030
Sandwich (West)	TM	13 912
Sarnia	TM	13 775
Goulbourn	TM	13 755
Kirkland Lake	V	13 567
Nickel Centre	V	13 157
Lindsay	V	13 002
Whitchurch–Stouffville	V	12 844
Kapuskasing	V	12 676
Niagara-on-the-Lake	V	12 485
Cumberland	TM	12 377
Orangeville	V	12 021
Scugog	TM	11 851
Dunnville	V	11 642
Midland	V	11 568
Norfolk	TM	11 528
Cobourg	V	11 421
Leamington	V	11 169
Wallaceburg	V	11 132
Huntsville	V	11 123
Collingwood	V	11 114
Uxbridge	TM	10 997
Ernestown	TM	10 935
Gwillimbury East	TM	10 635
Kenora	V	10 565
Wilmot	V	10 557
Walden	V	10 453
Glandbrook	TM	10 179
Pelham	V	10 071
Pittsburgh	TM	9 972
Norwich	TM	9 928
Hawkesbury	V	9 789
Port Hope	V	9 788
Lincoln West	TM	9 459
Tillsonburg	V	9 404
Fort Frances	V	9 325
Smiths Falls	V	9 279
Brantford	TM	9 137
Mersea	TM	9 021
Osgoode	TM	8 957
Moore	TM	8 952
West Carleton	TM	8 904
Elliot Lake	V	8 849
Hamilton	TM	8 835
Brock	TM	8 820
Zorra	TM	8 735
Rideau	TM	8 677
Renfrew	V	8 617
Petawawa	TM	8 511
Yarmouth	TM	8 430
Bracebridge	V	8 428
Maidstone	TM	8 396
South–West Oxford	TM	8 296
Ingersoll	V	8 198
March	TM	8 009
Gravenhurst	V	7 986
Strathroy	V	7 769
Smith	TM	7 668
Goderich	V	7 385
East Zorra–Tavistock	TM	7 208
Chatham	TM	7 150
Gosfield South	TM	7 144
Elizabethtown	TM	6 980
Iroquois Falls	V	6 887
Harwich	TM	6 868
Dorchester, North	TM	6 823
Dryden	V	6 799
Blandford–Blenheim	TM	6 789
Onaping Falls	V	6 776
Paris	V	6 713
Tiny	TM	6 682
Raleigh	TM	6 549
Wellesley	TM	6 414
Sturgeon Falls	V	6 400
Orillia	TM	6 399
Tay	TM	6 379
Westminster	TM	6 296
Oro	TM	6 221
Augusta	TM	6 173
Thurlow	TM	6 150
Arnprior	V	6 111
Murray	TM	6 069
Wainfleet	TM	6 064
Fergus	V	6 001
Espanola	V	5 926
London	TM	5 923
Pettawawa	VL	5 815
Atikokan	TM	5 803
Tecumseth	TM	5 803
Clarence	TM	5 782
Burford	TM	5 749
Hanover	V	5 691
Charlottenburgh	TM	5 686
Perth	V	5 675
Caradoc	TM	5 671
New Liskeard	V	5 601
Essex	V	5 577
Amherstburg	V	5 566
Deep River	V	5 565
Erin	TM	5 502
Parry Sound	V	5 501
Penetanguishene	V	5 460
Tecumseh	V	5 326
Vespra	TM	5 265
Carleton Place	V	5 256
Hearst	V	5 195
Listowel	V	5 126
Aylmer	V	5 125
Gananoque	V	5 103
Bradford	V	5 080
Port Elgin	V	5 069
Dumfries North	TM	5 044
Sandwich North	TM	5 039
Anderdon	TM	5 019

QUÉBEC	Statut	Pop.
Montréal	V/C	1 080 546
Laval	V/C	246 243
Québec	V/C	177 082
Longueuil	V/C	122 429
Montréal-Nord	C	97 250
Saint-Léonard	C	78 452
Sherbrooke	C	76 804
Lasalle	C	76 713
Gatineau	V/C	73 479
Sainte-Foy	V/C	71 237
Saint-Laurent	V/C	64 404
Charlesbourg	V/C	63 147
Hull	C	61 039
Jonquière	V/C	60 691
Chicoutimi	V/C	57 737
Beauport	V/C	55 339
Trois-Rivières	V/C	52 518
Saint-Hubert	V/C	49 706
Lachine	C	41 503
Brossard	V	37 641
Saint-Hyacinthe	V/C	37 500
Granby	V/C	37 132
Dollard-des-Ormeaux	V	36 837
Anjou	V	36 596
Chateauguay	V	36 329
Pointe-aux-Trembles	C	35 618
Pierrefonds	V/C	35 402
Saint-Jean	V/C	34 363
Cap-de-la-Madeleine	C	32 126
Sept-Iles	C	30 617
Valleyfield (de Salaberry)	C	29 716
Drummondville	C	29 286
Rimouski	C	27 897
Outremont	V/C	27 089
Repentigny	V	26 698
Pointe-Claire	V/C	25 917
Côte-Saint-Luc	C	25 721
Aylmer	V/C	25 714
Alma	V/C	25 638
Boucherville	V	25 530
Saint-Jérôme	C	25 175
Shawinigan	C	24 921
Westmount	C	22 153
Victoriaville	V	21 825
Saint-Bruno-de-Montarville	V	21 272
Saint-Eustache	V	21 248
Thetford Mines	C	20 784
Mont-Royal	V	20 514
Beaconsfield	C	20 417
Saint-Lambert	V/C	20 318
La Baie	V/C	20 116
Val-d'Or	V	19 915
Sorel	C	19 666
Dorval	C	19 131
Greenfield Park	V	18 430
Joliette	C	18 118
Lévis	V/C	17 819
Rouyn	C	17 678
Sainte-Thérèse	V/C	17 479
Gaspé	V/C	16 842
Grand-Mère	V/C	15 999
Beloeil	V	15 913

VILLES (suite)

BOR	Borough
C	Cité
DM	District (municipalité de)
DAL	District d'amélioration locale
ID	District d'amélioration
MD	District municipal
MUN	Municipalité
RM	Municipalité rurale
TM	Municipalité de canton (township)
V	Ville
V/C	Ville/Cité
VL	Village

Loretteville	C	14 767
Hauterive	V	14 724
Buckingham	V/C	14 328
Mascouche	V	14 266
Sillery	C	13 580
Mirabel	V/C	13 486
Magog	C	13 290
Rivière-du-Loup	C	13 103
Matane	V	12 726
Lauzon	V/C	12 663
Blainville	V	12 517
Montmagny	C	12 326
Tracy	V	12 284
La Tuque	V	12 067
Lachute	C	11 928
Baie-Comeau	V	11 911
Cowansville	V	11 902
Chambly	C	11 815
Ancienne-Lorette	V	11 694
Terrebonne	V	11 204
Shawinigan-Sud	V	11 155
Val-Bélair	V	10 716
Vanier	V	10 683
Trois-Rivières-Ouest	V	10 564
Chibougamou	V	10 536
Boisbriand	V	10 132
Noranda	C	9 809
Drummondville-Sud	V	9 420
Amos	V	9 213
La Prairie	V	9 173
Saint-Romuald-d'Etchemin	C	9 160
Asbestos	V	9 075
Bécancour	V	9 043
Rock Forest	MUN	9 001
Deux-Montagnes	C	8 957
Iberville	V	8 897
Sainte-Julie	V	8 666
Saint-Georges	V	8 605
Mont-Laurier	V	8 565
Roberval	C	8 543
Saint-Louis-de-Terrebonne	MUN	8 479
Dolbeau	V	8 451
Port-Cartier	V	8 139
Pincourt	V	7 892
Mont-Saint-Hilaire	V	7 688
Beauharnois	C	7 665
Saint-Constant	V	7 659
Hampstead	V	7 562
Kirkland	V	7 476
Ascot	MUN	7 289
Plessisville	V	7 238
Lemoyne	V	7 202
Candiac	V	7 166
Lachenaie	V	7 118
Rosemère	V	7 112
Roxboro	V	7 106
Saint-Luc	V	7 103
Fleurimont	MUN	6 925
Saint-Antoine	V	6 872
Mont-Joli	V	6 508
Saint-Georges-Ouest	V	6 478
Farnham	C	6 476
Varennes	V/C	6 469
Charny	V	6 461
Lac-Mégantic	V	6 457
Coaticook	V	6 392
Saint-Charles-Borromée	MUN	6 178
Saint-Paul-l'Ermite	V	6 107
Saint-Pierre	V	6 039
Montréal-Ouest	V	5 980
Maniwaki	V	5 969
Sainte-Anne-des-Monts	V	5 945
Arthabaska	V	5 907
Saint-Basile-le-Grand	V	5 843
Dorion	V	5 843
Notre-Dame-des-Prairies	MUN	5 820
Donnacona	V	5 800
Saint-Félix-du-Cap-Rouge	MUN	5 716
Windsor	V	5 637
Vaudreuil	V	5 630
Mistassini	V	5 473
Sainte-Agathe-des-Monts	V	5 435
Lorraine	V	5 388
Sainte-Anne-des-Plaines	MUN	5 283
Ile-Perrot	V	5 272
Wendover and Simpson	MUN	5 253
Percé	V/C	5 198
Malartic	V	5 092
Sainte-Catherine	V	5 036

NOUVEAU-BRUNSWICK	Statut	Pop.
Saint John	C	85 956
Moncton	C	55 934
Fredericton	C	45 248
Bathurst	C	16 301
Riverview	V	14 177
Edmundston	C	12 170
Oromocto	V	10 276
Campbellton	C	9 282
Chatham	V	7 601
Dieppe	V	7 460
Newcastle	V	6 423
Grand Falls	V	6 223
Sackville	V	5 755
Dalhousie	V	5 640
St. Stephen	V	5 264

NOUVELLE-ECOSSE	Statut	Pop.
Halifax	C	117 882
Halifax	MUN	95 299
Dartmouth	C	65 341
Cape Breton	MUN	42 969
Kings	MUN	38 091
Sydney	C	30 645
Colchester	MUN	27 524
Lunenburg	MD	22 160
Glace Bay	V	21 836
Pictou	MUN	20 792
Annapolis	MUN	19 610
Inverness	MUN	17 367
Cumberland	MUN	17 076
East Hants	MD	14 042
Truro	V	12 840
West Hants	MD	12 642
Richmond	MUN	12 281
Antigonish	MUN	11 996
New Glasgow	V	10 672
Amherst	V	10 263
Chester	MD	9 955
Queens	MUN	9 586
New Waterford	V	9 223
Digby	MD	9 202
Clare	MD	9 149
Sydney Mines	V	8 965
Yarmouth	MD	8 767
Argyle	MD	8 618
North Sydney	V	8 319
Victoria	MUN	8 156
Yarmouth	V	7 801
Guysborough	MD	7 340
Barrington	MD	7 258
Bridgewater	V	6 010
Antigonish	V	5 442
Stellarton	V	5 366
Springhill	V	5 220
Shelburne	MD	5 094
Kentville	V	5 056

ILE-DU-PRINCE-EDOUARD	Statut	Pop.
Charlottetown	C	17 063
Summerside	V	8 592
Sherwood	VL	5 602

TERRE-NEUVE	Statut	Pop.
St. John's	C	86 576
Corner Brook	C	25 198
St. John's Area	DAL	19 047
Mount Pearl	V	10 193
Conception Bay South	V	9 743
Gander	V	9 301
Grand Falls	V	8 729
Happy Valley–Goose Bay	V	8 075
Windsor	V	6 349
Channel–Port aux Basques	V	6 187

YUKON	Statut	Pop.
Whitehorse	C	13 311

TERRITOIRES DU NORD-OUEST	Statut	Pop.
Yellowknife	C	8 256

TABLE DES DISTANCES

(en km)
1 km = 0,6 mille

	BANFF	BRANDON	CALGARY	CHARLOTTETOWN	CHICOUTIMI	DAWSON CREEK	EDMONTON	FLIN FLON	FREDERICTON	GASPÉ	HALIFAX	HAMILTON	JASPER	KENORA	MONCTON	MONTRÉAL	NIAGARA FALLS	OTTAWA	PORT-AUX-BASQUES	PRINCE-ALBERT	PRINCE GEORGE	QUÉBEC	REGINA	RIVIÈRE-DU-LOUP	ROUYN	SAINT-JEAN	ST. JOHN'S	SASKATOON	SAULT-SAINTE-MARIE	SHERBROOKE	SUMMERSIDE	SYDNEY	THUNDER BAY	TORONTO	VANCOUVER	VICTORIA	WHITEHORSE	WINDSOR	WINNIPEG	YARMOUTH
BANFF	•	1259	129	5079	4348	1019	428	1362	4706	4823	5121	3631	286	1669	4904	3872	3700	3682	5555	912	632	4142	893	4324	3154	4812	6482	748	2887	4028	5053	5401	2179	3563	929	1033	2514	3370	1465	4986
BOSTON (E.-U.)	4471	3212	4342	999	835	4954	4363	3899	652	1223	921	840	4731	2802	824	546	771	735	1476	3943	5077	629	3578	811	1189	676	2403	3835	1584	423	974	1321	2292	908	5399	5504	6396	1159	2953	571
BRANDON	1259	•	1130	3864	3090	1741	1151	726	3447	3565	3862	2372	1519	410	3689	2614	2441	2424	4297	731	1865	2884	365	3066	1896	3553	5224	623	1629	2770	3795	4142	921	2305	2187	2292	3236	2111	206	3727
CALGARY	129	1130	•	4931	4220	890	299	1233	4558	4694	4973	3502	415	1540	4756	3743	3571	3553	5407	784	761	4014	764	4196	3026	4664	6334	620	2758	3899	4925	5253	2050	3434	1057	1162	2385	3241	1336	4838
CHARLOTTETOWN	5079	3864	4931	•	935	5554	4963	4500	373	845	280	1854	5332	3402	175	1199	1860	1389	521	4543	5678	959	4178	755	1843	323	1448	4435	2184	1151	63	367	2892	1738	6000	6104	7049	2111	3607	497
CHICAGO (E.-U.)	2905	1646	2776	2577	1846	3388	2797	2334	2203	2321	2618	784	3166	1236	2401	1370	853	1230	3053	2377	3512	1640	2012	1822	1444	2309	3980	2269	726	1520	2551	2898	1070	830	3833	3938	4883	465	1440	2483
CHICOUTIMI	4348	3090	4220	935	•	4831	4241	3777	562	679	977	1083	4609	2680	760	476	1152	666	1411	3821	4955	206	3455	180	1120	649	2338	3713	1461	420	909	1257	2169	1015	5277	5382	6326	1381	2884	842
CINCINNATI (E.-U.)	3402	2144	3273	2409	1794	3885	3294	2831	2062	2271	2371	763	3663	1733	2234	1318	734	1218	2886	2874	4009	1590	2509	1770	1436	2086	3813	2766	900	1474	2383	2731	1567	809	4331	4435	5380	444	1938	2021
CLEVELAND (E.-U.)	3467	2208	3338	2025	1410	3949	3359	2895	1677	1886	1986	418	3727	1798	1849	933	349	834	2501	2939	4073	1205	2573	1386	1112	1701	3428	2831	856	1090	1999	2346	1564	486	4395	4500	5444	282	2002	1637
DAWSON CREEK	1019	1741	890	5554	4831	•	591	1642	5189	5306	5684	4113	752	2152	5378	4355	4183	4165	6030	1193	406	4625	1376	4807	3637	5295	6957	1118	3370	4511	5528	5876	2662	4046	1202	1307	1495	3853	1947	5449
DETROIT (E.-U.)	3367	2108	3238	2115	1384	3850	3259	2795	1741	1859	2157	322	3627	1698	1939	908	391	768	2591	2839	3973	1178	2474	1360	995	1848	3518	2731	566	1064	2089	2437	1286	369	4295	4400	5345	3	1902	2021
EDMONTON	428	1151	299	4963	4241	591	•	1051	4598	4715	5013	3523	369	1561	4788	3764	3592	3574	5440	602	715	4035	785	4216	3046	4704	6367	528	2779	3920	4937	5285	2071	3455	1244	1349	2086	3262	1357	4878
FAIRBANKS (E.-U.)	3495	4218	3367	8031	7308	2477	3067	4118	7665	7783	8081	6590	3228	4628	7885	6832	6659	6642	8507	3669	2882	7102	3853	7284	6114	7772	9434	3595	5847	6988	8005	8352	5139	6523	3679	3784	982	6330	4424	7926
FLIN FLON	1362	726	1233	4500	3777	1642	1051	•	4134	4252	4550	3059	1419	1098	4324	3301	3129	3111	4976	449	1765	3571	752	3753	2583	4241	5903	613	2316	3457	4474	4822	1608	2992	2290	2395	3137	2799	893	4414
FREDERICTON	4706	3447	4588	373	562	5189	4598	4134	•	700	415	1440	4966	3037	198	834	1510	1024	850	4178	5312	586	3813	381	1477	106	1777	4070	1819	777	348	695	2527	1373	5634	5739	6684	1738	3241	280
GASPÉ	4823	3565	4694	845	679	5306	4715	4252	700	•	945	1558	5084	3154	669	951	1627	1141	1321	4295	5430	703	3930	499	1595	806	2248	4188	1936	895	819	1167	2644	1490	5752	5856	6801	1856	3359	980
HALIFAX	5121	3862	4973	280	997	5604	5013	4550	415	945	•	1856	5382	3452	275	1249	1925	1439	576	4593	5728	982	4228	797	1893	309	1503	4485	2234	1193	317	422	2942	1788	6050	6154	7099	2153	3656	345
HAMILTON	3631	2372	3502	1854	1083	4113	3523	3059	1440	1558	1856	•	3891	1962	1630	607	69	467	2282	3103	4237	877	2737	1059	694	1547	3209	2995	744	763	1780	2128	1452	68	4559	4664	5609	319	2166	1720
INDIANAPOLIS (E.-U.)	3217	1959	3088	2543	1846	3700	3109	2646	2195	2321	2504	787	3478	1548	2367	1370	853	1230	3019	2689	3824	1640	2324	1822	1456	2219	3946	2581	978	1526	2517	2865	1382	830	4146	4250	5195	465	1753	2155
JASPER	286	1519	415	5332	4609	752	369	1419	4966	5084	5382	3891	•	1930	5156	4133	3961	3943	5808	970	346	4403	1154	4585	3415	5073	6735	896	3148	4289	5306	5654	2440	3824	875	980	2247	3631	1725	5246
KENORA	1669	410	1540	3402	2680	2152	1561	1098	3037	3154	3452	1962	1930	•	3227	2203	2031	2013	3879	1141	2276	2474	776	2655	1485	3143	4806	1033	1218	2359	3376	3724	510	1894	2597	2702	3647	1701	204	3317
LOS ANGELES (E.-U.)	2723	3513	2707	6136	5406	3399	3006	3899	5763	5881	6178	4344	2874	3605	5961	4929	4413	4789	5613	3513	2993	5200	3148	5382	5003	5869	7540	3405	4286	5086	6111	6458	3756	4390	2313	2211	4894	4025	3401	6043
MINNEAPOLIS (E.-U.)	2190	932	2062	3058	2335	2673	2082	1619	2692	2810	3108	1447	2451	708	2882	1859	1516	1669	3534	1662	2797	2129	1297	2311	1592	2799	4461	1555	874	2015	3032	3380	560	1493	2812	2710	4168	1128	726	2972
MONCTON	4904	3689	4756	175	760	5378	4788	4324	198	669	275	1630	5156	3227	•	1024	1699	1213	652	4368	5502	784	4002	579	1667	148	1579	4260	2008	975	150	497	2717	1563	5824	5929	6874	1936	3431	322
MONTRÉAL	3872	2614	3743	1199	476	4355	3764	3301	834	951	1249	607	4133	2203	1024	•	676	190	1675	3344	4479	270	2979	452	644	940	2602	3236	985	156	1173	1521	1693	539	4801	4905	5850	904	2408	1114
NEW YORK (E.-U.)	4448	3190	4319	1353	1070	4931	4340	3877	1009	1540	1278	818	4709	2779	1181	613	748	777	1833	3920	5055	864	3555	1041	1257	1033	2760	3813	1561	657	1331	1679	2269	885	5414	5518	6463	1136	2984	929
NORTH BAY (E.-U.)	3314	2055	3185	1757	1035	3796	3206	2742	1392	1510	1807	402	3574	1645	1582	558	472	369	2234	2786	3920	829	2420	1011	291	1498	3161	2678	426	715	1732	2079	1135	335	4242	4347	5279	700	1849	1672
OTTAWA	3682	2424	3553	1389	666	4165	3574	3111	1024	1141	1439	467	3943	3013	1213	190	536	•	1865	3154	4289	460	2789	642	552	1130	2792	3046	795	346	1363	1711	1503	399	4611	4715	5660	764	2218	1304
PHILADELPHIE (E.-U.)	4093	2834	3964	1506	1202	4575	3985	3521	1159	1672	1427	813	4353	2424	1331	745	744	772	1983	3565	4699	961	3199	1143	1389	1183	2752	3457	1556	806	1481	1828	2264	880	5021	5126	6070	921	2623	1078
PORT-AUX-BASQUES	5555	4297	5407	521	1411	6030	5440	4976	850	1321	576	2282	5808	3879	652	1675	2351	1865	•	5020	6154	1436	4654	1231	2319	800	927	4912	2660	1627	584	154	3368	2214	6476	6581	7525	2588	4083	840
PRINCE-ALBERT	912	731	784	4543	3821	1193	602	449	4178	4295	4593	3103	970	1141	4368	3344	3172	3154	5020	•	1316	3615	365	3796	2626	4284	5947	164	2359	3500	4517	4865	1651	3051	1841	1946	2688	2842	937	4458
PRINCE GEORGE	632	1865	761	5678	4955	406	715	1765	5312	5430	5728	4237	346	2276	5502	4479	4307	4289	6154	1316	•	4749	1500	4931	3761	5419	7081	1242	3481	4635	5652	6000	2786	4170	797	901	1901	3977	2071	5592
QUÉBEC	4142	2884	4014	959	206	4625	4035	3571	586	703	982	877	4403	2474	784	270	946	460	1436	3615	4749	•	3249	204	914	673	2363	3507	1255	214	933	1281	1963	809	5071	5176	6120	1175	2678	866
REGINA	893	365	764	4178	3455	1376	785	752	3813	3930	4228	2737	1154	776	4002	2979	2807	2789	4654	365	1500	3249	•	3431	2261	3919	5581	257	1981	3135	4152	4500	1286	2670	1822	1926	2871	2477	571	4104
RIVIÈRE-DU-LOUP	4324	3066	4196	755	180	4807	4216	3753	381	499	797	1059	4585	2655	579	452	1128	642	1231	3796	4931	204	3431	•	1096	488	2158	3689	1437	396	729	1077	2145	991	5253	5358	6302	1357	2860	661
ROCHESTER (E.-U.)	3829	2570	3700	1625	1012	4311	3721	3257	1278	1487	1587	200	4089	2160	1450	536	143	436	2102	3301	4435	806	2935	988	893	1302	3029	3193	941	692	1600	1947	1650	266	4757	4862	5807	517	2364	1238
ROUYN	3154	1896	3026	1843	1120	3637	3046	2583	1477	1595	1893	694	3415	1485	1667	644	763	552	2319	2626	3761	914	2261	1096	•	1584	3246	2519	718	800	1817	2165	975	626	4083	4188	5132	991	1690	1757
SAINT-JEAN	4812	3553	4664	323	649	5295	4704	4241	106	806	309	1547	5073	3143	148	940	1616	1130	800	4284	5419	673	3919	488	1584	•	1727	4176	1925	864	298	645	2633	1479	5741	5845	6790	1844	3347	174
ST. JOHN'S	6482	5224	6334	1448	2338	6957	6367	5903	1777	2248	1503	3209	6735	4806	1579	2602	3278	2792	927	5947	7081	2363	5581	2158	3246	1727	•	5839	3587	2554	1511	1081	4295	3141	7403	7775	8452	3515	5010	1783
SAN FRANCISCO (E.-U.)	2050	3090	2179	5181	5451	2717	2478	3476	5808	5926	6223	4389	2634	3634	6006	4974	4458	4834	6658	3050	2311	5245	2858	5427	5049	5914	7585	2886	4331	5131	6156	6503	3964	4435	1630	1529	4212	4070	3430	6088
SASKATOON	748	623	620	4435	3713	1118	528	613	4070	4188	4485	2995	896	1033	4260	3236	3064	3046	4912	164	1242	3507	257	3689	2519	4176	5839	•	2239	3392	4410	4757	1543	2927	1677	1782	2614	2734	829	4350
SAULT-SAINTE-MARIE	2887	1629	2758	2184	1461	3370	2779	2316	1819	1936	2234	744	3148	1218	2008	985	813	795	2660	2359	3481	1255	1981	1437	718	1925	3587	2239	•	1141	2158	2506	708	676	3803	3907	4852	581	1423	2099
SEATTLE (E.-U.)	1081	2340	1210	5811	5089	1318	1360	2411	5446	5564	5861	4027	1236	2750	5636	4612	4096	4472	6288	1962	912	4899	1975	5065	4199	5552	7215	1830	3454	4768	5786	6133	3261	4073	232	130	2813	3703	2546	5726
SHERBROOKE	4028	2770	3899	1151	420	4511	3920	3457	777	895	1193	763	4289	2359	975	156	832	346	1627	3500	4635	214	3135	396	800	864	2554	3392	1141	•	1125	1473	1849	695	4957	5061	6006	1061	2564	1057
SUMMERSIDE	5053	3795	4925	63	909	5528	4937	4474	348	819	317	1780	5306	3376	150	1173	1849	1363	584	4517	5652	933	4152	729	1817	298	1511	4410	2158	1125	•	430	2866	1709	5974	6078	7023	2086	3581	472
SYDNEY	5401	4142	5253	367	1257	5876	5285	4822	695	1167	422	2128	5654	3724	497	1521	2197	1711	154	4865	6000	1281	4500	1077	2165	645	1081	4757	2506	1473	430	•	3214	2060	6322	6426	7371	2433	3928	702
THUNDER BAY	2179	921	2050	2892	2169	2662	2071	1608	2527	2644	2942	1452	2440	510	2717	1693	1521	1503	3368	1651	2786	1963	1286	2145	975	2633	4295	1543	708	1849	2866	3214	•	1384	3108	3212	4157	1289	715	2807
TORONTO	3563	2305	3434	1738	1015	4046	3455	2992	1373	1490	1788	68	3824	1894	1563	539	137	399	2214	3051	4170	809	2670	991	626	1479	3141	2927	676	695	1709	2060	1384	•	4492	4596	5528	369	2099	1653
VANCOUVER	929	2187	1057	6000	5277	1202	1244	2290	5634	5752	6050	4559	875	2597	5824	4801	4628	4611	6476	1841	797	5071	1822	5253	4083	5741	7403	1677	3803	4957	5974	6322	3108	4492	•	105	2697	4299	2232	5914
VICTORIA	1033	2292	1162	6104	5382	1307	1349	2395	5739	5856	6154	4664	980	2702	5929	4905	4733	4715	6581	1946	901	5176	1926	5358	4188	5845	7775	1782	3907	5061	6078	6426	3212	4596	105	•	2802	4403	2337	6019
WASHINGTON (E.-U.)	4105	2847	3977	1719	1384	4588	3998	3534	1371	1902	1640	832	4366	2437	1543	932	763	1014	2195	3578	4712	1178	3212	1360	1576	1395	3122	3454	1394	1048	1693	2041	2271	900	5034	5139	6083	1014	2641	1291
WHITEHORSE	2514	3236	2385	7049	6326	1495	2086	3137	6684	6801	7099	5609	2247	3647	6874	5850	5678	5660	7525	2688	1901	6120	2871	6302	5132	6790	8452	2614	4852	6006	7023	7371	4157	5528	2697	2802	•	5348	3524	6964
WINDSOR	3370	2111	3241	2111	1381	3853	3262	2799	1738	1856	2153	319	3631	1701	1936	904	388	764	2588	2842	3977	1175	2477	1357	991	1844	3515	2734	581	1061	2086	2433	1289	369	4299	4403	5348	•	1905	2018
WINNIPEG	1465	206	1336	3607	2884	1947	1357	893	3241	3359	3656	2166	1725	204	3431	2408	2235	2218	4083	937	2071	2678	571	2860	1690	3347	5010	829	1423	2564	3581	3928	715	2099	2232	2337	3524	1905	•	3521
YARMOUTH	4986	3727	4838	497	842	5449	4878	4414	280	980	345	1720	5246	3317	322	1114	1790	1304	840	4458	5592	866	4104	661	1757	174	1783	4350	2099	1057	472	702	2807	1653	5914	6019	6964	2018	3521	•

Les distances en kilomètres sont établies à partir des routes principales et comprennent les trajets en traversier.

Grâce à la collaboration de la Direction des levés et de la cartographie, qui relève du ministère fédéral de l'Energie, des Mines et des Ressources, l'*Atlas du Canada* de Sélection du Reader's Digest présente une toute nouvelle série de 48 cartes détaillées. Ces cartes et l'index qui les accompagne ont d'abord été réalisés par la Direction des levés et de la cartographie, puis adaptés pour l'*Atlas du Canada* de Sélection, avec des modifications de couleur et d'échelle et l'apport de renseignements supplémentaires. L'index donne le nom, le statut et les coordonnées de tous les lieux habités, relevés lors du recensement de 1976. Certains accidents géographiques, des routes, des chemins de fer et des parcs, tant nationaux que provinciaux, y figurent également, de sorte que le lecteur peut mieux se représenter la situation géographique des agglomérations. Les cartes ne constituent cependant pas un répertoire complet des noms géographiques du Canada. Ceux-ci sont tellement nombreux que, pour les contenir tous, il aurait fallu un nombre trop considérable de cartes.

La confirmation officielle des noms géographiques ne relève pas d'un seul organisme. En effet, les questions de toponymie sont du ressort des provinces à l'intérieur de leur territoire ; elles sont du ressort des provinces et du gouvernement fédéral, en terres fédérales. Au Yukon et dans les Territoires du Nord-Ouest, c'est le ministère des Affaires indiennes et du Nord qui adopte et attribue les noms de lieux et décide de leur orthographe. Depuis 1897, année où le gouvernement fédéral institua la Commission géographique du Canada, il existe un organisme central dont la tâche est de normaliser le mode d'attribution des noms géographiques au Canada, d'en consigner l'origine et l'évolution, et de coordonner les travaux des agences fédérales et provinciales ; bref, de s'assurer que sont acceptés les principes de nomenclature et les méthodes d'attribution de noms de lieux et d'accidents géographiques. Cet organisme s'appelle aujourd'hui le Comité permanent canadien des noms géographiques (C.P.C.N.G.). Il se compose de représentants du gouvernement fédéral et des provinces. Le ministère de l'Energie, des Mines et des Ressources l'a doté d'un secrétariat et, sur demande, diffuse les noms de lieux au moyen de répertoires géographiques et d'études toponymiques. Les décisions d'ordre toponymique prises par les provinces et les territoires du Nord sont transmises

au secrétariat. Les renseignements sont ensuite introduits dans la Banque nationale de données toponymiques qui sert à préparer les cartes, les diagrammes, les répertoires géographiques et d'autres documents. La recherche portant sur l'origine et l'évolution des noms géographiques est parrainée par le gouvernement fédéral et les provinces.

Ce nouvel atlas se distingue par un trait important : il présente, à l'intérieur des provinces et des territoires du Nord, les noms géographiques dans la langue sanctionnée par les autorités compétentes des provinces et des territoires. Les mers et les océans qui ne ressortissent de l'autorité d'aucun gouvernement sont désignés dans les deux langues officielles, ainsi que les provinces et les territoires du Nord quand leur nom paraît en français et en anglais dans les documents fédéraux. Toutefois, Sélection du Reader's Digest a pris l'initiative de traduire sous sa responsabilité quelque 200 noms d'accidents géographiques en dehors du Québec, conformément à certaines appellations traditionnelles. Ces quelque 200 toponymes apparaissent donc en français sur les cartes ; sur l'index, pour que le lecteur sache bien à quoi s'en tenir, le nom traduit par Sélection est suivi d'une mention spéciale indiquant son nom officiel. Exemple :

Cèdres, Lac des (Man.), 63 A2
nom officiel Cedar Lake

Les renseignements concernant la population canadienne et l'emplacement des agglomérations rurales, villages, villes et cités, proviennent presque exclusivement des recensements nationaux faits tous les cinq ans. Le présent atlas utilise les données recueillies lors de celui de 1976. Tous les lieux habités, à l'exception des localités non constituées qui avaient moins de 50 habitants et dont le nom n'était pas approuvé, apparaissent sur les cartes et dans l'index. On y trouvera, cependant, des agglomérations de plus de 50 habitants qui n'étaient pas constituées ou dont le nom n'était pas approuvé. Les noms des localités non constituées qui paraissent dans l'atlas ont été mis à jour jusqu'en 1978.

Les cartes représentent les municipalités constituées et les régions municipalisées qui existaient en 1976. On peut les définir comme des lieux habités, dotés de services locaux : police, transport, équipements sanitaires et récréatifs. Comme la constitution des municipalités relève des divers territoires et provinces, il n'existe pas de définition uniforme des villages, villes et cités. Les noms des agglomérations constituées figurant dans l'atlas sont ceux que le C.P.C.N.G. a rendu officiels au cours de l'année du recensement de 1976. Lorsque les agglomérations non constituées avaient un nom officiel, il a été utilisé. Dans le cas contraire, on a repris les noms relevés lors du recensement. Autrement dit, on a utilisé les noms non officiels d'agglomérations, comme les quartiers de banlieue ou les groupes de maisons mobiles, même s'ils ne sont

pas très connus et qu'ils ne seront probablement jamais approuvés. Depuis le recensement de 1976, de nouvelles régions municipalisées ont été constituées par la fusion d'agglomérations voisines. Mais pour conserver aux données de 1976 une certaine cohérence, on n'a pas tenu compte de ces nouvelles municipalités.

Les réserves indiennes du Canada sont indiquées au complet sur les cartes dans la mesure où l'échelle le permet. Certaines réserves, trop petites et trop rapprochées, ont présenté des problèmes de représentation cartographique, et il a fallu généraliser. Les agglomérations clairement identifiables à l'intérieur des réserves indiennes apparaissent sur les cartes ; d'autre part, si la population n'était pas concentrée, le phénomène n'est pas représenté.

Quelque 13 000 accidents géographiques, les parcs nationaux et les principaux parcs provinciaux sont identifiés et cartographiés. Cette catégorie de renseignements provient des cartes du Système national de référence cartographique. L'éditeur a pris la responsabilité de compléter cette information en ajoutant des symboles représentant les sites historiques et les bureaux de l'Association canadienne des automobilistes.

L'*Atlas du Canada* a été conçu de façon à pouvoir réduire au minimum le nombre de cartes. En conséquence, l'échelle varie d'une carte à l'autre en fonction de la densité des noms géographiques. Pour ne pas ajouter de nouvelles cartes quand les toponymes officiels étaient très nombreux, on a utilisé un code numérique renvoyant aux noms dans la marge ou ailleurs sur la carte où l'espace le permettait. D'autre part, même si un lieu habité ou un accident géographique apparaît sur plusieurs cartes différentes, seule sa référence principale est indiquée dans l'index. Quant aux cartes, elles résultent de la juxtaposition de portions de cartes topographiques déjà dressées, mais adaptées au style de l'*Atlas du Canada*. Elles sont suffisamment exactes pour satisfaire aux besoins généraux de l'utilisateur, mais elles ne sauraient répondre à ses exigences s'il entendait faire des calculs précis.

La représentation cartographique au Canada

Les premières cartes du Canada montrent bien les difficultés d'exploration auxquelles se heurtent les Européens dans ce Nouveau Monde lointain et sauvage. La rigueur du climat, la nature du littoral et l'hostilité des indigènes les empêchent souvent de dresser des cartes détaillées. En 1600, cependant, on sait que le Canada est entouré de trois océans et on lui connaît un fleuve, le Saint-Laurent. En 1616, Champlain dresse une carte où l'on reconnaît la baie de Fundy, le littoral du Nouveau-Brunswick et le sud des Grands Lacs. C'est ensuite par les marchands de fourrures et les missionnaires que l'on peut mieux établir la géographie de l'est du Canada.

La cartographie de l'Ouest se fait, comme son exploration, à partir de deux points : les Grands Lacs et la baie d'Hudson. Les premières cartes s'appuient sur les descriptions données par les Indiens des routes d'expédition et de commerce.

Par la suite, les levés deviennent plus précis. Dans les années 1790, James Vancouver met presque un an à dresser la carte de la côte Ouest. Alexander Mackenzie, de la Compagnie du Nord-Ouest, et David Thompson, de la Compagnie de la Baie d'Hudson, cartographient le Nord-Ouest. Les levés entrepris en 1818 par la Royal Navy donnent une meilleure idée du littoral arctique et vont mener à la découverte du passage du Nord-Ouest.

La cartographie systématique commence à la fin du XIX⁰ siècle avec l'avènement de la photogrammétrie. Au début du XX⁰ siècle, la Commission géologique du Canada crée un service de topographie dans le but de fournir des cartes aux géologues qui, jusque-là, faisaient eux-mêmes ce travail. Depuis, les progrès de la technologie ont transformé la cartographie. Les levés sur le terrain et la gravure sur cuivre cèdent désormais la place à la photographie par satellite et à la cartographie automatique.

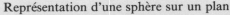

Représentation d'une sphère sur un plan

Projection conique centrographique

Vouloir reproduire la surface du globe sur papier équivaut à tenter d'aplatir une pelure d'orange. Par conséquent, aucun type de projection ne la représentera fidèlement, en entier ou en partie. On a donc élaboré des systèmes de projection répondant à des buts précis et ayant des propriétés fondamentales : l'équivalence, l'isogonie (correspondance des formes sur la carte et sur la surface terrestre) et l'équidistance. Comme toute carte répond à un but précis, il importe de choisir le type de projection qui lui convient. Une carte nautique indiquera les directions ; une carte routière, les distances ; une carte thématique, les proportions.

Projection cylindrique centrographique

Imaginons qu'une lumière, placée dans un globe terrestre, projette sur une feuille de papier l'ombre des méridiens et des parallèles. Selon la tangence de la feuille, la projection sera dite azimutale (projection directe sur un plan), conique (en haut) ou cylindrique (au milieu). La représentation de la surface n'est fidèle que là où la feuille est tangente au globe. Ces projections, bien qu'équivalentes, n'en déforment pas moins la surface courbe du globe (en bas).

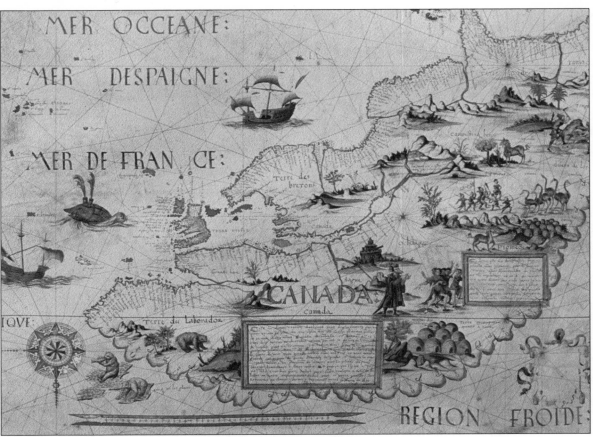

La carte de Desceliers, dressée en 1550, bien après la découverte de Colomb, représente les terres connues du Nouveau Monde.

Préparation des cartes : photogrammétrie et photoplans

La plupart des cartes ont comme point de départ la carte topographique. Elle représente, en effet, les divers éléments du terrain, d'ordinaire en couleurs, et en précise la latitude, la longitude et l'altitude.

Dans la préparation d'une carte topographique, la première étape consiste à prendre une série de photographies aériennes de la région à représenter. Un avion, portant un appareil photographique spécial, survole la région à une altitude (entre 4 500 et 10 000 m) et à une vitesse déterminées. Les photographies sont prises en bandes parallèles qui se

recoupent de façon qu'une même portion de terrain se trouve sur deux photos consécutives.

Les éléments apparaissant sur les clichés aériens sont ensuite soigneusement situés les uns par rapport aux autres. On superpose à chaque photo un quadrillage qui permet de repérer facilement tous les accidents géographiques — un peu comme lorsqu'on consulte une simple carte routière pour trouver une rue ou une ville. On détermine ensuite la latitude, la longitude et l'altitude de certains points par *triangulation*. Les quadrillages de chacune des photographies sont traités par

ordinateur pour devenir un seul grand quadrillage couvrant toute la zone à représenter.

Après avoir assemblé les photographies, on en transcrit les données par *photogrammétrie* sur une planche de rédaction cartographique. Un stéréoscope restitue en trois dimensions le terrain photographié. Comme deux photographies successives se recoupent, elles présentent donc une même bande de terrain, prise cependant sous deux angles légèrement différents. Les deux images fusionnées produisent une vue tridimensionnelle du terrain. C'est le principe de la vision bi-

noculaire qui donne une impression de relief. L'opérateur transcrit les phénomènes ainsi observés sur la planche de rédaction cartographique. Il reproduit un cours d'eau sur une feuille placée à côté de lui et le suivant avec un traceur mobile.

En utilisant la planche de rédaction, le dessinateur grave des négatifs pour chaque planche de couleur. Il y a six couleurs de base : le noir (éléments qui relèvent de l'intervention humaine), le bleu (cours d'eau et quadrillage), le brun (courbes de niveau), le rouge et l'orange (routes), le vert (végétation).

Une carte du territoire canadien le déforme facilement en raison de son immensité et de sa position septentrionale. Les cartes du présent atlas ont été dressées suivant la projection de Mercator transverse qui respecte les formes et les dimensions des terres. La plupart des cartes thématiques ont été établies suivant la projection conique conforme de Lambert, qui consiste à projeter la surface terrestre sur un cône tangent à un parallèle ; les parallèles et les méridiens sont perpendiculaires et espacés de façon à assurer la correspondance des angles. On utilise ce type de projection pour représenter des régions plus larges (est-ouest) que longues (nord-sud). La carte du monde, aux pages 58 et 59, a été dressée selon une projection azimutale équidistante sur un plan tangent à Ottawa.

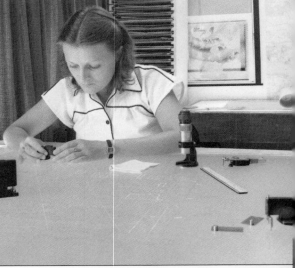

La photographie aérienne nécessitait autrefois l'utilisation de trois appareils. Aujourd'hui, l'on a un seul appareil muni d'un objectif capable de corriger la plupart des déformations et guidé par un dispositif de visée.

La carte prend forme à mesure que l'opérateur, qui étudie un couple stéréoscopique (deux photos qui se recoupent), reproduit le relief et les autres phénomènes qu'il observe en trois dimensions.

La gravure faite sur pellicule opaque sert de négatif à la carte. Un dessinateur établit la planche de rédaction en enlevant successivement les parties de la pellicule d'après l'original des couleurs.

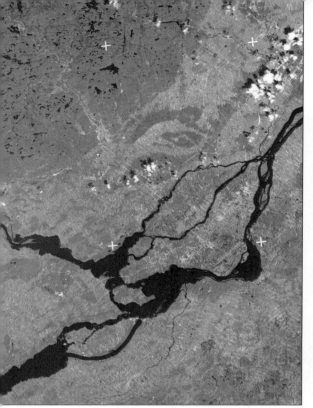

Une image en fausse couleur transmise par satellite (télédétection) représente l'île de Montréal à l'échelle de 1/1 100 000.

Une photographie aérienne ordinaire à l'échelle de 1/25 000 montre l'est de Montréal en détail. On y distingue les espaces verts, les zones à forte densité d'occupation, ainsi que le stade olympique et le vélodrome.

Utilisation des cartes

La carte topographique, la carte thématique, la photographie aérienne et les images obtenues par télédétection sont autant de façons de représenter un territoire.

La carte topographique fournit des données de base : altitude et relief, réseaux hydrographiques, routes, chemins de fer, lieux habités et frontières. Dans les atlas, on utilise des cartes topographiques à petite échelle pour illustrer les phénomènes humains ou physiques d'une région. D'autre part, on se sert du *plan cadastral* pour représenter, à grande échelle, une petite région.

La carte thématique porte sur un sujet particulier pouvant aller de la production du blé à la moyenne des précipitations annuelles, ou à la densité de la population. La carte routière ou la carte d'une ville indiquent les distances, identifient les routes et donnent d'autres renseignements pertinents ; elles sont à leur façon des cartes thématiques.

Les photographies aériennes sont la base de la carte topographique. Les prises de vue à axe vertical engendrent des déformations qu'il faut corriger. Si l'on assemble des photographies successives, on obtient un *photoplan*. L'assemblage de photos dont on a corrigé les déformations constitue un *orthophotoplan*. L'ajout de symboles, de frontières et de toponymes donne une *photocarte*.

Des télécapteurs placés à bord de satellites ou d'avions volant à très haute altitude balaient la surface terrestre. On obtient ainsi des images par *télédétection*, technique la plus récente en cartographie. Les données recueillies par les satellites américains Landsat ont aidé à découvrir des gisements pétrolifères et minéraux, à prévoir des rendements agricoles, à surveiller la mise en valeur du territoire et la croissance des forêts, à étudier la qualité de l'eau et à évaluer les dommages causés par les inondations.

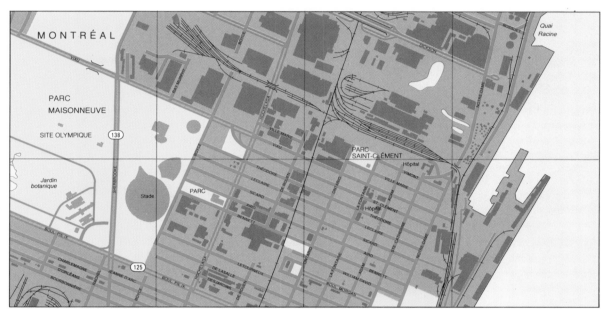

Une carte topographique à la même échelle que la photo aérienne (1/25 000) donne de l'est de Montréal une image plus claire. Elle a été dépouillée de détails inutiles et porte les toponymes.

Réduction des distances : l'échelle

Les cartes sont la représentation réduite du terrain, et leur degré de réduction est fonction de l'échelle, c'est-à-dire du rapport entre les distances figurées sur la carte et les mesures correspondantes sur le terrain. Ainsi, une carte à l'échelle de 1/1 000 000 réduit de un million de fois la réalité.

Sur une carte de l'île de Montréal à l'échelle de 1/312 500 (*extrême droite*), on distingue les quartiers et les noms de certaines rues ; sur une carte à l'échelle de 1/625 000 (*ci-dessous*), seules les routes principales sont indiquées. Les cartes reproduisent dans la mesure du possible les phénomènes humains et physiques, mais ne tiennent pas compte de tous

les détails. La carte à petite échelle (1/15 625 000) ci-dessous ne représente que les villes ayant une certaine importance.

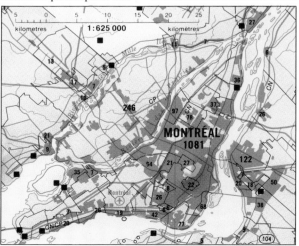

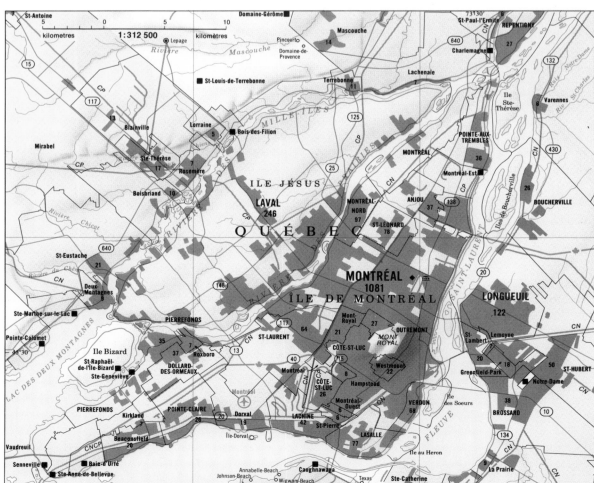

DÉFINITIONS

Ces définitions se rapportent au statut qu'avaient les lieux au moment du recensement national de 1976. Le statut et la description juridique des endroits ont pu changer depuis.

PROVINCE

La principale division du Canada.

TERRITOIRE

Division politique du Canada semblable à une province, mais ayant moins de pouvoirs administratifs.

MUNICIPALITÉS

Municipalité

Territoire constitué en corporation, régi par une loi provinciale ou territoriale. Les lois diffèrent d'une province à l'autre. De plus, dans chaque province les municipalités ont des noms, des statuts et des pouvoirs administratifs différents. Le Comité permanent canadien des noms géographiques a accepté les noms des municipalités approuvés par les autorités provinciales ou territoriales.

Borough

Le regroupement d'une municipalité rurale et des cités, villes et villages situés dans ses limites. (Les boroughs représentés dans cet atlas ont changé de statut depuis 1976.)

Cité, ville, village

Municipalité créée et régie par une loi municipale provinciale ou territoriale. Ces lois diffèrent d'une province à l'autre. Il existe des cités et des villes dans toutes les provinces et territoires.

Communauté, district d'amélioration locale, district rural

A Terre-Neuve et au Labrador, les municipalités constituées en communautés, districts d'amélioration locale et districts ruraux sont établies en vertu de la Loi d'administration locale et la Loi des conseils sur les communautés.

District (municipalité de)

En Colombie-Britannique, les lieux habités sont constitués en cités, villes, villages et districts.

Hameau

Une municipalité créée et régie par une loi territoriale. Il n'existe de hameaux que dans les Territoires du Nord-Ouest.

Village d'été

Un village d'été a le même statut qu'un village ordinaire, mais il peut avoir, au sens du recensement, une population permanente très faible ou nulle.

AUTRES LIEUX

Localité non constituée — nom approuvé

Localité sans limites juridiques et sans administration locale. Les chiffres de population obtenus par le recensement ne sont qu'approximatifs à cause du caractère empirique de la délimitation faite par les représentants du recensement.

Toutes les localités non constituées dont les noms sont approuvés par le Comité permanent canadien des noms géographiques figurent dans cet atlas. Ces noms ne correspondent pas nécessairement aux noms publiés dans les bulletins de Statistique Canada. Certaines des localités peuvent être connues sous un différent nom par leurs habitants.

Localité non constituée — nom sans approbation

Bien que les noms ne soient pas approuvés par le Comité permanent canadien des noms géographiques, les localités non constituées ayant une population d'une assez grande importance figurent dans cet atlas.

Réserve indienne

En termes généraux, une réserve indienne, dont le titre juridique est attribué à Sa Majesté la Reine du Chef du Canada, est mise de côté à l'usage et au profit d'une bande indienne en vertu d'un arrêté en conseil et est sujette aux dispositions de la Loi sur les Indiens.

Réserve militaire

Les réserves militaires sont des terres utilisées par le ministère de la Défense nationale. Les réserves militaires indiquées dans cet atlas sont celles qui ont été désignées « habitées » lors du recensement de 1976 mené par Statistique Canada.

LIGNE DE SÉPARATION

La ligne de séparation qui traverse la région située entre le Groenland et les îles de l'Arctique canadien indique la limite au-delà de laquelle aucune des parties de l'entente intervenue le 17 décembre 1973 entre le gouvernement du Royaume du Danemark et le gouvernement du Canada n'étendra ses droits de souveraineté dans le but d'effectuer des sondages et d'exploiter les richesses naturelles du plateau continental, lors de l'exercice de ses droits en vertu de la Convention sur le plateau continental du 29 avril 1958.

AUTRES RENSEIGNEMENTS

Noms géographiques

On peut obtenir de l'information sur des noms géographiques en s'adressant au Comité permanent canadien des noms géographiques ou à la Section de la toponymie, Direction des levés et de la cartographie, ministère de l'Energie, des Mines et des Ressources. Les demandes de renseignements doivent être adressées à :

Section de la toponymie
Service de géographie
Direction des levés et de la cartographie
Ministère de l'Energie, des Mines et
    des Ressources
Ottawa, Ontario

Au nombre des ouvrages publiés au sujet des noms géographiques du Canada, figurent les nombreux volumes du *Répertoire toponymique du Canada*, ainsi que le *Répertoire toponymique du Québec*. Les demandes de renseignements au sujet des coûts et les commandes de volumes du *Répertoire toponymique du Canada* peuvent être adressées à :

Centre d'Edition du Gouvernement
    du Canada
Hull, Québec
K1A 0S9

On peut se procurer le répertoire des noms géographiques de la province de Québec (*Répertoire toponymique du Québec*) auprès de :

L'Editeur officiel du Québec
1283, boulevard Charest ouest
Québec, Québec
G1N 2C9

On peut se procurer le répertoire des noms géographiques de la province du Manitoba (*Manitoba Geographical Names 1980–81*) auprès de :

Director of Surveys
Department of Natural Resources
1007 Century Street
Winnipeg, Manitoba
R3H 0W4

Cartes

Les cartes du Système national de référence cartographique sont publiées aux échelles suivantes : 1/1 000 000, 1/500 000, 1/250 000, 1/125 000, 1/50 000 et 1/25 000. Trois index, permettant de voir la couverture cartographique dans son ensemble, peuvent être obtenus à l'adresse suivante :

Bureau des cartes du Canada
Ministère de l'Energie, des Mines et
    des Ressources
615, rue Booth
Ottawa, Ontario
K1A 0E9

Index 1 — Est du Canada
Index 2 — Ouest du Canada
Index 3 — Nord du Canada

Ces publications indiquent la couverture, le nom et le numéro de chacune des cartes et expliquent comment se les procurer.

Renseignements sur la population du recensement

Des renseignements détaillés portant sur le Recensement du Canada se trouvent dans les publications de Statistique Canada. Elles sont énumérées dans le catalogue de Statistique Canada disponible à l'adresse suivante :

Distribution des publications
Statistique Canada
Ottawa, Ontario
K1A 0T6

POPULATION 1976

Non indiquée dans
le recensement

○ Alert

1-49

○ Chinook

50-99

⊙ Peggys Cove

100-399

⊙ Goodsoil

400-999

● Ste-Marie-sur-Mer

1 000-4 999

■ Wasaga Beach

5 000 et plus

13 Matane
Le chiffre, arrondi au millier le plus
près, représente la population
véritable en milliers d'habitants.

Agglomération

Région municipalisée

District rural. District d'amélioration
locale, et Communauté de Terre-Neuve

● Fishing Lake 89 A
Réserve indienne

△ SFC/CFS Mill Cove
Réserve militaire
Campement
SFC - Station des Forces canadiennes
BFC - Base des Forces canadiennes

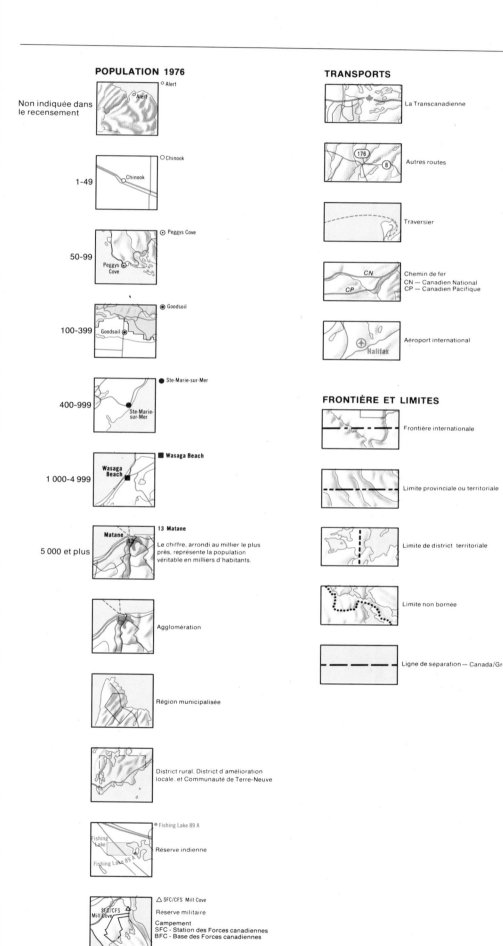

TRANSPORTS

La Transcanadienne

Autres routes

Traversier

Chemin de fer
CN — Canadien National
CP — Canadien Pacifique

Aéroport international

FRONTIÈRE ET LIMITES

Frontière internationale

Limite provinciale ou territoriale

Limite de district territoriale

Limite non bornée

Ligne de séparation — Canada/Groenland

AUTRES ÉLÉMENTS

Rapides, chutes, barrage

1268
Point coté et altitude de
la surface d'eau
(en mètres)

Glaciers

Parc. national ou provincial

Parc provincial

Bureau de la CAA

Parc national historique

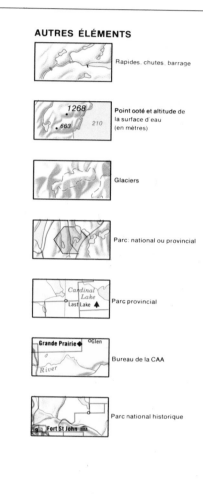

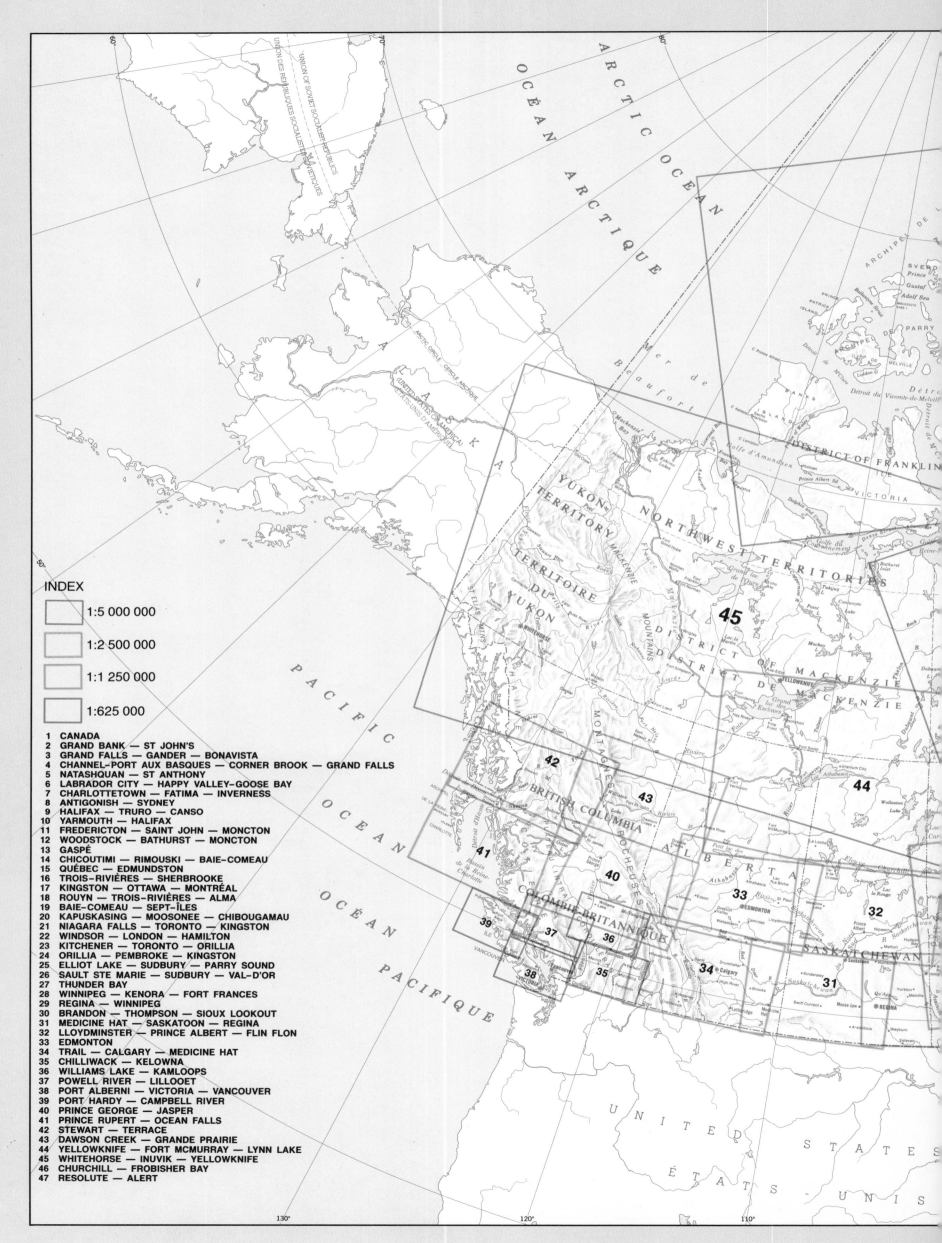

INDEX

1:5 000 000

1:2 500 000

1:1 250 000

1:625 000

1 CANADA
2 GRAND BANK — ST JOHN'S
3 GRAND FALLS — GANDER — BONAVISTA
4 CHANNEL-PORT AUX BASQUES — CORNER BROOK — GRAND FALLS
5 NATASHQUAN — ST ANTHONY
6 LABRADOR CITY — HAPPY VALLEY-GOOSE BAY
7 CHARLOTTETOWN — FATIMA — INVERNESS
8 ANTIGONISH — SYDNEY
9 HALIFAX — TRURO — CANSO
10 YARMOUTH — HALIFAX
11 FREDERICTON — SAINT JOHN — MONCTON
12 WOODSTOCK — BATHURST — MONCTON
13 GASPÉ
14 CHICOUTIMI — RIMOUSKI — BAIE-COMEAU
15 QUÉBEC — EDMUNDSTON
16 TROIS-RIVIÈRES — SHERBROOKE
17 KINGSTON — OTTAWA — MONTRÉAL
18 ROUYN — TROIS-RIVIÈRES — ALMA
19 BAIE-COMEAU — SEPT-ÎLES
20 KAPUSKASING — MOOSONEE — CHIBOUGAMAU
21 NIAGARA FALLS — TORONTO — KINGSTON
22 WINDSOR — LONDON — HAMILTON
23 KITCHENER — TORONTO — ORILLIA
24 ORILLIA — PEMBROKE — KINGSTON
25 ELLIOT LAKE — SUDBURY — PARRY SOUND
26 SAULT STE MARIE — SUDBURY — VAL-D'OR
27 THUNDER BAY
28 WINNIPEG — KENORA — FORT FRANCES
29 REGINA — WINNIPEG
30 BRANDON — THOMPSON — SIOUX LOOKOUT
31 MEDICINE HAT — SASKATOON — REGINA
32 LLOYDMINSTER — PRINCE ALBERT — FLIN FLON
33 EDMONTON
34 TRAIL — CALGARY — MEDICINE HAT
35 CHILLIWACK — KELOWNA
36 WILLIAMS LAKE — KAMLOOPS
37 POWELL RIVER — LILLOOET
38 PORT ALBERNI — VICTORIA — VANCOUVER
39 PORT HARDY — CAMPBELL RIVER
40 PRINCE GEORGE — JASPER
41 PRINCE RUPERT — OCEAN FALLS
42 STEWART — TERRACE
43 DAWSON CREEK — GRANDE PRAIRIE
44 YELLOWKNIFE — FORT MCMURRAY — LYNN LAKE
45 WHITEHORSE — INUVIK — YELLOWKNIFE
46 CHURCHILL — FROBISHER BAY
47 RESOLUTE — ALERT

125   0   125   250   375   500

kilometres   1:15 625 000   kilomètres

ICELAND
ISLANDE

GREENLAND
GROENLAND
(DANMARK)
(DANEMARK)

ARCTIC CIRCLE · CERCLE ARCTIQUE

REINE-ELISABETH

AXEL

HEIBERG
ISLANDS
ISLAND

ÎLE D'ELLESMERE

DEVON ISLAND

Mer de Baffin

SOMERSET
ISLAND

DISTRICT DE FRANKLIN

BOOTHIA
PENINSULA

Golfe de Boothia

ÎLE
DU ROI-
GUILLAUME

PRESQU'ÎLE
DE MELVILLE

PRINCE
CHARLES
ISLAND

ÎLE BAFFIN

Détroit de Davis

TERRITOIRES DU NORD-OUEST

DISTRICT OF
KEEWATIN

DISTRICT DE
KEEWATIN

Bassin de Foxe

Détroit de Foxe

SOUTHAMPTON
ISLAND

Détroit d'Hudson

Mer du Labrador

ATLANTIC

OCEAN

Baie d'Ungava

NEWFOUNDLAND TERRE-NEUVE

St JOHN'S

Baie d'Hudson

Churchill

MANITOBA

QUÉBEC

APPALACHES

LAURENTIDES

Gulf of
St Lawrence
Golfe du
Saint-Laurent

Détroit de Cabot

CAP-BRETON

PRINCE-EDWARD-ISLAND
ÎLE-DU-PRINCE-
ÉDOUARD

CHARLOTTETOWN

NEW
BRUNSWICK
NOUVEAU-
BRUNSWICK
FREDERICTON

NOVA SCOTIA
NOUVELLE-ÉCOSSE

HALIFAX

ONTARIO

QUÉBEC

Montréal

OTTAWA

Cornwall

WINNIPEG

Thunder
Bay

Lac Supérieur

Lac Huron

Sault
Ste Marie

TORONTO
Hamilton
St Catharines
Niagara Falls

London

Windsor

Lac Érié

Lac Ontario

OF AMERICA

D'AMÉRIQUE

ATLANTIC

OCEAN

OCÉAN

ATLANTIQUE

125 0 125 250 375 500
kilometres   1:15 625 000   kilomètres

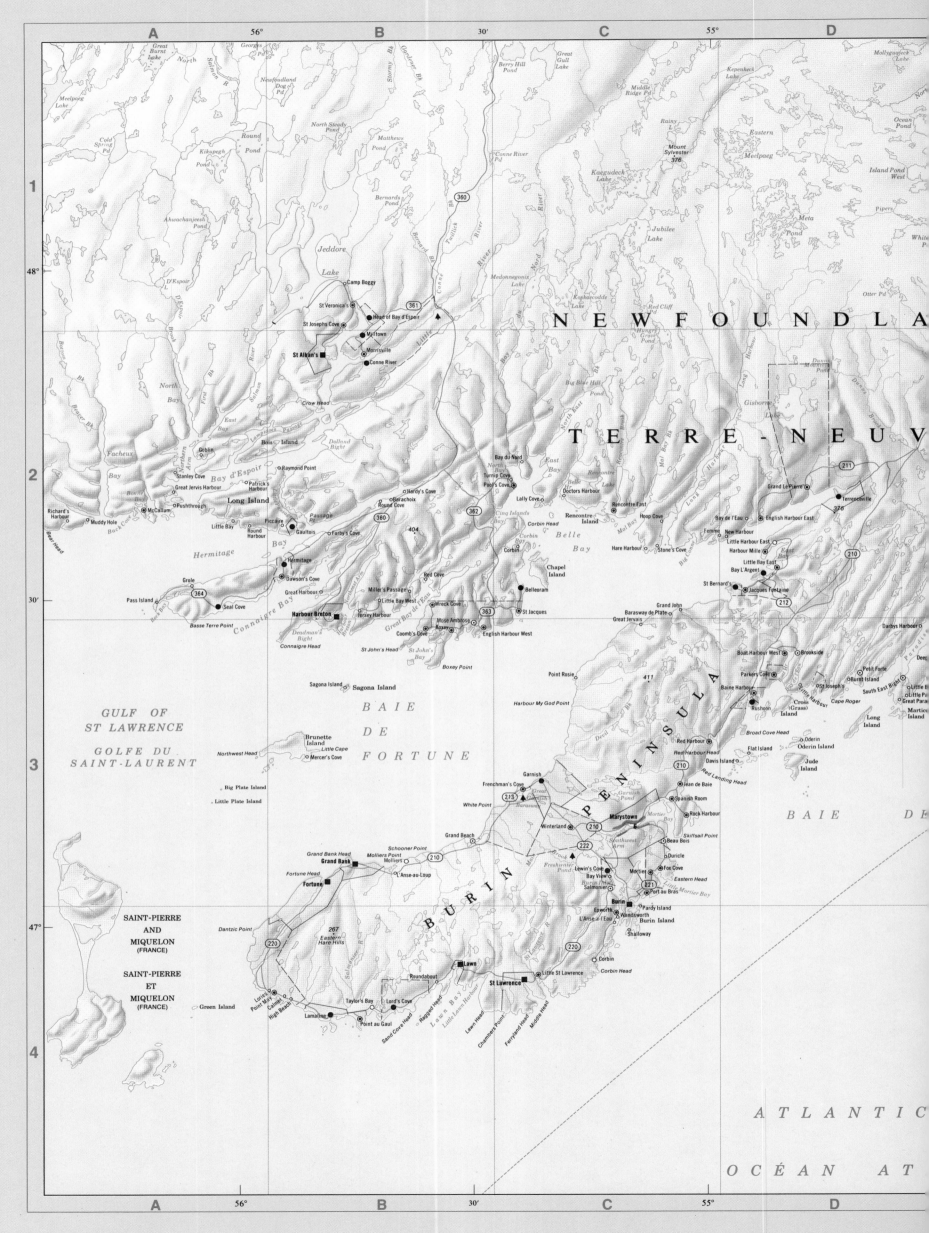

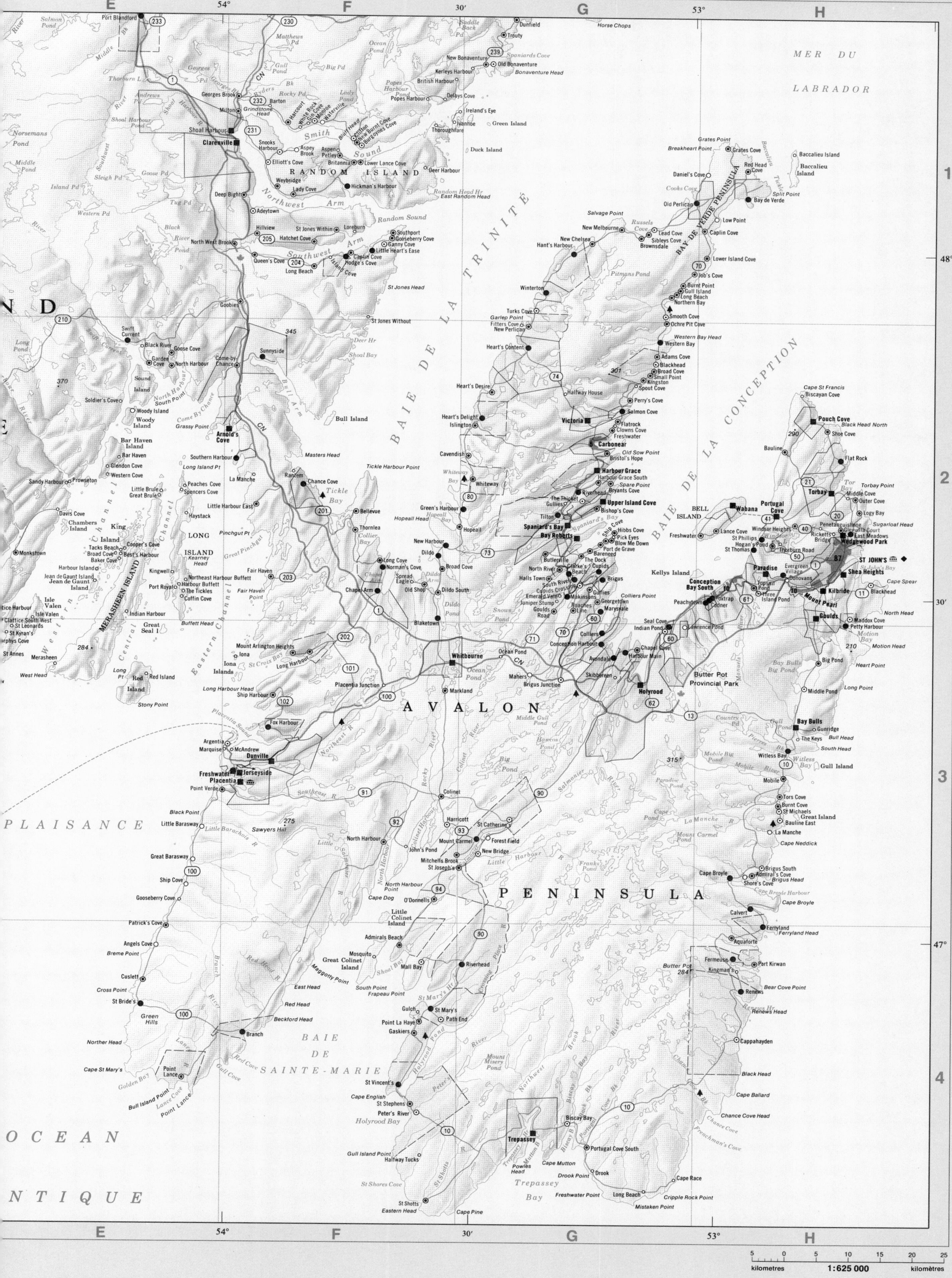

E
54°
F
30′
G
53°
H
1
2
3
4
48°
30′
47°
MER DU LABRADOR
BAIE DE LA TRINITÉ
BAIE DE LA CONCEPTION
BAIE DE SAINTE-MARIE
AVALON PENINSULA
PLAISANCE
OCEAN
NTIQUE
N D
RANDOM ISLAND
BAY DE VERDE PENINSULA
BELL ISLAND
LONG ISLAND
MERASHEEN ISLAND
Port Blandford
Salmon Pond
Middle Bk
Thorburn L.
Georges Pd
Matthews Pd
Ocean Pond
Gull Pond
Big Pd
Saddle Back
Dunfield
Trouty
Spaniards Cove
New Bonaventure
Old Bonaventure
Bonaventure Head
Kerleys Harbour
British Harbour
Popes Harbour Pond
Popes Harbour
Delbys Cove
Horse Chops
Georges Brook
Milton
Grindstone Head
Barton
Harcourt
Rocky Pd
Lady Pond
Ireland's Eye
Ivanhoe
Green Island
Thoroughfare
Shoal Harbour
Clarenville
Snooks Harbour
Aspey Brook
Smith Sound
Duck Island
Elliott's Cove
Britannia
Lower Lance Cove
Deer Harbour
Weybridge
Lady Cove
Hickman's Harbour
Random Head Hr
East Random Head
Deep Bight
Adeytown
Northwest Arm
Random Sound
Hillview
Hatchet Cove
St Jones Within
Loreburn
Southport
Gooseberry Cove
Ganny Cove
Little Heart's Ease
North West Brook
Queen's Cove
Long Beach
Southwest Arm
Caplin Cove
Hodge's Cove
Island Cove
St Jones Head
St Jones Without
Goobies
Norsemans Pond
Middle Pond
Sleigh Pd
Goose Pd
Island Pd
Western Pd
Tug Pd
Black River Pond
Swift Current
Black River
Goose Cove
Garden Cove
North Harbour
Come-by-Chance
Sunnyside
Deer Hr
Shoal Bay
Bull Arm
Sound Island
North Harbour
South Point
Soldier's Cove
Woody Island
Come By Chance
Grassy Point
Arnold's Cove
Bull Island
Bar Haven Island
Bar Haven
Glendon Cove
Western Cove
Southern Harbour
Long Island Pt
Masters Head
Tickle Harbour Point
Sandy Harbour
Prowseton
Peaches Cove
Spencers Cove
La Manche
Random
Chance Cove
Tickle Bay
Little Brule
Great Brule
Little Harbour East
Bellevue
Haystack
Davis Cove
Chambers Island
King Island
Tacks Beach
Broad Cove
Baker Cove
Cooper's Cove
Best's Harbour
Pinchgut Pt
Great Pinchgut
Kearney Head
Thornlea
Collier Bay
Monkstown
Kingwell
Harbour Island
Jean de Gaunt Island
Port Royal
Northeast Harbour Buffett
Harbour Buffett
The Tickles
Coffin Cove
Fair Haven
Fair Haven Point
Long Cove
Norman's Cove
Spread Eagle
Old Shop
Chapel Arm
Isle Valen
Clattice Harbour
Clattice South West
St Leonards
St Kyran's
Indian Harbour
Great Seal I
Buffett Head
Eastern Channel
Central Channel
Western Channel
St Annes
Merasheen
West Head
Mount Arlington Heights
Iona
Iona Islands
St Croix Bay
Long Harbour
Long Island
Red Island
Stony Point
Long Harbour Head
Ship Harbour
Placentia Junction
Fox Harbour
Placentia Sound
Argentia
Marquise
McAndrew
Dunville
Freshwater
Jerseyside
Placentia
Point Verde
Northeast R
Southeast R
Black Point
Little Barasway
Little Barachois R
Sawyers Hill
Great Barasway
Ship Cove
Gooseberry Cove
Patrick's Cove
Angels Cove
Breme Point
Cuslett
Cross Point
St Bride's
Green Hills
Norther Head
Cape St Mary's
Golden Bay
Point Lance
Bull Island Point
Lance Cove
Gull Cove
Red Cove
Branch
Beckford Head
Red Head
East Head
Maggotty Point
Red Head R
Winterton
Turks Cove
Garlep Point
Fitters Cove
New Perlican
Heart's Content
Heart's Desire
Halfway House
Heart's Delight
Islington
Cavendish
Whiteway Bay
Whiteway
Green's Harbour
Hopeall Head
Hopeall
New Harbour
Dildo
Broad Cove
Dildo Arm
Dildo South
Dildo Pond
Blaketown
Whitbourne
Ocean Pond
Markland
Mahers
Brigus Junction
Victoria
Carbonear
Harbour Grace
Salmon Cove
Perry's Cove
Kingston
Spout Cove
Broad Cove
Blackhead
Adams Cove
Western Bay
Western Bay Head
Northern Bay
Smooth Cove
Ochre Pit Cove
Long Beach
Gull Island
Burnt Point
Job's Cove
Lower Island Cove
Caplin Cove
Low Point
Bay de Verde
Split Point
Red Head Cove
Grates Cove
Grates Point
Breakheart Point
Baccalieu Island
Daniel's Cove
Cooks Cove
Old Perlican
Salvage Point
New Melbourne
Russels Cove
Lead Cove
Sibleys Cove
Brownsdale
New Chelsea
Hant's Harbour
Pitmans Pond
Flatrock
Clowns Cove
Freshwater
Old Sow Point
Bristol's Hope
Harbour Grace South
Bryants Cove
Spare Point
The Thicket
Gullies
Riverhead
Upper Island Cove
Bishop's Cove
Tilton
Spaniard's Bay
Bay Roberts
Ship Cove
Hibbs Cove
Pick Eyes
Blow Me Down
Port de Grave
Bareneed
The Dock
Cupids
Butlerville
North River
Clarke's Beach
Halls Town
South River
Cupids Crossing
Brigus
Gullies
Emerald Vale
Makinsons
Juniper Stump
Georgetown
Roaches Line
Goulds Road
Marysvale
Colliers
Colliers Point
Conception Harbour
Avondale
Chapel Cove
Harbour Main
Seal Cove
Indian Pond
Lawrence Pond
Kellys Island
Conception Bay South
Peachytown
Foxtrap
Cadner
Skibbereen
Holyrood
Butter Pot Provincial Park
Country Pd
Middle Gull Pond
Hawcos Pond
Big Pond
Salmonier River
Rocky River
Colinet
Colinet Harbour
Harricott
St Catherine's
Mount Carmel
Forest Field
New Bridge
North Harbour
John's Pond
Mitchells Brook
St Joseph's
Little Harbour R
North Harbour Point
Cape Dog
O'Donnells
Little Colinet Island
Admirals Beach
Mosquito
Great Colinet Island
Mall Bay
Shoal Bay
Riverhead
South Point
Frapeau Point
St Mary's Hr
Gulch
St Mary's
Point La Haye
Path End
Gaskiers
Holyrood Pond
Mount Misery Pond
St Vincent's
Cape English
St Stephens
Peter's River
Holyrood Bay
Gull Island Point
Halfway Tucks
St Shores Cove
St Shotts
Eastern Head
Cape Pine
Trepassey
Powles Head
Cape Mutton
Drook Point
Trepassey Bay
Freshwater Point
Biscay Bay
Portugal Cove South
Drook
Long Beach
Cape Race
Cripple Rock Point
Mistaken Point
Wabana
Portugal Cove
Freshwater
Lance Cove
Windsor Heights
St Phillips
Hogan's Pond
St Thomas
Thorburn Road
Penetanguishene
Ricketts Bridge
Glenolla Court
East Meadows
Wedgewood Park
ST JOHN'S
Paradise
Evergreen Village
Donovans
Topsail Pond
Three Island Pond
Shea Heights
Kilbride
Mount Pearl
Goulds
Maddox Cove
Petty Harbour
Blackhead
Cape Spear
North Head
Motion Bay
Motion Head
Cape St Francis
Biscayan Cove
Pouch Cove
Black Head North
Shoe Cove
Bauline
Flat Rock
Torbay
Torbay Point
Tor Bay
Middle Cove
Outer Cove
Logy Bay
Sugarloaf Head
Bay Bulls Big Pond
Heart Point
Big Pond
Middle Pond
Long Point
Bay Bulls
Gunridge
The Keys
Bull Head
South Head
Witless Bay
Gull Island
Mobile Big Pond
Mobile
Tors Cove
Burnt Cove
St Michaels
Great Island
Bauline East
La Manche
Cape Neddick
Cape Pond
Mount Carmel Pond
Franks Pond
Brigus South
Admiral's Cove
Brigus Head
Cape Broyle
Shore's Cove
Cape Broyle Harbour
Calvert
Ferryland
Ferryland Head
Aquaforte
Fermeuse
Port Kirwan
Butter Pot
Kingman's
Bear Cove Point
Renews
Renews Hr
Cappahayden
Black Head
Cape Ballard
Chance Cove Head
Chance Cove
Frenchman's Cove
233
230
239
1
232
231
205
204
210
345
370
301
74
80
201
73
203
202
101
102
100
91
92
93
94
90
10
71
70
60
62
13
61
50
40
41
21
20
11
5
284
290
275
315
kilometres
1:625 000
kilomètres
5 0 5 10 15 20 25

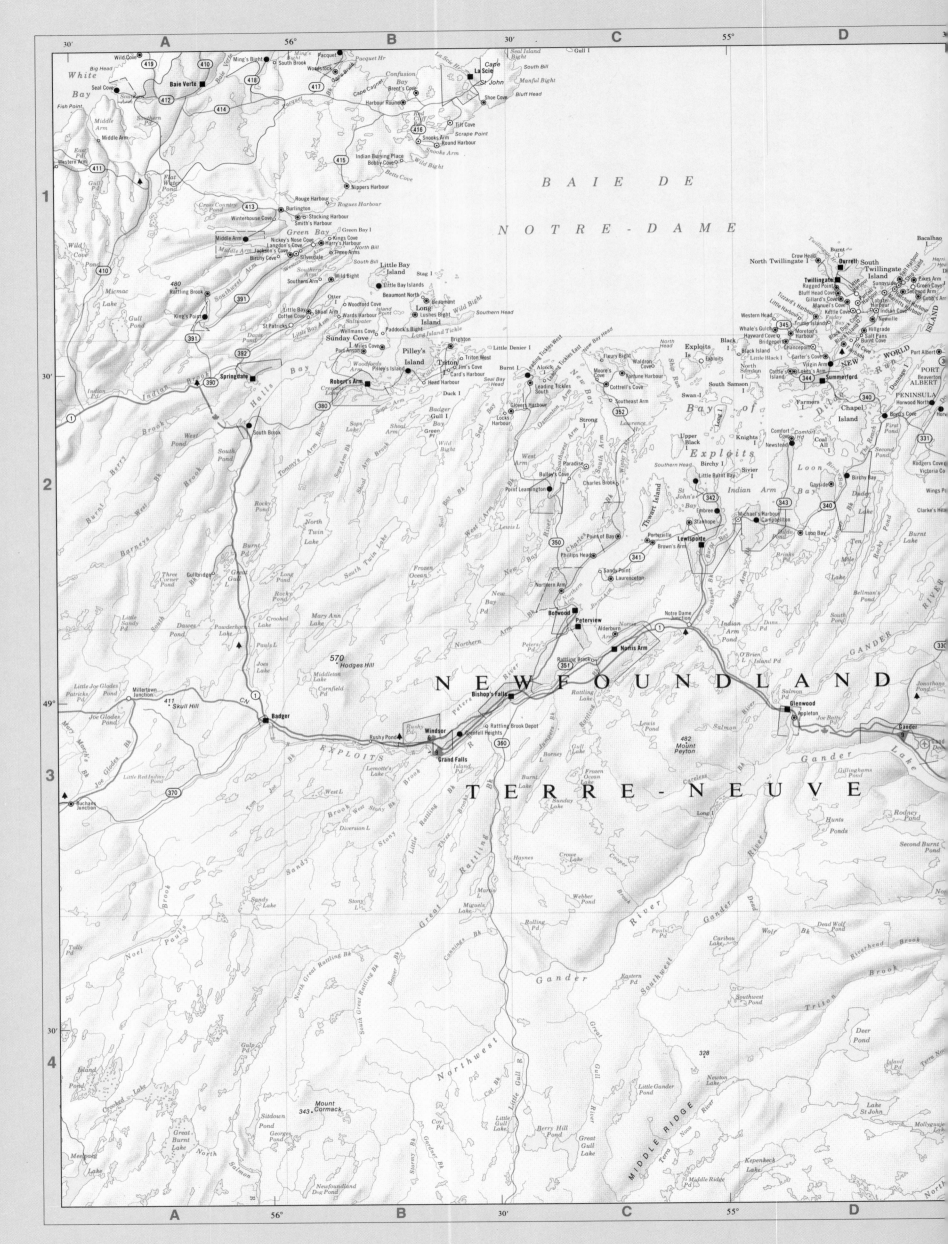

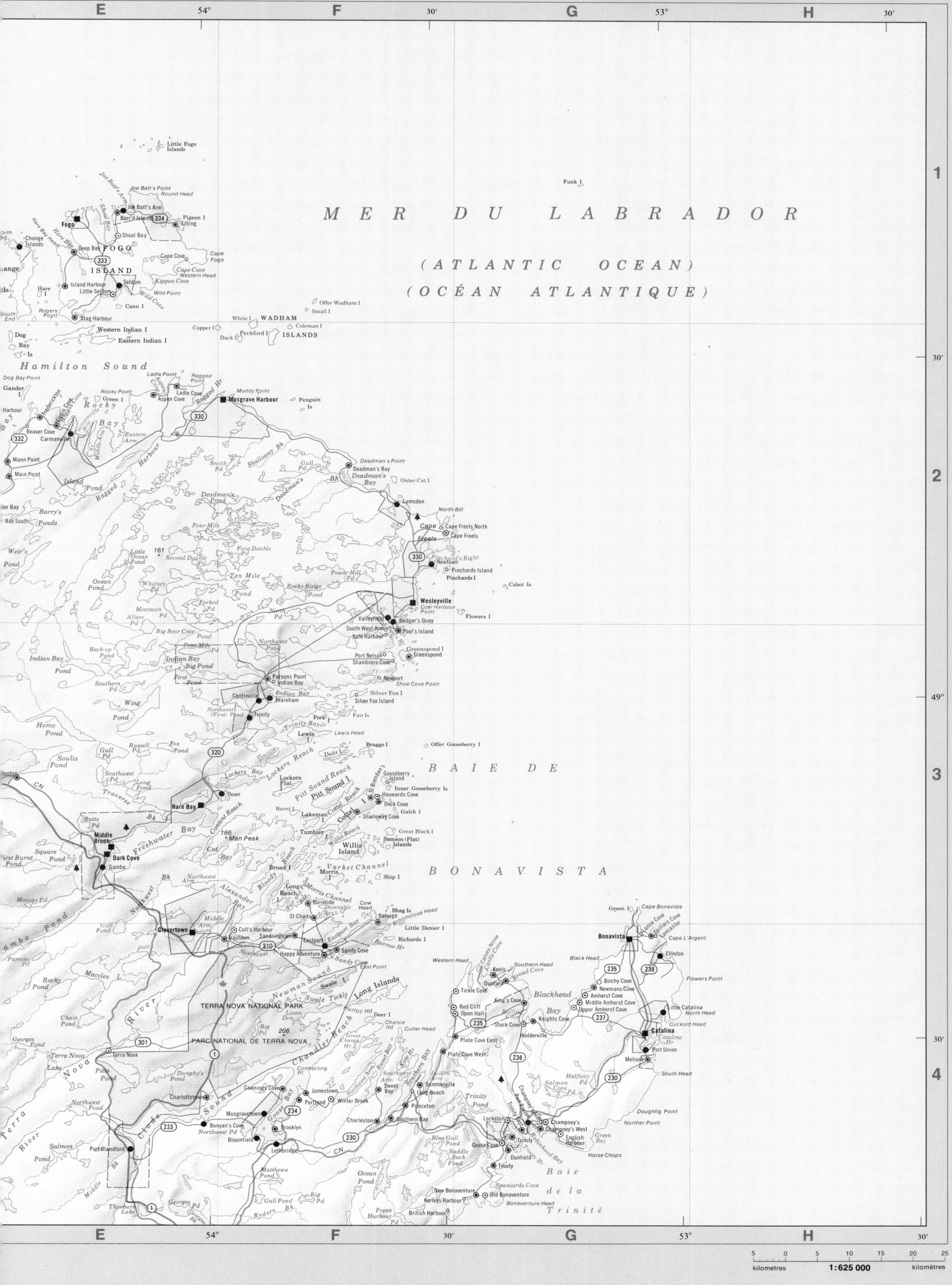

E 54° F 30' G 53° H 30'

1

Little Fogo Islands

Funk I.

M E R   D U   L A B R A D O R

(A T L A N T I C   O C E A N)

(O C É A N   A T L A N T I Q U E)

Joe Batt's Arm
Joe Batt's Point
Round Head
Joe Batt's Arm
Barr'd Islands 334
Pigeon I
Tilting
Fogo
Hare Bay
Shoal Bay
Shoal Bay
Deep Bay
FOGO 333
Cape Cove
Cape Fogo
Change Islands
ISLAND
Cape Cove
Western Head
Kippen Cove
Island Harbour
Little Seldom
Seldom
Wild Point
Hare I
Cann I
Wild Cove
Rogers Point
Stag Harbour
Dog Bay Is
Offer Wadham I
Small I
Western Indian I
Eastern Indian I
White I WADHAM
Copper I Coleman I
Peckford I ISLANDS
Duck I

Hamilton Sound

30'

Dog Bay Point
Gander
Rocky Point
Green I
Ladle Point
Ragged Point
Ladle Cove
Muddy Point
Aspen Cove
Musgrave Harbour
Penguin Is
330
Beaver Cove
Carmanville
Eastern Arm
Deadman's Point
Deadman's Bay
Deadman's Bay
Outer Cat I
Mann Point
Main Point
Lumsden
North Bill
Cape Freels Cape Freels North
Cape Freels
330
Newtown
Pinchard's Bight
Pinchards Island
Pinchards I
Cabot Is
Wesleyville
Coal Harbour Point
Flowers I
Valleythield Badger's Quay
South West Arm Pool's Island
Safe Harbour
Greenspond I
Port Nelson Greenspond
Shamblers Cove
Newport
Shoe Cove Point
Parsons Point
Indian Bay
Centreville Indian Bay
Wareham
Silver Fox I
Silver Fox Island
Trinity Fair Is
Pork I
320
Lewis
Lewis Head
Braggs I Offer Gooseberry I

3

B A I E   D E

Dover
Gooseberry Island
Inner Gooseberry Is
Haywards Cove
Lockers Flat
Pitt Sound I Dock Cove
Pitt Sound Gulch I
Hare Bay
Burnt I Lakeman Shalloway Cove
Tumbler
Willis Island Great Black I
Samson (Flat) Islands
Middle Brook
Dark Cove
Gambo
B O N A V I S T A
Morris
Ship I
Long's Morris Channel
Reach Burnside
Cow Head
St Chads Salvage Broomclose Head
Glovertown Cull's Harbour Shag Is
Eastport Little Denier I
310 Sandringham Richards I
Happy Adventure Barrow Hr
Sandy Cove
Green I Cape Bonavista
Lance Cove
Spillars Cove
Bonavista Cape L'Argent
Western Head 235 Elliston
Cavan Nose Birchy Cove
Keels Newmans Cove Flowers Point
Dunfield Amherst Cove
King's Cove Middle Amherst Cove
Tickle Cove Upper Amherst Cove
Red Cliff 237 Little Catalina
Open Hall Knights Cove Catalina
Stock Cove Cuckold Head
235 Hodderville Port Union
Plate Cove East Melrose
236 South Head
Plate Cove West
Halfway Pond

30'

TERRA NOVA NATIONAL PARK
PARC NATIONAL DE TERRA NOVA
301
Terra Nova
1
Charlottetown
Canning's Cove Jamestown
Portland Winter Brook
234 Sweet Bay Summerville
Musgravetown Long Beach
233 Brooklyn Charleston Princeton
Bunyan's Cove Southern Bay
Bloomfield 230
Lethbridge
Port Blandford Lockston
Champney's
Trinity
Goose Cove
Dunfield
Trouty
New Bonaventure Old Bonaventure
Kerleys Harbour
British Harbour Bonaventure Head
Baie de la Trinité

4

1:625 000

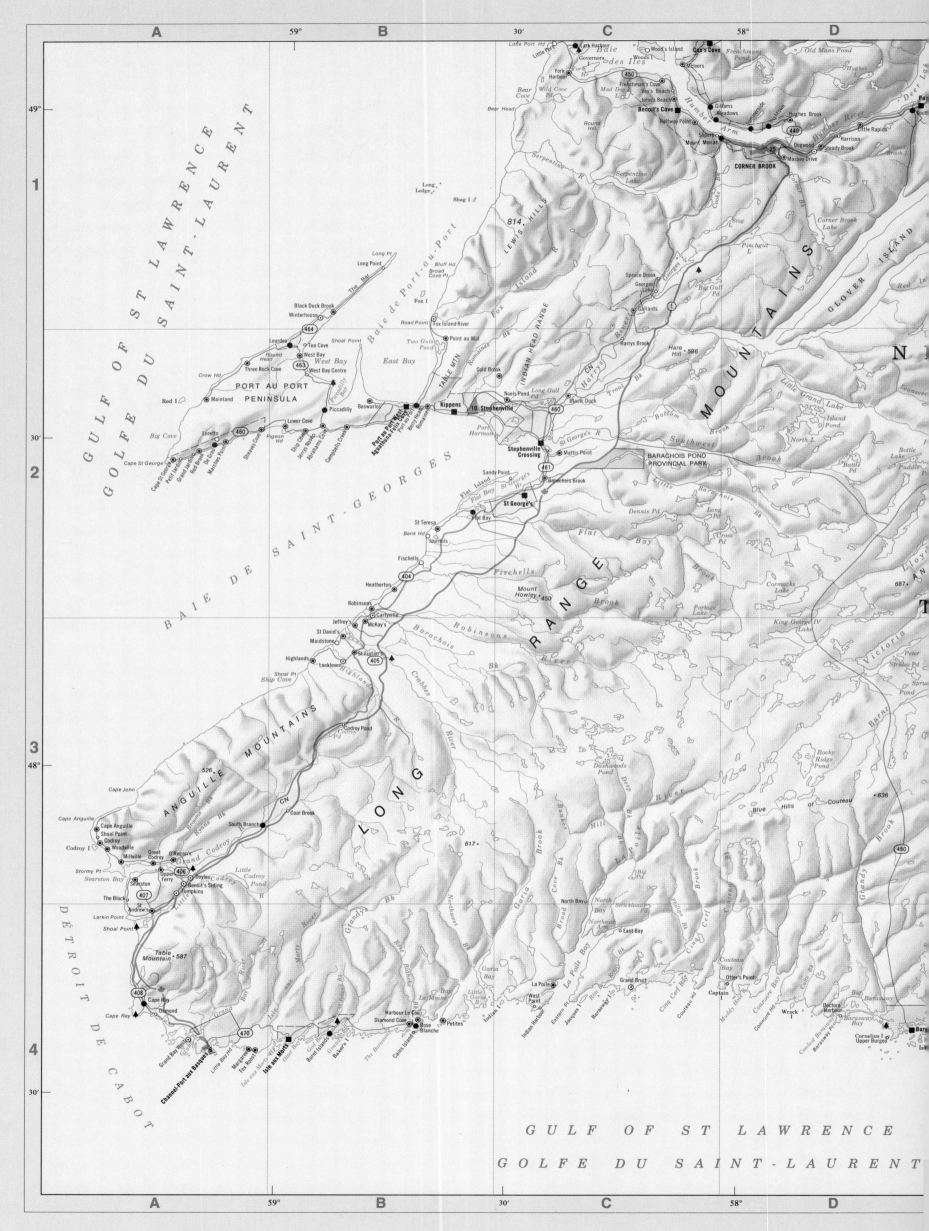

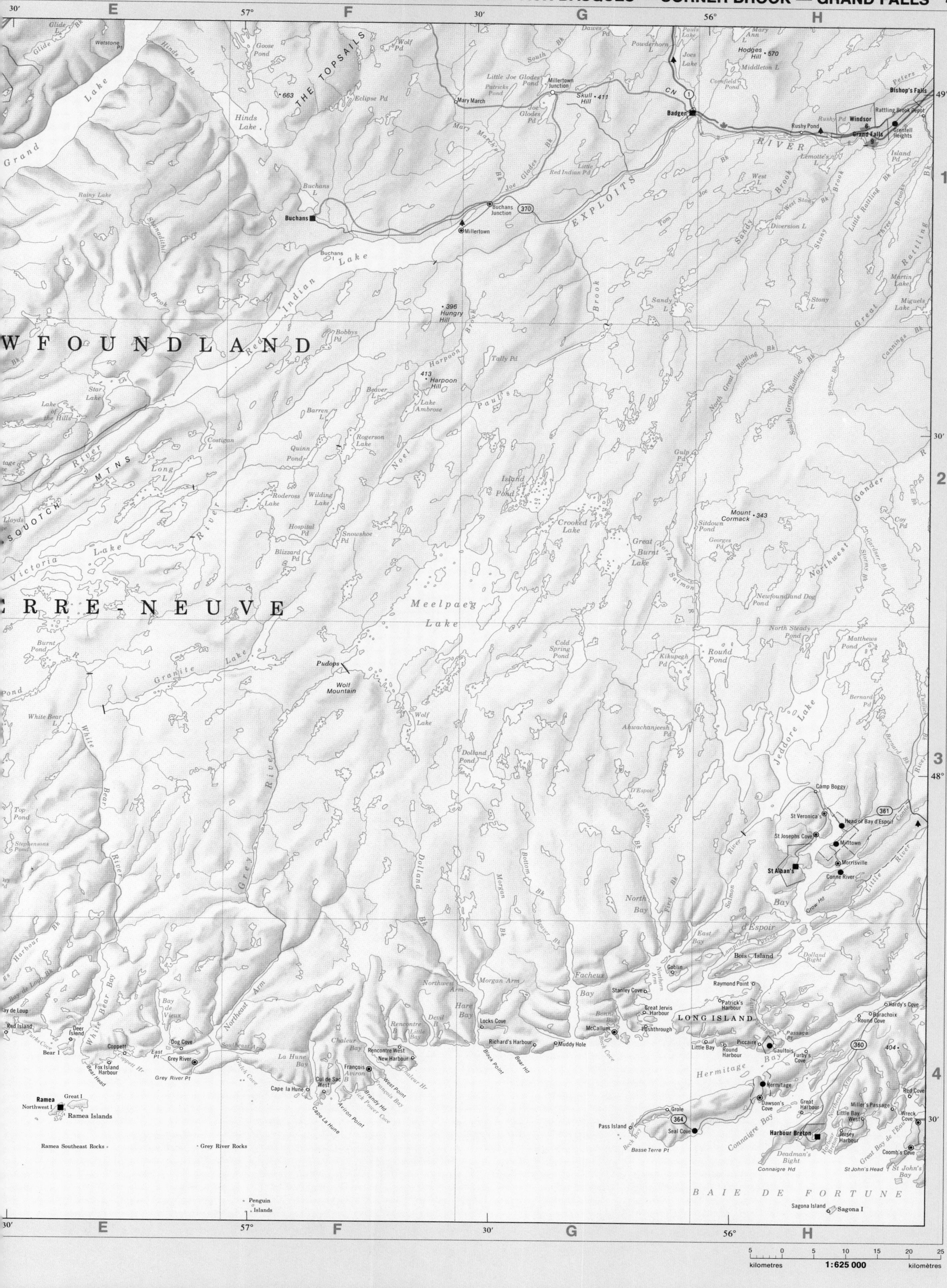

WFOUNDLAND
RRE-NEUVE
THE TOPSAILS
663
Goose Pond
Wolf Pd
Eclipse Pd
Hinds Lake
Hinds Bk
Glide Lake
Wetstone Pt
Grand Lake
Little Joe Glodes Pond
Patricks Pond
Millertown Junction
Mary March
Skull Hill 411
Joe Glodes Pd
Mary March Bk
Joe Glodes Bk
Red Indian Pd
Little Red Indian Pd
Dawes Pd
Pauls Lake
Powderhorn L
Joes Lake
CN
1
Badger
Mary Ann
Hodges Hill 570
Middleton L
Cornfield Pond
Peters R
Bishop's Falls
49°
Rattling Brook Depot
Windsor
Grand Falls
Grenfell Heights
Rushy Pond
Rushy Pd
Lemotte's L
Island Pd
RIVER
EXPLOITS
Buchans L
Buchans
Buchans Junction
370
Millertown
Rainy Lake
Buchans L
Red Indian Lake
Tom Joe Bk
West L
Sandy Brook
West Stony Bk
Stony Brook
Diversion L
Little Rattling Bk
Three Brooks
Rattling
Martin Lake
Miguels Lake
Stony L
Sandy L
396 Hungry Hill
Brook
Bobbys Pd
Harpoon Brook
Tally Pd
413 Harpoon Hill
Beaver L
Lake Ambrose
Pauls
Barren L
Star Lake
Lake of the Hills
Costigan L
Rogerson Lake
Quinn Pond
Noel
Long L
Island Pond
Rodeross Lake
Wilding Lake
Hospital Pd
Snowshoe Pd
Crooked Lake
Blizzard Pd
MTNS
SQUOTCH
Lloyds
Victoria Lake River
Great Burnt Lake
North Salmon R
Gulp Pd
North Great Rattling Bk
South Great Rattling Bk
Great Rattling Bk
Cannings Bk
Beaver Bk
Mount Cormack 343
Sitdown Pond
Georges Pd
Northwest
Gander R
Coy Pd
Gardner Bk
Stormy Bk
Newfoundland Dog Pond
North Steady Pond
Matthews Pond
Meelpaeg Lake
Cold Spring Pond
Kikupegh Pd
Round Pond
Burnt Pond
Granite Lake
Pudops
Wolf Mountain
Wolf Lake
Bernard Pd
Jeddore Lake
Ahwachanjeesh Pd
White Bear L
White Bear River
Dolland Pond
Grey River
D'Espoir Bk
Comp Boggy
361
St Veronica's
Head of Bay d'Espoir
St Josephs Cove
Milltown
Morrisville
St Alban's
Conne River
Little River
Salmon River
Top Pond
Stephensons Pond
Dolland Bk
Morgan Bk
Bottom Bk
Beaver Bk
First Bk
North Bay
Bay d'Espoir
Crow Hd
East Bay
Lampidoes Passage
Bois Island
Dolland Bight
Goblin
Raymond Point
Hardy's Cove
Barachoix
Round Cove
Harbour Bk
Bay de Loup
Red Island
Deer Island
Bear I
White Bear Bay
Fox Island Harbour
Bear Head
Coppett
Coppett Hr
East Pt
Dog Cove
Grey River
Grey River Pt
Bay de Vieux
Southeast Arm
Northeast Arm
Ditch Cove
La Hune Bay
Cape la Hune
Cape La Hune
Cul de Sac West
François
Aviron B
Aviron Point
Chaleur Bay
Rencontre West
New Harbour
Rencontre B
Little Bay
Devil B
West Point
Grandy Hd
François Bay
Rencontre Cove
Chaleur Hr
Northwest Arm
Hare Bay
Locks Cove
Morgan Arm
Richard's Harbour
Muddy Hole
Bear Hd
Black Point
Facheux Bay
Stanley Cove
Bonne Bay
McCallum
Great Jervis Harbour
Northern Arm
Patrick's Harbour
LONG ISLAND
Pushthrough
Piccaire
Gaultois
Passage Pt
Furby's Cove
Little Bay
Round Harbour
360
404
Hermitage Bay
Hermitage
Dawson's Cove
Great Harbour
Northeast Arm
Red Cove
Miller's Passage
Little Bay West
Wreck Cove
Grole
364
Pass Island
Seal Cove
Basse Terre Pt
Connaigre Bay
Harbour Breton
Jersey Harbour
Deadman's Bight
Connaigre Hd
Great Bay de l'Eau
St John's Head
St John's Bay
Coomb's Cove
Ramea
Great I
Northwest I
Ramea Islands
Ramea Southeast Rocks
Grey River Rocks
Penguin Islands
BAIE DE FORTUNE
Sagona Island
Sagona I
30′
E
57°
F
G
56°
H
1
2
3
4
48°
5 0 5 10 15 20 25
kilometres
1:625 000
kilomètres

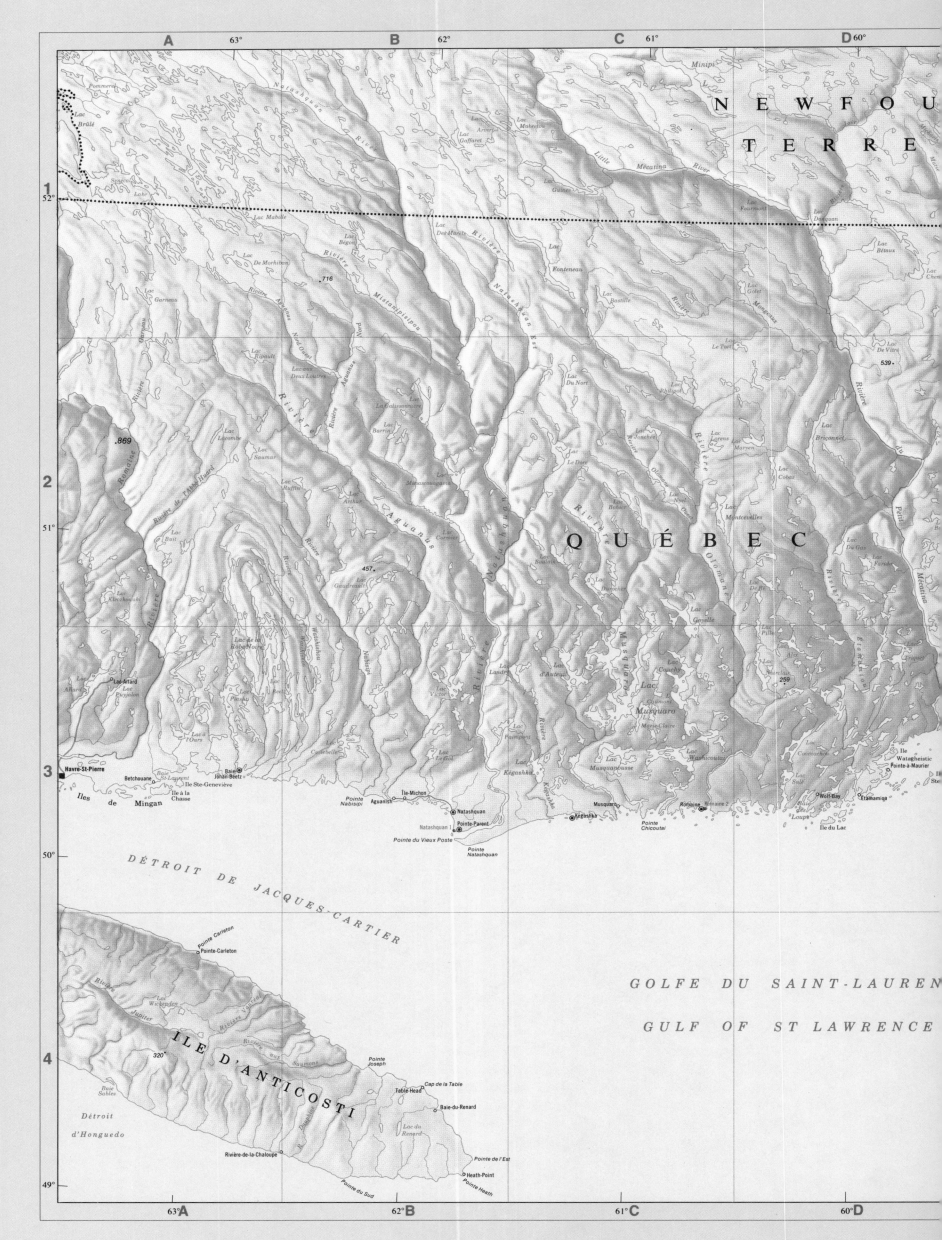

N E W F O U
T E R R E

Minipi

Lac Mabrelou

Lac Gaffaret

Little Mécatina River

Lac Gabac

Lac Fourmont

Lac Dasquan

Natashquan River

Lac Des Marais Rivière

Lac Bégon

Rivière Abacou Nord

Rivière De Morhiban

716

Lac Garneau

Lac Fonteneau

Lac Bastille

Rivière

Lac Golet

Lac Bétaux

Lac Chem

Lac Le Tort

Lac De Vitré

539

Rivière

Mistanipisipou

Lac Ripault

Lac à Deux Loutres

Lac La Galissonnière

Lac Du Nort

Lac Philipot

Lac Briconset

Rivière

.869

Lac Lacombe

Lac Barrin

Lac Lorens

Marven

Lac Cobaz

Lac Du Gas

Rivière

Lac Soumar

Manabushou

Lac Jonchée

Olomane

Lac Nye

Lac Montcevelles

Lac Faroha

Rivière

Romaine

Lac Buit

Lac Ruffin

Lac Arthur

Aguanus

Lac Manascoongana

Lac Le Doré

Lac Bakor

Q U É B E C

Lac Goyelle

Lac De Ré

Lac L'Klecchoulaki

Rivière de l'Abbé Huard

457.

Lac Gaudreault

Lac Corneau

Boulain

Lac Duraschel

Musquaro

Lac Cauchy

259

Lac Marchiste

Lac de la Robertoine

Watashkou

Nabisi

Rivière

Lac Victor

Lac Landre

Lac d'Auteuil

Lac Quinant Musquaro

Lac Corroncho

Île Watagheistic
Pointe-à-Maurier

Lac Alfard
Lac Puyjalon
Lac Affard

Lac Pinsku

Lac à l'Ours

Lac Cochelle

Lac Le Gol

Lac Fontpont

Lac Musquapousse

Marie Claire

Lac Salé

Wolf-Bay

Ste

3 Havre-St-Pierre

Betchouane
Baie
St-Laurent

Baie
Johan-Beetz

Lac Kégashka

Kégashka

Romaine
Romaine 2

Baie des Loups

Étamamiou

Île du Lac

Iles de Mingan

Île à la Chasse

Île Ste-Geneviève

Pointe Nabisipi

Aguanish

Île-Michon

Natashquan

Musquaro

Kégashka

Pointe Chicoutai

Pointe-Parent

Natashquan 1

Pointe du Vieux Poste

Pointe Natashquan

D É T R O I T   D E   J A C Q U E S - C A R T I E R

Pointe Carleton

Pointe-Carleton

Rivière

Lac Wickenden

Jupiter

G O L F E   D U   S A I N T - L A U R E N

G U L F   O F   S T   L A W R E N C E

I L E   D ' A N T I C O S T I

320°

Rivière Vauréal

Rivière aux Saumons

Pointe Joseph

Cap de la Table

Table-Head

Baie Sables

Baie-du-Renard

Détroit
d'Honguedo

Lac du Renard

Rivière-de-la-Chaloupe

Pointe de l'Est

Heath-Point
Pointe Heath

Pointe du Sud

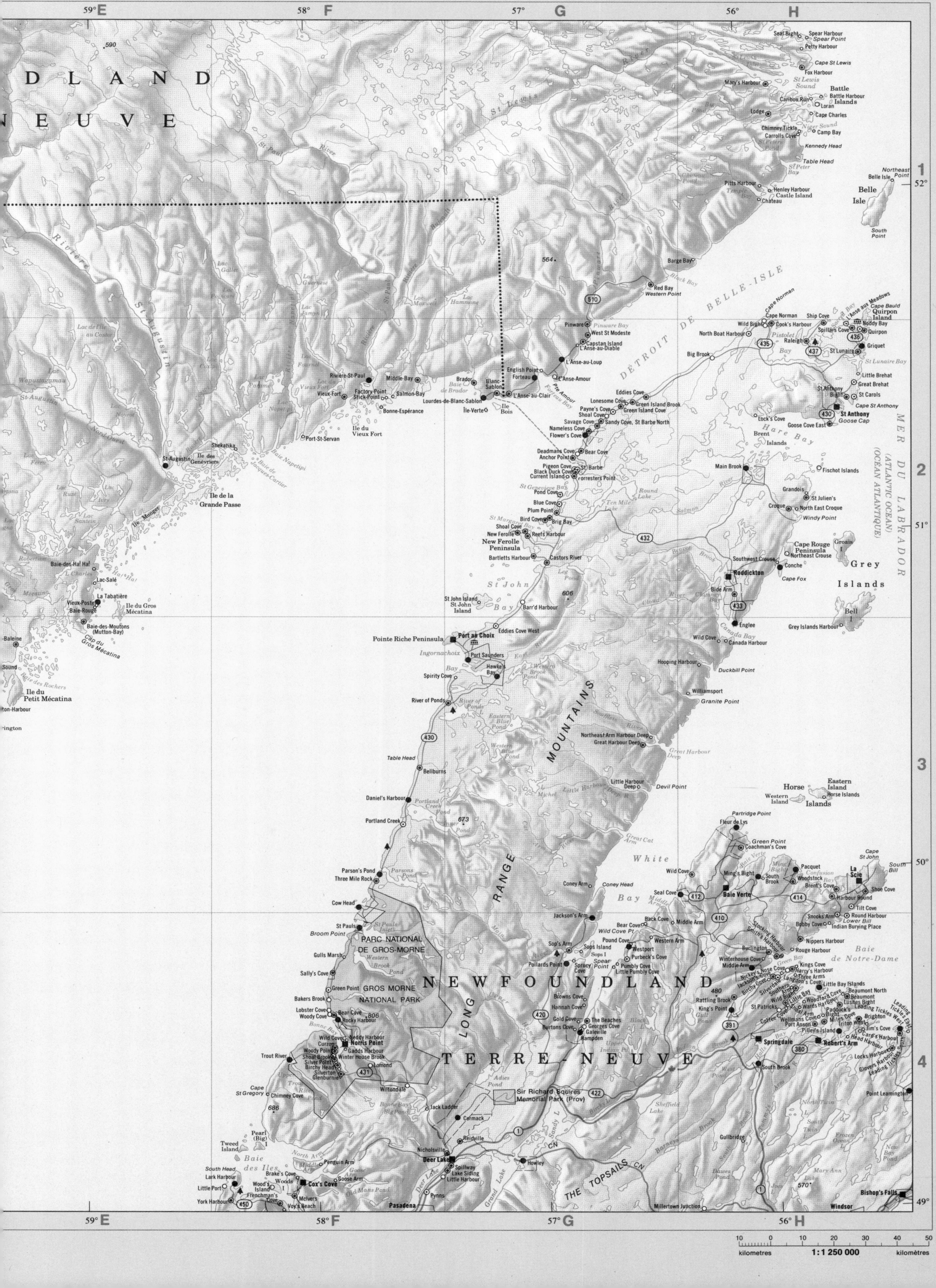

59° E
58° F
57° G
56° H
1
2
3
4
52°
51°
50°
49°
590
D L A N D
N E U V E
St Lewis
St Paul
River
Rivière
St-Augustin
Lac Gallet
Lac Guernese
Lac Maxwell
Lac Hamming
Lac de l'Ile au Castor
Lac Wapustagamau
St-Augustin
Nord-Ouest
Rivière-St-Paul
Middle-Bay
Factory-Point
Stick-Point
Salmon-Bay
Vieux-Fort
Bonne-Espérance
Brador
Baie de Brador
Blanc-Sablon
Lourdes-de-Blanc-Sablon
L'Anse-au-Clair
Île-Verte
Ile Bois
Ile du Vieux Fort
Port-St-Servan
Shekatika
St-Augustin
Ile des Genévriers
Baie Napetipi
Baie de Jacques-Cartier
Ile de la Grande Passe
Ile Mongee
Baie-des-Ha! Ha!
Lac-Salé
La Tabatière
Vieux-Poste
Baie-Rouge
Ile du Gros Mécatina
Baie-des-Moutons (Mutton-Bay)
Cap du Gros Mécatina
-Baleine
Sound
Ile du Petit Mécatina
-ton-Harbour
-rington
Seal Bight
Spear Harbour
Spear Point
Petty Harbour
Cape St Lewis
Fox Harbour
St Lewis Sound
Mary's Harbour
Battle
Battle Harbour
Islands
Caribou Run
Loran
Lodge
Cape Charles
Chimney Tickle
Niger Sound
Camp Bay
Carrolls Cove
Kennedy Head
Table Head
St Peter Bay
Pitts Harbour
Henley Harbour
Castle Island
Chateau
Temple Bay
Northeast Point
Belle Isle
Belle Isle
South Point
564
Barge Bay
Red Bay
Western Point
Black Bay
510
Pinware
Pinware Bay
West St Modeste
Capstan Island
L'Anse-au-Diable
L'Anse-au-Loup
English Point
Forteau
L'Anse-Amour
Forteau Bay
Pte Amour
DETROIT DE BELLE-ISLE
Cape Norman
Wild Bight
Cook's Harbour
Ship Cove
L'Anse aux Meadows
Cape Bauld
Quirpon Island
Noddy Bay
Quirpon
Spillars Cove
North Boat Harbour
Pistolet Bay
Raleigh
Griquet
St Lunaire
St Carols
St Lunaire Bay
Big Brook
435
436
437
Little Brehat
Great Brehat
St Anthony Bight
St Anthony
Cape St Anthony
Goose Cap
430
Lock's Cove
Goose Cove East
Eddies Cove
Lonesome Cove
Green Island Brook
Green Island Cove
Payne's Cove
Shoal Cove
Savage Cove
Sandy Cove, St Barbe North
Nameless Cove
Flower's Cove
Deadmans Cove
Bear Cove
Anchor Point
Pigeon Cove
St Barbe
Black Duck Cove
Current Island
Forresters Point
St Genevieve Bay
Pond Cove
Blue Cove
Plum Point
Bird Cove
Brig Bay
Shoal Cove
New Ferolle
Reefs Harbour
New Ferolle Peninsula
Bartletts Harbour
Castors River
Brent Islands
Hare Bay
Main Brook
Fischot Islands
Round Lake
Ten Mile Lake
Salmon River
Grandois
St Julien's
Croque
North East Croque
Windy Point
432
MER DU LABRADOR
(ATLANTIC OCEAN)
(OCEAN ATLANTIQUE)
Cape Rouge Peninsula
Northeast Crouse
Southwest Crouse
Groais I
Grey Islands
Roddickton
Conche
Cape Fox
Bide Arm
433
Englee
Bell I
Grey Islands Harbour
St John Island
St John Bay
Barr'd Harbour
606
Eddies Cove West
Pointe Riche Peninsula
Port au Choix
Ingornachoix
Port Saunders
Hawke's Bay
Canada Bay
Wild Cove
Canada Harbour
Hooping Harbour
Duckbill Point
Williamsport
Granite Point
Spirity Cove
River of Ponds
Eastern Blue Pond
430
Northeast Arm Harbour Deep
Great Harbour Deep
Table Head
Bellburns
Western Blue Pond
MOUNTAINS
Little Harbour Deep
Devil Point
Horse Islands
Eastern Island
Western Island
Daniel's Harbour
Portland Creek Pond
673
Portland Creek
Partridge Point
Fleur de Lys
Green Point
Coachman's Cove
White Bay
RANGE
Parson's Pond
Three Mile Rock
Coney Arm
Coney Head
Wild Cove
Ming's Bight
Pacquet
Woodstock
Cape St John
La Scie
South Bill
Seal Cove
Baie Verte
412
Brent's Cove
414
Shoe Cove
Harbour Round
Tilt Cove
Cow Head
St Pauls
Broom Point
Jackson's Arm
Bear Cove
Wild Cove Pt
Black Cove
Middle Arm
410
Snooks Arm
Round Harbour
Bobby Cove
Indian Burying Place
PARC NATIONAL DE GROS-MORNE
Gulls Marsh
Sally's Cove
Green Point
GROS MORNE NATIONAL PARK
Sop's Arm
Pound Cove
Western Arm
Sops Island
Westport
Purbeck's Cove
Pollards Point
Spruce Cove
Pumbly Cove
Little Pumbly Cove
Nippers Harbour
Burlington
Rouge Harbour
Baie de Notre-Dame
Winterhouse Cove
Middle Arm
Kings Cove
Three Arms
NEWFOUNDLAND
LONG
Bakers Brook
Lobster Cove
Bear Cove
Woody Cove
Rocky Harbour
806
Browns Cove
Hannah Cove
420
The Beaches
Georges Cove
Gold Cove
Burtons Cove
Galeville
Hampden
480
Rattling Brook
King's Point
Little Bay Islands
Beaumont North
Beaumont
St Patricks
Brighton
Pilley's Island
Triton West
Port Anson
391
Springdale
Robert's Arm
380
Tim's Cove
Card's Harbour
Leading Tickles
Wild Cove
Neddy Harbour
Curzon
Norris Point
Woody Point
Gadds Harbour
Shoal Brook
Winter House Brook
Silver Point
Birchy Head
Lomond
Silverton
Glenburnie
431
Trout River
TERRE-NEUVE
South Brook
Locks Harbour
Glovers Harbour
Cape St Gregory
Chimney Cove
Wiltondale
Adies Pond
Sir Richard Squires Memorial Park (Prov)
422
Point Leamington
686
Jack Ladder
Cormack
Sheffield Lake
Pearl (Big) I
Tweed Island
1
Reidville
Nicholsville
Gullbridge
Baie des Iles
North Arm
Middle Arm
Penguin Arm
Deer Lake
Howley
South Head
Lark Harbour
Brake's Cove
Wood's Island
Woods I
Cox's Cove
Goose Arm
Spillway
Lake Siding
Little Harbour
THE TOPSAILS
CN
Little Port
Frenchman's Cove
York Harbour
450
McIvers
Voy's Beach
Pynns
Pasadena
Grand Lake
Millertown Junction
570
Bishop's Falls
Windsor
10 0 10 20 30 40 50
kilometres
1:1 250 000
kilomètres

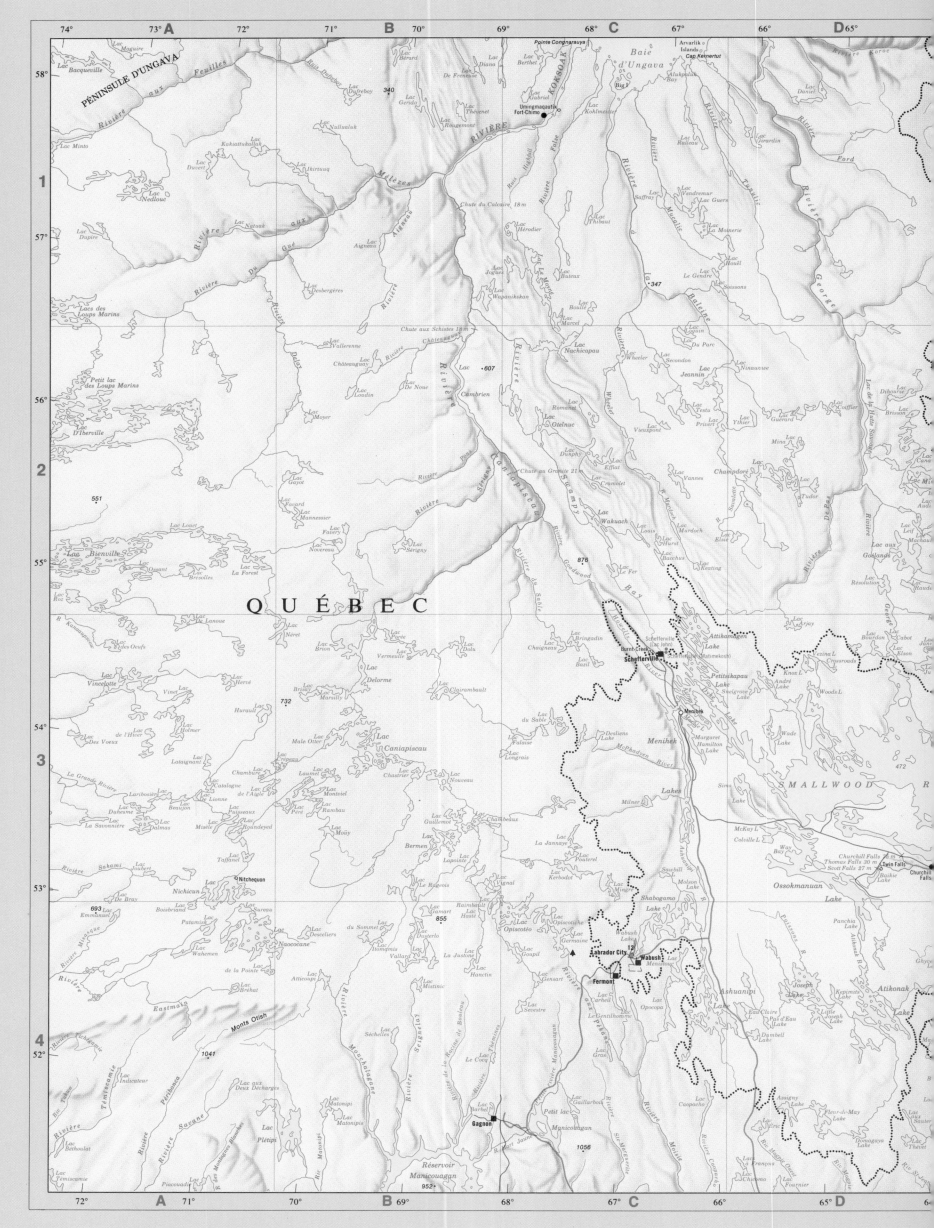

63° E 62° 61° 60° F 59° 58° G 57° 56° 55° H 54°

58° 1 57° 56° 2 55° 54° 3 53° 4 52°

MER DU LABRADOR

(ATLANTIC OCEAN)
(OCÉAN ATLANTIQUE)

Torngat Mountains
•1243
Saglek Bay
Big Island
Cape Uivak
Maidmonts Island
Watchman Island
Hebron
Illuvertalik Island

Ukasiksalik Fiord
Napoktok
Black Duck
Bay
Hebron Fiord
North
R
Umiakovik Lake
Okak Bay

Kaumajet Mtns
White Bear I
Cape Mugford
Cod Island
Okak
Islands
Moores Harbour
Martin Island
Nutak
Kikkertarjote I
Opingiviksuak I
Iglusuaktalialuk Island
Kikiktaksoak I

Kiglapait Mountains
Cape Kiglapait
Port Manvers
Orton Island
South
Aulatsivik
Island
Ugardlek
Webb Bay
Dog Island
Kingurutik
Lake
Kingurutik R
Tikkoatokak Bay
Kamovik R
Fraser River
Tasisuak Lake
Anaktalik Brook
Nain Bay
Nain
Kauk Bight
Paul Island
Ford
Kikkertavak Island
Kamarsuk
Voisey Bay
Kogaluk River
Cabot
Iglosiatik Island
Tunungayualok Island
Kasungatak Island
Illuikoyak Island
Davis Inlet
Mistastin Lake
Sango Bay
Nunaksaluk Island
Flowers Bay
Kikkertaksoak Islands
Napatalik Island
Paradise I
Hopedale
Kikkertayak Island
Cragg Island
Hares Islands
Cape Makkovik
Notakwanon River
802
Hunt River
Comma Island
Adlatok Bay
Aillik I
Aillik
Tuttnavik Islands
Cape Strawberry
Ironbound Islands
Cape Kitchener
Makkovik
Adlavik
Kikkertavak
Is Islands
Ragged Is
Cape Harrison
Kaipokok Bay
Loraine I
Adlatok Bay
Webeck I
False Cape
Postville
Kaipokok River
Dog Is
Double I
Red Rock Point
Quaker Hat
Cape Rouge
Lucyville
Pamidic Bay
Big River
Mount Benedict 744
Lake Michael
Holton I
Holton
Brig Harbour I
Emily Harbour
Man of War Point
Smokey
White Bear Islands
Potties B
Rocky Cove
Bluff Head Cove
West Micmac River
Kaipokok Lake
Mistinippi Lake
West Micmac River
White Bear Lake
Tom Luscombe Brook
Long Point
West Pompey I
Black I
Crosswise
INLET
George Island
South Green I
Tumbledown Dick I
Fish Cove Point
North Stag Islands
South Stag I
Shapio Lake
Harp Lake
Kanairiktok River
Naskaupi River
Shiniskau Lake
Snegamook Lake
Nipishish Lake
Otter Lake
Pocket Knife Lake
Seal Lake
Thomas River
Rigolet
The Narrows
Turner's Bight
West Bay
Double Mer Valley B
Henrietta Island
The Backway
Cape Porcupine
NEWFOUNDLAND
TERRE-NEUVE
Lac Beaupré
Lac Capital
Disappointment Lake
Fraser Lake
Red Wine River
Beaver River
Crooked R
728
Sebaskachu R
Sebaskachu Bay
HAMILTON
North River
Dumpling Harbour
Independent
Packs Harbour
North River
Snack Cove
Huntingdon I
Island Harbour
North Head
Grady I
Grady Harbour
North Cove
South Wolf I
Mulligan R
Lake Melville
Etagaulet Point •1190
Etagaulet Bay
Long Point
Barron Lake
White River
Earl I
Dove Brook
Sandwich Bay
East Arm
Cartwright
Muddy Bay
Separation Point
Indian Tickle
Spotted Island
Spotted Island
Red Point
Black Tickle
Domino
Island of Ponds
Batteau
North West River
520
Goose Bay
Carter Basin
Happy Valley-Goose Bay
8
Mud Lake
Kenemich River
MOUNTAINS
Grand Lake
Goose River
Wilson Lake
Churchill
Winokapau Lake
Muskrat Falls 15 m
Churchill River
Travespine R
MEALY
Kenamu River
Porcupine Bay
Black Bear Bay
Paradise Point
Paradise River
Sand Hill River
Frenchmans Island
Seal Islands Harbour
Comfort Bight
Partridge Bay
Hawke Island
Hawke Harbour
Hawke B
Stony Island
Venison Islands
Snug Harbour
Cape Bluff
Triangle
Dead Islands
Square Island
Square Islands
Gull Lake
Minipi R
Dominion Lake
Minipi Lake
Little R
590
Eagle River
Paradise River
Charlottetown
Pensons Arm
Fishing Ships Harbour
Georges Cove
Rexons Cove
Kings Cove
Francis Harbour
Williams Harbour
Denbigh Island
Sandy Hook
Seal Bight
Spear Harbour
Petty Harbour
Fox Harbour
Gilbert R
Gilbert L
Alexis River
Port Hope Simpson
St Lewis In
Mary's Harbour
Caribou Run
Battle Harbour
Lodge
Cape Charles
Camp Bay
Chimney Tickle
Carrolls Cove
Table Head
Northeast Bay
Belle Isle
Pitts Harbour
Henley Harbour
Chateau
Chateau Pond
St Lewis River
Mecatina
Natashquan R
Lac Gaffaret
Lac Goines
Lac Fourmont
Rivière Nabisipi
St Paul R
Barge Bay
564
Red Bay
DÉTROIT DE BELLE-ISLE
510
Pinware
West St Modeste
L'Anse-au-Loup
Capstan Island
Cape Diable
English Point
Anse-au-Diable
L'Anse-Amour
Forteau
Barge Bay
Blanc-Sablon
Lourdes-de-Blanc-Sablon
Middle Bay
Brador
Bradore
Rivière-St-Paul
Vieux-Fort
Salmon Bay
Factory Point
Bonne-Espérance
Île du Vieux-Fort
L'Anse-au-Clair
Shoal Cove
430
Flowers Cove
Sandy Cove, St Barbe North
Nameless Cove
Savage Cove
Cape Norman
Wild Bight
North Boat Harbour
Big Brook
St Anthony Bight
Eddies Cove
Lonesome Cove
Goose Cove East
St Anthony
Raleigh
St Carols
Great Brehat
Griquet
Little Brehat
St Lunaire
Quirpon I
Quirpon
Ha Ha Bay
Cape Bauld
Cook's Harbour
Lock's Cove
Rivière St-Augustin
716
716
539
Lac Fontaneau
Lac Bastille
Lac Golet
Lac Chénil
Lac Poinvas
Lac Yapustaganan
Lac de l'Île au Castor

20 0 20 40 60 80 100
kilomètres 1:2 500 000 kilomètres

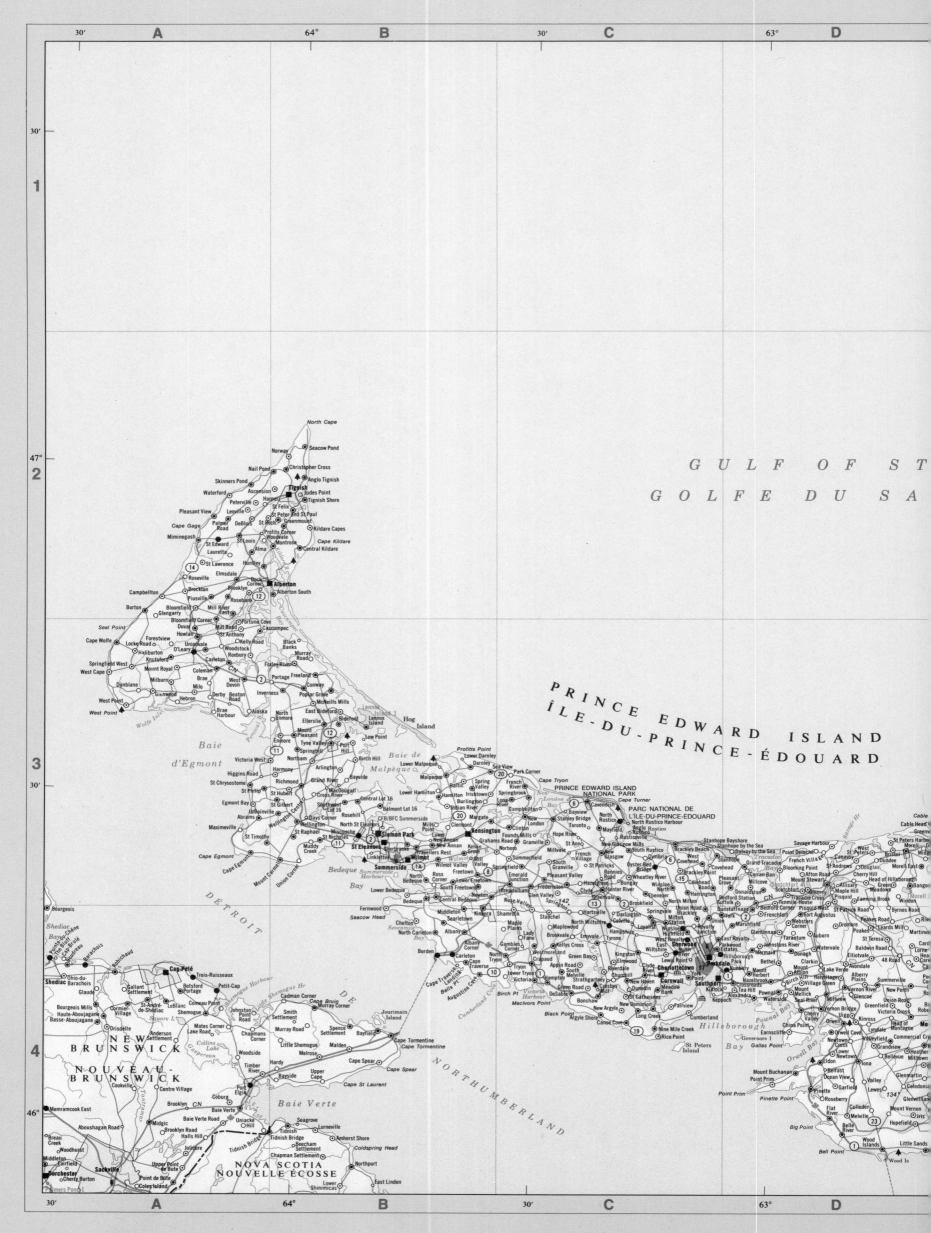

GULF OF ST
GOLFE DU SA

PRINCE EDWARD ISLAND
ÎLE-DU-PRINCE-ÉDOUARD

PRINCE EDWARD ISLAND
NATIONAL PARK
PARC NATIONAL DE
L'ÎLE-DU-PRINCE-ÉDOUARD

NEW
BRUNSWICK
NOUVEAU-
BRUNSWICK

NOVA SCOTIA
NOUVELLE ÉCOSSE

Baie
d'Egmont

Baie de
Malpèque

DETROIT

Bedeque
Bay

NORTHUMBERLAND

Baie Verte

Hillsborough
Bay

E 30' | 62° | F | 30' | G | 61° | H

QUÉBEC

61°30' | 61°
61°30'

Rochers aux Oiseaux
(Iles de la Madeleine)

GOLFE DU SAINT-LAURENT
GULF OF ST LAWRENCE

47°45' | 47°45'

Ile Brion
(Iles de la Madeleine)

61°30' | 61°

Grosse Ile
Leslie
Grosse-Ile
Ile de l'Est
Pointe de l'Est
Havre de la Grande Entrée
Old-Harry
Pointe-aux-Loups
Ile de Grande Entrée
Grande-Entrée
*Les Colombines
Ile Shag

ILES DE LA MADELEINE
Ile du Havre aux Maisons
Cap-Vert
Petite-Baie
Le Pré
Arseneault
Chemin-des-Buttes
Dune-du-Sud
Fatima
Les Caps
Grand-Ruisseau
Havre aux Maisons
Pointe-Basse
Ile du Cap aux Meules
Boisville
Cap-aux-Meules
Étang-du-Nord
La Vernière
Gros-Cap

QUÉBEC

Baie de Plaisance

La Passe

Le Corps Mort
Havre Aubert
(Ile Amherst)
Étang-des-Caps
Portage-du-Cap
Havre-Aubert
Ile d'Entrée
Ile-d'Entrée
Vigneau
Havre aux Basques
Le Martinet
Millerand
Bassin
Cap du Sud-Ouest
Mettery
Pointe-à-la-Cabane

L A W R E N C E
N T - L A U R E N T

47°

47°

Kerrs Point
Red River
Pleasant Bay
Pleasant Bay

White Capes

CAPE BRETON HIGHLANDS
NATIONAL PARK

PARC NATIONAL DES
HAUTES TERRES DU CAP-BRETON

Petit Étang
Chéticamp
La Prairie
Chéticamp Island
Chéticamp Island
Belle-Marche
Point Cross
Plateau
'526

Grand Étang
St Joseph du Moine
Cap Le Moine
Cap Lemoyne

Terre Noire

30'

Priest Pond
Bayfield
Campbells Cove
Fairfield
Naufrage
Clearspring
Rock Barra
Big Pond
Lakeville
North Lake
East Point
East Point
Goose River
Monticello
Hermanville
Glencorradale
Baltic
Munns Road
South Lake
Cable Head East
St Margarets
CN
Elmira
Selkirk
Ashton
New Zealand
New Harmony
Belle Côte
'450
Kingross
St Peters
Five Houses
Harmony Junction
Souris Line Road
Big Intervale
Margaree Harbour
New Acadia
Bear River
Greenvale
Bothwell
Scotch Hill
Margaree
St Charles
Gowanbrae
Souris River
Kingsboro
Chimney Corner
Poctree
Mount Hope
Dingwells Mills
Souris West
Red Point
Rivulet
Forest Hill
Rollo Bay
Souris
St Catherines
Margaree Valley
Upton
Albion-Fortune Bridge
Lower Rollo
Little Harbour
Fordview
Egypt Road
Strathcona
Fortune Harbour
Shepstoa
Rollo Bay
Marsh Brook
Dundas
Red House
Bay Fortune
St Rose
Margaree Centre
North East Margaree
Eglington
Rear Dunvegan
Margaree Forks
Primrose
Howe Bay
Howe Bay
ÎLE DU
Margaree I
ridgetown
Poplar Point
Little Pond
Coady Road
Emerald
Glenfanning
Marsh Point
Dunvegan
Margaree Brook
Big Brook
St Georges
Cape Spry
Broad Cove Marsh
Victoria Road
South West Margaree
Seal River
Annandale
CAP-BRETON
Broad Cove Chapel
NOVA SCOTIA
NOUVELLE-ÉCOSSE
Woodville Mills
Campbellton Road
Gillisdale
Gold Brook
Newport
DeGros Marsh
Boughton Bay
Launching Place
Inverness
Inverside
Deepdale
Kiltarlity
Launching Place
Broad Cove Banks
Upper Margaree
Keppoch
3
Sight Point
Foot Cape
Kenloch
Pipers Glen
New Glen
Boughton Island
Port Ban
North Cape Highlands
Strathlorne
North Ainslie
Scotsville
Rear Forks
Forks
Baddeck
Burnt Point
Panmure Island
Panmure Island
South Cape Highlands
Strathlorne Station
MacCormicks Corner
West Middle River
Middle River
Big Baddeck
South Side of Baddeck River
'363
Albion
St Marys
MacKinnons Brook
Riverville
Black River
Lower Middle River
Baddeck Bridge
Sturgeon
Gaspereaux
Cape Sharp
MacDonalds Glen
Finlay Point
Glenora
Blackstone
Mason Point
East Lake Ainslie
Yankee Line
Hunters Rear
Baddeck Bay
Cambridge
Mabou Mines
Glenora Falls
Smithville
Mount Young
Hays River
Ryanza
Crescent
Gillis Point East
Pembroke
Northeast Mabou
Hawleys Hill
West Lake Ainslie
Big Farm
Peters Road
West Mabou Harbour
Melrose Hill
Hyannas
Beinn Bhreagh
Point Pleasant
Mabou Harbour Mouth
Glendyer Station
Claverhouse
St Patricks Channel
Colindale
Rankinville
Glendyer
Centreville
South Lake Ainslie
Buckwheat Corner
Murray Harbour North
Marble Hill
Rocky Ridge
Southwest Mabou
Nevada Valley
Skye Glen
Glenmore
Hunters Rear
Little Narrows
MacNeils Vale
Murray Head
Little Mabou
Dungarry
Southwest Mabou
Miramichi
Glencoe
North Side Whycocomagh Bay
MacNeils
Centre
Washback
Beach Point
Port Hood Island
Port Hood
Roseburn
Stewartdale
Upper Washabuck
Murray Harbour
Port Hood
Port
Campbells Mountain
Mull River
Rosedale
Kewstoke
Soapstone Mine
North Side Whycocomagh
St Columba
Jubilee
Iona Rear
Washabuck
Centre
Abney
Henry I
Harbourview
Glencoe Station
Glencoe Mills
Dunakin
Churchville
Aberdeen
Little Narrows
Barra
Glen
Plaster
Cove
Guernsey Cove
White Sands
Little Judique
Alpine Ridge
Upper Southwest Mabou
Upper Glencoe
Iron Mines
Orangedale
Whycocomagh
Ninevah
Rear
Estmere
Cains
Mountain
Iona Rear
Christmas
Island
Little Judique Ponds
St Ninian
Glencoe
Blues Mills
Orangedale
East
Maryville
Ashfield
South Side Whycocomagh
Red Point
Iona
Judique Intervale
Hillsdale
Lower
Hillsdale
Wilburn
MacLeod
Settlement
Orangedale
Jamesville
Grand Narrows
Rear Christmas Island
Pipers Cove
Benacadie
McKays Point
Upper River Denys
Big Marsh
Bras d'Or
Bras d'Or
Malagawatch 4
Judique North

DÉTROIT DE NORTHUMBERLAND

Wagmatcook 1

Pembroke Lake

Forest Glen

CAPE MABOU

Lake Ainslie

Great Bras d'Or

Patricks Channel

Lac
Bras d'Or

46°

46°

E 30' | 62° | F | 30' | G | 61° | H

5 0 5 10 15 20 25
kilomètres 1:625 000 kilomètres

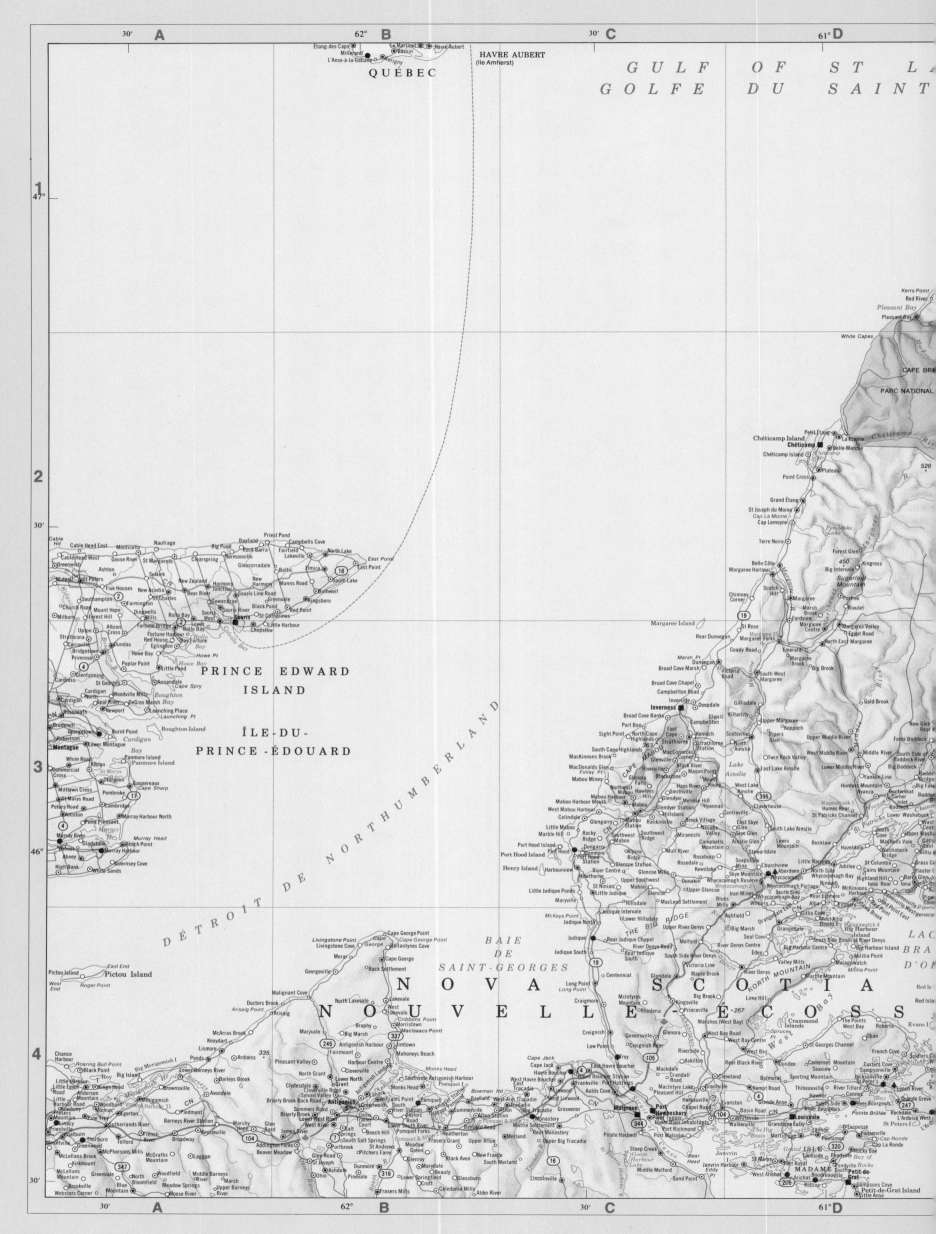

E 30' 60° F 30' G H 59°

RENCE
LAURENT

St Paul Island
Northeast Point
Southwest Point

DETROIT DE CABOT

Bay St Lawrence
Meat Cove
Black Point
Capstick
Bay St Lawrence
St Margaret Village
Bay Road Valley

Sugar Loaf
Aspy Bay
North Harbour
Dingwall
Cape North
South Harbour
Sunrise
Smell Brook
White Pt White Point
Long Point
New Haven
Neils Harbour

Black Brook Cove

LANDS NATIONAL PARK
ES TERRES DU CAP-BRETON
532

Ingonish
Ingonish I
North Bay Ingonish
Ingonish Centre
Keltic Lodge
Middle Head
Ingonish Beach
South Ingonish Harbour
South Bay Ingonish
Cape Smokey
Ingonish Ferry

Wreck Cove
Wreck Cove Point
Birch Plain
French River
Skir Dhu

Breton Cove
Little River
Bentinck Point
Rear Little River
North Shore

Bird Islands
Indian Brook

Tarbotvale
West Tarbot
Bennet
St Anns Bay
Cape Dauphin
Point Aconi
Table Head
Point Aconi

Eel Cove
Murray 343
Black Rock
Mill Pond
McCreadyville
Alder Point

Murray
Englishtown
Campbellton
Little Bras d'Or
Little Pond
Low Point

North River Centre
Jersey Cove
New Campbellton
Millville
South Side
Mill Creek
New Victoria
Abbeville

Harbourview
Goose Cove
Big Bras d'Or
New Dominion
Florence
Sydney Mines
New Waterford
Lingan

St Anns
MacLeods Point
Boularderie
Hillside
Boularderie East
Groves Point
Victoria Mines
Scotchtown
Dominion

ÎLE DU

South Haven
Beinn
Scalpie
Big Bank
Long Island
Black Brook
Gannon Road
North Sydney
South Bar
Little Bras
Reserve Mines
Glace Bay
Donkin

Glen Tosh
Big Hill
Boularderie Centre
Boularderie West
Sydney River
Upper North Sydney
Georges River
East Broadway
Centreville
Tompkinsville
Reserve Mines
Marconi Towers
Schooner Pond
Northern Head

Big Harbour
Ross Ferry
Barrachois
Leitches Creek
Lingan Road
Gardiner Mines
Kytes Hill

MacAulays Hill
Plaister Mines
Island Point
Barrachois Harbour
Rear Balls Creek
Upper Leitches Creek
CFS/SFC Sydney
Grand Lake Road
Sandlake
Morien Bay
Long Beach
Port Morien
South Head

Kempt Head
Ironville
Jefferson
Edwardsville
SYDNEY
Morien Junction
Birch Grove

Cross Point
Glasgow
Frenchvale
Boisdale
Westmount
Mira Road
Sydney River
Blacketts Lake
MacAskills B.
Morrison Road
255
South Port Morien
Waddens Cove

Beechmont
North
Coxheath
Pottie Lake

CAP-BRETON

Rear Boisdale
McAdams Lake
Sydney Forks
Gillis Lake
Howie Centre
Dutch Brook
Front Lake
Round Island
Mira Gut
Scatarie Island

Shunacadie
Portage
Caribou Marsh
Hornes Road
Brickyard Road
Catalone Gut
Scatarie I

Big Brook
Northside East Bay
Meadows Road
Hillside
327
Hills Road
Albert Bridge
Catalone

East Bay
Oakfield
Sangaree
Main-à-Dieu
Island View
Glen Morrison
Woodbine
Catalone
Bateston

Eskasoni
Rear of East Bay
Marion Bridge
Trout Brook
New Boston
22
Catalone Road

Squrra Bhreac 221
Hillsdale Road
Sandfield
Juniper Mountain
Marion Bridge
Little Lorraine
Baleine

St Andrews Channel
Ben Eoin
Big Ridge
Louisbourg Road
Cape Breton

St Andrews
Rear Big Pond
Huntington
Big Ridge South
Big Lorraine

Castle Bay
Big Pond
Rock Elm
Louisbourg
Lighthouse Point

Breac Brook
Campdaldale
French Road
Blackrock Point

Middle Cape
4
Salmon River Road
Grand Mira South
Wolfes Landing
Oceanview

Irish Vale
Salem Road
Enon
Glengarry Valley
Silver Mine
North Glen
Grand Mira North
Canoe Lake

EAST BAY HILLS
Terra Nova
Lewis Bay West
Big Glen
Victoria Bridge
Gabarus Lake
Cape Gabarus

Cove
Head of Loch Lomond
Loch Lomond
Gabarus Lake
Gabarus
Upper Grand Mira

Mount Auburn
Loch Lomond West
North Framboise
Winging Point
Guyon I.

Stirling
Framboise
North Framboise
Fourchu Bay

Barren Hill
Framboise Intervale
North Fourchu
Forchu Head

Grand River Falls
Lower St Esprit
Lewis Cove Road
Fergusons Lake
St Esprit
West Head

L'Ardoise
Point Michaud
St Esprit I
Kemps Pt
Red Head

ATLANTIC OCEAN

OCÉAN ATLANTIQUE

E 30' F 60' G 30' H 59°

5 0 5 10 15 20 25
kilometres 1:625 000 kilomètres

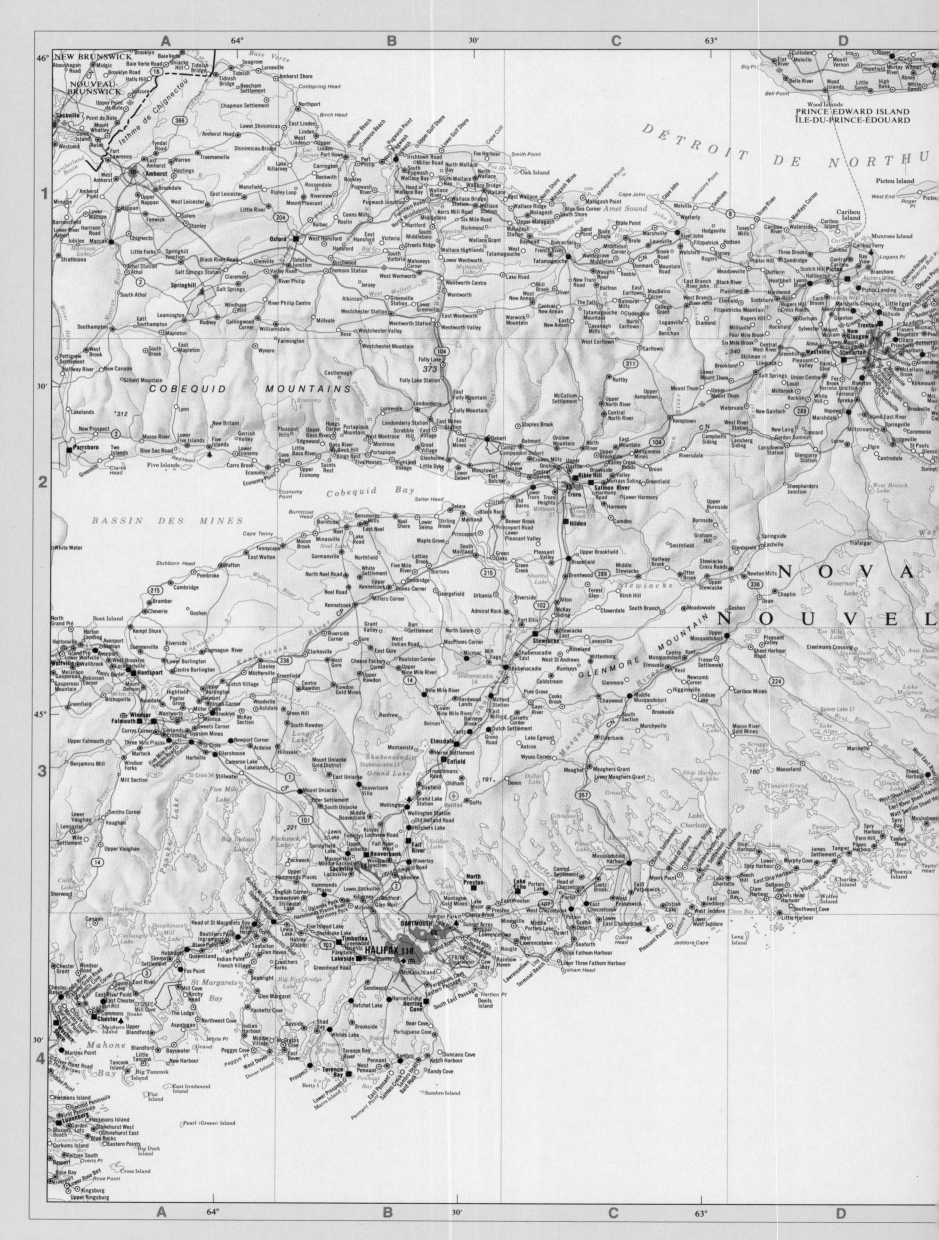

E 62° F 30' G 61° H

46°

Major water bodies and regions

BAIE DE SAINT-GEORGES

ÎLE DU CAP BRETON

LAC BRAS D'OR

Great Bras d'Or

West Bay

East Bay

NOUVELLE-ÉCOSSE / NOVA SCOTIA

SCOTIA

ÎLE-ÉCOSSE

BAIE DE CHÉDABOUCTOU

ATLANTIC OCEAN

OCÉAN ATLANTIQUE

Place names (selected):

Murmurray Head, Beach Point, Harbour, Livingstone Point, Livingstone Cove, Morar, Cape George Point, Ballantynes Cove, Cape George, Back Settlement, Georgeville, Cape George, Lakevale, North Lakevale, West Lakevale, Broghy, Cribbons Point, Morristown, MacIsaacs Point, Arisaig Point, Arisaig, Doctors Brook, Knoydart, McArras Brook, Lismore, Maryvale, Big Marsh, Antigonish Harbour, Jimtown, Mahoneys Beach, Antigonish, Lower Barneys River, Ardness, Ponds, Pleasant Valley, Fairmount, Harbour Centre, Cloverville, Southside Antigonish Harbour, Monks Head, Pomquet, Afton Station, Tracadie

Merigomish Island, Brownsville, Avondale, Piedmont, Barneys River, Marshy Hope, Glen Bard, Kenzieville, Broadway, West River, Addington Forks, Beaver Meadow, St Joseph, Ashdale, Pinevale, Lower Springfield

McGraths Mountain, Woodfield, North Bloomfield, Blue Mountain, Middle Barneys River, Meadow Springs, Moose River, Upper Barneys River, Ohio, Cross Roads Ohio, Glen Alpine, Upper South River, North Lochaber, Lochaber, South River Lake

Kerrowgare, Garden of Eden, Greens Brook, Eden Lake, Lochaber, Ireland, Frasers Mills, Caledonia Mills, Polsons Brook, Loch Katrine, Erinville

SCOTIA, Newtown, Denver, Aspen, Fisher Mills, Country Harbour Lake, Forest Hill, Cross Roads Country Harbour, Borneo

Upper St Marys, Lower Caledonia, Caledonia, Melrose, Smithfield, Glenelg, Crows Nest, Middle Country Harbour, Goldenville, Sherbrooke, Jordanville, Indian Harbour, Harpelville, Holland Harbour, Port Bickerton, Bickerton West, Fishermans Harbour

Waternish, Stillwater, Country Harbour Mines, Isaacs Harbour North, Isaacs Harbour, Goldboro, Drum Head, Coddles Harbour, Port Hilford, St Marys River, Wine Harbour, Sonora, Wine Harbour Bay

New Chester, Spanish Ship Bay, Liscomb, Little Liscomb, Liscomb Mills, Wilsons Cove, West Liscomb, Ecum Secum, Ecum Secum Bridge, Marie Joseph, Necum Touch, Smith Cove, Moser River, Mooseland, Harrigan Cove, Mitchell Bay, Barren Island, Goose Island

West Quoddy, Port Dufferin West, East Quoddy, Baptiste, Sheet Harbour Passage

Port Hood Island, Port Hood, Port Hood Station, Dunmore, Henry Island, Harbourview, Little Judique Ponds, Maryville, McKays Point, Judique, Judique North, Rear Judique Chapel, Judique South, Long Point, Glencoe Station, Hawthorne, Little Judique, Hillsdale, Judique Intervale, Lower Hillsdale, Centennial

Campbells Mountain, Stewartdale, Roseburn, Rosedale, Glencoe Mills, Dunakin, Upper Southwest Mabou, Upper Glencoe, Glencoe, MacLeod Settlement, Blues Mills, River Denys, Lower River Denys, Valley Mills, Melford, River Denys Station, South Side River Denys, Victoria Line, Glenora, Maple Brook

Whycocomagh, Whycocomagh Bay, Whycocomagh Portage, Aberdeen, Churchview, Wilburn, Orangedale, Orangedale East, Alba, River Denys Mountain, Big Brook, Kingsville, Princeville, Queensville, Riverside

Washabuck Bridge, St Columba, Gillis Point, Jubilee, Cains Mountain, Highland Hill, Iona Rear, Iona, Estmere, Benacadie, Benacadie West, Benacadie Pond, Big Beach, Christmas Island, Rear Christmas Island, Eskasoni, Castle Bay

THE BIG RIDGE, West Bay Road, West Bay Centre, Marble Mountain, Malagawatch, Seal Cove, Eden, South Side Whycocomagh Bay, Crammond Islands, The Points West Bay, Spruce Point, Roberta, Oban, Evans I, Hay Cove, Head of Loch Lomond, Loch Lomond, Mount Auburn, Loch Lomond West

Red Islands, Red River, Irish Cove, Johnstown, Lake Uist, Lochside, French Cove, Carters, Seaview, Jacksonville, Barra Head, Lynche Cove, Salmon River, Soldiers Cove, Grand River Falls, Soldiers Cove West, Lewis Cove Road, Fergusons Lake, Grand River

St Georges Channel, Cameron Mountain, Sporting Mountain, Thibeauville, St Peters, River Tillard, Grande Anse, Grandique, Hureauville, Cannes, Grande Greve, St Peters Island, Cap Ronde, Red Point, Point Michaud, Red Hd

West Bay, Rear Black River, Cleveland, Kempt Road, Balmoral, Dundee, Evanston, Chapel, Granville, Walkerville, Louisdale, Whiteside, Grandique Ferry, Lennox Passage, L'Ardoise, St Peters

L'Ardoise West, Ardoise, L'Ardoise, Little Harbour, Rocky Bay, Cap La Ronde, Poirierville, Pondville North, Martinique, Bay of Rocks, Pondville South, Boudreauville, Petit-de-Grat, Sampsons Cove, Petit-de-Grat, Little Anse, Robins, Arichat, West Arichat, ÎLE MADAME, Janvrin Island, St Marys, Janvrin Harbour, Poulamon, Pondville, Boudreauville

Cap Auguet, Cape Auguer, Durell, Durells Island, Durell, Hazel Hill, Tittle Road, Canso, Glasgow Head, Andrew Island, Gannet Point, Dover, Little Dover (White), Dover Island, Dover Bay, Whitehead, Whitehead Harbour, Flying Point

Black Fox Island, Fox Island Main, Queensport, Halfway Cove, Peas Brook, Philips Harbour, Half Island Cove, Cole Harbour, Port Felix, Port Felix East, Charlos Cove, Larrys River, Tor Bay, Lower Whitehead, Upper Whitehead, Cooks Cove, Dorts Cove

BAIE DE CHÉDABOUCTOU, St Francis Harbour, Ragged Hd, Hadleyville, Sand Point, Middle Melford, Steep Creek, Pirate Harbour, Port Malcolm, Port Richmond, Point Tupper, Inhabitants, Port Hawkesbury, Mulgrave, Aulds Cove, Grosvenor, Monastery, Mattie Settlement, Rear Monastery, Upper Big Tracadie, Lincolnville, Tracadie Road, North Intervale, West Intervale, North Riverside, Manchester, MacPherson Lake, Manassette Lake, Boylston, Middle Manchester, South Manchester, Guysborough, Havendale, Lundy, Port Shoreham, Half Way Cove

Creignish, Low Point, Troy, Port Hastings, Long Point, Creignish Rear, Rhodena, Craigmore, Frankville, East Tracadie, Havre Boucher, Cape Jack, Linwood, West Arm Tracadie, Afton, Lower South River, Heatherton, Merland, Rear West Monastery, New France, Glassburn, South Merland, Alder River, Roman Valley, North Ogden, Cooks Cove

Île de Sable inset:
ATLANTIC OCEAN
OCÉAN ATLANTIQUE
61°30'
41°30'
West Point
Île de Sable
East Point

5 0 5 10 15 20 25 kilomètres
1 : 625 000

45°
30'
2
3
30'
4
1

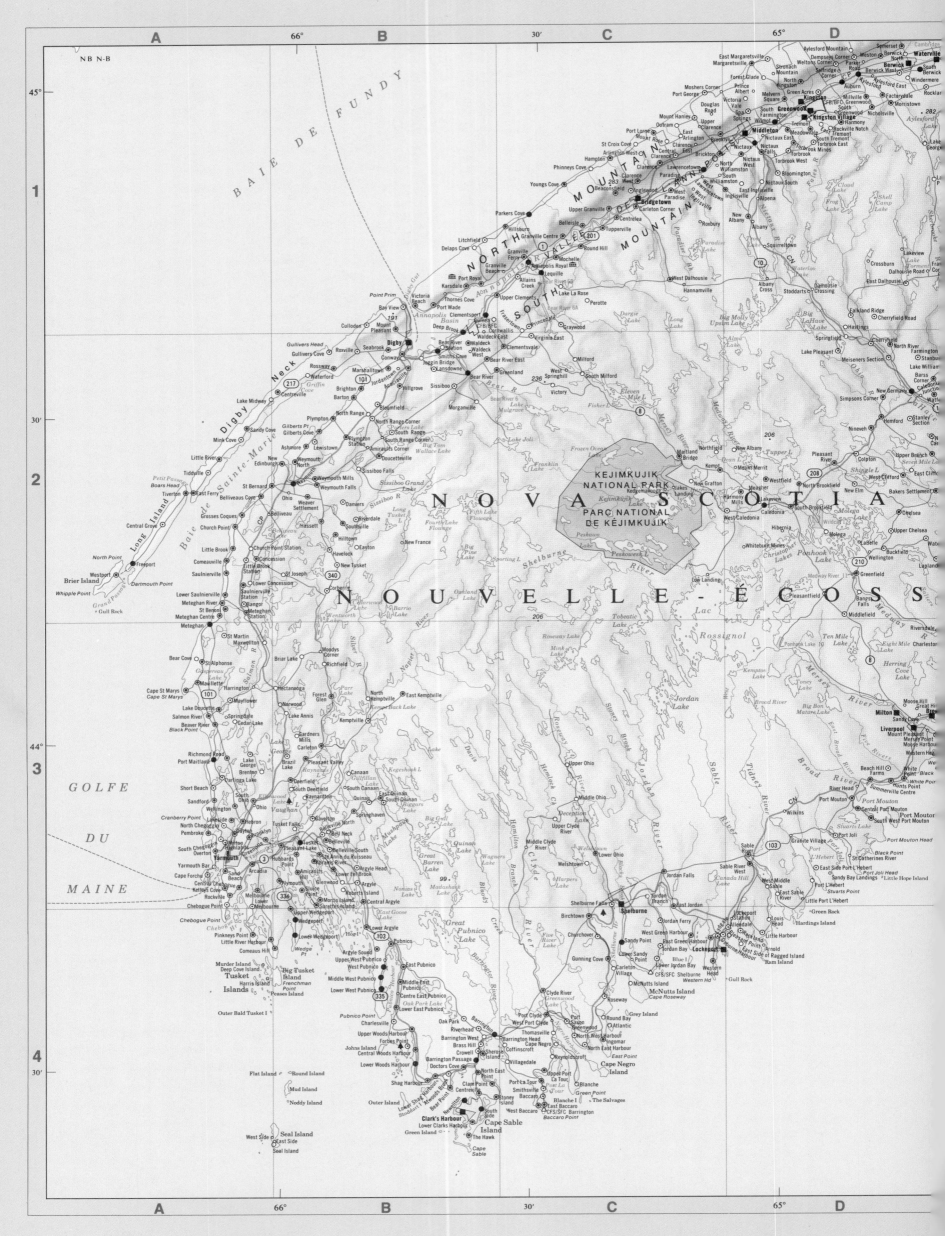

A T L A N T I C   O C E A N

O C É A N   A T L A N T I Q U E

5   0   5   10   15   20   25
kilometres   1:625 000   kilomètres

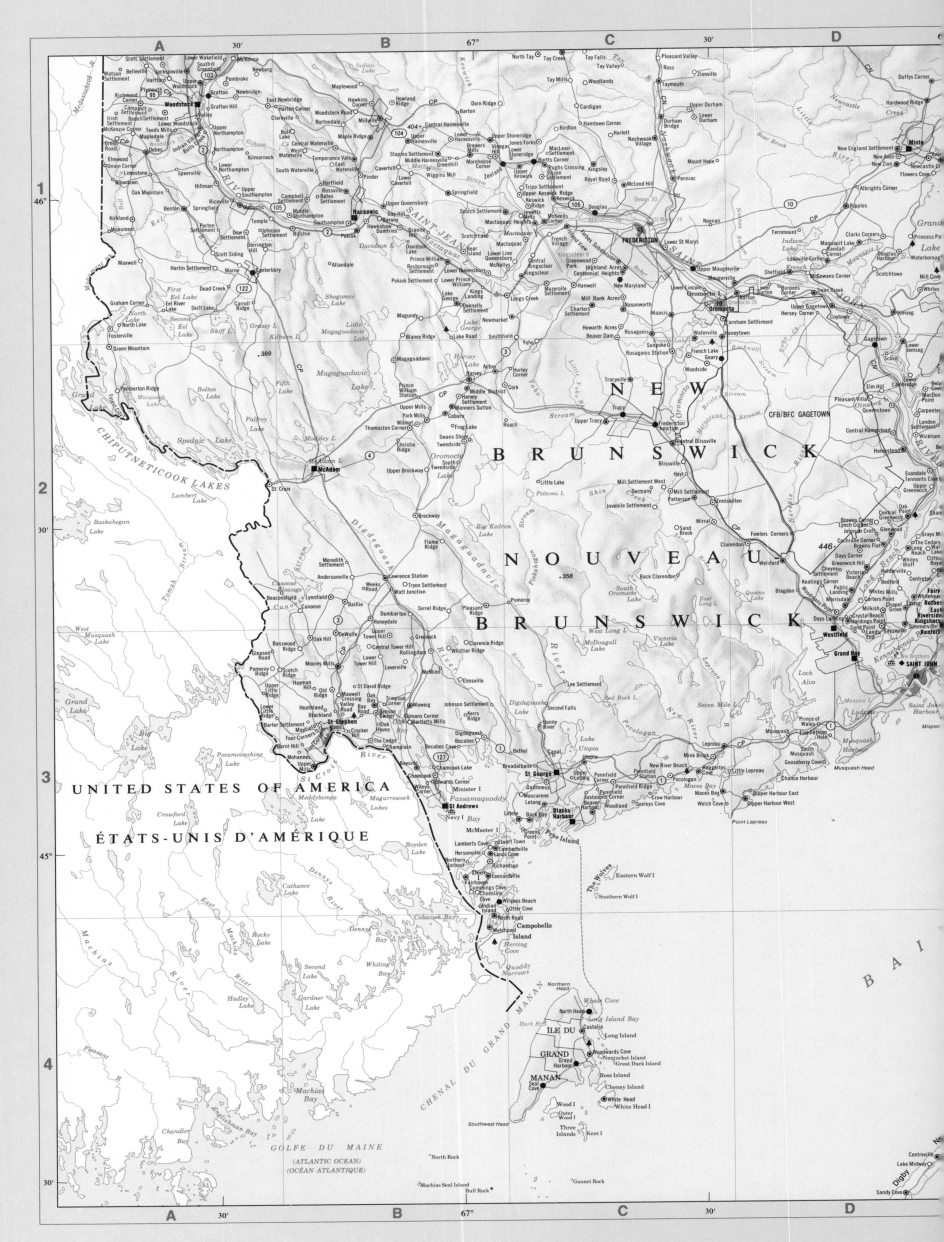

5 0 5 10 15 20 25
kilometres   1:625 000   kilomètres

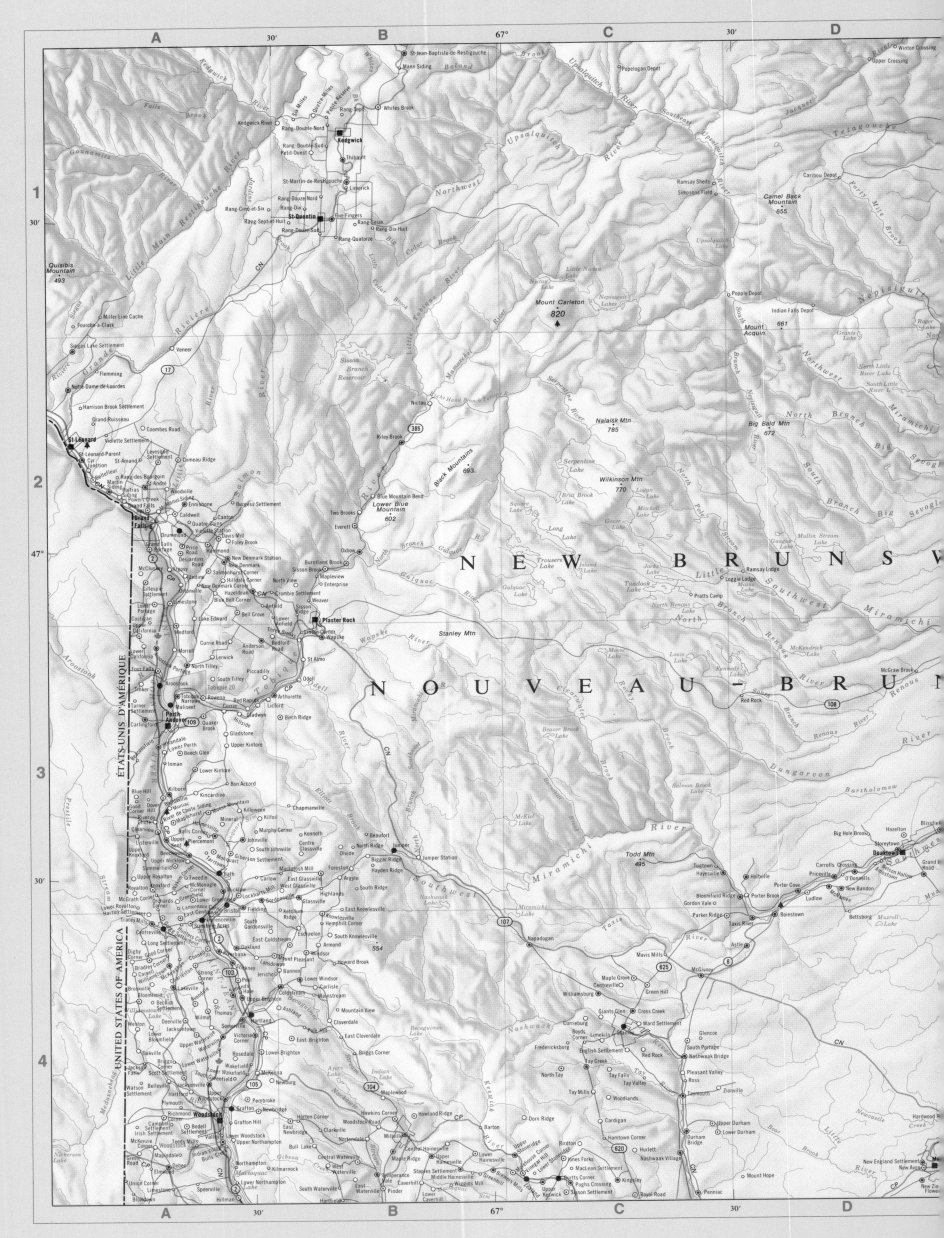

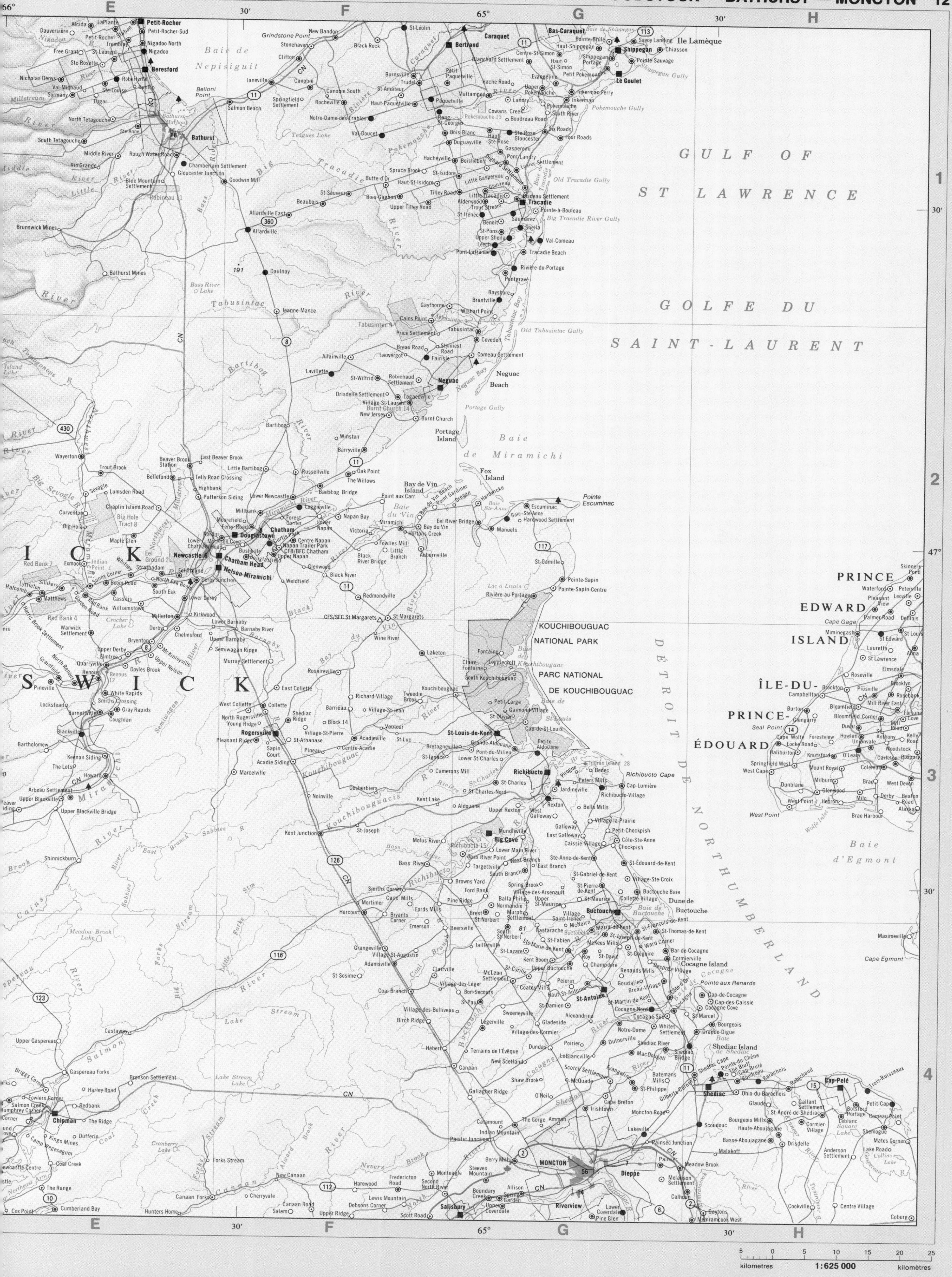

GULF OF

ST LAWRENCE

GOLFE DU

SAINT-LAURENT

Baie de Nepisiguit

PRINCE

EDWARD

ISLAND

ÎLE-DU-

PRINCE-

ÉDOUARD

Baie de Miramichi

Baie d'Egmont

DÉTROIT DE NORTHUMBERLAND

KOUCHIBOUGUAC

NATIONAL PARK

PARC NATIONAL

DE KOUCHIBOUGUAC

Petit-Rocher
Beresford
Bathurst
Caraquet
Bertrand
Bas-Caraquet
Shippegan
Le Goulet
Île Lamèque
Tracadie
Neguac
Newcastle
Chatham
Nelson-Miramichi
Rogersville
Richibucto
St-Louis-de-Kent
Big Cove
Buctouche
St-Antoine
Shediac
Cap-Pelé
Dieppe
MONCTON
Riverview
Salisbury
Chipman

kilometres   1:625 000   **kilometres**

5   0   5   10   15   20   25

E   30'   F   65°   G   30'   H

DÉTROIT D'HONGUEDO

Ruisseau à Rebours
Rivière-à-Claude
Ruisseau-des-Olives
Mont-St-Pierre
Rivière-Mont-Louis
Mont-Louis
Anse-Pleureuse
Gros-Morne
Manche-d'Épée
Madeleine-Centre
Cap de la Madeleine
Rivière-la-Madeleine
Cap Barré
Anse-à-Mercier
Petite-Vallée
Grande-Vallée
Pointe-à-la-Frégate
Petite-Anse
Cloridorme-Ouest
Cloridorme
Pointe Sèche
St-Thomas-de-Cloridorme
St-Yvon
St-Hélier
Grande-Vallée-des-Monts

L'Anse-à-Valleau
Pointe-Jaune
L'Échouerie
Pointe du Serpent
Petit-Cap
Petite-Rivière-au-Renard
Rivière-au-Renard
Pointe au Renard
Morris
132
Pointe Nord-Ouest
L'Anse-au-Griffon
Portage-Griffon
Jersey Cove
Cap-des-Rosiers
PARC NATIONAL DE FORILLON
FORILLON NATIONAL PARK
Cap des Rosiers

1268 Mont
ques-Cartier
C - CHOCS
Murdochville
198
739
197
St-Majorique
Penouille
Cap-aux-Os

E LA GASPÉSIE
Lac Madeleine

- DAME
Wakeham   Gaspé 11   Sandy Beach
York   York
L. Baillargeon   Bassin de Gaspé
L. Fromenteau
Haldimand

Rivière

B E C

Rivière

770
Grande
Rivière

Malbaie
St-Georges-de-Malbaie
Belle-Anse
Pointe-St-Pierre
Barachois
Pointe Verte
Bridgeville
Baie de Malbaie

St-Gabriel-de-Gaspé
Rameau
Val-d'Espoir
Coin-du-Banc
Percé
Rocher Percé
Cap Blanc
Ile de Bonaventure

Pellegrin
L'Anse-à-Beaufils
St-Edmond-de-Pabos
Pabos-Nord
St-Isidore-de-Gaspé
Duguesclin
Petite-Rivière
Cap-d'Espoir
Cap d'Espoir
Ste-Thérèse-de-Gaspé
Brèche-à-Manon
La Vigie
Petite-Rivière-Pabos
Pabos
Grande-Rivière
Gauthier
Petite-Rivière-Ouest
Ste-Adélaïde-de-Pabos
Port
Grand-Pabos
Chandler-Ouest
Chandler
Grand-Pabos-Ouest
Baie du Grand Pabos
Pabos-Mills
Newport-Point
Pointe de Newport
Newport
Newport-Centre
Ilots-de-Newport
Newport-Ouest

GOLFE DU SAINT-LAURENT

GULF OF ST LAWRENCE

663

Gascons-Ouest
Gascons
Gascons-Est
Pte au Maquereau
Rivière-Port-Daniel
Port-Daniel-Est
Anse-aux-Gascons
Clemville
Daniel
L'Anse-McInnes
St-Alphonse-de-Caplan
Ste-Claire-de-Bonaventure
Garin
St-Jogues
Port-Daniel-Centre
Baie de Port-Daniel
Pointe de l'Ouest
Maria 2
Dimock-Creek
Grand-Cascapédia
Musselyville
Mercier-de-Caplan
St-Elzéar-de-Bonaventure
St-Jogues-Sud
Maria
New-Richmond
Cyr
St-Adélard
Huardi
Marcil
Port-Daniel-Ouest
Baie de Cascapédia
Caplan-Ouest
Mousseauville
Martin
Kelly
Shigawake-Est
Bourdages
Gravel
St-Godefroi
Rivière-Caplan
Robichaud
Thivierge
Rivière-Bonaventure
Gignac
Caplan
Ruisseau-Leblanc
St-Siméon-Est
Rivière-Paspébiac
Hope-Town
St-Siméon-de-Bonaventure
Bonaventure-Ouest
Bugeaud
Rivière-Nouvelle
132
Bonaventure
Cullens-Brook
Duret
Paspébiac-Est
Bonaventure-Est
Paspébiac-Ouest
Paspébiac
Ste-Hélène-de-la-Croix
New-Carlisle-East
New-Carlisle
Pte de Paspébiac
Pointe Bonaventure
Fauvel
New-Carlisle-West

BAIE DES CHALEURS
CHALEUR BAY

Armstrong Brook
Belledune Point
Becketville
Hospid
Mitchell Settlement
Belledune
Pointe-Verte
Devereaux
Madran
Petit-Rocher-Nord
Antinouri's Lake
Petit-Rocher-Station
Alcida
Petit-Rocher
La Plante
Stonehaven
Dauversie
Petit-Rocher-Sud
Tremblay
Nigadoo North
Nigadoo
Free Grant
St-Laurent
Robertville
Nicholas Denys
Ste-Rosette
Beresford
Val-Michaud
Ste-Louise
Sormany
Lugar
Dunlop
North Tetagouche
Ste-Anne
Bathurst

Baie de Nepisiguit

Miscou Lighthouse
Miscou Plains
MacGregors Mal Bay
Miscou Island
Windsors Mal Bay
Miscou Centre
Wilson Point
Miscou Harbour
Sandy Point
Miscou Gully
Little Shippegan
Petite-Rivière-de-l'Ile
Ste-Cécile
Miscou Harbour
Pointe-Canot
Pigeon Hill
Coteau Road
Ile
Petite-Lamèque
Lamèque
Pointe-Alexandre
Pokesudie
Cap-Bateau
St-Raphaël-sur-Mer
Lamèque-Portage
Haut-Lamèque
Ste-Marie-sur-Mer
Anse-Bleue
Caraquet
Maisonnette
Pokesudie
Grande-Anse
Village-des-Poirier
Petite-Lamèque
Dugas
Bas-Caraquet
Pokeshaw
Village-St-Paul
Baie de Caraquet
Caraquet
Shippegan
St-Léolin
Pointe-Brûlé
11
Savoy Landing
Grindstone Pt
New Bandon
Black Rock
Bertrand
Haut-Shippegan
Chiasson
Pointe-Sauvage
Shippegan
Centre-St-Simon
Haut-de-St-Simon
Clifton
Blanchard Settlement
Shippegan Portage
Janeville
Burnsville
Petit-Paquetville
Haché Road
Petit Pokemouche
Le Goulet
Canobie
Pokemouche Gully
Springfield Settlement
Canobie South
St-Amateur
Paquetville
Évangeline
113
Rocheville
Maltampeque
Upper Pokemouche
Pokemouche
Belloni Pt
Salmon Beach
Notre-Dame-des-Érables
Haut-Paquetville
Rang-St-Georges
Landry
Inkerman
Inkerman Ferry
11
Val-Doucet
Bois-Blanc
Cowans Creek
South River
Tenegasse Lake
Boudreau Road
Ste-Rose
Six Roads
Bathurst
Haut-Ste-Rose
Duguayville
Ste-Rose-Gloucester
Faur Roads

Baie de Nepisiguit

kilomètres   1:625 000   kilomètres
5 0 5 10 15 20 25

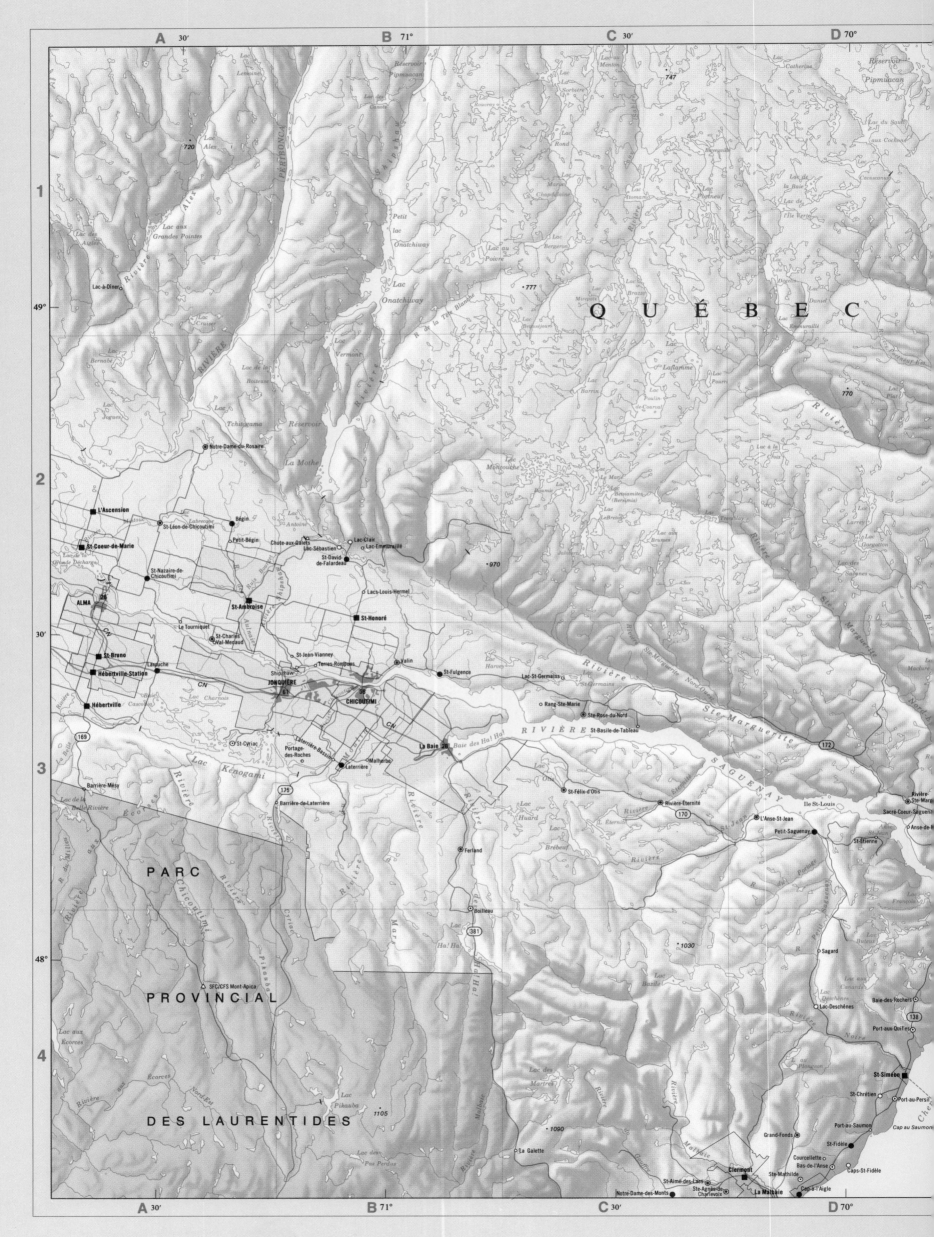

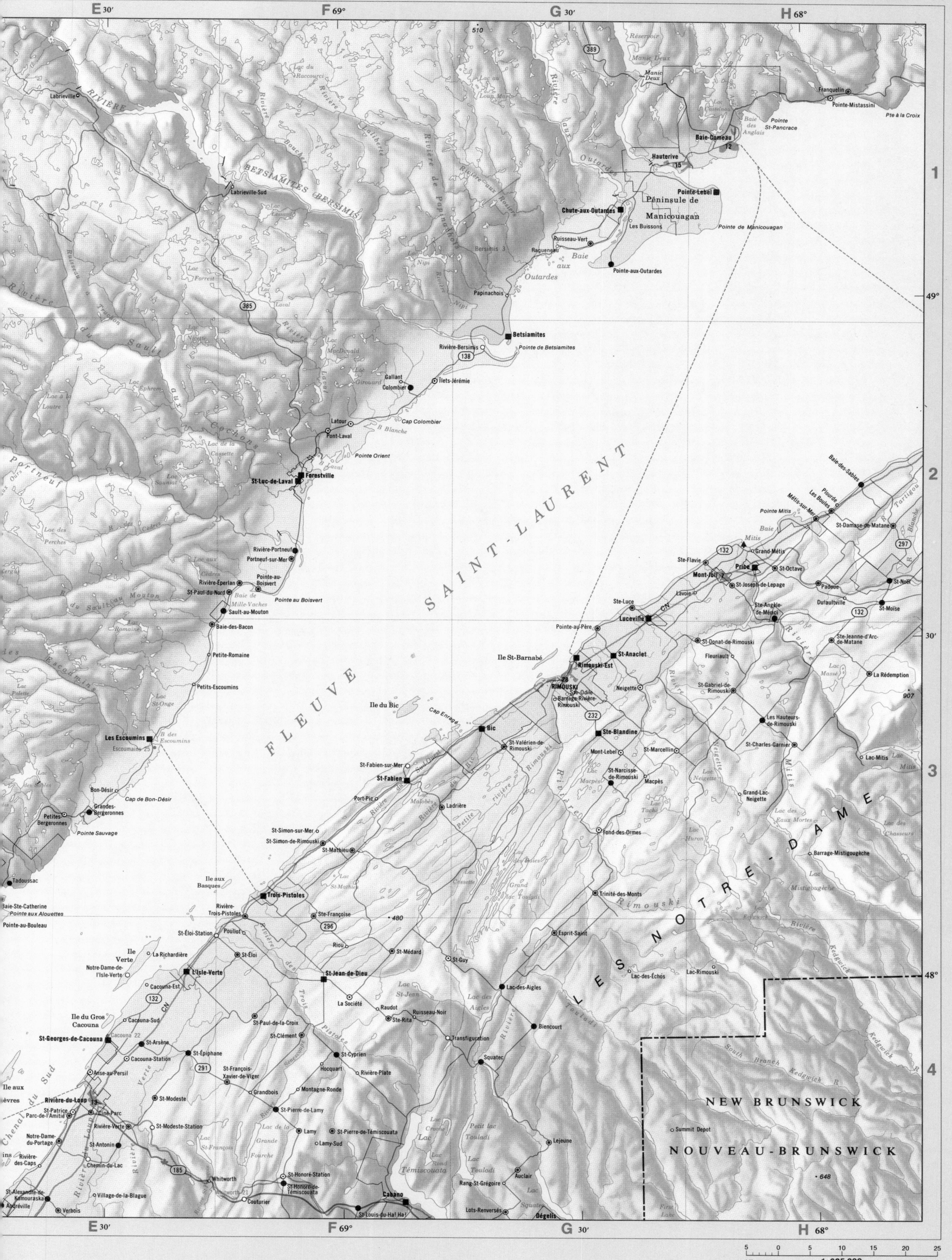

E 30′
F 69°
G 30′
H 68°
1
2
3
4
49°
30′
48°
FLEUVE SAINT-LAURENT
LES NOTRE-DAME
NEW BRUNSWICK
NOUVEAU-BRUNSWICK
Baie-Comeau
Hauterive
Pointe-Lebel
Péninsule de Manicouagan
Chute-aux-Outardes
Les Buissons
Pointe de Manicouagan
Ruisseau-Vert
Ragueneau
Pointe-aux-Outardes
Baie aux Outardes
Papinachois
Betsiamites
Rivière-Bersimis
Pointe de Betsiamites
Franquelin
Pointe-Mistassini
Pte à la Croix
Pointe St-Pancrace
Baie des Anglais
Réservoir Manic Deux
Manic Deux
Labrieville
Labrieville-Sud
Rivière Betsiamites (Bersimis)
Rivière aux Outardes
Rivière de Papinachois
Gallant
Colombier
Îlets-Jérémie
Cap Colombier
Latour
Pont-Laval
B Blanche
Pointe Orient
St-Luc-de-Laval
Forestville
Rivière-Portneuf
Portneuf-sur-Mer
Pointe-au-Boisvert
Pointe au Boisvert
Rivière-Éperlan
St-Paul-du-Nord
Baie de Mille-Vaches
Sault-au-Mouton
Baie-des-Bacon
Petite-Romaine
Petits-Escoumins
Les Escoumins
B des Escoumins
Bon-Désir
Cap de Bon-Désir
Grandes-Bergeronnes
Petites Bergeronnes
Pointe Sauvage
Tadoussac
Baie-Ste-Catherine
Pointe aux Alouettes
Pointe-au-Bouleau
Ile aux Basques
Trois-Pistoles
Rivière-Trois-Pistoles
St-Éloi-Station
Pouliot
St-Éloi
Ile Verte
La Richardière
Notre-Dame-des-Sept-Douleurs
L'Isle-Verte
Cacouna-Est
Ile du Gros Cacouna
Cacouna-Sud
St-Georges-de-Cacouna
St-Arsène
Cacouna-Station
Anse-au-Persil
St-Épiphane
Rivière-du-Loup
St-Patrice
Parc-de-l'Amitié
Ciné-Parc
Rivière-Verte
Notre-Dame-du-Portage
St-Antonin
Chemin-du-Lac
Rivière-des-Caps
St-Alexandre-de-Kamouraska
Verbois
Village-de-la-Blague
Whitworth
Couturier
St-Honoré-Station
St-Honoré-de-Témiscouata
Cabano
St-Louis-du-Ha! Ha!
Lots-Renversés
Dégelis
Rang-St-Grégoire
Auclair
Lejeune
Squatec
Biencourt
Transfiguration
Lac-des-Aigles
St-Cyprien
Hocquart
Rivière-Plate
Montagne-Ronde
Grandbois
St-Pierre-de-Lamy
Lamy
Lamy-Sud
St-Pierre-de-Témiscouata
St-Modeste
St-Modeste-Station
St-François-Xavier-de-Viger
St-Clément
St-Paul-de-la-Croix
Ste-Rita
Raudot
Ruisseau-Noir
La Société
St-Jean-de-Dieu
Riou
St-Médard
St-Guy
Ste-Françoise
St-Mathieu
St-Simon-de-Rimouski
St-Simon-sur-Mer
Port-Pic
St-Fabien
St-Fabien-sur-Mer
Ladrière
Bic
Ile du Bic
Cap Enragé
St-Valérien-de-Rimouski
Ile St-Barnabé
Rimouski
Rimouski-Est
St-Anaclet
Ste-Odile
Barrage-Rivière-Rimouski
Neigette
Ste-Blandine
Mont-Lebel
St-Narcisse-de-Rimouski
Macpès
St-Marcellin
Fond-des-Ormes
Trinité-des-Monts
Esprit-Saint
Lac-des-Échos
Lac-Rimouski
Grand-Lac-Neigette
St-Charles-Garnier
Les Hauteurs-de-Rimouski
St-Gabriel-de-Rimouski
Fleuriault
St-Donat-de-Rimouski
Pointe-au-Père
Luceville
Ste-Luce
Ste-Flavie
Mont-Joli
Lavoie
Price
St-Joseph-de-Lepage
Ste-Angèle-de-Mérici
Grand-Métis
Baie Mitis
Pointe Mitis
Métis-sur-Mer
Les Boules
Pinurde
Baie-des-Sables
St-Damase-de-Matane
St-Octave
Padoue
Dufaultville
St-Noël
St-Moïse
Ste-Jeanne-d'Arc-de-Matane
La Rédemption
Lac-Mitis
Barrage-Mistigougèche
Lac Mistigougèche
Lac Témiscouata
Lac Touladi
Summit Depot
South Branch Kedgwick R
Rivière Rimouski
Rivière Mitis
Rivière Neigette
Rivière des Trois Pistoles
Chenal du Sud
389
385
138
132
232
296
291
185
297
510
480
907
648

5 0 5 10 15 20 25
kilometres 1:625 000 kilomètres

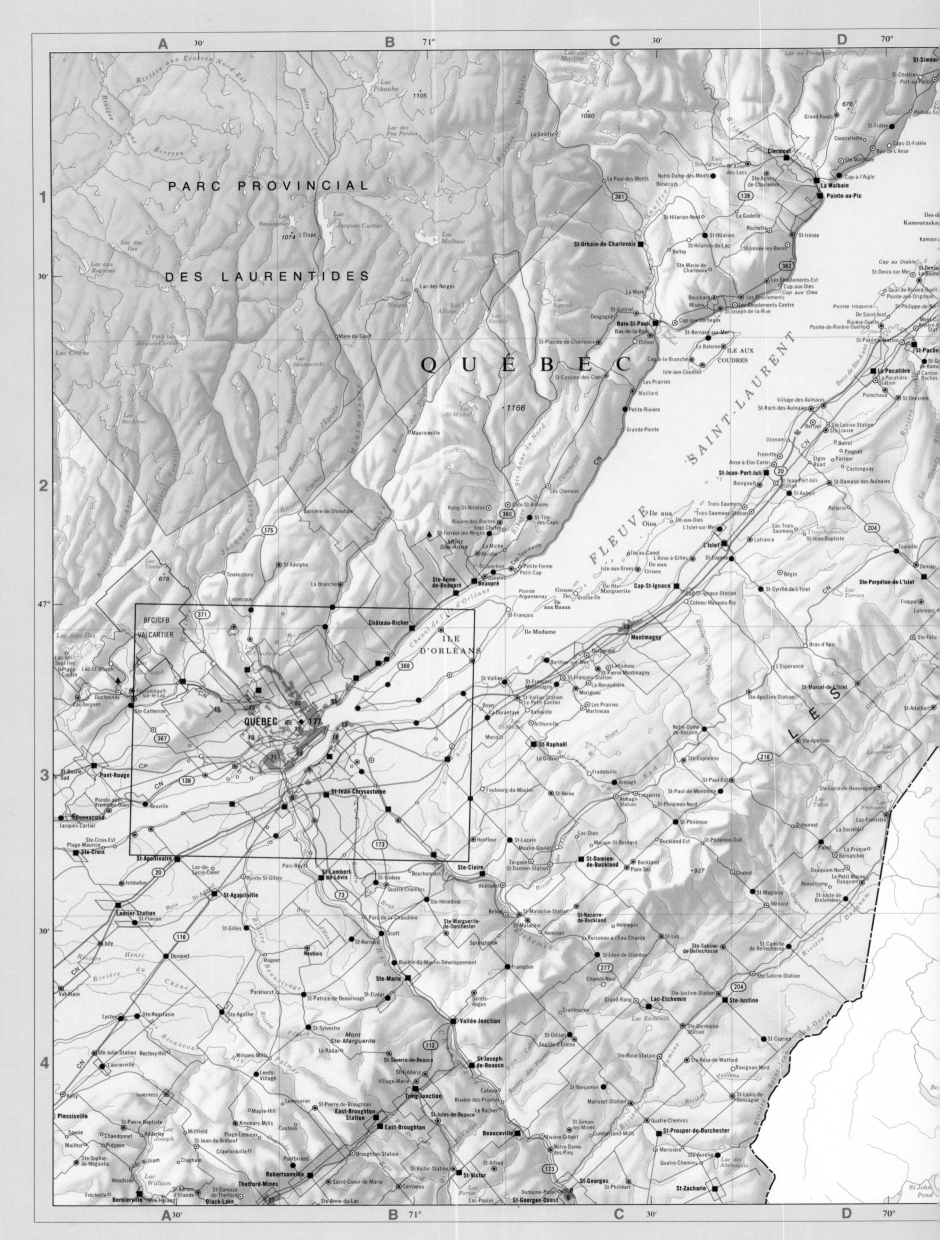

E 30' F 69° G 30' H 68°

NEW BRUNSWICK

NOUVEAU-BRUNSWICK

Témiscouata

UNITED STATES OF AMERICA

ÉTATS-UNIS D'AMÉRIQUE

NOTRE-DAME

FLEUVE SAINT-LAURENT

ÎLE D'ORLÉANS

CHENAL DE L'ÎLE D'ORLÉANS

QUÉBEC

BFC/CFB VALCARTIER

Île aux Lièvres
Rivière-du-Loup
St-Modeste
Brandbois
Montagne-Ronde
St-Hubert-de-Témiscouata
Notre-Dame-du-Portage
Rivière-Verte
St-Modeste-Station
Lamy
Lamy-Sud
St-Pierre-de-Témiscouata
Les Pèlerins
Notre-Dame-du-Portage
St-Antonin
Lac de la Grande Fourche
Lejeune
Auclair
Rang-St-Grégoire
Summit Depot
648
Chemin-du-Lac
Village-de-la-Blague
St-Honoré-Station
Whitworth
St-Honoré-de-Témiscouata
Couturier
St-Louis-du-Ha! Ha!
Cabano
Lots-Renversés
Quai-de-St-Juste
First Lake
Halfway Depot
Andréville
St-André-Station
St-Joseph-de-Kamouraska
Quartier-St-Thomas
Pelletier
St-Elzéar-de-Témiscouata
Beauséjour
Notre-Dame-du-Lac
La Résurrection
Seeleys Settlement
Grandmaison
Ciquart
Quisibis Mountain 493
St-Germain-de-Kamouraska
Dessaint
St-Eusèbe
Dégelis
Patrieville
Rang-Morneault
Rang-des-Bossé
St-Joseph-de-Madawaska
Deuxième-Sault
Kamouraska-à-l'Orignal
Moulin-Lajoie
St-Pascal
Picard
St-Eusèbe-Ouest
Lac-Légare
Packington
Pohénégamook
Lac Pohénégamook
Pied-du-Lac
Fatima-de-Témiscouata
St-Jean-de-la-Lande
Rivière-à-la-Truite
Moulin-Morneault
Boucher Office
Jalbert
Montagne-des-Therrien
Grand-Bras
St-Bruno-de-Kamouraska
St-Athanase
Rivière-Bleue
Les Étroits-Nord
Quatre-Coins
Petite-Rivière-à-la-Truite
Val-Lambert
Ennemond
Riceville
St-Jacques
Edmundston
St-Basile
Rivière-Verte
Bayonne
Lapointe-Station
Glendyne
Rang-St-David
Bélanger
Pinniquin
Val-Nadeau
Concession-des-Ouellette
Verrett
Rang-des-Lavoie
Davis Mill
Montagne-de-la-Croix
Fourche-à-Clark
Bretagne
Rivière-Manie
Les Étroits
Rang-des-Morneault
Soucy
Concession-de-Baker-Brook
St-Hilaire
SAINT JOHN RIVER
Siegas Lake Settlement
Holliday
Eatonville
Lac-Unique
Rang-des-Collin
Lac-Baker
Portage-du-Lac
Baker Brook
Couturier Siding
Prime
Sirois
Ste-Anne-de-Madawaska
Lac Chaudière
Lac-de-l'Est
Caron Brook
Concession-des-Lang
St-Joseph
Rang-des-Deschene
Notre-Dame-de-Lourdes
Petit lac Ste-Anne
Lac Ste-Anne
Concession-des-Vasseur
Concession-des-Bouchard
Rakides
Crockett Chain
Long Lake
Siegas
St-Léonard
Taché
Concession-des-Jaunes
Pelletiers Mills
Val Oakes
Connors
St-François-de-Madawaska
Cross Lake
St-Omer
Eagle Lake
Square Lake
St-Pamphile
47°
30'
Stoneham
Ste-Brigitte-de-Laval
Lac-Morin
Ste-Famille
Château-Richer
371
Lac Delage
Roche-Plate
Moulin-Vallière
Île-Enchanteresse
CP
Lac-St-Joseph
Valcartier-Village
Mont Snow St-Charles
Mont Cervin
Lac-Beauport
175
L'Ange-Gardien-Est
Dufournel
Sault-au-Récollet
L'Ange-Gardien
368
St-Jean-d'Orléans
Rivière-Lafleur
Mont Brillant
Lac-St-Charles
St-Jean-de-Boischatel
St-Pierre
Courcelette
Shannon
Lorette
St-Émile
CHARLESBOURG 82
BEAUPORT 55
Beaumont
St-Laurent
St-Michel-de-Bellechasse
Fossambault-sur-le-Lac
Val-Bélair 11
Loretteville 55
Ste-Catherine-Station
Beaumont
Place-Laurentienne
367
Ancienne-Lorette 12
Vanier 11
QUÉBEC
177
Pointe de Lévy
Pointe de la Martinière
132
Beaumont
Beaumont-Est
Domaine-St-Augustin
40
73
Lauzon 13
Labrie
Bélair
Ste-Foy 71
Sillery 14
Lévis 18
20
St-David-de-l'Auberivière
Lac-des-Plaines
St-Charles
Le Grand-Village
Lac-St-Augustin-Nord
Lac-St-Augustin-Sud
St-Augustin
Cap-Rouge
L'Hêtrière
Plage-St-Laurent
540
St-Romuald-d'Etchemin
Lac-Baie-d'Or
Village-des-Couture
Pintendre
Carrier
173
218
St-Gervais
138
Le Calvaire
Pte Deschambault
275
St-Jean-Chrysostome
Blouin
Neuville
FLEUVE SAINT-LAURENT
132
Charny
St-Nicolas
St-Rédempteur
Le Quatre-Chemins
73
St-Henri-de-Lévis
D'Artagnan
Pointe-aux-Pins
Bernières
Le Petit-St-Jean
Breakeyville
175
St-Antoine-de-Tilly
Les Fonds
St-Étienne-de-Lauzon
Le Sault
Pointe-de-l'Original
Parc-Lemieux
Cantin
St-Anselme
Chemin-Craig
1:312 500
kilomètres
1:625 000

5 0 5 10 15 20 25
kilomètres **1:625 000** kilomètres

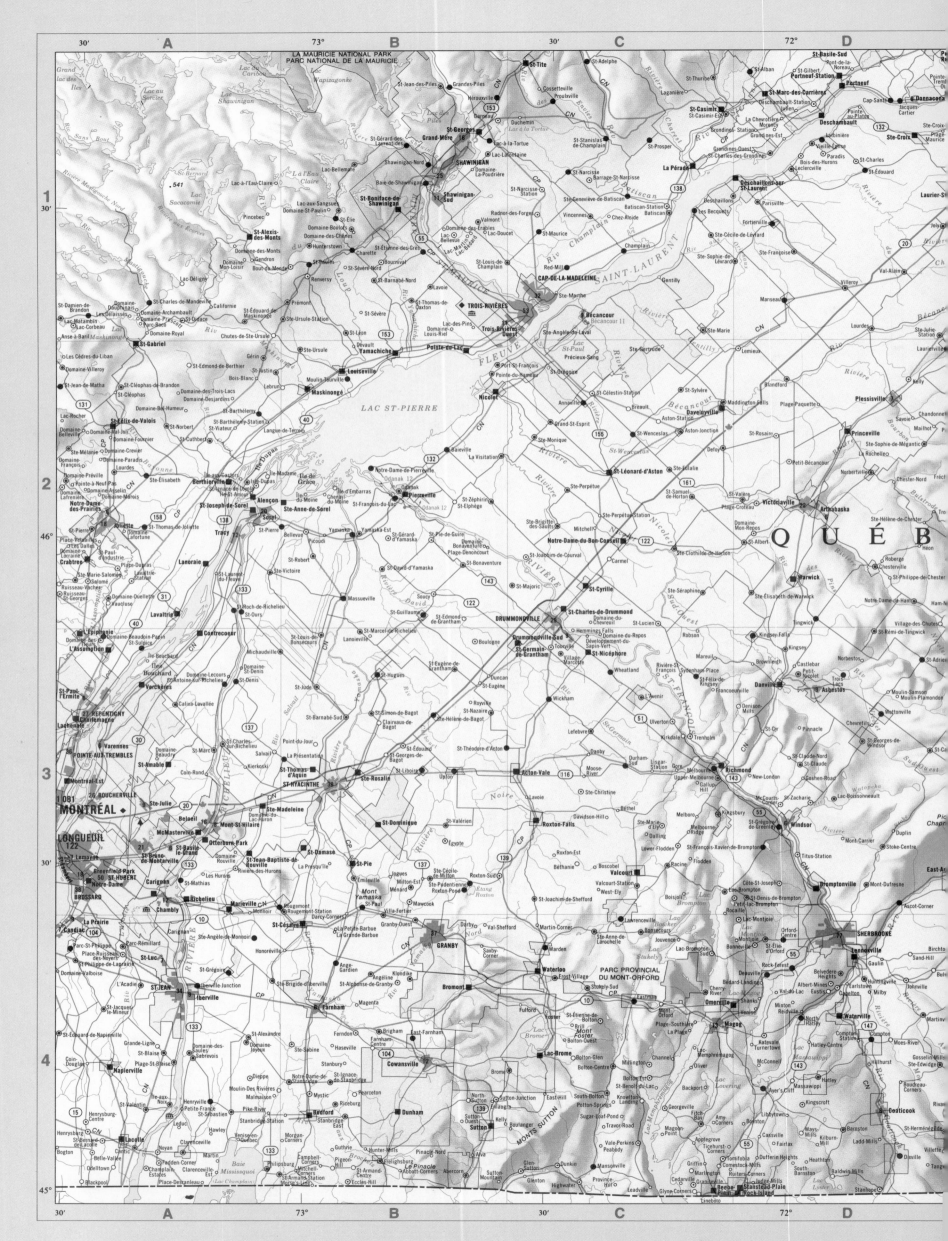

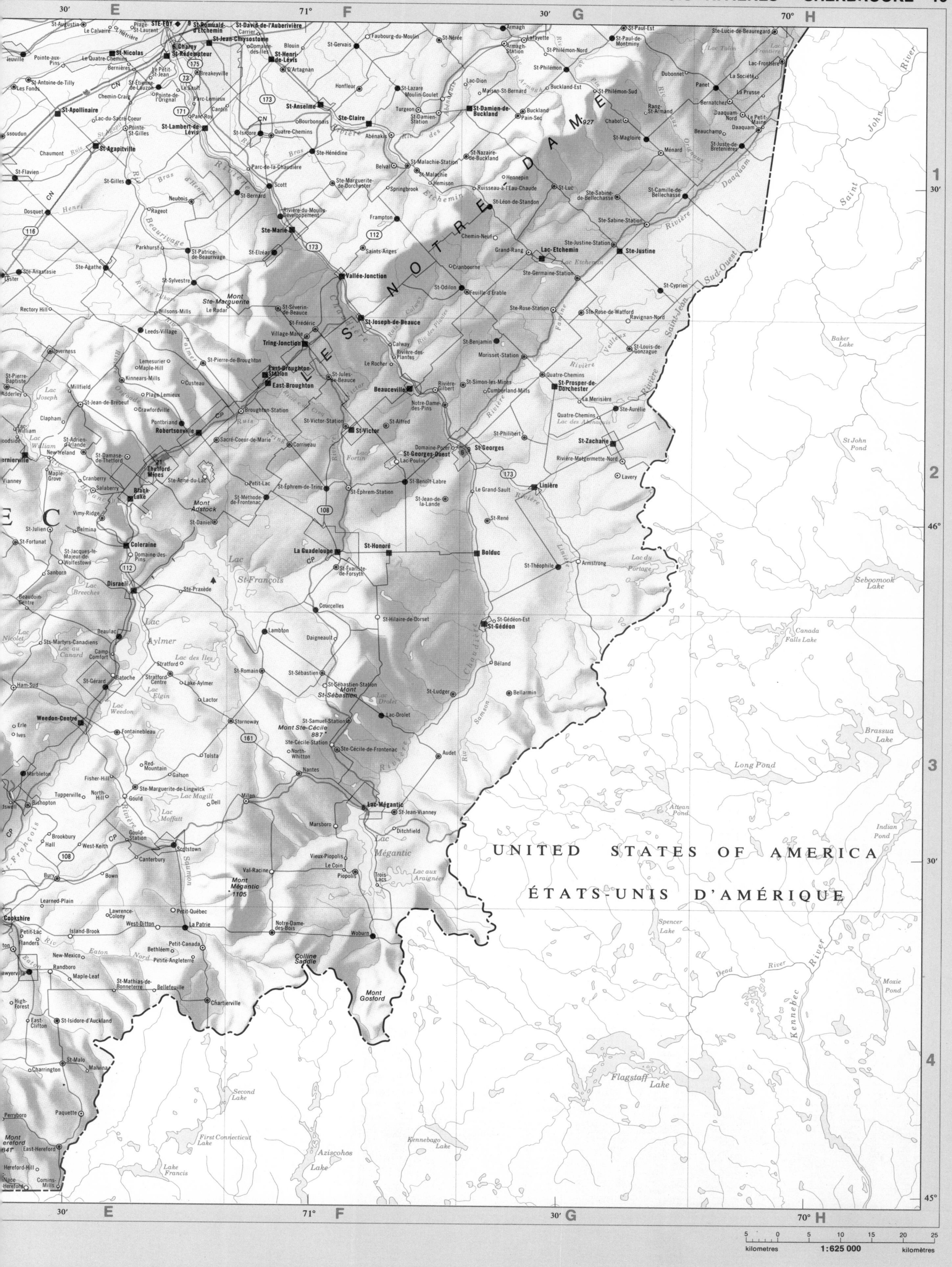

LES NOTRE DAME

QUÉBEC

UNITED STATES OF AMERICA

ÉTATS-UNIS D'AMÉRIQUE

Lac Mégantic

Lac-Mégantic

Mont Mégantic 1105

Mont Gosford

Mont Ste-Cécile 887

Mont St-Sébastien

Mont Adstock

Thetford-Mines

Black Lake

Coleraine

Disraeli

Weedon-Centre

St-Georges

St-Joseph-de-Beauce

Beauceville

Ste-Marie

Vallée-Jonction

Tring-Jonction

St-Victor

Lac-Etchemin

Ste-Justine

St-Prosper-de-Dorchester

Lac St-François

Lac Aylmer

Lac Weedon

Lac Drolet

Baker Lake

Seboomook Lake

Brassua Lake

Long Pond

Spencer Lake

Flagstaff Lake

Moxie Pond

Indian Pond

Canada Falls Lake

St John Pond

Saint John River

Kennebec River

Dead River

1 : 625 000

kilomètres 5 0 5 10 15 20 25 kilomètres

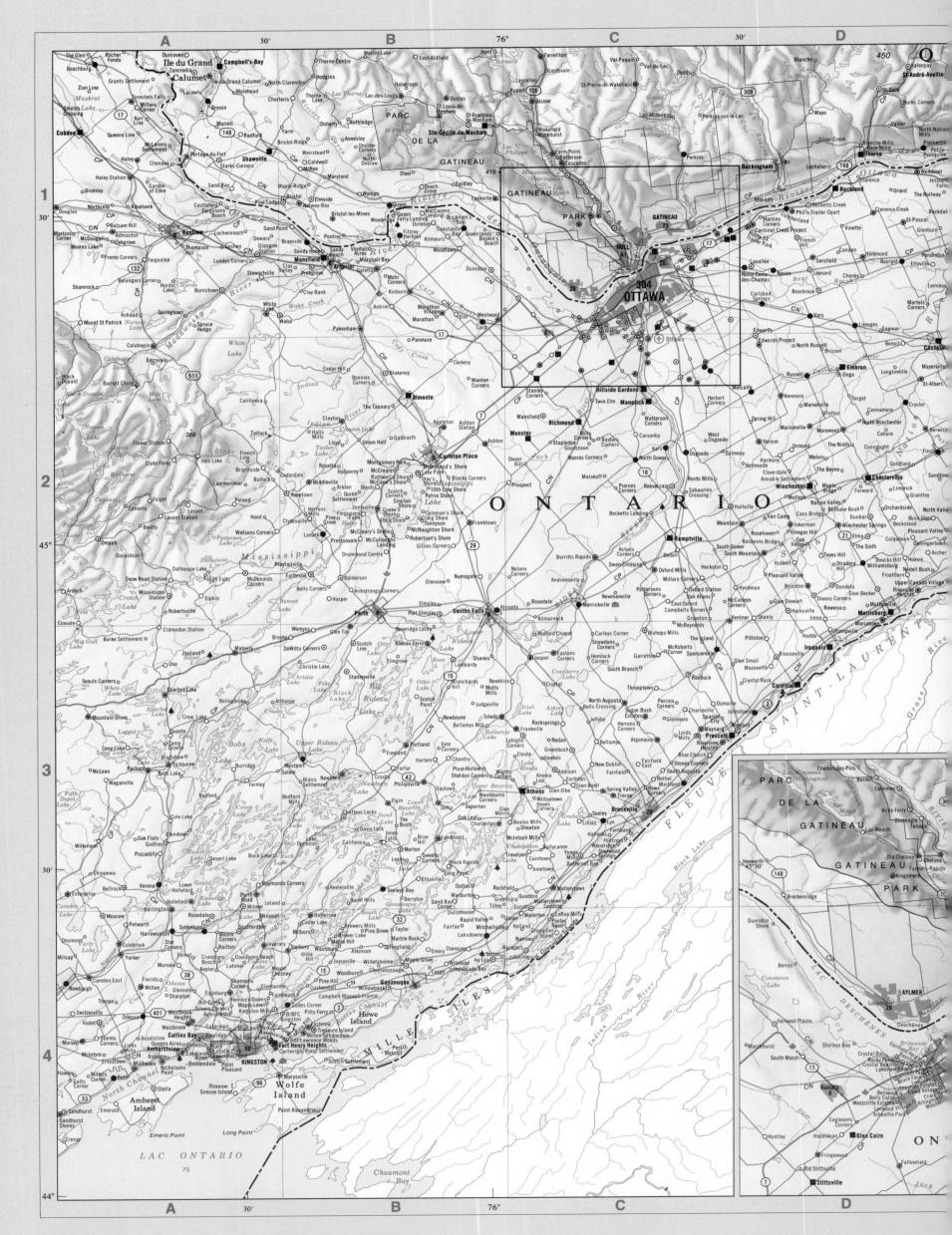

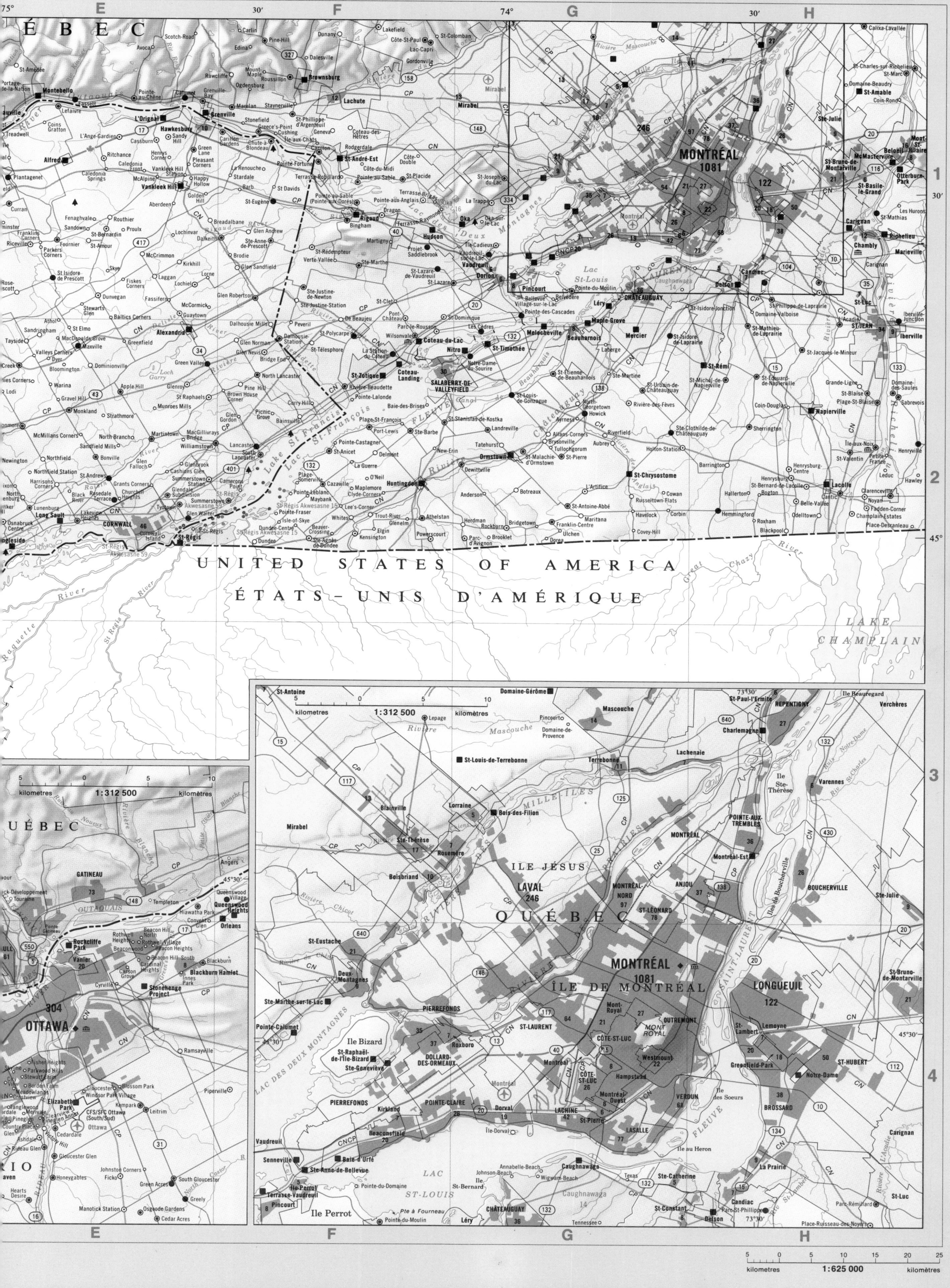

QUÉBEC

MONTRÉAL
1081

LAVAL
246

LONGUEUIL
122

UNITED STATES OF AMERICA

ÉTATS - UNIS D'AMÉRIQUE

LAKE CHAMPLAIN

ÎLE JÉSUS

ÎLE DE MONTRÉAL

OTTAWA
304

GATINEAU
73

LAC ST-LOUIS

LAC DES DEUX MONTAGNES

Lac St-Louis

Lac des Deux Montagnes

FLEUVE SAINT-LAURENT

1:312 500

1:625 000

kilometres

Montebello · L'Orignal · Hawkesbury · Grenville · Vankleek Hill · Alfred · Alexandria · Cornwall · Lancaster · Williamstown · Long Sault · St-Régis · Akwesasne · Huntingdon · Salaberry-de-Valleyfield · Coteau-Landing · Coteau-du-Lac · St-Zotique · St-Timothée · Beauharnois · Mercier · Châteauguay · Maple-Grove · Melocheville · Nitro · Ste-Martine · St-Rémi · Napierville · Lacolle · St-Chrysostome · Ormstown · Pincourt · Dorion · Vaudreuil · Oka · Hudson · Rigaud · Bingham · St-André-Est · Lachute · Brownsburg · Mirabel · Ste-Julie · Beloeil · Mont-St-Hilaire · St-Bruno-de-Montarville · Otterburn Park · Carignan · Richelieu · Marieville · Chambly · St-Jean · Iberville · Napierville · Delson · Candiac · La Prairie · Caughnawaga · Ste-Catherine · St-Constant · Brossard · St-Hubert · Verdun · Lasalle · Lachine · Dorval · Pointe-Claire · Beaconsfield · Kirkland · Senneville · Ste-Anne-de-Bellevue · Île Perrot · Terrasse-Vaudreuil · Pincourt · Notre-Dame · Greenfield Park · Westmount · Outremont · Mont-Royal · Hampstead · Côte-St-Luc · St-Laurent · St-Léonard · Montréal-Nord · Anjou · Montréal-Est · Pointe-aux-Trembles · Boucherville · Repentigny · Charlemagne · Terrebonne · Lachenaie · Mascouche · St-Louis-de-Terrebonne · Bois-des-Filion · Lorraine · Blainville · Ste-Thérèse · Rosemère · Boisbriand · St-Eustache · Deux Montagnes · Ste-Marthe-sur-le-Lac · Pierrefonds · Roxboro · Dollard-des-Ormeaux · Ste-Geneviève · Île Bizard · St-Raphaël-de-l'Île-Bizard · Varennes · Verchères · Ste-Julie

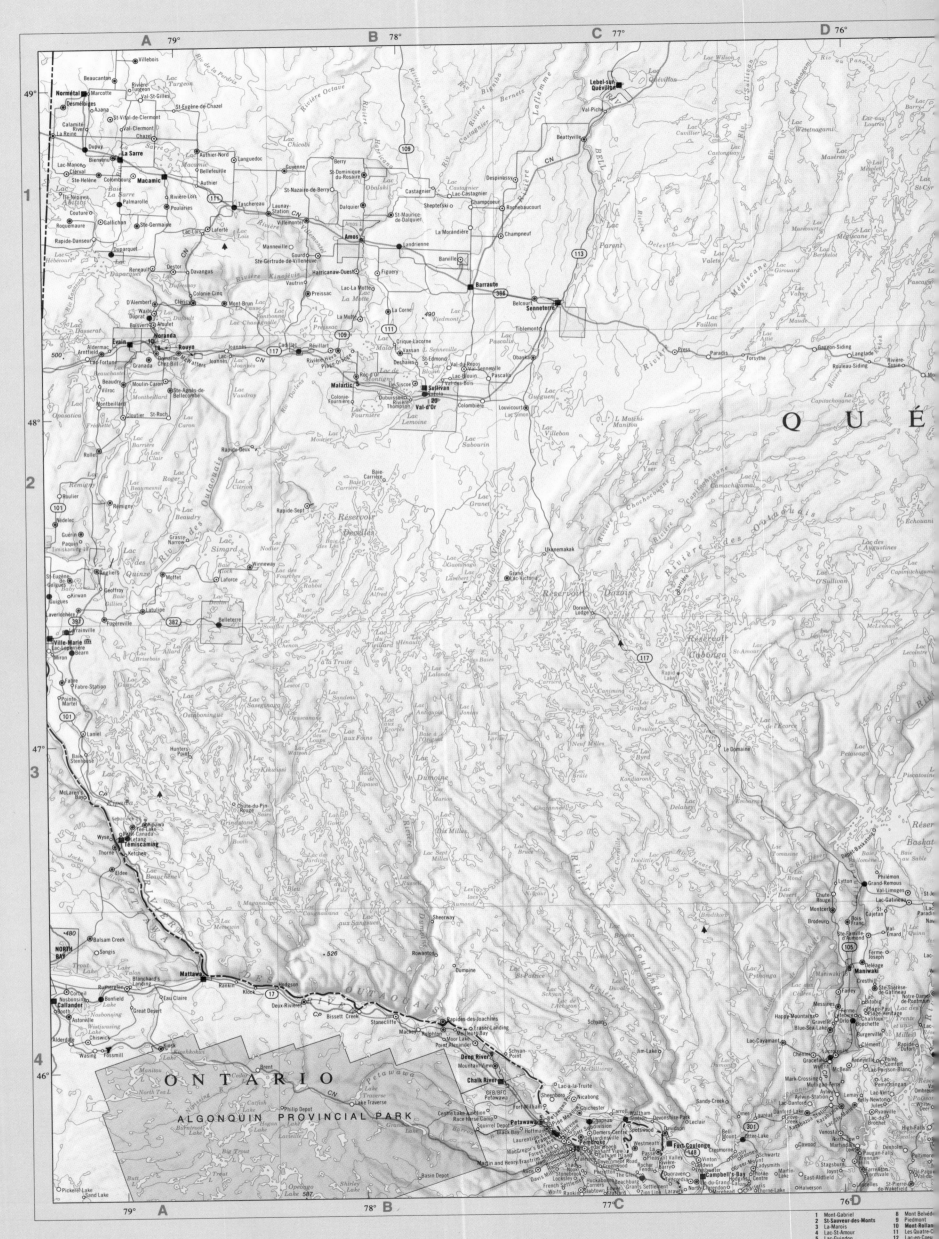

QUÉBEC

RÉSERVOIR GOUIN

RÉSERVOIR MITCHINAMÉCUS

PARC PROVINCIAL DES LAURENTIDES

PARC PROVINCIAL DU MONT-TREMBLANT

PARC NATIONAL DE LA MAURICIE / LA MAURICIE NATIONAL PARK

Lac Saint-Jean

No.	Name	No.	Name	No.	Name	No.	Name
15	St-Calixte-Nord	22	Lac-Echo	29	Domaine-Vilmont	36	Domaine-des-Trois-Lacs
16	Domaine-du-Joli-Val	23	Les Hauteurs	30	Lac-Lapierre	37	Cordon
17	St-Calixte-de-Kilkenny	24	Lac-Bleu	31	Domaine-Charbonneau	38	St-Jacques-Nord
18	St-Hippolyte-de-Kilkenny	25	Lac-Connelly	32	Bissonnette	39	Marion
19	Lac-de-l'Achigan	26	Domaine-Breton	33	Domaine-François	40	Montcalm
20	Weisbord-Acres	27	Domaine-François	34	Ste-Julienne	41	Lac-Clearview
21	Lac-des-Quatorze-Îles	28	Lac-Brien	35	Domaine-Lemenn	42	Achigan-Ouest

No.	Name	No.	Name	No.	Name	No.	Name
43	Domaine-Racine	50	Pied-de-la-Montagne	57	Lac-Rocher	64	St-Jacques
44	Ste-Marcelline-de-Kildare	51	Boscoville	58	Domaine-Val-Joli	65	Ste-Marie-Salomé
45	St-Ambroise-de-Kildare	52	Lac-des-Français	59	Ste-Mélanie	66	Salomé
46	Domaine-Lafrenière	53	Dupont	60	Domaine-Paradis	67	Laurence
47	Domaine-Asselin	54	Domaine-des-Quatre-Hêtu	61	Domaine-François	68	Russeau-St-Georges
48	Domaine-Préville	55	Camp-Laclouwhi	62	Place-Versailles	69	Domaine-Beaudoin-Papin
49	Domaine-Lafortune	56	Village-des-Geoffroy	63	Domaine-Lorraine	70	Domaine-des-Fleurs

10 0 10 20 30 40 50 kilomètres

1:1 250 000

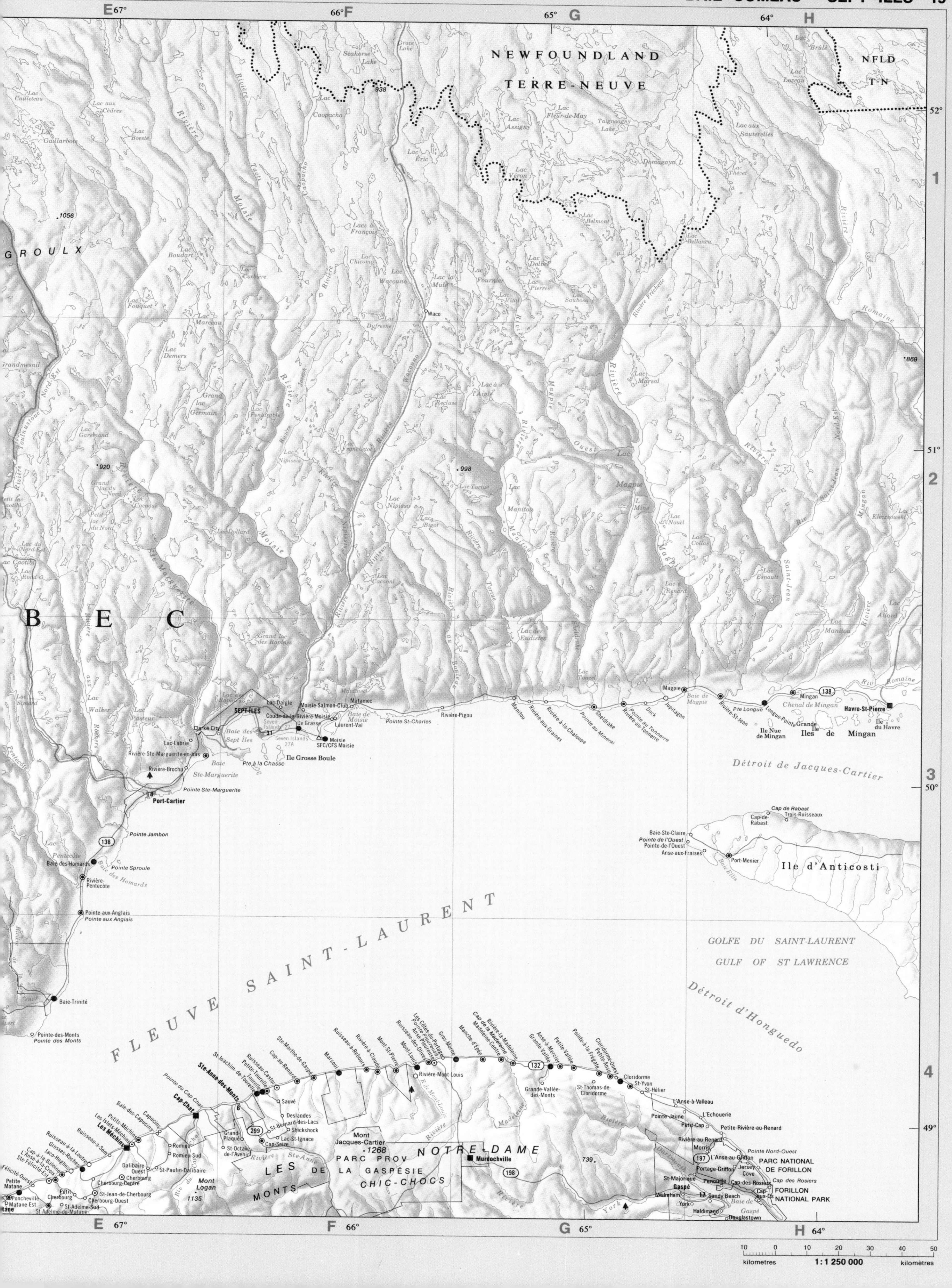

E 67° F 66° G 65° H 64°

NEWFOUNDLAND
TERRE-NEUVE

NFLD
T-N

52°

GROULX

B E C

Lac Gaillarbois
Lac aux Cèdres
Lac Boëste
Lac Fouquet
Lac Marceau
Lac Demers
.1056
Grand lac Germain
Lac Garehand
.920
Grand lac aux Rapides

Seahorse Lake
Grace Lake
938
Caopacha
Lac Caopacha
Lacs à François
Lac Chicoma
Lac Wacouno
Lac la Mula

Lac Assigny
Lac Fleur-de-May
Taignoagny Lake
Lac Éric
Lac Véron
Lac Dolbel
Lac Pierres
Lac Sauboso
Lac Belmont
Lac Bellanca

Lac aux Sauterelles
Lac Brûlé
Lac Lozeau

Rivière Romaine

1

Waco

Lac à l'Aigle
.998
Lac Turtle
Lac Nipisso
Lac Bigot
Lac Caoconi
Lac des Euclistes

Lac Mersal
.869
Magpie L Mine
Lac du Nouël
Lac Collas
Île Esnault
Lac à Renard
Lac Manitou
Lac Allard
Lac Kleczkowski

51°

2

Sept-Îles
Clarke City
Lac-Labrie
Rivière-Ste-Marguerite-en-bas
Rivière-Brochu
Pointe Ste-Marguerite
Port-Cartier
Pointe Jambon
138
Pointe Sproule
Baie-des-Homards
Rivière-Pentecôte
Pointe-aux-Anglais

Lac-Daigle
Moisie Salmon Club
Matamec
31
Coude-de-la-Rivière-Moisie
De Grasse
Seven Islands
27A
Moisie
SFC/CFS Moisie
Laurent-Val
Baie de Moisie
Île Grosse Boule
Baie Ste-Marguerite
Pte à la Chasse

Pointe St-Charles
Rivière-Pigou
Manitou
Rivière-aux-Graines
Rivière-à-la-Chaloupe
Pointe au Mineral
Sheldrake
Dock
Rivière au Tonnerre
Pointe au Tonnerre
Rivière-au-Bonnté
Magpie
Baie de Magpie
Rivière-St-Jean
Pte Longue
Longue-Pointe
Île Nue de Mingan
Grande Île
Île du Havre
Havre-St-Pierre
Chenal de Mingan
Îles de Mingan
Mingan
138

Détroit de Jacques-Cartier

3

50°

Cap de Rabast
Trois-Ruisseaux
Cap-de-Rabast
Baie-Ste-Claire
Pointe de l'Ouest
Anse-aux-Fraises
Baie Ellis
Port-Menier
Île d'Anticosti

Baie-Trinité
Pointe-des-Monts

FLEUVE SAINT-LAURENT

GOLFE DU SAINT-LAURENT
GULF OF ST LAWRENCE

Détroit d'Honguedo

4

49°

Ste-Anne-des-Monts
St-Joachim-de-Tourelle
Cap-Chat
Les Méchins
Cap-au-Renard
Ruisseau-Castor
Ruisseau-à-Rebours
Rivière-à-Claude
Mont-St-Pierre
Ruisseau-les-Îles
Pointe-à-la-Frégate
Gros Morne
Marche-à-Terre
Rivière-Madeleine
Manche-d'Épée
Anse-Pleureuse
Grande-Vallée
Petite-Vallée
Pointe-à-la-Frégate
Cloridorme
St-Yon
St-Hélier
L'Anse-à-Valleau
L'Échouerie
Pointe-Jaune
Petit-Cap
Pointe Nord-Ouest
PARC NATIONAL DE FORILLON
Cap-des-Rosiers
FORILLON NATIONAL PARK

132
Rivière-Mont-Louis
Grande-Vallée-des-Monts
Grand-Vallée
St-Thomas-de-Cloridorme
Petite-Rivière-au-Renard
Rivière-au-Renard
L'Anse-au-Griffon
197
Cap-aux-Os
Portage-Griffon
Jersey Cove
Penouille
Cap-des-Rosiers
St-Majorique
Wakeham
Sandy Beach
York
Haldimand
Douglastown
Gaspé

PARC PROV DE LA GASPÉSIE
LES MONTS NOTRE-DAME CHIC-CHOCS
Mont Jacques-Cartier
.1268
Murdochville
739
198
Mont Logan
1135
Mont de Cherbourg

299
6
Deslandes
St-Bernard-des-Lacs
Shickshock
Lac-St-Ignace
Cap-Seize
St-Octave-de-l'Avenir
Grand Plaquet

E 67° F 66° G 65° H 64°

10 0 10 20 30 40 50
kilomètres   1 : 1 250 000   kilomètres

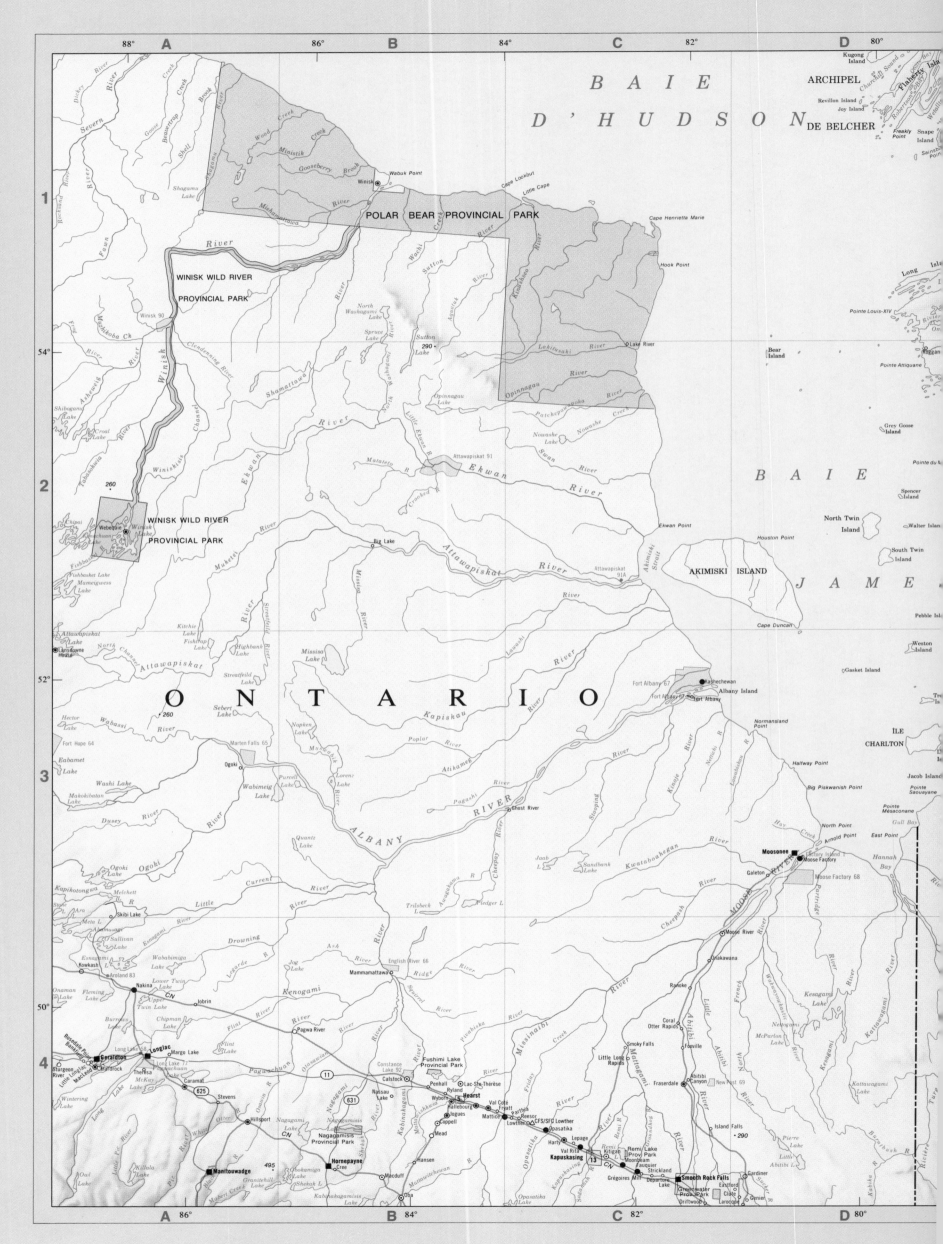

78° E   76°   F   74°   G   72°   H   70°

QUÉBEC

Tukarak Island
Ile Bélanger
Duck Island
Castle Island
Merry Island
Poste-de-la-Baleine
Kanaaupscow
Radisson
La Grande-Trois
Sakami
rt-George
La Grande Rivière
Réservoir
Duncan
Nouveau-Comptoir (Wemindji)
Vieux-Comptoir
Eastmain
Fort-Rupert
Némiscau
Baie-du-Poste
Matagami
Joutel
Miquelon
Lac-Bachelor
Desmaraisville
Lac-Cameron
Chibougamau
Chapais
Rivière-Boisvert
Dépôt-des-Loutres
Chute-des-Passes
Melançon
Canton-Pelletier
St-Stanislas
Ste-Elisabeth-de-Proulx
Girardville
St-Eugène
Mistassini
Ste-Jeanne-d'Arc
Poisson-Blanc

Lac à l'Eau Claire
Lac Bienville
Lac Delorme
Rivière de la Baleine
Grande rivière de la Baleine
Kanaaupscow
Rivière
Grande Rivière
Rivière Sakami
Rivière Eastmain
Rivière Opinaca
Rivière Broadback
Rivière de Rupert
Lac Mistassini
Rivière Témiscamie
Rivière Péribonca

167
113
109
CN
403
551
693
840
1041
385
716
594
11

E 78°   F 76°   G 74°   H 72°

20   0   20   40   60   80   100
kilomètres   **1 : 2 500 000**   kilomètres

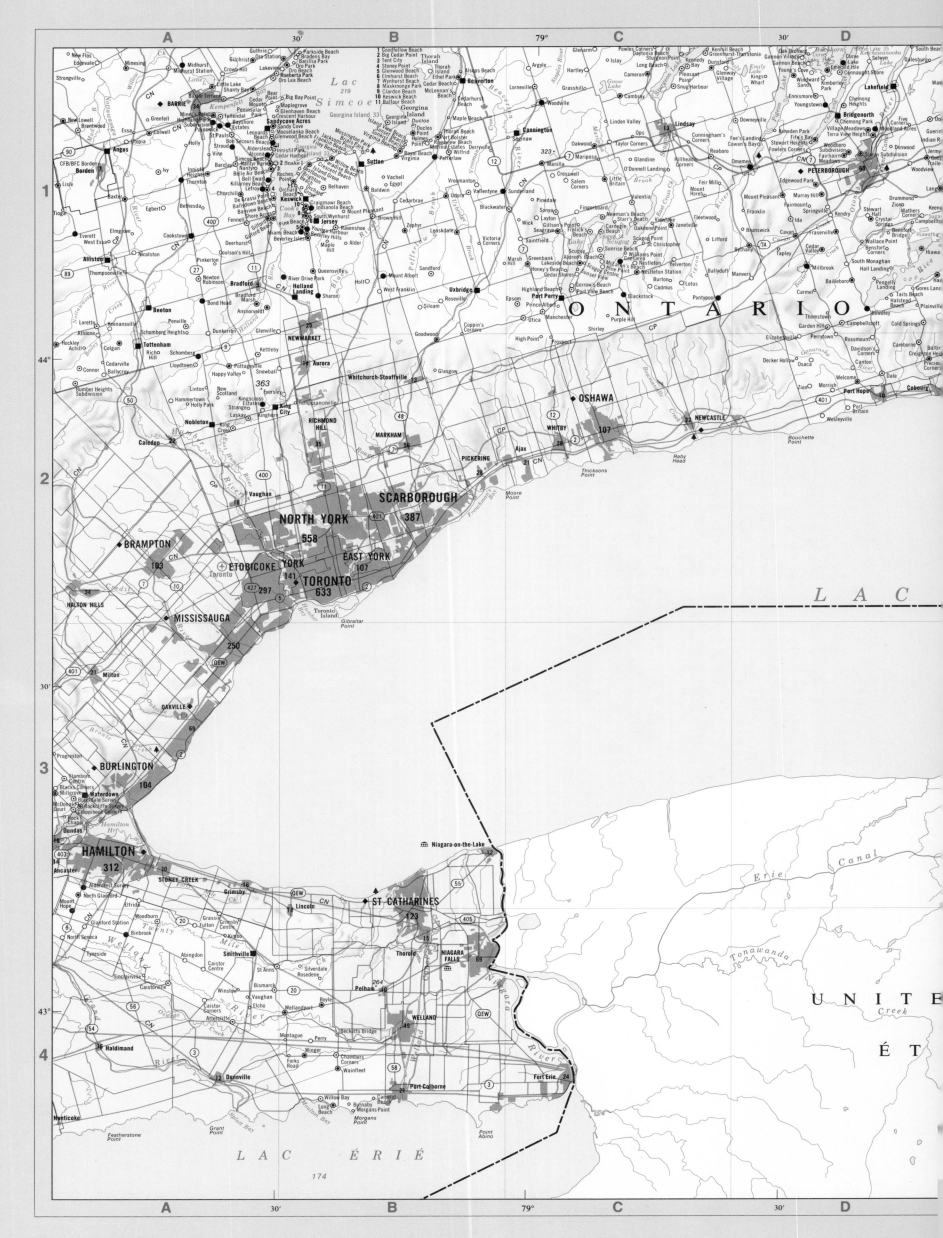

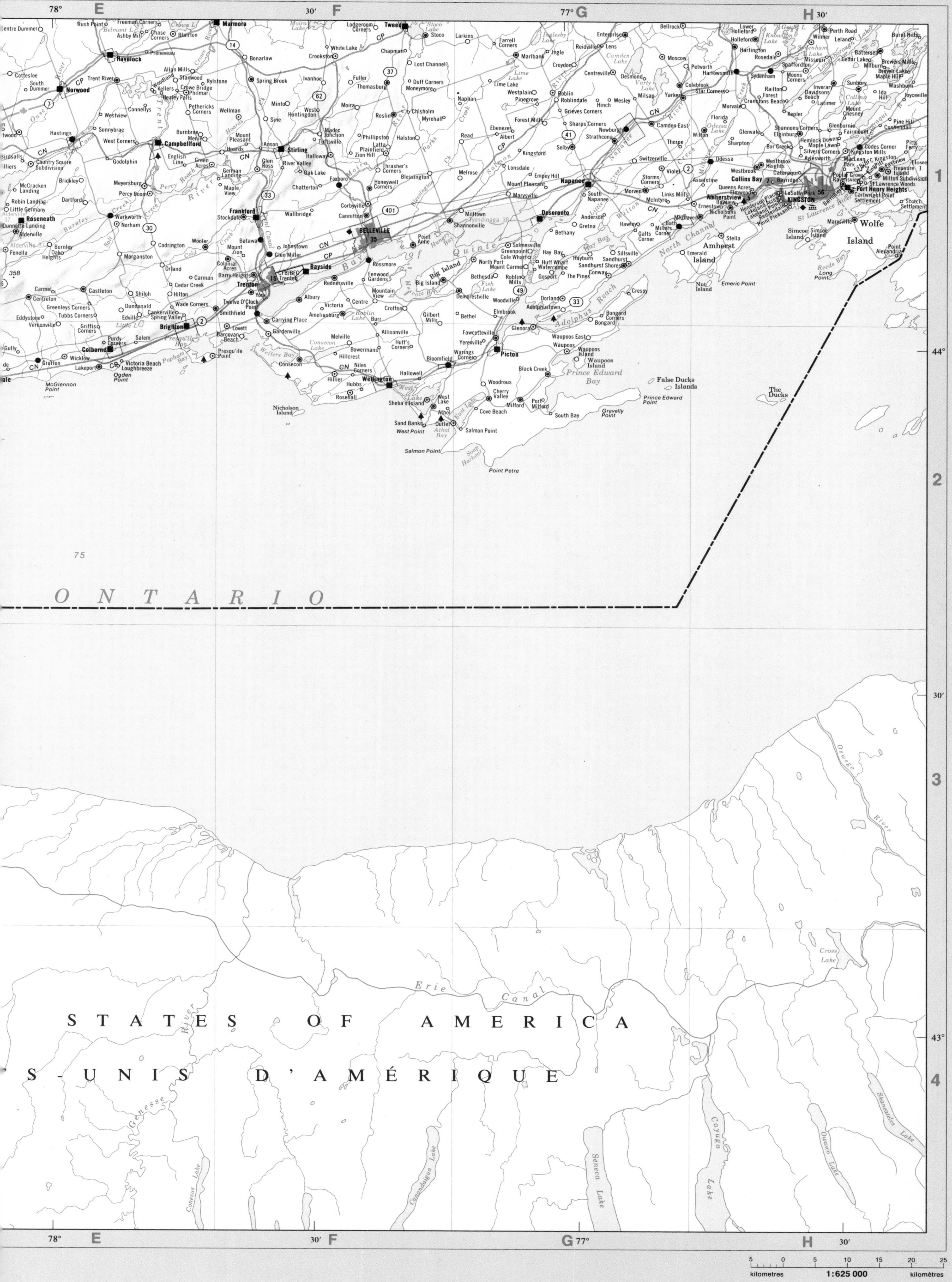

O N T A R I O

S T A T E S   O F   A M E R I C A

É T A T S - U N I S   D ' A M É R I Q U E

KINGSTON

Wolfe Island

BELLEVILLE

Trenton

Napanee

Deseronto

Picton

Campbellford

Norwood

Havelock

Marmora

Tweed

Stirling

Frankford

Bayside

Brighton

Colborne

Wellington

Amherst Island

Collins Bay

Prince Edward Bay

Adolphus Reach

Bay of Quinte

Presqu'ile Bay

Weller's Bay

West Lake

Consecon Lake

East Lake

Prince Edward Point

Point Petre

Salmon Point

Sand Banks

The Ducks

False Ducks Islands

Gravelly Point

Emeric Point

North Channel

St Lawrence

Oswego River

Erie Canal

Genesee River

Seneca Lake

Cayuga Lake

Canandaigua Lake

Skaneateles Lake

Owasco Lake

Cross Lake

```
5    0    5    10   15   20   25
kilometres    1:625 000    kilometres
```

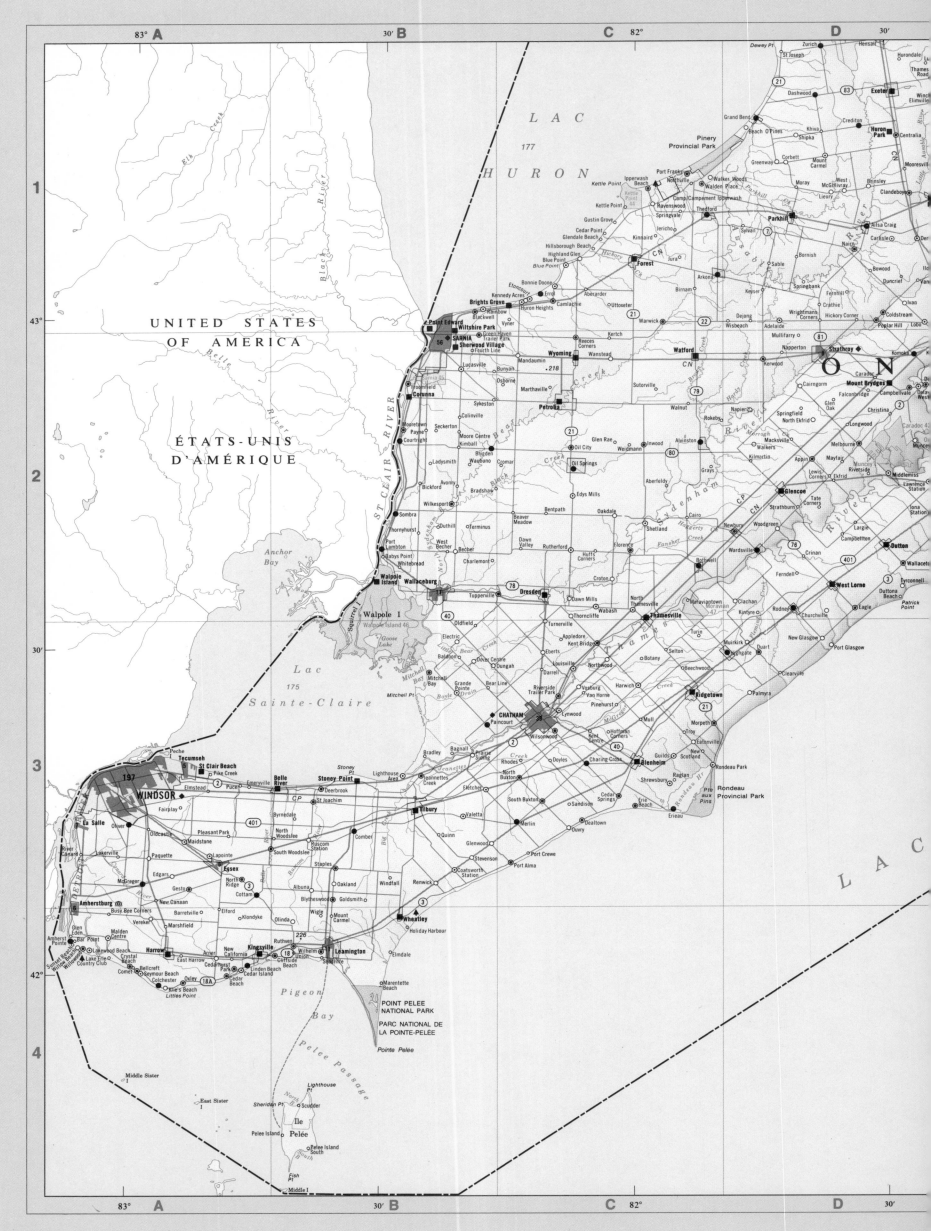

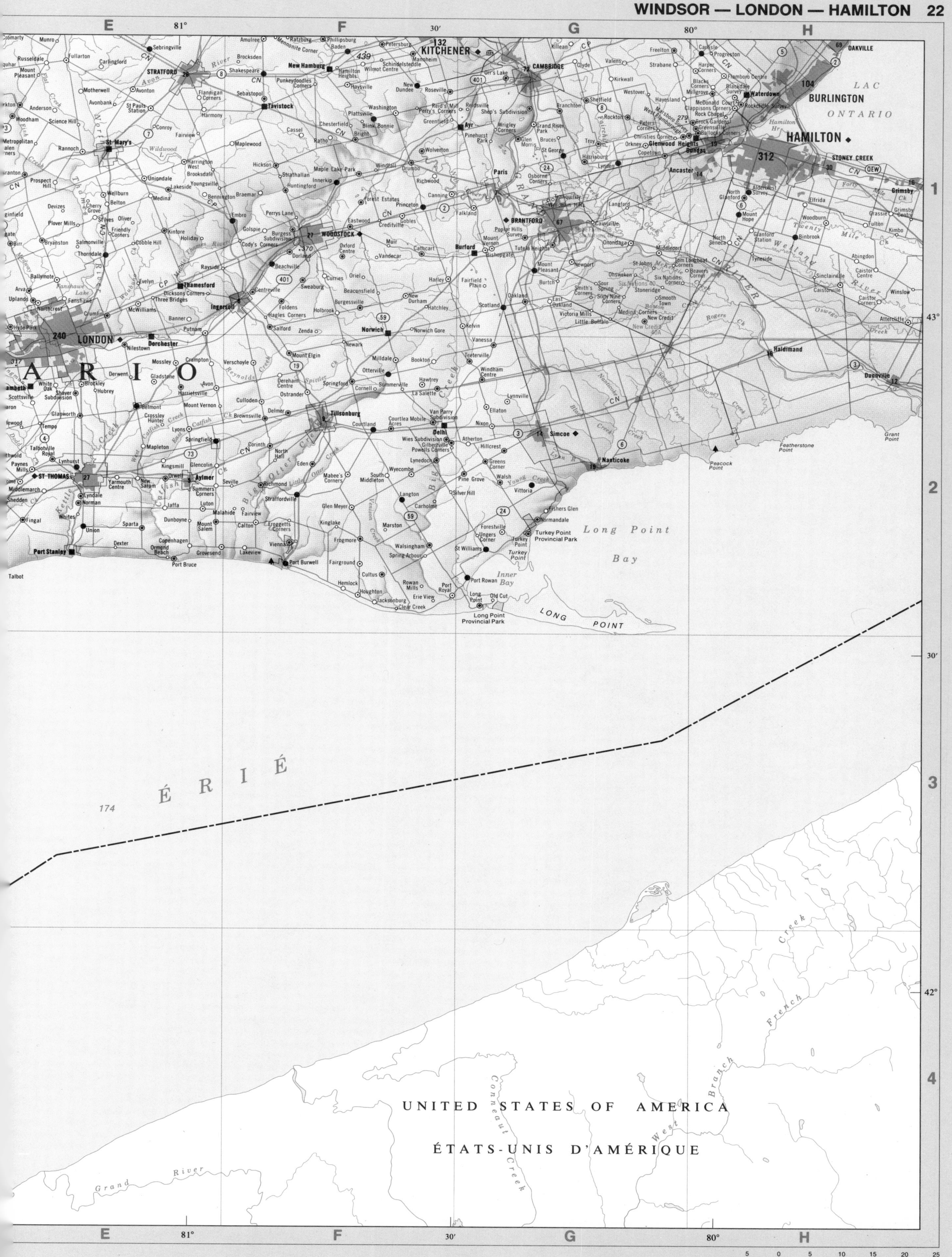

E 81° F 30' G 80° H

Major place names

STRATFORD, KITCHENER, CAMBRIDGE, WATERDOWN, BURLINGTON, HAMILTON, STONEY CREEK, OAKVILLE, Grimsby, Dundas, Ancaster, Glenwood Heights, St. Mary's, Tavistock, New Hamburg, Baden, Petersburg, Ayr, Paris, BRANTFORD, Woodstock, Ingersoll, Thamesford, Burford, Norwich, LONDON, Dorchester, St. Thomas, Aylmer, Tillsonburg, Delhi, Simcoe, Nanticoke, Haldimand, Dunnville, Port Stanley, Port Burwell, Port Rowan, St. Williams, Vittoria

LAC ONTARIO

LAC ÉRIÉ

Long Point Bay
Inner Bay
LONG POINT
Long Point Provincial Park
Turkey Point Provincial Park

Six Nations I.R.
New Credit I.R.

Grand River

UNITED STATES OF AMERICA

ÉTATS-UNIS D'AMÉRIQUE

Conneaut Creek
French Creek
West Branch

43°
30'
42°

1 · 2 · 3 · 4

5 0 5 10 15 20 25
kilomètres   kilomètres
1:625 000

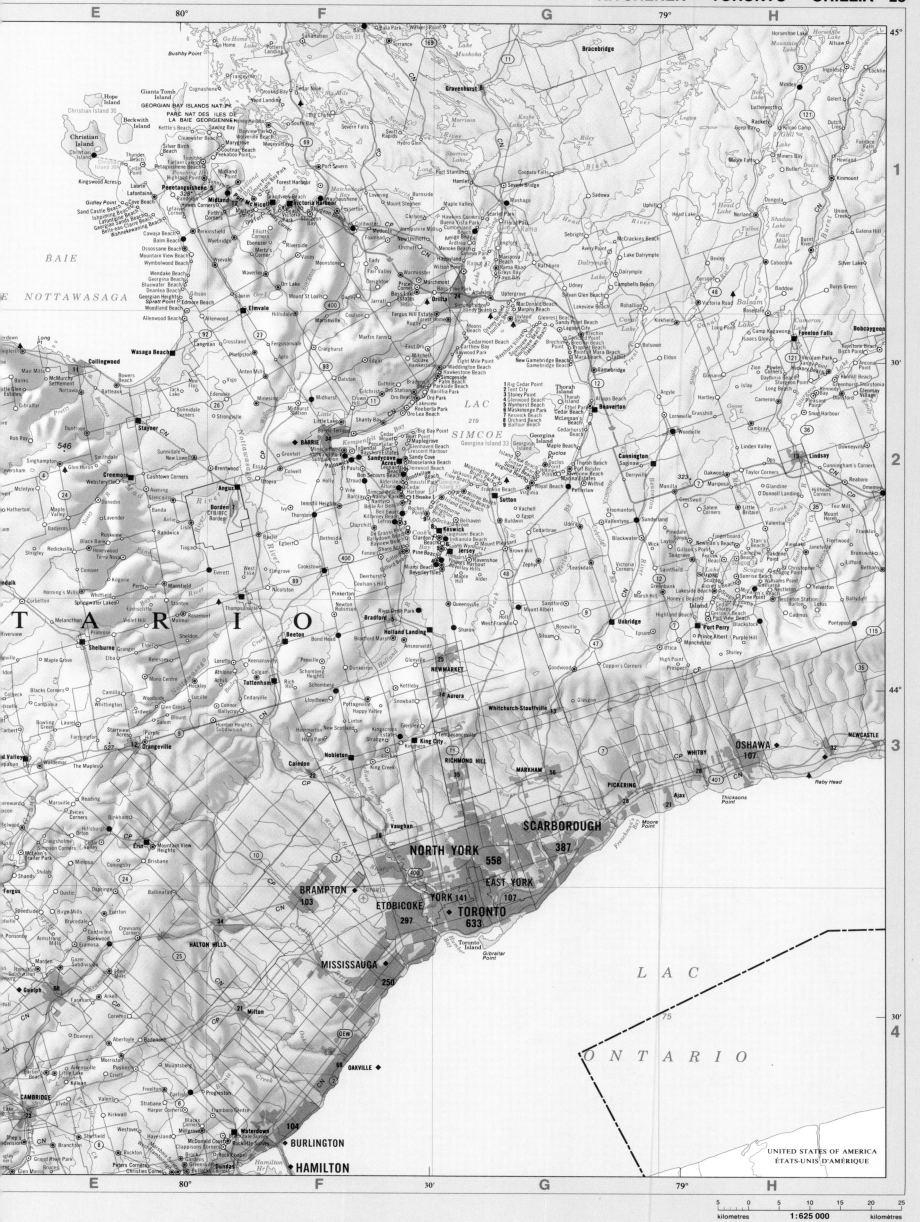

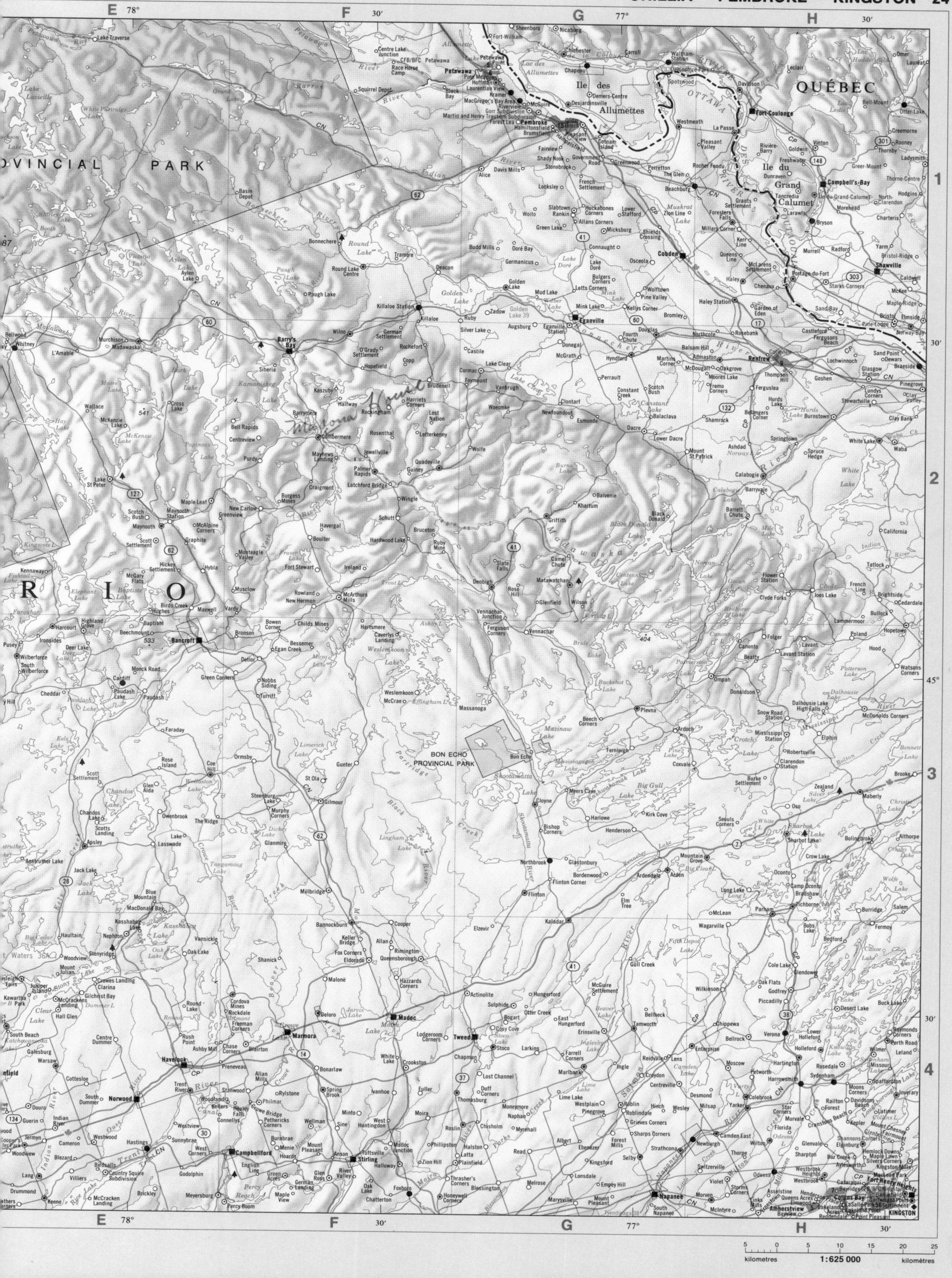

E 78° F 30' G 77° H 30'

QUÉBEC

Ile des Allumettes

Ile du Grand Calumet

OTTAWA

PROVINCIAL PARK

Petawawa
Pembroke
Barry's Bay
Bancroft
Renfrew
Eganville
Cobden
Campbell's-Bay
Shawville
Fort Coulonge

BON ECHO
PROVINCIAL PARK

Madoc
Marmora
Tweed
Havelock
Norwood
Campbellford
Stirling
Napanee
KINGSTON

1
30'
2
45'
3
30'
4

5   0   5   10   15   20   25
kilometres   kilometres
1:625 000

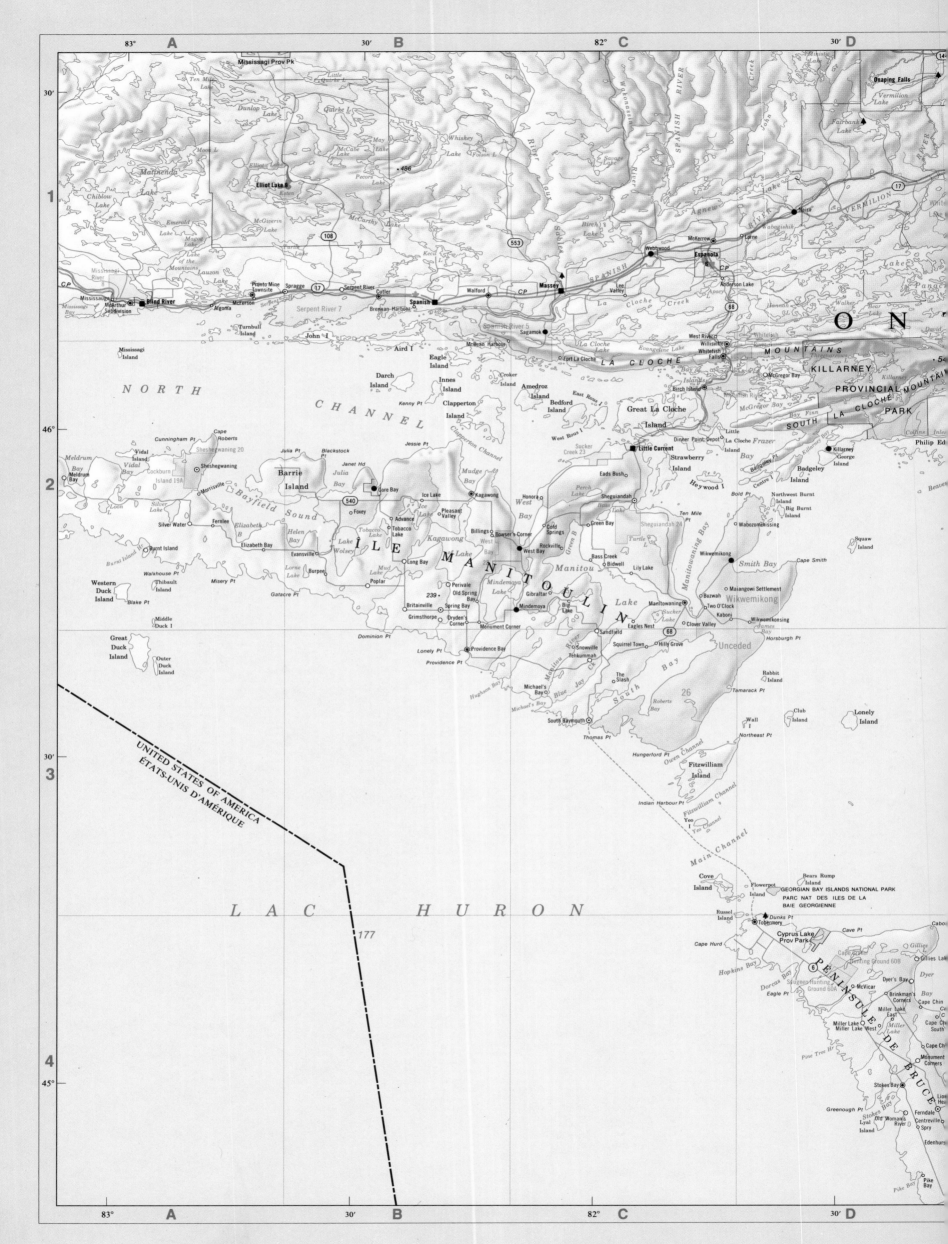

ELLIOT LAKE — SUDBURY — PARRY SOUND

ONTARIO

LAC NIPISSING

BAIE GEORGIENNE

RIVIÈRE DES FRANÇAIS

Major places: Sudbury, Nickel Centre, Valley East, Balfour, Markstay, Hagar, Warren, Verner, Caderette, Cache Bay, Sturgeon Falls, North Bay, Callander, Powassan, South River, Sundridge, Burk's Falls, Magnetawan, Parry Sound, Bracebridge, Gravenhurst, Bala, MacTier, Huntsville, Restoule, Loring, Britt, Byng Inlet, Pointe au Baril Station, Shawanaga, Killbear Point Prov Pk, Grundy Lake Provincial Park, French River, Noelville, Monetville, Alban, Estaire, Burwash, Cape Croker, Christian Island, Beckwith Island, Hope Island.

Georgian Bay Islands Nat Pk / Parc National des Îles de la Baie Georgienne

Scale 1:625 000

kilometres 5 0 5 10 15 20 25 kilometres

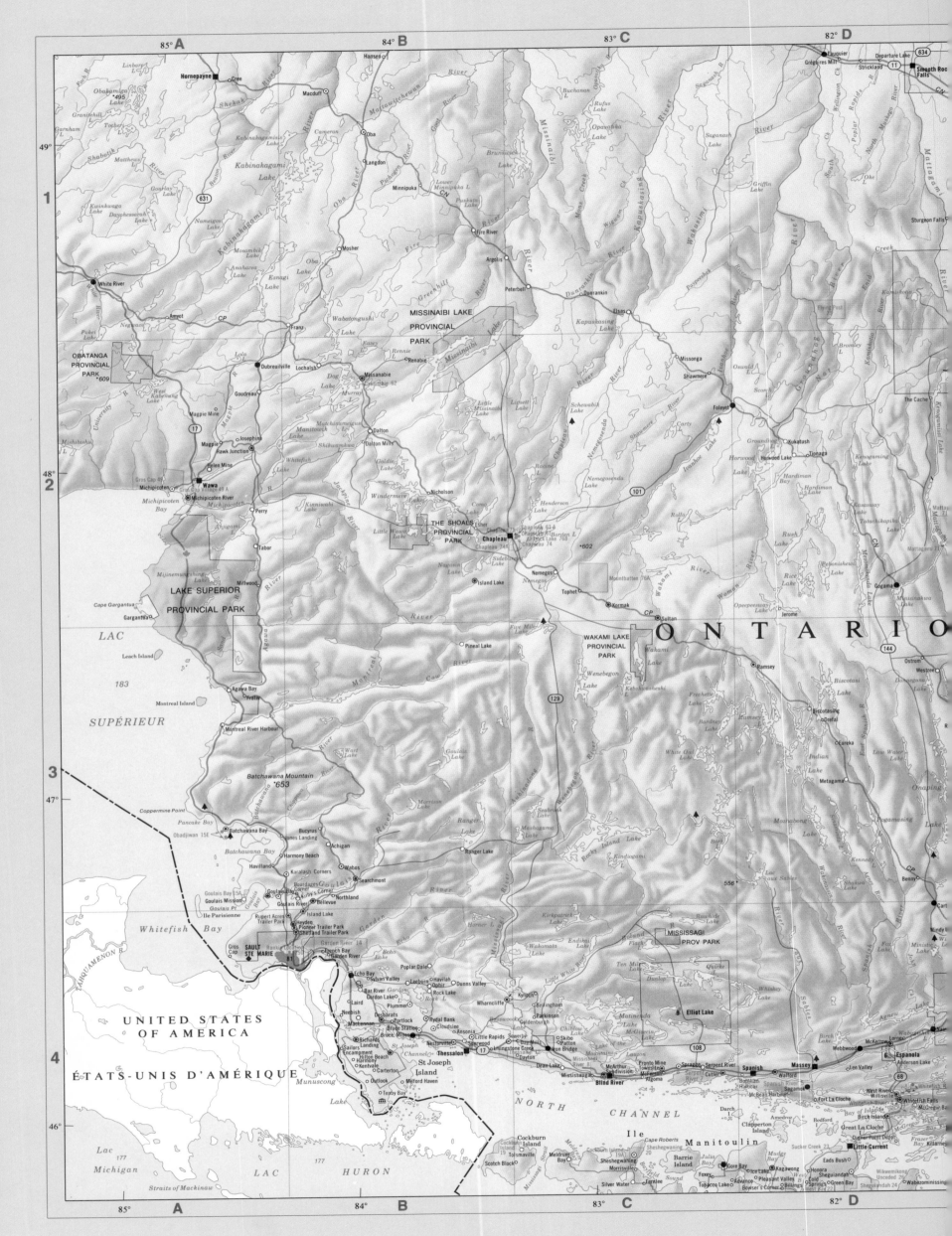

Grid references (top): E 81° F 80° G 79° H 78°

Row markers (right): 49° — 1 — 48° — 2 — 47° — 3 — 46° — 4

QUÉBEC

ALGONQUIN PROVINCIAL PARK

ESKER LAKES PROVINCIAL PARK

Major places:
Cochrane, Iroquois Falls, Matheson, TIMMINS, Ramore, Kirkland Lake, Larder Lake, Virginiatown, Englehart, Earlton, Elk Lake, New Liskeard, Haileybury, Cobalt, Latchford, Temagami, Sturgeon Falls, Verner, Warren, Hagar, Markstay, Capreol, SUDBURY, Walden, Rayside-Balfour, Nickel Centre, Valley East, North Bay, Callander, Powassan, Mattawa, Témiscaming, Matachewan, Gowganda, Shining Tree, Crystal Falls, South River, Trout Creek.

Québec side:
Normétal, La Sarre, Macamic, Authier, Taschereau, Amos, Barraute, Duparquet, Évain, Noranda, Rouyn, Cadillac, Malartic, Val-d'Or, Sullivan, Ville-Marie, Notre-Dame-du-Nord, Lorrainville, Fugèreville, Laforce, Angliers, Latulipe, Belleterre, Kipawa, Val-Paradis, Villebois, Dupuy, Clerval, Palmarolle, Roquemaure, D'Alembert, Destor, Preissac, Cléricy, Mont-Brun, La Corne, Le Motte, Rivière-Héva, Cadillac, Vassan, Val-Senneville, Rivière-Thompson, Colombière.

Rivers / lakes:
Abitibi River, Black River, Montreal River, Englehart River, Blanche River, RIVIÈRE DES OUTAOUAIS, Lac Abitibi, Lake Timiskaming, Lac Nipissing, Lac des Quinze, Lac Kipawa, Lac Simard, Wanapitei Lake, Lac Témiscaming.

Scale:
10 0 10 20 30 40 50 kilomètres
1 : 1 250 000
kilomètres

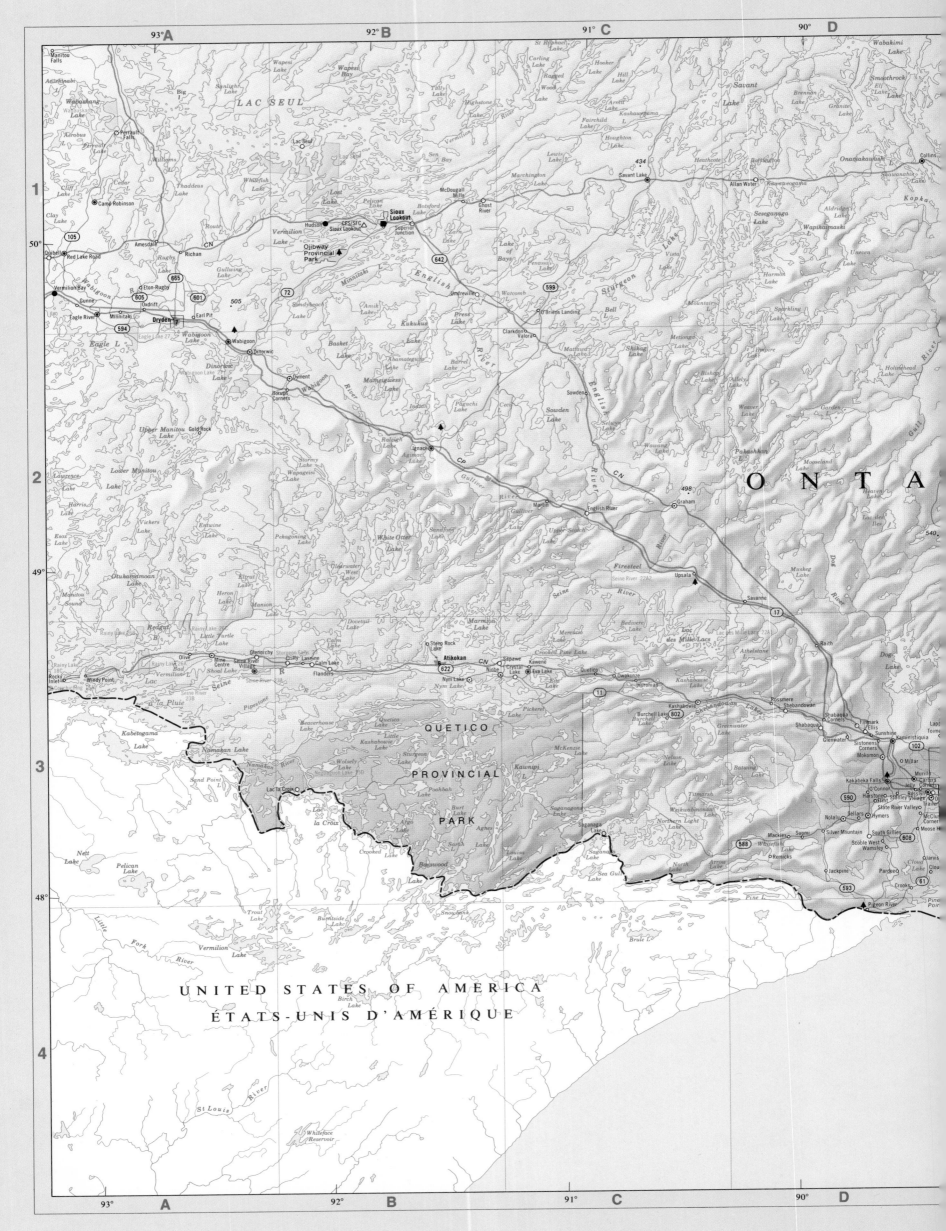

89° E   88° F   87° G   86° H

Mojikit Lake

Linklater
Caribou Lake
Bur Lake
Armstrong
CN
Mud River
Ferland
North Peninsula

Ombika Bay
Ombabika
Auden
Tashota

Kowkash

Skibi Lake

Stone Lake
Arn Lake
Meta Lake

Abamasagi Lake
O'Sullivan Lake
Esnagami

Kapikotongwa River
Ottertail River

Zigzag Lake
Frank Lake

Summit L
Toronto Lake
Willet Lake

Elbow Lake

Lucy Lake

Wawong Lake

Current

643

Nakina
Lower Twin Lake
CN
Upper Twin Lake
Jobrin

Kenogami River

Drowning River

Legarde River

Jog Lake

Wallstiguam R

50°

Hunt Island
Logan Island
Murchison Island
Geikie Island
260

Wawevit Lake
Wabinosh Lake
South Peninsula

Onaman River
Onaman Lake

North Wind Lake
East Bay

Humboldt Bay

Trepaw Lake

Greta Lake

Burrows Lake

Poila Lake

584

Alfred Lake

Long Lake

Margo Lake
Longlac
11

Chipman Lake

Shorabar Lake
Castlebar Lake

Fensou Lake

Flint Lake
Klotz Lake

Kelvin Island

Bull Bay
Grell Bay

Kasitikikwa Lake

Caribou Lake

NIPIGON
Shakespeare Island

Katatota Island

Macoun Islands
Alexandra Island

801

Jellicoe
Nezah
Blackwater River

Sturgeon River

Geraldton
Bankfield
Little Longlac
MacLeod
Rosedale Point
Hardrock

Kenogamisis

Wildgoose

Long Lake

625
Theresa

Pagwachuan Lake

Caramat
CN

Pagwachuan River

River

Grand Bay

McIntyre Bay

580
Beardmore
Tansleyville
CN

Poplar Lodge

Lake Nipigon Provincial Park

Namewaminikan River

Parks Lake

McKay Lake

Gamsby Lake

Steel Lake

Stevens

Hillsport

Black Sturgeon Lake

I O

South Bay

Farlinger
Macdiarmid
Orient Bay

Forgan Lake
Pine Portage
East McKirdy

Jessie Lake

Lake Jean

Barbara Lake

Upper Haslyn Lake

Dickison

Nagagami Lake

White River

CN

Manitouwadge

Garnham Lake

49°

McIntyre Bay

Shillabeer Lake

Frazer Lake

Cameron Falls

585
Red Rock 5

Helen Lake
Lake Helen 53

Wentering Lake

Killala Lake

614

Shabotik

Eagleshead Lake

Sturgeon River

Nipigon
Red Rock

Vert L

17

Nipigon Bay

Cavers
Pays Plato
Pays Plat 51

593

Sanky Lake

Gravel River

Owl Lake

Little Pic River

Pic River

Vein Lake

Garnham Lake

Kuinkuaga Lake
White Lake

Everard
Coughlin
Burkett

St Ignace Island
569

Rossport
Selim
Copper
Wilson

Schreiber
CP
Terrace Bay

Neys Provincial Park
Neys
Ripple

Ashburton Bay
Coldwell

White Lake Provincial Park
Regan
Trudeau
Hebert St

17

Greenwich Lake

Dorion
Dorion Landing
Quimet
Bowker
Pearl
CN

Fluor Island

Sheshegan Bay

Jackfish Channel

Bottle Point

Slate Islands

Patterson Island

Pic Island
Marathon
Heron Bay
Pic River
Pic River

Hemlo CP

Herrick Lake

White R

Stepstone
566
Mackenzie
11
17
Beck CP
Loon

Amethyst Harbour
Passo
Knudsens Corner

Johnsons Landing

Black Bay Peninsula

Black Bay

Brodeur Island

Campbell Pt

Oiseau Point

PUKASKWA

NATIONAL PARK

Tip Top Mountain
640

PARC NATIONAL

DU PUKASKWA

Pukaskwa R

Bremner River

3

NDER BAY

Wild Goose
Silver Harbour
SIBLEY
PROVINCIAL

Thunder PARK

Welcome Islands
Magnet Pt
Edward Island

Silver Islet

Sibley Peninsula

Thunder Cape

Fort William 52

Pie Island

Thompson Island

Otter Island

Pukaskwa Depot
Pointe La Canadienne

Mishibishu Lake

48°

183

LAC   SUPÉRIEUR

Michipicoten Island
Quebec Harbour

Caribou Island

4

89° E   88° F   87° G   86° H

10 0 10 20 30 40 50
kilometres   1:1 250 000   kilomètres

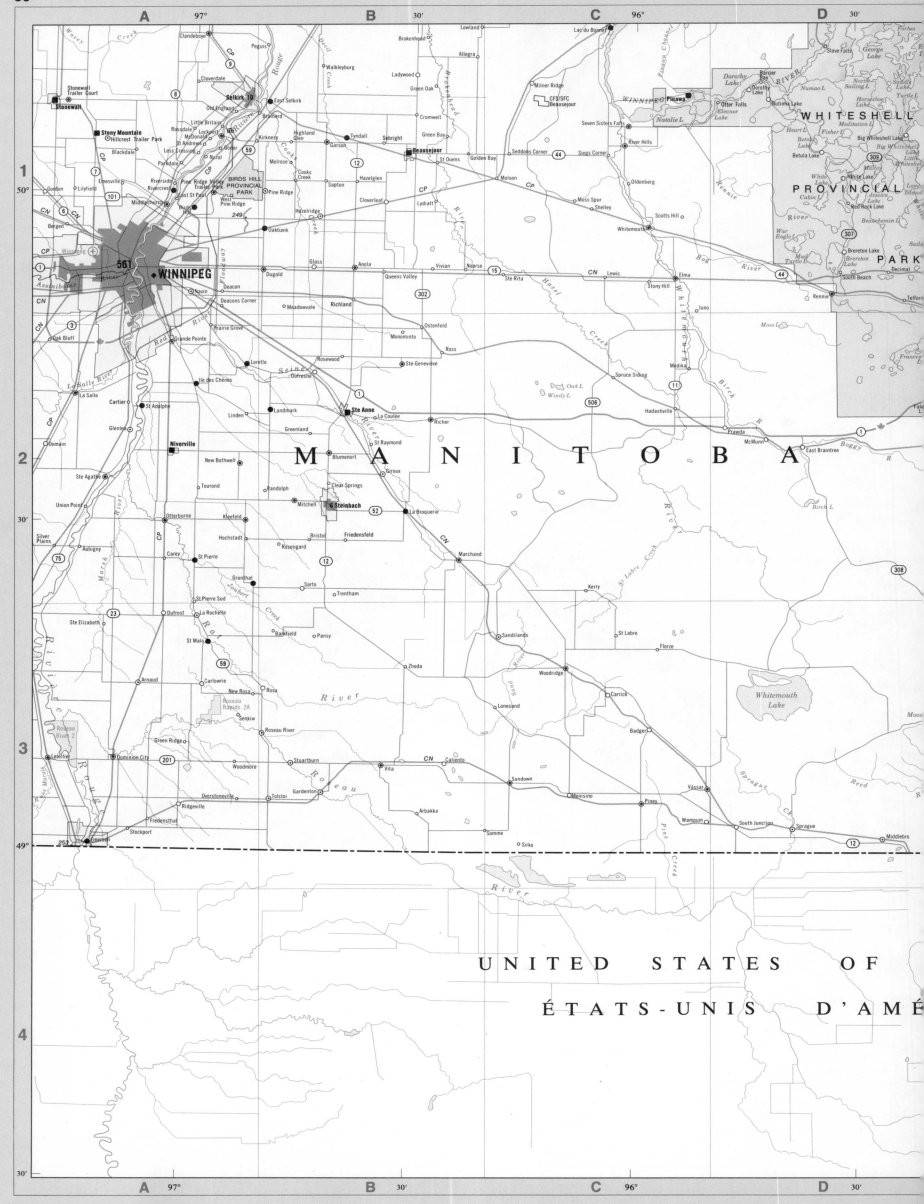

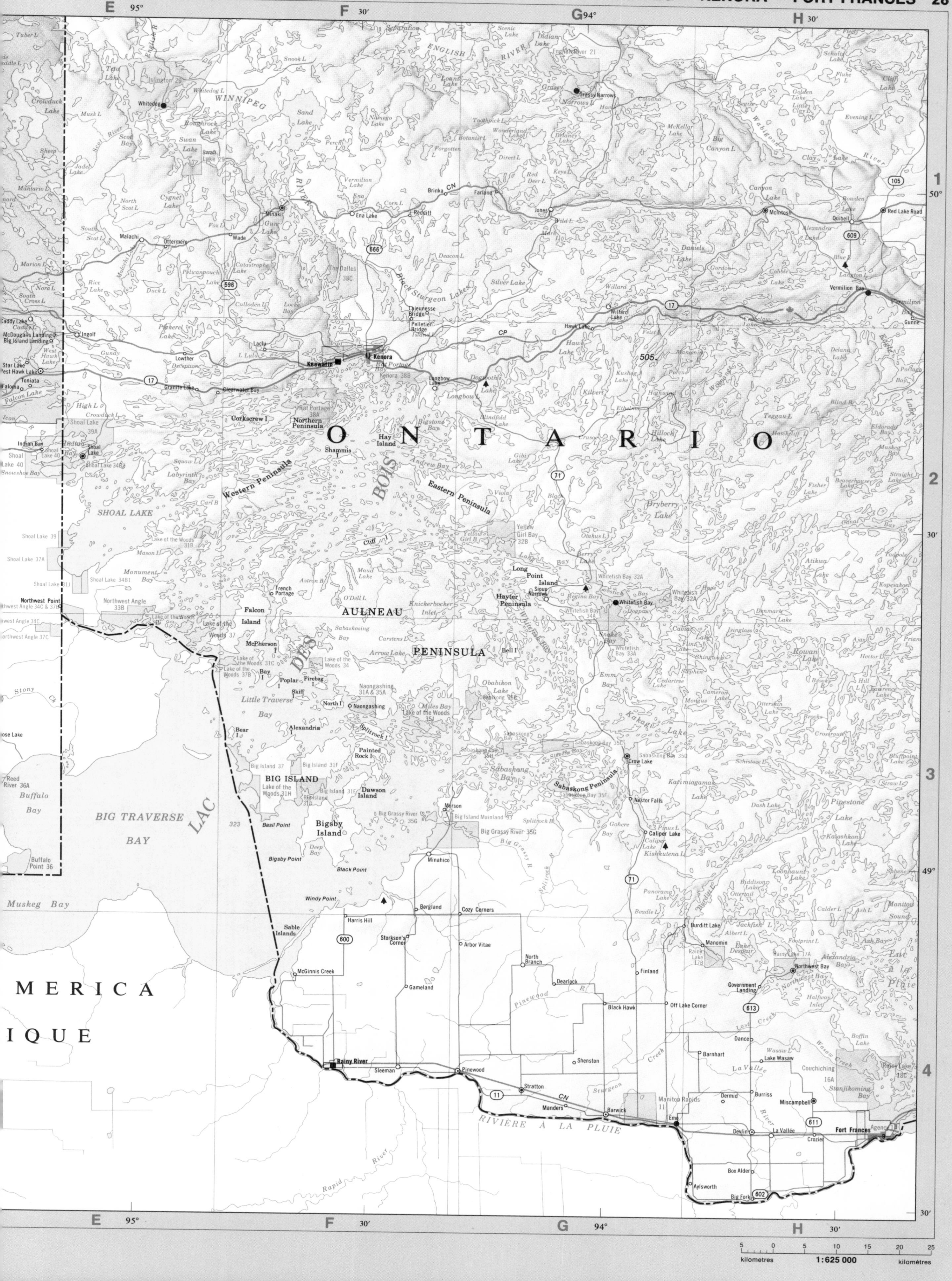

ONTARIO

WINNIPEG

AULNEAU PENINSULA

BOIS DES LAC

SHOAL LAKE

BIG TRAVERSE BAY

BIG ISLAND
Lake of the Woods 31H

Bigsby Island

MERICA

IQUE

Muskeg Bay

Buffalo Bay

Buffalo Point 36

Kenora
Keewatin
Minaki
Whitedog
Malachi
Ottermere
Wade
Ingolf
Laclu
Granite Lake
Clearwater Bay
Corkscrew I.
Northern Peninsula
Hay Island
Shammis
Western Peninsula
Eastern Peninsula
Longbow
Brinka
Corn L.
Ena Lake
Redditt
Fartlane
Jones
Wilfard Lake
Hawk Lake
McIntosh
Vermilion Bay
Red Lake Road
Quibell
Bowden
Grassy Narrows
Long Point Island
Hayter Peninsula
Whitefish Bay
Sioux Narrows
Crow Lake
Nestor Falls
Caliper Lake
Sabaskong Peninsula
Sabaskong Bay
Dawson Island
Morson
Big Grassy River 35G
Minahico
Bergland
Cozy Corners
Windy Point
Sable Islands
Harris Hill
Storkson's Corners
Arbor Vitae
McGinnis Creek
Gameland
North Branch
Dearlock
Finland
Black Hawk
Off Lake Corner
Burditt Lake
Manomin
Government Landing
Northwest Bay
Rainy River
Sleeman
Pinewood
Stratton
Manders
Barwick
Shenston
Barnhart
Dance
Manitou Rapids
Dermid
Burriss
Miscampbell
Emo
Devlin
La Vallée
Fort Frances
Crozier
Box Alder
Aylsworth
Big Fork

RIVIÈRE À LA PLUIE

French Portage
Falcon Island
McPherson
Poplar
Firebag
Skiff
North I.
Naongashing
Alexandria
Splitrock I.
Painted Rock I.
Bear I.
Basil Point
Bigsby Point
Deep Bay
Black Point

Shoal Lake 39
Shoal Lake 37A
Shoal Lake 34B
Northwest Point
Northwest Angle 33B
Monument Bay
Mason L.
Labyrinth Bay
Squaw L.
Carl B.

scale 1:625 000
kilometres 5 0 5 10 15 20 25

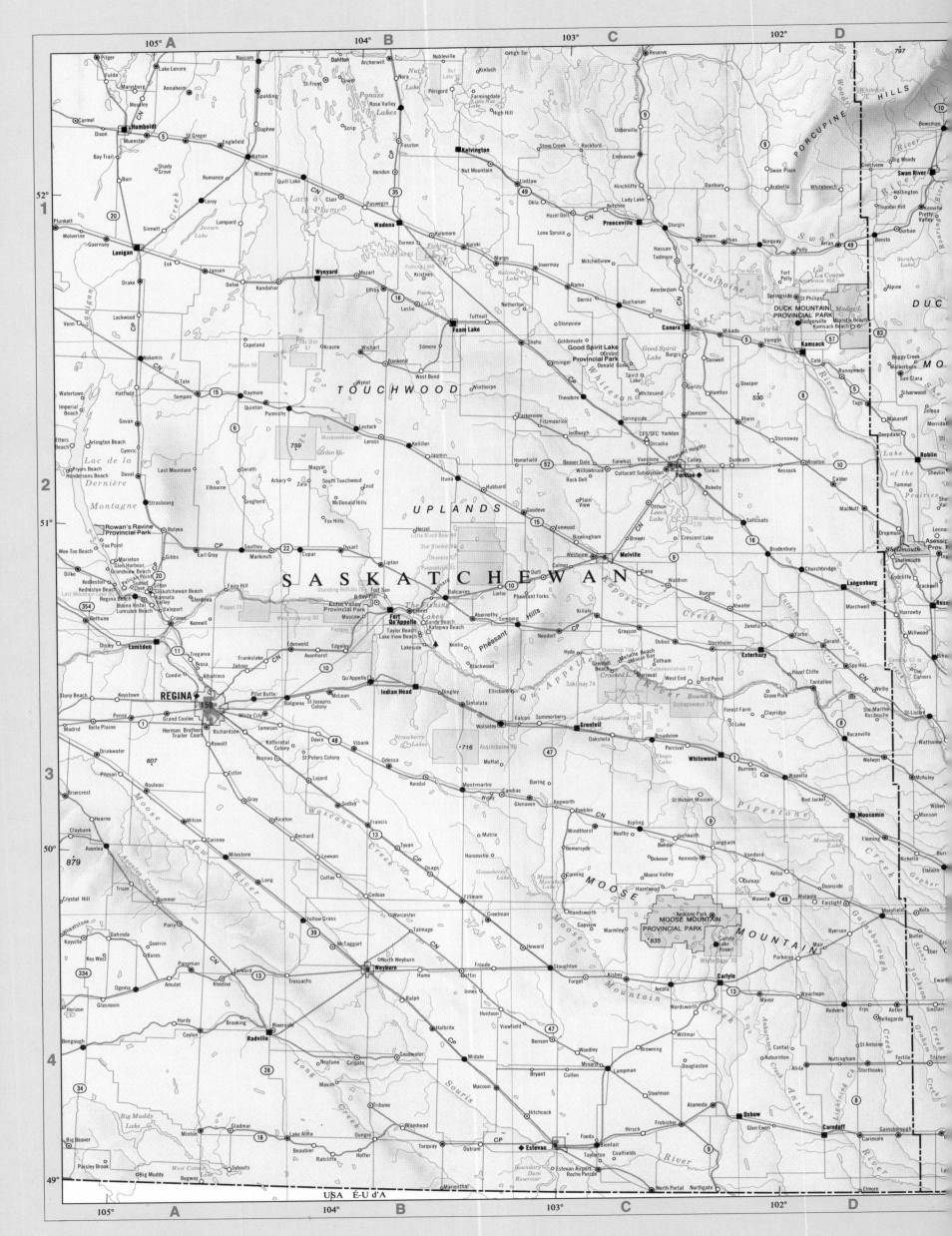

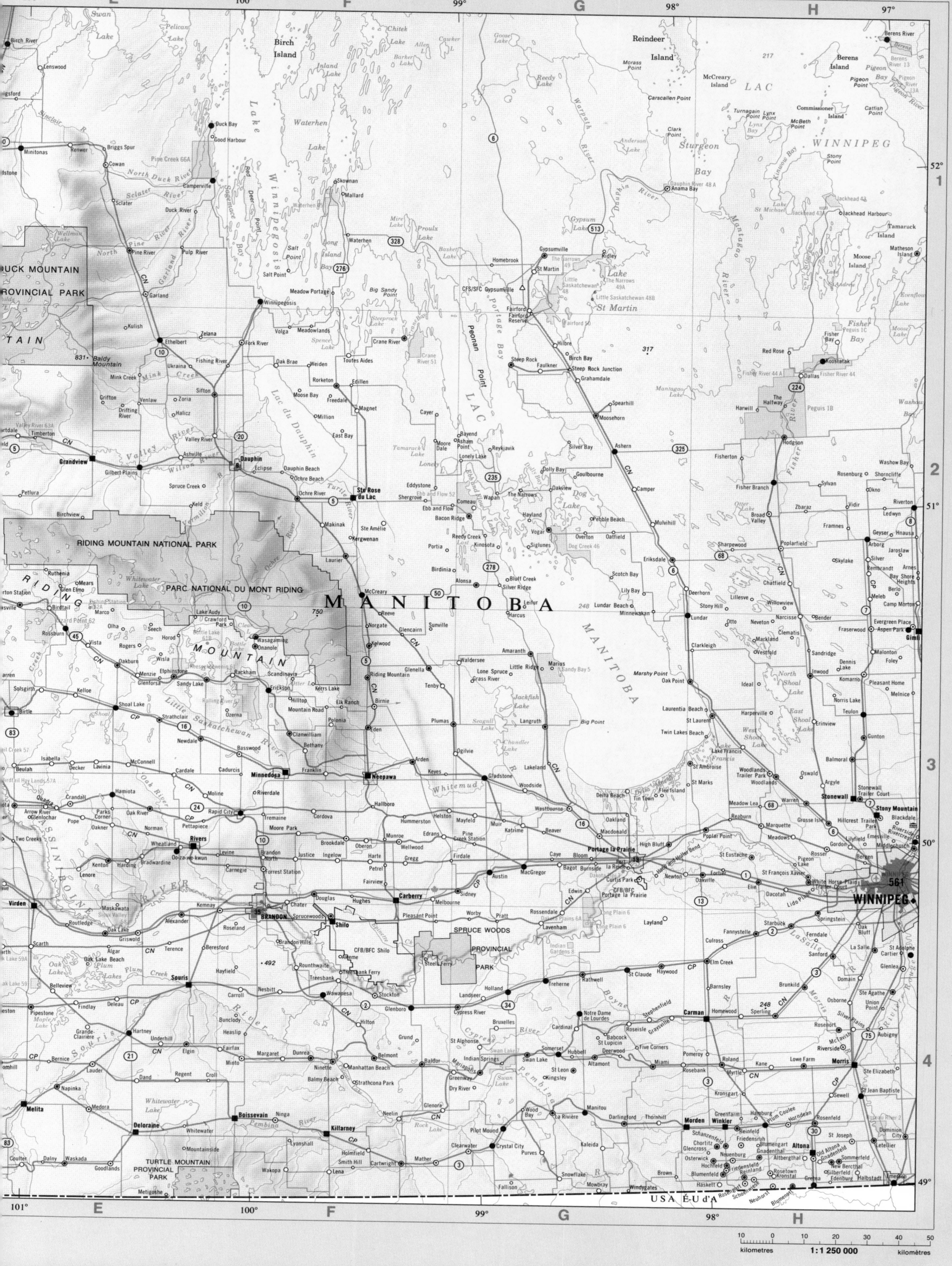

MANITOBA

RIDING MOUNTAIN NATIONAL PARK
PARC NATIONAL DU MONT RIDING

DUCK MOUNTAIN PROVINCIAL PARK

TURTLE MOUNTAIN PROVINCIAL PARK

SPRUCE WOODS PROVINCIAL PARK

WINNIPEG

Lake Winnipegosis
Lake Manitoba
Lac Winnipeg
Dauphin Lake
Whitewater Lake

Winnipeg
Brandon
Portage la Prairie
Dauphin
Stonewall
Morris
Carman
Morden
Winkler
Altona
Virden
Melita
Deloraine
Boissevain
Killarney
Souris
Rivers
Minnedosa
Neepawa
Grandview
Gimli
Ste Rose du Lac
Winnipegosis

USA ÉU d'A

10 0 10 20 30 40 50
kilometres   1 : 1 250 000   kilomètres

E   100°   F   99°   G   98°   H   97°

52° 1

2

51°

3

50°

4

49°

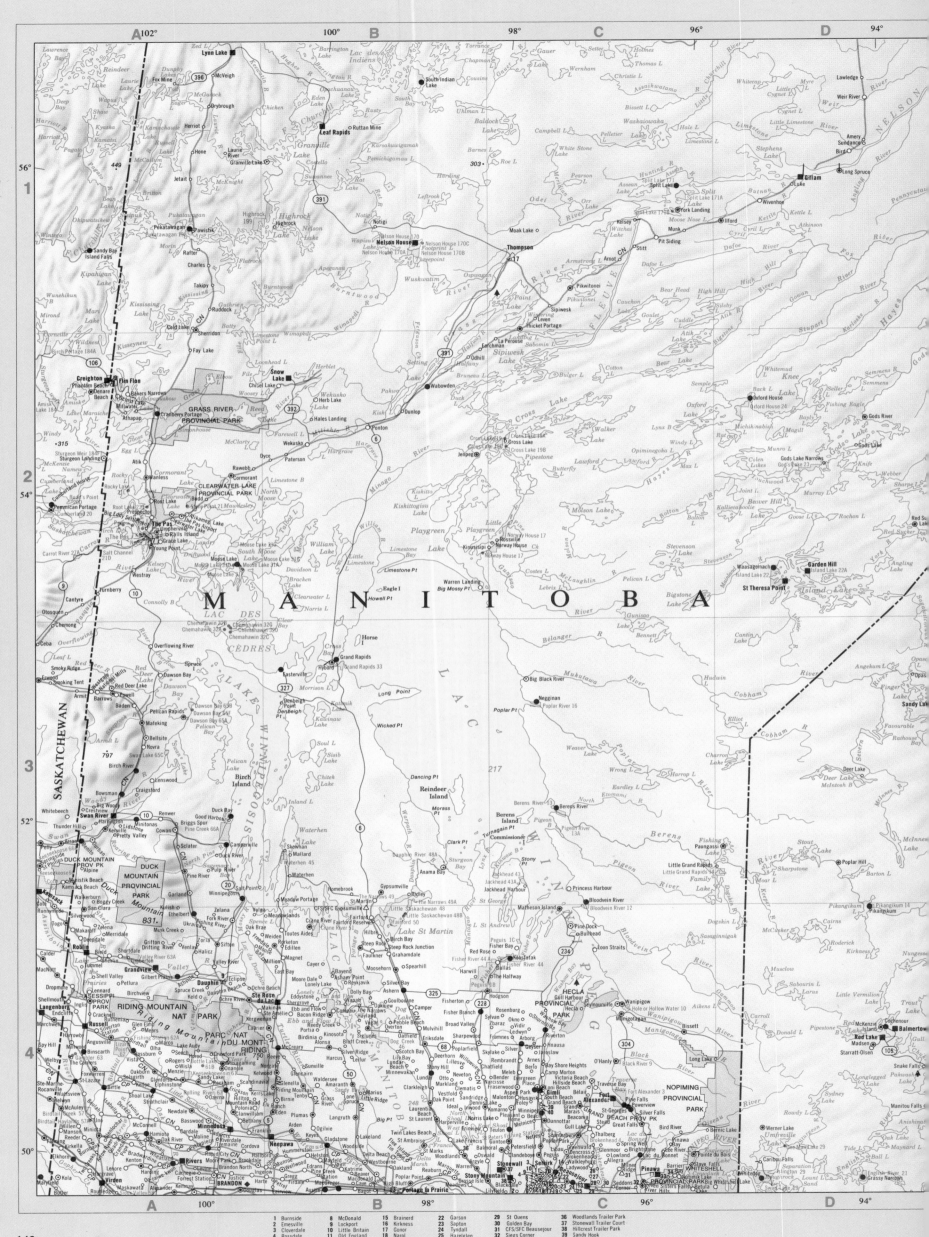

Map legend (bottom center):

1 Burnside
2 Emesville
3 Cloverdale
4 Rossdale
5 Parkdale
6 Riverside
7 St Andrews
8 McDonald
9 Lockport
10 Little Britain
11 Old England
12 Less Crossing
13 Sebright
14 East Selkirk
15 Brainerd
16 Kirkness
17 Gonor
18 Narol
19 Cooks Creek
20 Melrose
21 Highland Glen
22 Garson
23 Sapton
24 Tyndall
25 Hazelgien
26 Green Oak
27 Cromwell
28 Green Bay
29 St Ouens
30 Golden Bay
31 CFS/SFC Beausejour
32 Siegs Corner
33 Otter Falls
34 Dorothy Lake
35 Parks Corner
36 Woodlands Trailer Park
37 Stonewall Trailer Court
38 Hillcrest Trailer Park
39 Sandy Hook
40 Boundary Park

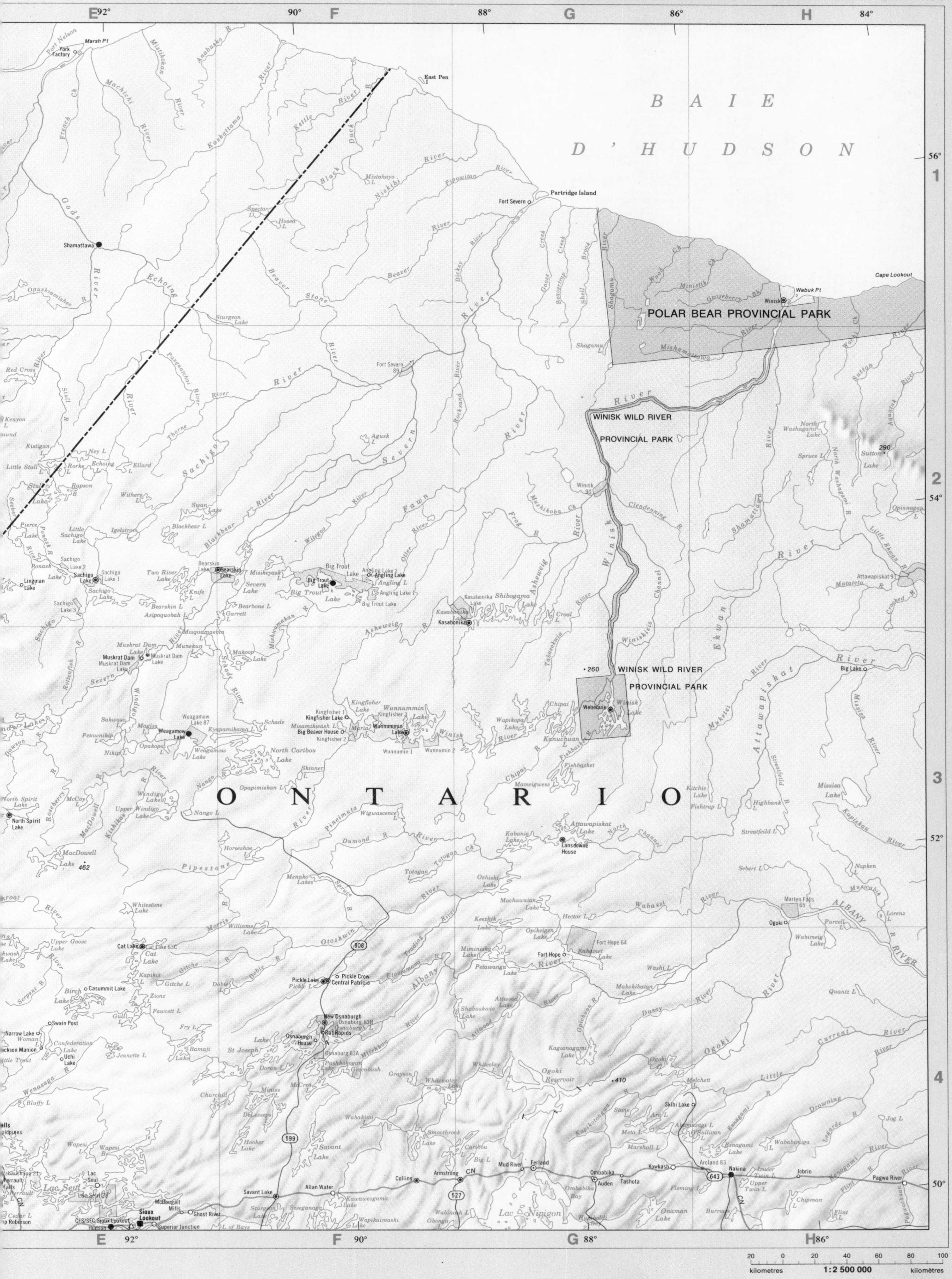

B A I E   D' H U D S O N

POLAR BEAR PROVINCIAL PARK

WINISK WILD RIVER

PROVINCIAL PARK

WINISK WILD RIVER

PROVINCIAL PARK

O N T A R I O

Partridge Island
Fort Severn
Cape Lookout
Wabuk Pt
Winisk

York Factory
Marsh Pt
Shamattawa
Fort Severn 89

Bearskin Lake
Big Trout Lake
Angling Lake
Kasabonika
Kasabonika Lake
Shibogama
Muskrat Dam
Weagamow Lake
Kingfisher Lake
Wunnummin Lake
Big Beaver House
Webequie
Winisk Lake
Kanuchuan

North Spirit Lake
MacDowell Lake
Cat Lake
Pickle Lake
Pickle Crow
Central Patricia
New Osnaburgh
Osnaburgh House
Rat Rapids

Lansdowne House
Attawapiskat Lake
Fort Hope
Eabamet Lake

Marten Falls
Ogoki
Lorenz L
Napken
Missisa Lake

Sioux Lookout
Lac Seul
Savant Lake
Allan Water
Collins
Armstrong   CN
Mud River
Ferland
Ombabika
Auden
Tashota
Kowkash
Nakina
Jobrin
Pagwa River

Lac Nipigon

ALBANY RIVER

20   0   20   40   60   80   100
kilomètres   1 : 2 500 000   kilometres

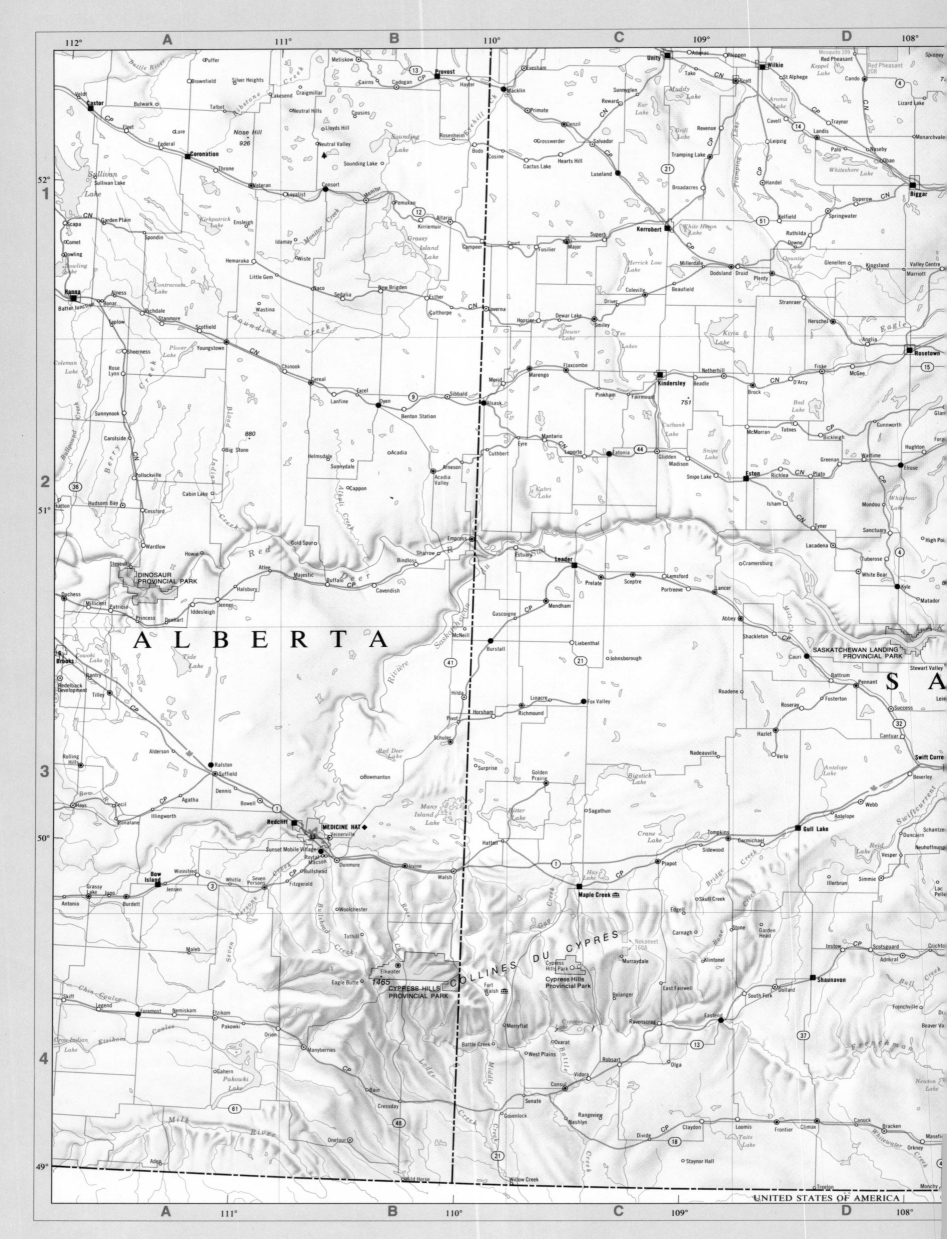

E 107° F 106° G 105° 104° H

Radisson · Mennon · Schonweise · Greenfeld · Gruenthal · Neuanlage · Smuts · 645 · Pilger · Naicam · Cuvier · Nora · Périgord · Farmingham
Sonningdale · Borden · Langham · Dalmeny · Neuhorst · Osler · Rheinland · Blumenheim · Aberdeen · Vonda · Prud'homme · Bremen · Fulda · Lake Lenore · Spalding · St-Front · Annaheim · Marysburg · Moseley · Daphne · Scrip · Fosston · Rose Valley · Little Nut L.
Struan · Arelee · Warman · Martensville · CN · 11 · Bergheim · Muskiki Lake · Muskiki Springs · Bruno · Carmel · Dixon · Muenster · St Gregor · Englefeld · Watson · Romance · Hendon · Kelvington · 49
Environ · 12 · 41 · Sagehill · CFS/SFC Dana · Dana · Humboldt · Wimmer · Quill Lake · Clair · Paswegin · Kuroki · Wadena
Asquith · Dunfermline · Edzell · St-Denis · Peterson · Bay Trail · Shady Grove · Lacs à la Plume · Kylemore · Fishing Lake
SASKATOON · 14 · 134 · Grandora · Cordale · Floral · Cheviot · Rutan · Meacham · Burr · Leroy · Lampard · Sinnett · Jansen Lake · Tornea · Fishing Lake · Kristnes
Kinley · CP · CN · 5 · Glasswood · Clavet · Blucher · Elstow · Colonsay · Arpiers · Neely · Plunkett · Wolverine · Guernsey · Esk · Dafoe · Kandahar · Wynyard · Mozart · Elfros · Leslie · Foam Lake
Perdue · Vanscoy · Vade · Bradwell · Allan · Zelma · Ancrum · Young · Lanigan · Drake · Jansen · Foam Lake · Edmore
Harris · Delisle · Pike Lake Provincial Park · Dundurn · South Allan · Plassey · Manitou Beach · Lockwood · Copeland · Krasne · Wishart · Bankend · West Bend
Crystal Beach · Swanson · Whitecap · Camp Dundurn · Allan Hills · Little Manitou Lake · Watrous · Renown · Venn · Nokomis · Tate · Raymore · Wynot · Poor Man 88 · Leross · Kelliher
Tessier · Gledhow · Donavon · Valley Park · Hanley · Farrardale · Amazon · Simpson · Hatfield · Semans · Quinton · TOUCHWOOD · Lestock · Jasmin
Sovereign · Milden · Conquest · Bounty · Ardath · Kenaston · Watertown · Imperial Beach · Govan · 15 · Punnichy · Muskowekwan 85 · UPLANDS · Leross
Outlook · Broderick · Glenside · Hawarden · Bladworth · Imperial · Etters Beach · Last Mountain · Serath · Arbury · Zala · South Touchwood · Enid · McDonald Hills
Bratton · Anerley · Macrorie · Strongfield · Davidson · Stalwart · Arlington Beach · Cymric · Elbourne · Gregherd · Fox Hills · Herzel
Wiseton · Dinsmore · Cutbank · Danielson Provincial Park · Loreburn · Hendersons Beach · Liberty · Lac de la Dernière Montagne · Duval · Strasbourg · Cupar · Lipton
Tichfield · Dunblane · Thomson Arm · Girvin · Pryors Beach · Rowan's Ravine Provincial Park · Bulyea · Southey · Markinch · Dysart
Milden Lake · Birsay · Coteau Beach · Mistusinne · Elbow · Craik · Holdfast · Fox Point · Gibbs · Earl Grey · Standing Buffalo 78 · Fort San · Hugonard
Lucky Lake · Hitchcock Bay · DOUGLAS PROVINCIAL PARK · Grainland · Penzance · Wee-Too Beach · Marieton · Cupar · Lebret · Moscow · Katepwa
Greenbrier · Riverhurst · Gilroy · Bridgeford · Qu'Appelle · Aylesbury · Grandview Beach · Glen Harbour · Kedleston · Pelican Point · Fairy Hill · Echo Valley Provincial Park · Fort Qu'Appelle
Beechy · Demaine · Lawson · Tugaske · Chamberlain · Dilke · Kedleston · Saskatchewan Beach · Kannata Valley · Regina Beach · Muscowpetung 80 · Pasqua 79 · Fort San · Sandy Beach
Bernard · Central Butte · Mawer · Eyebrow · Brownlee · Findlater · Bethune · Buena Vista · Lumsden Beach · Valeport · Kennell · Piapot 75 · Taylor Beach · Lake View Beach · Katepwa Beach
Main Centre · Log Valley · Shooter Hill · Darmody · Keeler · Lake Valley · Sun Valley · Craven · Avonhurst · Edgeley · McLean · Qu'Appelle · Indian Head
Gouldtown · Calderbank · Aquadell · Thunder Creek · Eskbank · 42 · Marquis · Rowletta · Grayburn · Tuxford · Buffalo Pound Provincial Park · Disley · Lumsden · Condie · Bethune · Brora · Zehner · St Josephs Colony · Balgonie
Beaver Flat · Glen Kerr · Halvorgate · Uren · Chaplin · Valjean · Belbeck · Caronport · Mount Pleasant · Stony Beach · Keystown · Regina · Pilot Butte · White City · Jameson · Balcarres
Old Main Centre · Prairie View · Herbert · Morse · Ernfold · Parkbeg · Mortlach · Caron · Moose Jaw · Pasqua · Belle Plaine · Pense · Grand Coulee · Herman Brothers Trailer Court · Richardson · Kathrinal Colony · Vibank · Odessa
SASKATCHEWAN · Rush Lake · Waldeck · Reed Lake · Droxford · CFB/BFC Moose Jaw · Bushell Park · Madrid · Baildon · Drinkwater · Rowatt · Kronau · St Peters Colony · Lajord
Burnham · Neidpath · Flowing Well · Chaplin Lake · Eastleigh · Lillestrom · Tilney · Pitman · Estlin · Davin · Lang · Colfax
Rosengart · Rhineland · Hallonquist · Hodgeville · Kelstern · Shamrock · Trewdale · Coderre · Old Wives · Levkwa · Briercrest · Hearne · Rouleau · Gray · Riceton · Bechard · Tyvan
Springfield · Chortitz · 363 · Braddock · South Gnadenthal · Wiwa Hill · St Boswells · Crestwynd · Leakville · Claybank · Wilcox · Corinne · Milestone · Lewvan · Cedoux
Schoenfeld · McMahon · Rodgers · Ada · Dunkirk · Bayard Station · Bishopric · Avonlea · Truax · Dummer · Worcester
Blumenort · Neville · Mossbank · Ardill · Mitcheltion · Galilee · Spring Valley · 879 · Parry · Yellow Grass
Gravelbourg · Palmer · Mazenod · Ettington · Vantage · Cardross · Crystal Hill · Dahinda · McTaggart · North Weyburn
Gouverneur · Ponteix · Aneroid · Hazenmore · Kincaid · Lafleche · Melaval · Congress · Crane Valley · Ormiston · Wheatstone · Kayville · Querrin · Bures · Pangman · Weyburn
Arbuthnot · Woodrow · Thomson Lake · Limerick · Valor · Readlyn · Davroyd · Key West · Amulet · Forward · Trossachs · Ralph
Quimper · Meyronne · Assiniboia · Kasper Creek · Willows · Ogema · Khedive · Brooking · Ceylon · Radville · Riverside · Goodwater
Buffalo Horn · Wallard · Norge · Ferland · Lakenheath · Stonehenge · Maxstone · Verwood · Horizon · Glasnevin · Hardy · Neptune · Colgate
Glen McPherson · Billimun · McCord · Flintoft · Montague Lake · St Victor · Viceroy · Willow Bunch · Bengough · Maxim · Tribune
Mankota · Broncho · Fir Mountain · Elm Springs · Twelve Mile Lake · Scout Lake · Twin Valley · Harptree · 6 · Minton · Gladmar
Hillandale · Reliance · Summercove · Milly · Wood Mountain 160 · Lisieux · Little Woody · Clark Bridge · Big Muddy Lake · Lake Alma · Hoffer · Oungre
Coriander · 1048 · Wideview · Horse Creek · Fife Lake · Buffalo Gap · Big Beaver · Ratcliffe · Sybouts
Gergovia · McEachern · Lonesome Butte · Canopus · 1010 · Strathallen · Rockglen · Constance · Fife Lake · 34 · Coronach · East Poplar · Regway · West Coteau Lake
Rosefield · Killdeer · Willowvale · Macworth · Lacordaire · 18 · Paisley Brook · Big Muddy · Borderland · West Poplar

ÉTATS-UNIS D'AMÉRIQUE

kilometres 1 : 1 250 000 kilomètres

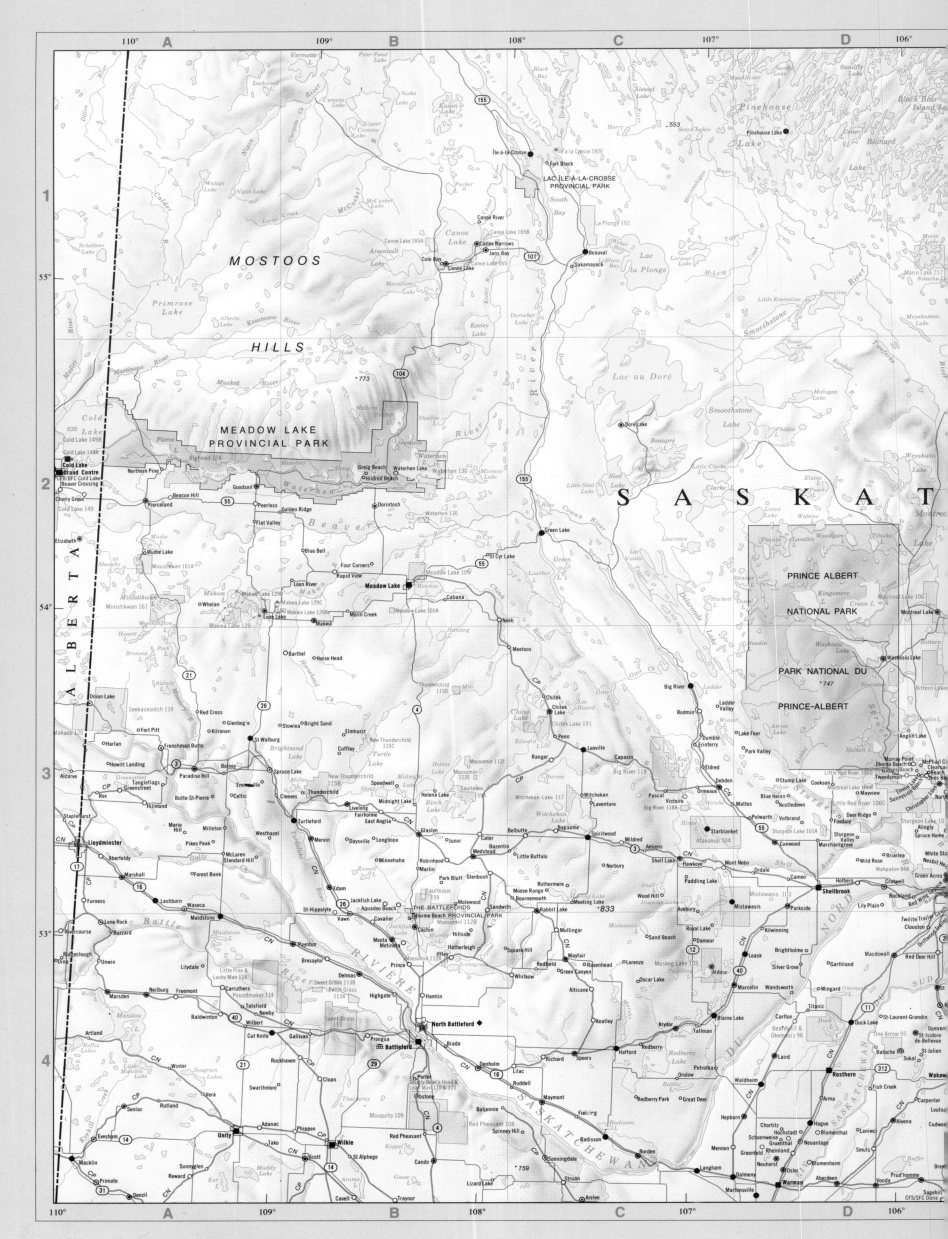

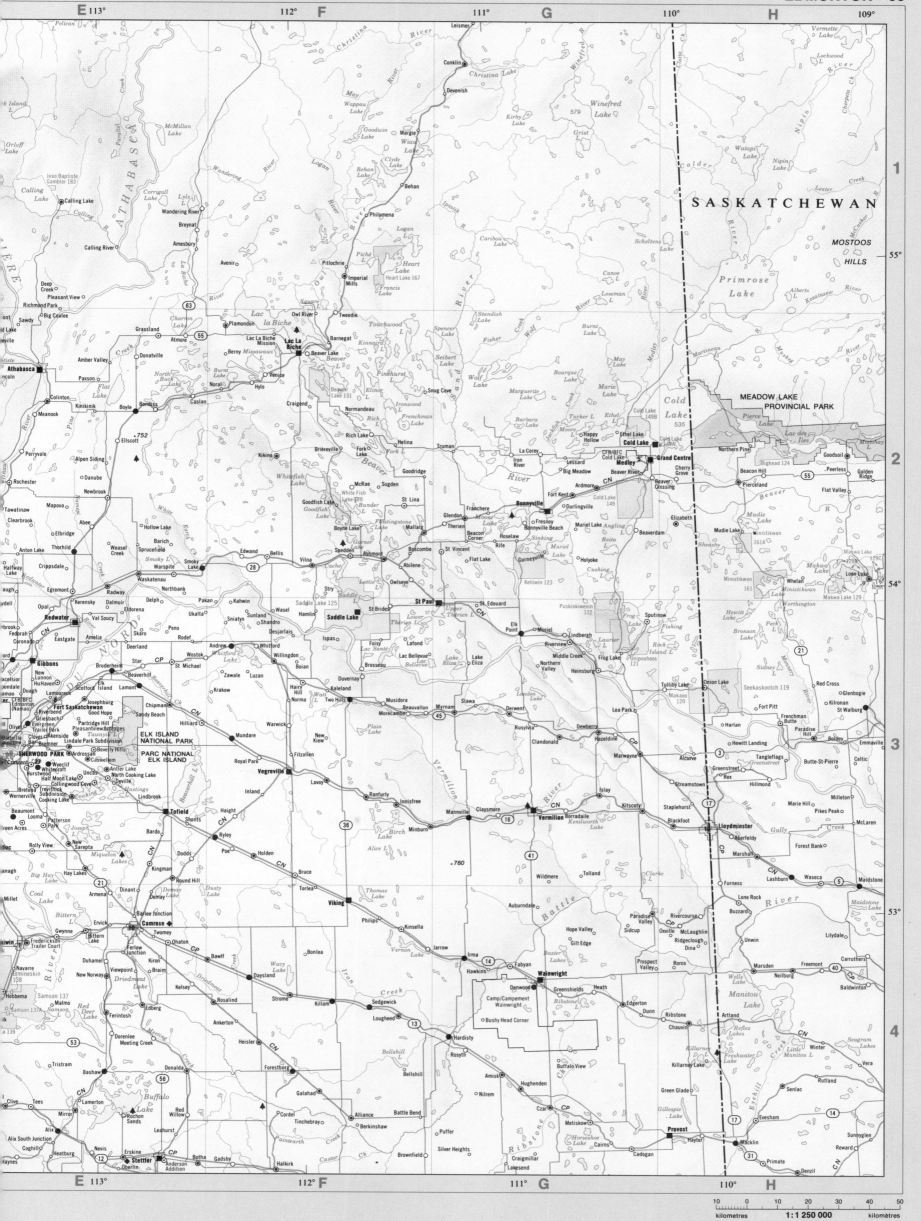

S A S K A T C H E W A N

MOSTOOS

HILLS

MEADOW LAKE
PROVINCIAL PARK

ELK ISLAND
NATIONAL PARK

PARC NATIONAL
ELK ISLAND

10 0 10 20 30 40 50
kilometres   1 : 1 250 000   kilomètres

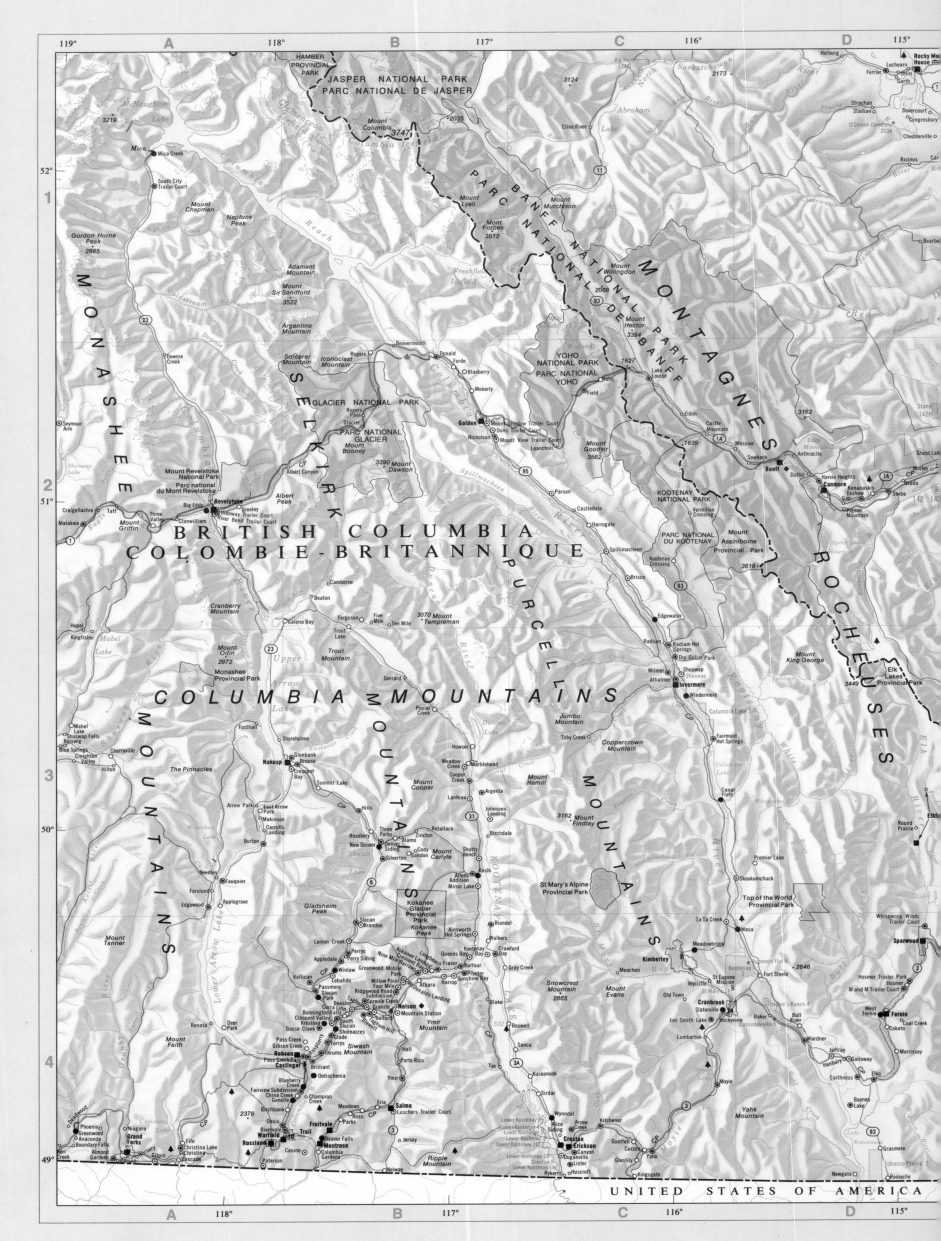

ALBERTA

ÉTATS-UNIS D'AMÉRIQUE

10 0 10 20 30 40 50
kilomètres   kilomètres
1 : 1 250 000

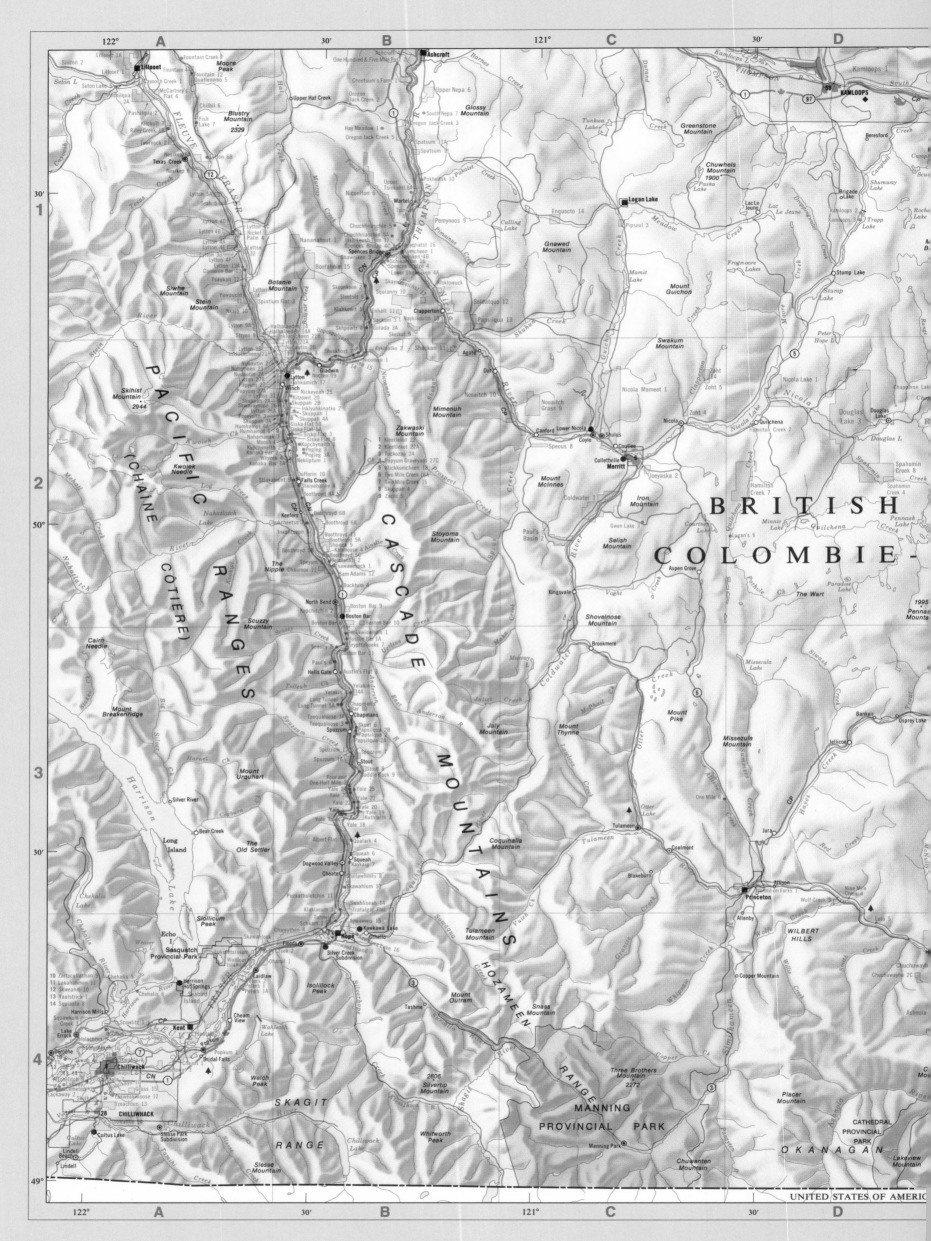

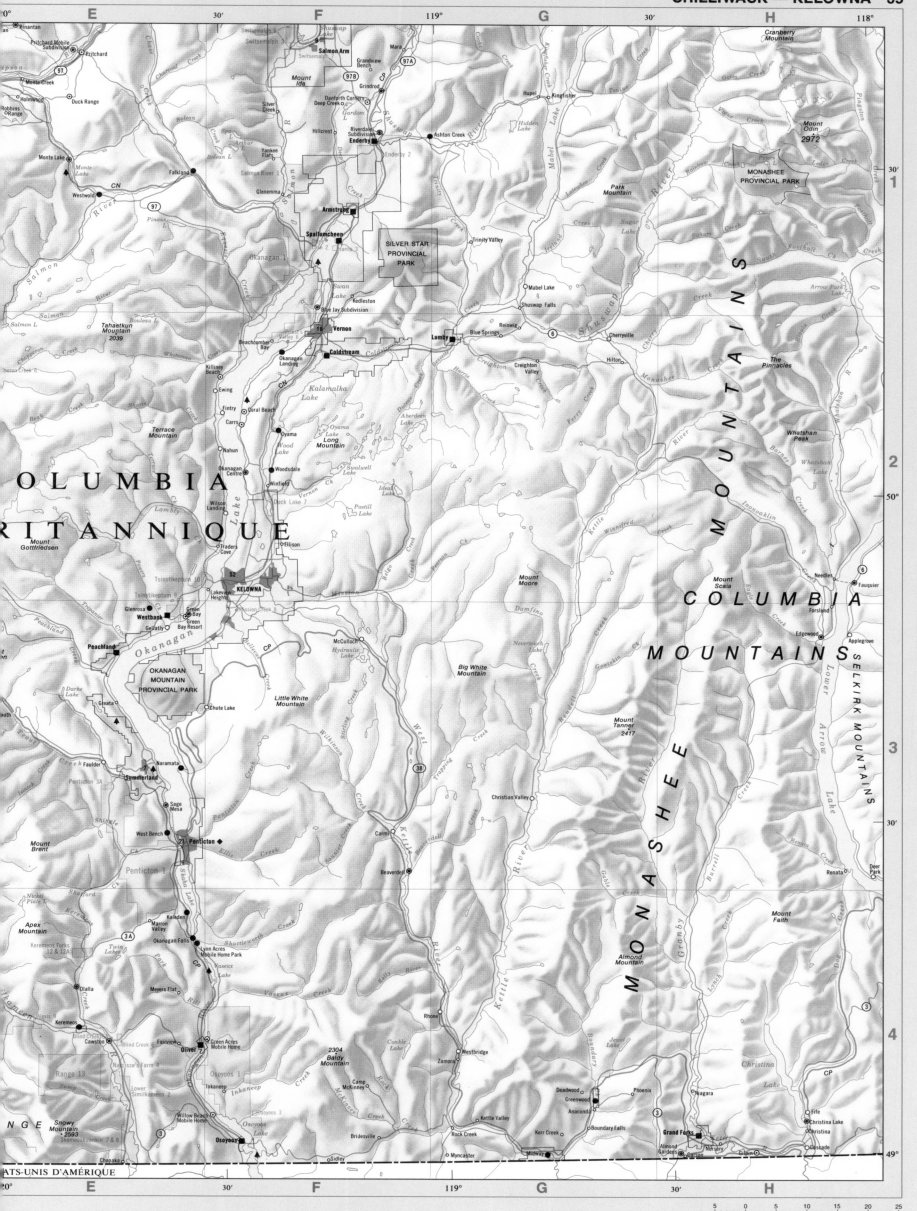

E 30' F 119° G 30' H 118°

Pinantan
Pritchard Mobile Subdivision
Pritchard
Monte Creek
Holmwood
Robbins Orange
Duck Range

Monte Lake
Monte Lake
Westwold
CN
Falkland
97

Salmon River

COLUMBIA

BRITANNIQUE

Tahaetkun Mountain 2039

Mount Gottfriedsen

Terrace Mountain

Switsemalph 6
Switsemalph 3
Salmon Arm
Switsemalph
Mount Ida
Danforth Corners
Deep Creek
Silver Creek
Hillcrest
Riverdale Subdivision
Enderby
Yankee Flats
Glenemma
Salmon River 1

Armstrong
Spallumcheen

Vernon
16
Coldstream
Beachcomber Bay
Okanagan Landing
Killiney Beach
Ewing
Fintry
Carrs
Coral Beach
Oyama
Nahun
Wood Lake
Okanagan Centre
Woodsdale
Winfield
Wilson Landing
Traders Cove
Ellison

KELOWNA
52
Lakeview Heights
Glenrosa
Westbank
Green Bay
Green Bay Resort
Gellatly
Peachland

Okanagan Mountain Provincial Park
Greata

Summerland
Faulder
Naramata
Sage Mesa
West Bench
Penticton
21
Kaleden
Marron Valley
Okanagan Falls
Lynn Acres Mobile Home Park
Kaseux Lake
Meyers Flat

Apex Mountain
Keremeos Forks 12 & 12A
Twin Lakes
Olalla
Keremeos
Cawston
Blind Creek
Fairview
Oliver
Green Acres Mobile Home
Range 13
Narcisse's Farm 4

Snowy Mountain 2593
Shemeuskwinkin 7 & 8
Chopaka
Willow Beach Mobile Home
Osoyoos
Inkaneep
Osoyoos 1
Osoyoos 3
Bridesville
Sidley
Baldy Mountain 2304
Zamora
Camp McKinney
Rock Creek
Myncaster
Midway
Kettle Valley
Kerr Creek
Boundary Falls
Anaconda
Greenwood
Deadwood
Niagara
Phoenix
Grand Forks
Almond Gardens
Carson
Gilpin

ÉTATS-UNIS D'AMÉRIQUE

Salmon Arm
Grandview Bench
Mara
97A
Grindrod
Ashton Creek
Hidden Lake
Hupel
Kingfisher
Trinity Valley
Mabel Lake
Shuswap Falls
Reiswig
Blue Springs
Lumby
Creighton
Creighton Valley
Cherryville
Hilton

SILVER STAR PROVINCIAL PARK

Kalamalka Lake
Oyama Lake
Long Mountain
Aberdeen Lake
Swalwell Lake
Ideal Lake
Postill Lake
Duck Lake 7

Mount Moore

McCulloch
Hydraulic Lake
Big White Mountain
Little White Mountain
Chute Lake

Christian Valley
Carmi
Beaverdell
Rhone
Westbridge

MONASHEE

Park Mountain
Sugar Lake
Mabel Lake

Cranberry Mountain
Mount Odin 2972

MONASHEE PROVINCIAL PARK

The Pinnacles
Whatshan Peak
Whatshan Lake

COLUMBIA

MOUNTAINS

Mount Scaia
Needles
Fauquier
6
Forsland
Edgewood
Applegrove

SELKIRK MOUNTAINS

Lower Arrow Lake

Mount Tanner 2417

Mount Faith

Almond Mountain
Jewel Lake
Deer Park
Renata

Christina Lake
Fife
Christina Lake
Christina
Costade

5 0 5 10 15 20 25
kilomètres 1:625 000 kilomètres

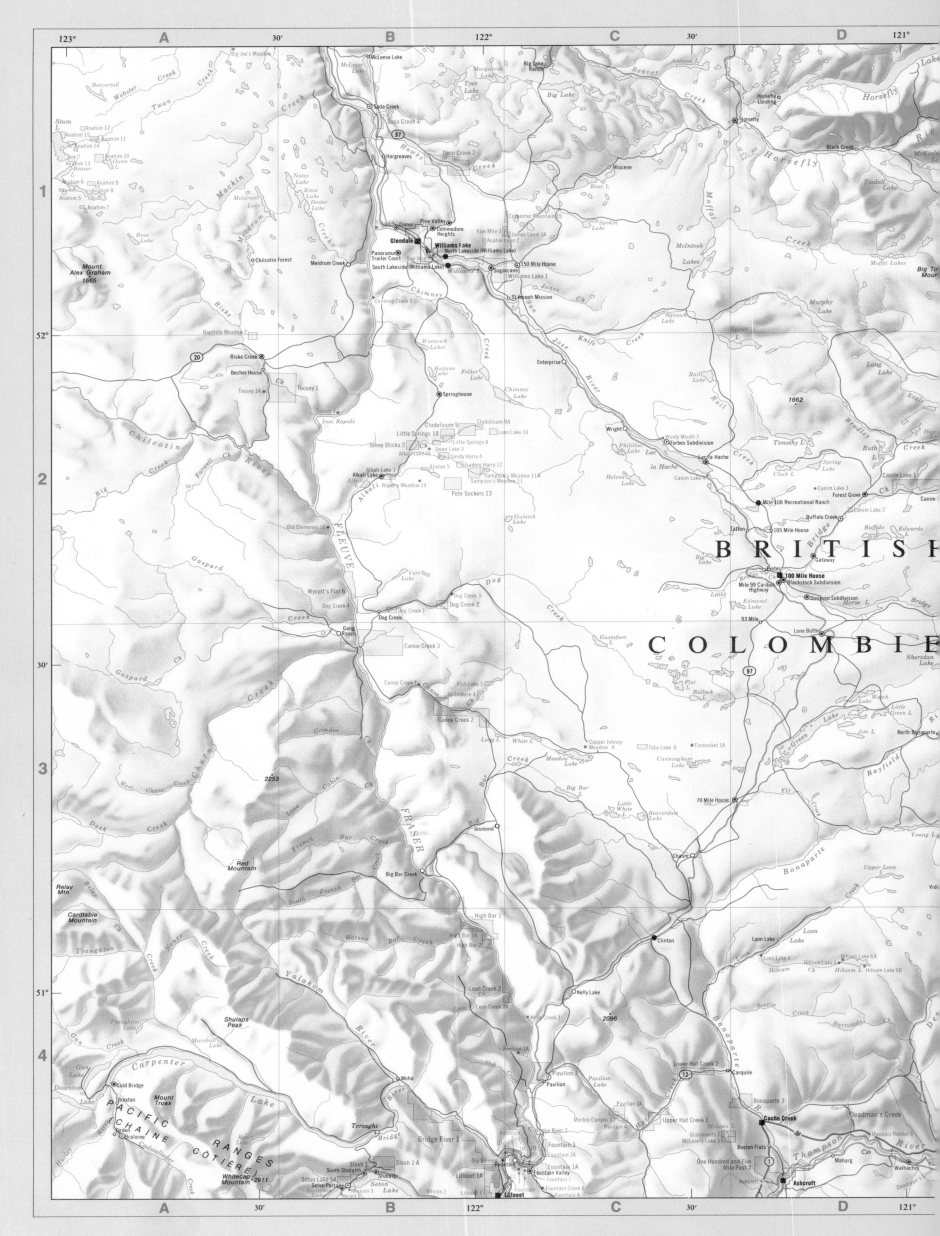

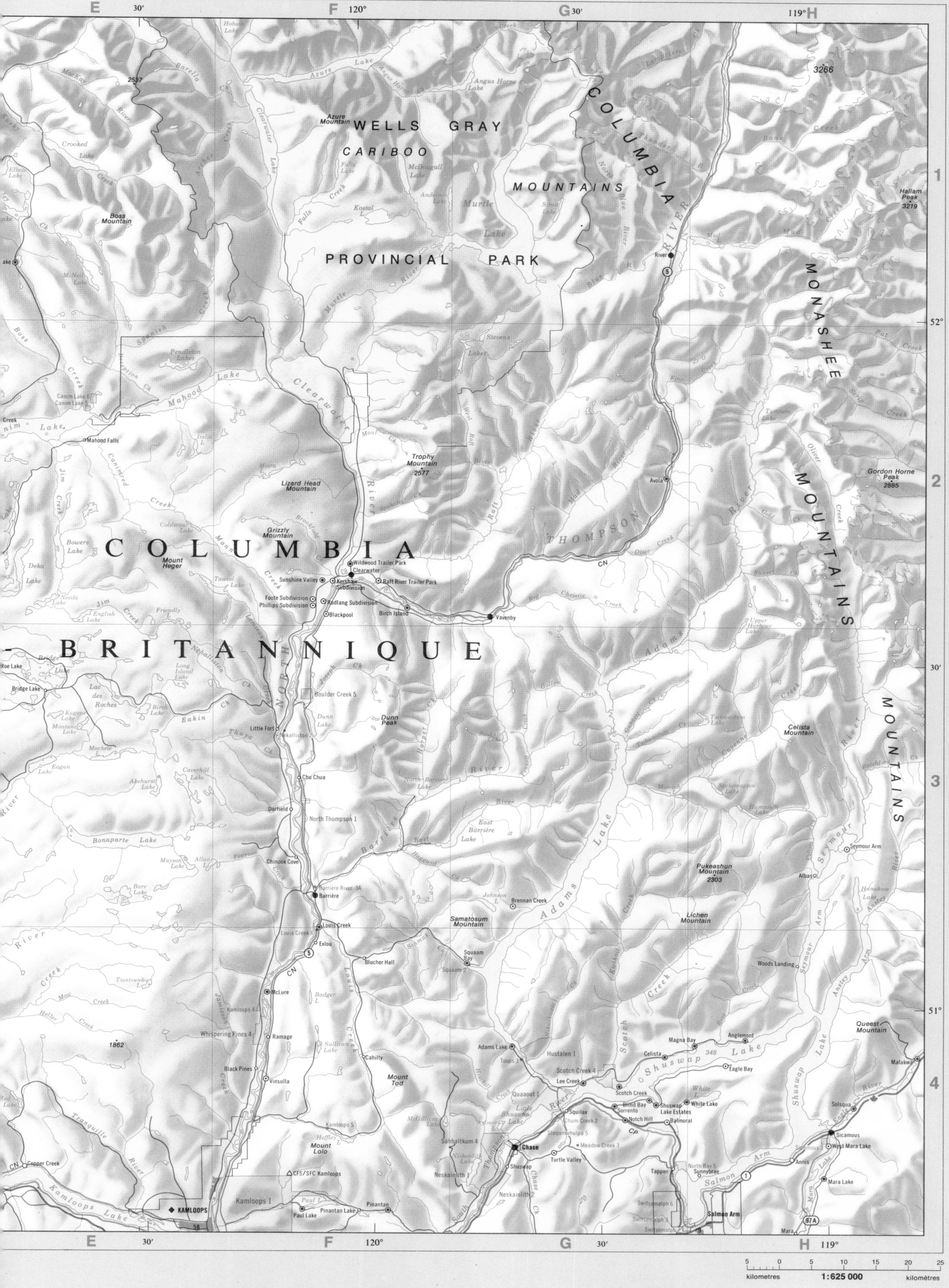

COLUMBIA

WELLS GRAY

CARIBOO

MOUNTAINS

PROVINCIAL PARK

MONASHEE

MOUNTAINS

COLUMBIA

BRITANNIQUE

THOMPSON

Hallam Peak 3219

Gordon Horne Peak 2885

3266

Trophy Mountain 2577

Lizard Head Mountain

Grizzly Mountain

Mount Heger

Boss Mountain

Azure Mountain

Clearwater

Vavenby

Avola

Birch Island
Blackpool

Wildwood Trailer Park
Clearwater
Raft River Trailer Park
Sunshine Valley
Kershaw Subdivision
Foote Subdivision
Radlang Subdivision
Phillips Subdivision

Mahood Falls

Canim Lake 6
Canim Lake 4

Bridge Lake
Roe Lake

Little Fort

Nekalliston 2

Dunn Peak

Boulder Creek 5

Chu Chua

Darfield

North Thompson 1

Chinook Cove

Barrière River 3A
Barrière

Louis Creek 4
Louis Creek
Exlou

Blucher Hall

Squaam Bay
Squaam 2

Samatosum Mountain

East Barrière Lake

Adams Lake

Celista Mountain

Pukeashun Mountain 2303

Lichen Mountain

Seymour Arm

Albas

McLure

Kamloops 4
Whispering Pines 4
Ramage
Black Pines
Vinsulla

Sullivan Lake
Cahilty

Adams Lake
Toops 3
Hustalen 1
Lee Creek
Scotch Creek 4
Scotch Creek
Quaaout 1

Mount Tod

Mount Lolo

Mount Tod

Kamloops 5
Heffley Creek

Kamloops 1
Paul Lake
Pinantan Lake
Pinantan
Paul 3

KAMLOOPS

CFS/SFC Kamloops

Copper Creek
CN

Kamloops Lake

Neskainlith 1
Sahhaltkum 4
Chase
Shuswap
Turtle Valley
Neskainlith 2

Switsemalph 6
Switsemalph 4
Salmon Arm
Tappen

Shuswap Lake

Magna Bay
Anglemont
Eagle Bay
Celista
Blind Bay
Sorrento
Shuswap Lake Estates
White Lake
Balmoral
Notch Hill
Squilax
Chum Creek 2

Queest Mountain

Malakwa

Solsqua
Sicamous
West Mara Lake
Annis
Mara Lake
Mara

North Bay 5
Sunnybrae
Salmon Arm

MOUNTAINS

| 5 0 5 10 15 20 25 |
kilomètres **1 : 625 000** kilomètres

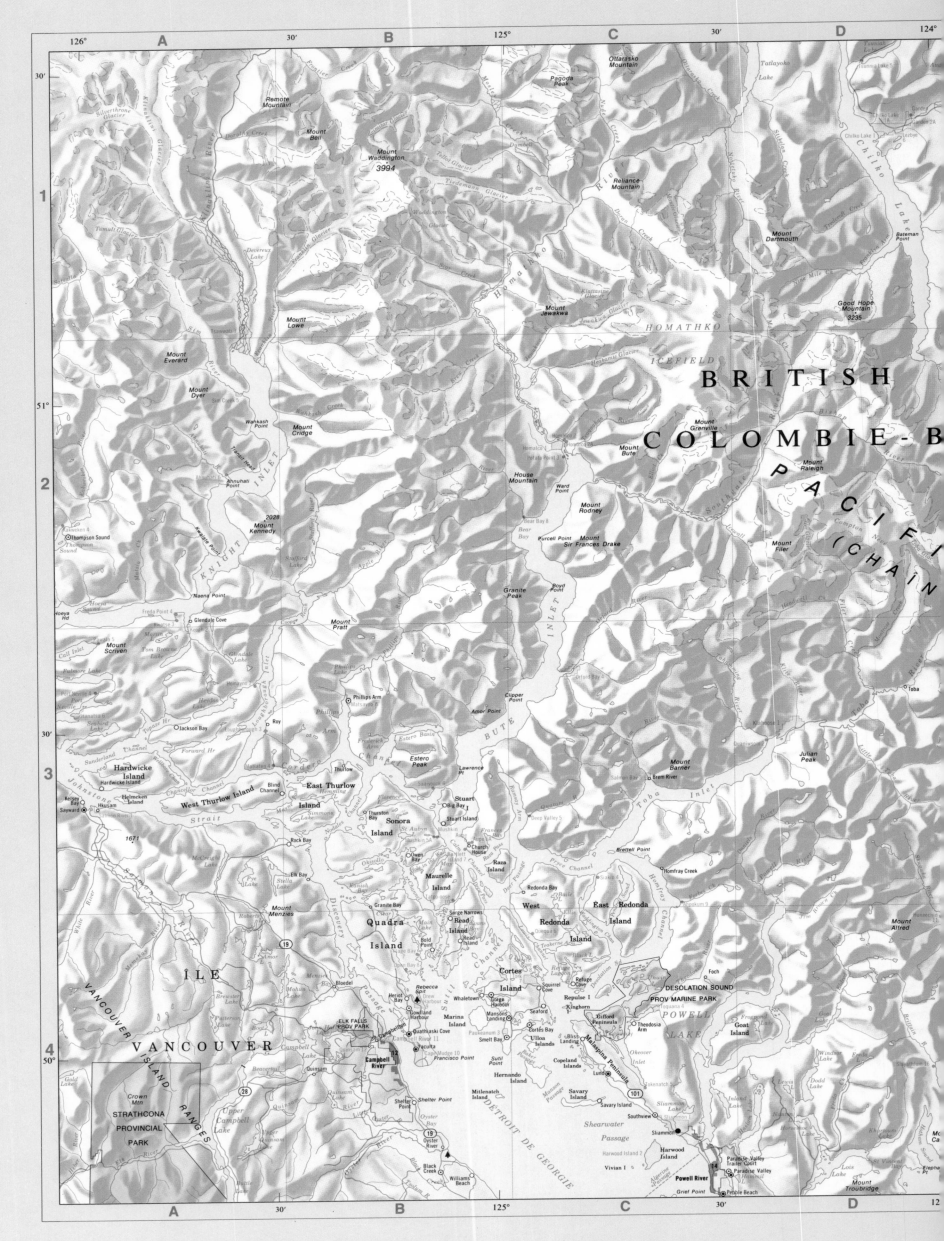

COLUMBIA

BRITANNIQUE

RANGES

CÔTIÈRE)

Mount Tatlow 3066

Monmouth Mountain 3194

Mount Dalgleish

Mount Tinniswood

Mount Churchill

Mount Pearkes

Mount Callaghan

Mount Cayley

Rainbow Mountain

Mount Tantalus

Mount Garibaldi 2678

Mount Pitt

Mount Sir Richard

Overlord Mountain

Wedge Mountain

Mount Weart

Castle Towers Mountain

Squamish

Whistler

McGuire

Brandywine Falls

Garibaldi

GARIBALDI

PROVINCIAL

PARK

Pemberton

Mount Currie

Pemberton Meadows

Mount Ronayne

Birken

Gates

Devine

D'Arcy

BIRKENHEAD LAKE PROVINCIAL PARK

McGillivray

Whitecap Mountain

Seton Portage

South Shalalth

Shalalth

Terzaghi

Moha

Bridge River 1

Lillooet

Fountain

Pavilion

Jesmond

Big Bar Creek

High Bar 1

Red Mountain

Relay Mountain

Cardtable Mountain

Dickson Peak

Gold Bridge

Brexton

Mount Truax

Ogden

Bralorne

Shulaps Peak

Marshall Lake

Carpenter Lake

Anderson Lake

Seton Lake

Lillooet Lake

Skihist Mtn. 2944

Gott Peak

Skookumchuck

2253

2856

1:625 000

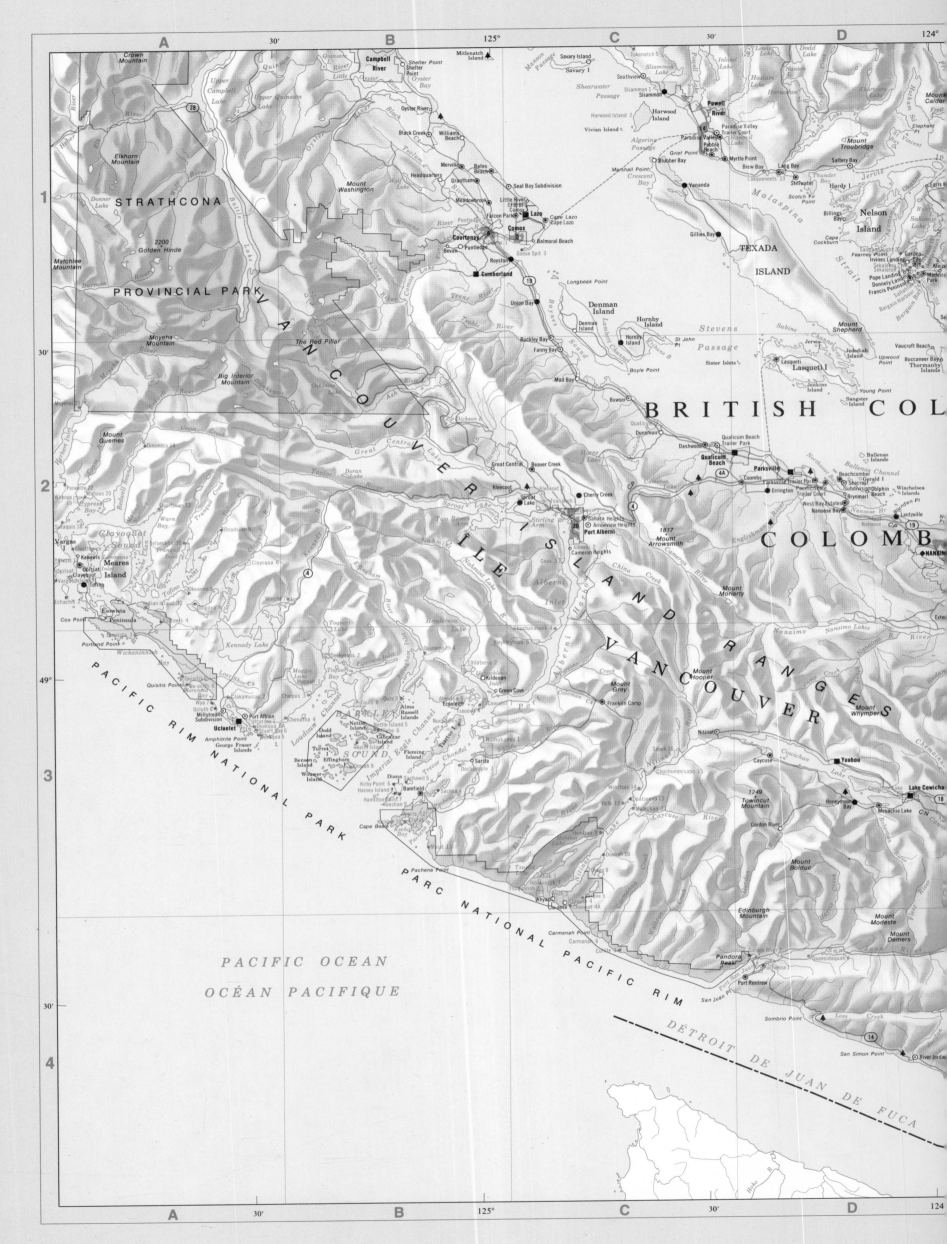

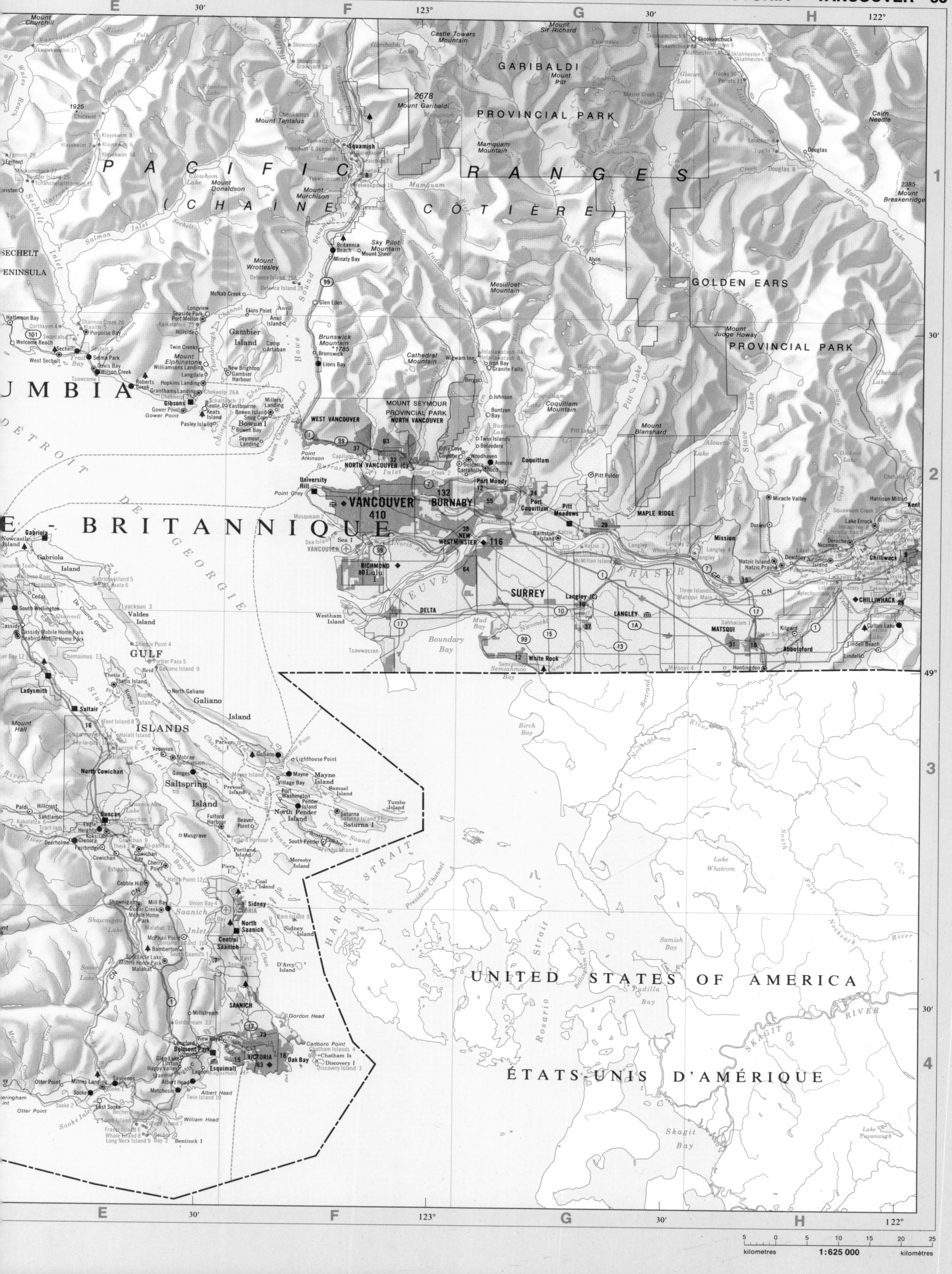

GARIBALDI

PROVINCIAL PARK

PACIFIC RANGES

(CHAÎNE CÔTIÈRE)

GOLDEN EARS

PROVINCIAL PARK

UMBIA

E-BRITANNIQUE

DÉTROIT DE GÉORGIE

GULF ISLANDS

Squamish

Britannia Beach

WEST VANCOUVER
NORTH VANCOUVER
MOUNT SEYMOUR PROVINCIAL PARK

VANCOUVER
410

BURNABY

NEW WESTMINSTER

RICHMOND

SURREY

DELTA

Langley (C)

LANGLEY

MATSQUI

Abbotsford

CHILLIWACK

Mission

MAPLE RIDGE

Coquitlam
Port Coquitlam
Pitt Meadows
Port Moody

White Rock

Boundary Bay

Tsawwassen

Ladysmith

Saltair

North Cowichan

Duncan

Saltspring Island

Galiano Island

Mayne Island

North Pender Island

South Pender Island

Saturna I.

Sidney

North Saanich

Central Saanich

SAANICH

VICTORIA

Esquimalt

Oak Bay

Sooke

UNITED STATES OF AMERICA

ÉTATS-UNIS D'AMÉRIQUE

HARO STRAIT

Birch Bay

Lake Whatcom

Samish Bay

SKAGIT RIVER

SECHELT PENINSULA

Gibsons

Gambier Island

Bowen Island

Howe Sound

Mount Garibaldi

kilometres   1:625 000   kilomètres
5 0 5 10 15 20 25

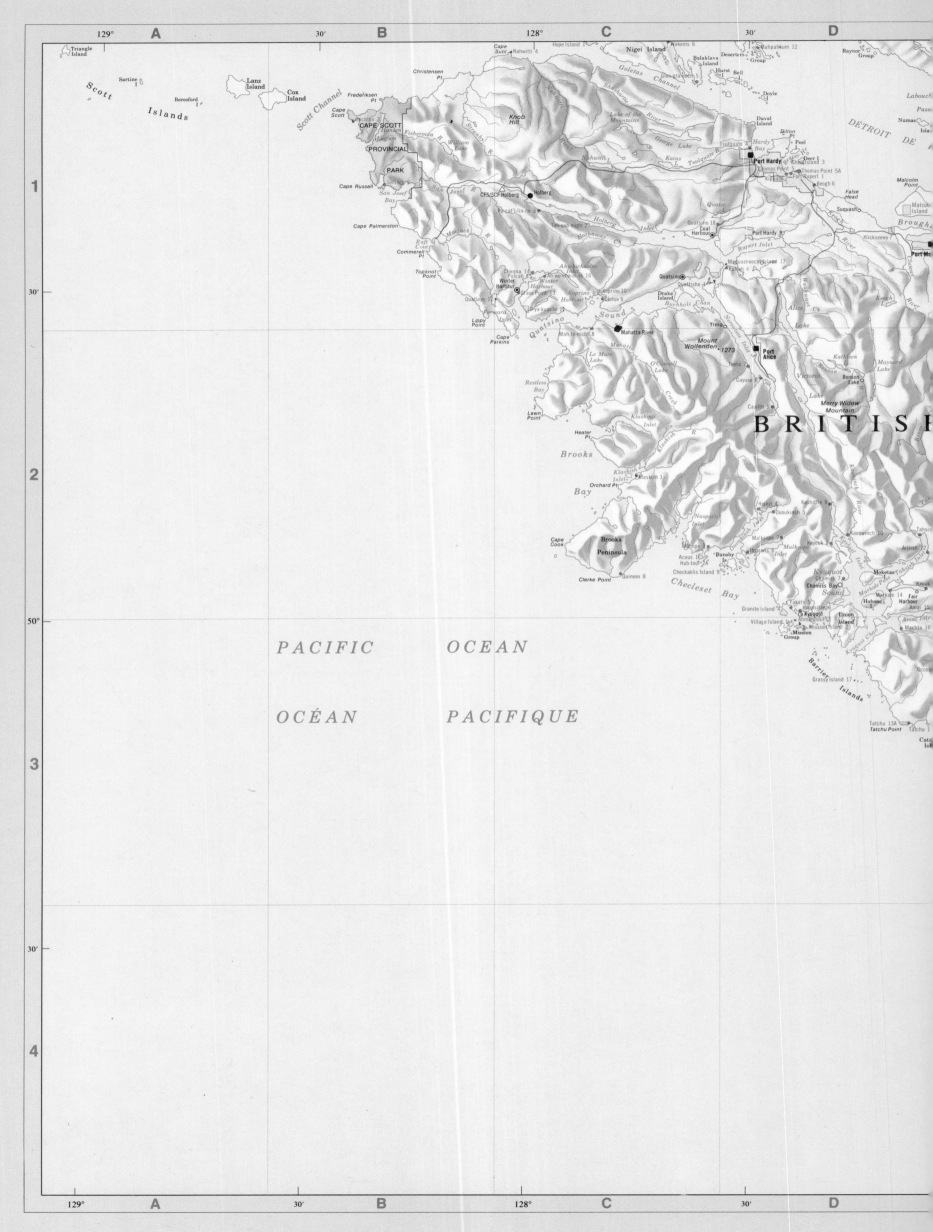

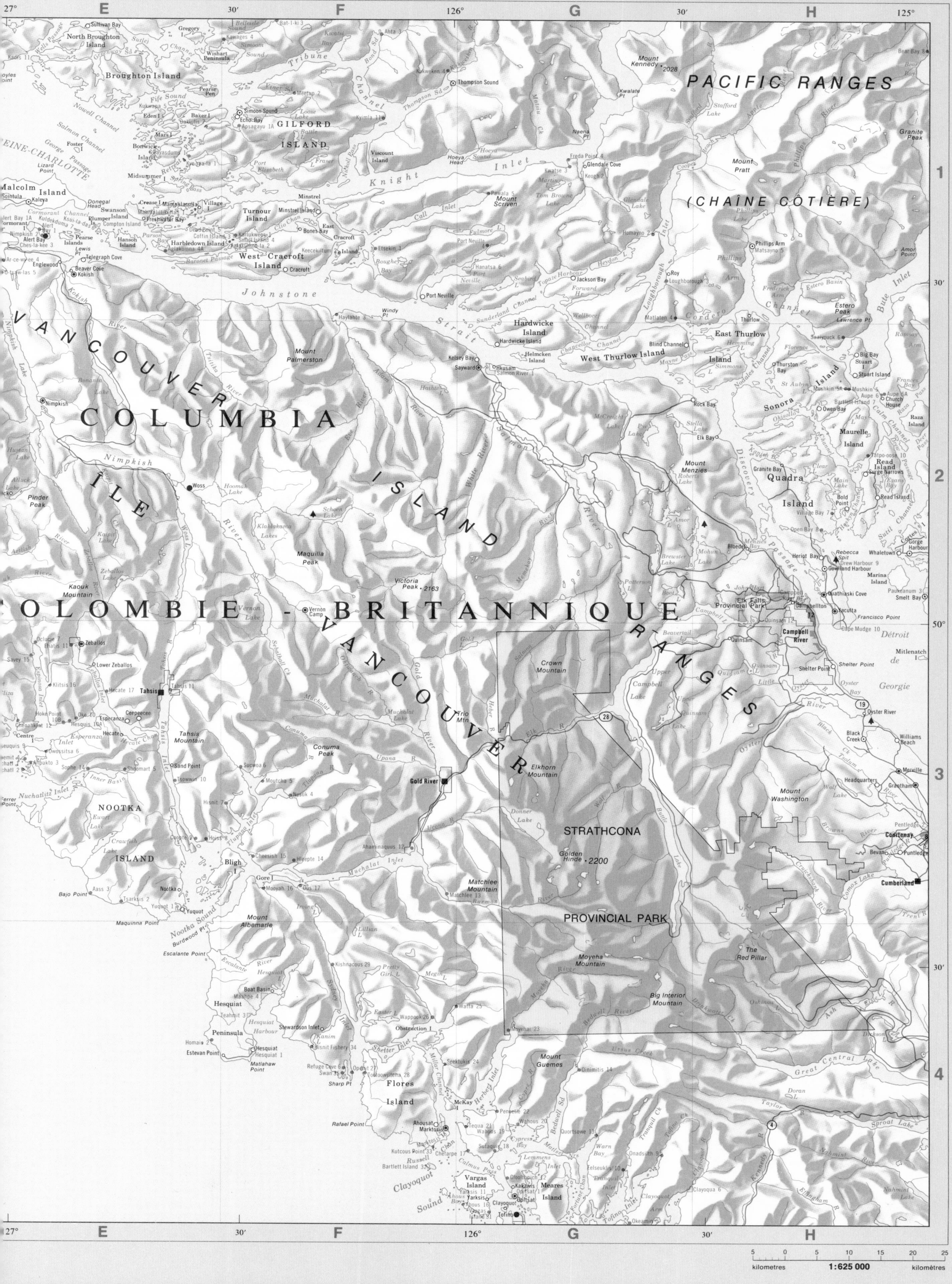

PACIFIC RANGES

(CHAÎNE CÔTIÈRE)

Mount Kennedy • 2028

Broughton Island

GILFORD ISLAND

Turnour Island

Minstrel Island

West Cracroft Island

Hardwicke Island

West Thurlow Island

East Thurlow Island

Johnstone Strait

Kelsey Bay

Sayward

VANCOUVER

COLUMBIA ISLAND

COLOMBIE - BRITANNIQUE

VANCOUVER

Nimpkish

Woss

Mount Palmerston

Maquilla Peak

Victoria Peak • 2163

Quadra Island

Campbell River

Elk Falls Provincial Park

Crown Mountain

Elkhorn Mountain

Golden Hinde • 2200

STRATHCONA

PROVINCIAL PARK

Zeballos

Tahsis

NOOTKA ISLAND

Gold River

Conuma Peak

Tahsis Mountain

Bligh I

Nootka

Yuquot

Nootka Sound

Mount Albemarle

Mount Washington

Headquarters

Courtenay

Cumberland

Matchlee Mountain

Hesquiat Peninsula

Estevan Point

Flores Island

Meares Island

Tofino

Clayoquot Sound

Moyeha Mountain

The Red Pillar

Big Interior Mountain

Mount Guemes

Great Central Lake

Sproat Lake

Oyster River

Black Creek

Williams Beach

Merville

Grantham

Détroit de Georgie

Mitlenatch I

Shelter Point

Cape Mudge

Read Island

Sonora Island

Maurelle Island

5   0   5   10   15   20   25
kilometres   1:625 000   kilomètres

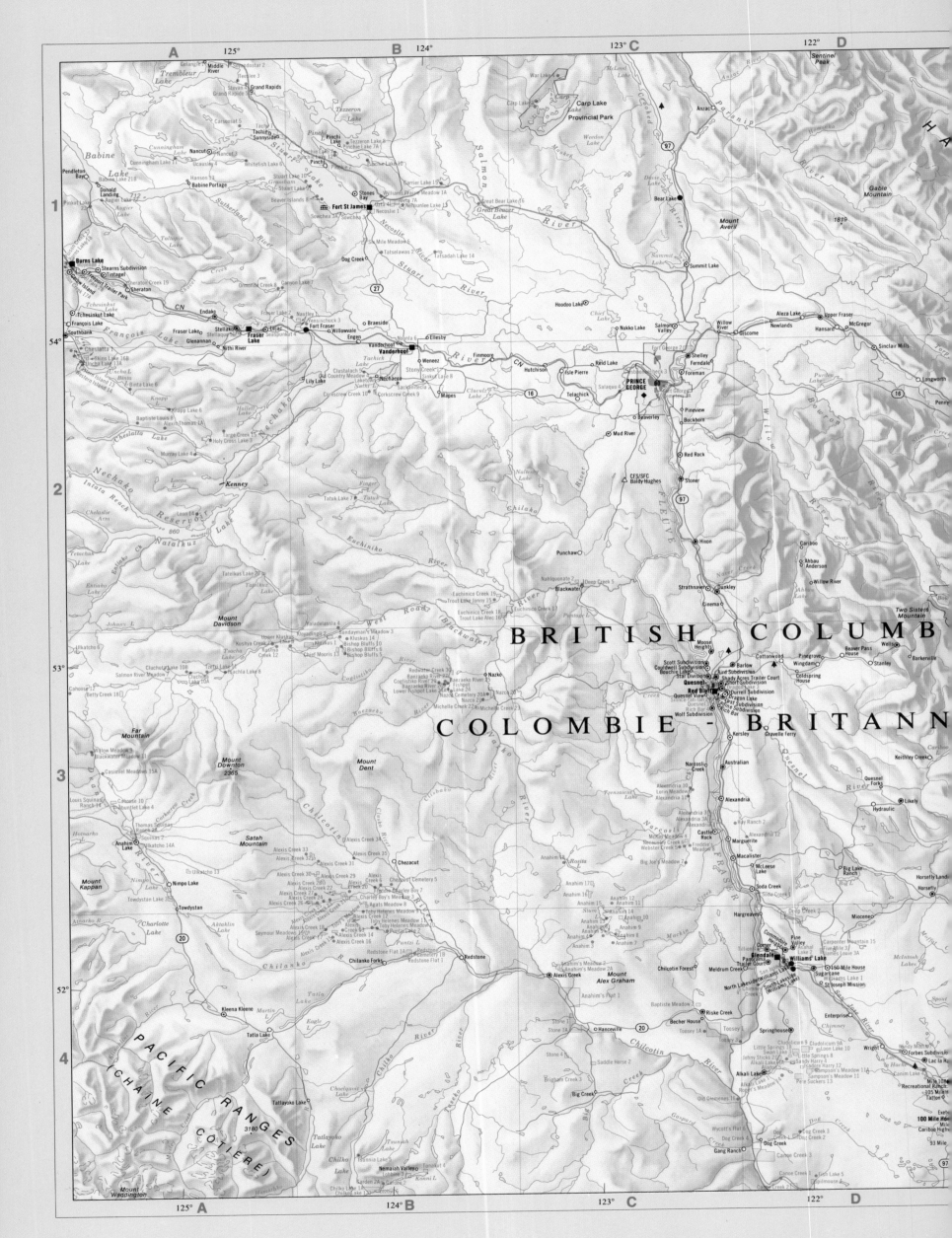

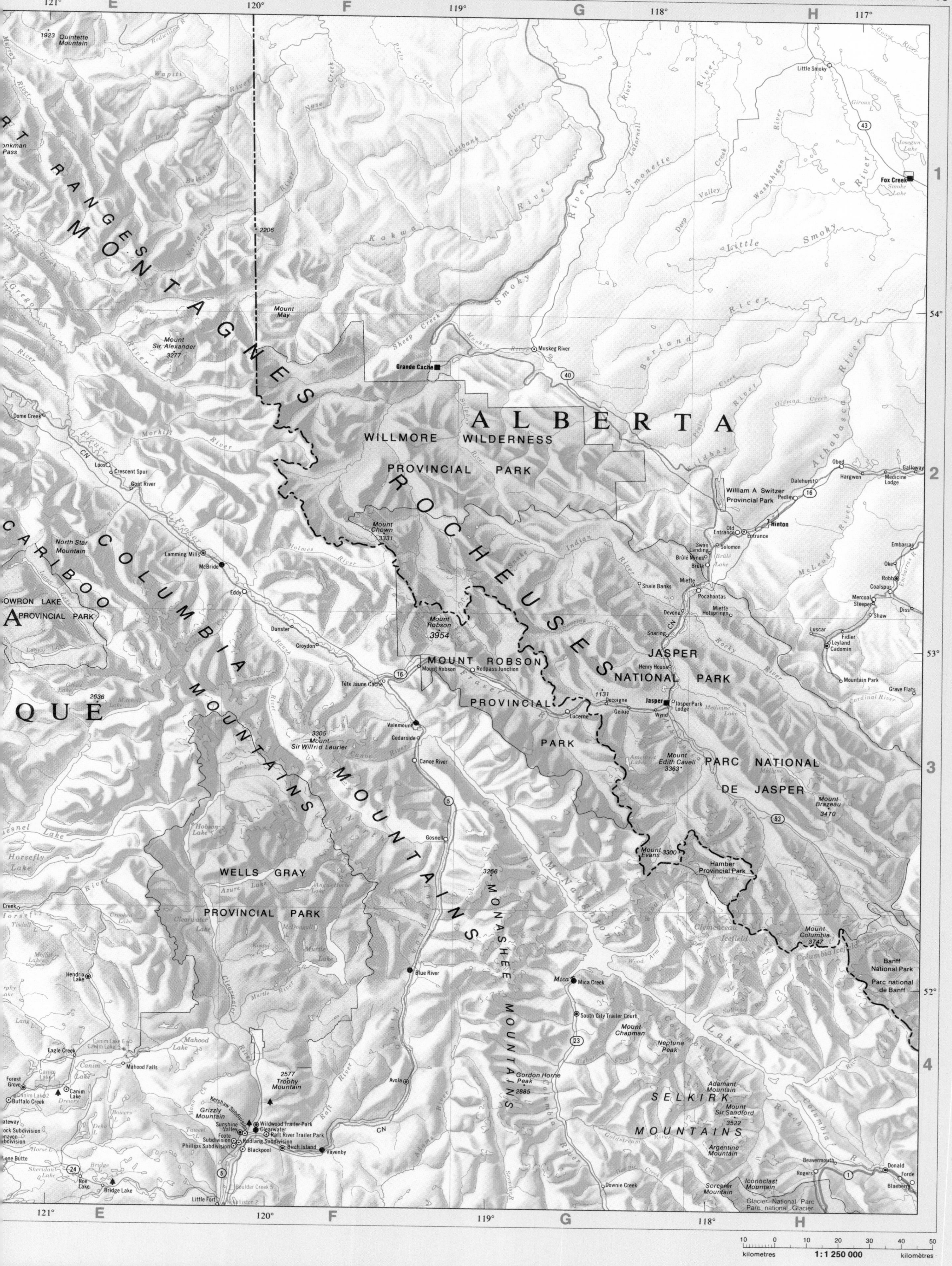

ALBERTA

COLUMBIA

CARIBOO MOUNTAINS

COLUMBIA MOUNTAINS

MONASHEE MOUNTAINS

SELKIRK MOUNTAINS

ROCHEUSES

QUE

WILLMORE WILDERNESS PROVINCIAL PARK

WELLS GRAY PROVINCIAL PARK

MOUNT ROBSON PROVINCIAL PARK

JASPER NATIONAL PARK

PARC NATIONAL DE JASPER

Hamber Provincial Park

Banff National Park
Parc national de Banff

Bowron Lake Provincial Park

William A Switzer Provincial Park

Glacier National Parc
Parc national Glacier

1923 Quintette Mountain

Monkman Pass

Mount May

Mount Sir Alexander 3277

2206

Grande Cache

Muskeg River

40

Dome Creek

Loos
Crescent Spur
Goat River

North Star Mountain

Lamming Mills
McBride
Eddy
Dunster
Croydon
Tête Jaune Cache

Mount Chown 3331

Mount Robson 3954

MOUNT ROBSON
Mount Robson
Redpass Junction

16

Obed
Hargwen
Galloway
Dalehursto
Medicine Lodge
Hinton
Old Entrance
Entrance
Swan Landing
Solomon
Brûlé Mines
Brûlé
Miette
Shale Banks
Pocahontas
Devona
Miette Hotsprings
Snaring
Henry House

Embarras
Oke
Coalspur
Robb
Mercoal
Steeper
Shaw
Diss
Luscar
Fidler
Leyland
Cadomin

Mountain Park
Grave Flats
Cardinal River

1131
Decoigne
Jasper
Jasper Park Lodge
Lucerne
Geikie
Wynd

Mount Edith Cavell 3363

Mount Brazeau 3470

93

Mount Evans 3300

Mount Columbia 3747

Columbia Icefield
Clemenceau Icefield

Valemount
Cedarside
5
Canoe River

3305 Mount Sir Wilfrid Laurier

2636

Hobson Lake
Azure Lake
Angushorn Lake

Gosnell

3266

Mica
Mica Creek

South City Trailer Court
Mount Chapman
23
Neptune Peak
Gordon Horne Peak 2885

Adamant Mountain
Mount Sir Sandford 3522
Argentine Mountain

Horsefly Lake
Horsefly

Blue River

Murtle Lake
Kostal Lake

Hendrix Lake

Quesnel Lake

Eagle Creek
Canim Lake
Mahood Lake
Mahood Falls
Forest Grove
Canim Lake
Buffalo Creek

2577 Trophy Mountain

Grizzly Mountain
Sunshine Valley
Foote
Wildwood Trailer Park
Clearwater
Raft River Trailer Park
Subdivision
Redlane Subdivision
Phillips Subdivision
Blackpool
Birch Island
Vavenby

Avola

Downie Creek

Sorcerer Mountain
Iconoclast Mountain
Rogers
Beavermouth
Donald
Forde
Blaeberry
1

Lane Butte
Sheridan Lake
24
Roe Lake
Bridge Lake
Boulder Creek
Little Fort
Williston 2

5

CN

10 0 10 20 30 40 50
kilometres 1:1 250 000 kilometres

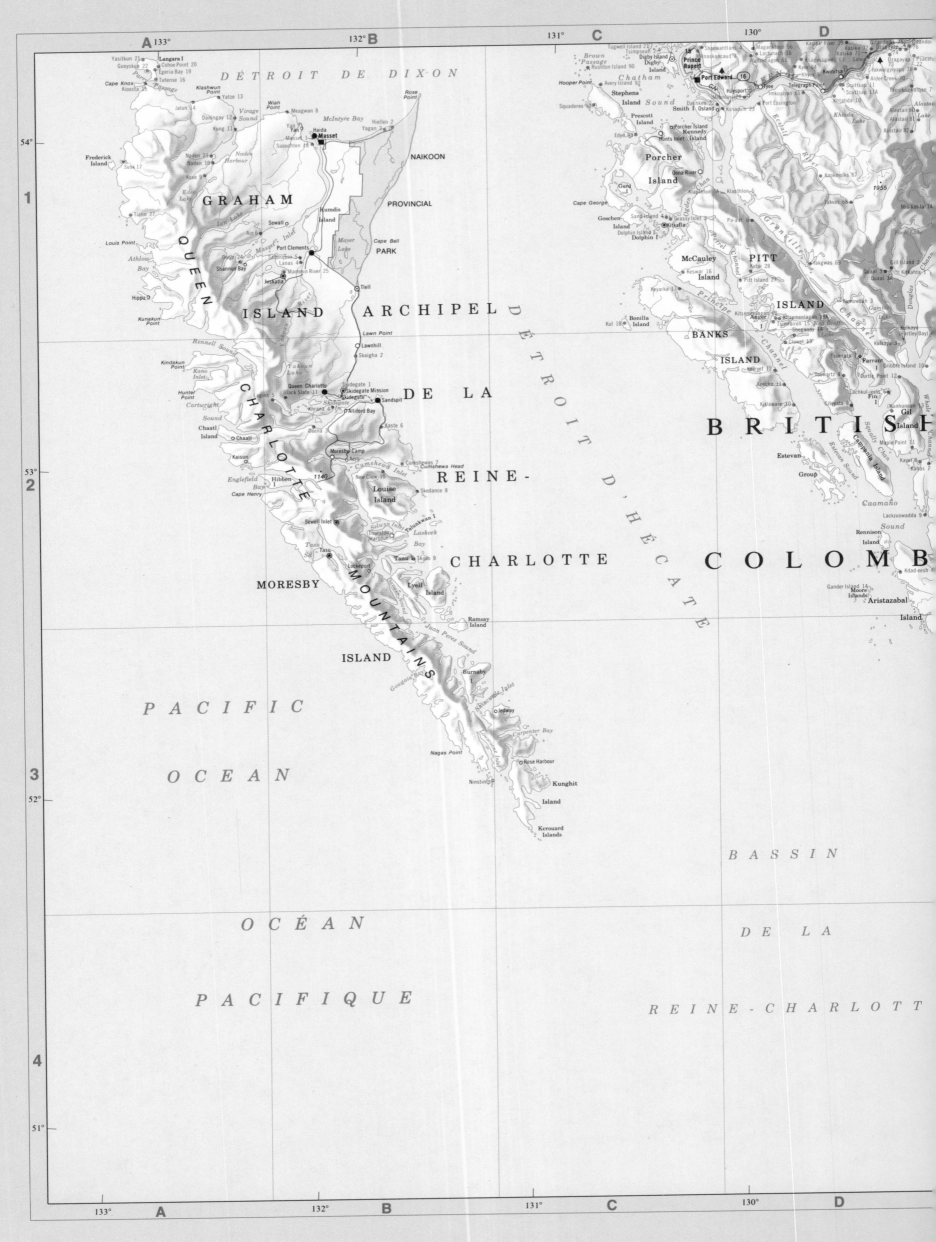

DÉTROIT DE DIXON

Yasitkun 21
Guoyskun 22
Langara I.
Cohoe Point 20
Egeria Bay 19
Cape Knox
Tatense 16
Kiousta 15
Parry Passage
Jalun 14
Dahingay 12
Klashwun Point
Yatze 13
Virage Sound
Wiah Point
Meagwan 8
McIntyre Bay
Rose Point

Hiellen 2
Yagan 3

Yan 7
Yan 5
Haida
Masset 1
Masset
Saouohten 18

Kung 11

NAIKOON

Frederick Island

Naden 23
Naden 10
Naden Harbour
Sewall

Kumdis Island

Susk 17

Eden Lake

GRAHAM

PROVINCIAL

Louis Point

Ain 6

Ian Lake

Port Clements
Mayer Lake
Cape Ball

PARK

Athlow Bay

QUEEN

Dixon 24
Shannon Bay
Skidegate Lanas 4
Sabington 5
Mammin River 25

Hippa 3

ISLAND

Tlell

Juskatla

ARCHIPEL

DÉTROIT

Kunakun Point

Lawn Point

Lawnhill

Rennell Sound

Skaigha 2

Kindakun Point

Kano Inlet

Yakoun Lake

Queen Charlotte
Black Slate 11
Skidegate 1
Skidegate Mission
Sandspit

D'HÉCATE

Hunter Point

CHARLOTTE

Lapins 5
Skidegate
khrana 4
Alliford Bay

DE LA

Cartwright Sound

Chaatl Island

Beena

Kaste 6

Chaatl

Kaisun

Moresby Camp
Aero

Cumshewas 7
Cumshewa Head

REINE-

Englefield Bay

1140

New Clew 16

SOUND

Cape Henry

Hibben I.

Louise Island

Skedance 8

CHARLOTTE

Sewell Inlet

Talunkwan I.
Thurston Harbour
Laskeek Bay

Tasu Sd.
Tasu

Tanu Ia (Tanu) 9

COLOMB

Lockeport

MORESBY

Lyell Island

Juan Perez Sound

Ramsay Island

MOUNTAINS

ISLAND

Burnaby

Gougous Bay

Jedway

Carpenter Bay

Nagas Point

PACIFIC

Rose Harbour

OCEAN

Ninstints

Kunghit

Island

BASSIN

OCÉAN

Kerouard Islands

DE LA

PACIFIQUE

REINE-CHARLOTT

Tugwell Island 21
Tsimpsean 9
Shoowahtlans 4
Maganhoun 56
Lachgoan 16
Kaien River 6
Brown Passage
Digby Island
Rushton 90
13
Prince Rupert
Port Edward
16
Telegraph Point

Hooper Point
Avery Island 92
Chatham
Sound
Pa 30 H
Tyee
Port Essington
Kstaoon 23

Stephens Island
Squadree
Prescott Island
Smith I. Osland

Edya 83
Porcher Island
Kennedy Island

Porcher
Island

Oona River
Gurd

Goschen
Cape George
Sand Island
Grassy Islet
Oden
Kitkatla
Dolphin Island
Dolphin I.

McCauley
Island

PITT

Kul 18
Bonilla Island

BANKS

ISLAND

Koagwas 69

Kitsemenlagat 19A
Anger I

Clowel 13

Estevan
Group

Aristazabal

Gander Island 14
Moore Islands

Island

BRITISH

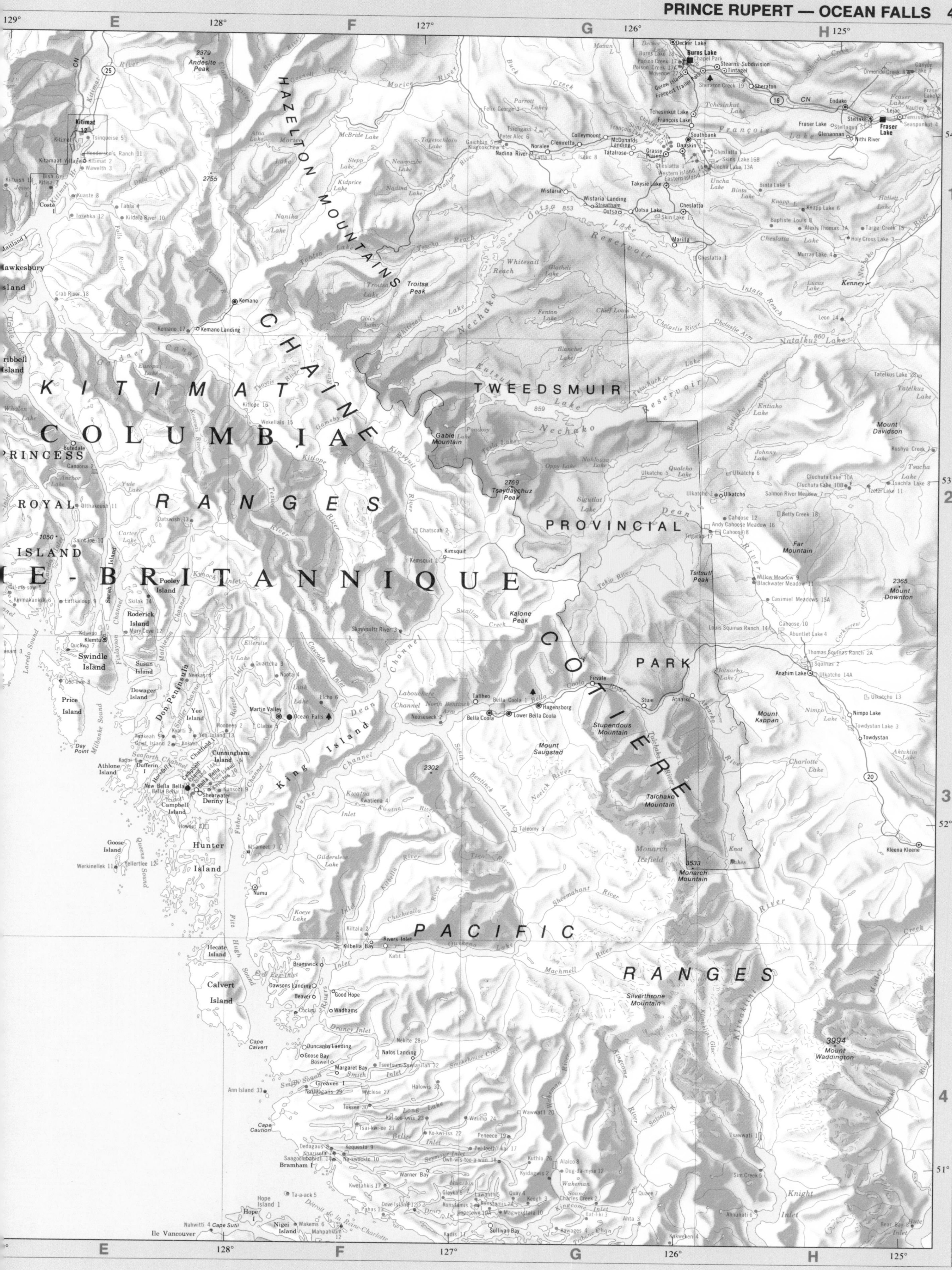

KITIMAT

COLUMBIA

RANGES

ÎLE-BRITANNIQUE

CHAÎNE

HAZELTON MOUNTAINS

TWEEDSMUIR

PROVINCIAL

PARK

CÔTIÈRE

PACIFIC

RANGES

PRINCESS ROYAL ISLAND

Kitimat

Burns Lake

Fraser Lake

Ocean Falls

Bella Coola

Monarch Mountain

Mount Waddington

3994

Mount Downton

2365

1:1 250 000

kilomètres

10   0   10   20   30   40   50

A L A S K A

(UNITED STATES OF AMERICA)

(ÉTATS-UNIS D'AMÉRIQUE)

BRITISH COLOMBIA

CHAÎNE BOUNDARY

MOUNT EDZIZA PROVINCIAL PARK

CÔTIÈRE RANGES

PACIFIC OCEAN

OCÉAN PACIFIQUE

DÉTROIT DE DIXON

KITIMA RANGE

29°   E   128°   F   127°   G   126°   H   125°

BRITISH COLUMBIA
COLOMBIE-BRITANNIQUE

SKEENA MOUNTAINS

OMINECA MOUNTAINS

MUSKWA RANGES (MONTAGNES ROCHEUSES)

SIFTON RANGES (CASSIAR MOUNTAINS)

SWANNELL RANGES

HOGEM RANGES

FINLAY

TATLATUI PROVINCIAL PARK

KWADACHA WILDERNESR PROVINCIAL PARK

KISPIOX RANGE

NASS RANGES

HAZELTON MOUNTAINS

BULKLEY RANGES

Mount Cushing 2469

Mount Will 2359

Taylor Peak

Hyland Post

Caribou Hide

Kitchener Lake

Alma Peak 2409

McConnell Creek

Fredrikson Lake

Ware
Fort Ware 1

2209

2311

Deserters Peak

Ingenika Mine

Motase Peak 2411

Shedin Peak

Shelagyote Peak

Bear Lake

Old Hogem

North Tacla Lake
Bulkley House

Germansen Landing

Madsen Creek

2379

Mount Weber

Mount 2438 Thomlinson

Kispiox

Glen Vowell

Hazelton
New Hazelton
South Hazelton
Hagwilget
Carnaby

Kitwanga
Kitseguecla

Woodcock
Cedarvale

2755 Seven Sisters Peaks

Babine

Tacla Lake 9

Northwest Arm 1998

Leo Creek

Smithers Landing
Old Fort

Granisle

Middle River

Grand Rapids

Mount Priestley

Mount Cronin 2386

Evelyn
Hudson Bay Mountain
Glentanna
Lathlyn
Driftwood Creek

Willows Trailer Court
Smithers
Seymour Lake

Telkwa

Jean Baptiste 28

Round Lake

Quick

Topley Landing

Pendleton Bay
Donald Landing

Nancut

Pinchi

Rosswood
Kitsumkalum Lake

Dorreen

Usk
Kleenza Creek Subdivision
Gossen Creek
Copperside Estates

Terrace
Thornhill

Remo
Brauns Island

Terrace Airport

Perow
Walcott

Wiley Subdivision
Topley

North Bulkley

16

Barrett Lake

Houston

Forestdale

Rose Lake

Palling

Decker
Decker Lake

Burns Lake

Gerow Island
Sheraton

Alice Lake 41

Lakelse Lake

Mount Catt

Andesite Peak 2379

37

CN

16

25

SKEENA MOUNTAINS

E   128°   F   127°   G   126°   H   125°

10   0   10   20   30   40   50
kilometres   1:1 250 000   kilomètres

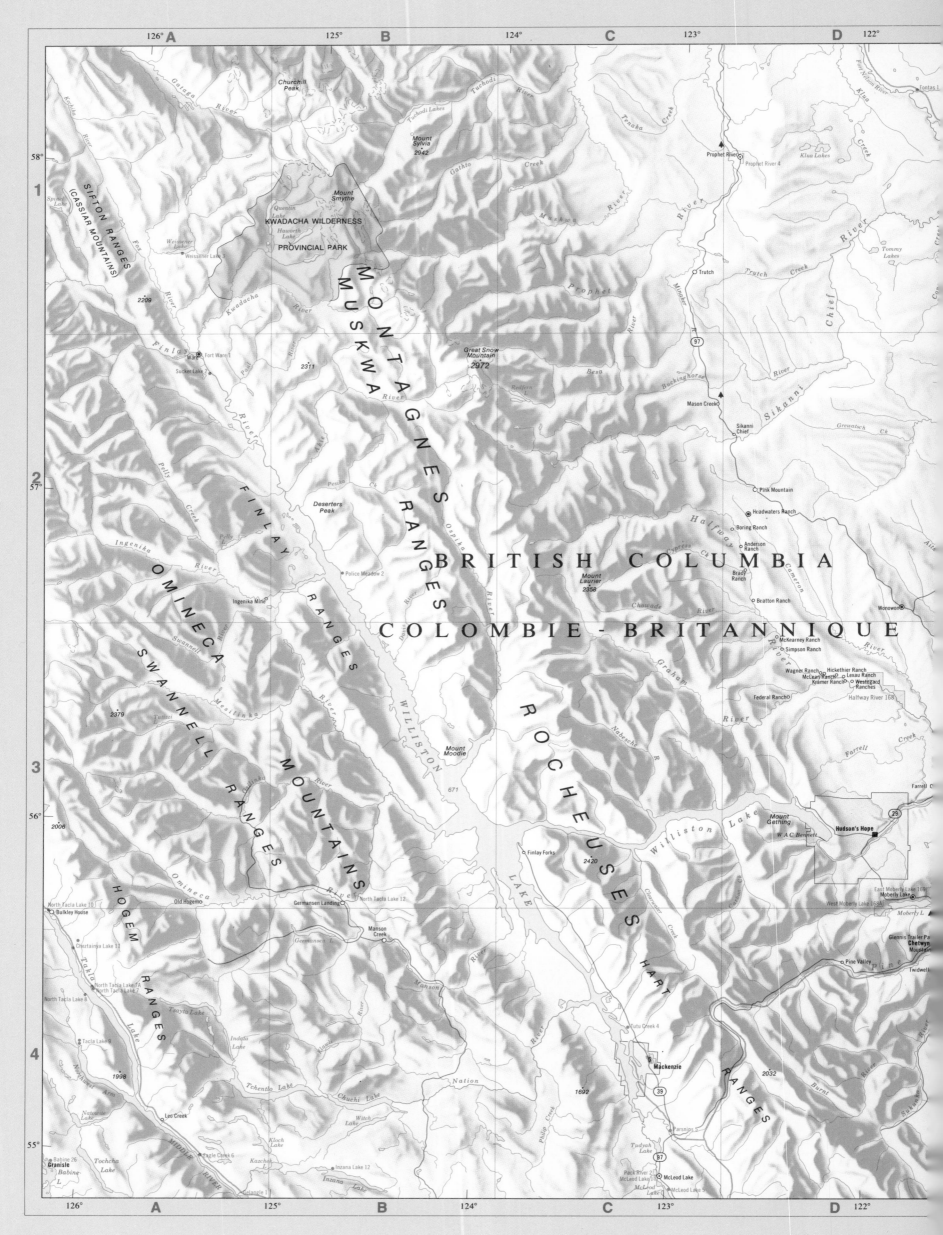

58°

1

Churchill
Peak

Mount
Sylvia
2942

Prophet River
Prophet River 4

Klua
Lakes

Kechika
River

Gataga
River

Tuchodi Lakes

Tuchodi
River

Gathto
Creek

Tenaka
Creek

Klua
Creek

Tommy
Lakes

SIFTON RANGES
(CASSIAR MOUNTAINS)

Mount
Smythe

Quentin
Lake
KWADACHA WILDERNESS
Haworth
Lake
PROVINCIAL PARK

Muskwa
River

Prophet

River

Trutch

Trutch
Creek

Chief
River

Spinel
Lake

Weissener
Lake
Weissener Lake 3

Fox
River

Kwadacha
River

2209

Finlay

River

Ware
Fort Ware 1
Sucker Lake 2

Pesh
River

2311

Aiken
River

Great Snow
Mountain
2972

Redfern

Bea

River

97

Mason Creek

Sikanni
Chief

Sikanni

Chief
River

Grewatsch
Ck

2
57°

Ingenika
River

Pelly
Creek

FINLAY

RANGES

Peshi
Ck

Deserters
Peak

Ospika

Pink Mountain

Headwaters Ranch

Boring Ranch

Halfway
River

Cypress
Creek

Anderson
Ranch

Alta
River

OMINECA

Ingenika Mine

Police Meadow 2

River

Mount
Laurier
2358

BRITISH COLUMBIA

Brady
Ranch

Beatton Ranch

Wonowon

2379

SWANNELL

Swannell
River

Meailinko
River

RANGES

Tutizi

MOUNTAINS

Omineca
River

Nabesche
R

Chowade
River

COLOMBIE - BRITANNIQUE

McKearney Ranch
Simpson Ranch

Wagner Ranch
McLean Ranch
Kramer Ranch

Hickethier Ranch
Lexau Ranch
Westgard
Ranches

Federal Ranch
Halfway River 168

Graham
River

Farrell
Creek

3
56°

2008

HOGEM

SWANNELL

Dadinka
River

WILLISTON

Mount
Moodie

671

RANGES

ROCHEUSES

HART

Nabesche
R

Charceco
Creek

Williston
Lake

Mount
Gething

W A C Bennett

Farrell

29

Hudson's Hope

East Moberly Lake 169
Moberly Lake
West Moberly Lake 168A
Moberly L

North Tacla Lake 10
Bulkley House

Cheztainya Lake 11

Old Hogem

Germansen Landing

North Tacla Lake 12

Finlay Forks

2420

LAKE

Glennis Trailer Pa
Chetwyn
Chetwyn
Mountain

Pine Valley

Twidwell

North Tacla Lake 7A
North Tacla Lake 7

North Tacla Lake 8

Teayta Lake

RANGES

Manson
Creek
Germansen L.

Indata
Lake

Nina
Creek

Manson
River

Parsnip
River

Tutu Creek 4

RANGES

2032

Burnt
River

Sukunka
River

4

1998

Tachie
River

Leo Creek

Tchentlo Lake

Chuchi Lake

Witch
Lake

Nation

Philip
Creek

1692

Mackenzie

39

97

Pine
River

MIDDLE

Natowite
Lake

Kloch
Lake

Kazchek
Lake

Inzana Lake 12

Inzana
Lake

RIVER

Parsnip S

Tudyah
Lake

97

55°

Babine 26
Granisle
Babine
L

Tochcha
Lake

Eagle Creek 6

Orangle 1

Pack River 2
McLeod Lake 1
McLeod
Lake

McLeod Lake
McLeod Lake 5

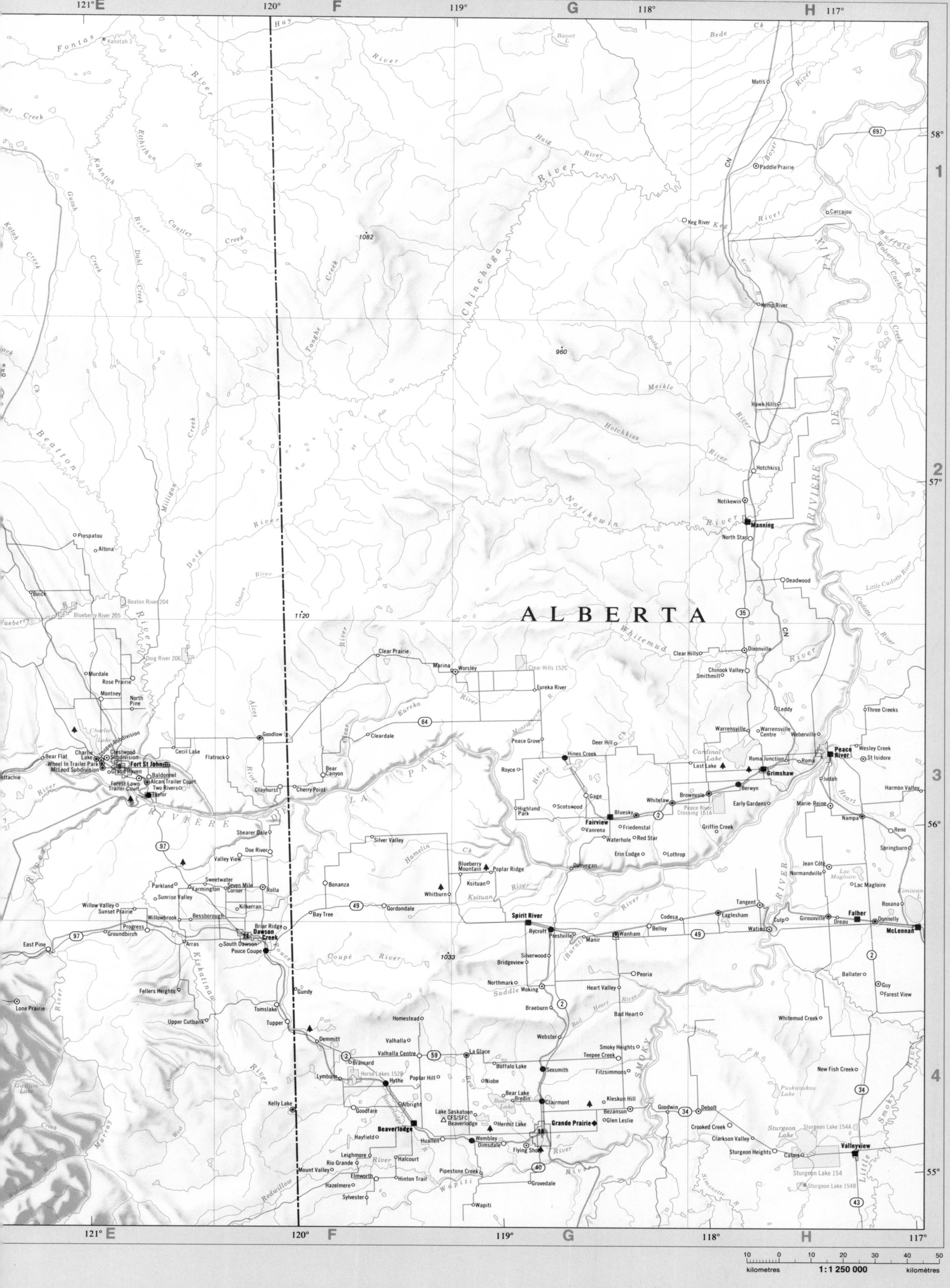

121°E 120° F 119° G 118° H 117°

ALBERTA

1082

960

1120

1033

697
35
CN

Paddle Prairie
Metis
Carcajou
Keg River
Hemp River
Hawk Hills
Hotchkiss
Notikewin
Manning
North Star
Deadwood
Dixonville
Clear Hills
Chinook Valley
Smithmill
Leddy
Three Creeks
Warrensville
Warrensville Centre
Weberville
Wesley Creek
Peace River
St Isidore
Roma Junction
Roma
Judah
Grimshaw
Berwyn
Harmon Valley
Brownvale
Whitelaw
Early Gardens
Marie-Reine
Nampa
Reno
Springburn
Jean Côté
Normandville
Lac Magloire
Roxana
Tangent
Eaglesham
Culp
Girouxville
Falher
Donnelly
Watino
McLennan
Codesa
Belloy
Dreau
Ballater
Guy
Forest View
Peoria
Heart Valley
Whitemud Creek
Bad Heart
Smoky Heights
Teepee Creek
Fitzsimmons
New Fish Creek
Debolt
Goodwin
Crooked Creek
Clarkson Valley
Sturgeon Heights
Calais
Valleyview
Sturgeon Lake 154A
Sturgeon Lake 154
Sturgeon Lake 154B
Grovedale
Wapiti

Clear Prairie
Marina
Worsley
Clear Hills 152C
Eureka River
Cleardale
Peace Grove
Deer Hill
Hines Creek
Royce
Gage
Scotswood
Highland Park
Fairview
Vanrena
Bluesky
Friedenstal
Waterhole
Red Star
Lothrop
Erin Lodge
Dunvegan
Griffin Creek
Peace River Crossing 151A
Last Lake
Cardinal Lake
Silver Valley
Poplar Ridge
Blueberry Mountain
Ksituan
Whitburn
Bonanza
Bay Tree
Gordondale
Spirit River
Rycroft
Pipestville
Wanham
Manir
Silverwood
Bridgeview
Northmark
Woking
Braeburn
Webster
Homestead
Valhalla
Valhalla Centre
La Glace
Buffalo Lake
Sexsmith
Niobe
Bear Lake
Bredin
Kleskun Hill
Clairmont
Glen Leslie
Bezanson
Grande Prairie
Lake Saskatoon
CFS/SFC Beaverlodge
Hermit Lake
Wembley
Dimsdale
Flying Shot
Huallen
Beaverlodge
Hayfield
Leighmore
Rio Grande
Halcourt
Mount Valley
Elmworth
Hazelmere
Sylvester
Hinton Trail
Goodfare
Albright
Hythe
Lymburn
Poplar Hill
Demmitt
Braurd
Tupper
Tomslake
Gundy
Kelly Lake
Upper Cutbank
Fellers Heights
Lone Prairie
East Pine
Groundbirch
Progress
Arras
South Dawson
Pouce Coupe
Dawson Creek
Briar Ridge
Bessborough
Willowbrook
Sunset Prairie
Willow Valley
Parkland
Sweetwater
Seven Mile Corner
Farmington
Kilkerran
Rolla
Bay Tree
Doe River
Valley View
Shearer Dale
Clayhurst
Cherry Point
Taylor
Two Rivers
Alcan Trailer Court
Forest Lawn Trailer Court
Grand Haven
Baldonnel
Fort St John
Flatrock
Cecil Lake
Bear Canyon
Goodlow
Clayhurst
Charlie Lake
Bear Flat
Wheel In Trailer Park
McLeod Subdivision
Chestwood Subdivision
North Pine
Montney
Rose Prairie
Murdale
Buick
Blueberry 205
Dog River 206
Beaton River 204
Prespatou
Altona
Kahntah 3

97
64
49
2
2
34
40
43

RIVIÈRE DE LA PAIX
RIVIÈRE DE LA PAIX

Fontas
Kahntah R
Sikanni
Beatton
Blueberry
Doig River
Osborn River
Alces River
Hamelin Ck
Ksituan River
Saddle River
Burnt River
Bad Heart River
Smoky River
Wapiti River
Redwillow River
Kiskatinaw
Pouce Coupe River
Coupé River
Chinchaga River
Tonshe Creek
Hay River
Haig River
Meikle River
Hotchkiss River
Notikewin River
Whitemud River
Montagneux
Eureka River
Hines River
Cardinal Lake
Peace River
Heart River
Little Cadotte River
Buffalo R
Wolverine R
Cache
Keg River
Bede Ck
Basset L

kilometres 1:1 250 000 kilometres
10 0 10 20 30 40 50

58°
57°
56°
55°

1
2
3
4

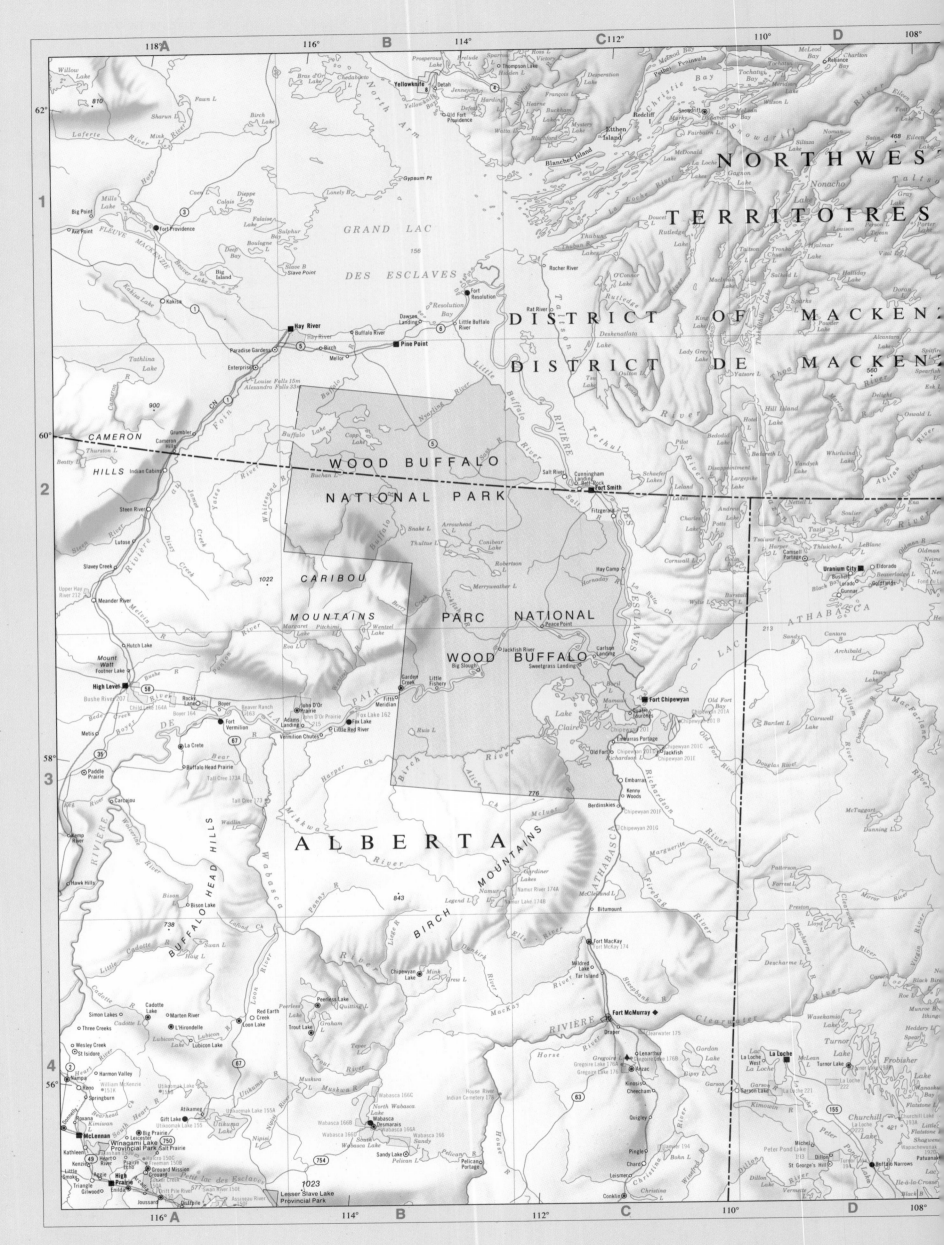

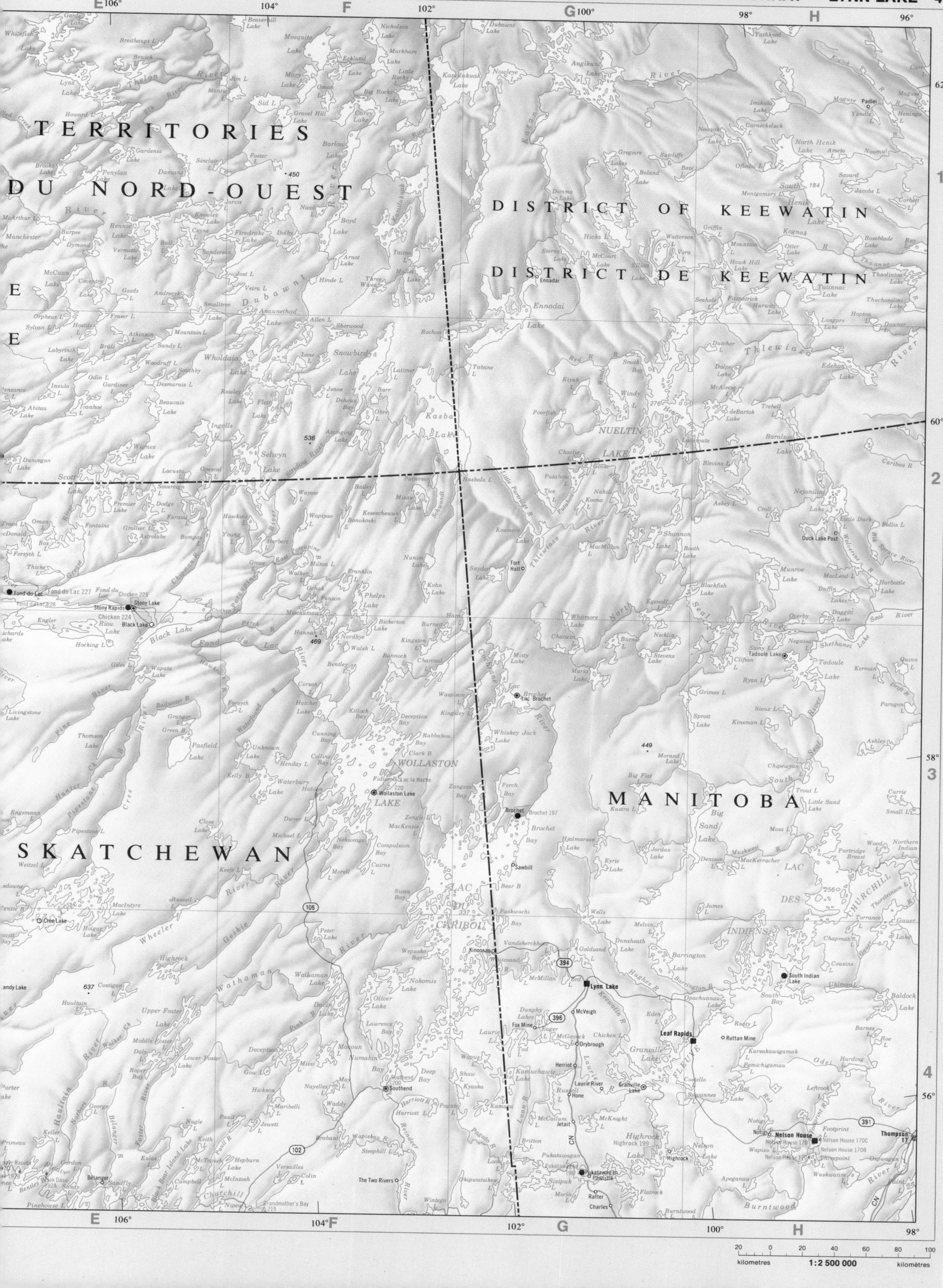

TERRITORIES

DU NORD-OUEST

DISTRICT OF KEEWATIN

DISTRICT DE KEEWATIN

SKATCHEWAN

MANITOBA

NUELTIN LAKE

WOLLASTON LAKE

LAC LA CARIBOU

Stony Rapids

Black Lake

Fond du Lac

Wollaston Lake

Brochet

Lac Brochet

Tadoule Lake

Duck Lake Post

South Indian Lake

Lynn Lake

Fox Mine

Leaf Rapids

Ruttan Mine

Granville Lake

Laurie River

Southend

Nelson House

Thompson

Kinoosao

Cree Lake

1 : 2 500 000

kilometres   20   0   20   40   60   80   100   kilométres

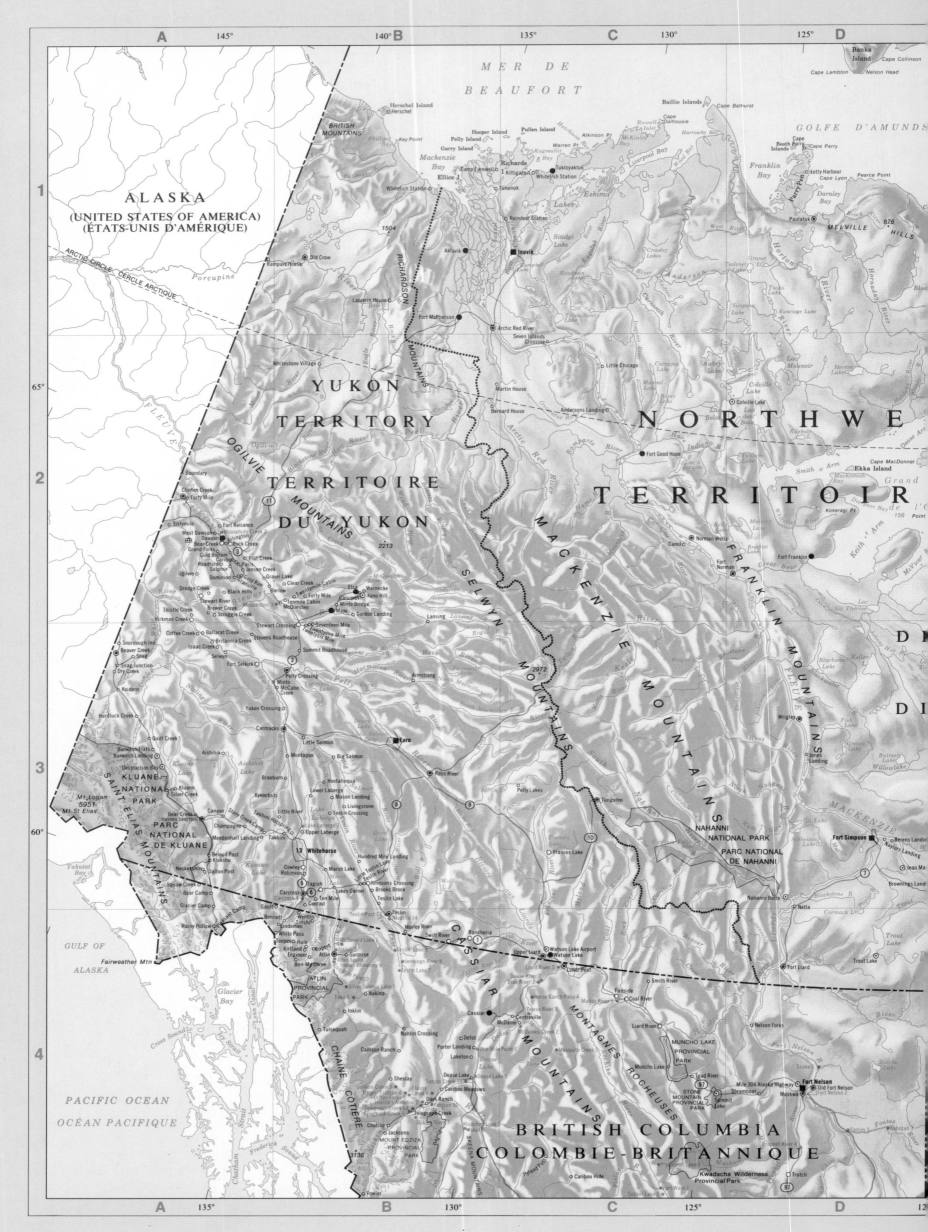

A   145°   B 140°   135°   C   130°   125°   D

MER DE BEAUFORT

GOLFE D'AMUNDS

Banks Island
Cape Lambton   Cape Collinson
Nelson Head

Herschel Island
Herschel
Baillie Islands   Cape Bathurst
Cape Dalhousie
Cape Parry
Booth   Cape Parry

BRITISH MOUNTAINS

Kay Point
Pelly Island
Garry Island
Mackenzie Bay
Camp Farewell
Ellice I.
Richards
Kittigazuit
Toktoyaktuk
Whitefish Station
Eskimo Lakes
Franklin Bay
Cape Lyon
Pearce Point

Whitefish Station

MELVILLE
876   HILLS

Reindeer Station

ALASKA
(UNITED STATES OF AMERICA)
(ÉTATS-UNIS D'AMÉRIQUE)

Rampart House
Old Crow
1504
Aklavik
Inuvik

ARCTIC CIRCLE
CERCLE ARCTIQUE
Porcupine

Lapierre House
Fort McPherson
Arctic Red River
Seven Islands Crossing

Little Chicago

Paulatuk

Darnley Bay

65°

Whitestone Village

YUKON

TERRITORY

TERRITOIRE

DU YUKON

RICHARDSON MOUNTAINS

Martin House
Bernard House
Andersons Landing

Colville Lake

NORTHWE

Boundary
Clinton Creek
Forty Mile

OGILVIE MOUNTAINS
2213

Fort Good Hope

TERRITOIR

Sixtymile
West Dawson
Dawson
Arlington
Rock Creek
Grand Forks
Gold Bottom
Readford
Sulphur
Ogilvie
Dominion
Gold Run
Black Hills
Dredge Creek
Thistle Creek
Stewart River
Brewer Creek
Scroggie Creek

Flat Creek
Caribou
Paris
Jensen Creek
Gravel Lake
Clear Creek
Barlow
McQuesten Cabin
Forty Mile
Tenmile Cabin
McQuesten
Elsa
Calumet
Minto Bridge
Mayo
Gordon Landing

Wernecke
Keno Hill

Lansing Lansing

Norman Wells
Canolo

Fort Franklin

Fort Norman

FRANKLIN MOUNTAINS

Kirkman Creek
Coffee Creek
Ballarat Creek
Britannia Creek
Stevens Roadhouse
Summit Roadhouse
Stewart Crossing
Seventeen Mile
Twentyone Mile

SELWYN MOUNTAINS

Wrigley

DI

DI

Sourdough Inn
Beaver Creek
Snag
Snag Junction
Dry Creek
Koidern

Isaac Creek
Selwyn
Fort Selkirk

Armstrong

MACKENZIE MOUNTAINS
2972

MACKENZIE

Pelly Crossing
Minto
McCabe Creek

Yukon Crossing

Ross River

Pelly Lakes

Jones Landing

Hardluck Creek
Quill Creek

Carmacks

Faro
Tungsten

60°

Burwash Flats
Burwash Landing
Destruction Bay
Mt. Logan
5951
Mt St Elias

KLUANE
NATIONAL
PARK
Kluane
Silver Creek
Bear Creek
Haines Junction
Champagne
Mendenhall Landing

SAINT ELIAS MOUNTAINS

PARC
NATIONAL
DE KLUANE

Aishihik
Aishihik Lake

Braeburn

Little Salmon
Montague   Big Salmon

Hootalinqua
Kynocks
Lower Laberge
Mason Landing
Livingstone
Teslin Crossing

NAHANNI
NATIONAL PARK
PARC NATIONAL
DE NAHANNI

Fort Simpson

Frances Lake

Jean M

Browlings Land

Yakutat Bay

Bear Camp
Nesketahin
Squaw Creek
Dalton Post

13 Whitehorse

Beloud Post
Klukshu
Takhini
Stony Creek Camp
Upper Laberge

Hundred Mile Landing
Marsh Lake

Frances Lake

Nahanni Butte
Netla

Jea

Fairweather Mtn

Cowley
Robinson

Johnsons Crossing
Brooks Brook
Lakes Corner
Teslin Lake

GULF OF
ALASKA

Glacier Camp
Bennett
White Pass
Rainy Hollow

Tagish
Carcross
Ten Mile
Conrad

Teslin
14

Morley River
Swift River

Rancheria

Smith River

Fort Liard

Trout Lake

Lindeman
Totshi
Kirtland
Engineer
Ben-My-Chree

McDonald Lake

Watson Lake Airport
Upper Liard
Watson Lake
Lower Post

Liard River

Nelson Forks

PACIFIC OCEAN
OCÉAN PACIFIQUE

ATLIN
PROVINCIAL
PARK

Silver Salmon Lake
Nakina

Fireside
Coal River

Inklin

Cassiar
McDame
Centreville
Dease River

Horse Ranch Pass
Muddy River

Liard River

MUNCHO LAKE
PROVINCIAL
PARK

Tulsequah

Nahlin Crossing
Callison Ranch

Porter Landing
Laketon

Muncho Lake

Toad River

Fort Nelson

CASSIAR MOUNTAINS

MONTAGNES ROCHEUSES

STONE MOUNTAIN
PROVINCIAL
PARK

Mile 304 Alaska Highway
Steamboat
Summit Lake

Fort Nelson
Old Fort Nelson
Muskwa

Sheslay
Days Ranch
Cariboo Meadows
Dease Lake

97

CHAINE CÔTIÈRE

Telegraph Creek

MOUNT EDZIZA
PROVINCIAL
PARK
3736

BRITISH COLUMBIA
COLOMBIE-BRITANNIQUE

Caribou Hide

Kwadacha Wilderness
Provincial Park

Trutch

97

172

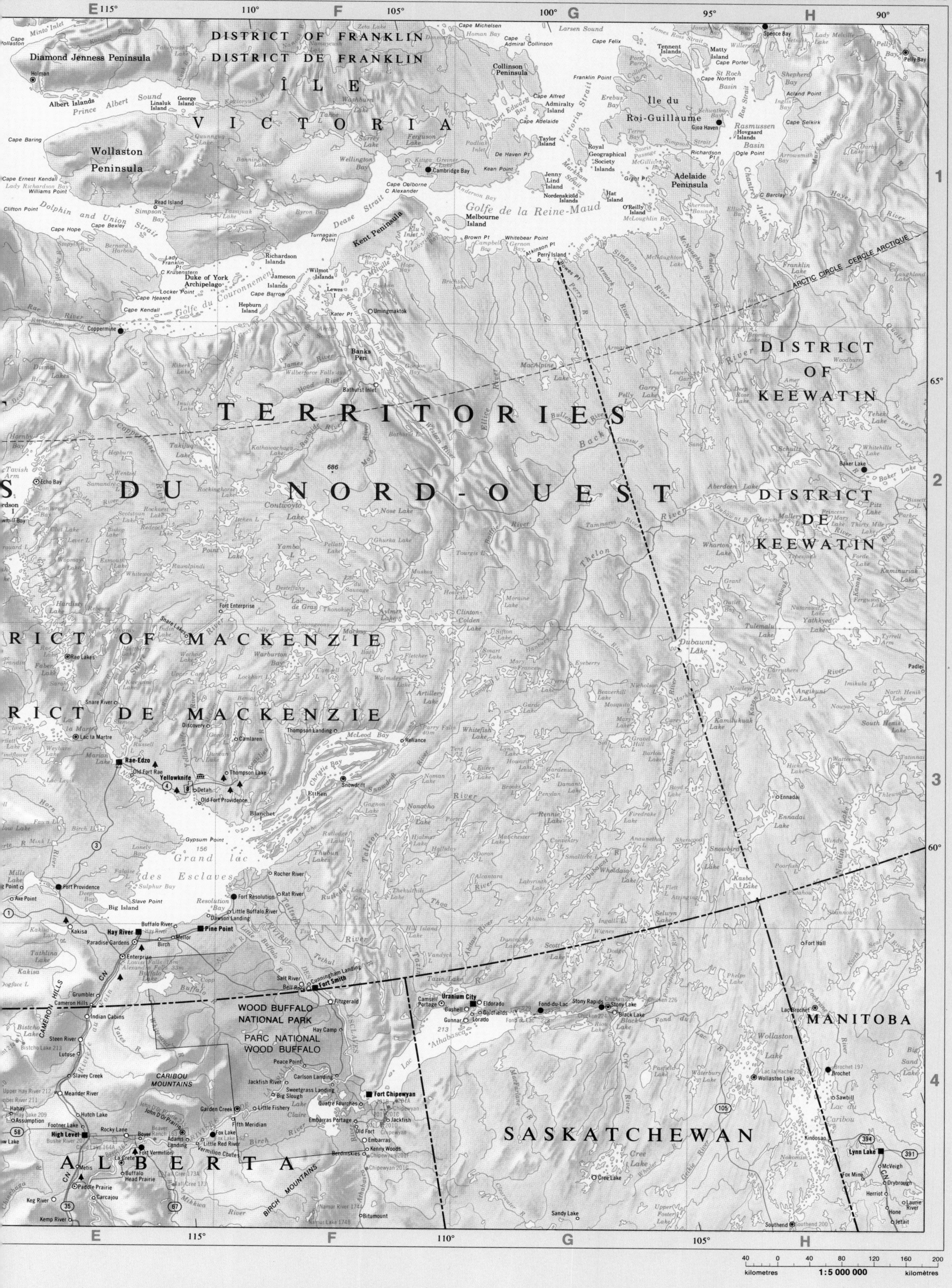
DISTRICT OF FRANKLIN
DISTRICT DE FRANKLIN
ÎLE VICTORIA
Diamond Jenness Peninsula
Holman
Albert Islands
Prince Albert Sound
Wollaston Peninsula
Cape Baring
Cambridge Bay
Collinson Peninsula
Ferguson Lake
Wellington Bay
Dease Strait
Kent Peninsula
Melbourne Island
Golfe de la Reine-Maud
Île du Roi-Guillaume
Gjoa Haven
Rasmussen Basin
Adelaide Peninsula
Spence Bay
Pelly Bay
Dolphin and Union Strait
Duke of York Archipelago
Golfe du Couronnement
Coppermine
Umingmaktok
Bathurst Inlet
Bathurst Inlet
ARCTIC CIRCLE CERCLE ARCTIQUE
DISTRICT OF KEEWATIN
DISTRICT DE KEEWATIN
TERRITORIES
DU NORD-OUEST
Baker Lake
Contwoyto Lake
MacAlpine Lake
Garry Lake
Pelly Lake
Thelon
Dubawnt Lake
Aylmer Lake
Clinton-Colden Lake
Fort Enterprise
DISTRICT OF MACKENZIE
DISTRICT DE MACKENZIE
Rae Lakes
Snare River
Rae-Edzo
Yellowknife
Detah
Old Fort Providence
Thompson Landing
McLeod Bay
Reliance
Snowdrift
Grand lac des Esclaves
Gypsum Point
Fort Providence
Fort Resolution
Hay River
Pine Point
Enterprise
Fort Smith
Kasba Lake
Ennadai
Fort Hall
Padlei
Uranium City
Camsell Portage
Eldorado
Fond-du-Lac
Stony Rapids
Black Lake
WOOD BUFFALO NATIONAL PARK
PARC NATIONAL WOOD BUFFALO
CARIBOU MOUNTAINS
Fort Chipewyan
Lac Athabasca
Wollaston Lake
MANITOBA
Lac Brochet
Brochet
Lac du Caribou
Lynn Lake
SASKATCHEWAN
Cree Lake
ALBERTA
High Level
Fort Vermilion
Meander River
Steen River
Indian Cabins
Keg River
Kemp River
BIRCH MOUNTAINS
Bitumount
Southend
CAMERON HILLS
Kakisa
Fort Chipewyan
E 115° 110° F 105° 100° G 95° H 90°
65° 60°
1 2 3 4
40 0 40 80 120 160 200
kilometres 1:5 000 000 kilomètres

75° E 70° 65° F 60° G 55° H

BARNES ICE CAP
OF FRANKLIN
DE FRANKLIN
ÎLE
TERRITORIES
DE
NORD-OUEST
BAFFIN

GREENLAND (DENMARK)
GROENLAND (DANEMARK)

DÉTROIT DE DAVIS

ARCTIC CIRCLE · CERCLE ARCTIQUE

Prince Charles Island
Air Force Island
Poole Pt

Stovasby Inlet
Cape Jensen
Koch Island
Ignerit
Bray Island
North Spicer I
South Spicer I
Era Island
Rowley Island
Baird Pen
Foley Island

Home Bay
Cape Raper
Aulitivik Island
Aulitiving Island
Henry Kater Pen
Cape Henry Kater
Arguyartu Pt

Cape Hooper
Kekertaluk Island
Manitung Island
Kangeeak Pt
Broughton Island
Kekertuk
Padloping Island
Durban Island
Padloping Island

AUYUITTUQ NATIONAL PARK
PARC NATIONAL D'AUYUITTUQ
CALOTTE DE PENNY
CUMBERLAND 2094
PENINSULA

Cape Dyer
Exeter Bay
Cape Walsingham
Angijak Island

FOXE
Gravell Pt
Cape Dominion

GREAT PLAIN OF THE KOUKDJUAK
Nettilling Lake
Koukdjuak River

Nunatak
Iglunga
Usualuk
Pangnirtung
Tessaralik

Cumberland Sound
Kumdluo
Hoare Bay
Leopold Island
Abraham Bay

Cape Dorchester
Finnie Bay
Nuwata
Fox Peninsula
Cape Dorset
Amadjuak Lake

Kipisa
Robert Peel Inlet
Chidliak Bay
Moodie Island
1143
Lemieux Islands
Beekman Peninsula
Cape St David
Brevoort Island

Frobisher Bay
Hall Peninsula
Ward Inlet
Cornelius Grinnell Bay
Baring Pen
Newton

Salisbury Island
Nottingham Island
Fraser I

Amadjuak
Macdonald Island
Fair Ness
Wharton Lake
Meta Incognita Peninsula
Baie de Frobisher

Cape Sarah
Blunt Pen
Loks Land
Cyrus Field Bay
Lady Franklin Island
Cape Farrington
Queen Elizabeth Foreland

Lake Harbour
Big Island
North Bay
Upper Savage Is
Middle Savage Is
Lower Savage Islands
Barrier Inlet

Peters Pt
Buerger Pt
York Sd
Jackman
Potter Island
Edgell Island
Cape Warwick
Resolution Island
Hatton Headland
Graves Strait
Gabriel Strait

DÉTROIT D'HUDSON

Digges Islands
Digges Sd
Nuvuk Islands
Pte Aulassivik
Ivujivik
545

Charles Island
Charles Bay
Cap de Nouvelle-France
Pte Radisson
Promontoire de Martigny

Button Islands
Gray Strait
Port Burwell
Cape Chidley
Killinek Island
Black Rock Pt
North Aulatsivik Island
Ryans Bay

Sugluk
Déception Bay
Déception
Purtuniq
Wales Island
Fisher Bay
Cap du Prince-de-Galles
Maricourt (Wakeham)
Joy Bay
Whitley Bay

PÉNINSULE
657
Cratère du Nouveau-Québec
Pte de Tracy
Koartac
Cap Hopes Advance
Cap-Hopes-Advance
Singer Pt
Akpatok Island
Clutterbuck Hd

TORNGAT MOUNTAINS
1652
Nachvak Fd
Gulch Cape
Ramah Bay
Seven Islands
Eclipse Hr

Akulivik
Korak Bay
Povungnituk

D'UNGAVA
Lac Klotz
Bellin (Payne)
Payne Bay

BAIE D'UNGAVA
Aupaluk
Hopes Advance Bay
MONTS TORNGAT
1428
Cape Uivak
Siglek Bay

MER DU LABRADOR

Povungnituk
Pte aux Écueils
Kogaluk Bay
Pte Despins

Gyrfalcon Islands
Pte Stony
Tasiujaq
Port Nouveau-Québec

1243
Hebron
Napaktok (Black Duck)
Hebron Fd
Cod Island
Moores Harbour
Okak Islands
Nutak

Hopewell Islands
Inoucdjouac
316

Fort-Chimo
Umingmaqutik

Ungardlek
South Aulatsivik Island

King George Islands

Nain
Kauk Bight
Paul Island
Ford
Kamarsuk
Tunungayualok
Davis Inlet

Bakers Dozen Islands
Tukarak Island

QUÉBEC
NEWFOUNDLAND TERRE-NEUVE

688
802

kilometres 1:5 000 000 kilomètres
40 0 40 80 120 160 200

90° E 80° 60° F 50° G 40° H

Cape Columbia
Good Pt Cape Colan Cape Hecla
Cape Nares Cape Joseph Henry
Ward Hunt I
Cape Discovery
Cape Richards
Cape Bicknor
Milne F⁴
Cape Evans
Alert Point
Yelverton Bay
Phillips Inlet
BRITISH EMPIRE RANGE
UNITED STATES RANGE
Alert
Cape Union
Lincoln Sea
Robeson Channel
Hazen Camp
2604 · Barbeau Peak
Lake Hazen
Fort Conger
Cape Baird
Kennedy Channel
Archer Fiord
ÎLE
Judge Daly Promontory

Tanquary Camp

AGASSIZ
ICE CAP
Greely Fiord
C Lawrence
Cape Wilkes
Cape M'Clintock
Scoresby B
Kane
D'ELLESMERE
Iceberg Point

Fosheim
Eureka
Peninsula
Cape Louis Napoleon
Dobbin Bay
Cape Hawks

Princess Marie Bay
Victoria Head
Bache Pen
Buchanan
Woodward
Knud Pen
Kane Basin
Smith Sound
2072
Johan Peninsula
Sabine
Pim I
Herschel
C. Isabella
Baird Inlet
Raanes Peninsula
Cadogan In
Stor
Ulvingen
Cape Dunsterville
Hyperite
Pen
Svendsen Pen
Cape Faraday
Easter Island
Cape Mouat
Bjorne Peninsula
Hoved I

Graham Island
Buckingham Island
Smith Bay
Cape Combermere
Clarence Head
1493
North Kent I
SYDKAP ICE CAP
Grise Fiord
Lee Pt
Cape Norton Shaw

Cape Storm
Cape Vera
King Edward Pt
Craig Harbour
Glacier Strait
Phillips Point
Coburg Island

Jones Sound
Ward Point
Cape Sparbo
Lady Ann Strait
Bear Bay
C Svarten
Belcher Glr
Skruis Pt
Johnson Point
Cape Parker
1920
Hyde In
Philpots Island

DEVON ISLAND
TERRITORIES
Cape Sherard
Dundas Harbour
Cape Home
Cape Warrender
Cape Ricketts
Cape William Herschel
Felttoot
Powell In
Stratton In

Barrow
Détroit de Lancaster
NORD-OUEST
Prince Leopold I
Cape Clarence
Cape Admiral Clinfock
Port Leopold
Cape York
Cape Crauford
Cape Hay
Mound Bight
C Charles Yorke
Cape Liverpool
Cape Byam Martin
Cape Walter Bathurst
Cape Burney

Elwin In
Elwin Bay
BYLOT ISLAND
BORDEN
Canada Pt
Low Point
C Graham Moore
Batty Bay
390
Arctic Bay
Strathcona
Pond Inlet
Pond Inlet
Cape Weld
Cape Macculloch
Tikerakutit
Nanisivik
PENINSULA
BRODEUR
Adams Sound
Eclipse Sound
Cape Coutts
Nova Zembla I
Cape Jameson
PENINSULA
McBean Bay
Admiralty Inlet
1963
Oliver Sound
Buchan Gulf
C Cargenholm
FRANKLIN
Trenbury Sound
Cape Hunter
Cape Adair
FRANKLIN
Milne In
Tay Sound
Scott Island
Eeloojua
Yeoman
Paquet Bay
Erik Point
Cape Eglinton
Fitzgerald B
Angajujualuk
Sillem I
Clyde River
C Kater
Inukpisik
Bieri
Cape Hewett
Morin Point
Jungersen River
Conn L
Cape Aston
Van Koenig Pt
Nina Bang L
Cape Raper
Thibout
Bernier Bay
Quartz L
Ang
Aulitivik Island
ÎLE
Tariujaq
Aulitiving Island
Golfe
Berlinguet Inlet
Bell Bay
Erichsen Lake
Henry Kater Pen
de
Saputing Lake
Gifford River
DE
Cape Henry Kater
Boothia
Neergaard Lake
Grant Suttie
Arguyartu Point
Cape Landry
1123
BARNES ICE CAP
Blanchfield Inlet
Home Bay
Crown Prince Frederik I
Generator
Flyaway L
C Hooper
Astronomical Society Is
Fury and Hecla Strait
BAFFIN
Flint
Manitung
Cape Kjer
Cape Englefield
C Jensen
Koch
Lake Gillian
Ignert Pt
Kekertaluk
Kangeeak Point
Ormonde I
Straits
Broughton Island
WATIN
Melville
Richards B
Munk Island
Bray Island
Ipkik Bay
Piling B
Dewar Lakes
Broughton Island
WATIN
Peninsula
Igloolik
Rowley Island
Baird Pen
Bassin de Foxe
AUYUITTUQ NATIONAL PARK
PARC NATIONAL D'AUYUITTUQ

90° E F 80° G 70° H

GREENLAND
(DENMARK)

GROENLAND
(DANEMARK)

MER
DE
BAFFIN

DÉTROIT DE DAVIS

40 0 40 80 120 160 200
kilomètres 1:5 000 000 kilomètres

1

75°

2

3

70°

4

INDEX TOPONYMIQUE

Comment utiliser l'index : Les pages qui suivent renferment les noms géographiques du Canada qui apparaissent dans l'atlas. Chaque nom est accompagné de ses coordonnées qui permettent de le situer rapidement. L'index se divise en deux parties dont les éléments sont présentés par ordre alphabétique.

La première partie est consacrée à la nomenclature des lieux habités et précise leur situation et leur statut. La deuxième partie comprend la nomenclature des entités physiques ; elle inclut les noms des aéroports internationaux, des grands barrages et de certains parcs provinciaux et nationaux.

Avant de trouver un nom géographique dans l'index, il faut savoir s'il désigne un lieu habité ou une entité physique, et se reporter à la partie correspondante. Les noms se suivent par ordre alphabétique et chacun d'eux est accompagné du numéro de la carte et des coordonnées, indiqués en caractères gras. Les coordonnées sont déterminées par un quadrillé de lignes, bordé à l'horizontale (au haut et au bas de chaque carte) par une série de lettres, et à la verticale (de chaque côté), par une série de chiffres.

L'utilisateur se reportera donc à la carte dont le numéro apparaît dans l'index et repérera le carreau indiqué. En examinant celui-ci, il trouvera le lieu qu'il cherche. Ainsi, pour trouver Aspen, localité de Terre-Neuve, l'utilisateur cherchera ce nom dans la partie consacrée aux lieux habités de l'index. Il notera que l'endroit apparaît sur la carte nº 2, dans le carreau F1. Il repérera donc sur la carte nº 2 le carreau F1, à l'intérieur duquel il trouvera Aspen. Dans quelques rares cas, des numéros apparaissent sur la carte : ils renvoient aux noms géographiques inscrits, pour plus de commodité, dans une partie plus aérée de la carte.

ABRÉVIATIONS

Nom

BFC	Base des forces canadiennes
Int.	International
SFC	Station des forces canadiennes
St	Saint
Ste	Sainte
Sts	Saints
(p)	partie
<	à l'intérieur de

Statut

BOR	Borough
C	Cité
COMM	Communauté
D	District territorial
DAL	District d'amélioration locale
DM	District (municipalité de)
DR	District rural
HAM	Hameau
LNCA	Localité non constituée — nom approuvé
LNCS	Localité non constituée — nom sans approbation
PROV	Province
RI	Réserve indienne
RM	Réserve militaire
TERR	Territoire
V	Ville
VE	Village d'été
VL	Village

Province

T.-N.	Terre-Neuve
I.-P.-E.	Ile-du-Prince-Edouard
N.-E.	Nouvelle-Ecosse
N.-B.	Nouveau-Brunswick
Qué.	Québec
Ont.	Ontario
Man.	Manitoba
Sask.	Saskatchewan
Alb.	Alberta
C.-B.	Colombie-Britannique
Yukon	Yukon
T. N.-O.	Territoires du Nord-Ouest

Nom	Statut	Province	Numéro de carte	Position
Aspen	LNCA	(T.-N.)	2	F1

A

Aass 3, RI (C.-B.) 39 **E3**
Abana, LNCA (Qué.) 18 **A1**
Abbey, VL (Sask.) 31 **D2**
Abbotsford, DM (C.-B.) 38 **H3**
Abbott-Corners, LNCA (Qué.) 16 **B4**
Abee, LNCA (Alb.) 33 **E2**
Abénakis, LNCA (Qué.) 15 **B3**
Aberarder, LNCA (Ont.) 22 **C1**
Abercorn, VL (Qué.) 16 **B4**
Abercrombie, LNCA (N.-E.) 9 **D1**
Aberdeen, LNCA (N.-E.) 8 **D3**
Aberdeen, LNCA (Ont.) 17 **E1**
Aberdeen, LNCA (Ont.) 23 **D2**
Aberdeen, VL (Sask.) 31 **F1**
Aberfeldy, LNCA (Sask.) 32 **A3**
Aberfeldy, LNCA (Ont.) 22 **C2**
Aberfoyle, LNCA (Ont.) 23 **E4**
Abernethy, VL (Sask.) 29 **B2**
Abilene, LNCA (Alb.) 33 **F2**
Abingdon, LNCA (Ont.) 21 **A4**
Abitibi, LNCA (Ont.) 26 **E1**
Abitibi 70, RI (Ont.) 26 **F1**
Abitibi Canyon, LNCA (Ont.) 20 **C4**
Abney, LNCA (I.-P.-E.) 7 **E4**
Aboushagan Road, LNCA (N.-B.) 7 **A4**
Abrahams Cove, LNCA (T.-N.) 4 **B2**
Abrams, VL (I.-P.-E.) 7 **A3**
Abrams River, LNCA (N.-E.) 10 **B3**
Abuntlet Lake 4, RI (C.-B.) 40 **A3**
Acaciaville, LNCA (N.-E.) 10 **B2**
Academy, LNCA (N.-E.) 9 **D1**
Academy, LNCA (Alb.) 34 **E2**
Acadia, LNCA (Alb.) 31 **B2**
Acadia Valley, LNCA (Alb.) 31 **B2**
Acadie Siding, LNCA (N.-B.) 12 **F3**
Acadieville, LNCA (N.-B.) 12 **F3**
Acheson, LNCA (Alb.) 33 **D3**
Achigan, LNCA (Ont.) 26 **B3**
Achigan-Ouest, LNCS (Qué.) 18 **F4**
Achill, LNCA (Ont.) 21 **A2**
Acme, VL (Alb.) 34 **F2**
Acous 1, RI (C.-B.) 39 **C2**
Actinolite, LNCA (Ont.) 24 **G4**
Acton, LNCA (N.-B.) 11 **B2**
Actons Corners, LNCA (Ont.) 17 **C2**
Acton-Vale, V (Qué.) 16 **C3**
Ada, LNCA (Sask.) 31 **F3**
Adams Cove < Small Point – Kingston – Broad Cove – Blackhead – Adams Cove, LNCA (T.-N.) 2 **G2**
Adams Gulch, LNCA (N.-B.) 13 **B4**
Adams Lake, LNCA (C.-B.) 36 **G4**
Adams Landing, LNCA (Alb.) 44 **B3**
Adamsville, LNCA (N.-B.) 12 **F4**
Adamsville, LNCA (Ont.) 23 **C1**
Adanac, LNCA (Ont.) 26 **F3**
Adanac, LNCA (Ont.) 25 **F3**
Adanac, VL (Sask.) 32 **A4**
Adderley, LNCA (Qué.) 15 **A4**
Addington Forks, LNCA (N.-E.) 8 **B4**
Addison, LNCA (Ont.) 17 **C3**
Adelaide, LNCA (Ont.) 22 **D1**
Aden, LNCA (Alb.) 34 **H4**
Adeytown, LNCA (T.-N.) 2 **F1**
Admaston, LNCA (Ont.) 17 **A1**
Admiral, VL (Sask.) 31 **D4**
Admiral Rock, LNCA (N.-E.) 9 **C2**
Admirals Beach, COMM (T.-N.) 2 **F4**
Admiral's Cove, LNCA (T.-N.) 2 **H3**
Adolphustown, LNCA (Ont.) 21 **G1**
Advance, LNCA (Ont.) 25 **B2**
Advocate Harbour, LNCA (N.-E.) 11 **G3**
Aerial, LNCA (Alb.) 34 **F2**
Aero, LNCA (C.-B.) 41 **B2**
Aetna, LNCA (Alb.) 34 **F4**
Afton, LNCS (N.-E.) 8 **B4**
Afton Road, LNCA (I.-P.-E.) 7 **D3**
Afton Station, LNCA (N.-E.) 8 **B4**
Agate, LNCA (C.-B.) 35 **B2**
Agatha, LNCA (Alb.) 34 **H3**
Agats Meadow 8, RI (C.-B.) 40 **B3**
Agawa Bay, LNCA (Ont.) 26 **A3**
Agency 1, RI (Ont.) 28 **H4**
Aggie, LNCA (Alb.) 33 **B1**
Aglakumna 4A, RI (C.-B.) 39 **E1**
Aglakumna-la 2, RI (C.-B.) 39 **F1**
Aguanish, LNCA (Qué.) 5 **B3**
Agwedin 3, RI (C.-B.) 42 **F3**
Ahahswinis 1, RI (C.-B.) 38 **C2**
Ahaminaquus 12, RI (C.-B.) 39 **F3**
Ahbau, LNCA (C.-B.) 40 **D2**
Ahmacinnit 3, RI (C.-B.) 39 **D3**
Ahmic Harbour, LNCA (Ont.) 24 **A1**
Ahmic Lake, LNCA (Ont.) 24 **B1**
Ahmitsa 5, RI (C.-B.) 38 **B3**
Ahnuhati 6, RI (C.-B.) 37 **A2**
Ahous 16, RI (C.-B.) 39 **G4**
Ahousat, LNCA (C.-B.) 39 **F4**
Ahpokum 9, RI (C.-B.) 37 **C3**
Ahpukto 3, RI (C.-B.) 39 **E3**
Ahta 3, RI (C.-B.) 39 **F1**
Ahuk 1, RI (C.-B.) 38 **C3**
Ah-we-cha-olt-o 16, RI (C.-B.) 39 **C1**
Aikensville, LNCA (Ont.) 23 **E4**
Aikwucks 15, RI (C.-B.) 38 **F1**
Aillik, LNCA (T.-N.) 6 **F2**
Ailsa Craig, VL (Ont.) 22 **D1**
Ain 6, RI (C.-B.) 41 **A1**
Ainslie Glen, LNCA (N.-E.) 8 **D3**
Ainsworth Hot Springs, LNCA (C.-B.) 34 **B4**
Airdrie, V (Alb.) 34 **E2**
Aird Subdivision, LNCS (C.-B.) 40 **C3**
Airlie, LNCA (Ont.) 23 **E2**
Air Ronge, LNCA (Sask.) 32 **E1**
Airy, LNCA (Ont.) 24 **E2**
Aishihik, LNCA (Yukon) 45 **A3**
Aitchelitch 9, RI (C.-B.) 35 **A4**
Aiyansh < Aiyansh1, LNCA (C.-B.) 42 **D3**
Aiyansh 1, RI (C.-B.) 42 **D3**
Aiyansh 83, RI (C.-B.) 42 **D3**
Aiyansh 87, RI (C.-B.) 42 **D3**
Ajax, V (Ont.) 21 **C2**
Akenside, LNCA (Alb.) 33 **E3**
Aklavik, HAM (T.N.-O) 45 **B1**
Akudlik, LNCA (Man.) 46 **B4**
Akulivik, LNCA (Qué.) 46 **E3**
Alalco 8, RI (C.-B.) 41 **G4**
Alameda, V (Sask.) 29 **C4**
Alamo, LNCA (C.-B.) 34 **B3**
Alaska, LNCA (I.-P.-E.) 7 **A3**
Alastair 80, RI (C.-B.) 41 **D1**
Alastair 81, RI (C.-B.) 41 **D1**
Alastair 82, RI (C.-B.) 41 **D1**
Alba, LNCA (N.-E.) 8 **D3**
Alban, LNCA (Ont.) 25 **F2**
Albanel, VL (Qué.) 18 **H1**
Albany, LNCA (I.-P.-E.) 7 **B4**
Albany, LNCA (N.-E.) 10 **D1**
Albany Corner, LNCA (I.-P.-E.) 7 **B4**
Albany Cross, LNCA (N.-E.) 10 **D1**
Albas, LNCA (C.-B.) 36 **H3**
Albatross, LNCA (Sask.) 31 **G3**
Alberni 2, RI (C.-B.) 38 **C2**
Alberry Plains, LNCA (I.-P.-E.) 7 **D4**
Albert, LNCA (Ont.) 21 **G1**
Alberta Beach, VE (Alb.) 33 **D3**
Albert Bridge, LNCA (N.-E.) 8 **F3**
Albert Canyon, LNCA (C.-B.) 34 **B2**
Albert Flat 5, RI (C.-B.) 35 **B3**
Albert Head, LNCA (C.-B.) 38 **E4**
Albert Mines, LNCA (N.-B.) 11 **G1**
Albert-Mines, LNCA (Qué.) 16 **D4**
Alberton, V (I.-P.-E.) 7 **B2**
Alberton South, LNCA (I.-P.-E.) 7 **B2**
Albertville, LNCA (Qué.) 13 **B3**
Albertville, LNCA (Sask.) 32 **E3**
Albion, LNCA (I.-P.-E.) 7 **E4**
Albion Cross, LNCA (I.-P.-E.) 7 **E3**
Albright, LNCA (Alb.) 43 **F4**
Albrights Corner, LNCA (N.-B.) 11 **D1**
Albuna, LNCA (Ont.) 22 **B3**
Albury, LNCA (Ont.) 21 **F1**
Alcan Trailer Court, LNCS (C.-B.) 43 **E3**
Alcida, LNCA (N.-B.) 12 **E1**
Alcomdale, LNCA (Alb.) 33 **D3**
Alcona, LNCA (Ont.) 21 **A1**
Alcove, LNCA (Qué.) 17 **C1**
Alcurve, LNCA (Alb.) 33 **H3**
Alder, LNCA (Ont.) 21 **B1**
Alderburn, LNCA (T.-N.) 3 **C3**
Alder Creek 70, RI (C.-B.) 41 **D1**
Aldercrest Survey, LNCS (Ont.) 21 **A3**
Alderdale, LNCA (Ont.) 18 **A4**
Alder Flats, LNCA (Alb.) 33 **C4**
Aldermac, LNCA (Qué.) 18 **A2**
Alder Point, LNCA (N.-E.) 8 **E3**
Alder River, LNCA (N.-E.) 8 **B4**
Aldershot, LNCA (N.-E.) 11 **H3**
Alderslea, LNCA (Ont.) 21 **A1**
Alderson, LNCA (Alb.) 34 **H3**
Aldersville, LNCA (N.-E.) 10 **E1**
Aldersyde, LNCA (Alb.) 34 **E3**
Alderville < Alderville 37, LNCA (Ont.) 21 **E1**
Alderville 37, RI (Ont.) 21 **E1**
Alderwood, LNCA (N.-B.) 12 **G1**
Aldina < Muskeg Lake 102, LNCA (Sask.) 32 **C4**
Aldouane, LNCA (N.-B.) 12 **G3**
Aldred's Beach, LNCA (Ont.) 21 **C1**
Alençon, LNCA (Qué.) 16 **A2**
Alert, LNCA (T.N.-O.) 47 **F1**
Alert Bay, VL (C.-B.) 39 **E1**
Alert Bay 1, RI (C.-B.) 39 **E1**
Alert Bay 1A, RI (C.-B.) 39 **E1**
Alexander, LNCA (Man.) 29 **E4**
Alexander 134, RI (Alb.) 33 **D3**
Alexandra, LNCA (I.-P.-E.) 7 **D4**
Alexandria, V (Ont.) 12 **E2**
Alexandria, LNCA (C.-B.) 40 **C3**
Alexandria 1, RI (C.-B.) 40 **C3**
Alexandria 3, RI (C.-B.) 40 **C3**
Alexandria 3A, RI (C.-B.) 40 **C3**
Alexandria 10, RI (C.-B.) 40 **C3**
Alexandria 11, RI (C.-B.) 40 **C3**
Alexandria 12, RI (C.-B.) 40 **D3**
Alexandrina, LNCA (N.-B.) 12 **G4**
Alexis 9, RI (C.-B.) 35 **E4**
Alexis 133, RI (Alb.) 33 **D3**
Alexis Creek, LNCA (C.-B.) 40 **C4**
Alexis Creek 6, RI (C.-B.) 40 **B3**
Alexis Creek 12, RI (C.-B.) 40 **B4**
Alexis Creek 13, RI (C.-B.) 40 **B4**
Alexis Creek 14, RI (C.-B.) 40 **B4**
Alexis Creek 15, RI (C.-B.) 40 **B4**
Alexis Creek 16, RI (C.-B.) 40 **B4**
Alexis Creek 17, RI (C.-B.) 40 **B4**
Alexis Creek 18, RI (C.-B.) 40 **B4**
Alexis Creek 20, RI (C.-B.) 40 **B3**
Alexis Creek 21, RI (C.-B.) 40 **B3**
Alexis Creek 22, RI (C.-B.) 40 **B3**
Alexis Creek 23, RI (C.-B.) 40 **B3**
Alexis Creek 24, RI (C.-B.) 40 **B3**
Alexis Creek 25, RI (C.-B.) 40 **B3**
Alexis Creek 26, RI (C.-B.) 40 **B3**
Alexis Creek 27, RI (C.-B.) 40 **B3**
Alexis Creek 28, RI (C.-B.) 40 **B3**
Alexis Creek 29, RI (C.-B.) 40 **B3**
Alexis Creek 30, RI (C.-B.) 40 **B3**
Alexis Creek 31, RI (C.-B.) 40 **B3**
Alexis Creek 32, RI (C.-B.) 40 **B3**
Alexis Creek 33, RI (C.-B.) 40 **B3**
Alexis Creek 34, RI (C.-B.) 40 **B3**
Alexis Creek 35, RI (C.-B.) 40 **B3**
Alexis Thomas 1A, RI (C.-B.) 40 **A2**
Alexo, LNCA (Alb.) 33 **B4**
Aleza Lake, LNCA (C.-B.) 40 **D1**
Alfred, VL (Ont.) 17 **E1**
Algar, LNCA (Man.) 29 **E4**
Algoma, LNCA (Ont.) 25 **A1**
Algonquin, LNCA (Ont.) 17 **C3**
Algonquin Park, LNCA (Ont.) 24 **D1**
Algrove, LNCA (Sask.) 32 **F4**
Alhambra, LNCA (Alb.) 33 **C4**
Alice, LNCA (Ont.) 24 **G1**
Alice Arm, LNCA (C.-B.) 42 **D3**
Alice Siding, LNCA (C.-B.) 34 **C4**
Alida, VL (Sask.) 29 **D4**
Alingly, LNCA (Sask.) 32 **D3**
Alix, VL (Alb.) 33 **E4**
Alix South Junction, LNCA (Alb.) 33 **E4**
Alixton 5, RI (C.-B.) 36 **B2**
Alkali Lake < Alkali Lake 1, LNCA (C.-B.) 36 **B2**
Alkali Lake 1, RI (C.-B.) 36 **B2**
Alkali Lake 4A, RI (C.-B.) 36 **B2**
Alkhili 2, RI (C.-B.) 45 **B4**
Allains Creek, LNCA (N.-E.) 10 **C1**
Allainville, LNCA (N.-B.) 12 **F2**
Allan, V (Sask.) 31 **F1**
Allan, LNCA (Ont.) 24 **F4**
Allandale, LNCA (N.-B.) 11 **B1**
Allan Hills, LNCA (Sask.) 31 **F1**
Allan Mills, LNCA (Ont.) 21 **E1**
Allan Park, LNCA (Ont.) 23 **C2**
Allans-Corners, LNCA (Qué.) 17 **G2**
Allans Corners, LNCA (Ont.) 24 **G1**
Allan Water, LNCA (Ont.) 27 **D1**
Allard, LNCA (Qué.) 13 **D3**
Allardville, LNCA (N.-B.) 12 **F1**
Allardville East, LNCA (N.-B.) 12 **F1**
Allegra, LNCA (Man.) 28 **B1**
Allenby, LNCA (C.-B.) 35 **D4**
Allendale, LNCA (N.-E.) 10 **D4**
Allenford, LNCA (Ont.) 23 **C2**
Allen Heights, LNCA (N.-E.) 9 **A4**
Allen Hill, LNCA (N.-E.) 11 **G2**
Allens Addition, LNCS (C.-B.) 34 **B3**
Allens-Mills, LNCA (Qué.) 18 **H3**
Allenwood, LNCA (Ont.) 23 **E2**
Allenwood Beach, LNCA (Ont.) 23 **E2**
Alliance, VL (Alb.) 33 **F4**
Alliford Bay, LNCA (C.-B.) 41 **B2**
Allingham, LNCA (Alb.) 34 **F1**
Allisary, LNCA (I.-P.-E.) 7 **D3**
Allison, LNCA (N.-B.) 11 **G1**
Allison, LNCA (C.-B.) 35 **D3**
Allisonville, LNCA (Ont.) 21 **F2**
Alliston, V (Ont.) 21 **A1**
Alliston, LNCA (I.-P.-E.) 7 **E4**
Allsaw, LNCA (Ont.) 23 **H1**
Alma, LNCA (Ont.) 23 **D3**
Alma, LNCA (N.-E.) 9 **D2**
Alma, LNCA (I.-P.-E.) 7 **A2**
Alma, C (Qué.) 14 **A2**
Alma, VL (N.-B.) 11 **G2**
Almond Gardens, LNCA (C.-B.) 35 **H4**
Almonte, V (Ont.) 17 **B2**
Alness, LNCA (Alb.) 34 **G1**
Alonsa, LNCA (Man.) 29 **G2**
Alpena, LNCA (N.-E.) 10 **D1**
Alpen Siding, LNCA (Alb.) 33 **E2**
Alphonse Tommy 7, RI (C.-B.) 42 **G3**
Alpine, LNCA (Man.) 29 **D1**
Alpine Ridge, LNCA (N.-E.) 8 **C3**
Alpine Village, LNCA (Ont.) 24 **D4**
Alsace, LNCA (Ont.) 25 **H2**
Alsask, VL (Sask.) 31 **B2**
Alsfeldt, LNCA (Ont.) 23 **C3**
Alsike, LNCA (Alb.) 33 **D3**
Alsops Beach, LNCA (Ont.) 21 **B1**
Altamont, LNCA (Man.) 29 **G4**
Altario, LNCA (Alb.) 31 **B1**
Altbergthal, LNCA (Man.) 29 **H4**
Althorpe, LNCA (Ont.) 17 **A3**
Alticane, LNCA (Sask.) 32 **C4**
Alton, LNCA (N.-E.) 9 **C2**
Altona, V (Man.) 29 **H4**
Altona, LNCA (C.-B.) 43 **E2**
Alva, LNCA (Qué.) 16 **B4**
Alvanley, LNCA (Ont.) 23 **C2**
Alvena, VL (Sask.) 32 **D4**
Alvin, LNCA (C.-B.) 38 **G1**
Alvinston, VL (Ont.) 22 **C2**
Amadjuak, LNCA (T.N.-O) 46 **F2**
Amai 15, RI (C.-B.) 39 **D2**
Amaral 46 & 47, RI (C.-B.) 42 **D3**
Amaranth, LNCA (Man.) 29 **G3**
Amatal 5, RI (C.-B.) 42 **D3**
Amatal 6, RI (C.-B.) 42 **D3**
Amazon, LNCA (Sask.) 31 **G2**
Amberley, LNCA (Ont.) 23 **B3**
Amber River 211, RI (Alb.) 45 **E4**
Amber Valley, LNCA (Alb.) 33 **E2**
Ambleside, LNCA (Ont.) 23 **C3**
Amelia, LNCA (Alb.) 33 **E3**
Ameliasburg, LNCA (Ont.) 21 **F1**
Amery, LNCA (Man.) 30 **D1**
Amesbury, LNCA (Alb.) 33 **E1**
Amesdale, LNCA (Ont.) 27 **A1**
Ames Survey, LNCS (Ont.) 23 **C1**
Amethyst Harbour, LNCA (Ont.) 27 **E3**
Amherst, V (N.-E.) 9 **A1**
Amherstburg, V (Ont.) 22 **A4**
Amherst Cove, LNCA (T.-N.) 3 **G4**
Amherst Head, LNCA (N.-E.) 9 **A1**
Amherst Point, LNCA (N.-E.) 9 **A1**
Amherst Pointe, LNCA (Ont.) 22 **A4**
Amherst Shore, LNCA (N.-E.) 7 **B4**
Amherstview, LNCA (Ont.) 17 **A4**
Amiens, LNCA (Sask.) 32 **C3**
Amigo Beach, LNCA (Ont.) 23 **G1**
Amiraults Corner, LNCA (N.-E.) 10 **B2**
Amiraults Hill, LNCA (N.-E.) 10 **B3**
Amisk, VL (Alb.) 33 **G4**
Amisk Lake 184, RI (Sask.) 32 **G2**
Ammon, LNCA (N.-B.) 11 **G1**
Amos, V (Qué.) 18 **B1**
Amos 1, RI (Qué.) 18 **B1**
Amostown, LNCA (N.-B.) 12 **D3**
Amqui, V (Qué.) 13 **B3**
Amsterdam, LNCA (Sask.) 29 **C1**
Amulet, LNCA (Qué.) 18 **A1**
Amulet, LNCA (Sask.) 31 **G4**
Amulree, LNCA (Ont.) 23 **D1**
Amy-Corners, LNCA (Qué.) 16 **C4**
Amyot, LNCA (Ont.) 26 **A1**
Anacla 12, RI (C.-B.) 38 **B3**
Anaconda, LNCA (C.-B.) 35 **G4**
Anagance, LNCA (N.-B.) 11 **F1**
Anagance Ridge, LNCA (N.-B.) 11 **F1**
Anahim 3, RI (C.-B.) 40 **C4**
Anahim 4, RI (C.-B.) 40 **C4**
Anahim 5, RI (C.-B.) 36 **A1**
Anahim 6, RI (C.-B.) 36 **A1**
Anahim 7, RI (C.-B.) 36 **A1**
Anahim 8, RI (C.-B.) 36 **A1**
Anahim 9, RI (C.-B.) 36 **A1**
Anahim 10, RI (C.-B.) 36 **A1**
Anahim 11, RI (C.-B.) 36 **A1**
Anahim 12, RI (C.-B.) 36 **A1**
Anahim 13, RI (C.-B.) 36 **A1**
Anahim 14, RI (C.-B.) 36 **A1**
Anahim 15, RI (C.-B.) 36 **A1**
Anahim 16, RI (C.-B.) 40 **C3**
Anahim 17, RI (C.-B.) 40 **C3**
Anahim 18, RI (C.-B.) 40 **C3**
Anahim Lake, LNCA (C.-B.) 40 **A3**
Anahim's Flat 1, RI (C.-B.) 40 **C4**
Anahim's Meadow 2, RI (C.-B.) 40 **C4**
Anahim's Meadow 2A, RI (C.-B.) 40 **C4**
Analta, LNCA (Alb.) 33 **D2**
Anama Bay < Dauphin River 48A, LNCA (Man.) 29 **G1**
Anastasia, LNCA (Alb.) 34 **F2**
Ancaster, V (Ont.) 22 **H1**
Anchor Point, COMM (T.-N.) 5 **G2**
Ancienne-Lorette, V (Qué.) 15 **F3**
Ancona, LNCA (Alb.) 33 **C4**
Ancona Point, LNCA (Ont.) 23 **H2**
Ancrum, LNCA (Sask.) 31 **F1**
Andak 9, RI (C.-B.) 42 **F3**
Andegulay 8, RI (C.-B.) 42 **D3**
Andegulay 8A, RI (C.-B.) 42 **D3**
Anderson, LNCA (Ont.) 22 **E1**
Anderson, LNCA (Qué.) 17 **G2**
Anderson, LNCA (Ont.) 21 **G1**
Anderson, LNCA (C.-B.) 40 **D2**
Anderson Addition, LNCS (Alb.) 34 **F1**
Anderson Lake, LNCA (Ont.) 25 **C1**
Anderson Mountain, LNCA (N.-E.) 9 **D1**
Anderson Ranch, LNCA (C.-B.) 43 **D2**
Anderson Road, LNCA (N.-B.) 12 **A3**
Anderson Settlement, LNCA (N.-B.) 7 **A4**
Andersons Landing, LNCA (T.N.-O.) 45 **C2**
Andersonville, LNCA (N.-B.) 11 **B2**
Andimaul 1, RI (C.-B.) 42 **E3**
Andréville, VL (Qué.) 14 **E4**
Andrew, VL (Alb.) 33 **F3**
Andrewsville, LNCA (Ont.) 17 **C2**

Andy Cahoose Meadow 16, RI (C.-B.) 41 H2
Anerley, LNCA (Sask.) 31 E2
Aneroid, VL (Sask.) 31 E4
Arifield, LNCA (N.-B.) 12 A2
Ange-Gardien, VL (Qué.) 16 B4
Angéline, LNCA (Qué.) 16 B4
Angels Cove, LNCA (T.-N.) 2 E4
Angers (Qué.) 17 E3
Anglemont, LNCA (C.-B.) 36 H4
Anglia, LNCA (Sask.) 31 D2
Angliers, VL (Qué.) 18 A2
Angling Lake < Angling Lake 2, LNCA (Ont.) 30 F2
Angling Lake 1, RI (Ont.) 30 F2
Angling Lake 2, RI (Ont.) 30 F2
Anglin Lake, LNCA (Sask.) 32 D3
Anglo Rustico, LNCA (I.-P.-E.) 7 C3
Anglo Tignish, LNCA (I.-P.-E.) 7 B2
Angus, LNCA (Ont.) 21 A1
Angusville, LNCA (Man.) 29 E3
Anjou, V (Qué.) 17 H3
Ankerton, LNCA (Alb.) 33 F4
Anlaw 4, RI (C.-B.) 42 F3
Anmore, LNCA (C.-B.) 38 G2
Annabelle-Beach < Caughnawaga 14, LNCA (Qué.) 17 G4
Annable Settlement, LNCA (Ont.) 17 D2
Annaheim, LNCA (Sask.) 31 G1
Annan, LNCA (Ont.) 23 D1
Annandale, LNCA (I.-P.-E.) 7 E4
Annapolis Royal, V (N.-E.) 10 C1
Annaville, VL (Qué.) 16 C2
Annesley, LNCA (Qué.) 17 B1
Annidale, LNCA (N.-B.) 11 E2
Annis, LNCA (C.-B.) 36 H4
Ann Island 33, RI (C.-B.) 41 F4
Anokswok 59, RI (C.-B.) 42 E3
Anola, LNCA (Man.) 28 B1
Anoma Lea, LNCA (Ont.) 17 C3
Anse-à-Baril, LNCA (Qué.) 16 A1
Anse-à-Eloi-Caron, LNCS (Qué.) 15 D2
Anse-à-Mercier, LNCA (Qué.) 13 F1
Anse-au-Persil, LNCA (Qué.) 14 E4
Anse-aux-Fraises, LNCA (Qué.) 19 H3
Anse-aux-Gascons, LNCA (Qué.) 13 G3
Anse-Bleue, LNCA (N.-B.) 13 F4
Anse-de-Roche, LNCA (Qué.) 14 D3
Ansell, LNCA (Alb.) 33 B3
Anselmo, LNCA (Alb.) 33 C3
Anse-Pleureuse, LNCA (Qué.) 13 E1
Ansnorveldt, LNCA (Ont.) 21 A1
Anson, LNCA (Ont.) 21 F1
Ansonia, LNCA (Ont.) 26 B4
Anstruther Lake, LNCA (Ont.) 24 E3
Antelope, LNCA (Sask.) 31 D3
Anten Mills, LNCA (Ont.) 23 F2
Anthony, LNCA (Ont.) 26 E1
Anthracite, LNCA (Alb.) 34 D2
Antigonish, V (N.-E.) 8 B4
Antigonish Harbour, LNCA (N.-E.) 8 B4
Antigonish Landing, LNCA (N.-E.) 8 B4
Antler, VL (Sask.) 29 D4
Antler Lake, LNCS (Alb.) 33 E3
Antonio, LNCA (Alb.) 34 G3
Anton Lake, LNCA (Alb.) 33 E2
Antrim, LNCA (Ont.) 17 B1
Antrim, LNCA (N.-E.) 9 C3
Antross, LNCA (Alb.) 33 D4
Anvil Island, LNCA (C.-B.) 38 F2
Anyox, LNCA (C.-B.) 42 D3
Anyutawl 31, RI (C.-B.) 42 D3
Anzac, LNCA (Alb.) 44 C4
Anzac, LNCA (C.-B.) 40 C1
Apohaqui, LNCA (N.-B.) 11 E2
Appelo, LNCA (Ont.) 26 E3
Appin, LNCA (Ont.) 22 D2
Appin Road, LNCA (I.-P.-E.) 7 C4
Appledale, LNCA (C.-B.) 34 B4
Appledore, LNCA (Ont.) 22 C3
Applegrove, LNCA (C.-B.) 34 A3
Applegrove, LNCA (Qué.) 16 C4
Apple Hill, LNCA (Ont.) 17 E2
Apple River, LNCA (N.-E.) 11 G2
Appleton, DAL (T.-N.) 3 D3
Appleton, LNCA (Ont.) 17 B2
Apsagayu 1A, RI (C.-B.) 39 F1
Apsley, LNCA (Ont.) 24 E3
Apto, LNCA (Ont.) 23 F2
Aquadell, LNCA (Sask.) 31 E3
Aquadeo Beach, LNCA (Sask.) 32 B3
Aquaforte, COMM (T.-N.) 2 H4
Aquiatulavik Point, LNCA (T.N.-O) 46 E2
Arabella, LNCA (Sask.) 29 D1
Arbakka, LNCA (Man.) 28 B3
Arbeatha Park, LNCA (Ont.) 17 D4
Arbeau Settlement, LNCA (N.-B.) 12 E3
Arborfield, V (Sask.) 32 F4
Arborg, VL (Man.) 29 H2
Arbor Vitae, LNCA (Ont.) 28 G4
Arbury, LNCA (Sask.) 31 H2
Arbuthnot, LNCA (Sask.) 31 E4
Arcadia, LNCA (N.-E.) 10 A3
Arcadia < Sucker Creek 150A, LNCA (Alb.) 33 B1
Ar-ce-wy-ee 4, RI (C.-B.) 39 E1
Archer, LNCA (Ont.) 17 D2
Archerwill, VL (Sask.) 29 B1
Archibald Settlement, LNCA (N.-B.) 13 D4
Archibalds Mill, LNCA (N.-E.) 9 E2
Archydal, LNCA (Sask.) 31 F3
Arcola, V (Sask.) 29 C4
Arctic Bay, LNCA (T.N.-O) 47 E3
Arctic Red River, LNCA (T.N.-O) 45 B1
Ardath, LNCA (Sask.) 31 E1
Ardbeg, LNCA (Ont.) 24 A1
Arden, LNCA (Man.) 29 F3
Arden, LNCA (Ont.) 24 G4
Ardendale, LNCA (Ont.) 24 G3
Ardenode, LNCA (Alb.) 34 F2
Ardenville, LNCA (Alb.) 34 F4
Ardill, LNCA (Sask.) 31 F3
Ardley, LNCA (Alb.) 34 F1
Ardmore, LNCA (Alb.) 33 G2
Ardness, LNCA (N.-E.) 8 A4
Ardoch, LNCA (Ont.) 24 G3
Ardoise, LNCA (N.-E.) 9 A3
Ardrossan, LNCA (Alb.) 33 E3
Ardtrea, LNCA (Ont.) 23 G1
Arelee, VL (Sask.) 31 E1
Argenta, LNCA (C.-B.) 34 B3
Argentia, LNCA (T.-N.) 2 F3
Argentia Beach, VE (Alb.) 33 D4
Argolis, LNCA (Ont.) 26 C1
Argosy, LNCA (N.-B.) 12 A2
Argyle, LNCA (N.-E.) 10 B3
Argyle, LNCA (N.-B.) 12 B3
Argyle, LNCA (N.-E.) 9 F2
Argyle, LNCA (Man.) 29 H3
Argyle, LNCA (Ont.) 21 C1
Argyle Head, LNCA (N.-E.) 10 B3
Argyle Shore, LNCA (I.-P.-E.) 7 C4
Argyle Sound, LNCA (N.-E.) 10 B4
Arichat, LNCA (N.-E.) 8 D4
Arisaig, LNCA (N.-E.) 8 A4
Ariss, LNCA (Ont.) 23 E4
Arkell, LNCA (Ont.) 23 E4
Arklan, LNCA (Ont.) 17 B2
Arkona, VL (Ont.) 22 C1
Arkwright, LNCA (Ont.) 23 C2
Arlington, LNCA (N.-E.) 11 H3
Arlington, LNCA (I.-P.-E.) 7 B3
Arlington, LNCA (Yukon) 45 A2
Arlington Beach, LNCA (Sask.) 31 G2
Arlington West, LNCA (N.-E.) 10 C1
Arlington Woods, LNCA (Ont.) 17 D4
Arma, LNCA (Sask.) 32 D4
Armada, LNCA (Alb.) 34 F3
Armagh, VL (Qué.) 15 C3
Armagh-Station, LNCA (Qué.) 15 C3
Armena, LNCA (Alb.) 33 E4
Armit, LNCA (Sask.) 32 H4
Armley, LNCA (Sask.) 32 F4
Armond, LNCA (N.-B.) 12 B4
Armow, LNCA (Ont.) 23 B2
Armstrong, C (C.-B.) 35 F1
Armstrong, LNCA (Ont.) 27 E1
Armstrong, LNCA (Qué.) 16 G2
Armstrong, LNCA (Yukon) 45 B3
Armstrong Brook, LNCA (N.-B.) 13 E4
Armstrong Mills, LNCA (Ont.) 23 E4
Armstrongs Corners, LNCA (Ont.) 17 B2
Arnaud, LNCA (Man.) 28 A3
Arner, LNCA (Ont.) 22 A4
Arnes, LNCA (Man.) 30 C4
Arneson, LNCA (Alb.) 31 B2
Arnold, LNCA (N.-E.) 10 D4
Arnold's Cove, V (T.-N.) 2 F2
Arnot, LNCA (Man.) 30 C1
Arnott, LNCA (Ont.) 23 D2
Arnprior, V (Ont.) 17 B1
Arnstein, LNCA (Ont.) 24 A1
Arntfield, LNCA (Qué.) 18 A2
Aroland < Aroland 83, LNCA (Ont.) 27 G1
Aroland 83, RI (Ont.) 27 G1
Aroostook, VL (N.-B.) 12 A3
Aroostook Portage, LNCS (N.-B.) 12 A3
Arpiers, LNCA (Sask.) 31 F1
Arpin, LNCA (Ont.) 26 E1
Arran, VL (Sask.) 29 D1
Arrandale, LNCA (C.-B.) 42 D4
Arranvale, LNCA (Ont.) 23 C2
Arras, LNCA (C.-B.) 43 E4
Arrow Creek, LNCA (C.-B.) 34 C4
Arrow Park, LNCA (C.-B.) 34 A3
Arrow River, LNCA (Man.) 29 E3
Arrowview Heights, LNCA (C.-B.) 38 C2
Arrowwood, VL (Alb.) 34 F2
Arseneault, LNCA (Qué.) 7 F1
Arthabaska, V (Qué.) 16 D2
Arthur, VL (Ont.) 23 D3
Arthurette, LNCA (N.-B.) 12 A3
Arthurville, LNCA (Qué.) 15 C3
Artland, LNCA (Sask.) 32 A4
Artlish 12, RI (C.-B.) 39 D2
Arundel, LNCA (Qué.) 18 E4
Arva, LNCA (Ont.) 22 E1
Arvilla, LNCA (Alb.) 33 D3
Asahal Lake 2, RI (C.-B.) 36 B1
Asbestos, V (Qué.) 16 D3
Ascension, LNCA (I.-P.-E.) 7 B2
Ascot-Corner, LNCA (Qué.) 16 D3
Asham Point, LNCA (Man.) 29 F2
Ashby Mill, LNCA (Ont.) 24 E4
Ashcroft, VL (C.-B.) 36 D4
Ashcroft 4, RI (C.-B.) 36 D4
Ashdad, LNCA (Ont.) 17 A1
Ashdale, LNCA (N.-E.) 8 B4
Ashdale, LNCA (N.-E.) 9 A3
Ashdale, LNCA (Ont.) 17 E4
Ashern, LNCA (Man.) 29 G2
Ashfield, LNCA (N.-E.) 8 D4
Ashland, LNCA (N.-B.) 12 B4
Ashmont, LNCA (Alb.) 33 F2
Ashmore, LNCA (N.-E.) 10 B2
Ashnola 10, RI (C.-B.) 35 E4
Ashton, LNCA (Ont.) 17 B2
Ashton, LNCA (I.-P.-E.) 7 E3
Ashton Creek, LNCA (C.-B.) 35 F1
Ashton Station, LNCA (Ont.) 17 B2
Ashville, LNCA (Man.) 29 E2
Askilton, LNCA (N.-E.) 8 C4
Aspen, LNCA (N.-E.) 9 E2
Aspen, LNCA (T.-N.) 2 F1
Aspen Cove, LNCA (T.-N.) 3 E2
Aspen Grove, LNCA (C.-B.) 35 C2
Aspen Park, LNCA (Man.) 30 C4
Aspey Brook, LNCA (T.-N.) 2 F1
Aspotogan, LNCA (N.-E.) 9 A4
Aspy Bay, LNCA (N.-E.) 8 E1
Asquith, V (Sask.) 31 E1
Asselstine, LNCA (Ont.) 17 A4
Assineau, LNCA (Alb.) 33 C1
Assineau River 150F, RI (Alb.) 33 C1
Assiniboia, V (Sask.) 31 F4
Assiniboine 76, RI (Sask.) 29 B3
Assumption < Hay Lake 209, LNCA (Alb.) 45 E4
Astle, LNCA (N.-B.) 12 D4
Aston-Jonction, VL (Qué.) 16 C2
Aston-Station, LNCA (Qué.) 16 C2
Astorville, LNCA (Ont.) 18 A4
Atakakup 104, RI (Sask.) 32 C3
Atbara, LNCA (C.-B.) 34 B4
Athabasca, V (Alb.) 33 E2
Athalmer, LNCA (C.-B.) 34 C3
Athapap, LNCA (Man.) 32 H2
Athelstan, LNCA (Qué.) 17 F2
Athens, VL (Ont.) 17 C3
Atherley, LNCA (Ont.) 23 G1
Atherton, LNCA (Ont.) 22 G2
Athlone, LNCA (Ont.) 21 A1
Athol, LNCA (N.-E.) 9 A1
Athol, LNCA (Ont.) 17 E2
Athol, LNCA (Ont.) 21 F2
Athol Station, LNCA (N.-E.) 9 A1
Atholville, VL (N.-B.) 13 C4
Atik, LNCA (Man.) 32 H2
Atikameg, LNCA (Alb.) 44 A4
Atikameg Lake, LNCA (Man.) 30 A2
Atikokan, LNCA (Ont.) 27 B3
Atironto, LNCA (Ont.) 17 B2
Atkinson, LNCA (N.-E.) 9 B1
Atkinson, LNCA (Ont.) 17 B4
Atlanta, LNCA (N.-E.) 11 H3
Atlantic, LNCA (N.-E.) 10 C4
Atlee, LNCA (Alb.) 31 A2
Atlin, LNCA (C.-B.) 45 B4
Atlin-Teslin Indian Cemetery 4, RI (C.-B.) 45 B4
Atluck, LNCA (C.-B.) 39 E2
Atmore, LNCA (Alb.) 33 E2
Atnarko, LNCA (C.-B.) 41 G3
Attachie, LNCA (C.-B.) 43 E3
Attawapiskat < Attawapiskat 91A, LNCA (Ont.) 20 C2
Attawapiskat 91, RI (Ont.) 20 B2
Attawapiskat 91A, RI (Ont.) 20 C2
Attercliffe, LNCA (Ont.) 21 A4
Atwater, VL (Sask.) 29 C2
Atwood, LNCA (Ont.) 23 C4
Atwoods Brook, LNCA (N.-E.) 10 B4
Aubigny, LNCA (Man.) 28 A2
Aubrey, LNCA (Qué.) 17 G2
Auburn, LNCA (N.-E.) 10 D1
Auburn, LNCA (Ont.) 23 B3
Auburn, LNCA (I.-P.-E.) 7 D4
Auburndale, LNCA (N.-E.) 10 E2
Auburndale, LNCA (Alb.) 33 G4
Auburnton, LNCA (Sask.) 29 D4
Auburnville, LNCA (N.-B.) 12 F2
Auclair, LNCA (Qué.) 14 G4
Auden, LNCA (Ont.) 27 F1
Audet, LNCA (Qué.) 16 F3
Augier Lake 22, RI (C.-B.) 40 A1
Augsburg, LNCA (Ont.) 24 G2
Augustine Cove, LNCA (I.-P.-E.) 7 B4
Aulac, LNCA (N.-B.) 11 H1
Aulds Cove, LNCA (N.-E.) 8 C4
Aupaluk, LNCA (Qué.) 46 F3
Aupe 6, RI (C.-B.) 37 B3
Aupe 6A, RI (C.-B.) 37 B3
Aurigny, LNCA (Qué.) 7 F1
Aurora, V (Ont.) 21 B2
Austin, LNCA (Man.) 29 G3
Austin's Flat 3, RI (C.-B.) 35 B3
Australian, LNCA (C.-B.) 40 C3
Authier, LNCA (Qué.) 18 A1
Authier-Nord, LNCA (Qué.) 18 A1
Avataktoo, LNCA (T.N.-O.) 46 F1
Avebury, LNCA (Sask.) 32 C3
Avening, LNCA (Ont.) 24 A4
Avenir, LNCA (Alb.) 33 F1
Avery Island 92, RI (C.-B.) 41 C1
Avery Point, LNCA (Ont.) 23 G1
Avoca, LNCA (Qué.) 17 E1
Avola, LNCA (C.-B.) 36 G2
Avon, LNCA (Ont.) 22 E2
Avon, LNCA (N.-B.) 11 D1
Avonbank, LNCA (Ont.) 22 E1
Avondale, V (T.-N.) 2 G3
Avondale, LNCA (N.-E.) 9 A3
Avondale, LNCA (N.-B.) 12 A4
Avondale, LNCA (I.-P.-E.) 7 D4
Avondale, LNCA (N.-E.) 8 A3
Avonhurst, LNCA (Sask.) 31 H3
Avonlea, VL (Sask.) 31 G3
Avonmore, LNCA (Ont.) 17 E2
Avonport, LNCA (N.-E.) 9 A3
Avonport Station, LNCA (N.-E.) 9 A3
Avonry, LNCA (Ont.) 22 B2
Avonton, LNCA (Ont.) 22 E1
Aweme, LNCA (Man.) 29 F4
Axe Lake, LNCA (Ont.) 24 B2
Axe Point, LNCA (T.N.-O.) 44 A1
Ayer's Cliff, VL (Qué.) 16 D4
Aylechootlook 5, RI (C.-B.) 38 H2
Aylen Lake, LNCA (Ont.) 24 E1
Aylesbury, VL (Sask.) 31 F2
Aylesford, LNCA (N.-E.) 10 D1
Aylesford East, LNCA (N.-E.) 10 D1
Aylesford Mountain, LNCA (N.-E.) 10 D1
Aylesworth, LNCA (Ont.) 17 A4
Aylmer, V (Ont.) 22 E2
Aylmer, C (Qué.) 17 D4
Aylmer-Sound, LNCA (Qué.) 5 E3
Aylsham, VL (Sask.) 32 F3
Aylsworth, LNCA (Ont.) 28 H4
Aylwin, LNCA (Qué.) 18 D4
Aylwin-Station, LNCA (Qué.) 18 D4
Ayr, LNCA (Ont.) 22 G1
Ayrness, LNCA (Qué.) 17 G2
Ayton, LNCA (Ont.) 23 C3
Aywawwis 15, RI (C.-B.) 35 B4
Azure, LNCA (Alb.) 34 E3

B

Babcock, LNCA (Man.) 29 G4
Babine < Babine 6, LNCA (C.-B.) 42 G3
Babine 6, RI (C.-B.) 42 G3
Babine 16, RI (C.-B.) 42 G3
Babine 17, RI (C.-B.) 42 F4
Babine 18, RI (C.-B.) 42 F4
Babine 25, RI (C.-B.) 42 G4
Babine 26, RI (C.-B.) 42 G4
Babine Lake 20, RI (C.-B.) 42 G3
Babine Lake 21B, RI (C.-B.) 40 A1
Babine Portage, LNCA (C.-B.) 40 A1
Babine River 21, RI (C.-B.) 42 G3
Babine River 21A, RI (C.-B.) 42 G3
Babys Point, LNCA (Ont.) 22 B2
Baccalieu Island, LNCA (T.-N.) 2 H1
Baccaro, LNCA (N.-E.) 10 C4
Back Bay, LNCA (N.-B.) 11 C3
Back Centre, LNCA (N.-E.) 10 E2
Back Clarendon, LNCA (N.-B.) 11 C2
Back Cove, LNCA (T.-N.) 5 G4
Backport, LNCA (Qué.) 16 C4
Back Settlement, LNCA (N.-E.) 8 B4
Bacon Ridge, LNCA (Man.) 29 G2
Baddeck, LNCA (N.-E.) 8 D3
Baddeck Bay, LNCA (N.-E.) 7 H4
Baddeck Bridge, LNCA (N.-E.) 8 D3
Baddow, LNCA (Ont.) 23 H1
Baden, LNCA (Ont.) 22 F1
Baden, LNCA (Man.) 30 A3
Badenoch, LNCA (Ont.) 23 E4
Badger, V (T.-N.) 3 A3
Badger, LNCA (Man.) 28 C3
Badger's Corners, LNCA (Ont.) 24 A2
Badger's Quay < Badger's Quay – Valleyfield – Pool's Island, LNCA (T.-N.) 3 F2
Badger's Quay – Valleyfield – Pool's Island, DR (T.-N.) 3 F2
Badgerville < Cote 64, LNCA (Sask.) 29 D1
Bad Heart, LNCA (Alb.) 43 G4
Badjeros, LNCA (Ont.) 23 E2
Baezaeko River 25, RI (C.-B.) 40 B3
Baezaeko River 26, RI (C.-B.) 40 B3
Baezaeko River 27, RI (C.-B.) 40 B3
Bagdad, LNCA (N.-B.) 11 E1
Bagnall, LNCA (Ont.) 22 B3
Bagot, LNCA (Man.) 29 G3
Baie-Carrière, LNCA (Qué.) 18 B2
Baie-Comeau, V (Qué.) 14 H1
Baie-de-l'Ours, LNCA (Qué.) 18 E4
Baie-des-Bacon, LNCA (Qué.) 14 E3
Baie-des-Brises, LNCA (Qué.) 17 F2
Baie-des-Capucins, LNCA (Qué.) 13 C1
Baie-des-Ha! Ha!, LNCA (Qué.) 5 E2
Baie-des-Sha[illegible]wanigan, VL (Qué.) 16 B1
Baie-des-Homards, LNCS (Qué.) 19 E3
Baie-des-Moutons (Mutton-Bay), LNCA (Qué.) 5 E3
Baie-des-Rochers, LNCA (Qué.) 14 D4
Baie-des-Sables, LNCA (Qué.) 13 A2
Baie du Doré, LNCA (Ont.) 23 B2
Baie-du-Poste < Mistassini, LNCA (Qué.) 20 G4
Baie-du-Renard, LNCA (Qué.) 5 B4
Baie-d'Urfé, V (Qué.) 17 F4
Baie-Johan-Beetz, LNCA (Qué.) 5 A3
Baie-Noire, LNCA (Qué.) 17 D1
Baie-Rouge, LNCA (Qué.) 5 E2
Baie-Ste-Anne, LNCA (N.-B.) 12 G2
Baie-Ste-Catherine, LNCA (Qué.) 14 E3
Baie-Ste-Claire, LNCA (Qué.) 19 H3
Baie-St-Laurent, LNCA (Qué.) 13 B2
Baie-St-Paul, V (Qué.) 15 C1
Baie-Stenhouse, LNCA (Qué.) 18 A3
Baie-Trinité, VL (Qué.) 19 E4
Baie Verte, V (T.-N.) 5 H3
Baie Verte, LNCA (N.-B.) 7 A4
Baie Verte Road, LNCA (N.-B.) 7 A4
Baieville, VL (Qué.) 16 B2
Baildon, LNCA (Sask.) 31 G3
Baileys Brook, LNCA (N.-E.) 8 A4
Bailieboro, LNCA (Ont.) 21 D1
Baillie, LNCA (N.-B.) 11 B2
Bain, LNCA (Alb.) 31 B4
Baine Harbour, COMM (T.-N.) 2 D3
Bains Corner, LNCA (N.-B.) 11 E3
Bainsville, LNCA (Ont.) 17 F2
Baintree, LNCA (Alb.) 34 F2
Bairdsville, LNCA (N.-B.) 12 A3
Baker, LNCA (C.-B.) 34 D4
Baker Brook, VL (N.-B.) 15 G2
Baker Cove, LNCA (T.-N.) 2 E2
Baker Lake, LNCA (T.N.-O.) 46 B2
Bakers Brook, LNCA (T.-N.) 5 F4
Bakers Narrows, LNCA (Man.) 32 H2
Bakers Settlement, LNCA (N.-E.) 10 D2
Bala, LNCA (Ont.) 23 F1
Balaclava, LNCA (Ont.) 24 G2
Balaclava, LNCA (Ont.) 23 D1
Bala Park, LNCA (Ont.) 23 F1
Balcarres, V (Sask.) 29 B2
Balderson, LNCA (Ont.) 17 B2
Baldonnel, LNCA (C.-B.) 43 E3
Baldoon, LNCA (Ont.) 22 B3
Bald Rock, LNCA (N.-E.) 9 B4
Baldur, LNCA (Man.) 29 F4
Baldwin, LNCA (Ont.) 21 B1
Baldwin-Mills, LNCA (Qué.) 16 D4
Baldwin Road, LNCA (I.-P.-E.) 7 D4
Baldwins Bridge, LNCA (Ont.) 17 D2
Baldwinton, LNCA (Sask.) 32 A4
Baldy Hughes, CFS/SFC, RM (C.-B.) 40 C2
Baleine, LNCA (N.-E.) 8 F3
Balfour, LNCA (C.-B.) 34 B4
Balfour Beach, LNCA (Ont.) 21 B1
Balfron, LNCA (N.-E.) 9 C1
Balgonie, V (Sask.) 31 H3
Baljennie, LNCA (Sask.) 32 B4
Ballantine, LNCA (Alb.) 33 D3
Ballantynes Cove, LNCA (N.-E.) 8 B4
Balla Philip, LNCA (N.-B.) 12 G3
Ballarat Creek, LNCA (Yukon) 45 A3
Ballater, LNCA (Alb.) 33 A1
Ballinafad, LNCA (Ont.) 23 E4
Balls Creek, LNCA (N.-E.) 8 E3
Ballycanoe, LNCA (Ont.) 17 C3
Ballycroy, LNCA (Ont.) 21 A2
Ballydown Beach, LNCA (Ont.) 21 A1
Ballyduff, LNCA (Ont.) 21 D1
Ballymote, LNCA (Ont.) 22 E1
Balm, LNCA (Alb.) 33 C3
Balm Beach, LNCA (Ont.) 23 E1
Balmertown, LNCA (Ont.) 28 E1
Balmoral, LNCA (Man.) 29 H3
Balmoral, LNCA (C.-B.) 36 G4
Balmoral, LNCA (N.-E.) 8 D4
Balmoral, VL (N.-B.) 13 D4
Balmoral Beach, LNCA (C.-B.) 38 C1
Balmoral Mills, LNCA (N.-E.) 9 C1
Balmy Beach, LNCA (Ont.) 23 C1
Balmy Beach, LNCA (Man.) 29 F4
Balsam Creek, LNCA (Ont.) 18 A4
Balsam Hill, LNCA (Ont.) 17 A1
Baltic, LNCA (I.-P.-E.) 7 B3
Baltic, LNCA (I.-P.-E.) 7 E3
Baltics Corners, LNCA (Ont.) 17 E1
Baltimore, LNCA (Ont.) 21 D2
Baltimore, LNCA (N.-B.) 11 G1
Balvenie, LNCA (Ont.) 24 G2
Balzac, LNCA (Alb.) 34 E2
Bamberg, LNCA (Ont.) 23 D4
Bamberton, LNCA (C.-B.) 38 E4
Bamfield, LNCA (C.-B.) 38 B3
Banbury, LNCA (Ont.) 24 B2
Bancroft, VL (Ont.) 24 E3
Banda, LNCA (Ont.) 23 E2
Banff, LNCA (Alb.) 34 D2
Bangor, LNCA (I.-P.-E.) 7 D3
Bangor, LNCA (N.-E.) 10 A2
Bangor, VL (Sask.) 29 C2
Bangs Falls, LNCA (N.-E.) 10 D2
Bankeir, LNCA (C.-B.) 35 D3
Bankend, LNCA (Sask.) 29 B2
Bankfield, LNCA (Ont.) 27 G2
Banks, LNCA (Ont.) 23 E2
Banner, LNCA (Ont.) 22 E1
Bannockburn, LNCA (Ont.) 24 F4
Bannon, LNCA (N.-B.) 12 B4
Bantry, LNCA (Alb.) 34 G3
Bapaume, LNCA (Sask.) 32 C3
Baptiste, LNCA (Ont.) 24 E3
Baptiste Louis 8, RI (C.-B.) 40 A2
Baptiste Meadow 2, RI (C.-B.) 36 A2
Baptiste River, LNCA (Alb.) 33 C4
Baptiste Smith 1A, RI (C.-B.) 37 G4
Baptiste Smith 1B, RI (C.-B.) 37 G4
Barachois (Qué.) 13 H2
Barachois, LNCA (N.-B.) 7 A4
Barachois Brook, LNCA (T.-N.) 4 C2
Barachoix, LNCA (T.-N.) 2 B2
Barasway de Plate, LNCA (T.-N.) 2 C2
Barb, LNCA (Ont.) 17 F1
Barber's Beach, LNCA (Ont.) 23 E4
Barclay, LNCA (Ont.) 21 A1
Barcovan Beach, LNCA (Ont.) 21 F2
Bar-de-Cocagne, LNCA (N.-B.) 12 G4
Bardo, LNCA (Alb.) 33 E3
Bardsville, LNCA (Ont.) 24 B2
Bare Island 9, RI (C.-B.) 38 F4
Bareneed, LNCA (T.-N.) 2 G2
Bargain Harbour 24, RI (C.-B.) 38 D1
Barge Bay, LNCA (T.-N.) 5 H1
Bargrave, LNCA (Alb.) 34 F2
Bar Haven, LNCA (T.-N.) 2 E2
Barich, LNCA (Alb.) 33 E2
Barillia Park, LNCA (Ont.) 21 B1
Baring, LNCA (Sask.) 29 C3
Barkerville, LNCA (C.-B.) 40 D3
Barkfield, LNCA (Man.) 28 B3
Barkhouse Settlement, LNCA (N.-E.) 9 E3
Barkmere, V (Qué.) 18 F4
Barlee Junction, LNCA (Alb.) 33 E4
Barlochan, LNCA (Ont.) 24 B3
Barlow, LNCA (C.-B.) 40 C3
Barlow, LNCA (Yukon) 45 A2
Barnaby River, LNCA (N.-B.) 12 F3
Barnegat, LNCA (Alb.) 33 F2
Barnesville, LNCA (N.-B.) 11 E2
Barnettville, LNCA (N.-B.) 12 E3
Barneys Brook, LNCA (N.-E.) 9 B3
Barneys River Station, LNCA (N.-E.) 8 A4
Barnhart, LNCA (Ont.) 28 H4
Barnsley, LNCA (Man.) 29 H4
Barnston, LNCA (Qué.) 16 D4
Barnston Island, LNCA (C.-B.) 38 G2
Barnston Island 3, RI (C.-B.) 38 G2
Barnwell, LNCA (Alb.) 34 G4
Barons, VL (Alb.) 34 F3
Barony, LNCA (Man.) 11 B1
Bar Point, LNCA (Ont.) 22 A4
Barrachois, LNCA (N.-E.) 9 C1
Barrachois, LNCA (N.-E.) 8 E3
Barrachois Harbour, LNCA (N.-E.) 8 E3
Barrage-McLaren, LNCA (Qué.) 18 D4
Barrage-Mistigougèche, LNCA (Qué.) 14 H3
Barrage-Rivière-Rimouski, LNCA (Qué.) 14 G3
Barrage-St-Narcisse, LNCA (Qué.) 16 C1
Barra Glen, LNCA (N.-E.) 8 D3
Barra Head, LNCA (N.-E.) 8 D4
Barraute, VL (Qué.) 18 B1
Barr'd Harbour, LNCA (T.-N.) 5 G2
Barr'd Islands < Joe Batt's Arm – Barr'd Islands, LNCA (T.-N.) 3 E1
Barren Hill, LNCA (N.-E.) 8 E4
Barrett Chute, LNCA (Ont.) 17 A2
Barrett Lake, LNCA (C.-B.) 42 G4
Barretville, LNCA (Ont.) 22 A4
Barr Haven, LNCA (Ont.) 17 E4
Barrhead, V (Alb.) 33 D2
Barrie, C (Ont.) 21 A1
Barrieau, LNCA (N.-B.) 12 F3
Barriefield, LNCA (Ont.) 17 A4
Barrier Bay, LNCA (Man.) 28 D1
Barrière, LNCA (C.-B.) 36 F3
Barrière, LNCA (Qué.) 18 C2
Barrière-Caribou, LNCA (Qué.) 14 G4
Barrière-de-Laterrière, LNCA (Qué.) 14 B3
Barrière-de-Stoneham, LNCA (Qué.) 15 B2
Barrière-Mésy, LNCA (Qué.) 14 A3
Barrière River 3A, RI (C.-B.) 36 F3
Barrie Terrace, LNCS (Ont.) 21 A1
Barrington, LNCA (N.-E.) 10 B4
Barrington, LNCA (Qué.) 17 H2
Barrington, CFS/SFC, RM (N.-E.) 10 C4
Barrington Head, LNCA (N.-E.) 10 C4
Barrington Passage, LNCA (N.-E.) 10 B4
Barrington West, LNCA (N.-E.) 10 B4
Bar River, LNCA (Ont.) 26 B4
Barronsfield, LNCA (N.-E.) 11 H2
Barrow Bay, LNCA (Ont.) 23 C1
Barrows, LNCA (Man.) 30 A3
Barr Settlement, LNCA (N.-E.) 9 B3
Barry Heights, LNCS (Ont.) 21 F1
Barrymere, LNCA (Ont.) 24 F2
Barry's Bay, VL (Ont.) 24 F2
Barrys Corner, LNCA (N.-E.) 10 E2
Barryvale, LNCA (Ont.) 17 A2
Barryville, LNCA (N.-B.) 12 F2
Barsa Subdivision, LNCS (N.-B.) 11 E2
Barss Corner, LNCA (N.-E.) 10 D2
Barter Settlement, LNCA (N.-B.) 11 B3
Barthel, LNCA (Sask.) 32 B3
Bartholomew, LNCA (N.-B.) 12 E3
Bartibog, LNCA (N.-B.) 12 F2
Bartibog Bridge, LNCA (N.-B.) 12 F2
Bartlett Island 7, RI (C.-B.) 37 B3
Bartlett Island 32, RI (C.-B.) 39 F4
Bartletts Harbour, LNCA (T.-N.) 5 G2
Bartletts Mills, LNCA (N.-B.) 11 B3
Barton, LNCA (N.-E.) 10 B2
Barton, LNCA (T.-N.) 2 F1
Barton, LNCA (N.-B.) 11 B1
Barstow < Blackfoot 146, LNCA (Alb.) 34 F2
Barville, V (Qué.) 18 B1
Barwick, LNCA (Ont.) 28 G4
Bas-Caraquet, VL (N.-B.) 13 G4
Bas-de-la-Baie, LNCA (Qué.) 15 C1
Bas-de-l'Anse, LNCA (Qué.) 14 D4
Base Line Road, LNCA (N.-E.) 11 G3
Bashaw, V (Alb.) 33 E4
Basin Depot, LNCA (Ont.) 24 F1
Basin Mines, LNCA (Ont.) 26 E4
Basin Road, LNCA (N.-E.) 8 D4
Baskin's Beach, LNCA (Ont.) 17 B1
Bassano, V (Alb.) 34 G2
Bass Creek, LNCA (Ont.) 25 C2
Basse-Aboujagane, LNCA (N.-B.) 7 A4
Bassin, LNCA (Qué.) 7 F1
Bass Lake Estates, LNCS (Ont.) 23 F1
Bass Lake Park, LNCA (Ont.) 24 B4
Bass River, LNCA (N.-E.) 9 B2
Bass River, LNCA (N.-B.) 12 F3
Bass River Point, LNCA (N.-B.) 12 G3
Basswood, LNCA (Man.) 29 F3
Basswood Ridge, LNCA (N.-B.) 11 B3
Bastarache, LNCA (N.-B.) 12 G4
Batawa, LNCA (Ont.) 21 F1
Batchawana Bay, LNCA (Ont.) 26 A3
Bateman, LNCA (Sask.) 31 E3
Batemans Mills, LNCA (N.-B.) 12 G4
Bates Beach, LNCS (C.-B.) 38 B1
Bates Settlement, LNCA (N.-B.) 11 B1
Bateston, LNCA (N.-E.) 8 F3
Bath, VL (N.-B.) 12 A3
Bath, VL (Ont.) 17 A4
Bathurst, C (N.-B.) 12 E1
Bathurst Inlet, LNCA (T.N.-O.) 45 F2
Bathurst Mines, LNCA (N.-B.) 12 E1
Batiscan, LNCA (Qué.) 16 C1
Batiscan-Station, LNCA (Qué.) 16 C1
Bat-I-ki 3, RI (C.-B.) 41 G4
Batoche, LNCA (Qué.) 16 E3
Batoche, LNCA (Sask.) 32 D4
Batteau, LNCA (T.-N.) 6 H3
Batteaux, LNCA (Ont.) 23 E2
Batter Junction, LNCA (Alb.) 34 G1
Battersea, LNCA (Ont.) 17 B4
Battle Bend, LNCA (Alb.) 33 F4
Battle Creek, LNCA (Sask.) 31 B4
Battleford, V (Sask.) 32 B4
Battle Harbour, LNCA (T.-N.) 5 H1
Battle Heights, LNCA (Sask.) 32 G3
Battle Lake, LNCA (Alb.) 33 D4
Battrum, LNCA (Sask.) 31 D3
Bauline, LNCA (T.-N.) 2 H2
Bauline East, LNCA (T.-N.) 2 H3
Bawlf, VL (Alb.) 33 F4
Baxter, LNCA (Ont.) 21 A1
Baxters Corner, LNCA (N.-B.) 11 E2
Baxters Corners, LNCA (Ont.) 17 C2
Baxters Harbour, LNCA (N.-E.) 11 H3
Bayard, LNCA (Qué.) 18 E4
Bayard Station, LNCA (Sask.) 31 G3
Bay Bulls, LNCA (T.-N.) 2 H3
Bay de l'Eau, LNCA (T.-N.) 2 D2
Bay de Loup, LNCA (T.-N.) 4 E4
Bay de Verde, V (T.-N.) 2 H1
Bay du Nord, LNCA (T.-N.) 2 C2
Bay du Vin, LNCA (N.-B.) 12 F2
Bay du Vin Beach, LNCA (N.-B.) 12 F2
Bayend, LNCA (Man.) 29 G2
Bayfield, LNCA (N.-E.) 8 B4
Bayfield, LNCA (N.-B.) 7 B4
Bayfield, LNCA (I.-P.-E.) 7 E3
Bayfield, LNCA (Ont.) 25 F3
Bayfield, VL (Ont.) 23 B4
Bayfield Road, LNCA (N.-E.) 8 B4
Bay Fortune, LNCA (I.-P.-E.) 7 E4
Bayhead, LNCA (N.-E.) 9 C1
Bay L'Argent, V (T.-N.) 2 D2
Baynes Lake, LNCA (C.-B.) 34 D4
Bayonne, LNCA (Qué.) 15 E2
Bayport, LNCA (N.-E.) 10 E2
Bayridge, LNCA (Ont.) 17 A4
Bay Road, LNCA (N.-B.) 11 B3
Bay Road Valley, LNCA (N.-E.) 8 E1
Bay Roberts, V (T.-N.) 2 G2
Bay St Lawrence, LNCA (N.-E.) 8 E1
Bayshore, LNCA (N.-B.) 12 G1
Bayshore, LNCA (Ont.) 17 D4
Bayshore Estates, LNCA (Ont.) 21 A1
Bay Shore Heights, LNCA (Man.) 30 C4
Bayshore Village, LNCA (Ont.) 23 G2
Bayside, LNCA (Ont.) 21 F1
Bayside, LNCA (N.-E.) 9 B4
Bayside, LNCA (N.-B.) 11 B3
Bayside, LNCA (N.-B.) 7 B4
Bayside, LNCA (I.-P.-E.) 7 B3
Baysville, LNCA (Ont.) 24 C2
Bayswater, LNCA (N.-E.) 9 A4
Bayswater, LNCA (N.-B.) 11 D3
Bayswater, LNCA (Ont.) 25 F2
Bay Trail, LNCA (Sask.) 31 G1
Bay Tree, LNCA (Alb.) 43 F3
Bay View, LNCA (N.-E.) 9 D1
Bay View, LNCA (N.-B.) 11 F2
Bay View, LNCA (N.-E.) 10 B1
Bayview, LNCA (I.-P.-E.) 7 C3
Bayview, LNCA (Ont.) 17 A4
Bayview, LNCA (Ont.) 23 D1
Bay View < Lewin's Cove, LNCA (T.-N.) 2 C3
Bayview Beach, LNCA (Ont.) 21 A1
Bayview Park, LNCA (Ont.) 23 F1
Baywood Park, LNCA (Ont.) 23 G2
Bazentin, LNCA (Sask.) 32 C3
Beachburg, VL (Ont.) 24 H1
Beachcomber, LNCS (C.-B.) 38 D2
Beachcomber Bay, LNCA (C.-B.) 35 F2
Beach Corner, LNCA (Alb.) 33 D3
Beach Hill Farms, LNCA (N.-E.) 10 D3
Beach Meadows, LNCA (N.-E.) 10 E3
Beach O'Pines, LNCS (Ont.) 22 D1
Beach Point, LNCA (I.-P.-E.) 7 E4
Beachville, LNCA (Ont.) 22 F1
Beacon Corner, LNCA (Alb.) 33 G2
Beacon Heights, LNCA (Ont.) 17 E4
Beacon Hill, LNCA (Sask.) 32 A2
Beacon Hill North, LNCA (Ont.) 17 E4
Beacon Hill South, LNCA (Ont.) 17 E4
Beaconia, LNCA (Man.) 30 C4
Beaconsfield, C (Qué.) 17 F4
Beaconsfield, LNCA (N.-E.) 10 C1
Beaconsfield, LNCA (N.-B.) 11 B2
Beaconsfield, LNCA (N.-B.) 12 A3
Beaconsfield, LNCA (Ont.) 22 F1
Beaconwood, LNCA (Ont.) 17 E4
Beadle, LNCA (Sask.) 31 C2
Beales Mills, LNCA (Ont.) 17 C3
Bear Bay 8, RI (C.-B.) 37 C2
Bearberry, LNCA (Alb.) 34 D1
Bearbrook, LNCA (Ont.) 17 D1
Bear Camp, LNCA (C.-B.) 45 A3
Bear Canyon, LNCA (Alb.) 43 F3
Bear Cave, LNCA (Ont.) 24 B2
Bear Cove, LNCA (T.-N.) 5 G2
Bear Cove, LNCA (N.-E.) 10 A3
Bear Cove, LNCA (N.-E.) 9 B4
Bear Cove, LNCA (T.-N.) 5 G4
Bear Cove < Rocky Harbour (COMM), LNCA (T.-N.) 5 F4
Bear Creek, LNCA (Yukon) 45 A2
Bear Creek, LNCA (C.-B.) 35 A3
Bear Creek, LNCA (Yukon) 45 A3
Beardmore, LNCA (Ont.) 27 F2
Beardy 97 & Okemasis 96, RI (Sask.) 32 D4
Bear Flat, LNCA (C.-B.) 43 E3
Bear Island, LNCA (N.-B.) 11 B1
Bear Island < Bear Island 1, LNCA (Ont.) 26 F3
Bear Island 1, RI (Ont.) 26 F3
Bear Lake, LNCA (C.-B.) 40 C1
Bear Lake, LNCA (Ont.) 24 B2
Bear Lake, LNCA (Alb.) 43 G4
Bear Lake < Bear Lake 4, LNCA (C.-B.) 42 F2
Bear Lake 1A, RI (C.-B.) 42 G2
Bear Lake 1B, RI (C.-B.) 42 F2
Bear Lake 4, RI (C.-B.) 42 F2
Bear Line, LNCA (Ont.) 22 B3
Béarn, LNCA (Qué.) 18 A3
Bear Point, LNCA (N.-E.) 10 B4
Bear Point, LNCA (Ont.) 21 A1
Bear River, LNCA (N.-E.) 10 B2
Bear River, LNCA (I.-P.-E.) 7 E3
Bear River 3, RI (C.-B.) 42 F2
Bear River 6, RI (N.-E.) 10 B2
Bear River 6A, RI (N.-E.) 10 C1
Bear River 6B, RI (N.-E.) 10 C1
Bear River East, LNCA (N.-E.) 10 B2
Bear River Station, LNCA (N.-E.) 10 B2
Bearskin Lake, LNCA (Ont.) 30 F2
Bearskin Lake < Bearskin Lake, LNCA (Ont.) 30 F2
Bearspaw, LNCA (Alb.) 34 E2
Bear Valley, LNCA (Ont.) 25 H2
Beasley, LNCA (C.-B.) 34 B4
Beaton, LNCA (C.-B.) 34 B2
Beaton River 204, RI (C.-B.) 43 E2
Beaton Road, LNCA (I.-P.-E.) 7 A3
Beatton Ranch, LNCA (C.-B.) 43 D2
Beatton River, LNCA (C.-B.) 43 E2
Beatty, LNCA (Ont.) 17 A2
Beatty, VL (Sask.) 32 E4
Beattyville, LNCA (Qué.) 18 C1
Beaubier, LNCA (Sask.) 31 H4
Beau Bois, LNCA (T.-N.) 2 C3

Beaubois, LNCS (N.-B.) 12 F1
Beaucage < Nipissing 10, LNCA (Ont.) 25 H1
Beaucanton, LNCA (Qué.) 18 A1
Beauceville, V (Qué.) 15 C4
Beauchamp, LNCA (Qué.) 15 D3
Beaudoin-Centre, LNCA (Qué.) 16 E2
Beaudry, LNCA (Qué.) 18 A2
Beaufield, LNCA (Sask.) 31 C1
Beaufort, LNCA (N.-B.) 12 B3
Beauglen, LNCA (Qué.) 13 E3
Beauharnois, C (Qué.) 17 G2
Beaulac, LNCA (Sask.) 15 G3
Beaulac, VL (Qué.) 16 E3
Beaulieu, VL (Qué.) 15 G3
Beauly, LNCA (N.-É.) 8 B4
Beaumaris, LNCA (Ont.) 24 B3
Beaumont, LNCA (Qué.) 15 H3
Beaumont, LNCA (N.-B.) 11 G1
Beaumont, VL (Alb.) 33 D4
Beaumont < Lushes Bight – Beaumont – Beaumont North, LNCA (T.-N.) 3 B1
Beaumont-Est, LNCA (Qué.) 15 H3
Beaumont North < Lushes Bight – Beaumont – Beaumont North, LNCA (T.-N.) 3 B1
Beauport, C (Qué.) 15 H3
Beaupré, V (Qué.) 15 B2
Beauséjour, V (Man.) 28 B1
Beauséjour, CFS/SFC, RM (Man.) 28 C1
Beauval, LNCA (Sask.) 32 C1
Beauvallon, LNCA (Alb.) 33 F3
Beaver, LNCA (Man.) 29 G3
Beaver, LNCA (C.-B.) 41 F4
Beaverbank, LNCA (N.-É.) 9 B3
Beaverbank Villa, LNCA (N.-É.) 9 B3
Beaver Brook, LNCA (N.-É.) 9 G2
Beaver Brook, LNCA (N.-B.) 11 G2
Beaver Brook Station, LNCA (N.-B.) 12 E2
Beaver Cove, LNCA (N.-É.) 8 E3
Beaver Cove, LNCA (T.-N.) 3 E2
Beaver Cove, LNCA (C.-B.) 39 E1
Beaver Creek, LNCA (C.-B.) 38 C2
Beaver Creek, LNCA (Yukon) 45 A3
Beaver Crossing, LNCA (Alb.) 33 G2
Beaver-Crossing, LNCA (Qué.) 17 F2
Beaverdale, LNCA (Ont.) 23 D2
Beaver Dale, LNCA (Sask.) 29 C2
Beaver Dam, LNCA (N.-B.) 11 C1
Beaverdam, LNCA (Alb.) 33 G2
Beaverdell, LNCA (C.-B.) 35 F3
Beaver Falls, LNCS (C.-B.) 34 B4
Beaver Flat, LNCA (Sask.) 31 E3
Beaver Harbour, LNCA (N.-B.) 11 C3
Beaver Harbour, LNCA (N.-É.) 9 E3
Beaverhill, LNCA (Alb.) 33 E3
Beaver Islands 8, RI (C.-B.) 40 B1
Beaver Lake, LNCA (Alb.) 33 F2
Beaver Lake 131, RI (Alb.) 33 F2
Beaver Lake 17, RI (N.-É.) 9 D3
Beaverley, LNCA (C.-B.) 40 C2
Beaverlodge, V (Alb.) 43 F4
Beaverlodge, CFS/SFC, RM (Alb.) 43 F4
Beaver Meadow, LNCA (N.-É.) 8 B4
Beaver Meadow, LNCA (Ont.) 22 C2
Beaver Mines, LNCA (Alb.) 34 E4
Beavermouth, LNCA (C.-B.) 34 B2
Beaver Pass House, LNCA (C.-B.) 40 D3
Beaver Point, LNCA (C.-B.) 38 F3
Beaver Ranch 163, RI (Alb.) 44 A3
Beaver River, LNCA (N.-É.) 10 A3
Beaver River, LNCA (Sask.) 32 G2
Beavers Corner < Six Nations 40, LNCA (Ont.) 22 G1
Beaverstone Bay, LNCA (Ont.) 25 E2
Beaverton, LNCA (Ont.) 21 B1
Beaverton, LNCA (T.-N.) 3 D2
Beaver Valley, LNCA (Sask.) 31 D4
Beazer, LNCA (Alb.) 34 F4
Bécancour, V (Qué.) 16 C1
Bécancour 11, RI (Qué.) 16 C1
Bechard, LNCA (Sask.) 31 H3
Becher, LNCA (Ont.) 22 B2
Becher Bay 1, RI (C.-B.) 38 E4
Becher Bay 2, RI (C.-B.) 38 E4
Becher House, LNCA (C.-B.) 36 A2
Beck, LNCA (Ont.) 27 E3
Becketts Bridge, LNCA (Ont.) 21 B4
Becketts Creek, LNCA (Ont.) 17 D1
Becketts Landing, LNCA (Ont.) 17 C2
Becketville, LNCA (N.-B.) 13 E4
Beckim Settlement, LNCA (N.-B.) 12 A4
Beckstead, LNCA (Ont.) 17 D2
Beckwith, LNCA (N.-É.) 9 B1
Bédard-Landing, LNCA (Qué.) 16 D4
Beddington, LNCA (Alb.) 34 E2
Bedec, LNCA (N.-B.) 12 G3
Bedell, LNCA (Ont.) 17 E2
Bedell Settlement, LNCA (N.-B.) 11 A1
Bedeque, LNCA (I.-P.-E.) 7 B3
Bedford, V (Qué.) 16 B4
Bedford, LNCA (N.-É.) 9 B3
Bedford, LNCA (N.-B.) 11 D2
Bedford, LNCA (Ont.) 17 A3
Bedford Corner, LNCA (I.-P.-E.) 7 D4
Bedford Mills, LNCA (Ont.) 17 B3
Bedford Road, LNCA (N.-B.) 12 A3
Bedford Station, LNCA (I.-P.-E.) 7 D3
Beebe-Plain, VL (Qué.) 16 C4
Beecham Settlement, LNCA (N.-É.) 7 B4
Beech Corners, LNCA (Ont.) 24 G3
Beech Glen, LNCA (N.-B.) 12 A3
Beech-Grove, LNCA (Ont.) 17 B1
Beech Hill, LNCA (N.-É.) 10 C4
Beech Hill, LNCA (N.-B.) 11 G1
Beech Hill, LNCA (N.-É.) 8 B4
Beech Hill, LNCA (N.-É.) 8 E3
Beechmont, LNCA (N.-É.) 8 E3
Beechmont North, LNCA (N.-É.) 8 E3
Beechmount, LNCA (Ont.) 24 E3
Beechville, LNCA (N.-É.) 9 B4
Beechwood, LNCA (N.-B.) 12 A3
Beechwood, LNCA (Ont.) 23 C4
Beechwood, LNCA (Ont.) 22 C3
Beechy, VL (Sask.) 31 E2
Beersville, LNCA (N.-B.) 12 F4
Beeton, VL (Ont.) 21 A1
Bégin, LNCA (Qué.) 14 A2
Bégin, LNCA (Qué.) 15 D2
Behan, LNCA (Alb.) 33 F1
Beinn Bhreagh, LNCA (N.-É.) 7 H4
Beinn Scalpie, LNCA (N.-É.) 8 E3
Beiseker, VL (Alb.) 34 F2
Bekanon, LNCA (Ont.) 25 F2
Bekevar, LNCA (Sask.) 29 C3
Bélair, LNCA (Qué.) 15 F4
Bélair, LNCA (Man.) 30 C4
Béland, LNCA (Qué.) 16 G3
Bélanger, LNCA (Qué.) 15 G2
Bélanger, LNCA (Sask.) 44 E4
Belanger, LNCA (Sask.) 31 C4

Belangers Corner, LNCA (Ont.) 17 A1
Belbeck, LNCA (Sask.) 31 G3
Belbutte, LNCA (Sask.) 32 C3
Belcarra, LNCA (C.-B.) 38 G2
Belcher Street, LNCA (N.-É.) 11 H3
Belcourt, LNCA (Qué.) 18 C1
Belfast, LNCA (I.-P.-E.) 7 D4
Belfast, LNCA (Ont.) 23 B3
Belford, LNCA (C.-B.) 34 B4
Belgiumtown, LNCA (N.-É.) 8 F3
Belgrave, LNCA (Ont.) 23 E3
Belhaven, LNCA (Ont.) 21 B1
Bella Bella, LNCA (C.-B.) 41 G3
Bella Bella 1, RI (C.-B.) 41 G3
Bella Coola, LNCA (C.-B.) 41 G3
Bella Coola 1, RI (C.-B.) 41 G3
Bellamys, LNCA (N.-É.) 9 C1
Bellamys Mill, LNCA (Ont.) 17 B3
Bellcreft, LNCS (Ont.) 22 A4
Belle Air Beach, LNCA (Ont.) 21 A1
Belle-Anse, LNCA (Qué.) 13 H2
Belle Côte, LNCA (N.-É.) 8 D2
Belledune, VL (N.-B.) 13 E4
Belle-eau-Claire Beach, LNCA (Ont.) 23 E1
Bellefeuille, LNCA (Qué.) 18 F4
Bellefeuille, LNCA (Qué.) 16 E4
Bellefeuille, LNCA (Qué.) 15 F1
Bellefleur, LNCA (N.-B.) 12 A2
Bellefond, LNCA (N.-B.) 12 D2
Bellegarde, LNCA (Sask.) 29 D4
Belleisle, LNCA (N.-É.) 10 C1
Belle Isle, LNCA (T.-N.) 5 H1
Belleisle Creek, LNCA (N.-B.) 11 E2
Belle-Marche, LNCA (N.-É.) 8 D2
Belleoram, V (T.-N.) 2 C2
Belle Plaine, VL (Sask.) 31 G3
Belle River, V (Ont.) 22 B3
Belle River, LNCA (I.-P.-E.) 7 D4
Bellerive-sur-le-Lac, LNCA (Qué.) 18 E4
Belleterre, V (Qué.) 18 A2
Belle Vallée, LNCA (Ont.) 26 F2
Belle-Vallée, LNCA (Qué.) 16 A4
Belleview, LNCA (Man.) 29 E4
Belleville, C (Ont.) 21 F1
Belleville, LNCA (N.-É.) 10 B3
Belleville, LNCA (N.-B.) 11 A1
Belleville North, LNCA (N.-É.) 10 B3
Belleville South, LNCA (N.-É.) 10 B3
Bellevue, LNCA (Qué.) 18 H1
Bellevue, LNCA (T.-N.) 2 F2
Bellevue, LNCA (Ont.) 26 B3
Bellevue, LNCA (N.-É.) 10 A2
Bellevue, LNCA (I.-P.-E.) 7 D4
Bellevue, LNCA (Qué.) 17 G1
Bellevue, VL (Alb.) 34 E4
Bell Ewart, LNCA (Ont.) 21 A1
Bell Island, LNCA (Qué.) 15 C1
Bell-Falls, LNCA (Qué.) 18 E4
Bell Grove, LNCA (N.-B.) 12 A2
Bellheck, LNCA (Ont.) 24 G4
Bellin (Payne), LNCA (Qué.) 46 F3
Bellingham, LNCA (Ont.) 26 C4
Bellis, LNCA (Alb.) 33 F2
Belliveau, LNCA (N.-É.) 10 A2
Belliveau Cove, LNCA (N.-É.) 10 A2
Belliveau Village, LNCA (N.-B.) 11 G1
Bell Lake 37, RI (C.-B.) 42 D4
Bell-Mount, LNCA (Qué.) 18 C4
Bell Neck, LNCA (N.-É.) 10 B3
Belloy, LNCA (Alb.) 43 G4
Bell Rapids, LNCA (Qué.) 14 C2
Bellrock, LNCA (Ont.) 17 A3
Bell Rock, LNCA (T.N.-O.) 44 C2
Bells Corners, LNCA (Ont.) 17 D4
Bells Corners, LNCA (Ont.) 17 B2
Bells Crossing, LNCA (Ont.) 17 C3
Bellshill, LNCA (Alb.) 33 F4
Bells Mills, LNCA (N.-B.) 12 G3
Bellsite, LNCA (Man.) 30 A3
Bellwood, LNCA (Ont.) 17 D4
Bellwood, LNCA (Ont.) 24 E2
Belmeade, LNCA (Ont.) 17 D2
Belmina, LNCA (Qué.) 16 E2
Belmont, LNCA (N.-É.) 9 C2
Belmont, LNCA (Man.) 29 F4
Belmont, LNCA (N.-É.) 9 A3
Belmont, VL (Qué.) 22 E2
Belmont Lot 16, LNCA (I.-P.-E.) 7 B3
Belmont Park, LNCA (C.-B.) 38 E4
Belmore, LNCA (Ont.) 23 C3
Belnan, LNCA (N.-É.) 9 B3
Beloeil, V (Qué.) 16 A3
Beloud Post, LNCA (Yukon) 45 A3
Belton, LNCA (Ont.) 22 E1
Belval, LNCA (Sask.) 31 D2
Belwood, LNCA (Ont.) 23 D3
Belyeas Cove, LNCA (N.-B.) 11 D2
Bemersyde, LNCA (Sask.) 29 C3
Benacadie, LNCA (N.-É.) 8 E3
Benacadie Pond, LNCA (N.-É.) 8 E3
Benacadie West, LNCA (N.-É.) 8 E3
Benalto, LNCA (Alb.) 33 D4
Bender, LNCA (Man.) 29 H3
Bengough, V (Sask.) 31 G4
Benito, VL (Man.) 29 D1
Benjamin, LNCS (N.-B.) 13 D4
Benjamin Bridge, LNCA (N.-É.) 11 H3
Benjamin River, LNCA (N.-B.) 13 D4
Benjamins Mill, LNCA (N.-É.) 9 A3
Benmiller, LNCA (Ont.) 23 B3
Benson, VL (Sask.) 29 C4
Benson Corner, LNCA (N.-B.) 11 B3
Benson Lake, LNCA (C.-B.) 39 D2
Bentinck, LNCA (Ont.) 23 C2
Benton, COMM (T.-N.) 3 E3
Benton, LNCA (N.-B.) 11 A1
Benton Station, LNCA (N.-B.) 31 B2

Bentpath, LNCA (Ont.) 22 C2
Bent River, LNCA (Ont.) 24 B2
Bents, LNCA (Sask.) 31 E1
Berdinskies, LNCA (Alb.) 44 C3
Berens Landing, LNCA (T.N.-O.) 45 D3
Berens River < Berens River 13, LNCA (Man.) 30 C3
Berens River 13, RI (Man.) 30 C3
Beresford, LNCA (Man.) 29 E4
Beresford, LNCA (Sask.) 35 D1
Beresford, VL (N.-B.) 13 E4
Bergen, LNCA (Man.) 28 A1
Bergen, LNCA (Alb.) 34 E1
Bergheim, LNCA (Sask.) 31 F1
Bergland, LNCA (Ont.) 28 F3
Bergs, LNCA (C.-B.) 38 G3
Berichan, LNCA (N.-É.) 9 C1
Berkeley, LNCA (Ont.) 23 D2
Berkinshaw, LNCA (Ont.) 17 D4
Berlo, LNCA (Man.) 29 H2
Bernard, LNCA (Qué.) 18 E2
Bernard House, LNCA (T.N.-O.) 45 B2
Bernatchez, LNCA (Qué.) 15 D3
Bernice, LNCA (Man.) 29 E4
Bernic Lake, LNCA (Man.) 30 C4
Bernières, LNCA (Qué.) 15 F4
Bernierville, VL (Qué.) 15 A4
Berny, LNCA (Alb.) 33 F2
Berriedale, LNCA (Ont.) 25 H3
Berry, LNCA (Qué.) 18 B3
Berryer, LNCA (Qué.) 15 D2
Berry Head < Berry Head, Port au Port, LNCA (T.-N.) 4 B2
Berry Head, Port au Port, COMM (T.-N.) 4 B2
Berry Mills, LNCA (N.-B.) 11 G1
Berrymoor, LNCA (Alb.) 33 C3
Berrys, LNCA (Ont.) 17 D4
Berryton, LNCA (N.-B.) 11 G1
Berryton, LNCA (Ont.) 17 B3
Bersimis 3, RI (Qué.) 14 G1
Berthier-sur-Mer, LNCA (Qué.) 15 C3
Berthierville, V (Qué.) 16 A2
Bertrand, VL (N.-B.) 12 F1
Bertwell, LNCA (Sask.) 32 G4
Bérubé, LNCA (Qué.) 15 B2
Bervie, LNCA (Ont.) 23 B3
Berwick, V (N.-É.) 10 D1
Berwick, LNCA (N.-B.) 11 E2
Berwick, LNCA (Ont.) 17 D2
Berwick North, LNCA (N.-É.) 10 D1
Berwick West, LNCA (N.-É.) 10 D1
Berwyn, VL (Alb.) 43 H3
Berylvale, LNCA (Ont.) 26 E1
Bessborough, LNCA (C.-B.) 43 E3
Bessemer, LNCA (Ont.) 24 E3
Best's Harbour, LNCA (T.-N.) 2 E2
Bestwick, LNCA (C.-B.) 35 A3
Betchouane, LNCA (Qué.) 5 A3
Béthanie, LNCA (Qué.) 16 C3
Bethany, LNCA (Ont.) 21 D1
Bethany, LNCA (Man.) 29 F3
Bethany, LNCA (Ont.) 21 G1
Bethel, LNCA (I.-P.-E.) 7 D4
Bethel, LNCA (Ont.) 17 C3
Bethel, LNCA (N.-B.) 11 C3
Béthel, LNCA (N.-É.) 16 C3
Bethel, LNCA (Ont.) 21 G1
Bethesda, LNCA (Ont.) 21 G1
Bethesda, LNCA (Ont.) 21 A1
Bethléem, LNCA (Qué.) 16 E4
Bethune, VL (Sask.) 31 G2
Bethune Bush, LNCA (Ont.) 17 D2
Betsiamites < Bersimis 3, LNCA (Qué.) 14 G2
Bettsburg, LNCA (N.-B.) 12 D4
Betty Cove 18, RI (C.-B.) 40 A3
Betula Beach, VE (Alb.) 33 C3
Betula Lake, LNCA (Man.) 28 D1
Beulah, LNCA (Man.) 29 E3
Beulah, LNCA (N.-B.) 11 D2
Bevan, LNCA (C.-B.) 38 B1
Beveridge Locks, LNCA (Ont.) 17 B3
Beverley, LNCA (Sask.) 31 D3
Beverley Hills, LNCA (Ont.) 21 B1
Beverley Isles, LNCA (Ont.) 21 B1
Beverly Hills, LNCS (Ont.) 33 E3
Bewdley, LNCA (Ont.) 21 D1
Bexley, LNCA (Ont.) 24 C4
Beynon, LNCA (Alb.) 34 F2
Bezanson, LNCA (Alb.) 43 G4
Bible Hill, LNCA (N.-É.) 9 C2
Bic, VL (Qué.) 14 G3
Bickerdike, LNCA (Alb.) 33 B3
Bickerton West, LNCA (N.-É.) 9 F3
Bickford, LNCA (Ont.) 22 B2
Bickleigh, LNCA (Sask.) 31 D2
Bidwell, LNCA (Ont.) 25 C2
Bield, LNCA (Man.) 29 E2
Bieman's Corners, LNCA (Ont.) 23 C3
Biencourt, LNCA (Qué.) 14 G4
Bienfait, V (Sask.) 29 C4
Bienvenu, LNCA (Qué.) 18 A1
Big Baddeck, LNCA (N.-É.) 8 D3
Big Bank, LNCA (N.-É.) 8 E3
Big Bar Creek, LNCA (C.-B.) 36 B3
Big Bay, LNCA (Ont.) 23 C2
Big Bay, LNCA (Ont.) 23 C1
Big Bay Point, LNCA (Ont.) 21 B1
Big Beach, LNCA (N.-É.) 8 E3
Big Beaver, LNCA (Sask.) 31 G4
Big Beaver House, LNCA (Ont.) 30 F3
Big Black River, LNCA (Man.) 30 C3
Big Bras d'Or, LNCA (N.-É.) 8 E3
Big Brook, LNCA (N.-É.) 8 C4
Big Brook, LNCA (N.-É.) 8 E3
Big Brook, LNCA (N.-É.) 8 D3
Big Cedar Point, LNCA (Ont.) 21 A1
Big Chute, LNCA (Ont.) 24 A3
Big Coulee, LNCA (Alb.) 33 E2
Big Cove, LNCA (N.-B.) 11 E2
Big Cove < Richibucto 15, LNCA (N.-B.) 12 G3
Big Eddy, LNCA (C.-B.) 34 A2
Big Eddy Settlement < The Pas 21E, LNCA (Man.) 30 A2
Bigelow, LNCA (Ont.) 26 F3
Big Farm, LNCA (N.-É.) 8 D3
Big Fork, LNCA (Ont.) 28 H4
Biggar, V (Sask.) 31 D1
Biggar Ridge, LNCA (C.-B.) 38 B3
Big Glace Bay, LNCA (N.-É.) 8 F3
Big Glen, LNCA (N.-É.) 8 E4
Big Glen, LNCA (N.-É.) 8 E3
Big Grassy River 35G, RI (Ont.) 28 F3
Big Harbour, LNCA (N.-É.) 8 E3
Big Harbour Centre, LNCA (N.-É.) 8 D4
Big Harbour Island, LNCA (N.-É.) 8 D4

Bighead 124, RI (Sask.) 32 A2
Big Hill, LNCA (N.-É.) 8 E3
Big Hole, LNCA (N.-B.) 12 E2
Big Hole Brook, LNCA (N.-B.) 12 D3
Big Hole Tract 8, RI (N.-B.) 12 E2
Big Horn 144A, RI (Alb.) 33 B4
Big Intervale, LNCA (N.-É.) 8 D2
Big Intervale Cape North, LNCA (N.-É.) 8 E1
Big Island, LNCA (N.-É.) 8 A4
Big Island, LNCA (N.-É.) 21 F1
Big Island 31D, RI (Ont.) 28 F3
Big Island 31E, RI (Ont.) 28 F3
Big Island 31F, RI (Ont.) 28 F3
Big Island 37, RI (Ont.) 28 F3
Big Island Landing, LNCA (Man.) 28 E2
Big Island Mainland 93, RI (Ont.) 28 E3
Big Joe's Meadow 7, RI (C.-B.) 40 C3
Big Lake, LNCA (Ont.) 25 C2
Big Lake, LNCA (Ont.) 30 H3
Big Lake Ranch, LNCA (C.-B.) 36 C1
Big Lorraine, LNCA (N.-É.) 8 F3
Big Lots, LNCA (N.-É.) 10 E2
Big Marsh, LNCA (N.-É.) 8 D3
Big Marsh, LNCA (N.-É.) 8 B4
Big Meadow, LNCA (Ont.) 28 G4
Big Muddy, LNCA (Sask.) 31 G4
Bigney, LNCA (N.-É.) 9 C1
Big Point, LNCA (T.N.-O.) 44 A1
Big Pond, LNCA (T.-N.) 3 D1
Big Pond, LNCA (I.-P.-E.) 7 E3
Big Pond Centre, LNCA (N.-É.) 8 E4
Big Prairie, LNCA (Alb.) 44 A4
Big Ridge, LNCA (N.-É.) 8 F3
Big Ridge South, LNCA (N.-É.) 8 F3
Big River, V (Sask.) 32 C3
Big River 118, RI (Sask.) 32 C3
Big River 118A, RI (Sask.) 32 C3
Big Salmon, LNCA (Yukon) 45 B3
Big Slough, LNCA (Sask.) 44 B3
Big Stone, LNCA (Alb.) 34 H2
Big Tracadie, LNCA (N.-É.) 8 C4
Big Trout Lake < Big Trout Lake, LNCA (Ont.) 30 F2
Big Trout Lake, RI (Ont.) 30 F2
Big Valley, VL (Alb.) 34 F1
Big Whiteshell Lake, LNCA (Man.) 28 D1
Bigwin, LNCA (Ont.) 24 C2
Bigwood, LNCA (Ont.) 25 D2
Big Woody, LNCA (Man.) 29 D1
Bilby, LNCA (Alb.) 33 D3
Billimun, LNCA (Sask.) 31 E4
Billings, LNCA (Ont.) 25 B2
Billings Bay, LNCA (C.-B.) 38 D1
Bill Lake 37, RI (C.-B.) 42 D4
Billtown, LNCA (N.-É.) 11 H3
Bilodeau, LNCA (Qué.) 18 H1
Binbrook, LNCA (Ont.) 21 A4
Bindloss, LNCA (Alb.) 31 B2
Bingham, LNCS (Qué.) 17 F1
Bingley, LNCA (Alb.) 33 C4
Binkham, LNCA (Ont.) 23 D4
Binscarth, VL (Man.) 29 D3
Binta Lake 6, RI (C.-B.) 40 A2
Birch, LNCA (T.N.-O.) 44 B2
Bircham, LNCA (Alb.) 34 F2
Birchbank, LNCA (C.-B.) 34 B4
Birchdale, LNCA (C.-B.) 34 B3
Birch Grove, LNCA (N.-É.) 8 F3
Birch Hill, LNCA (I.-P.-E.) 7 B3
Birch Hill, LNCA (N.-É.) 9 C2
Birch Hill, LNCA (I.-P.-E.) 7 D4
Birch Hill, LNCA (N.-É.) 9 C2
Birch Hills, V (Sask.) 32 E4
Birch Island < Whitefish River 4, LNCA (Ont.) 25 C2
Birch Island, LNCA (C.-B.) 36 F2
Birch Plain, LNCA (N.-É.) 8 E2
Birch Point, LNCA (Ont.) 28 G4
Birch Portage 184A, RI (Sask.) 32 G1
Birch Rapids, LNCA (Sask.) 32 E1
Birch Ridge, LNCA (N.-B.) 12 B3
Birch Ridge, LNCA (N.-B.) 12 F4
Birch River, LNCA (Man.) 29 E1
Birchton, LNCA (Qué.) 16 D4
Birchtown, LNCA (N.-É.) 10 C4
Birchview, LNCA (Man.) 29 E2
Birchwood, LNCA (N.-É.) 9 B1
Birchy Bay, V (T.-N.) 3 D2
Birchy Cove, LNCA (T.-N.) 3 G4
Birchy Cove, LNCA (T.-N.) 5 A1
Birchy Head, LNCA (T.-N.) 5 A1
Birchy Head, LNCA (N.-É.) 9 A4
Bird, LNCA (Man.) 30 D1
Bird Cove, LNCA (T.-N.) 5 G2
Birdell, LNCA (Ont.) 23 D2
Bird Point, LNCA (Sask.) 29 C3
Birdinia, LNCA (Man.) 29 F2
Bird River, LNCA (Man.) 30 C4
Birdsalls, LNCA (Ont.) 21 E1
Bird's Creek, LNCA (Ont.) 24 E2
Birds Hill, LNCA (Man.) 28 A1
Birdtail, LNCA (Man.) 29 E3
Birdtail Creek 57, RI (Man.) 29 E3
Birdtail Hay Lands 57A, RI (Man.) 29 E3
Birdton, LNCA (N.-B.) 11 C1
Birge Mills, LNCA (Ont.) 23 E4
Birken, LNCA (C.-B.) 37 G3
Birkendale, LNCA (Ont.) 24 C2
Birkenhead, LNCA (Man.) 29 C2
Birnam, LNCA (Ont.) 22 C1
Birnie, LNCA (Man.) 29 F3
Birnie Island 18, RI (C.-B.) 42 C4
Biron, LNCA (Qué.) 13 D3
Birr, LNCA (Ont.) 22 E1
Birsay, VL (Sask.) 31 E2
Birson, LNCA (Sask.) 32 E3
Birtle, V (Man.) 29 E3
Biscayan Cove, LNCA (T.-N.) 2 H2
Biscay Bay, COMM (T.-N.) 2 G4
Biscotasing, LNCA (Ont.) 26 D3
Bish 6, RI (C.-B.) 41 E1
Bishop Bluffs 5, RI (C.-B.) 40 B3
Bishop Bluffs 6, RI (C.-B.) 40 B3
Bishop Bluffs 10, RI (C.-B.) 40 B3
Bishop Corners, LNCA (Ont.) 24 G3
Bishopgate, LNCA (Ont.) 22 G1
Bishopric, LNCA (Sask.) 31 F3
Bishop's Cove, COMM (T.-N.) 2 G2
Bishop's Falls, T (T.-N.) 3 B3
Bishops Mills, LNCA (Ont.) 17 C3
Bishopton, VL (Qué.) 16 E3
Bishopville, LNCA (N.-É.) 9 A3
Bismarck, LNCA (Ont.) 21 A4
Bison Lake, LNCA (Alb.) 44 A3
Bissett, LNCA (Man.) 30 C4
Bissett Creek, LNCA (Ont.) 18 E4
Bistcho Lake 213, RI (Alb.) 45 D4
Bittern Lake, VL (Alb.) 33 E4

Bittern Lake 218, RI (Sask.) 32 D3
Bitumount, LNCA (Alb.) 44 C3
Bjorkdale, LNCA (Sask.) 32 G3
Black Avon, LNCA (N.-É.) 8 B4
Black Bank, LNCA (Ont.) 23 E2
Black Banks, LNCA (I.-P.-E.) 7 B3
Black Bay, LNCA (Ont.) 18 H4
Black Brook, LNCA (N.-É.) 8 E3
Blackburn, LNCA (Ont.) 17 E4
Blackburn Hamlet, LNCA (Ont.) 17 E4
Black Creek, LNCA (Ont.) 21 G2
Black Creek, LNCA (C.-B.) 38 B1
Black Creek, LNCA (C.-B.) 36 D1
Blackdale, LNCA (Man.) 28 A1
Blackdale Survey, LNCS (Ont.) 21 A3
Black Diamond, V (Alb.) 34 E2
Black Donald, LNCA (Ont.) 24 G2
Black Duck, LNCA (T.-N.) 4 C2
Black Duck Brook, LNCA (T.-N.) 4 B1
Black Duck Cove, LNCA (T.-N.) 5 G2
Black Duck Cove, LNCA (T.-N.) 3 D1
Blacketts Lake, LNCA (N.-É.) 8 E3
Blackfalds, VL (Alb.) 33 D4
Blackfoot, LNCA (Alb.) 33 H3
Blackfoot 146, RI (Alb.) 34 F2
Black Hawk, LNCA (Ont.) 28 G4
Blackhead, LNCA (T.-N.) 2 H2
Black Hills (Yukon) 45 A2
Black Island, LNCA (T.-N.) 3 D1
Black Island, LNCA (T.-N.) 3 D2
Black-Lake, V (Qué.) 16 E2
Black Lake < Chicken 224, LNCA (Sask.) 44 E3
Blackland, LNCA (N.-B.) 11 B3
Blackland, LNCS (N.-B.) 13 D4
Black Pines, LNCA (C.-B.) 36 F4
Black Point, LNCA (N.-É.) 9 A4
Black Point, LNCA (N.-B.) 13 D4
Black Point, LNCA (N.-É.) 9 D1
Black Point, LNCA (N.-É.) 8 E1
Black Point 11, RI (C.-B.) 42 D4
Black Pond, LNCS (I.-P.-E.) 7 E3
Black Pond, LNCA (C.-B.) 36 F2
Blackpool, LNCA (C.-B.) 36 A4
Black Rapids, LNCA (Ont.) 17 E4
Black River, LNCA (N.-É.) 10 E1
Black River, LNCA (N.-B.) 11 E3
Black River, LNCA (N.-B.) 12 F2
Black River, LNCA (T.-N.) 2 E2
Black River, LNCA (N.-É.) 8 C3
Black River, LNCA (Ont.) 17 E3
Black River 9, RI (Man.) 30 C4
Black River Bridge, LNCA (N.-B.) 12 F2
Black River Road, LNCA (N.-É.) 9 A1
Black Rock, LNCA (N.-É.) 8 E3
Black Rock, LNCA (N.-É.) 8 E3
Black Rock, LNCA (N.-É.) 11 G3
Black Rock, LNCA (N.-É.) 9 B2
Black Rock, LNCA (N.-É.) 11 H2
Blacks Corners, LNCA (Ont.) 22 H1
Blacks Corners, LNCA (Ont.) 17 B2
Blacks Corners, LNCA (Ont.) 23 E3
Blacks Harbour, VL (N.-B.) 11 C3
Black Slate 11, RI (C.-B.) 41 B2
Blackstock, LNCA (Ont.) 21 C1
Blackstock Subdivision, LNCS (C.-B.) 36 D2
Blackstone, LNCA (N.-É.) 8 C3
Blackstone Lake, LNCA (Ont.) 24 A2
Black Tickle, LNCA (T.-N.) 6 H3
Blackville, VL (N.-B.) 12 E3
Blackwater, LNCA (Ont.) 21 C1
Blackwater, LNCA (C.-B.) 40 C2
Blackwater Meadow 11, RI (C.-B.) 40 A3
Blackwell, LNCA (Ont.) 22 B1
Blackwood, LNCA (Sask.) 29 B3
Bladworth, VL (Sask.) 31 F2
Blaeberry, LNCA (C.-B.) 34 B2
Blagdon, LNCA (N.-B.) 11 D3
Blaine Lake, V (Sask.) 32 C4
Blainville, V (Qué.) 17 F3
Blair Court, LNCA (Ont.) 17 E4
Blairhampton, LNCA (Ont.) 24 D3
Blairmore, V (Alb.) 34 E4
Blairton, LNCA (Ont.) 21 E1
Blake, LNCA (Ont.) 23 B3
Blake, LNCA (C.-B.) 34 B4
Blakeburn, LNCA (C.-B.) 35 C3
Blakeney, LNCA (Ont.) 17 B2
Blaketown, LNCA (T.-N.) 2 F2
Blanchard Road, LNCA (N.-É.) 9 E2
Blanchard Settlement, LNCA (N.-B.) 12 G1
Blanchards Hill, LNCA (Ont.) 17 B3
Blanchard's Landing, LNCA (Ont.) 26 G4
Blanche, LNCA (N.-É.) 10 C4
Blanche, LNCA (Ont.) 17 D1
Blanche-Mills, LNCA (Ont.) 17 D1
Blanc-Sablon, LNCA (Qué.) 5 G2
Blandford, LNCA (Qué.) 16 D2
Blandford, LNCA (N.-É.) 9 A4
Blaney Ridge, LNCA (N.-B.) 11 B1
Blantyre, LNCA (Ont.) 23 D2
Blenheim, V (Ont.) 22 C3
Blessington, LNCA (Ont.) 21 F1
Blewett, LNCA (C.-B.) 34 B4
Blezard, LNCA (Ont.) 21 E1
Blind Bay, LNCA (C.-B.) 36 G4
Blind Channel, LNCA (C.-B.) 37 A3
Blind Creek 6, RI (C.-B.) 35 E4
Blind Creek 6A, RI (C.-B.) 35 E4
Blind River, V (Ont.) 25 A1
Blink Bonnie, LNCA (Ont.) 22 F1
Blissfield, LNCA (N.-B.) 12 D3
Bliss Landing, LNCA (C.-B.) 37 C4
Blissville, LNCA (N.-B.) 11 C2
Block 14, LNCA (N.-B.) 12 F3
Blockhouse, LNCA (N.-É.) 10 E2
Bloedel, LNCA (C.-B.) 37 B4
Blomidon, LNCA (N.-É.) 11 H3
Blood 148, RI (Alb.) 34 F4
Blood 148A, RI (Alb.) 34 F4
Bloodvein River < Bloodvein River 12, LNCA (Man.) 30 C3
Bloodvein River 12, RI (Man.) 30 C3
Bloom, LNCA (Ont.) 21 A4
Bloomfield, LNCA (C.-B.) 43 F3
Bloomfield, LNCA (N.-É.) 10 B2
Bloomfield, LNCA (N.-É.) 12 A4
Bloomfield, LNCA (I.-P.-E.) 7 A2
Bloomfield, VL (Ont.) 21 F2
Bloomfield Corner, LNCA (I.-P.-E.) 7 A3
Bloomfield Ridge, LNCA (N.-B.) 12 D3
Bloomfield Ridge, LNCA (N.-B.) 11 E2
Bloomingdale, LNCA (Ont.) 23 D4
Blooming Point, LNCA (I.-P.-E.) 7 D3

Bloomington, LNCA (N.-É.) 10 D1
Bloomington, LNCA (Ont.) 17 E2
Bloomsbury, LNCA (Alb.) 33 D2
Blossom Park, LNCA (Ont.) 17 E4
Blouin, LNCA (Qué.) 15 B3
Blount, LNCA (Ont.) 23 E3
Blowdown, LNCA (N.-B.) 11 A1
Blow Me Down, LNCA (T.-N.) 2 G2
Blubber Bay, LNCA (C.-B.) 38 C1
Blucher, LNCA (Sask.) 31 F1
Blucher Hall, LNCA (C.-B.) 36 F4
Blue Acres, LNCA (N.-É.) 9 D2
Blue Bell, LNCA (N.-B.) 12 A2
Blue Bell, LNCA (Sask.) 32 B2
Blue Bell Corner, LNCA (N.-B.) 12 A2
Blueberry Creek, LNCA (C.-B.) 34 B4
Blueberry Mountain, LNCA (Alb.) 43 G3
Blueberry River 205, RI (C.-B.) 43 E2
Blue Church, LNCA (Ont.) 17 C3
Blue Cove, LNCA (T.-N.) 5 G2
Blue Heron, LNCA (Sask.) 32 D3
Blue Hill, LNCA (N.-B.) 12 A3
Blue-Hills, LNCA (Qué.) 18 F4
Blue Jay, LNCA (Sask.) 32 F3
Blue Jay Subdivision, LNCS (C.-B.) 35 F1
Blue Mountain, LNCA (N.-É.) 8 A4
Blue Mountain, LNCA (N.-É.) 10 E1
Blue Mountain, LNCA (Ont.) 24 E3
Blue Mountain Bend, LNCA (N.-B.) 12 B2
Blue Mountain Settlement, LNCA (N.-B.) 12 E1
Blue Point, LNCS (Ont.) 22 C1
Blue Ridge, LNCA (Alb.) 33 C2
Blue River, LNCA (C.-B.) 36 G1
Blue River 1, RI (C.-B.) 45 C4
Blue Rocks, LNCA (N.-É.) 10 E2
Blue Sac Road, LNCA (N.-É.) 9 B4
Blue Sea Corner, LNCA (N.-É.) 9 C1
Blue-Sea-Lake, LNCA (Qué.) 18 D4
Bluesky, LNCA (Alb.) 43 G3
Blues Mills, LNCA (N.-É.) 8 D3
Blue Springs, LNCA (C.-B.) 35 G2
Bluevale, LNCA (Ont.) 23 C3
Bluewater Beach, LNCA (Ont.) 23 E1
Bluff Creek, LNCA (Man.) 29 G2
Bluff Head Cove, LNCA (T.-N.) 3 D1
Bluffton, LNCA (Alb.) 33 D4
Blumenfeld, LNCA (Man.) 29 H4
Blumengart, LNCA (Man.) 29 H4
Blumenheim, LNCA (Sask.) 31 F1
Blumenhof, LNCA (Sask.) 31 E3
Blumenort, LNCA (Man.) 28 B2
Blumenort, LNCA (Man.) 29 H4
Blumenort, LNCA (Sask.) 31 B3
Blumenthal, LNCA (Sask.) 32 D4
Blyth, VL (Ont.) 23 B3
Blytheswood, LNCA (Ont.) 22 B3
Boat Basin, LNCA (C.-B.) 39 F4
Boat Harbour West, LNCA (T.-N.) 2 D3
Boat Harbour West 37, RI (T.-N.) 9 D1
Bobby Cove, LNCA (T.-N.) 3 B1
Bobcaygeon, VL (Ont.) 24 D4
Bobs Lake, LNCA (Ont.) 17 A3
Bocabec, LNCA (N.-B.) 11 B3
Bocabec Cove, LNCA (N.-B.) 11 B3
Bodmin, LNCA (Sask.) 32 C3
Bodo, LNCA (Alb.) 31 B1
Bogart, LNCA (Ont.) 21 B1
Boggy Creek, LNCA (Man.) 29 D2
Boggy Hall, LNCA (Alb.) 33 C4
Bogies Beach, LNCA (Ont.) 24 C2
Bognor, LNCA (Ont.) 23 D2
Bogton, LNCA (Ont.) 26 H4
Boharm, LNCA (Sask.) 31 F3
Boian, LNCA (Alb.) 33 F3
Boiestown, LNCA (N.-B.) 12 D4
Boiler Beach, LNCS (Ont.) 23 B2
Boilleau, LNCA (Qué.) 14 A2
Boilleau, LNCA (Qué.) 18 E4
Bois-Blanc, LNCA (N.-B.) 12 F1
Bois-Blanc, LNCA (Qué.) 16 A2
Boisbriand, V (Qué.) 17 F3
Boisdale, LNCA (N.-É.) 8 E3
Bois-des-Filion, VL (Qué.) 17 G3
Bois-des-Hurons, LNCA (Qué.) 16 D1
Bois-Franc, LNCA (Qué.) 18 D2
Bois-Gagnon, LNCA (N.-B.) 12 F1
Boishébert, LNCA (N.-B.) 12 G1
Boisjoli, LNCA (Qué.) 18 A1
Boissevain, V (Man.) 29 F4
Boisvert, LNCA (Qué.) 18 A1
Boisville, LNCA (Qué.) 7 F1
Bold Point, LNCA (C.-B.) 37 B4
Bolduc, LNCA (Qué.) 16 G2
Bolger, LNCA (Ont.) 24 A1
Bolingbroke, LNCA (Ont.) 17 A3
Bolney, LNCA (Sask.) 32 A3
Bolsover, LNCA (Ont.) 23 G2
Bolton-Centre, LNCA (Qué.) 16 C4
Bolton-Est, LNCA (Qué.) 16 C4
Bolton-Glen, LNCA (Qué.) 16 C4
Bolton-Ouest, LNCA (Qué.) 16 C4
Bon Accord, LNCA (N.-B.) 12 A3
Bon Accord, VL (Alb.) 33 E2
Bon Air, LNCA (Ont.) 25 F2
Bonanza, LNCA (Alb.) 43 F3
Bonaparte 3, RI (C.-B.) 36 F4
Bonar, LNCA (Alb.) 34 G1
Bonarlaw, LNCA (Ont.) 21 F1
Bonaventure, LNCA (Qué.) 13 F3
Bonaventure-Est, LNCA (Qué.) 13 F4
Bonaventure-Ouest, LNCS (Qué.) 13 F3
Bonavista, V (T.-N.) 3 G4
Bon-Désir, LNCA (Qué.) 14 E3
Bon Head, LNCA (Ont.) 21 A1
Bondiss, LNCA (Alb.) 33 E2
Bondi Village, LNCA (Ont.) 24 C2
Bon Echo, LNCA (Ont.) 24 G3
Bones Bay, LNCA (C.-B.) 39 F1
Bonfield, LNCA (Ont.) 18 A4
Bongard, LNCA (Ont.) 21 G1
Bongard Corners, LNCA (Ont.) 21 G1
Bonlea, LNCA (Alb.) 33 F4
Bonnechere, LNCA (Ont.) 24 F1
Bonne-Espérance, LNCA (Qué.) 5 F2
Bonnington Falls, LNCS (C.-B.) 34 B4
Bonny River, LNCA (N.-B.) 11 C3
Bonnyville, V (Alb.) 33 G2
Bonnyville Beach, VE (Alb.) 33 G2
Bonsecours, LNCA (Qué.) 16 C4
Bon-Secours, LNCA (N.-B.) 12 G4
Bonshaw, LNCA (I.-P.-E.) 7 C4
Bonville, LNCA (Ont.) 17 E2
Bookton, LNCA (Ont.) 22 F2
Boom Road, LNCA (N.-B.) 12 E2
Bootahnie 15, RI (C.-B.) 35 B1
Booth, LNCA (Ont.) 25 H1
Boothroyd 5A, RI (C.-B.) 35 B2
Boothroyd 5B, RI (C.-B.) 35 B2

Boothroyd 5C, RI (C.-B.) 35 B2
Boothroyd 6A, RI (C.-B.) 35 B2
Boothroyd 6B, RI (C.-B.) 35 B2
Boothroyd 8A, RI (C.-B.) 35 B2
Boothroyd 13, RI (C.-B.) 35 B2
Boothville, LNCA (Ont.) 23 D3
Borden, V (I.-P.-É.) 7 B4
Borden, VL (Sask.) 32 C4
Borden < Borden, CFB/BFC, LNCA (Ont.) 21 A1
Borden, CFB/BFC, RM (Ont.) 21 A1
Bordenwood, LNCA (Ont.) 24 A3
Borderland, LNCA (Sask.) 31 F4
Borgels Point, LNCA (N.-É.) 10 E2
Boring Ranch, LNCA (C.-B.) 43 D2
Borneo, LNCA (Qué.) 9 F2
Bornholm, LNCA (Ont.) 23 C4
Bornish, LNCA (Ont.) 22 D1
Borradaile, LNCA (Alb.) 33 G3
Borups Corners, LNCA (Ont.) 27 B2
Boscobel, LNCA (C.-B.) 16 C3
Boscombe, LNCA (Alb.) 33 F2
Boscoville, LNCA (Qué.) 18 F4
Boskung, LNCA (Ont.) 24 C3
Boston Bar, LNCA (C.-B.) 35 B2
Boston Bar 1A, RI (C.-B.) 35 B2
Boston Bar 8, RI (C.-B.) 35 B2
Boston Bar 9, RI (C.-B.) 35 B2
Boston Bar 10, RI (C.-B.) 35 B2
Boston Bar 11, RI (C.-B.) 35 B2
Boston Creek, LNCA (Ont.) 26 F2
Boston Flats, LNCA (C.-B.) 36 D4
Boswarlos, LNCA (T.-N.) 4 B2
Boswell, LNCA (C.-B.) 34 C4
Boswell, LNCA (I.-P.-É.) 7 F3
Bosworth, LNCA (Ont.) 23 D3
Botany, LNCA (Ont.) 22 C3
Botha, VL (Alb.) 34 G1
Bothwell, V (Ont.) 22 C2
Bothwell, LNCA (I.-P.-É.) 7 F3
Bothwell's Corner, LNCA (Ont.) 23 D2
Botreaux, LNCA (Qué.) 17 G2
Botrel, LNCA (Qué.) 15 D2
Botsford Portage, LNCA (N.-B.) 7 A4
Bottle Lake 61B, RI (Man.) 29 E3
Bottrel, LNCA (Alb.) 34 E2
Botwood, V (T.-N.) 3 C2
Bouchard, LNCA (Qué.) 15 C1
Boucher Office, LNCS (N.-B.) 15 H2
Boucherville, V (Qué.) 17 H3
Bouchette, LNCA (Qué.) 18 D4
Bouchie Lake, LNCA (C.-B.) 40 C3
Boucks Hill, LNCA (Ont.) 17 D3
Boudreau, LNCA (N.-B.) 7 A4
Boudreau-Corners, LNCA (Qué.) 16 D4
Boudreau Road, LNCA (N.-B.) 12 G3
Boudreau Village, LNCA (N.-B.) 11 G1
Boudreauville, LNCA (N.-É.) 8 D4
Boulanger, LNCA (Qué.) 16 C4
Boularderie, LNCA (N.-É.) 8 E3
Boularderie Centre, LNCA (N.-É.) 8 E3
Boularderie East, LNCA (N.-É.) 8 E3
Boularderie West, LNCA (N.-É.) 8 E3
Boulay, LNCA (Qué.) 13 B3
Boulder Creek 5, RI (C.-B.) 36 F3
Boulder Island 25, RI (C.-B.) 38 E1
Boulogne, LNCA (Qué.) 16 B3
Boulter, LNCA (Ont.) 24 F2
Boundary, LNCA (N.-B.) 15 G2
Boundary, LNCA (Yukon) 45 A2
Boundary Creek, LNCA (N.-B.) 11 G1
Boundary Falls, LNCA (C.-B.) 35 G4
Boundary Park, LNCA (Man.) 30 C4
Bounty, VL (Sask.) 31 E2
Bourbonnais, LNCA (Qué.) 15 B3
Bourdages, LNCA (Qué.) 13 D3
Bourdages Corner, LNCA (Qué.) 26 B3
Bourdeau, LNCA (Ont.) 24 B2
Bourgault, LNCA (Qué.) 15 D2
Bourgeois, LNCA (N.-B.) 7 A3
Bourgeois Mills, LNCA (N.-B.) 7 A4
Bourget, LNCA (Ont.) 17 D1
Bourg-Louis, LNCA (Qué.) 18 H3
Bourkes, LNCA (Ont.) 26 F2
Bournemouth, LNCA (Sask.) 32 C3
Bournival, LNCA (Qué.) 16 B2
Bout-du-Monde, LNCA (Qué.) 16 B3
Boutiliers Point, LNCA (N.-É.) 9 A4
Bow City, LNCA (Alb.) 34 G3
Bowden, VL (Alb.) 34 E1
Bowell, LNCA (Alb.) 34 A3
Bowen Bay, LNCA (C.-B.) 38 F2
Bowen Corner, LNCA (Ont.) 24 F3
Bowen Island, LNCA (C.-B.) 38 F2
Bowermans, LNCA (Ont.) 21 F2
Bowers Beach, LNCS (Ont.) 23 C2
Bow Island, V (Alb.) 34 H3
Bowker, LNCA (Ont.) 27 E3
Bowling Green, LNCA (Ont.) 23 C4
Bowmanton, LNCA (Ont.) 21 B3
Bown, LNCA (Qué.) 16 E3
Bowood, LNCA (Ont.) 22 D1
Bowser, LNCA (C.-B.) 38 C2
Bowser's Corner, LNCA (Ont.) 25 B2
Bowsman, VL (Man.) 29 D1
Box Alder, LNCA (Ont.) 28 H4
Boxey < St Jacques – Coomb's Cove, LNCA (T.-N.) 2 B3
Boyds, LNCA (Ont.) 17 B2
Boyds Corner, LNCA (N.-B.) 12 C4
Boyd's Cove, LNCA (T.-N.) 3 D2
Boyer, LNCA (Qué.) 15 B3
Boyer, LNCA (Qué.) 18 E4
Boyer, LNCA (Alb.) 44 A3
Boyer 164, RI (Alb.) 44 A3
Boyle, LNCA (Ont.) 21 B4
Boyle, VL (Alb.) 33 E2
Boylston, LNCA (N.-É.) 9 G2
Boyne Lake, LNCA (Alb.) 33 F2
Boynton, LNCA (Qué.) 16 D4
Bracebridge, V (Ont.) 25 H4
Brackenrig, LNCA (Ont.) 25 H4
Bracken, VL (Sask.) 31 D4
Brackley, LNCA (I.-P.-É.) 7 C4
Brackley Beach, LNCA (I.-P.-É.) 7 C3
Brackley Point, LNCA (I.-P.-É.) 7 C3
Brada, LNCA (Sask.) 32 B4
Braddock, LNCA (Sask.) 31 E3
Bradens Bay, LNCA (Ont.) 24 B4
Bradford, V (Ont.) 21 A1
Bradford Marsh, LNCS (Ont.) 21 A1
Bradley, LNCA (Ont.) 23 C2
Bradley, LNCA (Ont.) 22 B3
Bradley Corner, LNCA (N.-B.) 12 A4
Brador, LNCA (Qué.) 5 G2
Bradshaw, LNCA (Ont.) 17 A3
Bradshaw, LNCA (Ont.) 27 E3
Bradwardine, LNCA (Man.) 29 E3
Bradwell, VL (Sask.) 31 F1
Brady Lake, LNCA (Ont.) 24 C3
Brady Ranch, LNCA (C.-B.) 43 D2
Brae, LNCA (I.-P.-É.) 7 A3

Braeburn, LNCA (Alb.) 43 G4
Braeburn, LNCA (Yukon) 45 B3
Brae Harbour, LNCA (Ont.) 22 F1
Braemar, LNCA (Ont.) 22 F1
Braemar Heights, LNCA (C.-B.) 38 E4
Braeshore, LNCA (N.-É.) 9 D4
Braeside, LNCA (Ont.) 40 B1
Braeside, VL (Ont.) 17 B1
Bragg Creek, LNCA (Alb.) 34 E2
Braim, LNCA (Alb.) 33 E4
Brainard, LNCA (Alb.) 43 F4
Brainerd, LNCA (Man.) 28 B1
Brake's Cove, LNCA (T.-N.) 5 F4
Bralorne, LNCA (C.-B.) 37 G2
Bramber, LNCA (N.-É.) 9 A2
Brampton, C (Ont.) 21 A2
Brancepeth, LNCA (Sask.) 32 E4
Branch, LNCA (T.-N.) 2 F4
Branch LaHave, LNCA (N.-É.) 10 E2
Branchton, LNCA (Ont.) 22 G1
Brandon, C (Man.) 29 F4
Brandon, LNCA (C.-B.) 34 B4
Brandon Hills, LNCA (Man.) 29 F4
Brandon North, LNCA (Man.) 29 F3
Brandy Point, LNCA (Ont.) 23 C4
Brandywine Falls, LNCA (C.-B.) 37 F4
Brant, LNCA (Alb.) 34 F3
Brantford, C (Ont.) 22 G1
Brantville, LNCA (N.-B.) 12 G1
Bras-d'Apic, LNCA (Qué.) 15 D3
Bras d'Or, LNCA (N.-É.) 8 E3
Brass Hill, LNCA (N.-É.) 10 B4
Bratton, LNCA (Sask.) 31 E2
Brauns Island, LNCS (C.-B.) 42 E4
Bray Lake, LNCA (Ont.) 24 B1
Brazeau Dam, LNCA (Alb.) 33 C4
Brazil Lake, LNCA (N.-É.) 10 B4
Breac Brook, LNCA (N.-É.) 8 E4
Breadalbane, LNCA (I.-P.-É.) 7 C3
Breadalbane, LNCA (Ont.) 17 E1
Breadalbane, LNCA (N.-B.) 11 G3
Breakeyville, LNCA (Qué.) 15 G4
Breau Creek, LNCA (N.-B.) 7 A4
Breault, LNCA (Qué.) 16 C2
Breault, LNCS (Qué.) 26 F3
Breau Road, LNCA (N.-B.) 12 F2
Breau-Village, LNCA (N.-B.) 12 G4
Brébeuf, LNCA (Qué.) 18 E4
Brèche-à-Manon, LNCA (Qué.) 13 H3
Brechin, LNCA (Ont.) 23 G2
Brechin Beach, LNCA (Ont.) 23 G2
Brechin Point, LNCA (Ont.) 23 G2
Breckenridge, LNCA (Qué.) 17 D3
Bredenbury, V (Sask.) 29 D2
Bredin, LNCA (Alb.) 43 G4
Bremen, LNCA (Sask.) 31 F1
Bremner, LNCA (Alb.) 33 E3
Brem River < Salmon Bay 3, LNCA (C.-B.) 37 G3
Brennan Creek, LNCS (C.-B.) 36 G3
Brennan Harbour, LNCA (Ont.) 25 B1
Brennan-Hills, LNCA (Qué.) 18 D4
Brent, LNCA (Ont.) 18 A4
Brentha, LNCA (Ont.) 17 A1
Brenton, LNCA (N.-É.) 10 A3
Brent's Cove, COMM (T.-N.) 3 B1
Brentwood, LNCA (N.-É.) 9 C2
Brentwood, LNCA (Ont.) 21 A2
Brereton Lake, LNCA (Man.) 28 D1
Bresaylor, LNCA (Sask.) 32 B4
Breslau, LNCA (Ont.) 23 D4
Brest, LNCA (N.-B.) 12 G3
Bretagne, LNCA (Qué.) 15 E2
Bretagneville, LNCA (N.-B.) 12 G3
Brethour, LNCA (Ont.) 26 F2
Breton, VL (Alb.) 33 D3
Bretona, LNCA (Alb.) 33 E3
Breton Cove, LNCA (N.-É.) 8 E2
Bretville Junction, LNCA (Sask.) 33 E3
Brew Bay, LNCA (C.-B.) 37 G3
Brewer, LNCA (Sask.) 29 C2
Brewer Creek, LNCA (Yukon) 45 A2
Brewer Lake, LNCA (Ont.) 17 B4
Brewers Mills, LNCA (N.-B.) 11 B1
Brewers Mills, LNCA (Ont.) 17 B4
Brexton, LNCA (C.-B.) 37 G2
Breynat, LNCA (Alb.) 33 E1
Briargreen, LNCA (Ont.) 17 D4
Briar Lake, LNCA (N.-É.) 10 B3
Briarlea, LNCA (Sask.) 32 D3
Briar Ridge, LNCA (C.-B.) 43 F4
Briars Park, LNCA (Ont.) 21 B1
Brickley, LNCA (Ont.) 21 F1
Brickton, LNCA (N.-É.) 10 C1
Brickyard Road, LNCA (N.-É.) 8 F3
Bridal Falls, LNCA (C.-B.) 35 A4
Brideau Settlement, LNCS (N.-B.) 12 G1
Bridesville, LNCA (C.-B.) 35 F4
Bridge End, LNCA (Ont.) 17 F2
Bridgeford, LNCA (Sask.) 31 F2
Bridge Lake, LNCA (C.-B.) 36 E3
Bridgenorth, LNCA (Ont.) 21 D1
Bridgeport, LNCA (T.-N.) 3 D2
Bridge River 1, RI (C.-B.) 37 H2
Bridge River 2, RI (C.-B.) 36 C4
Bridgetown, V (N.-É.) 10 C1
Bridgetown, LNCA (I.-P.-É.) 7 A4
Bridgetown, LNCA (Qué.) 17 G2
Bridgeview, LNCA (Alb.) 43 G4
Bridgeville, LNCA (N.-É.) 9 D3
Bridgeville, LNCA (Qué.) 13 H2
Bridgewater, V (N.-É.) 10 E2
Briercrest, VL (Sask.) 31 G3
Briéreville, LNCA (Alb.) 33 F2
Brier Hill, LNCA (Ont.) 17 B3
Brierly Brook, LNCA (N.-É.) 8 F3
Brierly Brook Back Road, LNCA (N.-É.) 8 B4
Brigade Lake, LNCA (C.-B.) 35 D1
Brig Bay, LNCA (T.-N.) 5 G2
Brigden, LNCA (Ont.) 22 B2
Briggs, LNCA (Alb.) 33 B4
Briggs Corner, LNCA (N.-B.) 11 E1
Briggs Corner, LNCA (N.-B.) 12 A4
Briggs Spur, LNCA (Man.) 29 E1
Brigham, LNCA (Qué.) 16 B4
Brigham Creek 3, RI (C.-B.) 40 C4
Bright, LNCA (Ont.) 22 F1
Brightbank, LNCA (Alb.) 33 D3
Brightholme, LNCA (Sask.) 32 D4
Brighton, LNCA (T.-N.) 3 C2
Brighton, LNCA (N.-É.) 10 B2
Brighton, VL (Ont.) 21 E2
Brighton Beach, LNCA (Ont.) 21 B1
Bright Sand, LNCA (Sask.) 32 B3
Brights Grove, LNCA (Ont.) 22 C1
Brightside, LNCA (Ont.) 17 A2
Brightstone, LNCA (Man.) 28 B1
Brightview, LNCA (Alb.) 33 D4
Brigus, V (T.-N.) 2 G2
Brigus Junction, LNCA (T.-N.) 2 G3
Brigus South, LNCA (T.-N.) 2 H3

Brill, LNCA (Qué.) 16 C4
Brilliant, LNCA (C.-B.) 34 B4
Brinka, LNCA (Ont.) 28 F1
Brinkman's Corners, LNCA (Ont.) 25 D4
Brinsley, LNCA (Ont.) 22 D1
Brinston, LNCA (Ont.) 17 D2
Brisbane, LNCA (Ont.) 23 E3
Brisco, LNCA (C.-B.) 34 C2
Brise-du-Lac, LNCA (Qué.) 18 F4
Brisson, LNCA (Ont.) 17 D2
Bristol, LNCA (I.-P.-É.) 7 D3
Bristol, LNCA (N.-B.) 12 B1
Bristol, LNCA (Man.) 28 B2
Bristol, VL (N.-B.) 12 A3
Bristol-les-Mines, LNCA (Qué.) 17 B1
Bristol-Ridge, LNCA (Qué.) 17 B1
Bristol's Hope, LNCA (T.-N.) 2 G2
Britainville, LNCA (Qué.) 17 B1
Britannia, LNCA (T.-N.) 2 F1
Britannia, LNCA (Ont.) 21 A2
Britannia Beach, LNCA (C.-B.) 38 F1
Britannia Creek, LNCA (C.-B.) 45 A3
British Harbour, LNCA (T.-N.) 2 F1
British Settlement, LNCA (N.-B.) 11 H1
Britt, LNCA (Ont.) 25 F2
Britton, LNCA (Ont.) 23 E3
Broadacres, LNCA (Sask.) 31 C1
Broadbent, LNCA (Ont.) 24 A2
Broad Cove, LNCA (N.-É.) 10 E2
Broad Cove, LNCA (T.-N.) 2 F2
Broad Cove, LNCA (T.-N.) 2 H2
Broad Cove < Small Point – Kingston – Broad Cove – Blackhead – Adams Cove (T.-N.) 2 G2
Broad Cove Banks, LNCA (N.-É.) 8 C3
Broad Cove Chapel, LNCA (N.-É.) 8 C3
Broad Cove Marsh, LNCA (N.-É.) 8 C3
Broad Valley, LNCA (Man.) 29 H2
Broadview, V (Sask.) 29 C3
Broadway, LNCA (N.-É.) 8 A4
Brochet < Brochet 197, LNCA (Man.) 44 G3
Brochet 197, RI (Man.) 44 G3
Brock, VL (Sask.) 31 D2
Brocket, LNCA (Alb.) 34 E4
Brock Gardens, LNCA (Ont.) 22 H1
Brockington, LNCA (Sask.) 32 E4
Brockley, LNCA (Ont.) 22 E2
Brocksden, LNCA (Ont.) 22 F1
Brockton, LNCA (I.-P.-É.) 7 A2
Brockville, C (Ont.) 17 C3
Brockway, LNCA (N.-B.) 11 B2
Broderick, VL (Sask.) 31 E2
Brodeur, LNCA (Qué.) 18 D4
Brodhagen, LNCA (Ont.) 23 C4
Brodie, LNCA (Ont.) 17 A1
Brokenhead, LNCA (Man.) 28 B1
Brokenhead 4, RI (Man.) 28 B1
Brome, VL (Qué.) 16 C4
Bromhead, LNCA (Sask.) 29 B4
Bromley, LNCA (Ont.) 17 A1
Bromont, V (Qué.) 16 B4
Bromptonville, V (Qué.) 16 D3
Broncho, LNCA (Sask.) 31 E4
Bronson, LNCA (Ont.) 24 F3
Bronson Settlement, LNCA (N.-B.) 11 E1
Brookbury, LNCA (Qué.) 16 E3
Brookdale, LNCA (N.-É.) 9 A1
Brookdale, LNCA (Man.) 29 F3
Brookdale, LNCA (Qué.) 18 G4
Brooke, LNCA (Ont.) 23 C1
Brooke, LNCA (Ont.) 17 B3
Brookfield, LNCA (N.-É.) 9 C2
Brookfield, LNCA (I.-P.-É.) 7 C4
Brooking, LNCA (Sask.) 31 H4
Brookland, LNCA (N.-É.) 9 D2
Brooklet, LNCA (Qué.) 17 G2
Brooklyn, LNCA (N.-É.) 10 D3
Brooklyn, LNCA (N.-É.) 9 A4
Brooklyn, LNCA (T.-N.) 3 F4
Brooklyn, LNCA (N.-É.) 10 C1
Brooklyn, LNCA (N.-É.) 10 A3
Brooklyn, LNCA (I.-P.-É.) 7 D4
Brooklyn, LNCA (I.-P.-É.) 7 A2
Brooklyn, LNCA (N.-É.) 7 A4
Brooklyn Corner, LNCA (N.-É.) 11 G3
Brooklyn Road, LNCA (N.-B.) 7 A4
Brooklyn Street, LNCA (N.-É.) 11 G3
Brookmere, LNCA (C.-B.) 35 C3
Brook Road, LNCA (N.-É.) 9 C1
Brooks, V (Alb.) 34 G3
Brooks Brook, LNCA (Yukon) 45 B3
Brooksby, LNCA (Sask.) 32 F4
Brooksdale, LNCA (Ont.) 22 E1
Brookside, LNCA (N.-É.) 9 B4
Brookside, LNCA (T.-N.) 2 D3
Brookside, LNCA (N.-É.) 9 A4
Brookside, LNCA (Ont.) 21 E2
Brooks Landing, LNCA (Ont.) 25 F3
Brooks Mill, LNCA (Ont.) 24 C2
Brookvale, LNCA (I.-P.-É.) 7 C4
Brookvale, LNCA (N.-B.) 11 E1
Brook Village, LNCA (N.-É.) 8 C3
Brookville, LNCA (N.-B.) 12 A4
Brookville, LNCA (N.-É.) 8 A4
Brookville, LNCA (N.-B.) 11 G2
Brookville, LNCA (N.-B.) 11 G3
Broomhill, LNCA (Man.) 29 E4
Brophy, LNCA (N.-É.) 8 B4
Brora, LNCA (Sask.) 31 G3
Brossard, V (Qué.) 17 H4
Brosseau, LNCA (Alb.) 33 F3
Brotherston, LNCA (Ont.) 17 B3
Broughton, LNCA (N.-É.) 8 F3
Broughton Island, LNCA (T.N.-O.) 46 G1
Broughton-Station, LNCA (Qué.) 15 B4
Brouse, LNCA (C.-B.) 34 B3
Brouseville, LNCA (Ont.) 17 D3
Brower, LNCA (Ont.) 26 E1
Brown, LNCA (Man.) 29 G4
Brownfield, LNCA (Alb.) 34 H1
Brown Hill, LNCA (Ont.) 21 B1
Brown House Corner, LNCA (Ont.) 17 F2
Browning, LNCA (Sask.) 29 C4
Brownings Landing, LNCA (T.N.-O.) 45 D3
Brownlee, LNCA (Sask.) 31 F2
Brownleigh, LNCA (Qué.) 16 D3
Brown's Arm, LNCA (T.-N.) 3 C2
Browns Brae, LNCA (Ont.) 24 C2
Brownsburg, VL (Qué.) 17 F1
Browns Corner, LNCA (N.-B.) 11 D2
Browns Cove, LNCA (T.-N.) 5 G4
Brownsdale, LNCA (T.-N.) 2 G2
Browns Flat, LNCA (N.-B.) 11 D2
Brownsville, LNCA (Ont.) 22 F2
Brownsville, LNCA (N.-É.) 8 A4
Browns Yard, LNCA (N.-B.) 12 H3
Brownvale, LNCA (Alb.) 43 H3
Broxburn, LNCA (Alb.) 34 F4
Bruce, LNCA (Alb.) 33 F3
Brucedale, LNCA (Ont.) 23 E4

Bruce Farm, LNCA (Ont.) 17 D4
Brucefield, LNCA (Ont.) 23 B4
Bruce Lake, LNCA (Ont.) 30 D4
Bruce Mines, V (Ont.) 25 B4
Bruces, LNCA (Ont.) 22 G1
Bruce Station, LNCA (Ont.) 26 B4
Bruceton, LNCA (Ont.) 24 F2
Brudenell, LNCA (I.-P.-É.) 7 D4
Brudenell, LNCA (Ont.) 24 F2
Bruderheim, LNCA (Alb.) 33 E3
Brule, LNCA (N.-É.) 9 C1
Brûlé, LNCA (Alb.) 40 H2
Brûlé Mines, LNCA (Alb.) 40 H2
Brule Point, LNCA (N.-É.) 9 C1
Brule Shore, LNCA (N.-É.) 9 C1
Brumsfield, LNCA (Ont.) 24 F2
Brunkild, LNCA (Man.) 29 H4
Brunner, LNCA (Ont.) 23 C4
Bruno, V (Sask.) 31 G1
Brunswick, LNCA (Ont.) 21 D1
Brunswick, LNCA (C.-B.) 38 F2
Brunswick, LNCA (Ont.) 21 F4
Brunswick Mines, LNCA (N.-B.) 12 E1
Brussels, VL (Ont.) 23 C3
Bryanston, LNCA (Ont.) 22 E1
Bryant, LNCA (Sask.) 32 F4
Bryants Corner, LNCA (N.-B.) 12 F3
Bryants Cove, LNCA (T.-N.) 2 G2
Bryenton, LNCA (N.-B.) 12 E3
Brynmarl, LNCA (C.-B.) 38 D2
Bryson, VL (Qué.) 17 A1
Brysonville, LNCA (Qué.) 17 G2
B-Say-Tah, VE (Sask.) 29 B2
Buccaneer Bay, LNCA (C.-B.) 38 D2
Buchanan, VL (Sask.) 29 C1
Buchans (p), V (T.-N.) 4 F1
Buchans (p), LNCA (T.-N.) 4 F1
Buchans Junction, LNCA (T.-N.) 4 G1
Buck Creek, LNCA (Alb.) 33 C4
Buckfield, LNCA (N.-É.) 10 D2
Buckhorn, LNCA (Ont.) 24 D4
Buckhorn, LNCA (C.-B.) 40 C3
Buckingham, C (Qué.) 17 D1
Buck Lake, LNCA (Alb.) 33 C4
Buck Lake, LNCA (Ont.) 17 A3
Buck Lake 133C, RI (Alb.) 33 C4
Buckland, LNCA (Qué.) 15 C3
Buckland, LNCA (Sask.) 32 D3
Buckland-Est, LNCA (Qué.) 15 C3
Bucklaw, LNCA (N.-É.) 8 D3
Buckley Bay, LNCA (C.-B.) 38 C2
Buckleys Corner, LNCA (N.-É.) 11 G3
Buckley Settlement, LNCA (N.-B.) 11 F1
Bucktum 4, RI (C.-B.) 35 B3
Buckwheat Corner, LNCA (N.-É.) 8 D3
Buctouche, VL (N.-B.) 12 G4
Buctouche 16, RI (N.-B.) 12 G4
Buctouche Baie, LNCS (N.-B.) 12 G3
Bucyrus, LNCA (Ont.) 26 B3
Budd, LNCA (Man.) 30 A2
Budd Mills, LNCA (Ont.) 24 G1
Budd's Point 20D, RI (Ont.) 32 H2
Buena Vista, VE (Sask.) 31 G1
Buena Vista Park, LNCA (Ont.) 23 G1
Buffalo, LNCA (Alb.) 31 B2
Buffalo Creek, LNCA (C.-B.) 36 D2
Buffalo Gap, LNCA (Sask.) 31 G4
Buffalo Head Prairie, LNCA (Alb.) 44 A3
Buffalo Horn, LNCA (Sask.) 31 E4
Buffalo Lake, LNCA (Alb.) 43 G4
Buffalo Narrows, LNCA (Sask.) 44 D4
Buffalo Point 36, RI (Man.) 28 E3
Buffalo River, LNCA (T.N.-O.) 44 B1
Buffalo View, LNCA (Alb.) 33 G4
Buford, LNCA (Alb.) 33 D3
Bugeaud, LNCA (Qué.) 13 F3
Buick, LNCA (C.-B.) 43 G2
Bulgers Corners, LNCA (Ont.) 24 G1
Bulkley 1, RI (C.-B.) 42 F3
Bulkley House, LNCA (C.-B.) 42 G3
Bulkley River 19, RI (C.-B.) 42 F4
Buller, LNCA (Ont.) 23 H1
Bulley's Cove, LNCA (T.-N.) 5 C2
Bullhead, LNCA (Man.) 30 C4
Bull Lake, LNCA (N.-B.) 11 B1
Bull Moose Hill, LNCA (N.-B.) 11 E2
Bullock, LNCA (Ont.) 24 H2
Bullocks Corners, LNCA (Ont.) 22 H1
Bullpound, LNCA (Alb.) 34 G2
Bull River, LNCA (C.-B.) 34 D4
Bulls Creek, LNCA (N.-B.) 11 A1
Bullshead, LNCA (Alb.) 31 B3
Bulwark, LNCA (Alb.) 34 G1
Bulwer, LNCA (Qué.) 16 D4
Bulyea, VL (Sask.) 31 G2
Bummers Flat 6, RI (C.-B.) 34 D4
Bummers' Roost, LNCA (Ont.) 25 H2
Bunbury, VL (I.-P.-É.) 7 D4
Bunclody, LNCA (Man.) 29 F4
Bunessan, LNCA (Ont.) 23 D4
Bungay, LNCA (I.-P.-É.) 7 C3
Bunker Hill, LNCA (Ont.) 17 E2
Buntzen Bay, LNCA (C.-B.) 38 G2
Bunyan, LNCA (Ont.) 21 A3
Bunyan's Cove, LNCA (T.-N.) 3 E4
Buoyant, LNCA (Alb.) 34 F2
Burchell Lake, LNCA (Ont.) 27 C3
Burchills Flats, LNCA (N.-B.) 11 E1
Bur Creek, LNCA (Man.) 22 C1
Burdett, VL (Alb.) 34 H3
Burditt Lake, LNCA (Ont.) 28 H4
Bures, LNCA (Sask.) 31 G4
Burford, LNCA (Ont.) 22 G1
Burgeo, V (T.-N.) 4 D4
Burgerville, LNCA (Qué.) 18 D4
Burgess Mines, LNCA (Ont.) 24 F2
Burgess Settlement, LNCA (N.-B.) 12 A2
Burgess Subdivision, LNCS (Sask.) 22 F1
Burgessville, LNCA (Ont.) 22 F1
Burgis, LNCA (Sask.) 29 C2
Burgoyne, LNCA (Ont.) 23 C2
Burgoynes Cove, LNCA (T.-N.) 2 F1
Burin, V (T.-N.) 2 C3
Burke Settlement, LNCA (Ont.) 17 A3
Burks-Corners, LNCA (Ont.) 17 D1
Burk's Falls, VL (Ont.) 24 B1
Burleigh Falls, LNCA (Ont.) 24 D3
Burlington, C (Ont.) 21 A3
Burlington, COMM (T.-N.) 3 B1
Burlington, LNCA (N.-É.) 11 G3
Burlington, LNCA (I.-P.-É.) 7 B3
Burlington, LNCA (Ont.) 23 D3
Burlington, LNCA (N.-B.) 12 A2
Burmis, LNCA (Alb.) 34 E4
Burnaby, DM (C.-B.) 38 F2
Burnaby, LNCA (Ont.) 21 B4
Burnbank, LNCA (Man.) 29 D3
Burnbrae, LNCA (Ont.) 21 E1
Burnet, LNCA (Ont.) 17 D3
Burnham, LNCA (Sask.) 31 E4
Burns, LNCA (Ont.) 23 D4
Burnside, LNCA (T.-N.) 3 F3

Burnside, LNCA (N.-É.) 9 C2
Burnside, LNCA (Ont.) 23 F1
Burnside, LNCA (Man.) 29 G3
Burns Lake, V (C.-B.) 42 G4
Burns Lake 18, RI (C.-B.) 42 G4
Burnstown, LNCA (Ont.) 17 B1
Burnsville, LNCA (N.-B.) 12 F1
Burnt Church, LNCA (N.-B.) 12 F2
Burnt Church 14, RI (N.-B.) 12 F2
Burnt Cliff Islands 20, RI (C.-B.) 42 C4
Burntcoat, LNCA (N.-É.) 9 B2
Burnt Cove, LNCA (T.-N.) 2 H3
Burnt Cove, LNCA (T.-N.) 3 D2
Burnt-Creek, LNCA (Qué.) 6 C3
Burnt Hill, LNCA (N.-B.) 11 D2
Burnt Hills, LNCA (Ont.) 17 B3
Burnt Island, LNCA (T.-N.) 2 A2
Burnt Island, LNCA (T.-N.) 2 D3
Burnt Islands, DAL (T.-N.) 4 B4
Burnt Point, LNCA (T.-N.) 2 G2
Burnt Point, LNCA (I.-P.-É.) 7 E4
Burnt River, LNCA (Ont.) 23 H1
Burpee, LNCA (Ont.) 25 B2
Burpees Corner, LNCA (N.-B.) 11 D1
Burr, LNCA (Sask.) 31 G1
Burridge, LNCA (Ont.) 17 A3
Burriss, LNCA (Ont.) 28 H4
Burritts Rapids, LNCA (Ont.) 17 C2
Burrows, LNCA (Sask.) 29 D3
Burstall, VL (Sask.) 31 B3
Burt, LNCA (Sask.) 31 G3
Burtch, LNCA (Ont.) 22 G2
Burton, LNCA (N.-B.) 11 D1
Burton, LNCA (C.-B.) 34 B3
Burton, LNCA (I.-P.-É.) 7 A2
Burton, LNCA (Ont.) 21 C1
Burtons, LNCA (N.-É.) 8 A4
Burtons Cove < Hampden, LNCA (T.-N.) 5 G4
Burtonsville, LNCA (Alb.) 33 D3
Burtts Corner, LNCA (N.-B.) 11 C1
Burwash, LNCA (Ont.) 25 E1
Burwash Flats, LNCA (Yukon) 45 A3
Burwash Landing, LNCA (Yukon) 45 A3
Bury, LNCA (Qué.) 16 E3
Burys Green, LNCA (Ont.) 23 H1
Busby, LNCA (Alb.) 33 D3
Bushell, LNCA (Sask.) 44 D2
Bushell Park < Moose Jaw, CFB/BFC, LNCA (Sask.) 31 G3
Bushe River 207, RI (Alb.) 44 A3
Bush Glen, LNCA (Ont.) 17 D2
Bush Island, LNCA (N.-É.) 10 E2
Bushville, LNCA (N.-B.) 12 F2
Bushy Head Corner, LNCA (Alb.) 33 G4
Busy Bee Corners, LNCA (N.-B.) 22 A4
Butedale, LNCA (C.-B.) 41 E2
Butler, LNCA (Man.) 29 D4
Butlerville, LNCA (T.-N.) 2 G2
Butte, LNCA (Alb.) 34 D1
Butte-d'Or, LNCA (N.-B.) 12 F1
Buttermilk Falls, LNCA (Ont.) 24 D3
Butternut Bay, LNCA (Ont.) 17 C3
Butte-St-Pierre, LNCA (Qué.) 13 F3
Button's Corners, LNCA (Ont.) 26 F3
Buzwah < Wikwemikong Unceded 26, LNCA (Ont.) 25 C2
Buzzard, LNCA (Sask.) 32 A4
Byemoor, LNCA (Alb.) 34 G1
Bylot, LNCA (Man.) 46 B4
Byng Inlet, LNCA (Ont.) 25 F2
Byrnedale, LNCA (Qué.) 22 B3
Byrnes Road, LNCA (I.-P.-É.) 7 D4

C

Cabana, LNCA (Sask.) 32 B2
Cabano, V (Qué.) 15 F1
Cabin Lake, LNCA (Alb.) 34 H2
Cable Head East, LNCA (I.-P.-É.) 7 E3
Cable Head West, LNCA (I.-P.-É.) 7 D3
Cabri, V (Sask.) 31 D3
Cache Bay, V (Ont.) 25 G1
Cache Creek, VL (C.-B.) 36 D4
Cacouna, LNCA (Qué.) 14 E4
Cacouna 22, RI (Qué.) 14 E4
Cacouna-Est, LNCA (Qué.) 14 E4
Cacouna-Sud, LNCA (Qué.) 14 E4
Cacouna-Station, LNCA (Qué.) 14 E4
Cactus Lake, LNCA (Sask.) 31 C1
Caddy Lake, LNCA (Man.) 28 E2
Caderette, LNCA (Ont.) 25 G1
Cadillac, V (Qué.) 18 B2
Cadillac, VL (Sask.) 31 D3
Cadman Corner, LNCA (N.-B.) 7 B4
Cadmus, LNCA (Ont.) 21 C1
Cadogan, LNCA (Alb.) 33 G1
Cadomin, LNCA (Alb.) 33 A4
Cadot, LNCA (Qué.) 18 F4
Cadotte Lake, LNCA (Alb.) 44 A4
Cadurcis, LNCA (Man.) 29 F3
Caesarea, LNCA (Ont.) 21 C1
Cahility, LNCA (C.-B.) 36 D2
Cahoose 8, RI (C.-B.) 41 H2
Cahoose 10, RI (C.-B.) 40 A3
Cahoose 12, RI (C.-B.) 41 H2
Cahore, LNCA (Ont.) 17 D2
Cails Mills, LNCA (N.-B.) 12 F3
Cains Island, LNCA (T.-N.) 4 B4
Cains Mountain, LNCA (N.-É.) 8 D3
Cains Point, LNCA (N.-B.) 12 F1
Cainsville, LNCA (Ont.) 22 G1
Caintown, LNCA (Ont.) 17 C3
Cairngorm, LNCA (Ont.) 22 D2
Cairns, LNCA (Alb.) 33 G4
Cairo, LNCA (Ont.) 22 C2
Caissie-Village, LNCA (N.-B.) 12 G3
Caistor Centre, LNCA (Ont.) 21 A4
Caistor Corners, LNCA (Ont.) 21 A4
Caistorville, LNCA (Ont.) 21 A4
Caithness, LNCA (C.-B.) 34 D4
Caithness, LNCA (N.-B.) 11 C3
Calabogie, LNCA (Ont.) 17 A2
Calahoo, LNCA (Alb.) 33 D3
Calais, LNCA (Alb.) 43 H4
Calamité-River, LNCA (Qué.) 18 A1
Calder, VL (Sask.) 29 D2
Calderbank, LNCA (Sask.) 31 E3
Calderwood, LNCA (Ont.) 23 D3
Caldwell, LNCA (N.-B.) 12 A2
Caldwell, LNCA (Qué.) 17 B1
Caledon, V (Ont.) 23 F3
Caledonia, LNCA (N.-É.) 10 D2
Caledonia, LNCA (N.-É.) 9 E2
Caledonia, LNCA (I.-P.-É.) 7 D4
Caledonia Front, LNCA (Ont.) 17 E1
Caledonia Junction, LNCA (N.-É.) 10 D2
Caledonia Mills, LNCA (N.-É.) 8 B4
Caledonia Mountain, LNCA (N.-B.) 11 G1

Caledonia Springs, LNCA (Ont.) 17 E1
Calgary, C (Alb.) 34 E2
Caliento, LNCA (Man.) 28 B3
California, LNCA (Ont.) 17 B3
California, LNCA (Ont.) 17 A2
Californie, LNCA (Qué.) 16 A1
Caliper Lake, LNCA (Ont.) 28 G3
Calixa-Lavallée, LNCA (Qué.) 16 A3
Callander, LNCA (Ont.) 25 H1
Calley, LNCA (Sask.) 29 C2
Calling Lake, LNCA (Alb.) 33 E1
Calling River, LNCA (Alb.) 33 E1
Callison Ranch, LNCA (C.-B.) 45 B4
Callum, LNCA (Sask.) 25 F1
Calmar, V (Alb.) 33 D3
Calmer < Point May (COMM), LNCA (T.-N.) 2 B4
Calm Lake, LNCA (Ont.) 28 B3
Calstock, LNCA (Ont.) 20 D4
Calthorpe, LNCA (Alb.) 31 B1
Calton, LNCA (Ont.) 22 F2
Calumet, LNCA (Yukon) 45 B2
Calumet, VL (Ont.) 17 E1
Calvert, LNCA (T.-N.) 2 H3
Calway, LNCA (Ont.) 15 B4
Camborne, LNCA (Ont.) 21 D2
Camborne, LNCA (C.-B.) 34 B2
Cambray, LNCA (Ont.) 21 C1
Cambria, LNCA (Alb.) 34 G2
Cambridge, C (Ont.) 23 E4
Cambridge, LNCA (N.-É.) 10 E1
Cambridge, LNCA (N.-É.) 9 A2
Cambridge, LNCA (I.-P.-É.) 7 A4
Cambridge 32, RI (N.-É.) 10 D1
Cambridge Bay, LNCA (T.N.-O.) 45 F1
Cambridge-Narrows, VL (N.-B.) 11 E1
Camden, LNCA (N.-É.) 9 C2
Camden East, LNCA (Ont.) 17 A4
Camel Chute, LNCA (Ont.) 24 G2
Camelot Beach, LNCA (Ont.) 21 B4
Cameo, LNCA (Sask.) 32 D3
Cameron, LNCA (Ont.) 21 C1
Cameron, LNCA (Ont.) 21 C1
Cameron Bar 13, RI (C.-B.) 35 A1
Cameron Beach, LNCA (N.-É.) 9 B1
Cameron Falls, LNCA (Ont.) 27 C2
Cameron Heights, LNCA (Ont.) 23 D4
Cameron Hills, LNCA (T.N.-O.) 44 A2
Cameron Lake, LNCA (N.-É.) 9 A3
Cameron Settlement, LNCA (N.-É.) 9 E2
Camerons Mill, LNCA (N.-É.) 12 F3
Camerons Mountain, LNCA (N.-É.) 8 D4
Camerons Point, LNCA (Ont.) 17 F2
Camilla, LNCA (Ont.) 23 E3
Camlachie, LNCA (Ont.) 22 C1
Camlaren, LNCA (T.N.-O.) 45 F3
Campania, LNCA (Ont.) 23 E3
Camp Artaban, LNCA (C.-B.) 38 F2
Camp Bay, LNCA (T.-N.) 5 H1
Campbell, LNCA (Alb.) 33 E4
Campbells Beach, LNCA (Ont.) 23 G1
Campbells Corners, LNCA (Ont.) 17 C2
Campbells Cove, LNCA (I.-P.-É.) 7 E3
Campbells Creek, LNCA (T.-N.) 4 B2
Campbell Settlement, LNCA (N.-B.) 11 B1
Campbell Settlement, LNCA (N.-B.) 11 E2
Campbell Settlement, LNCA (N.-B.) 11 A1
Campbells Mountain, LNCA (N.-É.) 8 D3
Campbells Siding, LNCA (N.-É.) 9 C2
Campbellton, C (N.-B.) 13 C4
Campbellton, V (T.-N.) 3 D2
Campbellton, LNCA (I.-P.-É.) 7 A2
Campbellton, LNCA (I.-P.-É.) 7 C3
Campbellton, LNCA (Ont.) 22 D2
Campbellton, LNCA (C.-B.) 37 B4
Campbelltown, LNCA (Ont.) 21 C1
Campbellvale, LNCS (Ont.) 22 D2
Camp Bigwee, LNCA (Ont.) 26 F3
Camp Boggy, LNCA (T.-N.) 2 B1
Camp Cayuga, LNCA (Ont.) 26 F3
Camp Chimo, LNCA (Ont.) 26 F3
Camp-Comfort, LNCA (Qué.) 16 E3
Camp Creek, LNCA (Alb.) 33 D2
Camp Dundurn < Dundurn, Camp/Campement, LNCA (Sask.) 31 F1
Camper, LNCA (Man.) 29 G2
Camperdown, LNCA (N.-É.) 10 E2
Camperdown, LNCA (Ont.) 23 E2
Camperville, LNCA (Man.) 29 E1
Camp Farewell, LNCA (T.N.-O.) 45 B1
Camp Harmony, LNCA (N.-B.) 13 C4
Camp Kagawong, LNCA (Ont.) 23 F2
Camp-Kinkora, LNCA (Qué.) 18 F4
Camp-Laclouwhi, LNCA (Qué.) 18 F4
Camp-Marcel, LNCA (Qué.) 18 F4
Camp McKinney, LNCA (C.-B.) 35 F4
Camp Morton, LNCA (Man.) 30 C4
Camp Oconto, LNCA (Ont.) 17 B3
Camp-Ouareau, LNCA (Qué.) 18 F4
Camp Robinson, LNCA (Ont.) 27 A1
Campsie, LNCA (Alb.) 33 D2
Camp Wanapitei, LNCA (Ont.) 26 F3
Camp Wegesegum, LNCA (N.-B.) 11 E1
Camp White Bear, LNCA (Ont.) 26 F3
Camrose, C (Alb.) 33 E4
Camsell Portage, LNCA (Sask.) 44 D2
Cana, LNCA (Sask.) 29 C2
Canaan, LNCA (N.-É.) 10 E1
Canaan, LNCA (N.-B.) 12 G4
Canaan, LNCA (N.-É.) 9 A4
Canaan, LNCA (Ont.) 17 D1
Canaan, LNCA (N.-É.) 10 B3
Canaan Forks, LNCA (N.-B.) 11 E1
Canaan Rapids, LNCA (N.-B.) 11 E1
Canaan Road, LNCA (N.-B.) 11 F1
Canaan Station, LNCA (N.-B.) 11 E1
Canada Creek, LNCA (N.-É.) 11 G3
Canada Harbour, LNCA (T.-N.) 5 H3
Canal, LNCA (Ont.) 11 C3
Canal Flats, LNCA (C.-B.) 34 C3
Canard, LNCA (N.-É.) 11 H3
Canavoy, LNCA (I.-P.-É.) 7 D3
Candiac, V (Qué.) 17 H1
Candiac, LNCA (Sask.) 29 B3
Candle Lake, LNCA (Sask.) 32 E3
Candle, VL (Sask.) 31 D1
Cane, LNCA (Ont.) 26 F2

Church Hill, LNCA (N.-B.) 11 F2
Church House, LNCA (C.-B.) 37 B3
Churchill, LNCA (Man.) 46 B4
Churchill, LNCA (Ont.) 21 A1
Churchill, LNCA (I.-P.-E.) 7 C4
Churchill Falls, LNCA (T.-N.) 6 D3
Churchill Heights, LNCA (Ont.) 17 E2
Churchill Lake 193A, RI (Sask.) 44 D4
Churchover, LNCA (N.-E.) 10 C4
Church Point, LNCA (N.-E.) 10 A2
Church Point Station, LNCA (N.-E.) 10 A2
Church Road, LNCA (I.-P.-E.) 7 D3
Churchs Corner, LNCA (N.-B.) 11 F2
Church Street, LNCA (N.-E.) 11 H3
Churchview, LNCA (N.-E.) 8 D3
Churchville, LNCA (N.-E.) 9 D2
Churchville, LNCA (Ont.) 22 D2
Chute-à-Blondeau, LNCA (Ont.) 17 F1
Chute-aux-Galets, LNCA (Qué.) 14 B2
Chute-aux-Outardes, VL (Qué.) 14 G1
Chute-des-Passes, LNCA (Qué.) 19 A3
Chute-du-Pin-Rouge, LNCA (Qué.) 18 A3
Chute Lake, LNCA (C.-B.) 35 F3
Chute-Panet, LNCA (Qué.) 18 H3
Chute-Rouge, LNCA (Qué.) 18 D3
Chute-St-Philippe, LNCA (Qué.) 18 E3
Chutes-de-Ste-Ursule, LNCA (Qué.) 16 A1
Chute-Victoria, LNCA (Qué.) 18 E3
Chutine, LNCA (C.-B.) 45 B4
Ciné-Parc, LNCS (Qué.) 14 E4
Cinema, LNCA (C.-B.) 40 C2
Ciquart, LNCA (N.-B.) 15 H1
Citeyats 9, RI (C.-B.) 41 D2
City View, LNCA (Ont.) 17 E4
Clachan, LNCA (Ont.) 22 D2
Clair, LNCA (Sask.) 31 H1
Clair, VL (N.-B.) 15 G2
Claire-Fontaine, LNCA (N.-B.) 12 G3
Clairmont, LNCA (Alb.) 43 G4
Clairvaux-de-Bagot, LNCA (Qué.) 16 B3
Clairville, LNCA (N.-B.) 12 F4
Clakamucus 2, RI (C.-B.) 38 A3
Clam Bay, LNCA (N.-E.) 9 D3
Clam Harbour, LNCA (N.-E.) 9 D3
Clam Point, LNCA (N.-E.) 10 B4
Clandeboye, LNCA (Ont.) 22 D1
Clandeboye, LNCA (Man.) 28 A1
Clandonald, LNCA (Alb.) 33 G3
Clanwilliam, LNCA (Man.) 29 F3
Clanwilliam, LNCA (C.-B.) 34 A2
Claoose 4, RI (C.-B.) 38 C3
Clapham, LNCA (Qué.) 15 A4
Clapperton, LNCA (Qué.) 13 E3
Clapperton, LNCA (C.-B.) 35 B1
Clappisons Corners, LNCA (Ont.) 21 A3
Clardon Beach, LNCA (Ont.) 21 B1
Clare, LNCA (Ont.) 23 D3
Claremont, LNCA (N.-E.) 9 A1
Clarence, LNCA (N.-E.) 10 C1
Clarence, LNCA (Ont.) 17 D1
Clarence Creek, LNCA (Ont.) 17 D1
Clarence East, LNCA (N.-E.) 10 C1
Clarence Ridge, LNCA (N.-B.) 11 B3
Clarenceville, VL (Qué.) 16 A4
Clarenceville-Est, LNCA (Qué.) 16 A4
Clarence West, LNCA (N.-E.) 10 C1
Clarendon, LNCA (N.-B.) 11 D2
Clarendon Station, LNCA (Ont.) 17 A3
Clarenville, V (T.-N.) 2 F1
Claresholm, V (Alb.) 34 F3
Claresholm Airport, LNCS (Alb.) 34 F3
Clarina, LNCA (Ont.) 24 E4
Clark Bridge, LNCA (Sask.) 31 G4
Clarkdon, LNCA (Ont.) 27 C2
Clarke City (Qué.) 19 F3
Clarke's Beach, V (T.-N.) 2 G2
Clarke's Head, LNCA (T.-N.) 3 D2
Clarkin, LNCA (I.-P.-E.) 7 D4
Clarkleigh, LNCA (Man.) 29 H3
Clark Point, LNCS (Ont.) 23 B3
Clarksburg, LNCA (Ont.) 23 D2
Clarks Church, LNCA (Ont.) 23 B3
Clarks Corners, LNCA (N.-B.) 11 D1
Clark's Harbour, V (N.-E.) 10 B4
Clarkson Valley, LNCA (Alb.) 43 H4
Clarksville, LNCA (N.-E.) 9 B3
Clarkville, LNCA (N.-B.) 11 B1
Clashmoor, LNCA (Sask.) 32 F4
Classy Creek 8, RI (C.-B.) 45 B4
Clatse 5, RI (C.-B.) 41 F3
Clattice Harbour, LNCA (T.-N.) 2 E2
Clattice South West, LNCA (T.-N.) 2 E3
Clatux 9, RI (C.-B.) 39 C1
Claverhouse, LNCA (N.-E.) 8 D3
Clavering, LNCA (Ont.) 23 C1
Clavet, LNCA (Sask.) 31 F1
Claybank, LNCA (Sask.) 31 G3
Clay Bank, LNCA (Ont.) 17 B1
Claydon, LNCA (Sask.) 31 C4
Clayhurst, LNCA (C.-B.) 43 F3
Clayoqua 6, RI (C.-B.) 38 A2
Clayoquot, LNCA (C.-B.) 39 G4
Clayridge, LNCA (Sask.) 29 D3
Claysmore, LNCA (Alb.) 33 G3
Clayton, LNCA (Ont.) 17 B2
Claytonville, LNCA (Sask.) 32 E3
Clay Valley, LNCA (Ont.) 17 B1
Clearbrook, LNCA (Alb.) 33 E2
Clear Creek, LNCA (Ont.) 22 F2
Clear Creek, LNCA (Yukon) 45 B2
Cleardale, LNCA (Alb.) 43 F3
Clear Hills, LNCA (Alb.) 43 H3
Clear Hills 152C, RI (Alb.) 43 G3
Clear Lake, LNCA (Ont.) 24 B2
Clearland, LNCA (N.-E.) 10 E2
Clear Prairie, LNCA (Alb.) 43 F3
Clearsand Beach, LNCA (Sask.) 32 D3
Clearspring, LNCA (I.-P.-E.) 7 E3
Clear Springs, LNCA (Man.) 28 B2
Clearview, LNCA (N.-B.) 12 A3
Clearview, LNCA (Ont.) 17 E4
Clearville, LNCA (Ont.) 22 D3
Clearwater, LNCA (C.-B.) 36 F2
Clearwater, LNCA (Man.) 29 G4
Clearwater 175, RI (Alb.) 44 C4
Clearwater Bay, LNCA (Ont.) 28 E2
Clearwater Beach, LNCA (Ont.) 23 F1
Clearwater Lake, LNCA (Man.) 30 A2
Cleeves, LNCA (Sask.) 32 A3
Cleho 6, RI (C.-B.) 38 B3
Clematis, LNCA (Man.) 29 H3
Clemenceau, LNCA (Sask.) 32 G4
Clément, LNCA (Qué.) 18 D4
Clementsport, LNCA (N.-E.) 10 B1
Clementsvale, LNCA (N.-E.) 10 C2
Clemretta, LNCA (C.-B.) 41 G1
Clemville, LNCA (Qué.) 13 G3
Cléricy, LNCA (Qué.) 18 A1
Clermont, V (Qué.) 14 D4
Clermont, LNCA (I.-P.-E.) 7 B3
Clerval, LNCA (Qué.) 18 A1
Clesbaoneecheck 3, RI (C.-B.) 40 C2

Cleveland, LNCA (N.-E.) 8 C4
Clienna 14, RI (C.-B.) 39 C1
Clifford, VL (Ont.) 23 C3
Cliffside Beach, LNCS (Ont.) 22 B4
Clifton, LNCA (N.-B.) 12 F1
Clifton, LNCA (T.-N.) 2 F1
Clifton, LNCA (N.-E.) 9 B2
Clifton Royal, LNCA (N.-B.) 11 D2
Climax, VL (Sask.) 31 D4
Cline River, LNCA (Alb.) 34 C1
Clinton, V (Ont.) 23 B4
Clinton, LNCA (I.-P.-E.) 7 C3
Clinton, VL (C.-B.) 36 C4
Clinton Creek, LNCA (Yukon) 45 A2
Clivale, LNCA (Alb.) 34 G2
Clive, VL (Alb.) 33 E4
Cloan, LNCA (Sask.) 32 B4
Clontarf, LNCA (Ont.) 24 G2
Clootlhpich 12, RI (C.-B.) 39 G4
Clo-oose < Claoose 4, LNCA (C.-B.) 38 C3
Cloridorme, LNCA (Qué.) 13 G1
Cloridorme-Ouest, LNCA (Qué.) 13 G1
Clotalairquot 4, RI (C.-B.) 42 G3
Cloud Bay, LNCA (Ont.) 27 D3
Cloudslee, LNCA (Ont.) 26 B4
Clouston, LNCA (Sask.) 32 D4
Cloutier, LNCA (Qué.) 18 A2
Clova, LNCA (Qué.) 18 E2
Clover Bar, LNCA (Alb.) 33 E3
Cloverdale, LNCA (N.-E.) 9 C2
Cloverdale, LNCA (N.-B.) 12 B4
Cloverdale, LNCA (Ont.) 17 D2
Cloverdale, LNCA (Man.) 28 A1
Clover Hill, LNCA (N.-B.) 11 E2
Cloverleaf, LNCA (Man.) 28 B1
Clover Valley, LNCA (Ont.) 23 B3
Clover Valley, LNCA (Ont.) 25 C2
Cloverville, LNCA (N.-E.) 8 B4
Cloverville Road, LNCS (N.-E.) 8 B4
Clowel 13, RI (C.-B.) 41 D2
Clowns Cove, LNCA (T.-N.) 2 G2
Cloyne, LNCA (Ont.) 24 G3
Cluchuta Lake 10A, RI (C.-B.) 40 A3
Cluchuta Lake 10B, RI (C.-B.) 40 A3
Cludolicum 9, RI (C.-B.) 36 B2
Cludolicum 9A, RI (C.-B.) 36 B2
Cluny, VL (Alb.) 34 F2
Clustalach 5, RI (C.-B.) 40 B2
Clute, LNCA (Ont.) 26 E1
Clutus 11, RI (C.-B.) 38 B3
Clyde, LNCA (Ont.) 22 G1
Clyde, LNCA (I.-P.-E.) 7 C3
Clyde, VL (Alb.) 33 D2
Clyde-Corners, LNCA (Qué.) 17 F2
Clyde Forks, LNCA (Ont.) 17 A2
Clyde River, LNCA (I.-P.-E.) 7 C4
Clyde River, LNCA (T.N.-O.) 47 G4
Clyde River, LNCA (N.-E.) 10 C4
Clydesdale, LNCA (N.-E.) 8 B4
Clydesdale, LNCA (N.-E.) 9 C1
Clydesville, LNCA (Ont.) 17 B2
Coachman's Cove, COMM (T.-N.) 5 H3
Coady Road, LNCA (N.-E.) 8 D3
Coal Branch, LNCA (N.-B.) 12 F4
Coal Brook, LNCA (T.-N.) 4 B3
Coalburn, LNCA (N.-E.) 9 D2
Coal Creek, LNCA (N.-B.) 11 E1
Coal Creek, LNCA (C.-B.) 34 D4
Coaldale, V (Alb.) 34 G4
Coalfields, LNCA (Sask.) 29 C4
Coal Harbour, LNCA (C.-B.) 39 C1
Coalhurst, LNCA (Alb.) 34 F4
Coalmont, LNCA (C.-B.) 35 C3
Coal River, LNCA (C.-B.) 45 C4
Coalspur, LNCA (Alb.) 33 A3
Coal Valley, LNCA (Alb.) 33 B4
Coates Mills, LNCA (N.-B.) 12 G4
Coaticook, V (Qué.) 16 D4
Coatsworth Station, LNCA (Ont.) 22 B3
Cobalt, V (Ont.) 26 F3
Cobble Hill, LNCA (C.-B.) 38 E3
Cobble Hill, LNCA (Ont.) 22 E1
Cobb's Arm, LNCA (T.-N.) 3 D1
Cobden, VL (Ont.) 17 A1
Coboconk, LNCA (Ont.) 23 H1
Cobourg, V (Ont.) 21 D2
Coburg, LNCA (N.-B.) 7 A4
Coburn, LNCA (N.-B.) 11 B2
Cocagne, LNCA (N.-B.) 12 G4
Cocagne Cove, LNCA (N.-B.) 12 H4
Cocagne-Nord, LNCA (N.-B.) 12 G4
Cocagne-Sud, LNCA (N.-B.) 12 G4
Cochenour, LNCA (Ont.) 30 D4
Cochin, LNCA (Sask.) 32 B4
Cochrane, V (Ont.) 26 E1
Cochrane, V (Alb.) 34 E2
Cochrane Corner, LNCA (N.-B.) 11 D2
Cockburn Island 19, RI (Ont.) 26 B4
Cockburn Island 19A, RI (Ont.) 25 A2
Cockmi 3, RI (C.-B.) 41 F4
Coddles Harbour, LNCA (N.-E.) 9 F2
Coderre, VL (Sask.) 31 F3
Codesa, LNCA (Alb.) 43 G3
Codes Corner, LNCA (Ont.) 17 B4
Codette, VL (Sask.) 32 F3
Codner, LNCA (T.-N.) 2 H2
Codner, LNCA (Alb.) 33 C4
Codrington, LNCA (Ont.) 21 E1
Codroy, LNCA (T.-N.) 4 A3
Codroy Pond, LNCA (T.-N.) 4 B3
Cody, LNCA (C.-B.) 34 B3
Codys, LNCA (N.-B.) 11 E1
Cody's Corners, LNCA (Ont.) 22 F1
Coe Hill, LNCA (Ont.) 24 E3
Coffee Cove, LNCA (T.-N.) 3 B1
Coffee Creek, LNCA (Yukon) 45 A3
Coffin Cove, LNCA (T.-N.) 2 E2
Coffin Island 3, RI (C.-B.) 39 F1
Coffinscroft, LNCA (N.-E.) 10 C4
Coghill, LNCA (Alb.) 33 E4
Coglistiko River 29, RI (C.-B.) 40 B3
Cogmagun River, LNCA (N.-E.) 9 A3
Cognashene, LNCA (Ont.) 23 F1
Cohoe Point 20, RI (C.-B.) 41 A1
Coin-Douglas, LNCA (Qué.) 16 A4
Coin-du-Banc (Qué.) 13 H2
Coin-Lavigne, LNCA (Qué.) 18 F4
Coin-Rond, LNCA (Qué.) 16 A3
Coins Gratton, LNCA (Ont.) 17 E1
Cokato, LNCA (C.-B.) 34 D4
Colbeck, LNCA (Ont.) 23 E3
Colborne, VL (Ont.) 21 E2
Colby Village, LNCA (N.-E.) 9 B4
Colchester, LNCA (Ont.) 22 A4
Coldbrook, LNCA (N.-E.) 10 E1
Cold Brook, LNCA (T.-N.) 4 C2
Cold Lake, V (Alb.) 33 G2
Cold Lake, LNCA (Man.) 30 A1
Cold Lake 149, RI (Alb.) 33 G2
Cold Lake 149A, RI (Alb.) 33 H2
Cold Lake 149B, RI (Alb.) 33 G2
Cold Lake, CFB/BFC, RM (Alb.) 33 G2

Coldspring House, LNCA (C.-B.) 40 D3
Cold Springs, LNCA (Ont.) 21 D1
Cold Springs, LNCA (Ont.) 25 C2
Coldstream, DM (C.-B.) 35 F2
Coldstream, LNCA (N.-B.) 12 B4
Coldstream, LNCA (Ont.) 22 D1
Coldstream, LNCA (N.-E.) 9 C3
Coldwater, VL (Ont.) 23 F1
Coldwater 1, RI (C.-B.) 35 C2
Coldwell, LNCA (Ont.) 27 G3
Cole Bay, LNCA (Sask.) 32 B1
Cole Bay 3, RI (C.-B.) 38 E4
Colebrook, LNCA (Ont.) 17 A4
Colebrooke Settlement, LNCA (N.-B.) 13 C4
Cole Harbour, LNCA (N.-E.) 9 G2
Cole Harbour, LNCA (N.-E.) 9 B4
Cole Harbour 30, RI (N.-E.) 9 B4
Cole Lake, LNCA (Ont.) 17 A3
Coleman, V (Alb.) 34 E4
Coleman, LNCA (I.-P.-E.) 7 A3
Coleman, LNCA (Ont.) 26 F3
Coleman's Shore, LNCA (Ont.) 17 B2
Coleraine, LNCA (Qué.) 16 E2
Coleraine, LNCA (N.-B.) 11 E3
Coles Island, LNCA (N.-B.) 11 E1
Coles Island, LNCA (N.-B.) 7 A4
Coleville, VL (Sask.) 31 C1
Cole Wharf, LNCA (Ont.) 21 G1
Colfax, LNCA (Sask.) 31 H3
Colgan, LNCA (Ont.) 21 A2
Colgate, VL (Sask.) 31 H4
Colindale, LNCA (N.-E.) 8 C3
Colinet, COMM (T.-N.) 2 F3
Colinton, LNCA (Alb.) 33 E2
Colinville, LNCA (Ont.) 22 B2
Collacott Subdivision, LNCS (Sask.) 29 C2
College Bridge, LNCA (N.-B.) 11 H1
College Grant, LNCA (N.-E.) 9 E2
College Grant, LNCA (N.-E.) 9 C1
College Heights, LNCA (Alb.) 33 D4
Collette, LNCA (N.-B.) 12 F3
Collette-Village, LNCA (N.-B.) 12 G3
Collettville, LNCA (C.-B.) 35 C2
Colleymount, LNCA (C.-B.) 41 G1
Collicutt, LNCA (Alb.) 34 E2
Colliers, V (T.-N.) 2 G3
Collina, LNCA (N.-B.) 11 E2
Collingwood, V (Ont.) 23 E2
Collingwood Corner, LNCA (N.-E.) 9 A1
Collingwood Cove, LNCS (Alb.) 33 E3
Collins, LNCA (Ont.) 27 D1
Collins Bay, LNCA (Ont.) 17 A4
Collins Inlet, LNCA (Ont.) 25 E2
Colmer, LNCA (Sask.) 29 C2
Colombier, LNCA (Qué.) 14 F2
Colombière, LNCA (Qué.) 18 B2
Colombourg, LNCA (Qué.) 18 A1
Colonial Acres, LNCS (Ont.) 21 F1
Colonie-Cinq, LNCA (Qué.) 18 A1
Colonie-Fournière, LNCA (Qué.) 18 B2
Colonsay, VL (Sask.) 31 F1
Colpitts Settlement, LNCA (N.-B.) 11 G1
Colpoys Bay, LNCA (Ont.) 23 C1
Colpton, LNCA (N.-E.) 10 D2
Colquhoun, LNCA (Ont.) 17 D2
Columbia Gardens, LNCA (C.-B.) 34 B4
Columbia Lake 3, RI (C.-B.) 34 C3
Colville, LNCA (I.-P.-E.) 7 C4
Colville Lake, LNCA (T.N.-O.) 45 D2
Colwell, LNCA (Ont.) 21 A1
Colwood, LNCA (C.-B.) 38 E4
Comber, LNCA (Ont.) 22 B3
Combermere, LNCA (Ont.) 24 F2
Comeau, LNCA (Man.) 29 G2
Comeau Point, LNCA (N.-B.) 7 A4
Comeau Ridge, LNCA (N.-B.) 12 A2
Comeau Settlement, LNCS (N.-B.) 12 G2
Comeaus Hill, LNCA (N.-E.) 10 B4
Comeauville, LNCA (N.-E.) 10 A2
Come-by-Chance, V (T.-N.) 2 F2
Comer, LNCA (C.-B.) 36 B1
Comestock-Mills, LNCA (Qué.) 16 C4
Comet, LNCA (Ont.) 22 A4
Comet, LNCA (Alb.) 34 G1
Comfort Bight, LNCA (T.-N.) 6 H3
Comfort Cove < Comfort Cove – Newstead, LNCA (T.-N.) 3 D2
Comfort Cove – Newstead, COMM (T.-N.) 3 D2
Comins-Mills, LNCA (Qué.) 16 E4
Commanda, LNCA (Ont.) 24 B1
Commercial Cross, LNCA (I.-P.-E.) 7 D4
Commodore Heights, LNCS (C.-B.) 36 B1
Commons, LNCA (N.-E.) 10 E2
Comox, V (C.-B.) 38 C1
Comox 1, RI (C.-B.) 38 C1
Comox, CFB/BFC, RM (C.-B.) 38 C1
Compeer, LNCA (Alb.) 31 B1
Compton, VL (Qué.) 16 D4
Compton Island 6, RI (C.-B.) 39 E1
Compton-Station, LNCA (Qué.) 16 D4
Conception Bay South, V (T.-N.) 2 H2
Conception Harbour, V (T.-N.) 2 G3
Concession, LNCA (N.-E.) 10 A2
Concession-de-Baker-Brook, LNCA (N.-B.) 15 G2
Concession-des-Bouchard, LNCA (N.-B.) 15 G2
Concession-des-Jaunes, LNCA (N.-B.) 15 G2
Concession-des-Lang, LNCA (N.-B.) 15 G2
Concession-des-Ouellette, LNCA (N.-B.) 15 G2
Concession-des-Vasseur, LNCA (N.-B.) 15 G2
Concession-des-Viel, LNCA (N.-B.) 15 G2
Conche, COMM (T.-N.) 5 H2
Concord, LNCA (N.-E.) 9 D2
Concord Point, LNCA (Ont.) 23 G2
Condie, LNCA (Sask.) 31 G3
Condor, LNCA (Alb.) 33 D4
Conestogo, LNCA (Ont.) 23 D4
Coney Arm, LNCA (T.-N.) 5 G3
Congresbury, LNCA (Alb.) 34 D1
Congress, LNCA (Sask.) 31 F4
Coningsby, LNCA (Ont.) 23 E3
Conjuring Creek, LNCA (Alb.) 33 D3
Conklin, LNCA (Alb.) 33 G1
Conn, LNCA (Ont.) 23 D3
Connaught, LNCA (Ont.) 17 D2
Connaught, LNCA (Ont.) 24 G1
Connaught Heights, LNCS (Sask.) 32 E4
Connaught Shore, LNCA (Ont.) 24 D4
Connell, LNCA (N.-B.) 12 A4
Connell Creek, LNCA (Sask.) 32 G3
Connellys, LNCA (Ont.) 21 E1
Connemara, LNCA (Alb.) 34 E3
Conne River, DAL (T.-N.) 2 B2
Connor, LNCA (Ont.) 21 A2
Connor Creek, LNCA (Alb.) 33 C2

Connors, LNCA (N.-B.) 15 G2
Conns Mills, LNCA (N.-E.) 9 B1
Conover, LNCA (Ont.) 23 E2
Conquerall, LNCA (N.-E.) 10 E2
Conquerall Bank, LNCA (N.-E.) 10 E2
Conquerall Mills, LNCA (N.-E.) 10 E2
Conquest, VL (Sask.) 31 E2
Conrad, LNCA (Alb.) 34 G4
Conrad, LNCA (Yukon) 45 B3
Conrich, LNCA (Alb.) 34 E2
Conrod Settlement, LNCA (N.-E.) 9 C3
Conroy, LNCA (Ont.) 22 E1
Consecon, LNCA (Ont.) 21 F2
Consort, VL (Alb.) 31 B1
Constance, LNCA (Sask.) 31 F4
Constance Bay, LNCA (Ont.) 17 B1
Constance Lake 92, RI (Ont.) 20 B4
Constant Creek, LNCA (Ont.) 24 G2
Consul, VL (Sask.) 31 C4
Contrecoeur, LNCA (Qué.) 16 A3
Convent Glen, LNCA (Ont.) 17 E3
Conway, LNCA (N.-E.) 10 B2
Conway, LNCA (I.-P.-E.) 7 B3
Conway, LNCA (Ont.) 21 G1
Cooke's Shore, LNCA (Ont.) 17 B2
Cooking Lake, LNCA (Alb.) 33 E3
Cooks Brook, LNCA (N.-E.) 9 C3
Cooks Cove, LNCA (N.-E.) 9 G2
Cooks Creek, LNCA (Man.) 28 B1
Cook's Harbour, DAL (T.-N.) 5 H2
Cookshire, V (Qué.) 16 E4
Cookson, LNCA (Sask.) 32 D3
Cookstown, VL (Ont.) 21 A1
Cookville, LNCA (N.-E.) 10 E2
Cookville, LNCA (N.-B.) 7 A4
Coolidge, LNCA (Alb.) 33 D2
Coombe, LNCA (C.-B.) 38 G2
Coombes Road, LNCA (N.-B.) 12 A2
Coombs, LNCA (C.-B.) 38 D2
Coomb's Cove < St Jacques – Coomb's Cove, LNCA (T.-N.) 2 B3
Cooper, LNCA (Ont.) 24 F4
Cooper Creek, LNCA (C.-B.) 34 B3
Cooper's Cove, LNCA (T.-N.) 2 E2
Coopers Falls, LNCA (Ont.) 23 G1
Cooper's Trailer Park, LNCA (Ont.) 21 D1
Cooper Subdivision, LNCS (C.-B.) 43 E3
Coopte 9, RI (C.-B.) 42 G4
Copeland, LNCA (Sask.) 31 H1
Copenhagen, LNCA (Ont.) 22 E2
Copetown, LNCA (Ont.) 22 G1
Copp, LNCA (Ont.) 24 F2
Coppell, LNCA (Ont.) 20 B4
Copper Creek, LNCA (C.-B.) 36 E4
Copperhead, LNCA (Ont.) 24 A2
Copper Johnny Meadow 8, RI (C.-B.) 36 C3
Copperkettle, LNCA (Ont.) 23 C1
Copper Lake, LNCA (N.-E.) 9 F2
Coppermine, LNCA (T.N.-O.) 45 E1
Copper Mountain, LNCA (C.-B.) 35 D4
Copperside Estates, LNCS (C.-B.) 42 E4
Coppett, LNCA (T.-N.) 4 E4
Coppin's Corners, LNCA (Ont.) 21 B1
Coquitlam, DM (C.-B.) 38 G2
Coquitlam 1, RI (C.-B.) 38 G2
Coquitlam 2, RI (C.-B.) 38 G2
Coral, LNCA (Ont.) 20 C4
Coral Beach, LNCS (C.-B.) 35 F2
Coral Harbour, HAM (T.N.-O.) 46 D2
Corbeil, LNCA (Ont.) 18 A4
Corberrie, LNCA (N.-E.) 10 B2
Corbett, LNCA (Ont.) 22 D1
Corbett Creek, LNCA (Alb.) 33 C2
Corbetton, LNCA (Ont.) 23 E3
Corbin, LNCA (T.-N.) 2 C4
Corbin, LNCA (C.-B.) 34 E4
Corbin, LNCA (T.-N.) 2 C2
Corbin, LNCA (Qué.) 17 G2
Corbyville, LNCA (Ont.) 21 F1
Corcoran, LNCA (Qué.) 18 F4
Cordel, LNCA (Alb.) 33 F4
Cordon, LNCA (Qué.) 18 F4
Cordova, LNCA (Man.) 29 F3
Cordova Mines, LNCA (Ont.) 24 F4
Coriander, LNCA (Sask.) 31 E4
Corinne, LNCA (Sask.) 31 H3
Corinth, LNCA (Ont.) 22 F2
Cork, LNCA (N.-B.) 11 C2
Corkery, LNCA (Ont.) 17 B2
Corkscrew Creek 9, RI (C.-B.) 40 B2
Corkscrew Creek 10, RI (C.-B.) 40 B2
Corkums Island, LNCA (N.-E.) 10 E2
Cormac, LNCA (Ont.) 24 G2
Cormack, COMM (T.-N.) 5 G4
Cormier Cove, LNCA (N.-B.) 11 G1
Cormier-Village, LNCA (N.-B.) 7 A4
Cormierville, LNCA (N.-B.) 12 G4
Cormorant, LNCA (Man.) 30 A2
Cornell, LNCA (Ont.) 22 F2
Corner Brook, C (T.-N.) 4 D1
Cornhill, LNCA (N.-B.) 11 F1
Cornhill East, LNCA (N.-B.) 11 F1
Corning, LNCA (Sask.) 29 C3
Cornwall, C (Ont.) 17 E2
Cornwall, VL (I.-P.-E.) 7 C4
Cornwallis, CFB/BFC, RM (N.-E.) 10 B1
Cornwall Island < St-Régis Akwesasne 59, LNCA (Ont.) 17 E2
Coromonie, LNCA (N.-E.) 9 D2
Coronach, VL (Sask.) 31 G4
Coronado, LNCA (Alb.) 33 E3
Coronation, V (Alb.) 34 H1
Corra Linn, LNCA (C.-B.) 34 B4
Corran Ban, LNCA (I.-P.-E.) 7 D3
Corraville, LNCA (I.-P.-E.) 7 E4
Corriveau, LNCA (Qué.) 15 B4
Corsons, LNCA (Ont.) 23 H1
Cortes Bay, LNCA (C.-B.) 37 C4
Corunna, LNCA (Ont.) 22 B2
Corwhin, LNCA (Ont.) 23 E4
Coryatsaqua 2, RI (C.-B.) 42 F4
Cosine, LNCA (Sask.) 31 B1
Cosman Settlement, LNCA (N.-B.) 11 F1
Cosmo, LNCA (Alb.) 33 C3
Cossetteville, LNCA (Qué.) 16 C1
Costigan, LNCA (N.-B.) 12 A2
Cosway, LNCA (Alb.) 34 F2
Cosy Cove, LNCA (Ont.) 10 G4
Cosy Cove, LNCA (C.-B.) 38 G2
Coté, LNCA (Sask.) 29 D2
Cote 64, RI (Sask.) 29 D1
Coteau Beach, LNCA (Sask.) 31 E2
Coteau-des-Hêtres, LNCA (Qué.) 17 F1
Coteau-du-Lac, VL (Qué.) 17 F2
Coteau-Landing, VL (Qué.) 17 F2
Coteau-Mauvais-Riz, LNCA (Qué.) 15 C2
Coteau Road, LNCA (N.-B.) 13 G4
Côte-d'Or, LNCA (N.-B.) 12 G4
Côte-Double, LNCA (Qué.) 17 F1
Côte-St-Antoine, LNCA (Qué.) 15 C2
Côte-Ste-Anne, LNCA (N.-B.) 12 G3
Côte-St-Joseph, LNCA (Qué.) 16 D3

Côte-St-Luc, C (Qué.) 17 G4
Côte-St-Paul, LNCS (Qué.) 17 F1
Côte-St-Pierre, LNCA (Qué.) 18 E4
Cotham, LNCA (Sask.) 29 C3
Cotieville, LNCA (Ont.) 24 H2
Cotnam Island, LNCA (Ont.) 24 G1
Cotswold, LNCA (Ont.) 23 D3
Cottam, LNCA (Ont.) 22 A3
Cottesloe, LNCA (Ont.) 21 E1
Cottle's Island < Cottle's Island – Luke's Arm, LNCA (T.-N.) 3 D2
Cottle's Island – Luke's Arm, DAL (T.-N.) 3 D2
Cottonwood, LNCA (C.-B.) 40 D3
Cottrell's Cove, LNCA (T.-N.) 3 C2
Couchiching 16A, RI (Ont.) 28 H4
Coucoucache 24A, RI (Qué.) 18 G2
Coude-de-la-Rivière-Moisie, LNCA (Qué.) 19 F3
Coughlan, LNCA (N.-B.) 12 E3
Coughlin, LNCA (Ont.) 27 E3
Couldwell Subdivision, LNCS (C.-B.) 40 C3
Coulson, LNCA (Ont.) 23 F2
Coulson's Hill, LNCA (Ont.) 21 A1
Coulter, LNCA (Man.) 29 E4
Countess, LNCA (Alb.) 34 G2
Country Harbour Lake, LNCA (N.-E.) 9 F2
Country Harbour Mines, LNCA (N.-E.) 9 F2
Country Place, LNCA (Ont.) 17 E4
Country Squire Subdivision, LNCS (Ont.) 21 E1
County Line, LNCA (N.-E.) 10 E3
Courcelette < Valcartier, BFC/CFB, LNCA (Qué.) 15 F3
Courcelles, LNCA (Qué.) 16 F2
Courcellette, LNCA (Qué.) 14 D4
Court, LNCA (Sask.) 31 C1
Courtenay, C (C.-B.) 38 B1
Courtland, LNCA (Ont.) 22 F2
Courtlea Mobile Acres, LNCS (Ont.) 22 F2
Courtright, LNCA (Ont.) 22 B2
Courval, LNCA (Sask.) 31 F3
Cous 3, RI (C.-B.) 38 C2
Cousins, LNCA (Alb.) 31 B1
Coutlee, LNCA (C.-B.) 35 C2
Coutnac Beach, LNCA (Ont.) 23 F1
Coutts, VL (Alb.) 34 G4
Couttsville, LNCA (Ont.) 26 F2
Couture, LNCA (Qué.) 18 A1
Couturier, LNCA (Qué.) 14 F4
Couturier Siding, LNCA (N.-B.) 15 G2
Couturval, LNCA (Qué.) 13 B3
Cove Beach, LNCA (Ont.) 21 G2
Cove Beach, LNCA (Ont.) 23 E1
Covedell, LNCA (N.-B.) 12 G2
Covehead, LNCA (I.-P.-E.) 7 C3
Covehead Road, LNCA (I.-P.-E.) 7 C3
Coverdale, LNCA (Ont.) 21 E2
Cove Road, LNCA (N.-E.) 9 B2
Covey-Hill, LNCA (Qué.) 17 G2
Cowan, LNCA (Man.) 29 E1
Cowan, LNCA (Qué.) 17 G2
Cowan's Bay, LNCA (Ont.) 21 D1
Cowans Creek, LNCA (N.-B.) 12 G1
Cowansville, V (Qué.) 16 B4
Cow Bay, LNCA (N.-E.) 9 B4
Cowessess 73, RI (Sask.) 29 C3
Cow Head, V (T.-N.) 5 F3
Cowichan, LNCA (C.-B.) 38 E3
Cowichan 1, RI (C.-B.) 38 E3
Cowichan 9, RI (C.-B.) 38 E3
Cowichan Bay, LNCA (C.-B.) 38 E3
Cowichan Lake, RI (C.-B.) 38 D3
Cowishil 1, RI (C.-B.) 38 B3
Cowley, LNCA (Yukon) 45 B3
Cowley, VL (Alb.) 34 E4
Coxby, LNCA (Sask.) 32 E4
Coxheath, LNCA (N.-E.) 8 F3
Cox Point, LNCA (N.-B.) 11 E1
Cox's Cove, COMM (T.-N.) 5 F4
Coxvale, LNCA (Ont.) 17 A2
Coyle, LNCA (C.-B.) 35 C2
Coytown, LNCA (N.-B.) 11 D1
Cozy Corners, LNCA (Ont.) 28 G3
Crab River 18, RI (C.-B.) 41 E1
Crabtree, VL (Qué.) 16 A2
Cracknell, LNCA (Man.) 29 D2
Cracroft, LNCA (C.-B.) 39 F1
Craddock, LNCA (Alb.) 34 G4
Crafts Cove, LNCA (N.-B.) 11 D2
Craigdhu, LNCA (Alb.) 34 F2
Craigellachie, LNCA (C.-B.) 34 A2
Craigend, LNCA (Alb.) 33 F2
Craig Harbour, LNCA (T.N.-O.) 47 F3
Craig Henry, LNCA (Ont.) 17 D4
Craighurst, LNCA (Ont.) 23 F2
Craigleith, LNCA (Ont.) 23 E2
Craigmawr Beach, LNCA (Ont.) 21 B1
Craigmillar, LNCA (Alb.) 33 G4
Craigmont, LNCA (Ont.) 24 F2
Craigmore, LNCA (N.-E.) 8 C4
Craigmyle, LNCA (Alb.) 34 G1
Craigsford, LNCA (Man.) 29 E1
Craigsholme, LNCA (Ont.) 23 E3
Craig Shore, LNCA (Ont.) 21 E2
Craik, V (Sask.) 31 F2
Cramersburg, LNCA (Sask.) 31 D2
Crammond, LNCA (Alb.) 34 E1
Crampton, LNCA (Ont.) 22 E2
Cranberry, LNCA (Qué.) 16 E2
Cranberry, LNCA (Ont.) 25 F2
Cranberry Portage, LNCA (Man.) 32 H2
Cranbourne, LNCA (Qué.) 15 C4
Cranbrook, C (C.-B.) 34 C4
Cranbrook, LNCA (Ont.) 23 C4
Crandall, LNCA (Man.) 29 E3
Crandall Road, LNCA (N.-E.) 8 C4
Crane River, LNCA (Man.) 29 F2
Crane River 51, RI (Man.) 29 F2
Crane Valley, LNCA (Sask.) 31 G4
Cranford, LNCA (Alb.) 34 G4
Cranstons Beach, LNCA (Ont.) 17 A4
Crapaud, VL (I.-P.-E.) 7 C4
Crathie, LNCA (Ont.) 22 D1
Craven, VL (Sask.) 31 G2
Crawford, LNCA (Ont.) 23 C2
Crawford Bay, LNCA (C.-B.) 34 B4
Crawford Park, LNCA (Man.) 29 F3
Crawfordville, LNCA (Qué.) 15 A4
Crediton, LNCA (Ont.) 22 D1
Creditville, LNCA (Ont.) 22 F1
Cree, LNCA (Ont.) 26 A1
Creek Bank, LNCA (Ont.) 23 D4
Creekland, LNCA (Alb.) 33 D3
Creek Road, LNCA (N.-B.) 11 F1
Cree Lake, LNCA (Sask.) 44 E4
Creelman, VL (Sask.) 29 B4
Creelmans Crossing, LNCA (N.-E.) 9 D3
Creemore, VL (Ont.) 23 E2
Creemorne, LNCA (Qué.) 18 D4

Creighton, V (Sask.) 32 H2
Creighton, LNCA (Ont.) 23 F1
Creighton Heights, LNCA (Ont.) 21 D2
Creighton Valley, LNCA (C.-B.) 35 G2
Creignish, LNCA (N.-E.) 8 C4
Creignish Rear, LNCA (N.-E.) 8 C4
Cremona, VL (Alb.) 34 E2
Crescent Bay, LNCA (C.-B.) 34 B4
Crescent Bay, LNCS (C.-B.) 34 B3
Crescent Beach, LNCA (N.-E.) 10 E2
Crescent Beach, LNCA (Ont.) 21 B1
Crescent Grove, LNCA (N.-E.) 7 H4
Crescent Lake, LNCA (Sask.) 29 C2
Crescent Spur, LNCA (C.-B.) 40 E2
Crescent Valley, LNCA (C.-B.) 34 B4
Cresent Harbour, LNCA (Ont.) 21 A1
Cressday, LNCA (Alb.) 31 B4
Cressman, LNCA (Qué.) 18 G2
Cresswell, LNCA (Ont.) 21 C1
Cressy, LNCA (Ont.) 17 A4
Cresthill, LNCA (Qué.) 18 D4
Creston, V (C.-B.) 34 C4
Creston 1, RI (C.-B.) 34 C4
Crestview, LNCA (Ont.) 17 E4
Crestview, LNCA (Man.) 29 D1
Crestwood Subdivision, LNCS (C.-B.) 43 E3
Crestwynd, LNCA (Sask.) 31 G3
Crewe, LNCA (Ont.) 23 B3
Crewsons Corners, LNCA (Ont.) 23 E4
Crichton, LNCA (Sask.) 31 D4
Crieff, LNCA (Ont.) 23 E4
Crilly, LNCA (Ont.) 27 B3
Crimson Lake, LNCA (Alb.) 33 C4
Crinan, LNCA (Ont.) 22 D2
Crippsdale, LNCA (Alb.) 33 E2
Crique-Lacorne, LNCA (Qué.) 18 B2
Crocker Hill, LNCA (N.-B.) 11 B3
Crocketts Corner, LNCA (N.-B.) 11 F2
Crockett, LNCS (N.-B.) 15 G2
Croft, LNCA (N.-E.) 8 B4
Crofton, LNCA (Ont.) 21 F1
Croll, LNCA (Man.) 29 E4
Cromar, LNCA (Ont.) 22 C2
Cromarty, LNCA (Ont.) 23 B4
Crombie Settlement, LNCA (N.-B.) 12 A2
Cromer, LNCA (Man.) 29 D4
Cromwell, LNCA (Man.) 28 B1
Crooked Bay, LNCA (Ont.) 23 F1
Crooked Creek, LNCA (Alb.) 43 H4
Crooked River, LNCA (Sask.) 32 F4
Crooks, LNCA (Ont.) 27 D3
Crookston, LNCA (Ont.) 21 F1
Croque, LNCA (T.-N.) 5 H2
Crosby, LNCA (Ont.) 17 B3
Crosbys Mill, LNCA (I.-P.-E.) 7 C4
Crossburn, LNCA (N.-E.) 10 D1
Cross Creek, LNCA (N.-B.) 12 C4
Crossfield, VL (Alb.) 34 E2
Crosshill, LNCA (Ont.) 23 D4
Cross Lake, LNCA (Ont.) 24 E2
Cross Lake, LNCA (Man.) 30 C2
Cross Lake 19, RI (Man.) 30 C2
Cross Lake 19A, RI (Man.) 30 C2
Cross Lake 19B, RI (Man.) 30 C2
Cross Lake 19C, RI (Man.) 30 C2
Crossland, LNCA (Ont.) 23 F2
Crossley Hunter, LNCA (Ont.) 22 E2
Cross-Point, LNCA (Qué.) 13 C4
Cross Point, LNCA (N.-E.) 8 E3
Cross-Point-Station, LNCA (Qué.) 13 C4
Cross River, LNCA (I.-P.-E.) 7 B3
Crossroads, LNCA (I.-P.-E.) 7 D4
Cross Roads Country Harbour, LNCA (N.-E.) 9 F2
Cross Roads Ohio, LNCA (N.-E.) 9 E2
Croton, LNCA (Ont.) 22 C2
Crouchers Forks, LNCA (N.-E.) 9 A4
Crouses Settlement, LNCA (N.-E.) 10 E2
Crousetown, LNCA (N.-E.) 10 E2
Crowchild < Sarcee 145, LNCA (Alb.) 34 E2
Crowe Bridge, LNCA (Ont.) 21 E1
Crowell, LNCA (N.-E.) 10 B4
Crowes Landing, LNCA (Ont.) 24 E4
Crowes Mills, LNCA (N.-E.) 9 C2
Crowfoot, LNCA (Alb.) 34 F2
Crow Harbour, LNCA (N.-B.) 11 C3
Crow Head, COMM (T.-N.) 3 D1
Crow Lake, LNCA (Ont.) 17 A3
Crow Lake < Sabaskong Bay 35D, LNCA (Ont.) 28 G3
Crown Hill, LNCA (Ont.) 21 A1
Crowsnest, LNCA (Alb.) 34 E4
Crows Nest, LNCA (N.-E.) 9 E2
Croydon, LNCA (Ont.) 21 G1
Croydon, LNCA (C.-B.) 40 F3
Crozier, LNCA (Ont.) 28 H4
Cruickshank, LNCA (Ont.) 23 C1
Crumlin, LNCA (Ont.) 22 E1
Crutwell, LNCA (Sask.) 32 D3
Crysler, LNCA (Ont.) 17 D2
Crystal, LNCA (Ont.) 17 C3
Crystal Bay, LNCA (Ont.) 17 D4
Crystal Beach, LNCA (N.-B.) 11 D2
Crystal Beach, LNCA (Ont.) 17 D4
Crystal Beach, LNCA (Ont.) 24 B3
Crystal Beach, LNCA (Sask.) 31 E1
Crystal Beach, LNCS (Ont.) 22 A4
Crystal City, VL (Man.) 29 G4
Crystal Falls, LNCA (Ont.) 25 G1
Crystal Hill, LNCA (Sask.) 31 G3
Crystal Lake, LNCS (Ont.) 27 C3
Crystal Rock, LNCA (Ont.) 17 D3
Crystal Springs, VE (Alb.) 33 D4
Crystal Springs, LNCA (Sask.) 32 E4
Crystal Springs, LNCS (Ont.) 21 D1
Cudworth, V (Sask.) 32 D4
Cuffley, LNCA (Sask.) 32 B3
Cul de Sac West, LNCA (T.-N.) 4 F4
Cullen, LNCA (Sask.) 29 C4
Cullens-Brook, LNCA (Qué.) 13 F3
Cullite 3, RI (C.-B.) 38 C4
Culloden, LNCA (Ont.) 22 F2
Culloden, LNCA (N.-E.) 10 B1
Culloden, LNCA (I.-P.-E.) 7 D4
Cull's Harbour, LNCS (T.-N.) 3 F4
Culp, LNCA (Alb.) 43 H3
Culross, LNCA (Man.) 29 H4
Cultus, LNCA (Ont.) 22 F2
Cultus Lake, LNCA (C.-B.) 35 A4
Cumberland, LNCA (Ont.) 17 D1
Cumberland, LNCA (I.-P.-E.) 7 C4
Cumberland, VL (C.-B.) 38 B1
Cumberland 100A, RI (Sask.) 32 E4
Cumberland 20, RI (Sask.) 32 H3
Cumberland Bay, LNCA (N.-B.) 11 E1
Cumberland Beach, LNCA (Ont.) 23 G1
Cumberland House, LNCA (Sask.) 32 H3
Cumberland-Mills, LNCA (Qué.) 15 C4
Cummings Cove, LNCA (N.-B.) 11 B3
Cumnock, LNCA (Ont.) 23 D3
Cumshewa < Cumshewa 7, LNCA (C.-B.) 41 B2

Cumshewas 7, RI (C.-B.) 41 B2
Cunningham Lake 11, RI (C.-B.) 40 A1
Cunningham Landing, LNCA (T.N.-O.) 44 C2
Cunningham's Corners, LNCA (Ont.) 21 C1
Cupar, V (Sask.) 31 H2
Cupids, V (T.-N.) 2 G2
Cupids Crossing, LNCA (T.-N.) 2 G2
Curlew, LNCA (Alb.) 34 F1
Curran, LNCA (Ont.) 17 E1
Current Island, LNCA (T.-N.) 5 G2
Currie, LNCA (N.-B.) 12 A3
Currieburg, LNCA (N.-B.) 12 C4
Currie Road, LNCA (N.-B.) 12 A3
Curries, LNCA (Ont.) 22 F1
Curry Hill, LNCA (Ont.) 17 F2
Currys Corner, LNCA (N.-E.) 9 A3
Curryville, LNCA (N.-B.) 11 G1
Curtis Park < Chatham, CFB/BFC, LNCA (N.-B.) 12 F2
Curtis Park < Portage la Prairie, CFB/BFC, LNCA (Man.) 29 G3
Curve Lake < Curve Lake 35, LNCA (Ont.) 21 D1
Curve Lake 35, RI (Ont.) 21 D1
Curve Lake 35A, RI (Ont.) 21 D1
Curventon, LNCA (N.-B.) 12 E2
Curzon, LNCA (C.-B.) 34 C4
Curzon < Woody Point (COMM), LNCA (T.-N.) 5 F4
Cushendall, LNCA (Ont.) 17 B4
Cushing, LNCA (Qué.) 17 F1
Cuslett, LNCA (T.-N.) 2 E4
Custeau, LNCA (Qué.) 15 B4
Cutbank, LNCA (Sask.) 31 E2
Cuthbert, LNCA (Sask.) 31 B2
Cut Knife, V (Sask.) 32 A4
Cutler < Serpent River 7, LNCA (Ont.) 25 B1
Cuvier, LNCA (Sask.) 32 F4
Cygnet, LNCA (Alb.) 34 E1
Cymbria, LNCA (I.-P.-E.) 7 C3
Cymric, LNCA (Sask.) 31 G2
Cynthia, LNCA (Alb.) 33 C3
Cypress Hills Park, LNCA (Sask.) 31 C4
Cypress River, LNCA (Man.) 29 G4
Cyr, LNCA (Qué.) 13 E3
Cyr Junction, LNCA (N.-B.) 12 A2
Cyrville, LNCA (Ont.) 17 E4
Czar, VL (Alb.) 33 G4

D

Daaquam, LNCA (Qué.) 15 D3
Daaquam-Nord, LNCA (Qué.) 15 D3
Dablon, LNCA (Qué.) 18 H1
Dachlabah 30, RI (C.-B.) 42 D3
Dacotah, LNCA (Man.) 29 H3
Dacre, LNCA (Ont.) 24 G2
Dafoe, VL (Sask.) 31 H1
Dahinda, LNCA (Sask.) 31 G4
Dahlton, LNCA (Sask.) 32 F4
Daigneault, LNCA (Qué.) 16 F3
Dakiulis 7, RI (C.-B.) 39 E1
Dakota Plains 6A, RI (Man.) 29 G4
Dakota Tipi 1, RI (Man.) 29 G3
Dale, LNCA (Ont.) 21 D2
Dalehurst, LNCA (Alb.) 33 A3
D'Alembert, LNCA (Qué.) 18 A1
Dalemead, LNCA (Alb.) 34 F2
Dalesville, LNCA (Qué.) 17 F1
Dalhousie, V (N.-B.) 13 D3
Dalhousie Crossing, LNCA (N.-E.) 10 D1
Dalhousie Junction, LNCA (N.-B.) 13 D4
Dalhousie Lake, LNCA (Ont.) 17 A2
Dalhousie Mills, LNCA (Ont.) 17 F2
Dalhousie Road, LNCA (N.-E.) 10 D1
Dalhousie-Station, LNCA (Qué.) 17 F2
Dalibaire-Ouest, LNCA (Qué.) 13 C1
Dalkeith, LNCA (Ont.) 17 F1
Dalk-ka-gila-queux 2, RI (C.-B.) 42 E4
Dallas, LNCA (Man.) 29 H2
Dalling, LNCA (Qué.) 16 C3
Dalmeny, LNCA (Ont.) 17 C2
Dalmeny, VL (Sask.) 31 E1
Dalmuir, LNCA (Alb.) 33 E3
Dalny, LNCA (Man.) 29 E4
Dalquier, LNCA (Qué.) 18 B1
Dalroy, LNCA (Alb.) 34 F2
Dalrymple, LNCA (Ont.) 23 G1
Dalston, LNCA (Ont.) 23 F2
Dalton, LNCA (Ont.) 26 B2
Dalton Mills, LNCA (Ont.) 26 B2
Dalton Post, LNCA (Yukon) 45 A3
Dalum, LNCA (Alb.) 34 F2
Dalvay by the Sea, LNCA (I.-P.-E.) 7 D3
Damascus, LNCA (Ont.) 23 D3
Damascus, LNCA (N.-B.) 11 E2
Damour, LNCA (Sask.) 32 C4
Dana, LNCA (Sask.) 31 F1
Dana, CFS/SFC, RM (Sask.) 31 F1
Danbury, LNCA (Sask.) 29 C1
Danby, LNCA (Qué.) 16 C3
Dance, LNCA (Ont.) 28 H4
Dand, LNCA (Man.) 29 E4
Dane, LNCA (Ont.) 26 F2
Danesville, LNCA (N.-E.) 10 E3
Danford-Lake, LNCA (Qué.) 18 D4
Danforth Corners, LNCS (C.-B.) 35 F1
Daniel's Cove, LNCA (T.-N.) 2 H1
Daniel's Harbour, COMM (T.-N.) 5 F3
Daningay 12, RI (C.-B.) 41 A1
Danis Trailer Court, LNCS (Ont.) 27 D3
Danskin, LNCA (C.-B.) 41 G1
Danube, LNCA (Alb.) 33 E2
Danvers, LNCA (N.-E.) 10 B2
Danville, V (Qué.) 16 D3
Daphne, LNCA (Sask.) 31 H1
Dapp, LNCA (Alb.) 33 D2
Darby, LNCA (Qué.) 16 B4
Darbys Harbour, LNCA (T.-N.) 2 D3
D'Arcy, LNCA (C.-B.) 37 G3
D'Arcy, LNCA (Sask.) 31 D2
Darcy-Corners, LNCA (Qué.) 16 B4
Darfield, LNCA (C.-B.) 36 F3
Dark Cove < Dark Cove – Middle Brook – Gambo, LNCA (T.-N.) 3 E3
Dark Cove – Middle Brook – Gambo, DR (T.-N.) 3 E3
Darlingford, LNCA (Man.) 29 G4
Darlingside, LNCA (Ont.) 17 C4
Darlings Island, LNCS (N.-B.) 11 E2
Darlings Lake, LNCA (N.-E.) 10 A3
Darlington, LNCA (N.-B.) 13 D3
Darlington, LNCA (I.-P.-E.) 7 C4
Darmody, LNCA (Sask.) 31 F2
Darnley, LNCA (I.-P.-E.) 7 B3
Darrell, LNCA (Ont.) 22 C3
D'Artagnan, LNCA (Qué.) 15 H4
Dartford, LNCA (Ont.) 21 E1
Dartmouth, C (N.-E.) 9 B4
Darwell, LNCA (Alb.) 33 D3
Dashken 22, RI (C.-B.) 41 D1
Dashwood, LNCA (Ont.) 22 D1
Dashwood, LNCA (C.-B.) 38 C2
Daulnay, LNCA (N.-B.) 12 F1
Dauphin, V (Man.) 29 F2
Dauphin Beach, LNCA (Man.) 29 F2
Dauphin River 48A, RI (Man.) 29 G1
Dauversière, LNCA (N.-B.) 12 E1
Davangus, LNCA (Qué.) 18 A1
Daveluyville, VL (Qué.) 16 C2
Davidson, V (Sask.) 31 F2
Davidson, LNCA (Qué.) 18 C4
Davidson-Hill, LNCA (Qué.) 16 C3
Davidson Lake, LNCA (N.-B.) 11 B1
Davidsons Beach, LNCA (Ont.) 17 A4
Davidson's Corners, LNCA (Ont.) 21 D2
Davin, LNCA (Sask.) 31 H3
Davis, LNCA (Sask.) 32 E4
Davis Bay, LNCA (C.-B.) 38 E2
Davis Cove, LNCA (T.-N.) 2 E2
Davis Inlet, COMM (T.-N.) 6 F2
Davis Island, LNCA (T.-N.) 2 D3
Davis Lock, LNCA (Ont.) 17 B3
Davis Mill, LNCA (N.-B.) 12 A2
Davis Mill, LNCA (N.-B.) 15 H2
Davis Mills, LNCA (Ont.) 24 G1
Davison Street, LNCA (N.-E.) 10 E1
Davyroyd, LNCA (Sask.) 31 F4
Dawn Mills, LNCA (Ont.) 22 C2
Dawn Valley, LNCA (Ont.) 22 C2
Dawson, C (Yukon) 45 A2
Dawson Bay, LNCA (Man.) 30 A3
Dawson Bay 65A, RI (Man.) 30 A3
Dawson Bay 65B, RI (Man.) 30 A3
Dawson Bay 65F, RI (Man.) 30 A3
Dawson Creek, C (C.-B.) 43 F4
Dawson Landing, LNCA (T.N.-O.) 44 B1
Dawson's Cove < Hermitage (COMM), LNCA (T.-N.) 2 B2
Dawson Settlement, LNCA (N.-B.) 11 G1
Dawsons Landing, LNCA (C.-B.) 41 F4
Dawsonville, LNCA (N.-B.) 13 C4
Day Hill, LNCA (N.-B.) 11 B1
Day Mills, LNCA (Ont.) 26 C4
Days Corner, LNCA (N.-B.) 11 D2
Days Corner, LNCA (I.-P.-E.) 7 B3
Daysland, V (Alb.) 33 F4
Days Landing, LNCA (N.-B.) 11 D2
Dayspring, LNCA (N.-E.) 10 E2
Days Ranch, LNCA (C.-B.) 45 B4
Day Star 87, RI (Sask.) 31 H1
Daysville, LNCA (Sask.) 32 B3
Dayton, LNCA (N.-E.) 10 A3
Dayton, LNCA (Ont.) 26 C4
Daytonia Beach, LNCA (Ont.) 21 C1
Daytown, LNCA (Ont.) 17 B3
Deacon, LNCA (Ont.) 24 F1
Deacon, LNCA (Man.) 28 A1
Deacons Corner, LNCA (Man.) 28 A1
Dead Creek, LNCA (N.-B.) 11 A1
Dead Islands, LNCA (T.-N.) 6 H4
Deadman's Bay, LNCA (T.-N.) 3 F2
Deadmans Cove, LNCA (T.-N.) 5 G2
Deadman's Creek, RI (C.-B.) 36 D4
Dead Point 5, RI (C.-B.) 39 E1
Deadwood, LNCA (Alb.) 43 H2
Deadwood, LNCA (C.-B.) 35 G4
Dealtown, LNCS (Ont.) 22 C3
Dean, LNCA (N.-E.) 9 D2
Dean Lake, LNCA (Ont.) 26 C4
Deanlea Beach, LNCA (Ont.) 23 E1
Deans Corners, LNCA (N.-E.) 10 E2
Dearlock, LNCA (Ont.) 28 G4
Dease Lake, LNCA (C.-B.) 45 B4
Dease Lake 9, RI (C.-B.) 45 B4
Dease River 2, RI (C.-B.) 45 C4
Dease River 3, RI (C.-B.) 45 C4
Deauville, VL (Qué.) 16 D4
DeBaies Cove, LNCA (N.-E.) 9 D3
Debden, VL (Sask.) 32 C3
De Beaujeu, LNCA (Qué.) 17 F1
Debec, LNCA (N.-B.) 11 A1
Debert, LNCA (N.-E.) 9 B2
Debert, Camp/Campement, RM (N.-E.) 9 B2
DeBlois, LNCA (I.-P.-E.) 7 A2
Debolt, LNCA (Alb.) 43 H4
Déception, LNCA (Qué.) 46 E3
Decimal, LNCA (Man.) 28 D1
Decker, LNCA (Man.) 29 E3
Decker Hollow, LNCA (Ont.) 21 D2
Decker Lake, LNCA (C.-B.) 41 G1
Decker Lake 10, RI (C.-B.) 42 G4
Decker Lake 10A, RI (C.-B.) 42 G4
Decoigne, LNCA (Alb.) 40 G3
Decrene, LNCA (Alb.) 33 D1
Dedagaus 8, RI (C.-B.) 41 F4
Dee Bank, LNCA (Ont.) 24 B2
Deekyakus 2, RI (C.-B.) 38 B3
Deemerton, LNCA (Ont.) 23 C3
Deena 3, RI (C.-B.) 41 B2
Deep Bay, LNCA (T.-N.) 3 E1
Deep Bay, LNCA (Ont.) 23 H1
Deep Bight, LNCA (T.-N.) 2 F1
Deep Brook, LNCA (N.-E.) 10 B2
Deep Cove, LNCA (T.-N.) 2 D3
Deep Cove Island, LNCA (N.-E.) 10 A4
Deep Creek, LNCA (Alb.) 33 E1
Deep Creek, LNCA (C.-B.) 35 F1
Deep Creek 2, RI (C.-B.) 36 B1
Deep Creek 5, RI (C.-B.) 40 C2
Deepdale, LNCA (N.-E.) 8 C3
Deepdale, LNCA (Man.) 29 D2
Deep River, V (Ont.) 18 B4
Deep Valley 5, RI (C.-B.) 37 C3
Deer Bay, LNCA (Ont.) 24 D4
Deerbrook, LNCA (Ont.) 22 B3
Deerfield, LNCA (N.-E.) 10 B3
Deer Harbour, LNCA (T.-N.) 2 F1
Deer Hill, LNCA (Alb.) 43 G3
Deerholme, LNCA (C.-B.) 38 E3
Deerhorn, LNCA (Man.) 29 G2
Deerhurst, LNCA (Ont.) 21 A1
Deer Island, LNCA (T.-N.) 4 E4
Deer Lake, V (T.-N.) 5 G4
Deer Lake, LNCA (Ont.) 24 E3
Deer Lake, LNCA (Ont.) 30 D3
Deerland, LNCA (Alb.) 33 E3
Deer Park, LNCA (C.-B.) 34 A4
Deer Ridge, LNCA (Sask.) 32 D3
Deerville, LNCA (N.-B.) 12 A4
Deerwood, LNCA (Man.) 29 G4
Defence Island 28, RI (C.-B.) 38 F1
Defence Island 28A, RI (C.-B.) 38 F1
Defot, LNCA (C.-B.) 45 B4
Defoy, LNCA (Qué.) 16 C2
Dégelis, V (Qué.) 14 G4
De Grasse, V (Qué.) 19 F3
De Grassi Point, LNCA (Ont.) 21 A1
De Grau < Cape St George – Petit Jardin – Grand Jardin – De Grau – Marches Point – Loretto, LNCA (T.-N.) 4 A2
DeGros Marsh, LNCA (I.-P.-E.) 7 E4
Dejong, LNCA (Ont.) 22 D1
Delacour, LNCA (Alb.) 34 E2
Delagrave, LNCS (Qué.) 15 C3
Delamere, LNCA (Ont.) 25 F1
Delaps Cove, LNCA (N.-E.) 10 B1
Delaware, LNCA (Ont.) 22 D2
Delaware West, LNCA (Ont.) 22 D2
Del Bonita, LNCA (Alb.) 34 F4
Delburne, VL (Alb.) 34 F1
Delbys Cove, LNCA (T.-N.) 2 F1
Deléage, LNCA (Qué.) 18 D4
Deleau, LNCA (Man.) 29 E4
De Lesseps, LNCA (Qué.) 18 F4
Delhaven, LNCA (N.-E.) 11 H3
Delhi, LNCA (Ont.) 22 F2
Delia, VL (Alb.) 34 G1
Delisle, V (Sask.) 31 E1
Dell, LNCA (Qué.) 16 E3
Delmas, LNCA (Sask.) 32 B4
Delmer, LNCA (Ont.) 22 F2
Delmont, LNCA (Qué.) 17 F2
Deloraine, V (Man.) 29 E4
Delorme Beach, LNCA (Sask.) 32 B4
Deloro, VL (Ont.) 24 F4
Delph, LNCA (Alb.) 33 E3
Delson, V (Qué.) 17 H4
Delta, DM (C.-B.) 38 F2
Delta, LNCA (Ont.) 17 B3
Delta Beach, LNCA (Man.) 29 G3
Demaine, LNCA (Sask.) 31 E2
Demay, LNCA (Alb.) 33 E4
Demers-Centre, LNCA (Qué.) 18 C4
Demmitt, LNCA (Alb.) 43 F4
Demoiselle Creek, LNCA (N.-B.) 11 G1
Demorestville, LNCA (Ont.) 21 G1
Dempseys Corner, LNCA (N.-E.) 10 D1
Demuth, LNCA (C.-B.) 35 E3
Denare Beach, LNCA (Sask.) 32 H2
Denbeigh Point, LNCA (Man.) 30 B3
Denbigh, LNCA (Ont.) 24 G2
Dencross, LNCA (Man.) 30 C4
Dene Village, LNCA (Man.) 46 B4
Denfield, LNCA (Ont.) 22 D1
Denhart, LNCA (Alb.) 34 H2
Denholm, LNCA (Qué.) 18 D4
Denholm, VL (Sask.) 32 B4
Deniau, LNCA (Qué.) 15 D2
Denison-Mills, LNCA (Qué.) 16 D3
Denman Island, LNCA (C.-B.) 38 C1
Denmark, LNCA (N.-E.) 9 C1
Dennis, LNCA (N.-B.) 12 E3
Dennis, LNCA (Alb.) 31 A3
Dennis Lake, LNCA (Man.) 29 H3
Densmores Mills, LNCA (N.-E.) 9 B2
Denver, LNCA (N.-E.) 9 E2
Denver Siding, LNCS (C.-B.) 34 B3
Denwood < Wainwright, Camp/Campement, LNCA (Alb.) 33 G4
Denzil, VL (Sask.) 31 C1
Departure Lake, LNCA (Ont.) 26 D1
Dépôt-Baskatong, LNCA (Qué.) 18 D3
Dépôt-des-Loutres, LNCA (Qué.) 20 H4
Depot Harbour, LNCA (Ont.) 24 A2
Dequen-Nord, LNCA (Qué.) 18 H1
Derby, LNCA (N.-B.) 12 E3
Derby, LNCA (I.-P.-E.) 7 A3
Derby Junction, LNCA (N.-B.) 12 E2
Dereham Centre, LNCA (Ont.) 22 F2
Dermid, LNCA (Ont.) 28 H4
Dernic, LNCA (Sask.) 29 C1
Deroche, LNCA (C.-B.) 38 H2
Derrynane, LNCA (Ont.) 23 D3
Derrys Corner, LNCA (N.-B.) 11 G2
Derryville, LNCA (Ont.) 21 B1
Derwent, LNCA (Ont.) 22 E2
Derwent, VL (Alb.) 33 G3
DeSable, LNCA (I.-P.-E.) 7 C4
De Saint-Just, LNCA (Qué.) 15 D1
Désaulniers, LNCA (Ont.) 25 G1
Desbarats, LNCA (Ont.) 26 B4
Desbiens, V (Qué.) 18 H1
Desboro, LNCA (Ont.) 23 C2
Deschaillons, VL (Qué.) 16 C1
Deschaillons-sur-St-Laurent, VL (Qué.) 16 D1
Deschambault, VL (Qué.) 16 D1
Deschambault Lake, LNCA (Sask.) 32 G1
Deschambault-Station, LNCA (Qué.) 16 D1
Deschênes (Qué.) 17 D4
D'Escousse, LNCA (N.-E.) 8 D4
Deseronto, V (Ont.) 21 G1
Desert, LNCA (N.-E.) 9 C4
Desert Lake, LNCA (Ont.) 17 A3
Desgagné, LNCA (Qué.) 15 C1
Desherbiers, LNCA (N.-B.) 12 F3
Desjardins Road, LNCA (N.-B.) 12 A2
Desjardinsville, LNCA (Qué.) 18 C4
Desjarlais, LNCA (Alb.) 33 F3
Deslandes, LNCA (Qué.) 13 D1
Desmarais, LNCA (Alb.) 44 B4
Desmaraisville, LNCA (Qué.) 20 F4
Desméloizes, LNCA (Qué.) 26 F1
Desmond, LNCA (Ont.) 17 A4
Despinassy, LNCA (Qué.) 18 C1
Després-Village, LNCA (N.-B.) 12 G4
Dessaint, LNCA (Qué.) 15 E1
Desserte-du-Lac-d'Argent, LNCA (Qué.) 18 E3
Destor, LNCA (Qué.) 18 A1
Destruction Bay, LNCA (Yukon) 45 A3
Detah, LNCA (T.N.-O.) 44 B1
Detlor, LNCA (Ont.) 24 F3
Deuxième-Sault, LNCA (N.-B.) 15 H1
Deux-Montagnes, C (Qué.) 17 F4
Deux-Rivières, LNCA (Ont.) 18 B4
Devault, LNCA (Qué.) 16 B2
Développement-du-Sapin-Vert, LNCA (Qué.) 16 C3
Devenish, LNCA (Alb.) 33 G1
Devereaux, LNCA (N.-B.) 13 E4
Deville, LNCA (Alb.) 33 E3
Devils Island, LNCA (N.-E.) 9 B4
Devine, LNCA (C.-B.) 37 G3
Devine Corner, LNCA (N.-B.) 11 E2
Devizes, LNCA (Ont.) 22 D1
Devlin, LNCA (Ont.) 28 H4
Devon, V (Alb.) 33 D3
Devon, LNCA (N.-E.) 9 C3
Devon 30, RI (N.-B.) 11 C1
Devona, LNCA (Alb.) 40 G2
Devonshire-Park, LNCA (Qué.) 24 H1
Dewar Lake, LNCA (Sask.) 31 C1
Dewars, LNCA (Ont.) 17 A1
Dewberry, VL (Alb.) 33 G3
De Winton, LNCA (Alb.) 34 E2
DeWitts Corners, LNCA (Ont.) 17 B3
Dewittville, LNCA (Qué.) 17 G2
Dewney, LNCA (C.-B.) 38 H2
DeWolfe, LNCA (N.-B.) 11 B3
Dexter, LNCA (Ont.) 22 E2
Diamond, LNCA (N.-E.) 9 C1
Diamond City, LNCA (Alb.) 34 F3
Diamond Cove, LNCA (T.-N.) 4 B4
Dickie Mountain, LNCA (N.-B.) 11 E2
Dickson, LNCA (Alb.) 34 E1
Dicksons Corners, LNCA (Ont.) 22 E1
Didsbury, V (Alb.) 34 E1
Didyme, LNCA (Qué.) 18 G1
Dieppe, V (N.-B.) 11 G1
Dieppe, LNCS (Qué.) 16 A4
Digby, V (N.-E.) 10 B2
Digby Corner, LNCA (N.-B.) 12 A4
Digby Island, LNCA (C.-B.) 41 C1
Digdeguash, LNCA (N.-B.) 11 B3
Dignard Settlement, LNCS (N.-B.) 12 G1
Dildo, LNCA (T.-N.) 2 F2
Dildo South, LNCA (T.-N.) 2 F2
Diligent River, LNCA (N.-E.) 11 H2
Dilke, VL (Sask.) 31 G2
Dillabough, LNCA (Sask.) 32 G4
Dillon, LNCA (Ont.) 25 F3
Dillon < Peter Pond Lake 193, LNCA (Sask.) 44 D4
Dil-ma-sow 5, RI (C.-B.) 41 E2
Dimock-Creek, LNCA (Qué.) 13 E3
Dimsdale, LNCA (Alb.) 43 G4
Dina, LNCA (Alb.) 33 H4
Dinant, LNCA (Alb.) 33 E4
Dingley, LNCA (Sask.) 29 B3
Dingwall, LNCA (N.-E.) 8 E1
Dingwell, LNCA (I.-P.-E.) 7 D3
Dingwells Mills, LNCA (I.-P.-E.) 7 E3
Dinner Point Depot, LNCA (Ont.) 25 C2
Dinorwic, LNCA (Ont.) 27 A2
Dinsmore, VL (Sask.) 31 E2
Dipper Harbour East, LNCA (N.-B.) 11 D3
Dipper Harbour West, LNCA (N.-B.) 11 D3
Dipper Rapids 192C, RI (Sask.) 44 E4
Dirleton, LNCA (Ont.) 17 B1
Discovery, LNCA (T.N.-O.) 45 E3
Discovery Island 3, RI (C.-B.) 38 F4
Disley, VL (Sask.) 31 G3
Disraeli, V (Qué.) 16 E2
Diss, LNCA (Alb.) 33 A3
Ditchfield, LNCA (Qué.) 16 F3
Ditton Park, LNCA (Sask.) 32 F4
Divide, LNCA (N.-B.) 12 B3
Divide, LNCA (Sask.) 31 C4
Dixon, LNCA (Ont.) 17 E2
Dixon, LNCA (Sask.) 31 G1
Dixons Corners, LNCA (Ont.) 17 D2
Dixonville, LNCA (Alb.) 43 H3
Dixville, VL (Qué.) 16 D4
Dneiper, LNCA (Sask.) 29 D2
Doaktown, VL (N.-B.) 12 D3
Doan, LNCA (Alb.) 34 E1
Dobbinton, LNCA (Ont.) 23 C2
Dobie, LNCA (Ont.) 26 F2
Dobsons Corner, LNCA (N.-B.) 11 F1
Dochsupple 3, RI (C.-B.) 38 B3
Dock, LNCA (Qué.) 19 G3
Dock Corner, LNCA (I.-P.-E.) 7 A2
Dock Cove < St Brendan's (COMM), LNCA (T.-N.) 3 F3
Doctors Brook, LNCA (N.-E.) 8 B4
Doctors Cove, LNCA (N.-E.) 10 B4
Doctors Harbour, LNCA (T.-N.) 2 C2
Doctors Harbour, LNCA (T.-N.) 4 D4
Doddridge, LNCA (N.-E.) 9 B2
Dodds, LNCA (Alb.) 33 E3
Dodds, LNCA (Qué.) 17 C1
Dodsland, VL (Sask.) 31 C1
Doe Lake, LNCA (Ont.) 24 B1
Doe River, LNCA (C.-B.) 43 F3
Dofred Subdivision, LNCS (N.-B.) 11 E2
Dog Cove, LNCA (T.-N.) 4 E4
Dog Creek, LNCA (C.-B.) 36 B2
Dog Creek, LNCA (C.-B.) 40 B1
Dog Creek 1, RI (C.-B.) 36 B2
Dog Creek 2, RI (C.-B.) 36 B2
Dog Creek 3, RI (C.-B.) 36 B2
Dog Creek 4, RI (C.-B.) 36 B2
Dog Creek 46, RI (Man.) 29 G2
Dogfish Bay 42, RI (C.-B.) 42 D3
Dogpound, LNCA (Alb.) 34 E2
Dogwood, LNCA (T.-N.) 4 D1
Dogwood Valley, LNCA (C.-B.) 35 B3
Doheny, LNCA (Qué.) 18 H3
Doherty, LNCA (Qué.) 17 B1
Doig River 206, RI (C.-B.) 43 E3
Dokis < Dokis 9, LNCA (Ont.) 25 G1
Dokis 9, RI (Ont.) 25 G2
Dolbeau, V (Qué.) 18 H1
Dollard, VL (Sask.) 31 D4
Dollard-des-Ormeaux, V (Qué.) 17 F4
Dolly Bay, LNCA (Man.) 29 G2
Dolphin Beach, LNCA (C.-B.) 38 D2
Dolphin Island 1, RI (C.-B.) 41 C1
Domain, LNCA (Man.) 28 A2
Domaine-Alarie, LNCA (Qué.) 18 F4
Domaine-Archambault, LNCA (Qué.) 16 A1
Domaine-Archambault, LNCA (Qué.) 18 G4
Domaine-Asselin, LNCA (Qué.) 16 A2
Domaine-Bastien, LNCA (Qué.) 18 F4
Domaine-Beaudoin-Papin, LNCS (Qué.) 16 A3
Domaine-Beaudry, LNCA (Qué.) 16 A3
Domaine-Beauport, LNCA (Qué.) 18 F4
Domaine-Bel-Humeur, LNCA (Qué.) 16 A2
Domaine-Belleville, LNCA (Qué.) 16 A2
Domaine-Bonaventure, LNCA (Qué.) 16 B2
Domaine-Boulots, LNCS (Qué.) 16 B1
Domaine-Breton, LNCA (Qué.) 18 F4
Domaine-Charbonneau, LNCS (Qué.) 18 F4
Domaine-Chez-Bill, LNCS (Qué.) 18 A2
Domaine-Crevier, LNCA (Qué.) 16 A2
Domaine-Dauphinais, LNCA (Qué.) 16 A1
Domaine-de-La Clouterie, LNCA (Qué.) 18 E4
Domaine-de-l'Energie, LNCA (Qué.) 18 G4
Domaine-de-Provence, LNCA (Qué.) 17 G3
Domaine-des-Bouleaux, LNCA (Qué.) 18 H3
Domaine-des-Chênes, LNCA (Qué.) 16 B1
Domaine-des-Erables, LNCA (Qué.) 16 B1
Domaine-des-Fleurs, LNCS (Qué.) 16 A3
Domaine-des-Iles, LNCA (Qué.) 15 G4
Domaine-des-Jardins, LNCA (Qué.) 16 A2
Domaine-des-Monts, LNCA (Qué.) 16 A1
Domaine-des-Pins, LNCA (Qué.) 16 E2
Domaine-des-Quatre-Hétu, LNCA (Qué.) 18 F4
Domaine-des-Rentiers, LNCA (Qué.) 18 F4
Domaine-des-Saules, LNCA (Qué.) 16 A4
Domaine-des-Trois-Lacs, LNCA (Qué.) 16 A2
Domaine-des-Trois-Lacs, LNCA (Qué.) 18 F4
Domaine-des-Vallées, LNCA (Qué.) 18 F4
Domaine-du-Cap, LNCA (Qué.) 18 F4
Domaine-du-Chevreuil, LNCA (Qué.) 16 C2
Domaine-du-Chevreuil, LNCA (Qué.) 18 H4
Domaine-du-Joli-Val, LNCA (Qué.) 18 F4
Domaine-du-Lac-Huron, LNCA (Qué.) 16 A3
Domaine-du-Repos, LNCA (Qué.) 16 C3
Domaine-Feuille-d'Erable, LNCA (Qué.) 18 F4
Domaine-Fournier, LNCA (Qué.) 16 A2
Domaine-François, LNCA (Qué.) 16 A2
Domaine-François, LNCA (Qué.) 18 F4
Domaine-Gérôme, LNCA (Qué.) 17 G3
Domaine-Joyeux, LNCS (Qué.) 16 A4
Domaine-Lac-France, LNCA (Qué.) 18 F4
Domaine-Lafortune, LNCA (Qué.) 16 A2
Domaine-Lafrenière, LNCS (Qué.) 16 A2
Domaine-La Poudrière, LNCA (Qué.) 16 B1
Domaine-Lecours, LNCA (Qué.) 16 A3
Domaine-Lemenn, LNCA (Qué.) 18 F4
Domaine-Levesque, LNCA (Qué.) 18 H1
Domaine-Lorraine, LNCA (Qué.) 16 A2
Domaine-Louis-Riel, LNCA (Qué.) 16 B1
Domaine-Marois, LNCA (Qué.) 16 A2
Domaine-McManiman, LNCA (Qué.) 18 F4
Domaine-Monaco, LNCA (Qué.) 18 F4
Domaine-Mon-Loisir, LNCA (Qué.) 16 A1
Domaine-Mon-Repos, LNCS (Qué.) 16 D2
Domaine-Ouellet, LNCA (Qué.) 16 A2
Domaine-Paradis, LNCA (Qué.) 16 A2
Domaine-Pozer, LNCA (Qué.) 15 C4
Domaine-Prescott, LNCA (Qué.) 16 A1
Domaine-Préville, LNCS (Qué.) 16 A2
Domaine-Quintal, LNCA (Qué.) 18 G4
Domaine-Racine, LNCA (Qué.) 18 F4
Domaine-Rouville, LNCA (Qué.) 16 A3
Domaine-Royal, LNCA (Qué.) 16 A1
Domaine-St-Augustin, LNCA (Qué.) 15 F3
Domaine-St-Denis, LNCA (Qué.) 16 A3
Domaine-St-Paulin, LNCA (Qué.) 16 B1
Domaine-Valboise, LNCA (Qué.) 17 H1
Domaine-Val-Joli, LNCA (Qué.) 16 A2
Domaine-Villeroy, LNCA (Qué.) 16 A2
Domaine-Vilmont, LNCA (Qué.) 18 F4
Dome Creek, LNCA (C.-B.) 40 E2
Dominion, V (N.-E.) 8 F3
Dominion, LNCA (Yukon) 45 A2
Dominion City, LNCA (Man.) 28 A3
Dominionville, LNCA (Ont.) 17 F2
Domino, LNCA (T.-N.) 6 H3
Domremy, VL (Sask.) 32 D4
Domville, LNCA (Ont.) 17 C3
Donagh, LNCA (I.-P.-E.) 7 D4
Donald, LNCA (C.-B.) 34 B2
Donald, LNCA (Ont.) 24 D3
Donalda, VL (Alb.) 33 E4
Donald Gunn, LNCA (Sask.) 29 C2
Donald Landing, LNCA (C.-B.) 40 A1
Donaldson, LNCA (Ont.) 17 A2
Donaldston, LNCA (I.-P.-E.) 7 D3
Donatville, LNCA (Alb.) 33 E2
Donavon, LNCA (Sask.) 31 E1
Donavon Subdivision, LNCS (C.-B.) 36 D2
Doncaster 17, RI (Qué.) 18 F4
Doncrest, LNCA (Sask.) 32 G4
Donegal, LNCA (Ont.) 23 C4
Donegal, LNCA (N.-B.) 11 F2
Donegal, LNCA (Ont.) 24 G2
Dongola, LNCA (Ont.) 23 H1
Donkin, LNCA (N.-E.) 8 F3
Donnacona, V (Qué.) 15 A3
Donnelly, VL (Alb.) 43 H3
Donnelly Settlement, LNCA (N.-B.) 11 B1
Donnely Landing, LNCA (C.-B.) 38 D1
Donnybrook, LNCA (Ont.) 23 B3
Donovans, LNCA (T.-N.) 2 H2
Dons Trailer Court, LNCS (C.-B.) 34 B2
Donwell, LNCA (Sask.) 29 C2
Donwood, LNCA (Ont.) 21 D1
Doobah 10, RI (C.-B.) 38 C3
Dookqua 5, RI (C.-B.) 38 A3
Dookqua 5A, RI (C.-B.) 38 A3
Doonside, LNCA (Sask.) 29 D3
Dorchester, LNCA (Ont.) 22 E2
Dorchester, VL (N.-B.) 11 H1
Dorchester Cape, LNCA (N.-B.) 11 H1
Dorea, LNCA (Qué.) 17 G2
Doré Bay, LNCA (Ont.) 24 G1
Doré Lake, LNCA (Sask.) 32 C2
Dorenlee, LNCA (Alb.) 33 E4
Dorintosh, LNCA (Sask.) 32 B2
Dorion, V (Qué.) 17 G1
Dorion, LNCA (Ont.) 27 E3
Dorion Landing, LNCA (Ont.) 27 E3
Doris, LNCA (Alb.) 33 D3
Doriston, LNCA (C.-B.) 38 E1
Dorking, LNCA (Ont.) 23 D4
Dorland, LNCA (Ont.) 22 F1
Dorland, LNCA (Ont.) 21 G1
Dornoch, LNCA (Ont.) 23 D2
Dorn Ridge, LNCA (N.-B.) 11 C1
Dorothy, LNCA (Alb.) 34 G2
Dorothy Lake, LNCA (Man.) 28 D1
Dorreen, LNCA (C.-B.) 42 E4
Dorrington Hill, LNCA (N.-B.) 11 A1
Dorset, LNCA (Ont.) 24 C2
Dorts Cove, LNCA (N.-E.) 9 G2
Dorval, C (Qué.) 17 G4
Dorval-Lodge, LNCA (Qué.) 18 C2
Dosquet, LNCA (Qué.) 15 A4
Dot, LNCA (C.-B.) 35 B2
Doucetteville, LNCA (N.-E.) 10 B2
Douglas, LNCA (N.-B.) 11 C1
Douglas, LNCA (Ont.) 24 G2
Douglas, LNCA (Man.) 29 F3
Douglas, LNCA (I.-P.-E.) 7 D3
Douglas, LNCA (C.-B.) 38 H1
Douglas 8, RI (C.-B.) 38 H1
Douglasfield, LNCA (N.-B.) 12 F2
Douglas Harbour, LNCA (N.-B.) 11 D1
Douglas Lake, LNCA (C.-B.) 35 D2
Douglas Lake 3, RI (C.-B.) 35 D2
Douglas Road, LNCA (N.-E.) 10 C1
Douglaston, LNCA (Sask.) 29 C4
Douglastown (Qué.) 13 H2
Douglastown, VL (N.-B.) 12 F2
Douro, LNCA (Ont.) 21 D1
Dove Brook, LNCA (T.-N.) 6 G3
Dove Island 12, RI (C.-B.) 41 F4
Dover, V (T.-N.) 3 F3
Dover, LNCA (N.-E.) 9 H2
Dover, LNCA (I.-P.-E.) 7 D4
Dover, LNCA (N.-B.) 11 G1
Dover Centre, LNCA (Ont.) 22 B3
Dovercourt, LNCA (Alb.) 34 D1
Dover Hill, LNCA (N.-B.) 12 A3
Dowling, LNCA (Alb.) 34 G1
Dowling Lake, LNCA (Alb.) 34 G1
Downe, LNCA (Sask.) 31 D1
Downeys, LNCA (Ont.) 23 E4
Downeyville, LNCA (Ont.) 21 D1
Downie Creek, LNCA (C.-B.) 34 A2
Dow Settlement, LNCA (N.-B.) 11 A1
Doyles, LNCA (T.-N.) 4 A3
Doyles, LNCA (Ont.) 22 C3
Doyles Brook, LNCA (N.-B.) 12 E3
Doyleville, LNCA (N.-B.) 13 D4
Dracon, LNCA (Ont.) 23 E3
Dragon, LNCA (Qué.) 17 F1
Dragon Lake, LNCA (C.-B.) 40 C3
Dragon Lake 3, RI (C.-B.) 40 C3
Drake, VL (Sask.) 31 G1
Drapeau, LNCA (Qué.) 13 D3
Draper, LNCA (Alb.) 44 C4
Drayton, VL (Ont.) 23 D3
Drayton Valley, V (Alb.) 33 C3
Dreau, LNCA (Alb.) 43 H3
Dredge Creek, LNCA (Yukon) 45 A2
Drefal, LNCA (Ont.) 26 D3
Dresden, V (Ont.) 22 C2
Drew, LNCA (Ont.) 23 C3
Drew Harbour 9, RI (C.-B.) 37 B4
Drifting River, LNCA (Man.) 29 E2
Driftpile, LNCA (Alb.) 33 C1
Drift Pile River 150, RI (Alb.) 33 C1
Driftwood, LNCA (Ont.) 26 E1
Driftwood Creek, LNCA (C.-B.) 42 F4
Driftwood River 1, RI (C.-B.) 42 G2
Driftwood Trailer Court, LNCS (Sask.) 32 D3
Drinkwater, VL (Sask.) 31 G3
Driscol Lake, LNCA (Sask.) 31 D4
Drisdelle, LNCA (N.-B.) 7 A4
Drisdelle Settlement, LNCA (N.-B.) 12 F2
Driver, LNCA (Sask.) 31 C1
Drobot, LNCA (Sask.) 29 C2
Dromore, LNCA (I.-P.-E.) 7 D4
Dromore, LNCA (Ont.) 23 D3
Drook, LNCA (T.-N.) 2 G4
Dropmore, LNCA (Man.) 29 D2
Droxford, LNCA (Sask.) 31 E3
Druid, LNCA (Sask.) 31 D1
Drumbo, LNCA (Ont.) 22 F1
Drum Head, LNCA (N.-E.) 9 F2
Drumheller, C (Alb.) 34 F2
Drummond, LNCA (Ont.) 21 D1
Drummond, VL (N.-B.) 12 A2
Drummond Centre, LNCA (Ont.) 17 B2
Drummondville, C (Qué.) 16 C2
Drummondville-Sud, V (Qué.) 16 C3
Drurys Cove, LNCA (N.-B.) 11 E2
Drybrough, LNCA (Man.) 30 A1
Dry Creek, LNCA (Yukon) 45 A3
Dryden, V (Ont.) 27 A1
Dryden, LNCA (Ont.) 23 C3
Dryden's Corner, LNCA (Ont.) 25 B2
Dry Gulch Park, LNCS (C.-B.) 34 C3
Dry River, LNCA (Man.) 29 G4
Dry Salmon 7, RI (C.-B.) 36 B4
Drysdale, LNCA (Ont.) 23 B4
Drywood, LNCA (Alb.) 34 E4
Duagh, LNCA (Alb.) 33 E3
Duart, LNCA (Ont.) 22 D3
Dubee Settlement, LNCA (N.-B.) 11 F1
Dublin, LNCA (Ont.) 23 C4
Dublin Shore, LNCA (N.-E.) 10 E2
Dubonnet, LNCA (Qué.) 15 D3
Dubreuilville, LNCA (Ont.) 26 A2
Dubuc, VL (Sask.) 29 C3
Dubuisson, LNCA (Qué.) 18 B2
Duchemin, LNCA (Qué.) 16 C1
Duchesnay, LNCA (Qué.) 15 A3
Duchess, VL (Alb.) 34 G2
Duck Bay, LNCA (Man.) 29 E1
Duck Lake, V (Sask.) 32 D4
Duck Lake 7, RI (C.-B.) 35 F2
Duck Lake 76B, RI (Ont.) 26 C2
Duck Lake Post, LNCA (Man.) 44 H2
Duck Range, LNCA (C.-B.) 35 E1
Duck River, LNCA (Man.) 29 E1
Duclos, LNCA (Qué.) 17 B1
Duclos Point, LNCA (Ont.) 21 B1
Dudley, LNCA (Ont.) 24 B3
Dudswell, LNCA (Qué.) 16 E3
Dufaultville, LNCA (Qué.) 13 A2
Duff, VL (Sask.) 29 C2
Duff Corners, LNCA (Ont.) 21 F1
Dufferin, LNCA (N.-E.) 9 D1
Dufferin, LNCA (N.-B.) 11 E1
Dufferin 10, RI (C.-B.) 35 B2
Dufferin Bridge, LNCA (Ont.) 24 B2
Dufferin-Heights, LNCA (Qué.) 16 D4
Dufferin Mines, LNCA (N.-E.) 9 E3
Duffield, LNCA (Alb.) 33 D3
Duffys Corner, LNCA (N.-B.) 11 D1
Dufour, LNCA (Qué.) 15 C2
Dufournel, LNCA (Qué.) 15 G3
Dufourville, LNCA (N.-B.) 12 G4
Dufresne, LNCA (Man.) 28 B2
Dufrost, LNCA (Man.) 28 A3
Dugal, LNCA (Qué.) 13 D3
Dugald, LNCA (Man.) 28 B1
Duganville, LNCS (C.-B.) 34 C4
Dugas, LNCA (Qué.) 18 G4
Dugas, LNCA (N.-B.) 13 F4
Dug-da-myse 12, IR (C.-B.) 41 G4
Duguayville, LNCA (N.-B.) 12 F1
Duguesclin, LNCA (Qué.) 13 H3
Duhamel, LNCA (Qué.) 18 E4
Duhamel, LNCA (Alb.) 33 E4
Dulcemaine, LNCA (Ont.) 17 B3
Dumas, LNCA (Sask.) 29 D3
Dumbarton, LNCA (N.-B.) 11 B2
Dumblane, LNCA (Ont.) 23 C2
Dumble, LNCA (Sask.) 32 C3
Dumfries, LNCA (N.-B.) 11 B1
Dummer, LNCA (Sask.) 31 G3
Dumoine, LNCA (Qué.) 18 B4
Dumpling Harbour, LNCA (T.-N.) 6 G3
Dunakin, LNCA (N.-E.) 8 C3
Dunany, LNCA (Qué.) 17 F1
Dunbar, LNCA (Ont.) 17 D2
Dunblane, LNCA (I.-P.-E.) 7 A3
Dunblane, VL (Sask.) 31 E2
Dunboyne, LNCA (Ont.) 22 E2
Duncairn, LNCA (Sask.) 31 D3
Duncan, C (C.-B.) 38 E3
Duncan, LNCA (Qué.) 16 B3
Duncan, LNCA (Ont.) 23 D2
Duncanby Landing, LNCA (C.-B.) 41 F4
Duncan Lake 12, RI (C.-B.) 42 G4

Duncans Cove, LNCA (N.-E.) 9 B4
Dunchurch, LNCA (Ont.) 24 A1
Duncrief, LNCA (Ont.) 22 D1
Dundalk, VL (Ont.) 23 E2
Dundas, V (Ont.) 22 H1
Dundas, LNCA (Î.-P.-É.) 7 E4
Dundas, LNCA (N.-B.) 12 G4
Dundas Harbour, LNCA (T.N.-O.) 47 E3
Dundas Island 32B, RI (C.-B.) 42 C4
Dundee, LNCA (N.-E.) 8 D4
Dundee, LNCA (N.-B.) 13 D4
Dundee, LNCA (Î.-P.-É.) 7 D3
Dundee, LNCA (Qué.) 17 F2
Dundee-Centre, LNCA (Qué.) 17 F2
Dundela, LNCA (Ont.) 17 D2
Dundonald, LNCA (Ont.) 21 E1
Dundurn, VL (Sask.) 31 F1
Dundurn, Camp/Campement, RM (Sask.) 31 F1
Dunedin, LNCA (Ont.) 23 E2
Dunedin, LNCA (Î.-P.-É.) 7 C4
Dune-du-Sud, LNCA (Qué.) 7 F1
Dunfermline, LNCA (Sask.) 31 E1
Dunfield, LNCA (T.-N.) 3 G4
Dungannon, LNCA (Ont.) 23 B3
Dungarry, LNCA (N.-E.) 8 C3
Dunham, V (Qué.) 16 B4
Dunkeld, LNCA (Ont.) 23 C2
Dunkerron, LNCA (Ont.) 21 A1
Dunkin, LNCA (Qué.) 16 C4
Dunkirk, LNCA (Sask.) 31 F3
Dunkley, LNCA (C.-B.) 40 C2
Dunleath, LNCA (Sask.) 29 C2
Dunlop, LNCA (Ont.) 23 B3
Dunlop, LNCA (N.-B.) 12 E1
Dunlop, LNCA (Man.) 30 B2
Dunmore, LNCA (N.-E.) 8 B4
Dunmore, LNCA (Alb.) 31 B3
Dunmore, LNCA (N.-E.) 8 C3
Dunn, LNCA (Alb.) 33 G4
Dunnet's Corner, LNCA (Ont.) 25 F1
Dunnette Landing, LNCA (Ont.) 21 E1
Dunning, LNCA (Ont.) 26 E1
Dunnottar, VL (Man.) 30 C4
Dunns Corner, LNCA (N.-E.) 9 B2
Dunns Valley, LNCA (Ont.) 26 B4
Dunnville, V (Ont.) 21 A4
Dunphy, LNCA (Alb.) 34 F2
Dunrankin, LNCA (Ont.) 26 C1
Dunraven, LNCA (Qué.) 17 A1
Dunrea, LNCA (Man.) 29 F4
Dunrobin, LNCA (Ont.) 17 B1
Dunrobin Shore, LNCA (Ont.) 17 D4
Dunsford, LNCA (Ont.) 21 C1
Dunshalt, LNCA (Alb.) 34 F2
Dunsinane, LNCA (N.-B.) 11 F1
Dunsmuir, LNCA (C.-B.) 38 C2
Dunstable, LNCA (Alb.) 33 D3
Dunstaffnage, LNCA (Î.-P.-É.) 7 D4
Dunster, LNCA (C.-B.) 40 F3
Duntara, COMM (T.-N.) 3 G4
Duntroon, LNCA (Ont.) 23 E2
Dunvegan, LNCA (N.-E.) 8 C3
Dunvegan, LNCA (Ont.) 17 E1
Dunvegan, LNCA (Alb.) 43 G3
Dunville, V (T.-N.) 2 F3
Duparquet, V (Qué.) 18 A1
Duperow, LNCA (Sask.) 31 D1
Duplessis, LNCA (Qué.) 18 G2
Duplin, LNCA (Qué.) 16 D3
Dupont, LNCA (Qué.) 18 F4
Duprat, LNCA (Qué.) 18 A1
Dupuy, LNCA (Qué.) 18 A1
Durban, LNCA (Man.) 29 D1
Durells Island, LNCA (N.-E.) 9 H2
Duret, LNCA (Qué.) 13 F3
Durham, V (Ont.) 23 D2
Durham, LNCA (N.-E.) 9 D1
Durham Bridge, LNCA (N.-B.) 11 C1
Durham-Sud, LNCA (Qué.) 16 C3
Duricle < Fox Cove – Mortier, LNCA (T.-N.) 2 C3
Durieu, LNCA (C.-B.) 38 H2
Durlingville, LNCA (Alb.) 33 G2
Durrell, V (T.-N.) 3 D1
Durrell Subdivision, LNCS (C.-B.) 40 C3
Durward, LNCA (Alb.) 34 E3
Dutch Brook, LNCA (N.-E.) 8 F3
Dutch Line, LNCA (Ont.) 23 H1
Dutch Settlement, LNCA (N.-E.) 9 B3
Dutch Valley, LNCA (N.-B.) 11 F2
Duthil, LNCA (Alb.) 34 D2
Duthill, LNCA (Ont.) 22 B2
Dutton, VL (Ont.) 22 D2
Duttona Beach, LNCA (Ont.) 22 D2
Duval, VL (Sask.) 31 G2
Duvar, LNCA (Î.-P.-É.) 7 A3
Duvernay, LNCA (Alb.) 33 F3
Dwight, LNCA (Ont.) 24 C2
Dwyer Hill, LNCA (Ont.) 17 C2
Dyce, LNCA (Man.) 30 B2
Dyer, LNCA (Ont.) 17 E2
Dyer's Bay, LNCA (Ont.) 25 D4
Dyment, LNCA (Ont.) 27 B2
Dysart, VL (Sask.) 31 H2
Dzagayap 73, RI (C.-B.) 42 D4
Dzagayap 74, RI (C.-B.) 42 D4

E

Eades, LNCA (Ont.) 26 F1
Eads Bush, LNCA (Ont.) 25 C2
Eady, LNCA (Ont.) 23 F1
Eagle, LNCA (Ont.) 22 D2
Eagle Bay, LNCA (C.-B.) 36 H4
Eagle Butte, LNCA (Alb.) 31 B4
Eagle Creek, LNCA (C.-B.) 36 E2
Eagle Creek 6, RI (C.-B.) 42 H3
Eagle Head, LNCA (N.-E.) 10 E3
Eagle Heights, LNCA (C.-B.) 38 E3
Eagle Hill, LNCA (Alb.) 34 E1
Eagle Lake, LNCA (Ont.) 24 D2
Eagle Lake, LNCA (Ont.) 24 B1
Eagle Lake 27, RI (Ont.) 27 A2
Eagle River, LNCA (Ont.) 27 A1
Eaglesham, VL (Alb.) 43 H3
Eagles Nest, LNCA (Ont.) 25 C2
Eaglesons Corners, LNCA (Ont.) 17 D4
Earchman, LNCA (Man.) 30 B2
Eardley, LNCA (Qué.) 17 B1
Ear Falls, LNCA (Ont.) 30 E4
Earle Wharf, LNCA (N.-B.) 11 E2
Earl Grey, VL (Sask.) 31 G2
Earl Pit, LNCA (Ont.) 27 A1
Earls Cove, LNCA (C.-B.) 38 D1
Earlstown, LNCA (Qué.) 16 D4
Earlton, LNCA (Ont.) 26 F2
Earltown, LNCA (N.-E.) 9 C2
Early Gardens, LNCA (Alb.) 43 H3
Earnscliffe, LNCA (Î.-P.-É.) 7 D4
Earnscliffe, LNCA (Ont.) 23 E3
East Advocate, LNCA (N.-E.) 11 G3
East-Aldfield, LNCA (Qué.) 17 B1
East Amherst, LNCA (N.-E.) 9 A1
East Anglia, LNCA (Sask.) 32 B3
East-Angus, V (Qué.) 16 D3
East Apple River, LNCA (N.-E.) 11 G2
East Arlington, LNCA (N.-E.) 10 C1
East Arrow Park, LNCA (C.-B.) 34 A3
East Baccaro, LNCA (N.-E.) 10 C4
East Bay, LNCA (N.-E.) 8 E3
East Bay, LNCA (T.-N.) 4 C4
East Bay, LNCA (Man.) 29 F2
East Beaver Brook, LNCA (N.-B.) 12 E2
East Berlin, LNCA (N.-E.) 10 E3
East Bideford, LNCA (Î.-P.-É.) 7 B3
Eastbourne, LNCA (Ont.) 21 B1
Eastbourne, LNCA (C.-B.) 38 F2
East Braintree, LNCA (Man.) 28 D2
East Branch, LNCA (N.-B.) 12 G3
East Branch River John, LNCA (N.-E.) 9 C1
East Brighton, LNCA (N.-B.) 12 B4
East Broadway, LNCS (N.-E.) 8 F3
East-Broughton, LNCA (Qué.) 15 B4
East-Broughton-Station, VL (Qué.) 15 B4
Eastburg, LNCA (Alb.) 33 D2
East Centreville, LNCA (N.-B.) 12 A4
East Chester, LNCA (N.-E.) 9 A4
East Chezzetcook, LNCA (N.-E.) 9 C3
East Clifford, LNCA (N.-E.) 10 D2
East-Clifton, LNCA (Qué.) 16 E4
East Cloverdale, LNCA (N.-B.) 12 B4
East Coldstream, LNCA (N.-B.) 12 B4
East Coleman, LNCS (Alb.) 34 E4
East Collette, LNCA (N.-B.) 12 F3
East Coulee, LNCA (Alb.) 34 G2
East Dalhousie, LNCA (N.-E.) 10 D1
East Dover, LNCA (N.-E.) 9 B4
East Earltown, LNCA (N.-E.) 9 C1
Eastend, V (Sask.) 31 C4
East Erinville, LNCA (N.-E.) 9 F2
Eastern Island 13, RI (C.-B.) 41 H1
Eastern Passage, LNCA (N.-E.) 9 B4
Eastern Points, LNCA (N.-E.) 10 E2
Easterville, LNCA (Man.) 30 B3
East Fairwell, LNCA (Sask.) 31 C4
East-Farnham, VL (Qué.) 16 B4
East Ferry, LNCA (N.-E.) 10 A2
East Folly Mountain, LNCA (N.-E.) 9 B2
Eastford, LNCA (Ont.) 26 E1
East Fraserville, LNCA (N.-E.) 11 G2
East Galloway, LNCA (N.-B.) 12 G3
Eastgate, LNCA (Alb.) 33 E3
East Glassville, LNCA (N.-B.) 12 B3
East Gore, LNCA (N.-E.) 9 B3
East Green Harbour, LNCA (N.-E.) 10 C4
East Halls Harbour Road, LNCA (N.-E.) 11 H3
East Hansford, LNCA (N.-E.) 9 B1
East Harrow, LNCA (Ont.) 22 A4
East Havre Boucher, LNCA (N.-E.) 8 C4
East-Hereford, LNCA (Qué.) 16 E4
East-Hill, LNCA (Qué.) 16 C4
East Hungerford, LNCA (Ont.) 24 G4
East Inglisville, LNCA (N.-E.) 10 D1
East Jeddore, LNCA (N.-E.) 9 C3
East Jordan, LNCA (N.-E.) 10 C3
East Kemptville, LNCA (N.-E.) 10 B3
East Knowlesville, LNCA (N.-B.) 12 B3
East Kootenay, LNCA (Alb.) 34 E4
East LaHave, LNCA (N.-E.) 10 E2
East Lake Ainslie, LNCA (N.-E.) 8 D3
East Leicester, LNCA (N.-E.) 9 A1
Eastleigh, LNCA (Sask.) 31 F3
East Linden, LNCA (N.-E.) 7 B4
East Linton, LNCA (Ont.) 23 C1
Eastmain, RI (Qué.) 20 E3
Eastman, VL (Qué.) 16 C4
East Mapleton, LNCA (N.-E.) 9 A2
East Margaretsville, LNCA (N.-E.) 10 D1
East McKirdy, LNCA (Ont.) 27 F2
East Meadows, LNCS (T.-N.) 2 H2
East Milford, LNCA (N.-E.) 9 B3
East Mines, LNCA (N.-E.) 9 B2
East Mines Station, LNCA (N.-E.) 9 B2
East Moberly Lake 169, RI (C.-B.) 43 D3
East Mountain, LNCA (N.-E.) 9 C2
East New Annan, LNCA (N.-E.) 9 C1
East Newbridge, LNCA (N.-B.) 11 A1
East Noel, LNCA (N.-E.) 9 B2
East Oakland, LNCA (Ont.) 22 G1
Easton, LNCA (N.-E.) 10 B2
Eastons Corners, LNCA (Ont.) 17 C3
East Oro, LNCA (Ont.) 23 F2
East Oxford, LNCA (Ont.) 17 C2
East Pennant, LNCA (N.-E.) 9 B4
East Petpeswick, LNCA (N.-E.) 9 C3
East Pine, LNCA (C.-B.) 43 E4
East Point, LNCA (Î.-P.-É.) 7 F3
East Poplar, LNCA (Sask.) 31 G4
Eastport, V (T.-N.) 3 F4
East Port Medway, LNCA (N.-E.) 10 E3
East Preston, LNCA (N.-E.) 9 B3
East Pubnico, LNCA (N.-E.) 10 B4
East Quinan, LNCA (N.-E.) 10 B3
East Quoddy, LNCA (N.-E.) 9 E3
East River, LNCA (N.-E.) 9 A4
East River Point, LNCA (N.-E.) 9 A4
East River St Marys, LNCA (N.-E.) 9 E2
East River St Marys West Side, LNCA (N.-E.) 9 E2
East River Sheet Harbour, LNCA (N.-E.) 9 D3
East Riverside-Kingshurst, VL (N.-B.) 11 D2
East Roman Valley, LNCA (N.-E.) 9 F2
East Royalty, LNCA (Î.-P.-É.) 7 C4
East Saanich 2, RI (C.-B.) 38 F4
East Sable River, LNCA (N.-E.) 10 D3
East St Paul, LNCA (Man.) 28 A1
East Scotch Settlement, LNCA (N.-B.) 11 E2
East Selkirk, LNCA (Man.) 28 B1
East Ship Harbour, LNCA (N.-E.) 9 D3
East Side, LNCA (N.-E.) 10 B4
East Side of Ragged Island, LNCA (N.-E.) 10 D4
East Side Port L'Hebert, LNCA (N.-E.) 10 D3
East Skye Glen, LNCA (N.-E.) 8 D3
East Sooke, LNCA (C.-B.) 38 E4
East Southampton, LNCA (N.-E.) 9 A1
East Tracadie, LNCA (N.-E.) 8 C4
East Tremont, LNCA (N.-E.) 10 D1
East Uniacke, LNCA (N.-E.) 9 B3
Eastview, LNCA (Ont.) 17 B4
East Village, LNCA (N.-E.) 9 B2
Eastville, LNCA (N.-E.) 9 D2
East Wallace, LNCA (N.-E.) 9 C1
East Walton, LNCA (N.-E.) 9 A2
East Waterville, LNCA (N.-B.) 11 B1
East Wentworth, LNCA (N.-E.) 9 B1
East Wiltshire, LNCA (Î.-P.-É.) 7 C4
Eastwood, LNCA (Ont.) 22 F1
East York, BOR (Ont.) 21 B2
Easyford, LNCA (Alb.) 33 C3
Eaton, LNCA (Qué.) 16 E4
Eatonia, V (Sask.) 31 C2
Eatonville, LNCA (Ont.) 22 C3
Eatonville, LNCA (N.-E.) 11 G2
Eatonville, LNCA (Qué.) 15 E2
Eau Claire, LNCA (Ont.) 18 A4
Ebb and Flow, LNCA (Man.) 29 F2
Ebb and Flow 52, RI (Man.) 29 G2
Ebbs Shore, LNCA (Ont.) 17 B2
Ebenezer, LNCA (Î.-P.-É.) 7 C3
Ebenezer, LNCA (Ont.) 17 B4
Ebenezer, LNCA (Ont.) 21 G1
Ebenezer, LNCA (Ont.) 24 A3
Ebenezer, VL (Sask.) 29 C2
Eberts, LNCA (Ont.) 22 C3
Ebor, LNCA (Man.) 29 D4
Eccles-Hill, LNCA (Qué.) 16 B4
Echachis 2, RI (C.-B.) 38 A2
Echo Bay, LNCA (Ont.) 26 B4
Echo Bay, LNCA (C.-B.) 39 F1
Echo Bay, LNCA (T.N.-O.) 5 E2
Echo Beach, LNCA (Ont.) 24 B2
Eckville, V (Alb.) 33 D4
Eclipse, LNCA (Man.) 29 F2
Economy, LNCA (N.-E.) 9 A2
Economy Point, LNCA (N.-E.) 9 A2
Ecoole, LNCA (C.-B.) 38 B3
Ecum Secum, LNCA (N.-E.) 9 E3
Ecum Secum Bridge, LNCA (N.-E.) 9 E3
Ecum Secum West, LNCA (N.-E.) 9 E3
Edam, VL (Sask.) 32 B3
Edberg, VL (Alb.) 33 E4
Eddies Cove, LNCA (T.-N.) 5 G2
Eddies Cove West, LNCA (T.-N.) 5 G3
Eddy, LNCA (C.-B.) 40 F2
Eddystone, LNCA (Ont.) 21 E1
Eddystone, LNCA (Man.) 29 F2
Eden, LNCA (Ont.) 22 F2
Eden, LNCA (Man.) 29 F3
Eden, LNCA (N.-E.) 8 D4
Edenburg, LNCA (Man.) 29 H4
Eden Grove, LNCA (Ont.) 23 C2
Edenhurst, LNCA (Ont.) 25 D4
Eden Lake, LNCA (N.-E.) 9 E2
Eden Mills, LNCA (Ont.) 23 E4
Edenvale, LNCA (Ont.) 21 A1
Eden Valley 216, RI (Alb.) 34 E3
Edenwold, VL (Sask.) 31 H3
Edgar, LNCA (Ont.) 23 F2
Edgars, LNCA (Ont.) 22 A3
Edge Hill, LNCA (Ont.) 23 D2
Edgeley, LNCA (Sask.) 31 H3
Edgell, LNCA (Sask.) 31 C3
Edgerton, VL (Alb.) 33 G4
Edgetts Landing, LNCA (N.-B.) 11 G1
Edgewater, LNCA (C.-B.) 34 C2
Edgewood, LNCA (C.-B.) 35 H3
Edgewood, LNCA (N.-E.) 9 B2
Edgewood Park, LNCA (Ont.) 21 D1
Edillen, LNCA (Man.) 29 F2
Edina, LNCA (Qué.) 17 F1
Edmonton, C (Alb.) 33 E3
Edmonton Beach, VE (Alb.) 33 D3
Edmonton (Namao), CFB/BFC, RM (Alb.) 33 E3
Edmore, LNCA (Sask.) 29 B2
Edmore Beach, LNCA (Ont.) 23 E1
Edmundston, C (N.-B.) 15 H2
Edrans, LNCA (Man.) 29 F3
Edson, V (Alb.) 33 B3
Edville, LNCA (Ont.) 21 E1
Edward, LNCA (Alb.) 33 F2
Edwards, LNCA (Ont.) 17 D2
Edwards Corner, LNCA (N.-B.) 11 B3
Edwards Project, LNCS (Ont.) 17 D2
Edwardsville, LNCA (N.-E.) 8 F3
Edwin, LNCA (Man.) 29 G3
Edye 93, RI (C.-B.) 41 C1
Edys Mills, LNCA (Ont.) 22 C2
Edzell, LNCA (Sask.) 31 E1
Eel Cove, LNCA (N.-E.) 8 E3
Eel Ground < Eel Ground 2, LNCA (N.-B.) 12 E2
Eel Ground 2, RI (N.-B.) 12 E2
Eelooljua, LNCA (T.N.-O.) 47 E4
Eel River 3, RI (N.-B.) 13 D4
Eel River Bridge, LNCA (N.-B.) 12 G2
Eel River Cove, LNCA (N.-B.) 13 D4
Eel River Crossing, VL (N.-B.) 13 D4
Eel River Lake, LNCA (N.-B.) 11 A1
Eelseuklis 10, RI (C.-B.) 38 A2
Eepikitajuk, LNCA (T.N.-O.) 47 E4
Egan Creek, LNCA (Ont.) 24 F3
Eganville, VL (Ont.) 24 G1
Eganville Station, LNCS (Ont.) 24 G2
Egbert, LNCA (Ont.) 21 A1
Egeria Bay 19, RI (C.-B.) 41 A1
Egerton, LNCA (N.-E.) 8 A4
Egerton, LNCA (Ont.) 23 D3
Eglington, LNCA (Î.-P.-É.) 7 E4
Egmondville, LNCA (Ont.) 23 B4
Egmont, LNCA (C.-B.) 38 E1
Egmont 26, RI (C.-B.) 38 E1
Egmont Bay, LNCA (Î.-P.-É.) 7 A3
Egremont, LNCA (Alb.) 33 E2
Egypt, LNCA (Ont.) 21 B1
Egypte, LNCA (Qué.) 16 B3
Egypt Road, LNCA (N.-E.) 8 D3
Ehatis 11, RI (C.-B.) 39 E3
Ehatisaht < Oke 10, LNCA (C.-B.) 39 E3
Eight Island Lake, LNCA (N.-E.) 9 F2
Eight Mile Point, LNCA (Ont.) 23 G2
Ekfrid, LNCA (Ont.) 22 D2
Ekins Point, LNCA (C.-B.) 38 F1
Eladesor, LNCA (Alb.) 34 G2
Elak Dase 192A, RI (Sask.) 44 E4
Elba, LNCA (Ont.) 23 E3
Elbourne, LNCA (Sask.) 31 G2
Elbow, VL (Sask.) 31 F2
Elbridge, LNCA (Alb.) 33 E2
Elcho, LNCA (Ont.) 21 A4
Elcho 6, RI (C.-B.) 41 F3
Eldee, LNCA (Ont.) 18 A3
Elder, LNCA (Ont.) 23 E3
Elderbank, LNCA (N.-E.) 9 C3
Eldersley, LNCA (Sask.) 32 F4
Eldon, LNCA (Î.-P.-É.) 7 D4
Eldon, LNCA (Ont.) 23 H2
Eldon, LNCA (Alb.) 34 C2
Eldorado, LNCA (Ont.) 24 F4
Eldorado, LNCA (Sask.) 44 D2
Eldorena, LNCA (Alb.) 33 E3
Eldred, LNCA (Sask.) 32 C3
Electric, LNCA (Ont.) 22 B3
Elford, LNCA (Ont.) 22 A4
Elfrida, LNCA (Ont.) 21 A3
Elfros, VL (Sask.) 29 B1
Elgin, LNCA (Ont.) 17 B3
Elgin, LNCA (N.-B.) 11 F1
Elgin, LNCA (Man.) 29 E4
Elgin, LNCA (N.-E.) 9 D2
Elgin, LNCA (Qué.) 17 F2
Elginburg, LNCA (Ont.) 17 A4
Elginfield, LNCA (Ont.) 22 E1
Elgin-Road, LNCA (Qué.) 15 D2
Elhlateese 2, RI (C.-B.) 38 B3
Elie, LNCA (Man.) 29 H3
Elimere Point, LNCA (Ont.) 23 F1
Elimville, LNCA (Ont.) 22 D1
Elizabeth, LNCS (Alb.) 33 H2
Elizabeth Bay, LNCA (Ont.) 25 A2
Elizabeth Park < Ottawa (South/Sud), CFB/BFC, LNCA (Ont.) 17 E4
Elizabethville, LNCA (Ont.) 21 D2
Elk Bay, LNCA (C.-B.) 37 B3
Elkford, VL (C.-B.) 34 D3
Elk Hill, LNCA (Sask.) 32 F3
Elkhorn, VL (Man.) 29 D3
Elk Island, LNCA (Alb.) 33 E3
Elk Lake, LNCA (Ont.) 26 F2
Elko, LNCA (C.-B.) 34 D4
Elk Point, V (Alb.) 33 G3
Elk Ranch, LNCA (Man.) 29 F3
Elkton, LNCA (Alb.) 34 E1
Elkwater, LNCA (Alb.) 31 B4
Ellaton, LNCA (Ont.) 22 G2
Ellengowan, LNCA (Ont.) 23 C2
Ellershouse, LNCA (N.-E.) 9 A3
Ellerslie, LNCA (Î.-P.-É.) 7 B3
Ellerslie, LNCA (Alb.) 33 E3
Ellesby, LNCA (C.-B.) 40 B1
Elliot Lake, V (Ont.) 25 B1
Elliotts Corners, LNCA (Ont.) 23 F1
Elliott's Cove, LNCA (T.-N.) 2 F1
Elliotvale, LNCA (Î.-P.-É.) 7 D4
Ellis, LNCA (Ont.) 27 D3
Ellisboro, LNCA (Sask.) 29 C3
Ellison, LNCA (C.-B.) 35 F2
Elliston, V (T.-N.) 3 G4
Ellisville, LNCA (Ont.) 17 B3
Ellscott, LNCA (Alb.) 33 E2
Ellsmere Village, LNCA (Ont.) 26 F4
Elm, LNCA (Ont.) 17 B1
Elma, LNCA (Man.) 28 C1
Elma, LNCA (Ont.) 17 D2
Elm Brook, LNCA (N.-B.) 11 E2
Elmbrook, LNCA (Ont.) 21 G1
Elm Creek, LNCA (Man.) 29 H4
Elmdale, LNCA (Ont.) 22 B4
Elmfield, LNCA (N.-E.) 9 D1
Elmgrove, LNCA (Ont.) 17 B3
Elmgrove, LNCA (Ont.) 21 E1
Elmhedge, LNCA (Ont.) 23 D2
Elm Hill, LNCA (N.-B.) 11 D2
Elmhurst, LNCA (N.-B.) 11 E2
Elmhurst, LNCA (Sask.) 32 B3
Elmhurst Beach, LNCA (Ont.) 21 B1
Elmira, LNCA (Ont.) 23 D4
Elmira, LNCA (Î.-P.-É.) 7 F3
Elmore, LNCA (Sask.) 29 D4
Elmsdale, LNCA (N.-E.) 9 B3
Elmsdale, LNCA (Î.-P.-É.) 7 A2
Elmside, LNCA (Qué.) 17 B1
Elmsley, LNCA (Ont.) 17 B2
Elm Springs, LNCA (Sask.) 31 F4
Elmstead, LNCA (Ont.) 22 A3
Elmsvale, LNCA (N.-E.) 9 C3
Elmsville, LNCA (N.-B.) 11 B3
Elmtree, LNCA (N.-B.) 12 E3
Elm Tree, LNCA (Ont.) 24 G3
Elmvale, VL (Ont.) 23 F1
Elmwood, LNCA (Ont.) 23 C2
Elmwood, LNCA (Î.-P.-É.) 7 C4
Elmwood, LNCA (N.-E.) 10 E2
Elmwood, LNCA (N.-B.) 11 A1
Elmwood, LNCA (Ont.) 21 H1
Elmworth, LNCA (Alb.) 43 F4
Elnora, VL (Alb.) 34 F1
Eloida, LNCA (Ont.) 17 C3
Elora, VL (Ont.) 23 D4
Elphin, LNCA (Ont.) 17 A2
Elphinstone, LNCA (Man.) 29 E3
Elrose, V (Sask.) 31 D2
Elsa, LNCA (Yukon) 45 B2
Elsas, LNCA (Ont.) 26 C1
Elsinore, LNCA (Ont.) 23 C2
Elspeth, LNCA (Alb.) 33 D4
Elstow, VL (Sask.) 31 F1
Eltham, LNCA (Alb.) 34 F3
Elva, LNCA (Man.) 29 E4
Elzevir, LNCA (Ont.) 24 G4
Embarras, LNCA (Alb.) 44 C3
Embarras, LNCA (Alb.) 33 A3
Embarras Portage, LNCA (Alb.) 44 C3
Embree, V (T.-N.) 3 C2
Embro, LNCA (Ont.) 22 F1
Embrun, LNCA (Ont.) 17 D2
Emerald, LNCA (Ont.) 21 G1
Emerald, LNCA (N.-E.) 8 D3
Emerald Isle, LNCS (Ont.) 21 D1
Emerald Junction, LNCA (Î.-P.-É.) 7 C3
Emerald Vale, LNCA (T.-N.) 2 G2
Emerson, V (Man.) 28 A3
Emerson, LNCA (N.-B.) 12 F4
Emery, LNCA (Ont.) 17 B4
Emeryville, LNCA (Ont.) 22 A3
Emesville, LNCA (Man.) 28 A1
Emileville, LNCA (Qué.) 16 B3
Emily Harbour, LNCA (T.-N.) 6 G3
Emma Lake, LNCA (Sask.) 32 D3
Emmaville, LNCA (Sask.) 32 A3
Emo, LNCA (Ont.) 28 G4
Empey Hill, LNCA (Ont.) 21 G1
Empress, VL (Alb.) 31 B2
Emsdale, LNCA (Ont.) 24 B2
Emyvale, LNCA (Î.-P.-É.) 7 C4
Ena Lake, LNCA (Ont.) 28 F1
Enchant, LNCA (Alb.) 34 G3
Endako, LNCA (C.-B.) 40 A1
Endcliffe, LNCA (Man.) 29 D2
Endeavour, VL (Sask.) 29 C1
Enderby, C (C.-B.) 35 F1
Enderby 2, RI (C.-B.) 35 F1
Endiang, LNCA (Alb.) 34 G1
Enfield, LNCA (N.-E.) 9 B3
Engen, LNCA (C.-B.) 40 B1
Engineer, LNCA (C.-B.) 45 B4
Englee, V (T.-N.) 5 H3
Englefeld, VL (Sask.) 31 G1
Englehart, V (Ont.) 26 F2
Englewood, LNCA (C.-B.) 39 E1
English Corner, LNCA (N.-E.) 9 B3
English Harbour, LNCA (T.-N.) 3 G4
English Harbour East, COMM (T.-N.) 2 D2
English Harbour West < St Jacques – Coomb's Cove, LNCA (T.-N.) 2 B3
English Line, LNCA (Ont.) 21 E1
English Point, LNCA (T.-N.) 5 G2
English River, LNCA (Ont.) 27 C2
English River 21, RI (Ont.) 28 G1
English River 66, RI (Ont.) 20 B4
English Settlement, LNCA (N.-B.) 12 C4
Englishtown, LNCA (N.-E.) 8 E3
Enhalt 11, RI (C.-B.) 35 B1
Enid, LNCA (Sask.) 31 H2
Enilda, LNCA (Alb.) 33 B1
Enlaugra, LNCA (Qué.) 16 B4
Enmore, LNCA (Î.-P.-É.) 7 B3
Ennadai, LNCA (T.N.-O.) 44 G1
Ennemond, LNCA (N.-B.) 15 G2
Ennishone, LNCA (N.-B.) 12 A2
Enniskillen, LNCA (N.-B.) 11 C2
Ennismore, LNCA (Ont.) 23 H2
Ennotville, LNCA (Ont.) 23 E4
Enon, LNCA (N.-E.) 8 E4
Enquocto 14, RI (C.-B.) 35 C1
Ens, LNCA (Sask.) 32 D4
Ensheshese 13, RI (C.-B.) 42 C4
Ensheshese 53, RI (C.-B.) 42 C4
Ensign, LNCA (Alb.) 34 F3
Ensleigh, LNCA (Alb.) 34 H1
Enterprise, LNCA (Ont.) 17 A3
Enterprise, LNCA (T.N.-O.) 44 A2
Enterprise, LNCA (C.-B.) 36 C2
Enterprise, LNCA (N.-B.) 12 B2
Entice, LNCA (Alb.) 34 F2
Entrance, LNCA (Alb.) 40 H2
Entrelacs, LNCA (Qué.) 18 F4
Entwistle, VL (Alb.) 33 C3
Environ, LNCA (Sask.) 31 E1
Epping, LNCA (Ont.) 23 D2
Epsom, LNCA (Ont.) 21 C1
Epworth, LNCA (T.-N.) 2 C4
Equis 8, RI (C.-B.) 38 B3
Equity, LNCA (Alb.) 34 F1
Eramosa, LNCA (Ont.) 23 E4
Erbs Cove, LNCA (N.-B.) 11 E2
Erb Settlement, LNCA (N.-B.) 11 E2
Erickson, LNCA (C.-B.) 34 C4
Erickson, VL (Man.) 29 F3
Erie, LNCA (C.-B.) 34 B4
Erieau, VL (Ont.) 22 C3
Erie Beach, VL (Ont.) 22 C3
Erie View, LNCA (Ont.) 22 F2
Eriksdale, LNCA (Man.) 29 G2
Erin, VL (Ont.) 23 E3
Erinferry, LNCA (Sask.) 32 C3
Erin Lodge, LNCA (Alb.) 43 G3
Erinsville, LNCA (Ont.) 24 G4
Erinview, LNCA (Man.) 29 H3
Erinville, LNCA (N.-E.) 9 F2
Erith, LNCA (Alb.) 33 B3
Erle, LNCA (Qué.) 16 E3
Ermineskin 138, RI (Alb.) 33 E4
Ernestown, LNCA (Ont.) 17 A4
Ernfold, VL (Sask.) 31 E3
Errington, LNCA (C.-B.) 38 D2
Errol, LNCA (Ont.) 22 C1
Erskine, LNCA (Alb.) 33 E4
Ervick, LNCA (Alb.) 33 E4
Erwood, LNCA (Sask.) 32 H4
Escott, LNCA (Ont.) 17 C3
Escoumains 25, RI (Qué.) 14 E3
Escuminac, LNCA (N.-B.) 12 G2
Escuminac, LNCA (Qué.) 13 D3
Escuminac-East, LNCA (Qué.) 13 D3
Escuminac-Flats, LNCA (Qué.) 13 D3
Escuminac-Glen, LNCA (Qué.) 13 D3
Escuminac-Nord, LNCA (Qué.) 13 D3
Esdraelon, LNCA (N.-B.) 12 B4
Esher, LNCA (Ont.) 26 B2
Esk, LNCA (Sask.) 31 G1
Eskasoni < Eskasoni 3, LNCA (N.-E.) 8 E3
Eskasoni 3, RI (N.-E.) 8 E3
Eskasoni 3A, RI (N.-E.) 8 E3
Eskbank, LNCA (Sask.) 31 F3
Eskdale, LNCA (Ont.) 23 B2
Eskimo Point, LNCA (T.N.-O.) 46 B3
Esme, LNCA (Sask.) 31 E3
Esmonde, LNCA (Ont.) 24 G2
Esowista 3, RI (C.-B.) 38 A3
Espanola, V (Ont.) 25 C1
Esperanza, LNCA (C.-B.) 39 E3
Esprit-Saint, LNCA (Qué.) 14 G4
Esquimalt, DM (C.-B.) 38 F4
Esquimalt, RI (C.-B.) 38 F4
Essa, LNCA (Ont.) 21 A1
Essex, V (Ont.) 22 A3
Essonville, LNCA (Ont.) 24 D3
Estaire, LNCA (Ont.) 25 E1
Estérel, V (Qué.) 18 F4
Esterhazy, V (Sask.) 29 D3
Estevan, C (Sask.) 29 C4
Estevan Airport, LNCA (Sask.) 29 C4
Estevan Point, LNCA (C.-B.) 39 F4
Esther, LNCA (Alb.) 31 B1
Estlin, LNCA (Sask.) 31 H3
Estmere, LNCA (N.-E.) 8 D3
Eston, V (Sask.) 31 D2
Est-patrolas 4, RI (C.-B.) 38 E3
Estuary, LNCA (Sask.) 31 C2
Etamamiou, LNCA (Qué.) 5 D3
Etang-des-Caps, LNCA (Qué.) 7 F1
Etang-du-Nord, LNCA (Qué.) 7 F1
Ethel, LNCA (Ont.) 23 C3
Ethelbert, VL (Man.) 29 E2
Ethel Lake, LNCA (Alb.) 33 G2
Ethel Park, LNCA (Ont.) 21 B1
Ethelton, LNCA (Sask.) 32 E4
Etobicoke, BOR (Ont.) 21 A2
Etomami, LNCA (Sask.) 32 H4
Etoncourt, LNCS (Ont.) 22 C1
Eton-Rugby, LNCA (Ont.) 27 A1
Etsekin 1, RI (C.-B.) 39 F1
Etters Beach, VL (Sask.) 31 G2
Etter Settlement, LNCA (N.-E.) 9 B3
Ettington, LNCA (Sask.) 31 F3
Ettyville, LNCA (Ont.) 17 D1
Etzikom, LNCA (Alb.) 31 A4
Euchinico Creek 17, RI (C.-B.) 40 B2
Euchinico Creek 18, RI (C.-B.) 40 B2
Euchinico Creek 19, RI (C.-B.) 40 B2
Eugenia, LNCA (Ont.) 23 D2
Eureka, LNCA (N.-E.) 9 D2
Eureka, LNCA (Ont.) 26 D4
Eureka, LNCA (T.N.-O.) 47 E2
Eureka River, LNCA (Alb.) 43 G3
Eustis, LNCA (Qué.) 16 D4
Evain, VL (Qué.) 18 A2
Eva Lake, LNCS (Ont.) 27 C3
Evandale, LNCA (N.-B.) 11 D2
Evangeline, LNCA (N.-B.) 12 G1
Evangeline, LNCA (N.-B.) 12 G4
Evansburg, VL (Alb.) 33 C3
Evans Corner, LNCA (Ont.) 23 F1
Evanston, LNCA (N.-E.) 8 C4
Evansville, LNCA (Ont.) 25 G1
Evansville, LNCA (Ont.) 25 B2
Evarts, LNCA (Alb.) 34 E1
Evelyn, LNCA (C.-B.) 42 F4
Evelyn, LNCA (Ont.) 22 E1
Everard, LNCA (Ont.) 27 E3
Everett, LNCA (Ont.) 21 A1
Everett, LNCA (N.-B.) 12 B2
Evergreen, LNCA (Alb.) 34 E1
Evergreen Place, LNCS (Man.) 30 C4
Evergreen Trailer Park, LNCS (Alb.) 33 E3
Evergreen Village, LNCS (T.-N.) 2 H2
Eversley, LNCA (Ont.) 21 B2
Everton, LNCA (Ont.) 23 E4
Evesham, VL (Sask.) 32 A4
Ewan, LNCA (Ont.) 24 D3
Ewart, LNCA (Man.) 29 D4
Ewing, LNCA (C.-B.) 35 F2
Excel, LNCA (Alb.) 31 B2
Excelsior, LNCA (Alb.) 33 E3
Exeter, V (Ont.) 22 D1
Exeter, LNCA (C.-B.) 36 D2
Exlou, LNCA (C.-B.) 36 F4
Exmoor, LNCA (N.-B.) 12 E2
Expanse, LNCA (Sask.) 31 F3
Exploits, LNCA (T.-N.) 3 C2
Exshaw, LNCA (Alb.) 34 D2
Extension, LNCA (C.-B.) 38 D2
Eyebrow, VL (Sask.) 31 F2
Eyre, LNCA (Sask.) 31 C2
Eyre Corners, LNCA (Ont.) 17 B3

F

Fabre, LNCA (Qué.) 18 A3
Fabre-Station, LNCA (Qué.) 18 A3
Fabyan, LNCA (Alb.) 33 G4
Factorydale, LNCA (N.-E.) 10 D1
Factory Island 1, RI (Ont.) 20 D3
Factory-Point, LNCA (Qué.) 5 F2
Fadden-Corner, LNCA (Qué.) 16 A4
Fairbairn Meadows, LNCA (Ont.) 21 D1
Fairbank, LNCA (T.-N.) 3 D2
Fairbridge, LNCS (C.-B.) 38 E3
Fairfax, LNCA (Man.) 29 F4
Fairfax, LNCA (Qué.) 16 D4
Fairfax, LNCA (Ont.) 17 B4
Fairfield, LNCA (N.-B.) 11 E3
Fairfield, LNCA (Î.-P.-É.) 7 F3
Fairfield, LNCA (N.-B.) 7 A4
Fairfield, LNCA (Ont.) 17 C3
Fairfield East, LNCA (Ont.) 17 C3
Fairfield Heights, LNCA (Ont.) 17 D4
Fairfield Plain, LNCA (Ont.) 22 G1
Fairford, LNCA (Man.) 29 G1
Fairford 50, RI (Man.) 29 G1
Fairford Reserve, LNCA (Man.) 30 B4
Fairground, LNCA (Ont.) 22 F2
Fair Harbour, LNCA (C.-B.) 39 D2
Fair Haven, LNCA (T.-N.) 2 F2
Fairhaven, LNCA (N.-B.) 11 B3
Fairhaven Subdivision, LNCS (Alb.) 33 D3
Fairholme, LNCA (Sask.) 32 B3
Fairholme, LNCA (Ont.) 24 A1
Fairisle, LNCA (N.-B.) 12 F2
Fairlight, VL (Sask.) 29 D3
Fairmont, LNCA (Ont.) 17 A4
Fairmont Hot Springs, LNCA (C.-B.) 34 C3
Fairmount, LNCA (N.-E.) 8 B4
Fairmount, LNCA (Ont.) 21 D1
Fairmount, LNCA (Ont.) 23 D2
Fairmount, LNCA (Sask.) 31 C2
Fairplay, LNCA (Ont.) 22 A3
Fairvale, VL (N.-B.) 11 D2
Fair Valley, LNCA (Ont.) 23 F1
Fairview, V (Alb.) 43 G3
Fairview, LNCA (Î.-P.-É.) 7 C4
Fair View, LNCA (N.-B.) 11 F2
Fairview, LNCA (Ont.) 24 G1
Fairview, LNCA (Ont.) 22 F2
Fairview, LNCA (Ont.) 22 E1
Fairview, LNCA (Man.) 29 F3
Fairview, LNCA (C.-B.) 35 E4
Fairview Subdivision, LNCS (Alb.) 34 F4
Fairview Subdivision, LNCS (C.-B.) 34 B4
Fairydell, LNCA (Alb.) 33 E3
Fairy Glen, LNCA (Sask.) 32 F4
Fairy Hill, LNCA (Sask.) 31 H2
Falcon, LNCA (Sask.) 29 C3
Falconbridge, LNCA (Ont.) 22 D2
Falcon Lake, LNCA (Man.) 28 D2
Falcon Park, LNCS (C.-B.) 38 C1
Falher, V (Alb.) 43 H3
Falkland, LNCA (C.-B.) 35 E1
Falkland, LNCA (Ont.) 22 G1
Falkland Ridge, LNCA (N.-E.) 10 D1
Fallbrook, LNCA (Ont.) 17 B2
Fallis, LNCA (Alb.) 33 D3
Fallison, LNCA (Man.) 29 G4
Fallowfield, LNCA (Ont.) 17 D4
Fall River, LNCA (N.-E.) 9 B3
Fall River West, LNCA (N.-E.) 9 B3
Falls Creek, LNCA (C.-B.) 35 B2
Falmouth, LNCA (N.-E.) 9 A3
Faloma, LNCA (Man.) 28 E2
Falun, LNCA (Alb.) 33 D4
Fanning Brook, LNCA (Î.-P.-É.) 7 D3
Fanny Bay, LNCA (C.-B.) 38 C2
Fannystelle, LNCA (Man.) 29 H4
Fanshawe, LNCA (Ont.) 22 E1
Faraday, LNCA (Ont.) 24 E3
Farewell, LNCA (Ont.) 23 D3
Farlain Lake, LNCA (Ont.) 23 E1
Farlane, LNCA (Ont.) 28 G1
Farley, LNCA (Qué.) 18 D4
Farleys Corners, LNCA (Ont.) 25 H2
Farlinger, LNCA (Ont.) 27 F2
Farmers-Rapids, LNCA (Qué.) 17 D3
Farmingdale, LNCA (Sask.) 29 B1
Farmington, LNCA (N.-E.) 10 D2
Farmington, LNCA (Î.-P.-É.) 7 E3
Farmington, LNCA (N.-E.) 9 A2
Farmington, LNCA (Ont.) 23 E3
Farmington, LNCA (C.-B.) 43 E3
Farm-Point, LNCA (Qué.) 17 C1
Farmville, LNCA (N.-E.) 10 E2
Farnham, C (Qué.) 16 B4
Farnham, LNCA (Ont.) 23 E4
Farnham-Centre, LNCA (Qué.) 16 B4
Farnham Settlement, LNCS (N.-B.) 11 C1
Faro, V (Yukon) 45 B3
Farquhar, LNCA (Ont.) 22 E1
Farrant, LNCA (Alb.) 33 D4
Farrell Corners, LNCA (Ont.) 21 G1
Farrell Creek, LNCA (C.-B.) 43 D3
Farrellton, LNCA (Qué.) 17 C1
Farrerdale, LNCA (Sask.) 31 F2
Farrow, LNCA (Alb.) 34 F2
Far West Point 34, RI (C.-B.) 42 C4
Fassett, LNCA (Qué.) 17 E1
Fassifern, LNCA (Ont.) 17 E1
Fatima, LNCA (Qué.) 7 F1
Fatima-de-Témiscouata, LNCA (Qué.) 15 G1
Faubourg-du-Moulin, LNCA (Qué.) 15 B3
Faulder, LNCA (C.-B.) 35 E3

Gerrow's Beach, LNCA (Ont.) 21 C1
Gesto, LNCA (Ont.) 22 A3
Geyser, LNCA (Man.) 29 H2
Ghost Lake, VL (Alb.) 34 D2
Ghost Pine Creek, LNCA (Alb.) 34 F1
Ghost River, LNCA (Ont.) 27 B1
Ghost River, LNCA (Ont.) 20 C3
Giants Glen, LNCA (N.-B.) 12 C4
Giants Lake, LNCA (N.-E.) 9 F2
Gibbon, LNCA (N.-B.) 11 E1
Gibbon, LNCA (N.-E.) 8 F3
Gibbons, VL (Alb.) 33 E3
Gibbs, LNCA (Sask.) 31 G2
Giberson Settlement, LNCA (N.-B.) 12 A3
Gibraltar, LNCA (Ont.) 23 E2
Gibraltar, LNCA (Ont.) 25 C2
Gibson, LNCA (Ont.) 23 E1
Gibson 31, RI (Ont.) 23 F1
Gibson Creek, LNCA (C.-B.) 34 B4
Gibsons, VL (C.-B.) 38 E2
Gift Lake, LNCA (Alb.) 44 A4
Gignac, LNCA (Qué.) 13 F3
Gilbert Mills, LNCA (Ont.) 21 F1
Gilbert Mountain, LNCA (N.-E.) 9 A2
Gilbert Plains, VL (Man.) 29 E2
Gilberts Corner, LNCA (N.-B.) 12 H4
Gilberts Cove, LNCA (N.-E.) 10 B2
Gilbertville, LNCA (Ont.) 22 F2
Gilby, LNCA (Alb.) 33 D4
Gilchrist, LNCA (Ont.) 21 A1
Gilchrist Bay, LNCA (Ont.) 24 E4
Gildale, LNCA (Ont.) 23 D3
Gilford, LNCA (Ont.) 21 A1
Gilford Beach, LNCA (Ont.) 21 A1
Gillam, LNCA (Man.) 30 D1
Gillams, COMM (T.-N.) 4 C1
Gillard's Cove, LNCA (T.-N.) 3 D1
Gillespie Settlement, LNCA (N.-B.) 12 A2
Gillies, LNCA (Ont.) 26 F3
Gillies Bay, LNCA (C.-B.) 38 C1
Gillies Corners, LNCA (Ont.) 17 B2
Gillies Hill, LNCA (Ont.) 23 C2
Gillies Lake, LNCS (Ont.) 25 D4
Gillis Cove, LNCA (N.-E.) 8 D4
Gillisdale, LNCA (N.-E.) 8 D3
Gillis Lake, LNCA (N.-E.) 8 E3
Gill Island 2, RI (C.-B.) 41 D1
Gillis Point, LNCA (N.-E.) 8 D3
Gillis Point East, LNCA (N.-E.) 8 D3
Gillson's Point, LNCA (Ont.) 21 C1
Gilmans Corner, LNCA (N.-B.) 11 B3
Gilmour, LNCA (Ont.) 24 F3
Gilpin, LNCA (C.-B.) 35 H4
Gilroy, LNCA (Sask.) 31 E2
Gilt Edge, LNCA (Alb.) 33 G4
Gilwood, LNCA (Alb.) 33 B1
Gimli, V (Man.) 30 C4
Gin Cove, LNCA (T.-N.) 2 F1
Girardville, LNCA (Qué.) 18 G1
Giroux, LNCA (Man.) 28 B2
Girouxville, VL (Alb.) 43 H3
Girvin, VL (Sask.) 31 F2
Giscome, LNCA (C.-B.) 40 D1
Gish Creek 45, RI (C.-B.) 42 D3
Gitandoiks 75, RI (C.-B.) 42 D4
Gitandoiks 76, RI (C.-B.) 42 D4
Gitquinmiyaue 76, RI (C.-B.) 42 E3
Gitsheoaksit 68, RI (C.-B.) 42 E3
Gjoa Haven, LNCA (T.N.-O.) 45 H1
Glace Bay, V (N.-E.) 8 F3
Glacier, LNCA (C.-B.) 34 B2
Glacier Camp, LNCA (C.-B.) 45 A3
Glade, LNCA (C.-B.) 34 B4
Gladeside, LNCA (N.-B.) 12 G4
Gladmar, VL (Sask.) 31 H4
Gladstone, V (Man.) 29 G3
Gladstone, LNCA (Ont.) 22 E2
Gladstone, LNCA (I.-P.-E.) 7 E4
Gladstone, LNCS (N.-B.) 12 A3
Gladwin, LNCA (C.-B.) 35 B2
Gladwyn, LNCA (N.-B.) 12 A3
Gladys, LNCA (Alb.) 34 E2
Glamis, LNCA (Sask.) 31 D2
Glammis, LNCA (Ont.) 23 B2
Glandine, LNCA (Ont.) 21 C1
Glanford Station, LNCA (Ont.) 21 A4
Glanmire, LNCA (Ont.) 24 F3
Glanworth, LNCA (Ont.) 22 E2
Glascott, LNCA (Ont.) 23 D2
Glasgow, LNCA (N.-E.) 8 E3
Glasgow, LNCA (Ont.) 21 B2
Glasgow Station, LNCA (Ont.) 17 A1
Glaslyn, VL (Sask.) 32 B3
Glasnevin, LNCA (Sask.) 31 G4
Glass, LNCA (Man.) 28 B1
Glassburn, LNCA (N.-E.) 8 B4
Glassville, LNCA (N.-B.) 12 B3
Glastonbury, LNCA (Ont.) 24 G3
Glaude, LNCA (N.-B.) 7 A4
Glazier Creek 12, RI (C.-B.) 37 G4
Gleason Road, LNCA (N.-B.) 11 A3
Glebe Farm 40B, RI (Ont.) 22 G1
Gledhow, LNCA (Sask.) 31 E1
Gleichen, V (Alb.) 34 F2
Glen, LNCA (Ont.) 23 D2
Glen Alda, LNCA (Ont.) 24 E3
Glen Allan, LNCA (Ont.) 23 D4
Glen Alpine, LNCA (N.-E.) 9 F2
Glen Andrew, LNCA (Ont.) 17 F1
Glenannan, LNCA (Ont.) 23 C3
Glenannan, LNCA (C.-B.) 40 A1
Glenarm, LNCA (Ont.) 24 C4
Glenavon, VL (Sask.) 29 C3
Glenbain, LNCA (Sask.) 31 E3
Glenbank, LNCA (C.-B.) 34 B3
Glen Bard, LNCA (N.-E.) 8 A4
Glen Becker, LNCA (Ont.) 17 D2
Glenbervie, LNCA (N.-E.) 9 D2
Glenbogie, LNCA (Sask.) 32 A3
Glenboro, VL (Man.) 29 F4
Glenbow, LNCA (Alb.) 34 E2
Glenbrea, LNCA (Sask.) 31 G2
Glenbrook, LNCA (Ont.) 17 E2
Glen Buell, LNCA (Ont.) 17 C3
Glenburn, LNCA (Ont.) 17 D1
Glenburnie, LNCA (T.-N.) 5 F4
Glenburnie, LNCA (Ont.) 17 A4
Glenbush, LNCA (Sask.) 32 B3
Glen Cairn, LNCA (Ont.) 17 D4
Glencairn, LNCA (Ont.) 23 E2
Glencairn, LNCA (Man.) 29 F3
Glen Campbellton, LNCA (N.-E.) 8 C3
Glencoe, LNCA (N.-B.) 13 C4
Glencoe, LNCA (N.-E.) 9 D2
Glencoe, LNCA (N.-E.) 8 C3
Glencoe, LNCA (I.-P.-E.) 7 D4
Glencoe, LNCA (N.-E.) 9 F2
Glencoe, LNCA (N.-B.) 12 C4
Glencoe, VL (Ont.) 22 D2
Glencoe Mills, LNCA (N.-E.) 8 C3
Glencoe Station, LNCA (N.-E.) 8 C3
Glencolin, LNCA (Ont.) 22 E2
Glencorradale, LNCA (I.-P.-E.) 7 E3
Glen Cross, LNCA (Ont.) 23 E3
Glencross, LNCA (Man.) 29 H4
Glendale, LNCA (C.-B.) 36 B1
Glendale, LNCA (N.-E.) 8 C4
Glendale Beach, LNCA (Ont.) 22 C1
Glendale Cove, LNCA (C.-B.) 39 G1
Glendale Subdivision, LNCS (Ont.) 17 E2
Glendon, VL (Alb.) 33 G2
Glendon Cove, LNCA (T.-N.) 2 E2
Glendower, LNCA (Ont.) 17 A3
Glendyer, LNCA (N.-E.) 8 C3
Glendyer Station, LNCA (N.-E.) 8 C3
Glendyne, LNCA (Qué.) 15 F2
Gleneagle, LNCA (Qué.) 17 D3
Glen Eden, LNCA (C.-B.) 38 F1
Glen Eden, LNCA (Ont.) 22 A4
Glen Elbe, LNCA (Ont.) 17 C3
Glenelg, LNCA (N.-E.) 9 E2
Glenelg Centre, LNCA (Ont.) 23 D2
Glenella, LNCA (Man.) 29 F3
Glenellen, LNCA (Sask.) 31 D1
Glenelm, LNCA (Qué.) 17 F2
Glen Elmo, LNCA (Man.) 29 E2
Glenemma, LNCA (C.-B.) 35 F1
Glenevis, LNCA (Alb.) 33 D3
Glen Ewen, VL (Sask.) 29 D4
Glen Falloch, LNCA (Ont.) 17 E2
Glenfanning, LNCA (I.-P.-E.) 7 E4
Glenfield, LNCA (Ont.) 24 G2
Glenfinnan, LNCA (I.-P.-E.) 7 D4
Glenford, LNCA (Alb.) 33 D3
Glenforsa, LNCA (Man.) 29 E3
Glengarry, LNCA (I.-P.-E.) 7 A2
Glengarry, LNCA (N.-E.) 8 C3
Glengarry, LNCA (N.-E.) 10 E1
Glengarry Station, LNCA (N.-E.) 9 D2
Glengarry Valley, LNCA (N.-E.) 8 E4
Glen-gla-ouch 5, RI (C.-B.) 39 C1
Glen Gordon, LNCA (Ont.) 17 F2
Glen Harbour, LNCA (Sask.) 31 G2
Glen Haven, LNCA (N.-E.) 9 A4
Glenhaven Beach, LNCA (Ont.) 21 A1
Glenholme, LNCA (N.-E.) 9 C2
Glen Huron, LNCA (Ont.) 23 E2
Glenister, LNCA (Alb.) 33 C2
Glenkeen, LNCA (N.-E.) 9 G2
Glen Kerr, LNCA (Sask.) 31 E3
Glen Lake, LNCA (C.-B.) 38 E4
Glenlea, LNCA (Man.) 28 A2
Glenlee, LNCA (Ont.) 23 D3
Glen Leslie, LNCA (Alb.) 43 G4
Glen Levit, LNCA (N.-B.) 13 C4
Glenlily, LNCA (C.-B.) 34 C4
Glenlochar, LNCA (Man.) 29 E3
Glen Margaret, LNCA (N.-E.) 9 A4
Glenmartin, LNCA (I.-P.-E.) 7 D4
Glen McPherson, LNCA (Sask.) 31 E4
Glen Meyer, LNCA (Ont.) 22 F2
Glen Miller, LNCA (Ont.) 21 F1
Glen Moir, LNCA (N.-E.) 9 B3
Glenmont, LNCA (N.-E.) 11 H3
Glenmoor, LNCA (Man.) 30 C4
Glenmore, LNCA (N.-E.) 9 C3
Glenmore, LNCA (Ont.) 17 C3
Glen Morris, LNCA (Ont.) 22 G1
Glen Morris, LNCA (Ont.) 17 C3
Glen Morrison, LNCA (N.-E.) 8 E3
Glenmount, LNCA (Ont.) 24 C2
Glen Nevis, LNCA (Ont.) 17 F2
Glennis Trailer Park, LNCS (C.-B.) 43 D4
Glen Norman, LNCA (Ont.) 17 F2
Glen Oak, LNCA (Ont.) 22 D2
Glenora, LNCA (Ont.) 21 G2
Glenora, LNCA (Man.) 29 F4
Glenora, LNCA (N.-E.) 8 C4
Glenora, LNCS (C.-B.) 38 E3
Glenora Falls, LNCA (N.-E.) 8 C3
Glen Orchard, LNCA (Ont.) 24 B2
Glenorchy, LNCA (Ont.) 27 A3
Glen Park, LNCA (Alb.) 33 D3
Glen Rae, LNCA (Ont.) 22 C2
Glenrest Beach, LNCA (Ont.) 23 G2
Glen Ridge Terrace, LNCA (Ont.) 17 E4
Glen Road, LNCA (N.-E.) 8 B4
Glen Robertson, LNCA (Ont.) 17 F1
Glenrosa, LNCA (C.-B.) 35 E3
Glen Ross, LNCA (Ont.) 21 F1
Glenroy, LNCA (Ont.) 17 E2
Glenroy, LNCA (N.-E.) 8 B4
Glenroy < Scotchfort 4, LNCA (I.-P.-E.) 7 D3
Glen Sandfield, LNCA (Ont.) 17 F1
Glenside, VL (Sask.) 31 E2
Glen Smail, LNCA (Ont.) 17 D3
Glen Stewart, LNCA (Ont.) 17 D2
Glen-Sutton, LNCA (Qué.) 16 C4
Glentanna, LNCA (C.-B.) 42 F4
Glen Tay, LNCA (Ont.) 17 B3
Glenton, LNCA (Qué.) 16 C4
Glen Tosh, LNCA (N.-E.) 8 E3
Glentworth, VL (Sask.) 31 F4
Glenvale, LNCA (N.-B.) 11 F1
Glenvale, LNCA (Ont.) 17 A4
Glenvale, LNCA (Ont.) 26 F2
Glen Valley, LNCA (I.-P.-E.) 7 C3
Glenview, LNCA (Ont.) 17 B2
Glenvilla Court, LNCS (T.-N.) 2 H2
Glenville, LNCA (N.-E.) 8 C3
Glenville, LNCA (Ont.) 21 A1
Glenville, LNCA (N.-E.) 9 A1
Glen Vowell < Sik-e-dakh 2, LNCA (C.-B.) 42 F3
Glen Walter, LNCA (Ont.) 17 E2
Glenwater, LNCA (Ont.) 27 D3
Glenway Village, LNCA (Ont.) 21 C1
Glenway Village, LNCA (Ont.) 23 H2
Glenwilliam, LNCA (I.-P.-E.) 7 D4
Glenwood, V (T.-N.) 3 D3
Glenwood, LNCA (N.-B.) 11 D2
Glenwood, LNCA (I.-P.-E.) 7 A3
Glenwood, LNCA (N.-E.) 10 B3
Glenwood, LNCA (Ont.) 22 B3
Glenwood, LNCA (N.-B.) 13 C4
Glenwood, LNCA (N.-B.) 12 F2
Glenwood, VL (Alb.) 34 F4
Glenwood, LNCS (Alb.) 33 B3
Glenwood Beach, LNCA (Ont.) 21 B1
Glenwood Beach, LNCA (Ont.) 21 A1
Glenwood Heights, LNCS (Ont.) 22 H1
Gleyka 6, RI (C.-B.) 41 F4
Glidden, VL (Sask.) 31 C2
Gloucester, LNCA (Ont.) 17 E4
Gloucester Glen, LNCA (Ont.) 17 E4
Gloucester Junction, LNCA (N.-B.) 12 E1
Glovers Harbour, LNCA (T.-N.) 3 C2
Glovertown, V (T.-N.) 3 E4
Glyphe-Corners, LNCA (Qué.) 16 C4
Gnadenfeld, LNCA (Man.) 29 H4
Gnadenthal, LNCA (Man.) 29 H4
Goatfell, LNCA (C.-B.) 34 C4
Goat River, LNCA (C.-B.) 40 E2
Gobles, LNCA (Ont.) 22 F1
Goblin, LNCA (T.-N.) 2 A2
Godbout, VL (Qué.) 13 A1
Goderich, V (Ont.) 23 B3
Godfrey, LNCA (Ont.) 17 A3
Godolphin, LNCA (Ont.) 21 E1
Gods Lake, LNCA (Man.) 30 D2
God's Lake 23, RI (Man.) 30 D2
Gods Lake Narrows, LNCA (Man.) 30 D2
Gods River, LNCA (Man.) 30 D2
Goffs, LNCA (N.-E.) 9 B3
Gogama, LNCA (Ont.) 26 D2
Go Home, LNCA (Ont.) 23 F1
Golburn, LNCA (Sask.) 32 F4
Goldboro, LNCA (N.-E.) 9 F2
Gold Bottom, LNCA (Yukon) 45 A2
Gold Bridge, LNCA (C.-B.) 37 G2
Gold Brook, LNCA (N.-E.) 8 D3
Gold Cove < Hampden, LNCA (T.-N.) 5 G4
Golden, V (C.-B.) 34 B2
Golden Bay, LNCA (Man.) 28 B1
Goldenburgh, LNCA (Ont.) 26 C4
Golden Days, VE (Alb.) 33 D4
Golden Hill, LNCA (Ont.) 17 E1
Golden Lake, LNCA (Ont.) 24 G1
Golden Lake 39, RI (Ont.) 24 G1
Golden Prairie, VL (Sask.) 31 C3
Golden Ridge, LNCA (Sask.) 32 B2
Golden Spike, LNCA (Alb.) 33 D3
Goldenvale, LNCA (Sask.) 29 C2
Golden Valley, LNCA (Ont.) 24 A1
Goldenville, LNCA (N.-E.) 9 E3
Goldfield, LNCA (Ont.) 17 D2
Goldfields, LNCA (Sask.) 44 D2
Goldpines, LNCA (Ont.) 30 E4
Gold River, LNCA (N.-E.) 10 E2
Gold River, VL (C.-B.) 39 F3
Gold River 21, RI (N.-E.) 10 E2
Gold Rock, LNCA (Ont.) 27 A2
Gold Run, LNCA (Yukon) 45 A2
Goldsmith, LNCA (Ont.) 22 B3
Gold Spur, LNCA (Alb.) 31 B2
Goldstone, LNCA (Ont.) 23 D3
Goldstream 13, RI (C.-B.) 38 E4
Goldwin, LNCA (Qué.) 18 C4
Golspie, LNCA (Ont.) 22 F1
Gondola Point, VL (N.-B.) 11 E2
Gonor, LNCA (Man.) 28 A1
Goobies, LNCA (T.-N.) 2 F1
Good Corner, LNCA (N.-B.) 12 A4
Good Corner, LNCA (N.-B.) 12 A3
Goodeham, LNCA (Ont.) 24 D3
Goodeve, VL (Sask.) 29 C2
Goodfare, LNCA (Alb.) 43 F4
Goodfellow Beach, LNCA (Ont.) 21 A1
Goodfish Lake < White Fish Lake 128, LNCA (Alb.) 33 F2
Good Harbour, LNCA (Man.) 29 E1
Good Hope, LNCA (Alb.) 33 E3
Good Hope, LNCA (C.-B.) 41 F4
Goodlands, LNCA (Man.) 29 E4
Goodlow, LNCA (C.-B.) 43 F3
Goodridge, LNCA (Alb.) 33 F2
Goodsoil, VL (Sask.) 32 A2
Goodstown, LNCA (Ont.) 17 C2
Goodwater, VL (Sask.) 29 B4
Goodwin, LNCA (Alb.) 43 G4
Goodwin Mill, LNCS (N.-B.) 12 E1
Goodwood, LNCA (Ont.) 21 B2
Goodwood, LNCA (N.-E.) 9 B4
Goo-ewe 8, RI (C.-B.) 41 E3
Goose Arm, LNCA (T.-N.) 5 F4
Goose Bay, LNCA (C.-B.) 41 F4
Gooseberry Cove, LNCA (T.-N.) 2 F1
Gooseberry Cove, LNCA (T.-N.) 2 E3
Gooseberry Cove, LNCA (N.-B.) 11 D3
Gooseberry Island, LNCA (T.-N.) 3 F3
Goose Cove, LNCA (T.-N.) 2 E2
Goose Cove, LNCA (N.-E.) 8 E3
Goose Cove < Goose Cove East, LNCA (T.-N.) 5 H2
Goose Cove < Trinity (COMM), LNCA (T.-N.) 3 G4
Goose Cove East, COMM (T.-N.) 5 H2
Goose Creek, LNCS (C.-B.) 34 B4
Goose River, LNCA (I.-P.-E.) 7 E3
Goose Spit 3, RI (C.-B.) 38 C1
Gordon, LNCA (Man.) 28 A1
Gordon 86, RI (Sask.) 31 H2
Gordon Bay, LNCA (Ont.) 24 A2
Gordondale, LNCA (Alb.) 43 F3
Gordon Lake, LNCA (Ont.) 26 B4
Gordon Landing, LNCA (Yukon) 45 B2
Gordon River, LNCA (C.-B.) 38 D3
Gordon River 2, RI (C.-B.) 38 D4
Gordon Summit, LNCA (N.-E.) 9 D2
Gordonsville, LNCA (N.-B.) 12 A3
Gordon Vale, LNCA (N.-B.) 12 C3
Gordonville, LNCA (Qué.) 17 F1
Gordonville, LNCA (Ont.) 23 D3
Gore, LNCA (N.-E.) 9 B3
Gore, LNCA (Qué.) 16 C3
Gore Bay, V (Ont.) 25 B2
Gores Landing, LNCA (Ont.) 21 D1
Gorge Harbour, LNCS (C.-B.) 37 B4
Goring, LNCA (Ont.) 23 D2
Gorlitz, LNCA (Sask.) 29 C2
Gormanville, LNCA (N.-E.) 9 B2
Gorrie, LNCA (Ont.) 23 C3
Gorr Subdivision, LNCS (Ont.) 18 C4
Goshen, LNCA (N.-E.) 9 F2
Goshen, LNCA (N.-B.) 11 F2
Goshen, LNCA (N.-E.) 9 C2
Goshen, LNCA (N.-E.) 9 A2
Goshen, LNCA (N.-B.) 11 E1
Goshen, LNCA (Ont.) 17 A1
Goshen, LNCA (Ont.) 23 B4
Goshen-Road, LNCA (Qué.) 16 D3
Gosnell, LNCA (C.-B.) 40 F3
Gosport, LNCA (Ont.) 21 G1
Gosselin-Mills, LNCA (Qué.) 16 D4
Gossen Creek, LNCS (C.-B.) 42 E4
Gotham, LNCA (Ont.) 23 C4
Goudalie, LNCA (N.-B.) 12 G4
Goudreau, LNCA (Ont.) 26 A2
Goulais Bay, LNCA (Ont.) 26 A3
Goulais Bay 15A, RI (Ont.) 26 A3
Goulais Mission < Goulais Bay 15A, LNCA (Ont.) 26 A3
Goulais River, LNCA (Ont.) 26 A3
Goulbourne, LNCA (Man.) 29 G2
Gould, LNCA (Qué.) 16 E3
Goulds, V (T.-N.) 2 H2
Goulds Road, LNCA (T.-N.) 2 G2
Gould-Station, LNCA (Qué.) 16 E3
Gouldtown, LNCA (Sask.) 31 E3
Goupil, LNCA (Qué.) 13 B2
Gourd, LNCA (Qué.) 18 B1
Gouverneur, LNCA (Sask.) 31 E4
Govan, V (Sask.) 31 G2
Govenlock, LNCA (Sask.) 31 B4
Government Landing, LNCA (Ont.) 28 H4
Government Road, LNCA (Ont.) 24 G1
Gowanbrae, LNCA (I.-P.-E.) 7 E3
Gowanstown, LNCA (Ont.) 23 C3
Gower Point, LNCS (C.-B.) 38 E2
Gowganda, LNCA (Ont.) 26 E2
Gowland Mountain, LNCA (N.-B.) 11 F1
Gowlland Harbour, LNCS (C.-B.) 37 B4
Gracefield, VL (Qué.) 18 D4
Grace Lake, LNCA (Man.) 30 A2
Gracieville, LNCA (N.-E.) 8 E4
Grady Harbour, LNCA (T.-N.) 6 H3
Grafton, LNCA (N.-B.) 11 A1
Grafton, LNCA (Ont.) 21 E2
Grafton, LNCA (N.-E.) 11 G3
Grafton, LNCS (Alb.) 34 E4
Grafton Hill, LNCA (N.-B.) 11 A1
Graham, LNCA (Ont.) 27 C2
Graham Corner, LNCA (N.-B.) 11 A1
Grahamdale, LNCA (Man.) 29 G2
Graham Hill, LNCA (N.-E.) 9 C2
Graham Park, LNCA (Ont.) 17 D4
Grahams Road, LNCA (I.-P.-E.) 7 C3
Grainfield, LNCA (N.-B.) 12 E3
Grainger, LNCA (Alb.) 34 F2
Grainland, LNCA (Sask.) 31 F2
Graminia, LNCA (Alb.) 33 D3
Gramont, LNCA (Qué.) 18 E4
Granada, LNCA (Qué.) 18 A2
Granby, C (Qué.) 16 B4
Granby-Ouest, LNCA (Qué.) 16 B4
Grand Bank, V (T.-N.) 2 B3
Grand Bay, VL (N.-B.) 11 D3
Grand Bay West, LNCA (T.-N.) 4 A4
Grand Beach, LNCA (T.-N.) 2 B3
Grand Beach, LNCA (Man.) 30 C4
Grand Bend, VL (Ont.) 22 D1
Grandbois, LNCA (Qué.) 14 F4
Grand-Bras, LNCA (Qué.) 15 E2
Grand Bruit, LNCA (T.-N.) 4 C4
Grand-Cascapédia, LNCA (Qué.) 13 E3
Grand Centre, V (Alb.) 33 G2
Grand Coulee, LNCA (Sask.) 31 G3
Grand Desert, LNCA (N.-E.) 9 C4
Grand-Détour, LNCA (Qué.) 13 B2
Grande-Aldouane, LNCA (N.-B.) 12 G3
Grande Anse, LNCA (N.-E.) 8 D4
Grande-Anse, LNCA (Qué.) 18 G3
Grande-Anse, VL (N.-B.) 13 F4
Grande Cache, V (Alb.) 40 F2
Grande-Clairière, LNCA (Man.) 29 E4
Grande-Digue, LNCA (N.-B.) 12 H4
Grande-Entrée, LNCA (Qué.) 7 G1
Grande Greve, LNCA (N.-E.) 8 D4
Grande-Ligne, LNCA (Qué.) 16 A4
Grande Pointe, LNCA (Man.) 28 A2
Grande Pointe, LNCA (Ont.) 22 B3
Grande-Pointe, LNCA (Qué.) 15 C2
Grande Prairie, C (Alb.) 43 G4
Grande-Presqu'île, LNCA (Qué.) 17 E1
Grande-Rivière, V (Qué.) 13 H3
Grandes-Bergeronnes, VL (Qué.) 14 E3
Grandes-Piles, LNCA (Qué.) 16 B1
Grand Etang, LNCA (N.-E.) 8 D2
Grande-Vallée, LNCA (Qué.) 13 F1
Grande-Vallée, LNCA (Qué.) 18 F4
Grande-Vallée-des-Monts, LNCA (Qué.) 13 F1
Grand Falls, V (T.-N.) 3 B3
Grand Falls, V (N.-B.) 12 A2
Grand Falls Hill, LNCS (N.-B.) 12 A2
Grand Falls Portage, LNCA (N.-B.) 12 A2
Grand-Fonds, LNCA (Qué.) 14 D4
Grand Forks, C (C.-B.) 35 H4
Grand Forks, LNCA (Yukon) 45 A2
Grand Harbour, VL (N.-B.) 11 C4
Grand Haven, LNCA (C.-B.) 43 E3
Grandique Ferry, LNCA (N.-E.) 8 D4
Grand Jardin < Cape St George - Petit Jardin - Grand Jardin - De Grau - Marches Point - Loretto, LNCA (T.-N.) 4 A2
Grand John, LNCA (T.-N.) 2 C2
Grand-Lac-Neigette, LNCA (Qué.) 14 H3
Grand-Lac-Victoria, LNCA (Qué.) 18 C2
Grand Lake Road, LNCA (N.-E.) 8 F3
Grand Lake Road, LNCA (N.-B.) 12 D3
Grand Lake Station, LNCA (N.-E.) 9 B3
Grand Le Pierre, COMM (T.-N.) 2 D2
Grandmaison, LNCA (N.-B.) 15 H1
Grand Marais, LNCA (Man.) 30 C4
Grand-Mère, C (Qué.) 16 B1
Grand-Métis, LNCA (Qué.) 14 H2
Grand Mira North, LNCA (N.-E.) 8 E4
Grand Mira South, LNCA (N.-E.) 8 E4
Grandmother's Bay 219, RI (Sask.) 32 E1
Grand Narrows, LNCA (N.-E.) 8 D3
Grandois, LNCA (T.-N.) 5 H2
Grandora, LNCA (Sask.) 31 E1
Grand-Pabos, LNCA (Qué.) 13 G3
Grand-Pabos-Ouest, LNCA (Qué.) 13 G3
Grand-Plaqué, LNCA (Qué.) 13 D1
Grand Prairie Trail, LNCS (Alb.) 33 B3
Grand Pré, LNCA (N.-E.) 9 A3
Grand-Rang, LNCS (Qué.) 15 C4
Grand Rapide 5, RI (C.-B.) 40 A1
Grand Rapids, LNCA (Man.) 30 B3
Grand Rapids < Grand Rapide 5, LNCA (C.-B.) 40 A1
Grand Rapids 33, RI (Man.) 30 B3
Grand-Remous, LNCA (Qué.) 18 D3
Grand River, LNCA (N.-E.) 8 E4
Grand River, LNCA (I.-P.-E.) 7 B3
Grand River Falls, LNCA (N.-E.) 8 E4
Grand River Park, LNCS (Ont.) 22 G1
Grand-Ruisseau, LNCA (Qué.) 7 F1
Grand-Ruisseau, LNCA (N.-B.) 12 A2
Grand-St-Esprit, LNCA (Qué.) 16 C2
Grand Tracadie, LNCA (I.-P.-E.) 7 D3
Grand Valley, VL (Ont.) 23 E3
Grandview, VE (Alb.) 33 D4
Grandview, V (Man.) 29 E2
Grandview, LNCA (I.-P.-E.) 7 D4
Grandview, LNCA (Ont.) 24 C2
Grandview Beach, VE (Sask.) 31 G2
Grandview Beach, LNCA (Ont.) 23 F1
Grandview Bench, LNCA (C.-B.) 35 F1
Granger, LNCA (Ont.) 23 E3
Grangeville, LNCA (N.-B.) 12 F4
Granisle, VL (C.-B.) 42 G4
Granite, LNCA (C.-B.) 34 B4
Granite Bay, LNCA (C.-B.) 37 B3
Granite Falls, LNCA (C.-B.) 38 G2
Granite Hill, LNCA (N.-B.) 11 B1
Granite Island 4, RI (C.-B.) 39 D2
Granite Lake, LNCA (Ont.) 28 E2
Granite Village, LNCA (N.-E.) 10 D3
Graniteville, LNCA (Qué.) 16 C4
Grantham, LNCA (C.-B.) 38 B1
Grantham, LNCA (Alb.) 34 G3
Granthams Landing, LNCA (C.-B.) 38 E2
Grantley, LNCA (Ont.) 17 D2
Granton, LNCA (Ont.) 22 E1
Granton, LNCA (N.-E.) 9 D1
Grants Corners, LNCA (Ont.) 17 E2
Grant Settlement, LNCA (N.-B.) 11 E1
Grants Settlement, LNCA (Ont.) 17 A1
Grant Valley, LNCA (N.-E.) 9 B3
Grantville, LNCA (N.-E.) 8 C4
Grantville, LNCS (Alb.) 34 F1
Granum, V (Alb.) 34 F3
Granville, LNCA (I.-P.-E.) 7 C3
Granville, LNCA (Yukon) 45 A2
Granville Beach, LNCA (N.-E.) 10 C1
Granville Centre, LNCA (N.-E.) 10 C1
Granville Ferry, LNCA (N.-E.) 10 C1
Granville Lake, LNCA (Man.) 30 B1
Graphite, LNCA (Ont.) 24 E2
Grasmere, LNCA (C.-B.) 34 D4
Grass 15, RI (C.-B.) 35 A4
Grass Cove, LNCA (N.-E.) 8 D3
Grasshill, LNCA (Ont.) 21 C1
Grassie, LNCA (Ont.) 21 A4
Grassland, LNCA (Alb.) 33 E2
Grasslands 7, RI (C.-B.) 36 C4
Grassmere, LNCA (Ont.) 24 C2
Grass Point 13, RI (C.-B.) 39 C1
Grass River, LNCA (Man.) 29 G3
Grasswood, LNCA (Sask.) 31 F1
Grassy Island 17, RI (C.-B.) 39 D3
Grassy Islet 2, RI (C.-B.) 41 C1
Grassy Lake, VL (Alb.) 34 G3
Grassy-Narrow, LNCA (Qué.) 18 A2
Grassy Narrows < English River 21, LNCA (Ont.) 28 G1
Grassy Plains, LNCA (C.-B.) 41 G1
Grates Cove, LNCA (T.-N.) 2 H1
Grave Flats, LNCA (Alb.) 33 A4
Gravel, LNCA (Qué.) 13 E3
Gravelbourg, V (Sask.) 31 F3
Gravel Hill, LNCA (N.-B.) 13 D4
Gravel Hill, LNCA (Ont.) 17 E2
Gravel Lake, LNCA (Yukon) 45 A2
Gravelle, LNCA (Qué.) 18 D4
Gravelle Ferry, LNCA (C.-B.) 40 D3
Gravenhurst, V (Ont.) 23 G1
Graveyard 5, RI (C.-B.) 38 G2
Gray, LNCA (Sask.) 31 H3
Grayburn, LNCA (Sask.) 31 F3
Gray Creek, LNCA (C.-B.) 34 B4
Gray Rapids, LNCA (N.-B.) 12 E3
Grays, LNCA (Ont.) 22 C2
Grays Bay, LNCA (Ont.) 23 G1
Grays Mills, LNCA (N.-B.) 11 D2
Grayson, VL (Sask.) 29 C3
Graysville, LNCA (Man.) 29 G4
Gray-Valley, LNCA (Qué.) 18 E4
Graywood, LNCA (N.-E.) 10 C1
Greata, LNCA (C.-B.) 35 E3
Great Barasway, LNCA (T.-N.) 2 E3
Great Bear Lake 16, RI (C.-B.) 40 B1
Great Bona, LNCA (T.-N.) 2 D3
Great Brehat, LNCA (T.-N.) 5 H2
Great Brule, LNCA (T.-N.) 2 E3
Great Central, LNCA (C.-B.) 38 B2
Great Codroy, LNCA (T.-N.) 4 A3
Great Deer, LNCA (Sask.) 32 C4
Great Desert, LNCA (Ont.) 18 A4
Great Falls, LNCA (Man.) 30 C4
Great Harbour, LNCA (T.-N.) 2 B2
Great Harbour Deep, COMM (T.-N.) 5 G3
Great Hill, LNCA (N.-E.) 10 D3
Great Jervais, LNCA (T.-N.) 2 C3
Great Jervis Harbour, LNCA (T.-N.) 2 A2
Great Paradise, LNCA (T.-N.) 2 D3
Great Village, LNCA (N.-E.) 9 B2
Greece's Point, LNCA (Qué.) 17 F1
Greeley, LNCA (C.-B.) 34 A2
Greely, LNCA (Ont.) 17 E4
Green Acres, LNCA (N.-E.) 10 D1
Green Acres, LNCA (Ont.) 21 E1
Green Acres, LNCS (Ont.) 17 E4
Green Acres, LNCS (Sask.) 32 D3
Green Acres, LNCS (Alb.) 33 E3
Green Acres Mobile Home, LNCA (C.-B.) 35 F4
Greenan, LNCA (Sask.) 31 D2
Greenbank, LNCA (Ont.) 21 C1
Green Bay, LNCA (I.-P.-E.) 7 C4
Green Bay, LNCA (N.-E.) 10 E2
Green Bay, LNCA (Ont.) 25 C2
Green Bay, LNCA (Man.) 28 B1
Green Bay, LNCS (C.-B.) 35 E3
Green Bay Resort, LNCS (C.-B.) 35 E3
Greenbrier, LNCA (Sask.) 31 E2
Greenbush, LNCA (Ont.) 17 C3
Green Canyon, LNCA (Sask.) 32 C4
Green Corners, LNCA (Ont.) 24 F3
Green Court, LNCA (Alb.) 33 C2
Green Cove, LNCA (T.-N.) 3 D1
Green Cove, LNCA (C.-B.) 38 B3
Green Creek, LNCA (N.-E.) 9 C2
Greenfarm, LNCA (Man.) 29 H4
Greenfeld, LNCA (Sask.) 31 F1
Greenfield, LNCA (N.-E.) 10 D2
Greenfield, LNCA (N.-E.) 9 A3
Greenfield, LNCA (I.-P.-E.) 7 D4
Greenfield, LNCA (N.-E.) 9 A3
Greenfield, LNCA (N.-E.) 9 C2
Greenfield, LNCA (N.-B.) 12 A3
Greenfield, LNCA (Ont.) 17 E2
Greenfield, LNCA (Ont.) 17 B3
Greenfield, LNCA (Ont.) 22 F1
Greenfield-Park, V (Qué.) 17 H4
Green Glade, LNCA (Alb.) 33 H4
Green Haven Trailer Park, LNCS (Ont.) 22 B2
Greenhead Road, LNCA (N.-E.) 9 B4
Green Hill, LNCA (N.-E.) 9 B3
Greenhill, LNCA (N.-E.) 9 D2
Green Hill, LNCA (N.-B.) 12 C4
Greenhill, LNCA (N.-E.) 11 H2
Greenhill, LNCA (N.-B.) 11 B1
Greenhurst-Thurstonia, LNCA (Ont.) 24 D4
Green Island Brook, LNCA (T.-N.) 5 G2
Green Island Cove, LNCA (T.-N.) 5 G2
Green Lake, LNCA (Sask.) 32 C2
Green Lake, LNCA (Ont.) 24 G1
Greenland, LNCA (N.-E.) 10 B2
Greenland, LNCA (Man.) 28 B2
Greenlands, LNCA (Ont.) 17 B1
Green Lane, LNCA (Ont.) 17 E1
Greenleys Corners, LNCA (Ont.) 21 E1
Green Meadows, LNCA (I.-P.-E.) 7 D3
Greenmount, LNCA (I.-P.-E.) 7 B2
Green Mountain, LNCA (N.-B.) 11 A2
Green Oak, LNCA (Man.) 28 B1
Green Oaks, LNCA (N.-E.) 9 B2
Greenock, LNCA (Ont.) 23 C3
Greenock, LNCA (N.-B.) 11 B3
Green Park, LNCA (Ont.) 23 D3
Green Point, LNCA (T.-N.) 5 F4
Greenpoint, LNCA (Ont.) 21 G1
Green Ridge, LNCA (Man.) 28 A3
Green Road, LNCA (I.-P.-E.) 7 C4
Green Road, LNCA (N.-B.) 11 A1
Greens Brook, LNCA (N.-E.) 9 E2
Greens Corner, LNCA (Ont.) 22 G2
Green's Harbour, LNCA (T.-N.) 2 G2
Greenshields, LNCA (Alb.) 33 G4
Greens Point, LNCA (N.-E.) 9 D1
Greens Point, LNCA (N.-B.) 11 C3
Greenspond, V (T.-N.) 3 F3
Greenstreet, LNCA (Sask.) 32 A3
Greensville, LNCA (Ont.) 22 H1
Greenvale, LNCA (I.-P.-E.) 7 C3
Greenvale, LNCA (N.-E.) 8 A4
Greenvale, LNCA (I.-P.-E.) 7 E3
Green Valley, LNCA (Ont.) 17 E2
Greenview, LNCA (Ont.) 24 E2
Greenville, LNCA (N.-E.) 10 A3
Greenville < Lachkaltsap 9, LNCA (C.-B.) 42 D4
Greenville Station, LNCA (N.-E.) 9 B1
Greenwald, LNCA (Man.) 30 C4
Greenwater Lake, LNCA (Sask.) 32 G4
Greenway, LNCA (Ont.) 22 D1
Greenway, LNCA (Man.) 29 G4
Greenwich, LNCA (N.-E.) 11 H3
Greenwich, LNCA (I.-P.-E.) 7 D3
Greenwich Hill, LNCA (N.-B.) 11 D2
Greenwold, LNCA (N.-E.) 8 B4
Greenwood, C (C.-B.) 35 G4
Greenwood, LNCA (N.-E.) 8 A4
Greenwood, LNCA (N.-E.) 10 C4
Greenwood, LNCA (Ont.) 18 C4
Greenwood, LNCS (Alb.) 34 E2
Greenwood < Greenwood, CFB/BFC, LNCA (N.-E.) 10 D1
Greenwood, CFB/BFC, RM (N.-E.) 10 D1
Greenwood Heights, LNCA (N.-E.) 9 B4
Greenwood Island 3, RI (C.-B.) 35 B4
Greenwood Mobile Park, LNCS (C.-B.) 34 B4
Greenwood Park, LNCS (N.-B.) 11 C1
Greer-Mount, LNCA (Qué.) 24 H1
Gregan, LNCA (N.-B.) 12 F2
Gregg, LNCA (Man.) 29 F3
Gregg Settlement, LNCA (N.-B.) 12 A4
Gregherd, LNCA (Sask.) 31 H2
Gregoire Lake 176, RI (Alb.) 44 C4
Gregoire Lake 176A, RI (Alb.) 44 C4
Gregoire Lake 176B, RI (Alb.) 44 C4
Grégoires Mill, LNCA (Ont.) 26 D1
Gregory, LNCA (Ont.) 24 B2
Greig Beach, LNCA (Sask.) 32 B3
Grenadier Island, LNCA (Ont.) 17 C4
Grenfell, V (Sask.) 29 C3
Grenfell, LNCA (Ont.) 21 A1
Grenfell Beach < Sakimay 74, LNCA (Sask.) 29 C3
Grenfell Glen, LNCA (Ont.) 17 E4
Grenfell Heights, LNCS (T.-N.) 3 B3
Grenville, VL (Qué.) 17 E1
Grenville-Bay, LNCA (Qué.) 17 E1
Gresham, LNCA (Ont.) 23 B2
Gretna, LNCA (Ont.) 21 G1
Gretna, VL (Man.) 29 H4
Grey Islands Harbour, LNCA (T.-N.) 5 H3
Grey River, LNCA (T.-N.) 4 E4
Gribble Island 10, RI (C.-B.) 41 D2
Grief Island 2, RI (C.-B.) 41 E3
Griersville, LNCA (Ont.) 23 D2
Griesbach, LNCA (Alb.) 33 E3
Grieves Corners, LNCA (Ont.) 21 G1
Griffin, LNCA (Sask.) 29 B4
Griffin, LNCA (Qué.) 16 C4
Griffin Creek, LNCA (Alb.) 43 H3
Griffis Corners, LNCA (Ont.) 21 E2
Griffith, LNCA (Ont.) 24 G2
Grifton, LNCA (Man.) 29 E2
Grimms Settlement, LNCA (N.-E.) 10 E2
Grimsby, V (Ont.) 21 A3
Grimsby Centre, LNCA (Ont.) 21 A4
Grimshaw, V (Alb.) 43 H3
Grimsthorpe, LNCA (Ont.) 25 B2
Grimston, LNCA (Ont.) 23 C2
Grindrod, LNCA (C.-B.) 35 F1
Griquet < St Lunaire - Griquet, LNCA (T.-N.) 5 H2
Grise Fiord, LNCA (T.N.-O.) 47 E2
Griswold, LNCA (Man.) 29 E4
Grizzly Bear's Head & Lean Man 110 & 111, RI (Sask.) 32 B4
Grole, LNCA (T.-N.) 2 A2
Grondines-Est, LNCA (Qué.) 16 D1
Grondines-Ouest, LNCA (Qué.) 16 D1
Grondines-Station, LNCA (Qué.) 16 D1
Gronlid, LNCA (Sask.) 32 F4
Grono Road, LNCA (N.-E.) 9 B3
Gros-Cap, LNCA (Qué.) 7 F1
Gros Cap, LNCA (Ont.) 26 A4
Gros Cap 49, RI (Ont.) 26 A2
Gros Cap Village 49A, RI (Ont.) 26 A2
Grosmont, LNCA (Alb.) 33 E2
Gros-Morne, LNCA (Qué.) 13 E1
Grosse-Ile, LNCA (Qué.) 7 G1
Grosse-Ile, LNCA (Qué.) 15 C2
Grosse Isle, LNCA (Man.) 29 H3
Grosses Coques, LNCA (N.-E.) 10 A2
Grosses-Roches, LNCA (Qué.) 13 B1
Grosswerder, LNCA (Sask.) 31 C1
Grosvenor, LNCA (N.-E.) 8 C4
Grouard, LNCA (Alb.) 33 B1
Grouard Mission, LNCA (Alb.) 33 B1
Groundbirch, LNCA (C.-B.) 43 E4
Grove-Creek, LNCA (Qué.) 18 D4
Grovedale, LNCA (Alb.) 43 G4
Grove Hill, LNCA (N.-B.) 11 E2
Grove Park, LNCA (Ont.) 24 C2
Grove Park, LNCA (Sask.) 29 D3
Grovesend, LNCA (Ont.) 22 E2
Groves Point, LNCA (N.-E.) 8 E3
Groveton, LNCA (Ont.) 17 C2
Grub Road, LNCA (N.-B.) 11 G1
Gruenthal, LNCA (Sask.) 31 F1
Grumbler, LNCA (T.N.-O.) 44 A2
Grund, LNCA (Man.) 29 F4
Grunthal, LNCA (Man.) 28 A2
Guaytown, LNCA (Ont.) 17 E1
Guelph, C (Ont.) 23 E4
Guénette, LNCA (Qué.) 18 E4
Guérin, LNCA (Qué.) 18 A2
Guerin, LNCA (Ont.) 21 D1
Guernsey, VL (Sask.) 31 G1
Guernsey Cove, LNCA (I.-P.-E.) 7 E4
Guigues, LNCA (Qué.) 26 G3
Guilds, LNCA (Ont.) 22 C3
Guimond-Village, LNCA (N.-B.) 12 G3
Guinea, LNCA (N.-E.) 10 B1
Guiney, LNCA (Ont.) 24 F2
Guises Beach, LNCA (Sask.) 32 D3
Guité, LNCA (Qué.) 13 E3
Gulada 3A, RI (C.-B.) 35 B1
Gulch < St Mary's (COMM), LNCA (T.-N.) 2 F4
Gull Bay < Gull River 55, LNCA (Ont.) 27 E1
Gullbridge, LNCA (T.-N.) 3 A2
Gull Creek, LNCA (Ont.) 24 G4
Gull Harbour, LNCA (Man.) 30 C4

Gullies, LNCA (T.-N.) 2 G2
Gullies < Tilton, LNCA (T.-N.) 2 G2
Gull Island, LNCA (T.-N.) 2 G1
Gull Lake, VL (Sask.) 31 D3
Gull Lake, LNCS (Man.) 30 C4
Gull River 55, RI (Ont.) 27 E1
Gull Rock, LNCA (Ont.) 24 B2
Gulls Marsh, LNCA (T.-N.) 5 F4
Gul-mak 8, RI (C.-B.) 42 F3
Gundy, LNCA (Alb.) 43 F4
Gunn, LNCA (Alb.) 33 D3
Gunnar, LNCA (Sask.) 44 D2
Gunne, LNCA (Ont.) 28 H1
Gunning Cove, LNCA (N.-É.) 10 C4
Gunnworth, LNCA (Sask.) 31 D2
Gunridge, LNCA (T.-N.) 2 F4
Gunter, LNCA (Ont.) 24 F3
Gunton, LNCA (Man.) 29 H3
Guoyskun 22, RI (C.-B.) 41 A1
Gurneyville, LNCA (Alb.) 34 E4
Gustin Grove, LNCA (Ont.) 22 C1
Guthrie, LNCA (Ont.) 25 F1
Guthrie, LNCA (Qué.) 16 B4
Guy, LNCA (Alb.) 33 A1
Guyenne, LNCA (Qué.) 18 B1
Guysborough, LNCA (N.-É.) 9 C3
Guysborough Intervale, LNCA (N.-É.) 9 F4
Gwayasdums 1, RI (C.-B.) 39 E1
Gwen Lake 3, RI (C.-B.) 35 C2
Gwimmaus 52, RI (C.-B.) 42 E3
Gwinaha 44, RI (C.-B.) 42 D3
Gwindebilk 51, RI (C.-B.) 42 E3
Gwingag 53, RI (C.-B.) 42 E3
Gwinkbawaueast 54, RI (C.-B.) 42 E3
Gwynne, LNCA (Alb.) 33 E4
Gypsum Mines, LNCA (N.-É.) 9 A3
Gypsumville, LNCA (Man.) 29 G1
Gypsumville, CFS/SFC, RM (Man.) 29 G1

H

Habay < Hay Lake 209, LNCA (Alb.) 45 E4
Habermehl, LNCA (Ont.) 23 C2
Habitant, LNCA (N.-É.) 11 H3
Haché Road, LNCA (N.-B.) 12 F1
Hacheyville, LNCA (N.-B.) 12 F1
Hackett, LNCA (Alb.) 34 G1
Hacketts Cove, LNCA (N.-É.) 9 A4
Hadashville, LNCA (Man.) 28 C2
Haddo, LNCA (Ont.) 17 D3
Haddock, LNCA (Alb.) 33 B3
Haddon Hill, LNCA (N.-É.) 9 A4
Hadleyville, LNCA (N.-É.) 9 G2
Hafford, VL (Sask.) 32 C4
Hagar, LNCA (Ont.) 25 F1
Hagen, LNCA (Sask.) 32 E4
Hagensborg, LNCA (C.-B.) 41 G3
Haggertys Cove, LNCA (N.-B.) 11 C3
Hagles Corners, LNCA (Ont.) 22 F1
Hague, VL (Sask.) 32 D4
Hagwilget < Hagwilget 1, LNCA (C.-B.) 42 F3
Hagwilget 1, RI (C.-B.) 42 F3
Haida < Masset 1, LNCA (C.-B.) 41 B1
Haight, LNCA (Alb.) 33 F3
Haina < Khrana 4, LNCA (C.-B.) 41 B2
Haines Island 8, RI (C.-B.) 38 B3
Haines Junction, LNCA (Yukon) 45 A3
Haines Lake, LNCA (Ont.) 24 A2
Hainsville, LNCA (Ont.) 17 D2
Hairy Hill, VL (Alb.) 33 F3
Halach, LNCA (Alb.) 33 D2
Halalt 2, RI (C.-B.) 38 E3
Halalt Island 1, RI (C.-B.) 38 E3
Halbrite, VL (Sask.) 31 B4
Halbstadt, LNCA (Man.) 29 H4
Halcomb, LNCA (N.-B.) 12 E2
Halcourt, LNCA (Alb.) 43 F4
Halcreek, LNCA (Alb.) 33 D2
Halcro, LNCA (Sask.) 32 E4
Halcro 150C, RI (Alb.) 33 B1
Haldane Hill, LNCA (Ont.) 24 B2
Haldimand (Qué.) 13 H2
Haldimand, V (Ont.) 22 H2
Hale, LNCA (N.-B.) 12 A4
Hale, LNCA (Alb.) 45 B4
Hales Landing, LNCA (Man.) 30 B2
Haley, LNCA (Ont.) 17 A1
Haley Station, LNCA (Ont.) 17 A1
Half Island Cove, LNCA (N.-É.) 9 G2
Halfmoon Bay, LNCA (C.-B.) 38 E2
Half Moon Lake, LNCS (Alb.) 33 E3
Halfway, LNCA (N.-B.) 13 G4
Halfway, LNCA (Ont.) 21 D1
Halfway Brook, LNCA (N.-É.) 9 C2
Halfway Cove, LNCA (N.-É.) 9 G2
Halfway Depot, LNCA (N.-B.) 15 H1
Halfway House, LNCA (T.-N.) 2 G2
Halfway Lake, LNCA (Alb.) 33 E2
Halfway Point < Halfway Point – Benoit's Cove – John's Beach – Frenchman's Cove, LNCA (T.-N.) 4 C1
Halfway Point < Halfway Point – Benoit's Cove – Frenchman's Cove, DR (T.-N.) 4 C1
Halfway River, LNCA (N.-É.) 11 H2
Halfway River 168, RI (C.-B.) 43 D3
Halfway Tucks, LNCA (T.-N.) 2 F4
Halhalaedan 14, RI (C.-B.) 35 A1
Halhalaeden 14A, RI (C.-B.) 35 A1
Haliburton, LNCA (Ont.) 24 D3
Haliburton, LNCA (N.-É.) 9 E4
Haliburton, LNCA (Î.-P.-É.) 7 A3
Halicz, LNCA (Man.) 29 E2
Halifax, C (N.-É.) 9 B4
Halkirk, VL (Alb.) 34 G1
Hall, LNCA (Qué.) 16 E3
Hall, LNCA (C.-B.) 34 B4
Hall Beach, LNCA (T.N.-O.) 5 D1
Hallboro, LNCA (Man.) 29 F3
Hallebourg, LNCA (Ont.) 20 B4
Hallecks, LNCA (Ont.) 17 D1
Hallerton, LNCA (Qué.) 17 H2
Hall Glen, LNCA (Ont.) 24 E4
Hall Landing, LNCA (Ont.) 21 D1
Hallonquist, LNCA (Sask.) 31 E3
Halloway, LNCA (Ont.) 21 F1
Hallowell, LNCA (Ont.) 21 F2
Halls Corner, LNCA (N.-B.) 12 A3
Halls Hill, LNCA (N.-B.) 7 A4
Halls Lake, LNCA (Ont.) 24 C2
Halls Harbour, LNCA (N.-É.) 11 G3
Halls Road, LNCA (Ont.) 23 E4
Halls Town, LNCA (T.-N.) 2 G2

Hallville, LNCA (Ont.) 17 D2
Halowis 31, RI (C.-B.) 41 F4
Halpenny, LNCA (Ont.) 17 B2
Halsbury, LNCA (Alb.) 34 H2
Halstead Beach, LNCA (Ont.) 21 D1
Halsteads Bay, LNCA (Ont.) 17 B4
Halston, LNCA (Ont.) 21 F1
Halverson, LNCA (Qué.) 17 B1
Halvorgate, LNCA (Sask.) 31 F3
Hamburg, LNCA (Man.) 29 H4
Hamer Bay, LNCA (Ont.) 24 A2
Hamilton, C (Ont.) 22 H1
Hamilton, LNCA (Î.-P.-É.) 7 B3
Hamilton Creek 2, RI (C.-B.) 35 D2
Hamilton Creek 7, RI (C.-B.) 35 D2
Hamilton Heights, LNCA (Ont.) 22 F1
Hamilton Point 7, RI (C.-B.) 38 B3
Hamiltonsfield, LNCA (Ont.) 24 G1
Hamilton Subdivision, LNCA (Ont.) 23 E4
Hamiota, VL (Man.) 29 E3
Hamlet, LNCA (Ont.) 23 G1
Hamlet, LNCA (Alb.) 34 F2
Hamlin, LNCA (Sask.) 32 B4
Hamlin, LNCA (Alb.) 33 F3
Hammertown, LNCA (Ont.) 21 A2
Hammond, LNCA (Ont.) 17 D1
Hammond, LNCS (N.-B.) 12 A2
Hammonds Plains, LNCA (N.-É.) 9 B3
Hammonds Plains Road, LNCA (N.-É.) 9 B3
Hammondvale, LNCA (N.-B.) 11 F2
Ham-Nord, LNCA (Qué.) 16 D2
Hampden, COMM (T.-N.) 3 G4
Hampden, LNCA (Ont.) 23 C3
Hampelsfield, LNCA (Ont.) 24 G1
Hampshire, LNCA (Î.-P.-É.) 7 C4
Hampshire Mills, LNCA (Ont.) 23 G1
Hampstead, V (Qué.) 17 G4
Hampstead, LNCA (N.-B.) 11 D2
Hampstead, LNCA (Ont.) 23 D4
Hampton, LNCA (Î.-P.-É.) 7 C4
Hampton, LNCA (N.-É.) 10 C1
Hampton, VL (N.-B.) 11 F2
Hamton, LNCA (Sask.) 29 G2
Hanatsa 6, RI (C.-B.) 41 A2
Hanbury, LNCA (Ont.) 26 F2
Hanbury, LNCA (Sask.) 34 D4
Hanceville, LNCA (C.-B.) 40 C4
Handel, LNCA (Sask.) 31 D1
Handsworth, LNCA (Sask.) 29 C4
Haneytown, LNCA (N.-B.) 11 C1
Hanford Brook, LNCA (N.-B.) 11 E2
Hanley, V (Sask.) 31 F1
Hanna, LNCA (Alb.) 34 H1
Hannah Cove, LNCA (T.-N.) 5 G4
Hannamville, LNCA (N.-É.) 10 C1
Hanover, V (Ont.) 23 C2
Hansard, RI (C.-B.) 40 D1
Hansen, LNCA (Ont.) 26 B1
Hansford, LNCA (N.-É.) 9 F2
Hanson 13, RI (C.-B.) 40 A1
Hants Border, LNCA (N.-É.) 9 A3
Hantsport, V (N.-É.) 9 A3
Hanwell, LNCA (N.-B.) 11 C1
Happy Adventure, COMM (T.-N.) 3 F4
Happy Hollow, LNCA (Ont.) 17 E1
Happy Hollow, LNCA (Ont.) 23 G1
Happyland, LNCA (Ont.) 23 G1
Happy-Mountains, LNCA (Qué.) 18 D4
Happy Valley, LNCA (Ont.) 21 A2
Happy Valley, LNCA (Ont.) 21 A2
Happy Valley – Goose Bay, V (T.-N.) 6 F3
Harbour Breton, V (T.-N.) 2 B2
Harbour Buffett, LNCA (T.-N.) 2 E2
Harbour Centre, LNCA (N.-É.) 8 B4
Harbour Grace, V (T.-N.) 2 G2
Harbour Grace South, COMM (T.-N.) 2 G2
Harbour Island, LNCA (T.-N.) 2 E2
Harbour Le Cou < Rose Blanche – Harbour Le Cou, LNCA (T.-N.) 4 B4
Harbour Main, COMM (T.-N.) 2 G2
Harbour Main < Harbour Main (COMM), LNCA (T.-N.) 2 G3
Harbour Mille, LNCA (T.-N.) 2 D2
Harbour Round, LNCA (T.-N.) 3 B1
Harbourview, LNCA (N.-É.) 8 C3
Harbourview, LNCA (N.-É.) 10 B2
Harbourville, LNCA (N.-É.) 11 G3
Harburn, LNCA (Ont.) 24 D2
Harcourt, LNCA (T.-N.) 2 F1
Harcourt, LNCA (Ont.) 24 F3
Harcourt, LNCA (N.-B.) 12 F3
Harcus, LNCA (Man.) 29 F3
Hardieville, LNCA (Alb.) 34 F4
Harding, LNCA (Man.) 29 E3
Hardings Point, LNCA (N.-B.) 11 D2
Hardingville, LNCA (N.-B.) 11 D2
Hardisty, V (Alb.) 33 G4
Hardluck Creek, LNCA (Yukon) 45 A3
Hardrock, LNCA (Ont.) 27 G2
Hardwicke, LNCA (N.-B.) 12 G2
Hardwicke Island, LNCA (C.-B.) 39 G2
Hardwick Lake, LNCA (N.-É.) 9 D1
Hardwood Lake, LNCA (Ont.) 24 F2
Hardwood Lands, LNCA (N.-É.) 9 B3
Hardwood Ridge, LNCA (N.-B.) 11 D1
Hardwood Settlement, LNCA (N.-B.) 12 G2
Hardy, LNCA (N.-B.) 11 F1
Hardy, VL (Sask.) 31 G4
Hardy's Cove, LNCA (T.-N.) 2 B2
Hare Bay, V (T.-N.) 3 E3
Hare Harbour, LNCA (T.-N.) 2 C2
Harewood, LNCA (N.-B.) 11 F1
Hargrave, LNCA (Man.) 29 E3
Hargreaves, LNCA (C.-B.) 36 B1
Hargwen, LNCA (Alb.) 33 A3
Harkaway, LNCA (Ont.) 23 D2
Harlan, LNCA (Sask.) 32 A3
Harlech, LNCA (Alb.) 34 G1
Harlem, LNCA (Ont.) 17 B3
Harley, LNCA (Ont.) 22 G1
Harley Road, LNCA (N.-B.) 11 E1
Harlington, LNCA (Man.) 29 D1
Harlock, LNCA (Ont.) 23 B4
Harlowe, LNCA (Ont.) 24 G3
Harmattan, LNCA (Alb.) 34 E1
Harmon Valley, LNCA (Alb.) 43 H3
Harmony, LNCA (N.-É.) 9 C2
Harmony, LNCA (N.-É.) 11 G3
Harmony, LNCA (Î.-P.-É.) 7 B3
Harmony, LNCA (Ont.) 22 E1
Harmony, LNCA (Ont.) 17 D2
Harmony, LNCA (Ont.) 26 B4
Harmony Beach, LNCA (Ont.) 26 A3
Harmony Junction, LNCA (Î.-P.-É.) 7 E3
Harmony Mills, LNCA (N.-É.) 10 D2
Harmony Park, LNCA (N.-B.) 11 B1

Harmony Road, LNCA (N.-É.) 9 C2
Hawley, LNCA (Qué.) 16 A4
Hawley, LNCA (Ont.) 17 A4
Harpellville, LNCA (N.-É.) 9 F3
Hawthorne, LNCA (Ont.) 24 G3
Harper, LNCA (Î.-P.-É.) 7 A2
Hay Bay, LNCA (Ont.) 21 E1
Harper, LNCA (Ont.) 17 B2
Hayburn, LNCA (Ont.) 21 G1
Harper Corners, LNCA (Ont.) 22 H1
Hay Cove, LNCA (N.-É.) 8 E4
Harper Settlement, LNCA (N.-B.) 11 F1
Hayden Ridge, LNCA (N.-B.) 12 B3
Harperville, LNCA (Man.) 29 H3
Hayes Corners, LNCA (N.-É.) 8 E2
Harptree, LNCA (Sask.) 31 G4
Hayes Corners, LNCA (Ont.) 17 C3
Harpurhey, LNCS (Ont.) 23 B4
Hayesland, LNCA (Ont.) 22 G1
Harricanaw-Ouest, LNCA (Qué.) 18 B1
Hayesville, LNCA (N.-B.) 12 C3
Harricott, LNCA (T.-N.) 2 F3
Hayfield, LNCA (Man.) 29 H1
Harriets Corners, LNCA (Ont.) 24 F2
Hayfield, LNCA (Alb.) 43 F4
Harrietsfield, LNCA (N.-É.) 9 B4
Hayhahte 33, RI (C.-B.) 39 F1
Harrietsville, LNCA (Ont.) 22 E2
Hay Lakes, VL (Alb.) 33 E3
Harrigan Cove, LNCA (N.-É.) 9 E3
Hayland, LNCA (Man.) 29 G2
Harrington, LNCA (Î.-P.-É.) 7 C3
Hayman Hill, LNCA (N.-B.) 11 D3
Harrington, LNCA (Qué.) 18 E4
Hay Meadow 1, RI (C.-B.) 35 B1
Harrington, LNCA (N.-É.) 10 A3
Haynes, LNCA (Alb.) 34 G3
Harrington West, LNCA (Ont.) 22 H1
Hay Ranch 2, RI (C.-B.) 40 C3
Harris, VL (Sask.) 31 E1
Hays, LNCA (Alb.) 34 G3
Harris Brook Settlement, LNCA (N.-B.) 12 E2
Haysport, LNCA (C.-B.) 41 D1
Harrisburg, LNCA (Ont.) 22 G1
Hays River, LNCA (N.-É.) 8 D3
Harris Hill, LNCA (Ont.) 28 F4
Hay's Shore, LNCA (Ont.) 17 B2
Harris Island, LNCA (N.-É.) 10 A4
Haystack, LNCA (T.-N.) 2 E2
Harris Lake, LNCA (Ont.) 25 F2
Haysville, LNCA (Ont.) 22 F1
Harrison, LNCA (T.-N.) 4 D1
Hayter, LNCA (Alb.) 33 H4
Harrison Brook Settlement, LNCA (N.-B.) 12 A2
Hayward Cove, LNCA (T.-N.) 3 D1
Harrison Hot Springs, VL (C.-B.) 35 A4
Haywards Cove < St Brendan's (COMM), LNCA (T.-N.) 3 F3
Harrison Mills, LNCA (C.-B.) 35 A4
Haywood, LNCA (Man.) 29 G4
Harrison Road, LNCA (N.-É.) 11 H2
Hazelbrook, LNCA (Î.-P.-É.) 7 D4
Harrisons Corners, LNCA (Ont.) 17 E2
Hazel Cliffe, LNCA (N.-É.) 9 D3
Harrison Settlement, LNCA (N.-É.) 11 H2
Hazeldale, LNCA (N.-É.) 8 D3
Harrison Settlement, LNCA (N.-B.) 11 G1
Hazeldean, LNCA (N.-B.) 12 A2
Harriston, V (Ont.) 23 C2
Hazeldean, LNCA (Ont.) 17 D4
Harriston, LNCA (N.-É.) 10 E1
Hazel Dell, LNCA (Sask.) 29 C1
Harrogate, LNCA (C.-B.) 34 B4
Hazeldine, LNCA (Alb.) 33 G3
Harrop, LNCA (C.-B.) 34 B4
Hazel Glen, LNCA (N.-É.) 9 D2
Harrow, V (Ont.) 22 A4
Hazelglen, LNCA (Man.) 28 B1
Harrowby, LNCA (Man.) 29 D2
Hazelgrove, LNCA (Î.-P.-É.) 7 C3
Harrowsmith, LNCA (Ont.) 17 A4
Hazel Hill, LNCA (N.-É.) 9 H2
Harrys Brook, LNCA (T.-N.) 4 C2
Hazell, LNCA (Alb.) 34 E4
Harry's Harbour, LNCA (T.-N.) 3 B1
Hazelmere, LNCA (Alb.) 43 F4
Harstone, LNCA (Ont.) 27 D3
Hazelton, LNCA (N.-B.) 11 H2
Harte, LNCA (Man.) 29 F3
Hazelton, VL (C.-B.) 42 F3
Hartell, LNCA (Alb.) 34 E3
Hazelton 1, RI (C.-B.) 42 F3
Harten Corner, LNCA (N.-B.) 11 B3
Hazelwood, LNCA (Sask.) 29 C3
Hartfell, LNCA (Ont.) 24 B1
Hazen Camp, LNCA (T.N.-O.) 47 F1
Hartfield, LNCA (N.-B.) 11 B3
Hazenmore, VL (Sask.) 31 E3
Hartford, LNCA (N.-É.) 9 B1
Hazlet, VL (Sask.) 31 D3
Hartford, LNCA (N.-B.) 11 A1
Hazzards Corners, LNCA (Ont.) 24 F4
Hartington, LNCA (Ont.) 17 A3
Head Harbour, LNCA (N.-É.) 3 B2
Hartin Settlement, LNCA (N.-B.) 11 A1
Head Lake, LNCA (Ont.) 23 H1
Hartland, V (N.-B.) 12 A4
Head of Bay d'Espoir < Milltown – Head of Bay d'Espoir, LNCA (T.-N.) 2 B1
Hartley, LNCA (Ont.) 21 C1
Head of Cardigan, LNCA (Î.-P.-É.) 7 D4
Hartley Bay, LNCA (Ont.) 25 E2
Head of Chezzetcook, LNCA (N.-É.) 9 C3
Hartley Bay < Kulkayu (Hartley Bay) 4A, LNCA (C.-B.) 41 D2
Head of Hillsborough, LNCA (Î.-P.-É.) 7 D3
Hartley Settlement, LNCA (N.-B.) 12 A3
Head of Jeddore, LNCA (N.-É.) 9 C3
Hartleyville, LNCA (Alb.) 34 F4
Head of Loch Lomond, LNCA (N.-É.) 8 E4
Hartlin Settlement, LNCA (N.-É.) 9 C3
Head of Millstream, LNCA (N.-B.) 11 E1
Hartney, V (Man.) 29 E4
Head of Montague, LNCA (Î.-P.-É.) 7 D4
Hartshorn, LNCA (Alb.) 34 G1
Head of St Margarets Bay, LNCA (N.-É.) 9 A4
Hartsmere, LNCA (Ont.) 23 H1
Head of Wallace Bay, LNCA (N.-É.) 9 B1
Hartsville, LNCA (Î.-P.-É.) 7 C4
Headquarters, LNCA (C.-B.) 38 B1
Hartville, LNCA (N.-É.) 9 A3
Headwaters Ranch, LNCS (C.-B.) 43 D2
Harty, LNCA (Ont.) 20 C4
Healey Falls, LNCA (Ont.) 21 E1
Harvey, LNCA (N.-É.) 11 G2
Hearne, LNCA (Sask.) 31 G3
Harvey, VL (N.-B.) 11 B3
Heart Lake, LNCA (Ont.) 23 B1
Harvey Bank, LNCA (N.-B.) 11 G2
Heart Lake 167, RI (Alb.) 33 G1
Harvey Heights, LNCA (Alb.) 34 D2
Heart River, LNCA (Alb.) 33 B1
Harwich, LNCA (Ont.) 22 C3
Heart's Content, V (T.-N.) 2 F1
Harwill, LNCA (Man.) 29 H2
Heart's Delight < Heart's Delight – Islington, LNCA (T.-N.) 2 G2
Harwood, LNCA (Ont.) 21 D1
Heart's Delight – Islington, DAL (T.-N.) 2 G2
Harwood Island 2, RI (C.-B.) 38 C1
Heart's Desire, DAL (T.-N.) 2 G2
Harwood Plains, LNCA (Ont.) 17 D4
Hearts Desire, LNCA (Ont.) 17 E4
Haseville, LNCA (N.-É.) 16 B4
Hearts Hill, LNCA (Sask.) 31 C1
Haskett, LNCA (Man.) 29 H4
Heart Valley, LNCA (Alb.) 43 G4
Hassan, LNCA (Sask.) 29 C1
Heaslip, LNCA (Ont.) 26 F2
Hassett, LNCA (N.-É.) 10 B2
Heaslip, LNCA (Man.) 29 F4
Hastings, LNCA (N.-É.) 9 A1
Heatburg, LNCA (Alb.) 33 E4
Hastings, LNCA (N.-É.) 10 D1
Heath, LNCA (Alb.) 33 G4
Hastings, VL (Ont.) 21 E1
Heathbell, LNCA (N.-É.) 9 D1
Hatchet Cove, LNCA (T.-N.) 2 F1
Heathcote, LNCA (Ont.) 23 D2
Hatchet Harbour, LNCA (T.-N.) 3 D1
Heatherdale, LNCA (Î.-P.-É.) 7 D4
Hatchet Lake, LNCA (N.-É.) 9 B4
Heatherdown, LNCA (Alb.) 33 D3
Hatchley, LNCA (Ont.) 22 F1
Heatherton, LNCA (T.-N.) 4 B2
Hatch Point 12, RI (C.-B.) 38 E3
Heatherton, LNCA (N.-É.) 8 E4
Hatfield, LNCA (Sask.) 31 G2
Heathland, LNCA (N.-B.) 11 B3
Hatfield Point, LNCA (N.-B.) 11 E2
Heath-Point, LNCA (Qué.) 5 B4
Hatherleigh, LNCA (Sask.) 32 B4
Heathton, LNCA (Qué.) 16 D4
Hatherton, LNCA (Ont.) 23 E2
Hebbs Cross, LNCA (N.-É.) 10 E2
Hatley, VL (Qué.) 16 D4
Hebbville, LNCA (N.-É.) 10 E2
Hatley-Centre, LNCA (Qué.) 16 D4
Hébert, LNCA (N.-B.) 12 F4
Hatton, LNCA (Sask.) 31 B3
Hébertville, LNCA (Qué.) 14 A3
Hattonford, LNCA (Alb.) 33 C3
Hébertville-Station, VL (Qué.) 14 A3
Hatzic Island, LNCS (C.-B.) 38 H2
Hebron, LNCA (N.-É.) 10 A3
Hatzic Prairie, LNCS (C.-B.) 38 H2
Hebron, LNCA (Î.-P.-É.) 7 A3
Haultain, LNCA (Ont.) 24 E4
Hebron, LNCA (T.-N.) 6 E1
Haute-Aboujagane, LNCA (N.-B.) 7 A4
Hecate, LNCA (C.-B.) 39 E3
Hauterive, V (Qué.) 14 G1
Hecate 17, RI (C.-B.) 39 E3
Haut-Lamèque, LNCA (N.-B.) 13 G4
Heckmans Island, LNCA (N.-É.) 10 E2
Haut-Paquetville, LNCA (N.-B.) 12 F1
Heckston, LNCA (Ont.) 17 C2
Haut-St-Antoine, LNCA (N.-B.) 12 G4
Hecla, LNCA (Man.) 30 C4
Haut-Ste-Rose, LNCA (N.-B.) 12 G1
Hectanooga, LNCA (N.-É.) 10 B3
Haut-St-Isidore, LNCA (N.-B.) 12 F1
Hedgeville, LNCA (N.-É.) 9 C1
Haut-St-Simon, LNCA (N.-B.) 12 G1
Hedley, LNCA (C.-B.) 35 D4
Haut-Shippegan, LNCA (N.-B.) 12 G1
Heinsburg, LNCA (Alb.) 33 G3
Havelock, LNCA (N.-B.) 11 F1
Heisler, VL (Alb.) 33 F4
Havelock, LNCA (N.-É.) 10 B2
Hekkla, LNCA (Ont.) 24 B2
Havelock, LNCA (Qué.) 17 G2
Heldar, LNCA (Sask.) 33 C2
Havelock, VL (Ont.) 21 E1
Helena Lake, LNCA (Sask.) 32 B3
Havendale, LNCA (N.-É.) 9 F2
Helen Mine, LNCA (Ont.) 26 A2
Havergal, LNCA (Ont.) 24 F2
Helina, LNCA (Alb.) 33 F2
Havilah, LNCA (Ont.) 26 B4
Hells Gate, LNCA (C.-B.) 35 B3
Haviland, LNCA (Ont.) 26 A3
Hellsdale, LNCA (Alb.) 31 B2
Havre-Aubert, LNCA (Qué.) 7 F1
Helmsdale, LNCA (Alb.) 34 E2
Havre-aux-Maisons, LNCA (Qué.) 7 F1
Helston, LNCA (Man.) 29 F3
Havre Boucher, LNCA (N.-É.) 8 E4
Hemaruka, LNCA (Alb.) 34 H1
Havre Boucher Station, LNCA (N.-É.) 8 C4
Hemford, LNCA (N.-É.) 10 D2
Havre-St-Pierre, LNCA (Qué.) 19 H3
Hemison, LNCA (Qué.) 15 C4
Hawarden, VL (Sask.) 31 F2
Hemlo, LNCA (Ont.) 27 H3
Hawke Harbour, LNCA (T.-N.) 6 H3
Hemlock, LNCA (Ont.) 22 F2
Hawker, LNCA (N.-É.) 8 D4
Hemlock Corners, LNCA (Ont.) 17 C3
Hawkes, LNCA (Ont.) 17 C3
Hemlock Downs, LNCA (Ont.) 17 A4
Hawke's Bay, V (T.-N.) 5 G3
Hemmingford, VL (Qué.) 17 H2
Hawkesbury, V (Ont.) 17 E1
Hemmings-Falls, LNCA (Qué.) 16 C3
Hawkestone, LNCA (Ont.) 23 G2
Hawkestone Beach, LNCA (Ont.) 23 G2
Hawkesville, LNCA (Ont.) 23 E2
Hawkeye, LNCA (Sask.) 32 C3
Hawk Hills, LNCA (Alb.) 43 H2
Hawkins, LNCA (Alb.) 33 G4
Hawkins Corner, LNCA (N.-B.) 11 B1
Hawkins Corners, LNCA (Ont.) 23 G1
Hawk Junction, LNCA (Ont.) 26 A2
Hawk Lake, LNCA (Ont.) 28 G2
Hawkshaw, LNCA (N.-B.) 11 B1

Hemphill Corner, LNCA (N.-B.) 12 B4
Hemstock Mills, LNCA (Ont.) 23 C2
Henday, LNCA (Alb.) 34 E1
Henderson, LNCA (Ont.) 24 G3
Henderson Place, LNCA (Ont.) 17 A4
Hendersons Beach, LNCA (Sask.) 31 G2
Henderson Settlement, LNCA (N.-B.) 11 E2
Henderson's Ranch 11, RI (C.-B.) 41 E1
Hendon, LNCA (Sask.) 29 B1
Hendrick-Développement, LNCS (Qué.) 17 E3
Hendrix Lake, LNCA (C.-B.) 36 E1
Henfryn, LNCA (Ont.) 23 C4
Henley Harbour, LNCA (T.-N.) 5 H1
Hennepin, LNCA (Qué.) 15 C4
Henribourg, LNCA (Sask.) 32 E3
Henry House, LNCA (Alb.) 40 G3
Henrysburg, LNCA (N.-B.) 11 E1
Henrysburg-Centre, LNCS (Qué.) 16 A4
Henrys Corner, LNCA (Ont.) 17 E1
Henryville, VL (Qué.) 16 A4
Hensall, VL (Ont.) 23 B4
Henvey Inlet 2, RI (Ont.) 25 F2
Héon, LNCA (Qué.) 16 D2
Hepburn, VL (Sask.) 32 D4
Heppell, LNCA (Qué.) 13 B3
Hepworth, VL (Ont.) 23 C1
Herbert, V (Sask.) 31 E3
Herbert Corners, LNCA (Ont.) 17 C2
Herb Lake, LNCA (Man.) 30 B2
Herchmer, LNCA (Man.) 46 A4
Herdman, LNCA (Qué.) 17 G2
Hereford, LNCA (Qué.) 16 E4
Hereford-Hill, LNCA (Qué.) 16 E4
Hereward, LNCA (Ont.) 23 E3
Heriot Bay, LNCA (C.-B.) 37 B4
Herman Brothers Trailer Court, LNCS (Sask.) 31 H3
Hermans Island, LNCA (N.-É.) 10 E2
Hermanville, LNCA (Î.-P.-É.) 7 E3
Hermitage, COMM (T.-N.) 2 B2
Hermitage, LNCA (Î.-P.-É.) 7 D4
Hermitage < Hermitage (COMM), LNCA (T.-N.) 2 B2
Hermit Lake, LNCA (Alb.) 33 D3
Heron Bay, LNCA (Ont.) 27 H3
Heron Island, LNCA (N.-B.) 13 D4
Hérouxville, LNCA (Qué.) 16 B3
Herring Cove, LNCA (N.-É.) 9 B4
Herriot, LNCA (Man.) 30 A1
Herrons Corners, LNCA (Ont.) 17 C3
Herrons Mills, LNCA (Ont.) 17 B2
Herronton, LNCA (Alb.) 34 F3
Herschel, LNCA (Yukon) 45 B1
Herschel, LNCA (Sask.) 31 D1
Hersey Corner, LNCA (N.-B.) 11 D1
Hersonville, LNCA (N.-B.) 11 B3
Hervey-Jonction, LNCA (Qué.) 18 H3
Herzel, LNCA (Sask.) 29 B2
Hesketh, LNCA (Alb.) 34 F2
Hespero, LNCA (Alb.) 33 D4
Hesquiat < Hesquiat 1, LNCA (C.-B.) 39 F4
Hesquiat 1, RI (C.-B.) 39 F4
Hesquis 10A, RI (C.-B.) 39 E3
Hesson, LNCA (Ont.) 23 D4
Heward, VL (Sask.) 29 C4
Hewitt Landing, LNCA (Sask.) 32 A3
Heyden, LNCA (Ont.) 26 B4
Heyworth, LNCA (Qué.) 17 D3
Hiawatha < Hiawatha 36, LNCA (Ont.) 21 D1
Hiawatha 36, RI (Ont.) 21 D1
Hiawatha Park, LNCA (Ont.) 17 E3
Hibbard, LNCA (Qué.) 18 F2
Hibbs Cove, LNCA (T.-N.) 2 G1
Hibernia, LNCA (N.-É.) 10 D2
Hickethier Ranch, LNCA (C.-B.) 43 D3
Hickey Settlement, LNCA (N.-B.) 13 D4
Hickey Settlement, LNCA (Ont.) 24 E2
Hickman's Harbour, LNCA (T.-N.) 2 F1
Hickory Beach, LNCA (Ont.) 23 H2
Hickory Corner, LNCA (Ont.) 22 D1
Hickson, LNCA (Ont.) 22 F1
Hicksville, LNCA (N.-B.) 11 F1
Hideway Trailer Court, LNCS (C.-B.) 34 A2
Hiellen 2, RI (C.-B.) 41 B1
Higgins Road, LNCA (Î.-P.-É.) 7 A3
Higginsville, LNCA (N.-É.) 9 C3
High Bank, LNCA (Î.-P.-É.) 7 E4
Highbank, LNCA (N.-B.) 12 E2
High Bar 1, RI (C.-B.) 36 B4
High Bar 1A, RI (C.-B.) 36 B4
High Bar 2, RI (C.-B.) 36 B4
High Beach < Point May (COMM), LNCA (T.-N.) 2 B4
High Bluff, LNCA (Man.) 29 G3
Highbury, LNCA (N.-É.) 10 E1
High-Falls, LNCA (Qué.) 18 D4
High Falls, LNCA (Ont.) 17 A2
Highfield, LNCA (Î.-P.-É.) 7 C4
Highfield, LNCA (N.-B.) 11 E1
Highfield, LNCA (N.-É.) 9 A3
High-Forest, LNCA (Qué.) 16 E4
Highgate, LNCA (Sask.) 32 B4
Highgate, VL (Ont.) 22 D3
High Head, LNCA (N.-É.) 10 E2
High Hill, LNCA (Sask.) 29 B1
Highland, LNCA (Ont.) 26 F2
Highland Acres, LNCA (N.-B.) 12 B3
Highland Acres, LNCS (N.-B.) 11 C1
Highland Beach, LNCA (Ont.) 21 C1
Highland Glen, LNCA (Ont.) 22 C1
Highland Glen, LNCA (Man.) 28 B1
Highland Grove, LNCA (Ont.) 24 E3
Highland Hill, LNCA (N.-É.) 8 D3
Highland Park, LNCA (Alb.) 43 G3
Highland Park Subdivision, LNCS (Ont.) 21 A1
Highland Point, LNCA (Ont.) 23 E1
Highland Ranch, LNCA (Alb.) 34 F1
Highlands, LNCA (T.-N.) 4 B3
Highlands, LNCA (N.-B.) 12 B3
Highland Village, LNCA (N.-É.) 9 B2
High Level, V (Alb.) 44 A3
High Point, LNCA (Ont.) 21 C2
High Point, LNCA (Sask.) 31 D2
High Prairie, V (Alb.) 33 B1
Highridge, LNCA (Alb.) 33 D2
High River, V (Alb.) 34 E3
Highrock, LNCA (Man.) 30 B2
Highrock 199, RI (Man.) 30 B1
High Tor, LNCA (Alb.) 33 D3
Highvale, LNCA (Alb.) 33 D3
Highwater, LNCA (Qué.) 16 C4
Highway, LNCA (Alb.) 33 C3
Hihium Lake 6, RI (C.-B.) 36 D4
Hihium Lake 6A, RI (C.-B.) 36 D4
Hihium Lake 6B, RI (C.-B.) 36 D4
Hilbre, LNCA (Man.) 29 G2
Hilda, LNCA (Alb.) 34 H3

Hilden, LNCA (N.-É.) 9 C2
Hildred Beach, LNCA (Sask.) 32 B2
Hillandale, LNCA (N.-B.) 12 A3
Hillandale, LNCA (Sask.) 31 E4
Hillaton, LNCA (N.-É.) 11 H3
Hillcrest, LNCA (N.-É.) 9 E2
Hillcrest, LNCA (Ont.) 17 C3
Hillcrest, LNCA (Alb.) 34 E4
Hillcrest, LNCA (C.-B.) 35 F1
Hillcrest, LNCA (C.-B.) 38 E3
Hillcrest, LNCA (Ont.) 22 G2
Hillcrest Mines, LNCA (Alb.) 34 E4
Hillcrest Trailer Park, LNCS (Man.) 28 A1
Hilldale Corner, LNCA (N.-B.) 12 A2
Hillgrade, LNCA (T.-N.) 3 D1
Hillgrove, LNCA (N.-É.) 10 B2
Hillgrove, LNCA (N.-B.) 11 F1
Hillhead Corners, LNCA (Ont.) 21 C1
Hillhurst, LNCA (Qué.) 16 D4
Hilliard, LNCA (Alb.) 33 E3
Hilliardton, LNCA (Ont.) 26 F2
Hillier, LNCA (Ont.) 21 F1
Hill Lake, LNCA (Ont.) 26 F2
Hillman, LNCA (N.-B.) 11 A1
Hillmond, LNCA (Sask.) 32 A3
Hills, LNCA (C.-B.) 34 B3
Hillsboro, LNCA (N.-É.) 8 C3
Hillsborough, VL (N.-B.) 11 G1
Hillsborough Beach, LNCA (Ont.) 22 C1
Hillsborough Park, LNCA (Î.-P.-É.) 7 C4
Hillsburgh, LNCA (Ont.) 23 E2
Hillsburn, LNCA (N.-É.) 10 C1
Hillsdale, LNCA (Ont.) 23 G2
Hillsdale, LNCA (N.-B.) 11 E2
Hillsdale, LNCA (N.-É.) 8 C3
Hillsdale Road, LNCA (N.-É.) 8 E3
Hillsdown, LNCA (Alb.) 34 F1
Hillside, LNCA (N.-É.) 9 D1
Hillside, LNCA (Ont.) 24 C2
Hillside, LNCA (N.-B.) 12 A3
Hillside, LNCA (N.-B.) 11 D3
Hillside, LNCA (Sask.) 32 B4
Hillside, LNCA (C.-B.) 38 E2
Hillside Beach, LNCA (Man.) 30 C4
Hillside Boularderie, LNCA (N.-É.) 8 C2
Hillside Gardens, LNCS (Ont.) 17 C2
Hillsport, LNCA (Ont.) 27 H2
Hill Spring, VL (Alb.) 34 F4
Hills Road, LNCA (N.-É.) 8 F3
Hillsvale, LNCA (N.-É.) 9 B3
Hilltop, LNCA (Man.) 29 F3
Hilltown, LNCA (T.-N.) 2 F1
Hillview, LNCA (T.-N.) 2 F1
Hillview, LNCA (Ont.) 26 F3
Hilly Grove, LNCA (Ont.) 25 C3
Hilton, LNCA (Ont.) 21 F1
Hilton, LNCA (Man.) 29 H4
Hilton, LNCA (C.-B.) 35 G2
Hilton Beach, VL (Ont.) 26 B4
Hinch, LNCA (Ont.) 21 G1
Hinchliffe, LNCA (Sask.) 29 C1
Hindon Hill, LNCA (Ont.) 24 C3
Hines Creek, VL (Alb.) 43 G3
Hinton, V (Alb.) 40 H2
Hinton Trail, LNCA (Alb.) 43 F4
Hippa, LNCA (C.-B.) 41 A1
Hirsch, LNCA (Sask.) 29 C4
Hisnit 4, RI (C.-B.) 39 D2
Hisnit 7, RI (C.-B.) 39 D2
Hisnit Fishery 34, RI (C.-B.) 39 F4
Hitchcock, LNCA (Sask.) 29 C4
Hitchcock Bay, LNCA (Sask.) 31 E2
Hiusta's Meadow 2, RI (C.-B.) 45 B4
Hixon, LNCA (C.-B.) 40 C2
Hkusam, LNCA (C.-B.) 39 G2
Hleepte 14, RI (C.-B.) 39 F3
Hnausa, LNCA (Man.) 30 C4
Hoadley, LNCA (Alb.) 33 D4
Hoards, LNCA (Ont.) 21 F1
Hoasic, LNCA (Ont.) 17 D2
Hoath Head, LNCA (Ont.) 23 D2
Hobbema, LNCA (Alb.) 33 E4
Hochfeld, LNCA (Man.) 29 H4
Hochstadt, LNCA (Man.) 28 A2
Hochstadt, LNCA (Sask.) 32 D4
Hockley, LNCA (Ont.) 23 E3
Hocquart, LNCA (Qué.) 14 F4
Hodderville, LNCA (T.-N.) 3 G4
Hodge's Cove, DAL (T.-N.) 2 F1
Hodgeville, VL (Sask.) 31 E3
Hodgin, LNCA (N.-B.) 13 E4
Hodgins, LNCA (Qué.) 17 B1
Hodgson, LNCA (Man.) 29 H2
Hodgson, LNCA (Ont.) 18 B4
Hodson, LNCA (N.-É.) 9 C1
Hoegs Corner, LNCA (N.-É.) 9 B2
Hoey, LNCA (Sask.) 32 D4
Hoffer, LNCA (Sask.) 31 H4
Hoffman, LNCA (Ont.) 18 C4
Hoffman Corners, LNCA (Ont.) 22 C3
Hogan's Pond, DAL (T.-N.) 2 H2
Hogg, LNCA (Ont.) 23 C1
Hoiss 8, RI (C.-B.) 39 E3
Hoke Point 10B, RI (C.-B.) 39 E3
Holachten 8, RI (C.-B.) 35 A4
Holbein, LNCA (Sask.) 32 D3
Holberg, LNCA (C.-B.) 39 E1
Holberg, CFS/SFC, RM (C.-B.) 39 C1
Holborn, LNCA (Alb.) 33 D3
Holbrook, LNCA (Ont.) 22 F1
Holden, VL (Alb.) 33 F3
Holderville, LNCA (N.-B.) 11 D2
Holdfast, VL (Sask.) 31 G2
Hole or Hollow Water 10, RI (Man.) 30 C4
Holford, LNCA (Ont.) 23 D2
Holiday, LNCA (Ont.) 22 E1
Holiday Harbour, LNCA (Ont.) 22 B4
Holland, LNCA (Man.) 29 G4
Holland, LNCA (Ont.) 17 C4
Holland Centre, LNCA (Ont.) 23 D2
Holland Harbour, LNCA (N.-É.) 9 F3
Holland Landing, LNCA (Ont.) 21 B1
Holland-Mills, LNCA (Qué.) 18 D4
Holleford, LNCA (Ont.) 17 A3
Hollen, LNCA (Ont.) 23 D3
Holliday, LNCA (Qué.) 15 E2
Hollow Lake, LNCA (Alb.) 33 E2
Holly, LNCA (Ont.) 21 A1
Holly Park, LNCA (Ont.) 21 A2
Holman, LNCA (T.N.-O.) 47 A4
Holmes Crossing, LNCA (Alb.) 43 H4
Holman, LNCA (T.N.-O.) 47 A4
Holmes Point, LNCA (Ont.) 21 B1
Holmesville, LNCA (N.-B.) 9 F3
Holmesville, LNCA (Ont.) 23 B4
Holmfield, LNCA (Man.) 29 F4
Holmwood, LNCA (C.-B.) 35 E1
Holstein, LNCA (Ont.) 23 D3
Holt, LNCA (Ont.) 21 B1
Holton, LNCA (T.-N.) 6 G3

Holton-Station, LNCS (Qué.) 17 G2
Holtville, LNCA (N.-B.) 12 D3
Holtyre, LNCA (Ont.) 26 F1
Holy Cross Lake 3, RI (C.-B.) 40 A2
Holyoke, LNCA (Alb.) 33 G2
Holyrood, V (T.-N.) 2 G3
Holyrood, LNCA (Ont.) 23 B3
Homais 2, RI (C.-B.) 39 E4
Homalco 1, RI (C.-B.) 37 C2
Homalco 2, RI (C.-B.) 37 C2
Homalco 2A, RI (C.-B.) 37 C2
Homayno 2, RI (C.-B.) 39 G1
Homebrook, LNCA (Man.) 29 G1
Homefield, LNCA (Sask.) 29 C2
Homeglen, LNCA (Alb.) 33 D4
Homestead, LNCA (Alb.) 43 F4
Homewood, LNCA (Man.) 29 H4
Homfray Creek, LNCA (C.-B.) 37 C3
Homitan 8, RI (C.-B.) 38 C3
Hondo, LNCA (Alb.) 33 D1
Hone, LNCA (Man.) 30 A1
Honeydale, LNCA (N.-B.) 11 B2
Honeygables, LNCA (Ont.) 17 E4
Honey Harbour, LNCA (Ont.) 23 F1
Honeymoon, LNCA (Sask.) 32 E3
Honeymoon Bay, LNCA (C.-B.) 38 D3
Honey's Beach, LNCA (Ont.) 21 C1
Honeywell Corners, LNCA (Ont.) 21 F1
Honeywood, LNCA (Ont.) 23 E2
Honfleur, LNCA (Qué.) 15 B3
Honora, LNCA (Ont.) 25 C2
Honoréville, LNCA (Qué.) 16 B4
Hood, LNCA (Ont.) 17 A2
Hoodoo Lake, LNCS (C.-B.) 40 C1
Hoonees 2, RI (C.-B.) 41 E3
Hoop and Holler Bend, LNCA (Man.) 29 G3
Hoop Cove, LNCA (T.-N.) 2 C2
Hooping Harbour, LNCA (T.-N.) 5 H3
Hoosier, LNCA (Sask.) 31 C1
Hootalinqua, LNCA (Yukon) 45 B3
Hope, V (C.-B.) 35 B4
Hope 1, RI (C.-B.) 35 B4
Hopeall, LNCA (T.-N.) 2 G2
Hope Bay, LNCA (Ont.) 23 C1
Hopedale, COMM (T.-N.) 6 F2
Hopefield, LNCA (I.-P.-E.) 7 D4
Hopefield, LNCA (Ont.) 24 F2
Hope Island 1, RI (C.-B.) 41 F4
Hopeness, LNCA (Ont.) 25 E4
Hope River, LNCA (I.-P.-E.) 7 C3
Hope-Town, LNCA (Qué.) 13 F3
Hopetown, LNCA (Ont.) 17 B2
Hopetown 10A, RI (C.-B.) 41 G4
Hope Valley, LNCA (Alb.) 33 G4
Hopeville, LNCA (Ont.) 23 D3
Hopewell, LNCA (N.-E.) 9 D2
Hopewell Cape, LNCA (N.-B.) 11 G1
Hopewell Hill, LNCA (N.-B.) 11 G2
Hopkins Landing, LNCA (C.-B.) 38 E2
Hoppenderry, LNCA (N.-E.) 9 F2
Horburg, LNCA (Alb.) 33 C4
Horen, LNCA (Alb.) 33 C3
Horizon, LNCA (Sask.) 31 G4
Hornbeck, LNCA (Alb.) 33 B3
Hornby Island, LNCA (C.-B.) 38 C2
Horndean, LNCA (Man.) 29 H4
Hornepayne, LNCA (Ont.) 26 A1
Horne Settlement, LNCA (N.-E.) 9 B3
Hornes Road, LNCA (N.-E.) 8 F3
Horning's Mills, LNCA (Ont.) 23 E2
Horod, LNCA (Man.) 29 E3
Horse Creek, LNCA (Sask.) 31 E4
Horsefly, LNCA (C.-B.) 36 D1
Horsefly Landing, LNCA (C.-B.) 36 D1
Horse Head, LNCA (Sask.) 32 B3
Horse Islands, LNCA (T.-N.) 5 H3
Horse Lakes 152B, RI (Alb.) 43 F4
Horse Ranch Pass 4, RI (C.-B.) 45 C4
Horseshoe Lake, LNCA (Ont.) 24 A2
Horseshoe Lake, LNCA (Ont.) 23 H1
Horseshoe Lake, LNCA (Alb.) 34 E1
Horsham, LNCA (Sask.) 31 B3
Horton 35, RI (N.-E.) 9 A3
Horton Landing, LNCA (N.-E.) 9 A3
Hortons Creek, LNCA (N.-B.) 12 F2
Hortonville, LNCA (N.-E.) 9 A3
Horwood, LNCA (T.-N.) 3 D2
Horwood Lake, LNCA (Ont.) 26 D2
Horwood North, LNCA (T.-N.) 3 D2
Hoselaw, LNCA (Alb.) 33 G2
Hosmer, LNCA (C.-B.) 34 D4
Hosmer Trailer Park, LNCS (C.-B.) 34 D4
Hotchkiss, LNCA (Alb.) 43 H2
Hotham, LNCA (Ont.) 25 H2
Hough Lake, LNCA (Ont.) 26 F2
Houghton, LNCA (Ont.) 22 F2
Houpsitas 6, RI (C.-B.) 39 D2
House River Indian Cemetery 178, RI (Alb.) 44 B4
Houston, DM (C.-B.) 42 G4
Howard, LNCA (N.-B.) 12 E3
Howard Brook, LNCA (N.-B.) 12 B4
Howarth Acres, LNCS (N.-B.) 11 C1
Howdenvale, LNCA (Ont.) 23 C1
Howe Bay, LNCA (I.-P.-E.) 7 E4
Howeet 8, RI (C.-B.) 41 E3
Howes Corners, LNCA (Ont.) 23 F1
Howick, VL (Qué.) 17 G2
Howie, LNCA (Alb.) 34 H2
Howie Centre, LNCA (N.-E.) 8 E3
Howlan, LNCA (I.-P.-E.) 7 A3
Howland, LNCA (Ont.) 23 H1
Howland Ridge, LNCA (N.-B.) 11 B1
Howley, DAL (T.-N.) 5 G4
Howser, LNCA (C.-B.) 34 B3
Hoyt, LNCA (N.-B.) 11 C2
Huallen, LNCA (Alb.) 43 F4
Huard, LNCA (Qué.) 13 F3
Hubbard, LNCA (T.N.-O.) 47 C3
Hubbard, VL (Sask.) 29 B2
Hubbards, LNCA (N.-E.) 9 A4
Hubbards Point, LNCA (N.-E.) 10 B3
Hubbell, LNCA (Man.) 29 G4
Hubble Lake Subdivision, LNCS (Alb.) 33 D3
Hubbs, LNCA (Ont.) 21 F2
Huberdeau, LNCA (Qué.) 18 E4
Hubley Mill Lake Road, LNCA (N.-E.) 9 B4
Hubley Station, LNCA (N.-E.) 9 B4
Hubrey, LNCA (Ont.) 22 E2
Hub-toul 2A, RI (C.-B.) 39 C2
Huckabones Corners, LNCA (Ont.) 24 G1
Hudson, V (Qué.) 17 F1
Hudson, LNCA (Ont.) 27 B1
Hudson Bay, V (Sask.) 32 H4
Hudsons Bay, LNCS (Alb.) 34 G2
Hudson's Hope, DM (C.-B.) 43 D3
Huff's Corners, LNCA (Ont.) 21 F2
Huffs Corners, LNCA (Ont.) 22 C2
Huff Wharf, LNCA (Ont.) 21 G1
Hugel, LNCA (Ont.) 25 F1
Huggett, LNCA (Alb.) 33 D3
Hughenden, VL (Alb.) 33 G4
Hughes, LNCA (Ont.) 24 E2
Hughes, LNCA (Man.) 29 F3
Hughes Brook, COMM (T.-N.) 4 D1
Hughton, LNCA (Sask.) 31 D2
Hugonard, LNCA (Sask.) 29 B2
Hu Haven, LNCS (Alb.) 33 E3
Hulbert, LNCA (Ont.) 17 D2
Hulbert Crescent, LNCS (Alb.) 33 E3
Hull, C (Qué.) 17 E4
Humber Heights Subdivision, LNCS (Ont.) 21 A2
Humber Park, LNCA (N.-E.) 9 B4
Humboldt, V (Sask.) 31 G1
Hume, LNCA (Sask.) 29 B4
Humes Rear, LNCA (N.-E.) 8 D3
Humhampt 6, RI (C.-B.) 35 B2
Humhampt 6A, RI (C.-B.) 35 B2
Hummerston, LNCA (Man.) 29 F3
Humphrey, LNCA (Ont.) 24 A2
Humphrey Corner, LNCA (N.-B.) 11 E1
Hunaechin 11, RI (C.-B.) 37 D4
Hundred Mile Landing, LNCA (Yukon) 45 B3
Hungerford, LNCA (Ont.) 24 G4
Hunta, LNCA (Ont.) 26 E1
Hunter-Mills, LNCA (Qué.) 16 B4
Hunter River, VL (I.-P.-E.) 7 C3
Hunters Corner, LNCA (N.-B.) 12 A4
Hunters Home, LNCA (N.-B.) 11 E1
Hunters Mountain, LNCA (N.-E.) 8 D3
Hunters-Point, LNCA (Qué.) 18 A3
Hunterstown, LNCA (Qué.) 16 B1
Huntingdon, V (Qué.) 17 F2
Huntingdon, LNCA (C.-B.) 38 H3
Huntingford, LNCA (Ont.) 22 F1
Huntington, LNCA (N.-E.) 8 E3
Huntingville, LNCA (Qué.) 16 D4
Huntley, LNCA (I.-P.-E.) 7 A2
Huntley, LNCA (Ont.) 17 D4
Huntoon, LNCA (Sask.) 29 B4
Hunts Inlet, LNCA (C.-B.) 41 C1
Hunts Point, LNCA (N.-E.) 10 D3
Huntsville, V (Ont.) 24 B2
Hupel, LNCA (C.-B.) 35 G1
Hurds Lake, LNCA (Ont.) 17 A1
Hurdville, LNCA (Ont.) 24 A2
Hureauville, LNCA (N.-E.) 8 C4
Hurkett, LNCA (Ont.) 27 E3
Hurlett, LNCA (N.-B.) 11 C1
Hurley Corner, LNCA (N.-B.) 11 C2
Hurondale, LNCA (Ont.) 23 B4
Huron Heights, LNCA (Ont.) 22 C1
Huronian, LNCA (Ont.) 27 C3
Huron Park, LNCA (Ont.) 22 D1
Huron Ridge, LNCA (Ont.) 23 B2
Huronville, LNCA (Sask.) 29 B3
Hurstwood, LNCS (Alb.) 33 E3
Husavik, LNCA (Man.) 30 C4
Huscroft, LNCA (C.-B.) 34 C4
Hussar, VL (Alb.) 34 F2
Hustalen 1, RI (C.-B.) 36 G4
Hutchison, LNCA (C.-B.) 40 C2
Hutchison's Corners, LNCA (Ont.) 23 D2
Hutch Lake, LNCA (Alb.) 44 A3
Hutton, LNCA (Alb.) 34 G2
Hutton Heights Subdivision, LNCS (Ont.) 23 B3
Huxley, LNCA (Alb.) 34 F1
Hyannas, LNCA (N.-E.) 8 C3
Hyas, VL (Sask.) 29 C1
Hybla, LNCA (Ont.) 24 E2
Hybord, LNCA (Man.) 30 B3
Hyde, LNCA (Sask.) 29 C3
Hyde Park, LNCA (Ont.) 22 E1
Hydraulic, LNCA (C.-B.) 40 D3
Hydro Glen, LNCA (Ont.) 23 F1
Hyland Post, LNCA (C.-B.) 45 C4
Hylo, LNCA (Alb.) 33 F2
Hymers, LNCA (Ont.) 27 D3
Hyndford, LNCA (Ont.) 24 G2
Hyndman, LNCA (Ont.) 17 D2
Hythe, VL (Alb.) 43 F4

I

Iakgwas 69, RI (C.-B.) 41 D1
Iakvas 68, RI (C.-B.) 41 D1
Iakwulgyiyaps 78, RI (C.-B.) 41 D1
Iberville, V (Qué.) 16 A4
Iberville-Junction, LNCA (Qué.) 16 A4
Ibstone < Grizzly Bear's Head & Lean Man 110 & 111, LNCA (Sask.) 32 B4
Ice Lake, LNCA (Ont.) 25 B2
Ida, LNCA (Ont.) 21 D1
Ida Hill, LNCA (Ont.) 17 B4
Idamay, LNCA (Alb.) 31 B1
Iddesleigh, LNCA (Alb.) 34 H2
Ideal, LNCA (Man.) 29 H3
Iffley, LNCA (Sask.) 32 B4
Ightkeany 32, RI (C.-B.) 42 D4
Igloolik, HAM (T.N.-O.) 46 D1
Iglunga, LNCA (T.N.-O.) 46 F1
Ignace, LNCA (Ont.) 27 B2
Iknesingwolk 3, RI (C.-B.) 42 E4
Iktuksasuk 7, RI (C.-B.) 38 C3
Ilclo 12, RI (C.-B.) 38 C3
Ilderton, LNCA (Ont.) 22 D1
Ile-à-la-Crosse, LNCA (Sask.) 32 C1
Ile a la Crosse 192E, RI (Sask.) 32 C1
Ile-au-Canot, LNCA (Qué.) 15 C2
Ile-aux-Castors, LNCA (Qué.) 16 A2
Ile-aux-Chats, LNCA (Qué.) 17 F1
Ile-aux-Noix, LNCA (Qué.) 16 A4
Ile-aux-Oies, LNCA (Qué.) 15 C2
Ile-Bouchard, LNCA (Qué.) 16 A3
Ile-Cadieux, V (Qué.) 17 G1
Ile-d'Embarras, LNCA (Qué.) 16 B2
Ile-d'Entrée, VL (Qué.) 7 F1
Ile des Chênes, LNCA (Man.) 28 A2
Ile-Dorval, V (Qué.) 17 G4
Ile-du-Collège, LNCA (Qué.) 26 F3
Ile-du-Grand-Calumet, LNCA (Qué.) 17 A1
Ile-du-Moine, LNCA (Qué.) 16 B2
Ile-Enchanteresse, LNCA (Qué.) 15 G3
Ile-Madame, LNCA (Qué.) 16 A2
Ile-Michon, LNCA (Qué.) 5 B3
Ile-Népawa, LNCA (Qué.) 26 G1
Ile-Perrot, V (Qué.) 17 F4
Ile-St-Amour, LNCA (Qué.) 16 A2
Ile-St-Régis, LNCA (Qué.) 17 E2
Ile-Siscoe, LNCA (Qué.) 18 B2
Iles-Ste-Marie, LNCA (Qué.) 5 D3
Ilets-Jérémie, LNCA (Qué.) 14 F2
Ile-Verte, LNCA (Qué.) 5 G2
Ilford, LNCA (Man.) 30 D1
Illerbrun, LNCA (Sask.) 31 D3
Illingworth, LNCA (Alb.) 34 H3
Ilots-de-Newport, LNCA (Qué.) 13 G3
Ilthpaya 8, RI (C.-B.) 38 A2
Imkusiyan 65, RI (C.-B.) 41 D1
Imperial, V (Sask.) 31 G2
Imperial Beach, LNCA (Sask.) 31 G2
Imperial Mills, LNCA (Alb.) 33 F1
Inchkeith, LNCA (Sask.) 29 C3
Independent, LNCA (T.-N.) 6 H3
Indian Bay, COMM (T.-N.) 3 F3
Indian Bay, LNCA (Man.) 28 E2
Indian Bay < Indian Bay (COMM), LNCA (T.-N.) 3 F3
Indian Brook, LNCA (N.-E.) 8 E2
Indian Burying Place, LNCA (T.-N.) 3 B1
Indian Cabins, LNCA (Alb.) 44 A2
Indian Cove, LNCA (T.-N.) 3 D1
Indian Falls Depot, LNCA (N.-B.) 12 D1
Indian Gardens 8, RI (Man.) 29 G4
Indian Harbour, LNCA (N.-E.) 9 A4
Indian Harbour, LNCA (T.-N.) 2 E2
Indian Harbour, LNCA (T.-N.) 4 C4
Indian Harbour Lake, LNCA (N.-E.) 9 F3
Indian Head, V (Sask.) 29 B3
Indian Island, LNCA (N.-B.) 11 B3
Indian Island 28, RI (N.-B.) 12 G3
Indian Island 30, RI (C.-B.) 38 A2
Indian Mountain, LNCA (N.-B.) 11 G1
Indianola Beach, LNCA (Ont.) 21 B1
Indian Path, LNCA (N.-E.) 10 E2
Indian Point, LNCA (N.-E.) 10 E2
Indian Point, LNCS (N.-E.) 9 A4
Indian Point 1, RI (N.-B.) 12 E2
Indian Pond, LNCA (T.-N.) 2 G3
Indian River, LNCA (I.-P.-E.) 7 B3
Indian River, LNCA (Ont.) 21 D1
Indian Springs < Swan Lake 7, LNCA (Man.) 29 G4
Indian Tickle, LNCA (T.-N.) 6 H3
Indian Village < Woodstock 23, LNCA (N.-B.) 11 A1
Indus, LNCA (Alb.) 34 E2
Ingelow, LNCA (Man.) 29 F3
Ingenika Mine, LNCA (C.-B.) 42 H2
Ingersoll, V (Ont.) 22 F1
Ingle, LNCA (Ont.) 21 G1
Ingleside, LNCA (Ont.) 17 E2
Inglewood, LNCS (N.-E.) 10 C1
Inglis, LNCA (Man.) 29 D2
Inglis Falls, LNCA (Ont.) 23 C2
Inglisville, LNCA (N.-E.) 10 D1
Ingoldsby, LNCA (Ont.) 23 H1
Ingolf, LNCA (Ont.) 28 E2
Ingomar, LNCA (N.-E.) 10 C4
Ingonish, LNCA (N.-E.) 8 E2
Ingonish Beach, LNCA (N.-E.) 8 E2
Ingonish Centre, LNCA (N.-E.) 8 E2
Ingonish Ferry, LNCA (N.-E.) 8 E2
Ingramport, LNCA (N.-E.) 9 A4
Inholmes, LNCA (Ont.) 24 A2
Inkahtsaph 6, RI (C.-B.) 35 B2
Inkaneep, LNCA (C.-B.) 35 F4
Inkerman, LNCA (N.-B.) 12 G1
Inkerman, LNCA (Ont.) 17 D2
Inkerman Ferry, LNCA (N.-B.) 12 G1
Inklin, LNCA (C.-B.) 45 B4
Inkluckcheen 21, RI (C.-B.) 35 B2
Inkluckcheen 21B, RI (C.-B.) 35 B1
Inklyuhkinatko 2, RI (C.-B.) 35 B2
Inkster, LNCA (Sask.) 32 F3
Inlailawatash 4, RI (C.-B.) 38 G2
Inlailawatash 4A, RI (C.-B.) 38 G2
Inland, LNCA (Alb.) 33 F3
Inlet, LNCA (Qué.) 18 E4
Inlet Baddeck, LNCA (N.-E.) 8 D3
Inman, LNCA (N.-B.) 12 A3
Innerkip, LNCA (Ont.) 22 F1
Innes, LNCA (Sask.) 29 B4
Innes Park, LNCA (Ont.) 17 E4
Innisfail, V (Alb.) 34 E1
Innisfil Heights, LNCA (Ont.) 21 A1
Innisfil Park, LNCA (Ont.) 21 A1
Innisfree, VL (Alb.) 33 F3
Innisville, LNCA (Ont.) 17 B2
Inoucdjouac, LNCA (Qué.) 46 E4
Insinger, VL (Sask.) 29 C2
Instow, LNCA (Sask.) 31 D4
Intervale, LNCA (N.-B.) 11 F1
Inuvik, V (T.N.-O.) 45 C1
Inverary, LNCA (Ont.) 17 A4
Inverhaugh, LNCA (Ont.) 23 D4
Inverhuron, LNCA (Ont.) 23 B2
Inverlake, LNCA (Alb.) 34 F2
Invermay, LNCA (Ont.) 23 C2
Invermay, VL (Sask.) 29 C1
Invermere, VL (C.-B.) 34 C3
Inverness, LNCA (Qué.) 16 C3
Inverness, LNCA (I.-P.-E.) 7 B3
Inverness, VL (Qué.) 15 A4
Inverness Lodge, LNCA (Ont.) 24 B2
Inverside, LNCA (N.-E.) 8 C3
Inwood, LNCA (Ont.) 22 C2
Inwood, LNCA (Man.) 29 H3
Inzana Lake 12, RI (C.-B.) 42 H3
Ioco, LNCA (C.-B.) 38 G2
Iona, LNCA (N.-E.) 8 D3
Iona, LNCA (I.-P.-E.) 7 D4
Iona, LNCA (Ont.) 22 D2
Iona, LNCA (T.-N.) 2 F3
Iona Rear, LNCA (N.-E.) 8 D3
Iona Station, LNCA (Ont.) 22 D2
Ipperwash, Camp/Campement, RM (Ont.) 22 C1
Ipperwash Beach, LNCA (Ont.) 22 C1
Ireland, LNCA (N.-E.) 9 E2
Ireland, LNCA (Ont.) 24 F2
Ireland's Eye, LNCA (T.-N.) 2 F1
Irena, LNCA (Ont.) 17 D2
Ireton, LNCA (Alb.) 33 D3
Iris, LNCA (I.-P.-E.) 7 D4
Irish Cove, LNCA (N.-E.) 8 E4
Irish Lake, LNCA (Ont.) 23 D2
Irish Settlement, LNCA (N.-B.) 11 E2
Irish Settlement, LNCA (N.-B.) 11 A1
Irishtown, COMM (T.-N.) 4 D1
Irishtown, LNCA (I.-P.-E.) 7 B3
Irishtown, LNCS (N.-B.) 11 G1
Irishtown Road, LNCA (N.-E.) 9 B1
Irish Vale, LNCA (N.-E.) 8 E3
Irma, VL (Alb.) 33 G4
Iron Bay, LNCA (C.-B.) 38 G2
Iron Bound Cove, LNCA (N.-B.) 11 E1
Iron Bridge, VL (Ont.) 26 C4
Irondale, LNCA (Ont.) 24 D3
Iron Mines, LNCA (N.-E.) 8 D3
Iron River, LNCA (Alb.) 33 G2
Iron Rock, LNCA (N.-E.) 9 D2
Ironsides, LNCA (Ont.) 24 E3
Iron Springs, LNCA (Alb.) 34 F3
Ironville, LNCA (N.-E.) 8 E3
Iroquois, VL (Ont.) 17 D3
Iroquois Falls, V (Ont.) 26 E1
Irricana, VL (Alb.) 34 F2
Irvine, V (Alb.) 31 B3
Irvines Landing, LNCA (C.-B.) 38 D1
Isaac 8, RI (C.-B.) 41 G1
Isaac Creek, LNCA (Yukon) 45 A3
Isaacs Glen, LNCA (Ont.) 23 H2
Isaacs Harbour, LNCA (N.-E.) 9 F2
Isabella, LNCA (Man.) 29 E3
Isaccs Harbour North, LNCA (N.-E.) 9 F2
Isachsen, LNCA (T.N.-O.) 47 D2
Isadore Harry 12, RI (C.-B.) 36 B2
Isaiah Corner, LNCA (N.-B.) 11 G1
Isham, LNCA (Sask.) 31 D2
Ishkseenickh 33, RI (C.-B.) 42 D4
Ishkseenickh River 34, RI (C.-B.) 42 D4
Ishkseenickh River 35, RI (C.-B.) 42 D4
Ishkseenickh River 36, RI (C.-B.) 42 D4
Ishkseenickh River 37, RI (C.-B.) 42 D4
Ishpiming Beach, LNCA (Ont.) 23 E1
Isidore's Ranch 4, RI (C.-B.) 34 D4
Iskut < Iskut 6, LNCA (C.-B.) 45 B4
Iskut 6, RI (C.-B.) 45 B4
Island 14A, RI (C.-B.) 41 E3
Island-Brook, LNCA (Qué.) 16 E4
Island Cove < Hodge's Cove, LNCA (T.-N.) 2 F1
Island East River, LNCA (N.-E.) 9 D2
Island Falls, LNCA (Ont.) 20 C4
Island Falls, LNCA (Sask.) 32 G1
Island Grove, LNCA (Ont.) 21 B1
Island Harbour, LNCA (T.-N.) 3 E1
Island Harbour, LNCA (T.-N.) 6 H3
Island Lake, VE (Alb.) 33 E2
Island Lake, LNCA (Ont.) 26 B2
Island Lake, LNCA (Ont.) 26 B4
Island Lake 22, RI (Man.) 30 D2
Island Lake 22A, RI (Man.) 30 D2
Island Point, LNCA (N.-E.) 8 E3
Islands in the Trent Waters 36A, RI (Ont.) 24 D4
Island View, LNCA (N.-B.) 11 C1
Island View, LNCA (N.-E.) 8 E3
Island View Beach, LNCA (Ont.) 21 B1
Islay, LNCA (Alb.) 33 G3
Islay, LNCA (Ont.) 21 C1
Isle-aux-Coudres, LNCA (Qué.) 15 C2
Isle-aux-Grues, LNCA (Qué.) 15 C2
Isle aux Morts, DAL (T.-N.) 4 B4
Isle-Dupas, LNCA (Qué.) 16 A2
Isle-of-Skye, LNCA (Qué.) 17 F2
Isle Pierre, LNCA (C.-B.) 40 C2
Isle Valen, LNCA (T.-N.) 2 E2
Islington < Heart's Delight – Islington, LNCA (T.-N.) 2 G2
Islington 29, RI (Ont.) 28 E1
Ispas, LNCA (Alb.) 33 F3
Issoudun, LNCA (Qué.) 15 A3
Italy Cross, LNCA (N.-E.) 10 E2
Itaska Beach, VE (Alb.) 33 D4
Ittatsoo 1, RI (C.-B.) 38 A3
Ituna, V (Sask.) 29 B2
Ivan, LNCA (Ont.) 22 D1
Ivanhoe, LNCA (Ont.) 21 F1
Ivanhoe, LNCA (T.-N.) 2 F1
Ives, LNCA (Qué.) 16 E3
Ivry, LNCA (Qué.) 18 F4
Ivry-Nord, LNCA (Qué.) 18 F4
Ivujivik, LNCA (Qué.) 46 E3
Ivy, LNCA (Ont.) 21 A1
Ivy Lea, LNCA (Ont.) 17 B4

J

Jackfish, LNCA (Alb.) 44 C3
Jackfish Lake, LNCA (Sask.) 32 B3
Jackfish Point 214, RI (Alb.) 45 E4
Jackfish River, LNCA (Alb.) 44 B3
Jackhead 43, RI (Man.) 29 H1
Jackhead 43A, RI (Man.) 29 H1
Jackhead Harbour, LNCA (Man.) 29 H1
Jack Ladder, LNCA (T.-N.) 5 F4
Jack Lake, LNCA (Ont.) 24 E3
Jack Lake, LNCA (Ont.) 23 E2
Jackpine, LNCA (Ont.) 27 D3
Jackson, LNCA (Ont.) 23 C2
Jackson, LNCA (Alb.) 33 D4
Jackson Bay, LNCA (C.-B.) 39 G1
Jacksonburg, LNCA (Ont.) 22 F2
Jackson Falls, LNCA (N.-B.) 12 A4
Jackson Manion, LNCA (Ont.) 30 E4
Jacksons, LNCA (C.-B.) 42 B1
Jackson's Arm, LNCA (T.-N.) 5 G4
Jackson's Cove, LNCA (T.-N.) 3 B1
Jacksons Point, LNCA (Ont.) 21 B1
Jacksontown, LNCA (N.-B.) 12 A4
Jacksonville, LNCA (N.-B.) 11 A1
Jacksonville, LNCA (N.-E.) 8 D4
Jackville, LNCA (Alb.) 34 E2
Jaco-Hughes, LNCA (Qué.) 13 B1
Jacola, LNCA (Qué.) 18 B2
Jacques-Cartier, LNCA (Qué.) 15 A3
Jacques Fontaine, COMM (T.-N.) 2 D2
Jacquet River, VL (N.-B.) 13 E4
Jaffa, LNCA (Ont.) 22 E2
Jaffray, LNCA (C.-B.) 34 D4
Jailletville, LNCA (N.-B.) 12 G4
Jakes Corner, LNCA (Yukon) 45 B3
Jakes Landing, LNCA (N.-E.) 10 C2
Jalbert, LNCA (Qué.) 15 H2
Jalna, LNCA (Alb.) 33 C3
Jalun 14, RI (C.-B.) 41 A1
James Louie 3A, RI (C.-B.) 36 C1
Jameson, LNCA (Sask.) 31 H3
James River, LNCA (N.-E.) 8 B4
James River Bridge, LNCA (Alb.) 34 E1
James Settlement, LNCA (N.-E.) 9 D3
James Smith 100, RI (Sask.) 32 E3
Jamestown, LNCA (T.-N.) 3 F4
Jamestown, LNCA (Ont.) 23 C3
Jamesville, LNCA (N.-E.) 8 D3
Jamesville West, LNCA (N.-E.) 8 D3
Jamot, LNCA (Ont.) 25 F2
Janet, LNCA (Alb.) 34 E2
Janetville, LNCA (Ont.) 21 C1
Janeville, LNCA (N.-B.) 12 F1
Jan Lake, LNCA (Sask.) 32 G1
Janow Corners, LNCA (Sask.) 32 E3
Jans Bay, LNCA (Sask.) 32 B1
Jansen, VL (Sask.) 31 G1
Janvier 194, RI (Alb.) 44 C4
Janvrin Harbour, LNCA (N.-E.) 8 D4
Jardineville, LNCA (N.-B.) 12 G3
Jarnac, LNCA (Qué.) 18 E4
Jaroslaw, LNCA (Man.) 29 H2
Jarratt, LNCA (Ont.) 23 F1
Jarrow, LNCA (Alb.) 33 F4
Jarvie, LNCA (Alb.) 33 D2
Jarvis River, LNCA (Ont.) 27 D3
Jasmin, LNCA (Sask.) 29 B2
Jasper, LNCA (Alb.) 40 G3
Jasper, LNCA (Ont.) 17 C3
Jasper-in-Québec, LNCA (Qué.) 18 F4
Jasper Park Lodge, LNCA (Alb.) 40 G3
Jean Baptiste 28, RI (C.-B.) 42 F4
Jean Baptiste Gambler 183, RI (Alb.) 33 E1
Jean Côté, LNCA (Alb.) 43 H3
Jean de Baie, LNCA (T.-N.) 2 C3
Jean de Gaunt Island, LNCA (T.-N.) 2 E2
Jean Marie River, LNCA (T.N.-O.) 45 D3
Jeanne-Mance, LNCA (N.-B.) 12 F1
Jeannettes Creek, LNCA (Ont.) 22 B3
Jedburgh, VL (Sask.) 29 C2
Jeddore Oyster Ponds, LNCA (N.-E.) 9 C3
Jedway, LNCA (C.-B.) 41 C3
Jefferson, LNCA (N.-E.) 8 E3
Jeffrey, LNCA (Alb.) 33 E2
Jeffrey's, LNCA (T.-N.) 4 B3
Jeffries Corner, LNCA (N.-B.) 11 F2
Jellicoe, LNCA (Ont.) 27 F2
Jellicoe, LNCA (C.-B.) 35 D3
Jelly, LNCA (Ont.) 27 D3
Jellyby, LNCA (Ont.) 17 C3
Jemseg, LNCA (N.-B.) 11 D1
Jenner, LNCA (Alb.) 34 H2
Jennings River 8, RI (C.-B.) 45 B4
Jenpeg, LNCA (Man.) 30 B2
Jensen, LNCA (Alb.) 34 H3
Jensen Creek, LNCA (Yukon) 45 A2
Jericho, LNCA (N.-B.) 12 A4
Jericho, LNCA (Ont.) 22 C1
Jermyn, LNCA (Ont.) 21 D1
Jerome, LNCA (Ont.) 26 D2
Jerrys Nose, LNCA (T.-N.) 4 B2
Jersey, LNCA (Ont.) 21 B1
Jersey, LNCA (N.-E.) 9 B1
Jersey, LNCA (C.-B.) 34 B4
Jersey Cove (Qué.) 13 H2
Jersey Cove, LNCA (N.-E.) 8 E3
Jersey Harbour, LNCA (T.-N.) 2 B2
Jerseyside, V (T.-N.) 2 F3
Jesmond, LNCA (C.-B.) 36 B3
Jessopville, LNCA (Ont.) 23 E3
Jessups Falls, LNCA (Ont.) 17 D1
Jetait, LNCA (Man.) 30 A1
Jewellville, LNCA (Ont.) 24 F2
Jewetts Mills, LNCA (N.-B.) 11 C1
Jim-Lake, LNCA (Qué.) 18 C4
Jim's Cove < Triton – Jim's Cove – Card's Harbour, LNCA (T.-N.) 3 B2
Jim Smith Lake, LNCS (C.-B.) 34 C4
Jimtown, LNCA (N.-E.) 8 B4
Joannès, LNCA (Qué.) 18 A2
Jobrin, LNCA (Ont.) 27 H1
Job's Cove, LNCA (T.-N.) 2 G1
Jocko, LNCA (Ont.) 26 G4
Jockvale, LNCA (Ont.) 17 E4
Joe Batt's Arm < Joe Batt's Arm – Barr'd Islands, LNCA (T.-N.) 3 E1
Joe Batt's Arm – Barr'd Islands, DR (T.-N.) 3 E1
Joes Lake, LNCA (Ont.) 17 A2
Joeyaska 2, RI (C.-B.) 35 C2
Joffre, LNCA (Alb.) 33 E4
Joggin Bridge, LNCA (N.-E.) 10 B2
Joggins, LNCA (N.-E.) 11 H2
Jogues, LNCA (Ont.) 20 B4
Jogues, LNCA (Qué.) 16 B3
John D'Or Prairie < John D'Or Prairie 215, LNCA (Alb.) 44 B3
John D'Or Prairie 215, RI (Alb.) 44 B3
John's Beach < Halfway Point – Benoit's Cove – John's Beach – Frenchman's Cove, LNCA (T.-N.) 4 C1
Johnsborough, LNCA (Sask.) 31 C3
Johnson, LNCA (Ont.) 23 D1
Johnson, LNCA (C.-B.) 38 G2
Johnson Addition, LNCS (Alb.) 34 G3
Johnson-Beach < Caughnawaga 14, LNCA (Qué.) 17 G4
Johnson Croft, LNCA (N.-B.) 11 D2
Johnson Mills, LNCA (N.-B.) 11 H1
Johnsons Crossing, LNCA (Yukon) 45 B3
Johnson Settlement, LNCA (N.-B.) 11 B3
Johnson Settlement, LNCA (N.-B.) 11 A1
Johnsons Landing, LNCA (C.-B.) 34 B3
Johnsons Landing, LNCA (Ont.) 27 E3
John's Pond, LNCA (T.-N.) 2 F3
Johnston Corners, LNCA (Ont.) 17 E4
Johnston Point Road, LNCA (N.-B.) 7 A4
Johnstons River, LNCA (I.-P.-E.) 7 D4
Johnstown, LNCA (Ont.) 17 D3
Johnstown, LNCA (N.-E.) 8 E4
Johnstown, LNCA (Ont.) 21 F1
Johnville, LNCA (N.-B.) 12 A3
Johnville, LNCA (Qué.) 16 D4
Johny Sticks 2, RI (C.-B.) 36 B2
Jolicure, LNCA (N.-B.) 7 A4
Joliette, C (Qué.) 16 A2
Joliffs Brook, LNCA (N.-B.) 11 E2
Joly, LNCA (Qué.) 15 A4
Jones, LNCA (Ont.) 28 G1
Jones Falls, LNCA (Ont.) 17 B3
Jones Forks, LNCA (N.-B.) 11 C1
Jones Landing, LNCA (Ont.) 26 A3
Jones Landing, LNCA (T.N.-O.) 45 G3
Jonquière, C (Qué.) 14 B3
Jordan Bay, LNCA (N.-E.) 10 C4
Jordan Branch, LNCA (N.-E.) 10 C3
Jordan Falls, LNCA (N.-E.) 10 C3
Jordan Ferry, LNCA (N.-E.) 10 C4
Jordan Mountain, LNCA (N.-B.) 11 F1
Jordan River, LNCA (Sask.) 32 G3
Jordantown, LNCA (N.-E.) 10 B2
Jordanville, LNCA (N.-E.) 9 F3
Josephburg, LNCA (Alb.) 33 E3
Josephine, LNCA (Ont.) 26 A2
Josephsburg, LNCA (Ont.) 23 D4
Journois, LNCS (T.-N.) 4 B2
Joussard, LNCA (Alb.) 33 B1
Joutel, LNCA (Qué.) 20 E4
Jouvence, LNCA (Qué.) 16 C4
Joyceville, LNCA (Ont.) 17 B4
Joyland Beach, LNCA (Ont.) 23 G2
Joynt, LNCA (Qué.) 17 B1
Jubilee, LNCA (N.-E.) 8 D3
Jubilee, LNCA (N.-E.) 11 H2
Judah, LNCA (Alb.) 43 H3
Juddhaven, LNCA (Ont.) 24 B2
Judd's-Mills, LNCA (Qué.) 16 D4
Judes Point, LNCA (I.-P.-E.) 7 B2
Judge, LNCA (Ont.) 26 F2
Judgeville, LNCA (Ont.) 17 B3
Judique, LNCA (N.-E.) 8 C4
Judique Intervale, LNCA (N.-E.) 8 C4
Judique North, LNCA (N.-E.) 8 C4
Judique South, LNCA (N.-E.) 8 C4
Judson, LNCA (Alb.) 34 G4
Jules, LNCA (Qué.) 18 D4
Julien, LNCA (Qué.) 16 D1
Junetown, LNCA (Ont.) 17 C3
Juniper, LNCA (N.-B.) 12 B3
Juniper Island, LNCA (Ont.) 24 E4
Juniper Mountain, LNCA (N.-E.) 8 E3
Juniper Station, LNCA (N.-B.) 12 B3
Juniper Stump, LNCA (T.-N.) 2 G2
Juno, LNCA (Man.) 28 C1
Juno, LNCA (Alb.) 34 H3
Junor, LNCA (Sask.) 32 B3
Jupitagon, LNCA (Qué.) 19 G3
Jura, LNCA (C.-B.) 35 D3
Jura, LNCA (Ont.) 22 C1
Juskatla, LNCA (C.-B.) 41 B1
Justasons Corner, LNCA (N.-B.) 11 C3
Justice, LNCA (Man.) 29 F3
Juvenile Settlement, LNCA (N.-B.) 11 C2

K

Kaboni < Wikwemikong Unceded 26, LNCA (Ont.) 25 C2
Kadis 11, RI (C.-B.) 39 E1
Kagawong, LNCA (Ont.) 25 B2
Kahas 7, RI (C.-B.) 41 D2
Kahkaykay 6, RI (C.-B.) 37 C4
Kahkewistahaw 72, RI (Sask.) 29 C3
Kahmoose 4, RI (C.-B.) 35 B2
Kahntah < Kahntah 3, LNCA (C.-B.) 45 D4
Kahntah 3, RI (C.-B.) 43 E1
Kahwin, LNCA (Alb.) 33 F3
Kaikalahun 25, RI (C.-B.) 38 E2
Kaisun, LNCA (C.-B.) 41 A2
Kai-too-kwis 23, RI (C.-B.) 41 F4
Kajustus 10, RI (C.-B.) 41 E3
Kakabeka Falls, LNCA (Ont.) 27 D3
Kakalatza 6, RI (C.-B.) 38 E3
Kakawis, LNCA (C.-B.) 39 G4
Kakisa, LNCA (T.N.-O.) 44 A1
Kakweken 4, RI (C.-B.) 39 F1
Kaladar, LNCA (Ont.) 24 G4
Kaleden, LNCA (C.-B.) 35 E4
Kaleida, LNCA (Man.) 29 G4
Kaleland, LNCA (Alb.) 33 F3
Kaleva, LNCS (C.-B.) 39 E1
Kallieseks 7, RI (C.-B.) 42 F2
Kalyna, LNCA (Sask.) 32 E3
Kamarsuk, LNCA (T.-N.) 6 E2
Kaministiquia, LNCA (Ont.) 27 D3
Kamloops, C (C.-B.) 35 D1
Kamloops 1, RI (C.-B.) 36 F4
Kamloops 2, RI (C.-B.) 35 D1
Kamloops 3, RI (C.-B.) 35 D1
Kamloops 4, RI (C.-B.) 36 F4
Kamloops 5, RI (C.-B.) 36 F4
Kamloops, CFS/SFC, RM (C.-B.) 36 F4
Kamouraska, VL (Qué.) 15 D1
Kamouraska-Moulin, LNCA (Qué.) 15 E1
Kamsack, V (Sask.) 29 D2
Kamsack Beach, LNCA (Sask.) 29 D1
Kanaaupscow, LNCA (Qué.) 20 F2
Kanaka Bar 1A, RI (C.-B.) 35 B2
Kanaka Bar 2, RI (C.-B.) 35 B2
Kananaskis, LNCA (Alb.) 34 D2
Kanata, LNCA (Ont.) 17 D4
Kanawana, LNCA (Qué.) 18 F4
Kandahar, LNCA (Sask.) 31 H1
Kane, LNCA (Man.) 29 H4
Kaneville, LNCA (N.-E.) 8 F3
Kannata Valley, VL (Sask.) 31 G2
Kaoowinch 10, RI (C.-B.) 39 D2
Kaouk 13, RI (C.-B.) 39 D2
Kapasiwin, VE (Alb.) 33 D3
Kapuskasing, V (Ont.) 20 C4
Karalash Corners, LNCA (Ont.) 26 B3
Karlukwees < Karlukwees 1, LNCA (C.-B.) 39 F1
Karlukwees 1, RI (C.-B.) 39 F1
Kars, LNCA (Ont.) 17 C2
Kars, LNCA (N.-B.) 11 E2
Karsdale, LNCA (N.-E.) 10 B1
Kasabonika < Kasabonika Lake, LNCA (Ont.) 30 G2
Kasabonika Lake, RI (Ont.) 30 G2
Kasha, LNCA (Alb.) 33 D4
Kashabowie, LNCA (Ont.) 27 C3
Kashechewan < Fort Albany 67, LNCA (Ont.) 20 C3
Kashittle 9, RI (C.-B.) 39 D2
Kasika 36, RI (C.-B.) 42 D4
Kasika 71, RI (C.-B.) 42 D4
Kasika 72, RI (C.-B.) 42 D4
Kasiks River 29, RI (C.-B.) 42 D4
Kasil, LNCA (Qué.) 18 E4
Kaslo, VL (C.-B.) 34 B3
Kasper Creek, LNCS (Sask.) 31 F4
Kasshabog Lake, LNCA (Ont.) 24 E4
Kaste 6, RI (C.-B.) 41 B2
Kaszuby, LNCA (Ont.) 24 F2
Kateen River 39, RI (C.-B.) 42 D4
Katepwa Beach, VE (Sask.) 29 B3
Katevale, LNCA (Qué.) 16 D4
Kathleen, LNCA (Alb.) 33 B1
Kathrintal Colony, LNCA (Sask.) 31 H3
Kathryn, LNCA (Alb.) 34 E2
Katit 1, RI (C.-B.) 41 F4
Katrime, LNCA (Man.) 29 G3
Katrine, LNCA (Ont.) 24 B1
Katzie 1, RI (C.-B.) 38 G2
Katzie 2, RI (C.-B.) 38 G2
Kauk Bight, LNCA (T.-N.) 6 E2
Kavanagh, LNCA (Alb.) 33 E3
Kawages 4, RI (C.-B.) 39 F1
Kawartha Hideaway, LNCS (Ont.) 24 D4
Kawartha Park, LNCA (Ont.) 24 E4
Kawene, LNCA (Ont.) 27 C3
Kawkawa Lake, LNCS (C.-B.) 35 B4
Kawkawa Lake 16, RI (C.-B.) 35 B4
Kayel 8, RI (C.-B.) 41 D2
Kaykaip 7, RI (C.-B.) 35 B3
Kayouk 8, RI (C.-B.) 39 D2
Kay Settlement, LNCA (N.-B.) 11 F1
Kayville, LNCA (Sask.) 31 G4
Kazabazua, LNCA (Qué.) 18 D4
Kazabazua-Station, LNCA (Qué.) 18 D4
Kdad-eesh 4, RI (C.-B.) 41 D2
Keady, LNCA (Ont.) 23 C2
Kearney, V (Ont.) 24 B1
Kearns, LNCA (Ont.) 26 F2
Keatings Corner, LNCA (N.-B.) 11 D2
Keatley, LNCA (Sask.) 32 C4
Keats Island, LNCA (C.-B.) 38 E2
Kebaowek 12, RI (Qué.) 18 A3
Keddys Corner, LNCA (N.-E.) 11 H3
Kedgemakooge, LNCA (N.-E.) 10 C2
Kedgwick, VL (N.-B.) 12 B1
Kedgwick River, LNCA (N.-B.) 12 B1
Kedleston, LNCA (Sask.) 31 G2
Kedleston, LNCA (C.-B.) 35 F1
Kedleston Beach, LNCA (Sask.) 31 G2
Keeble, LNCA (N.-E.) 9 C1
Keecekiltum 2, RI (C.-B.) 39 F1
Keecha 11, RI (C.-B.) 41 D2
Keefers, LNCA (C.-B.) 35 B2
Keeler, VL (Sask.) 31 F3

Keelerville, LNCA (Ont.) 17 B3
Keels, COMM (T.-N.) 3 G4
Keenan Siding, LNCA (N.-B.) 12 E3
Keenansville, LNCA (Ont.) 21 A1
Keene, LNCA (Ont.) 21 D1
Keephills, LNCA (Alb.) 33 D3
Keeseekoose 66, RI (Sask.) 29 D1
Keeseekoose 66A, RI (Sask.) 29 D1
Keeseekoowenin 61, RI (Man.) 29 E3
Keeshan 9, RI (C.-B.) 38 B3
Keewatin, V (Ont.) 28 F2
Keewatin, District of/de, D (T.N.-O.) 1
Keewaydin, LNCA (Ont.) 26 F3
Kégashka, LNCA (Qué.) 5 C3
Keg River, LNCA (Alb.) 43 G1
Kegworth, LNCA (Sask.) 29 C3
Kehiwin 123, RI (Alb.) 33 G2
Keirsteadville, LNCA (N.-B.) 11 E2
Keith, LNCA (Alb.) 34 E2
Keith Island 7, RI (C.-B.) 38 B3
Keithley Creek, LNCA (C.-B.) 40 D3
Kekertuk, LNCA (T.N.-O.) 46 G1
Keld, LNCA (Man.) 29 E2
Keldon, LNCA (Ont.) 23 E3
Kelfield, VL (Sask.) 31 D1
Keller Bridge, LNCA (Ont.) 24 F4
Kellers, LNCA (Ont.) 21 E1
Kelleys Cove, LNCA (N.-E.) 10 A3
Kelliher, VL (Sask.) 29 B2
Kelloe, LNCA (Man.) 29 E3
Kelly, LNCA (Qué.) 13 F3
Kelly, LNCA (Qué.) 15 A4
Kelly, LNCA (Qué.) 16 B4
Kelly Creek 3, RI (C.-B.) 36 C4
Kelly Lake, LNCA (C.-B.) 43 F4
Kelly Lake, LNCA (C.-B.) 36 C4
Kelly-Newton, LNCA (Qué.) 18 D4
Kelly Road, LNCA (I.-P.-E.) 7 A3
Kellys Corner, LNCA (Ont.) 24 G1
Kellys Cross, LNCA (I.-P.-E.) 7 C4
Kelowna, C (C.-B.) 35 F2
Kelsey, LNCA (Alb.) 33 E4
Kelsey, LNCA (Man.) 30 C1
Kelsey Bay, LNCA (C.-B.) 39 G2
Kelso, LNCA (Sask.) 29 D3
Kelstern, LNCA (Sask.) 31 E3
Keltic Lodge, LNCA (N.-E.) 8 E2
Kelvin, LNCA (Ont.) 22 G1
Kelvin Grove, LNCA (I.-P.-E.) 7 B3
Kelvington, V (Sask.) 29 B1
Kelwood, LNCA (Man.) 29 F3
Kemano, LNCA (C.-B.) 41 F1
Kemano 17, RI (C.-B.) 41 E1
Kemano Landing, LNCA (C.-B.) 41 E1
Kemble, LNCA (Ont.) 23 C1
Kemnay, LNCA (Man.) 29 F4
Kempark, LNCA (Ont.) 17 E4
Kemp River, LNCA (Alb.) 43 H1
Kempt, LNCA (N.-E.) 10 C2
Kempt Head, LNCA (N.-E.) 8 E3
Kemptown, LNCA (N.-E.) 9 C2
Kempt Road, LNCA (N.-E.) 8 D4
Kempt Shore, LNCA (N.-E.) 9 A3
Kemptville, V (Ont.) 17 C2
Kemptville, LNCA (N.-E.) 10 B3
Kemsquit 1, RI (C.-B.) 41 F2
Kenabeek, LNCA (Ont.) 26 F2
Kenaston, VL (Sask.) 31 F2
Kendal, VL (Sask.) 29 B3
Kendry, LNCA (Ont.) 21 D1
Keneden Park, LNCA (Ont.) 21 D1
Kenhill Beach, LNCA (Ont.) 24 D4
Kenilworth, LNCA (Ont.) 23 D3
Kenlis, LNCA (Sask.) 29 B3
Kenloch, LNCA (N.-E.) 8 C3
Kenmore, LNCA (Ont.) 17 D2
Kennaway, LNCA (Ont.) 24 E2
Kennedy, VL (Sask.) 29 C3
Kennedy Bay, LNCA (Ont.) 21 C1
Kennell, LNCA (Sask.) 31 G2
Kennetcook, LNCA (N.-E.) 9 B2
Kenneth, LNCA (N.-B.) 12 B3
Kennicott, LNCA (Ont.) 23 C4
Kennisis Lake, LNCA (Ont.) 24 D2
Kennyville, LNCA (Qué.) 18 D4
Kenny Woods, LNCA (Alb.) 44 C3
Kenogami Lake, LNCA (Ont.) 26 F2
Keno Hill, LNCA (Yukon) 45 B2
Kenora, V (Ont.) 28 F2
Kenora 38B, RI (Ont.) 28 F2
Kenosee Park, LNCA (Sask.) 29 C4
Kensington, V (I.-P.-E.) 7 B3
Kensington, LNCA (Qué.) 17 F2
Kenstone Beach, LNCA (Ont.) 23 H2
Kent, DM (C.-B.) 35 A4
Kent, LNCA (N.-E.) 9 C3
Kent Boom, LNCS (N.-B.) 12 G4
Kent Bridge, LNCA (Ont.) 22 C3
Kent Centre, LNCA (Ont.) 22 C3
Kent Junction, LNCA (N.-B.) 12 F3
Kent Lake, LNCA (N.-B.) 12 F3
Kenton, LNCA (Man.) 29 E3
Kentvale, LNCA (Ont.) 26 B4
Kentville, V (N.-E.) 11 H3
Kenville, LNCA (Man.) 29 D1
Kenzie, LNCA (Alb.) 33 B1
Kenzieville, LNCA (N.-E.) 8 A4
Keogh 2, RI (C.-B.) 39 G1
Keogh 3, RI (C.-B.) 41 G4
Keogh 6, RI (C.-B.) 39 D1
Keoma, LNCA (Alb.) 34 F2
Kepler, LNCA (Ont.) 17 A4
Keppel, LNCA (Sask.) 31 E1
Keppoch, LNCA (N.-E.) 8 D3
Keppoch, LNCA (I.-P.-E.) 7 C4
Kequesta 9, RI (C.-B.) 41 F4
Keremeos, VL (C.-B.) 35 E4
Keremeos Forks 12P12A, RI (C.-B.) 35 E4
Kerensky, LNCA (Alb.) 33 E3
Kergwenan, LNCA (Man.) 29 F2
Kerleys Harbour, LNCA (T.-N.) 3 G4
Kerr Creek, LNCA (C.-B.) 35 G4
Kerr Lake, LNCA (Ont.) 26 F3
Kerr Line, LNCA (Ont.) 17 A1
Kerrobert, V (Sask.) 31 C1
Kerrowgare, LNCA (N.-E.) 9 E2
Kerrs lake, LNCA (Man.) 29 F3
Kerrs Mill Road, LNCA (N.-E.) 9 B1
Kerrs Ridge, LNCA (N.-B.) 11 B3
Kerry, LNCA (Man.) 28 C2
Kersey, LNCA (Alb.) 34 E2
Kershaw Subdivision, LNCS (C.-B.) 36 F2
Kersley, LNCA (C.-B.) 40 C3
Kertch, LNCA (Ont.) 22 C2
Kerwood, LNCA (Ont.) 22 D2
Kessock, LNCA (Sask.) 29 D2
Keswar 16, RI (C.-B.) 41 C1
Keswick, LNCA (Ont.) 21 B1
Keswick, LNCA (N.-B.) 11 C1
Keswick Beach, LNCA (Ont.) 21 B1
Keswick Ridge, LNCA (N.-B.) 11 C1
Ketai 28, RI (C.-B.) 41 D1
Ketchen, LNCA (Sask.) 29 C1
Ketchen, LNCA (Qué.) 18 A3
Ketch Harbour, LNCA (N.-E.) 9 B4
Ketchum Ridge, LNCA (N.-B.) 12 B3
Ketoneda 7, RI (C.-B.) 42 E4
Kettleby, LNCA (Ont.) 21 A2
Kettle Cove, LNCA (T.-N.) 3 D1
Kettle Point < Kettle Point 44, LNCA (Ont.) 22 C1
Kettle Point 44, RI (Ont.) 22 C1
Kettle's Beach, LNCA (Ont.) 23 E1
Kettle Valley, LNCA (C.-B.) 35 G4
Kevisville, LNCA (Alb.) 34 E1
Kew, LNCA (Alb.) 34 E2
Keward, LNCA (Ont.) 23 C2
Kewstoke, LNCA (N.-E.) 8 C3
Keyarka 17, RI (C.-B.) 41 C1
Keyes, LNCA (Man.) 29 F3
Key Harbour, LNCA (Ont.) 25 F2
Key Junction, LNCA (Ont.) 25 F2
Key River, LNCA (Ont.) 25 F2
Keyser, LNCA (Ont.) 22 D1
Keystone, LNCA (Alb.) 33 D3
Keystone Camps, LNCA (Ont.) 25 G1
Keystown, LNCA (Sask.) 31 G3
Key West, LNCA (Sask.) 31 G4
Khartum, LNCA (Ont.) 24 G2
Khazisela 7, RI (C.-B.) 41 F4
Khedive, VL (Sask.) 31 H4
Khiva, LNCA (Ont.) 22 D1
Khrana 4, RI (C.-B.) 41 B2
Khtahda 10, RI (C.-B.) 41 D1
Khutzemateen 49, RI (C.-B.) 42 D4
Khyex 8, RI (C.-B.) 42 D4
Kiamika, LNCA (Qué.) 18 E4
Kichha 10, RI (C.-B.) 38 B3
Kierkoski, LNCA (Qué.) 16 A3
Kierstead Mountain, LNCA (N.-B.) 11 E1
Kikino, LNCA (Alb.) 33 G2
Kilbella Bay, LNCA (C.-B.) 41 F4
Kilbride, LNCA (T.-N.) 2 H2
Kilburn, LNCA (N.-B.) 12 A3
Kilburn-Mill, LNCA (Qué.) 16 D4
Kilchult 3, RI (C.-B.) 35 A1
Kilcoo Camp, LNCA (Ont.) 23 H1
Kildala Arm < Tahla 4, LNCA (C.-B.) 41 E1
Kildala River 10, RI (C.-B.) 41 E1
Kildare Capes, LNCA (I.-P.-E.) 7 B2
Kildonan, LNCA (C.-B.) 38 B3
Kilfoil, LNCA (N.-B.) 12 A3
Kilgard < Upper Sumas 6, LNCA (C.-B.) 38 H3
Kilgorie, LNCA (Ont.) 23 E2
Kilkerran, LNCA (C.-B.) 43 F3
Killaloe, LNCA (Ont.) 24 F1
Killaloe Station, VL (Ont.) 24 F1
Killaly, VL (Sask.) 29 C2
Killam, V (Alb.) 33 F4
Killams Mills, LNCA (N.-B.) 11 F1
Killarney, V (Man.) 29 F4
Killarney, LNCA (Ont.) 25 D2
Killarney, LNCA (N.-E.) 9 B3
Killarney Beach, LNCA (Ont.) 21 A1
Killarney Lake, LNCA (Alb.) 33 H4
Killbear Park, LNCA (Ont.) 25 G3
Killdeer, LNCA (Sask.) 31 F4
Killean, LNCA (Ont.) 22 G1
Killiney Beach, LNCS (C.-B.) 35 F2
Killoween, LNCA (N.-B.) 12 A3
Kilmar, LNCA (Qué.) 18 E4
Kilmarnock, LNCA (N.-B.) 11 A1
Kilmarnock, LNCA (Ont.) 17 C2
Kilmartin, LNCA (Ont.) 22 D2
Kilmaurs, LNCA (Ont.) 17 B1
Kilmuir, LNCA (I.-P.-E.) 7 D4
Kil-pah-las 3, RI (C.-B.) 38 E3
Kilronan, LNCA (Sask.) 32 A3
Kilselas < Kshish 4 & 4A, LNCA (C.-B.) 42 E4
Kilsyth, LNCA (Ont.) 23 C2
Kilsyth, LNCA (Alb.) 33 D2
Kiltala 2, RI (C.-B.) 41 F3
Kiltarlity, LNCA (N.-E.) 8 D3
Kiltuish 13, RI (C.-B.) 41 E1
Kilwinning, LNCA (Sask.) 32 D4
Kilworth, LNCA (Ont.) 22 D2
Kimball, LNCA (Alb.) 34 F4
Kimball, LNCA (Ont.) 22 B2
Kimberley, C (C.-B.) 34 C4
Kimberley, LNCA (Ont.) 23 D2
Kimberley Park, LNCA (Ont.) 21 D1
Kimbo, LNCA (Ont.) 21 A4
Kimsquit, LNCA (C.-B.) 41 F2
Kinburn, LNCA (Ont.) 17 B1
Kinburn, LNCA (Ont.) 23 B4
Kincaid, VL (Sask.) 31 E4
Kincardine, V (Ont.) 23 B2
Kincardine, LNCA (N.-B.) 12 A3
Kincolith < Kincolith 14, LNCA (C.-B.) 42 D4
Kincolith 14, RI (C.-B.) 42 D4
Kincolith 14A, RI (C.-B.) 42 D4
Kindersley, V (Sask.) 31 C2
Kingarf, LNCA (Ont.) 23 B2
King City, LNCA (Ont.) 21 A2
King Creek, LNCA (Ont.) 21 A2
Kingfisher, LNCA (C.-B.) 35 G1
Kingfisher 1, RI (Ont.) 30 F3
Kingfisher 2, RI (Ont.) 30 F3
Kingfisher 3, RI (Ont.) 30 F3
Kingfisher Lake < Kingfisher 1, LNCA (Ont.) 30 F3
Kinghorn, LNCA (Ont.) 21 A2
Kinghurst, LNCA (Ont.) 23 C2
King Kirkland, LNCA (Ont.) 26 F2
Kinglake, LNCA (Ont.) 22 F3
Kingman, LNCA (Alb.) 33 E3
Kingman's < Fermeuse, LNCA (T.-N.) 2 H4
King Pitt, LNCA (Ont.) 17 B4
Kingross, LNCA (N.-E.) 8 D2
Kingsboro, LNCA (I.-P.-E.) 7 F3
Kingsbridge, LNCA (Ont.) 23 B3
Kingsburg, LNCA (N.-E.) 10 E2
Kingsbury, VL (Qué.) 16 C3
Kingsclear, LNCA (N.-B.) 11 C1
Kingsclear 6, RI (N.-B.) 11 C1
Kingscote, LNCA (Ont.) 23 D3
King's Cove, COMM (T.-N.) 3 G4
Kings Cove, LNCA (T.-N.) 6 H4
Kings Cove, LNCA (T.-N.) 3 B1
Kingscroft, LNCA (Qué.) 16 D4
Kingscross Estates, LNCA (Ont.) 21 A2
Kingsey, LNCA (Qué.) 16 D3
Kingsey-Falls, VL (Qué.) 16 D3
Kingsford, LNCA (Ont.) 21 G1
Kingsgate, LNCA (C.-B.) 34 C4
Kings Head, LNCA (N.-E.) 9 D1
Kingsland, LNCA (Sask.) 31 D1
Kings Landing, LNCA (N.-B.) 11 B1
Kingsley, LNCA (N.-B.) 11 C1
Kingsley, LNCA (Man.) 29 G4
Kingsmere, LNCA (Qué.) 17 D3
Kingsmill, LNCA (Ont.) 22 E2
Kings Mines, LNCA (N.-B.) 11 E1
King's Point, COMM (T.-N.) 3 A1
Kingsport, LNCA (N.-E.) 11 H3
Kings Rest, LNCA (N.-E.) 9 B2
Kingston, C (Ont.) 17 A4
Kingston, LNCA (N.-E.) 10 D1
Kingston, LNCA (I.-P.-E.) 7 C4
Kingston, LNCA (N.-B.) 11 E2
Kingston < Small Point – Kingston – Broad Cove – Blackhead – Adams Cove, LNCA (T.-N.) 2 G2
Kingston, CFB/BFC, RM (Ont.) 17 B4
Kingston Corner, LNCA (N.-B.) 11 E2
Kingston Mills, LNCA (Ont.) 17 A4
Kingston Village, LNCA (N.-E.) 10 D1
Kingsvale, LNCA (C.-B.) 35 C2
Kingsville, V (Ont.) 22 A4
Kingsville, LNCA (N.-E.) 8 C4
Kings Wharf, LNCA (Ont.) 21 D1
Kingswood Acres, LNCA (Ont.) 23 E1
Kingwell, LNCA (T.-N.) 2 E2
Kingwood, LNCA (Ont.) 23 D4
Kinhuron, LNCS (Ont.) 23 B2
Kinikinik, LNCA (Alb.) 33 E2
Kinistino, V (Sask.) 32 E4
Kinistino 91, RI (Sask.) 32 F4
Kinistino 91A, RI (Sask.) 32 F4
Kinkora, LNCA (Ont.) 23 C4
Kinkora, VL (I.-P.-E.) 7 B4
Kinley, VL (Sask.) 31 E1
Kinloch, LNCA (Sask.) 29 B1
Kinlock, LNCA (I.-P.-E.) 7 D4
Kinloss, LNCA (Ont.) 23 B3
Kinlough, LNCA (Ont.) 23 B3
Kinmakanksk 6, RI (C.-B.) 41 E2
Kinmelit 20, RI (C.-B.) 42 D3
Kinmount, LNCA (Ont.) 23 H1
Kinnaird, LNCA (Ont.) 22 C1
Kinnamax 15, RI (C.-B.) 42 D4
Kinnear Settlement, LNCA (N.-B.) 11 F1
Kinnears-Mills, LNCA (Qué.) 15 A4
Kinoosao, LNCA (Sask.) 44 G4
Kinosis, LNCA (Alb.) 44 C4
Kinosota, LNCA (Man.) 29 G2
Kinross, LNCA (I.-P.-E.) 7 D4
Kinsac, LNCA (N.-E.) 9 B3
Kinsella, LNCA (Alb.) 33 F4
Kinsmans Corner, LNCA (N.-E.) 11 G3
Kintail, LNCA (Ont.) 23 B3
Kintore, LNCA (Ont.) 22 E1
Kintyre, LNCA (Ont.) 22 D2
Kinusisipi, LNCA (Man.) 30 C2
Kinuso, VL (Alb.) 33 C1
Kinyug 57, RI (C.-B.) 42 E3
Kioosta 15, RI (C.-B.) 41 A1
Kiosk, LNCA (Ont.) 18 A4
Kiowana Beach, LNCA (Ont.) 23 D1
Kipabiskau, LNCA (Sask.) 32 F4
Kipawa, LNCA (Qué.) 18 A3
Kipisa, LNCA (T.N.-O.) 46 F2
Kipling, V (Sask.) 29 C3
Kipling, LNCA (Ont.) 25 G1
Kipp, LNCA (Alb.) 34 F4
Kippase 2, RI (C.-B.) 39 D1
Kippen, LNCA (Ont.) 23 B4
Kippens, DAL (T.-N.) 4 B2
Kirby Point 6, RI (C.-B.) 38 B3
Kirby's Corner, LNCA (Ont.) 26 B3
Kirk, LNCA (Ont.) 25 G1
Kirkcaldy, LNCA (Alb.) 34 F3
Kirk Cove, LNCA (Ont.) 24 G3
Kirkdale, LNCA (Qué.) 16 C3
Kirke, LNCA (Ont.) 26 F1
Kirkella, LNCA (Man.) 29 D3
Kirkfield, LNCA (Ont.) 23 H2
Kirkhill, LNCA (Ont.) 17 E1
Kirkhill, LNCA (N.-E.) 11 H2
Kirkland, V (Qué.) 17 F4
Kirkland, LNCA (N.-B.) 11 A1
Kirkland Lake, V (Ont.) 26 F2
Kirkman Creek, LNCA (Yukon) 45 A2
Kirkmount, LNCA (N.-E.) 8 A4
Kirkness, LNCA (Man.) 28 A1
Kirkpatrick, LNCA (Alb.) 34 F2
Kirks-Ferry, LNCA (Qué.) 17 D3
Kirkton, LNCA (Ont.) 22 E1
Kirkwall, LNCA (Ont.) 22 G1
Kirkwood, LNCA (N.-B.) 12 E2
Kiron, LNCA (Alb.) 33 E4
Kirriemuir, LNCA (Alb.) 31 B1
Kirtland, LNCA (C.-B.) 45 B4
Kirwan, LNCA (Qué.) 18 A2
Kisameet 7, RI (C.-B.) 41 F3
Kis-an-usko 7, RI (C.-B.) 42 F3
Kisbey, VL (Sask.) 29 C4
Kisgegas, RI (C.-B.) 42 F3
Kishnacous 29, RI (C.-B.) 39 F4
Kiskissink, LNCA (Qué.) 18 H2
Kispiox < Kispiox 1, LNCA (C.-B.) 42 F3
Kispiox 1, RI (C.-B.) 42 F3
Kitamaat Village < Kitimat 2, LNCA (C.-B.) 41 E1
Kitasoo 1, RI (C.-B.) 41 E3
Kitchener, C (Ont.) 23 D4
Kitchener, LNCA (C.-B.) 34 C4
Kitigan, LNCA (Ont.) 20 C4
Kitimat, DM (C.-B.) 41 E1
Kitimat 1, RI (C.-B.) 41 E1
Kitimat 2, RI (C.-B.) 41 E1
Kitisa 7, RI (C.-B.) 41 E1
Kitkahta 1, RI (C.-B.) 41 D1
Kitkatla < Dolphin Island 1, LNCA (C.-B.) 41 C1
Kitladamax 1A, RI (C.-B.) 42 D3
Kitlawaoo 10, RI (C.-B.) 41 D2
Kitlope 16, RI (C.-B.) 41 F2
Kitsakie 156B, RI (Sask.) 32 E1
Kitsault, LNCA (C.-B.) 42 D3
Kitscoty, VL (Alb.) 33 G3
Kitseguecla < Kitseguecla 1, LNCA (C.-B.) 42 F3
Kitseguecla 1, RI (C.-B.) 42 F3
Kitsegukla Logging 3, RI (C.-B.) 42 F3
Kitselas 1, RI (C.-B.) 42 E4
Kitsemenlagan 19, RI (C.-B.) 41 D1
Kitsemenlagan 19A, RI (C.-B.) 41 D1
Kits-ka-haws 6, RI (C.-B.) 42 E3
Kitsumkaylum 1, RI (C.-B.) 42 E4
Kittigazuit, LNCA (T.N.-O.) 45 C1
Kitwancool 1, RI (C.-B.) 42 E3
Kitwancool 2, RI (C.-B.) 42 E3
Kitwancool 3A, RI (C.-B.) 42 E3
Kitwanga < Kitwangar 1, LNCA (C.-B.) 42 E3
Kitwanga 2, RI (C.-B.) 42 E3
Kitwangar 1, RI (C.-B.) 42 E3
Kitwillchsilt 7, RI (C.-B.) 42 D3
Kitzowit 20, RI (C.-B.) 35 B2
Kiusta < Kioosta 15, LNCA (C.-B.) 41 A1
Kivitoo, LNCA (T.N.-O.) 46 G1
Klaalth 5, RI (C.-B.) 38 E2
Klagokchew 4, RI (C.-B.) 41 G1
Klahkamich 17, RI (C.-B.) 35 B2
Klahkowit 5, RI (C.-B.) 35 B1
Klahoose 1, RI (C.-B.) 37 D3
Klakelse 86, RI (C.-B.) 42 E4
Klaklacum 12, RI (C.-B.) 35 B3
Klapthlon 5, RI (C.-B.) 41 D1
Klapthlon 5A, RI (C.-B.) 41 D1
Klaskish 3, RI (C.-B.) 39 C2
Klayekwim 6, RI (C.-B.) 38 E1
Klayekwim 6A, RI (C.-B.) 38 E1
Klayekwim 7, RI (C.-B.) 38 E1
Klayekwim 8, RI (C.-B.) 38 E1
Kleecoot, LNCA (C.-B.) 38 C2
Kleefeld, LNCA (Man.) 28 A2
Kleena Kleene, LNCA (C.-B.) 40 A4
Kleenza Creek Subdivision, LNCS (C.-B.) 42 E4
Kleetlekut 22, RI (C.-B.) 35 B2
Kleetlekut 22A, RI (C.-B.) 35 B2
Klehkoot 2, RI (C.-B.) 38 C2
Kleindale, LNCA (C.-B.) 38 D1
Klemmer Subdivision, LNCS (Sask.) 32 F3
Klemtu < Kitasoo 1, LNCA (C.-B.) 41 E3
Kleskun Hill, LNCA (Alb.) 43 G4
Klewaduska 6, RI (C.-B.) 42 F2
Kleykleyhous 5, RI (C.-B.) 38 C3
Klickkumcheen 18, RI (C.-B.) 35 B2
Klickseewy 7, RI (C.-B.) 39 D1
Klie's Beach, LNCS (Ont.) 22 A4
Klintonel, LNCA (Sask.) 31 C4
Klitsis 16, RI (C.-B.) 39 E3
Klock, LNCA (Ont.) 18 A4
Kloklowuck 7, RI (C.-B.) 35 B1
Klondike, LNCS (Qué.) 16 B4
Klondyke, LNCA (Ont.) 22 A4
Kloyadingli 2, RI (C.-B.) 40 B3
Kluachon Lake 1, RI (C.-B.) 45 B4
Kluane, LNCA (Yukon) 45 A3
Klukshu, LNCA (Yukon) 45 A3
Kluskus 1, RI (C.-B.) 40 B3
Kluskus 14, RI (C.-B.) 40 B3
Knamadeek 52, RI (C.-B.) 42 C4
Knames 45, RI (C.-B.) 42 D4
Knames 46, RI (C.-B.) 42 D4
Knapp Lake 6, RI (C.-B.) 40 A2
Kneehill, LNCA (Alb.) 34 F2
Knee Hill Valley, LNCA (Alb.) 34 E1
Knee Lake 192B, RI (Sask.) 45 E4
Knights Cove, LNCA (T.-N.) 3 G4
Knightville, LNCA (N.-B.) 11 F1
Knob Hill, LNCA (Alb.) 33 D4
Knokmolks 67, RI (C.-B.) 41 D1
Knowlesville, LNCA (N.-B.) 11 B1
Knowlton-Landing, LNCA (Qué.) 16 C4
Knoxford, LNCA (N.-B.) 12 A3
Knoydart, LNCA (N.-E.) 8 A4
Knudsens Corner, LNCA (Ont.) 27 E3
Knutsford, LNCA (I.-P.-E.) 7 A3
Koartac, LNCA (Qué.) 46 F3
Koidern, LNCA (Yukon) 45 A3
Kokanee Landing, LNCA (C.-B.) 34 B4
Kokish, LNCA (C.-B.) 39 E1
Koksilah, LNCA (C.-B.) 38 E3
Ko-kwi-iss 22, RI (C.-B.) 41 F4
Kokyet 1, RI (C.-B.) 41 E3
Kola, LNCA (Man.) 29 D4
Kolapore, LNCA (Ont.) 23 E2
Kolbec, LNCA (N.-E.) 9 B1
Komarno, LNCA (Man.) 29 H3
Komoka, LNCA (Ont.) 22 D2
Koonwats 7, RI (C.-B.) 42 E4
Kooryet 12, RI (C.-B.) 41 D2
Koostatak < Fisher River 44, LNCA (Man.) 29 H2
Kootenay 1, RI (C.-B.) 34 D4
Kootenay Bay, LNCA (C.-B.) 34 B4
Kootenay Crossing, LNCA (C.-B.) 34 C2
Kootowis 4, RI (C.-B.) 38 A2
Kopchitchin 2, RI (C.-B.) 35 B2
Koprino 10, RI (C.-B.) 39 C1
Koqui 6, RI (C.-B.) 41 E3
Kormak, LNCA (Ont.) 26 C2
Kose 9, RI (C.-B.) 41 A1
Kossuth, LNCA (Ont.) 23 E4
Kotsine 2, RI (C.-B.) 42 G3
Kouchibouguac, LNCA (N.-B.) 12 G3
Kowkash, LNCA (Ont.) 27 G1
Kowtain 17, RI (C.-B.) 38 F1
Krakow, LNCA (Alb.) 33 F3
Kramer, LNCA (Ont.) 24 G1
Kramer Ranch, LNCA (C.-B.) 43 D3
Krasne, LNCA (Sask.) 31 H1
Krestova, LNCA (C.-B.) 34 B4
Kristnes, LNCA (Sask.) 29 B1
Kronau, LNCA (Sask.) 31 H3
Kronsgart, LNCA (Man.) 29 H4
Kronstal, LNCA (Man.) 29 H4
Krugerdorf, LNCA (Ont.) 26 F2
Krydor, VL (Sask.) 32 C4
Ksabasn 50, RI (C.-B.) 42 C4
Ksadagamks 43, RI (C.-B.) 42 C4
Ksadsks 44, RI (C.-B.) 42 C4
Ksagwisgwas 62, RI (C.-B.) 42 D4
Ksagwisgwas 63, RI (C.-B.) 42 D4
Ksames 85, RI (C.-B.) 42 E4
Kshaoom 23, RI (C.-B.) 41 D1
Kshish 4 & 4A, RI (C.-B.) 42 E4
Kshish 4B, RI (C.-B.) 42 E4
Kshwan 27, RI (C.-B.) 42 D3
Kshwan 27A, RI (C.-B.) 42 D3
Ksilamisk 89, RI (C.-B.) 42 D3
Ksituan, LNCA (Alb.) 43 G3
Ksoo-gun-ya 2A, RI (C.-B.) 42 F3
Kstus 83, RI (C.-B.) 42 D4
Kstus 84, RI (C.-B.) 42 D4
Ksui-la-das 6, RI (C.-B.) 39 E1
Ktamgaodzen 51, RI (C.-B.) 42 C4
Ktsinet 23, RI (C.-B.) 42 D3
Kuaste 8, RI (C.-B.) 41 E1
Kuhryville, LNCA (Ont.) 23 C4
Kukatush, LNCA (Ont.) 26 D2
Kukwapa 5, RI (C.-B.) 39 E1
Kul 18, RI (C.-B.) 41 C1
Kuldekduma 7, RI (C.-B.) 39 E1
Kuldo < Kuldoe 1, LNCA (C.-B.) 42 E3
Kuldoe 1, RI (C.-B.) 42 E3
Kulish, LNCA (Man.) 29 E2
Kulkayu 4, RI (C.-B.) 41 D2
Kulkayu (Hartley Bay) 4A, RI (C.-B.) 41 D2
Kulspai 6, RI (C.-B.) 42 E4
Kultah 4, RI (C.-B.) 39 D1
Kumcheen 1, RI (C.-B.) 35 B1
Kumowdah 3, RI (C.-B.) 41 D1
Kumpfville, LNCA (Ont.) 23 D4
Kung < Kung 11, LNCA (C.-B.) 41 A1
Kung 11, RI (C.-B.) 41 A1
Kunhunoan 13, RI (C.-B.) 41 D2
Kunsoot 9, RI (C.-B.) 41 E3
Kunstamis 2, RI (C.-B.) 41 G4
Kunstamis 2A, RI (C.-B.) 41 G4
Kupchynalth 1, RI (C.-B.) 35 B2
Kupchynalth 2, RI (C.-B.) 35 B2
Kuper Island 7, RI (C.-B.) 38 E3
Kuroki, LNCA (Sask.) 29 B1
Kurtzville, LNCA (Ont.) 23 C3
Kushya Creek 7, RI (C.-B.) 40 A3
Kushya Creek 12, RI (C.-B.) 40 A3
Kuskonook, LNCA (C.-B.) 34 C4
Kutcous Point 33, RI (C.-B.) 39 F4
Kuthlalth 3, RI (C.-B.) 35 B3
Kuthlo 26, RI (C.-B.) 41 G4
Kwatlena 4, RI (C.-B.) 41 F3
Kwa-tsa-lix 4, RI (C.-B.) 42 E4
Kwatse 3, RI (C.-B.) 39 G1
Kwawkwawapilt 6, RI (C.-B.) 35 A4
Kwetahkis 17, RI (C.-B.) 41 F4
Kwinamuck 49, RI (C.-B.) 42 E3
Kwinitsa, LNCA (C.-B.) 42 D4
Kyarti 3, RI (C.-B.) 41 E3
Kyex 64, RI (C.-B.) 42 D4
Kye-yaa-la 1, RI (C.-B.) 39 E1
Kyidagwis 2, RI (C.-B.) 41 G4
Kyimla 11, RI (C.-B.) 39 F1
Kykinalko 2, RI (C.-B.) 35 B2
Kyle, V (Sask.) 31 D2
Kylemore, LNCA (Sask.) 29 B1
Kynoch, LNCA (Ont.) 26 C4
Kynocks, LNCA (Yukon) 45 B3
Kytes Hill, LNCA (N.-E.) 8 F3
Kyuquot, LNCA (C.-B.) 39 D2
Kzimeng 82, RI (C.-B.) 42 D3

L

La Baie, C (Qué.) 14 B3
La Baleine, LNCA (Qué.) 15 C2
La Barrière, LNCA (Qué.) 18 F4
Labelle, LNCA (Qué.) 18 E4
LaBelle, LNCA (N.-E.) 10 D2
Laberge, LNCA (Qué.) 17 G2
Laberge, LNCA (Qué.) 18 F4
La Bostonnais, LNCA (Qué.) 18 G2
Labrador City, DAL (T.-N.) 6 C4
La Branche, LNCA (Qué.) 15 B2
Labrecque, LNCA (Qué.) 15 A2
Labrie, LNCA (Qué.) 15 H3
Labrieville, LNCA (Qué.) 14 E1
Labrieville-Sud, LNCA (Qué.) 14 F1
La Broquerie, LNCA (Man.) 28 B2
Labuma, LNCA (Alb.) 33 D4
La Butte, LNCA (Qué.) 13 D3
Lac-à-Beauce, LNCA (Qué.) 18 G3
Lac-à-Belley, LNCA (Qué.) 18 H1
Lac-à-Dîner, LNCA (Qué.) 14 A1
Lac-à-Foin, LNCA (Qué.) 18 D4
Lac-à-la-Croix, LNCA (Qué.) 18 H1
Lac-à-la-Loutre, LNCA (Qué.) 18 E4
Lac-à-la-Tortue, LNCA (Qué.) 16 B1
Lac-à-la-Truite, LNCA (Qué.) 18 C4
Lac-à-l'Eau-Claire, LNCA (Qué.) 16 A1
Lacadena, LNCA (Sask.) 31 D2
L'Acadie, LNCA (Qué.) 16 A4
Lac-Allard, LNCA (Qué.) 5 A3
Lac-Alouette, LNCA (Qué.) 18 F4
Lac-André, LNCA (Qué.) 18 F4
Lac-au-Saumon, VL (Qué.) 13 B3
Lac-aux-Brochets, LNCS (Qué.) 18 G3
Lac-aux-Castors, LNCS (Qué.) 18 E4
Lac-aux-Ours, LNCA (Qué.) 18 F4
Lac-aux-Sables, LNCA (Qué.) 18 H3
Lac-aux-Sangsues, LNCS (Qué.) 16 B1
La Cavée, LNCA (Qué.) 18 H1
Lac-Bachelor, LNCA (Qué.) 20 F4
Lac-Baie-d'Or, LNCS (Qué.) 15 G4
Lac-Baker, VL (N.-B.) 15 G2
Lac-Beaudry, LNCA (Qué.) 18 F4
Lac-Beauport, LNCA (Qué.) 15 G3
Lac-Bédard, LNCA (Qué.) 16 B1
Lac-Bélisle, LNCS (Qué.) 18 E4
Lac-Bellemare, LNCA (Qué.) 16 B1
Lac-Bellevue, LNCA (Qué.) 16 B1
Lac Bellevue, LNCA (Alb.) 33 F3
Lac-Bevin, LNCA (Qué.) 18 E4
Lac-Bitobig, LNCA (Qué.) 18 D4
Lac-Blanc, LNCA (Qué.) 18 E4
Lac-Bleu, LNCS (Qué.) 18 F4
Lac-Blouin, LNCA (Qué.) 18 B2
Lac-Boissonneault, LNCA (Qué.) 16 D3
Lac-Bouchette, VL (Qué.) 18 H2
Lac-Brien, LNCA (Qué.) 18 F4
Lac-Brière, LNCA (Qué.) 18 F4
Lac Brochet, LNCA (Man.) 44 G3
Lac-Brome, V (Qué.) 16 C4
Lac-Brompton, LNCA (Qué.) 16 C3
Lac-Brompton-Sud, LNCA (Qué.) 16 C4
Lac-Brûlé, LNCA (Qué.) 18 F4
Lac-Cameron, LNCA (Qué.) 20 F4
Lac-Cameron, LNCA (Qué.) 18 E4
Lac-Campion, LNCA (Qué.) 18 D4
Lac-Capri, LNCS (Qué.) 17 F1
Lac-Caribou, LNCA (Qué.) 18 F4
Lac-Carré, VL (Qué.) 18 F4
Lac-Castagnier, LNCA (Qué.) 18 B1
Lac-Castor, LNCA (Qué.) 18 E4
Lac-Cayamant, LNCA (Qué.) 18 D4
Lac-Chanoine, LNCA (Qué.) 18 F4
Lac-Chapleau, LNCA (Qué.) 18 F4
Lac-Chapleau, LNCA (Qué.) 18 F4
Lac-Charlebois, LNCA (Qué.) 18 F4
Lac-Chat, LNCA (Qué.) 18 G3
Lac-Clair, LNCA (Qué.) 18 G2
Lac-Clair, LNCA (Qué.) 18 F4
Lac-Clair, LNCS (Qué.) 14 B2
Lac-Clearview, LNCS (Qué.) 18 F4
Lac-Clef, LNCA (Qué.) 18 F4
Lac-Cloche, LNCA (Qué.) 18 E4
Lac-Connelly, LNCA (Qué.) 18 F4
Lac-Corbeau, LNCA (Qué.) 16 A1
Lac-Cornu, LNCA (Qué.) 18 F4
Lac-Cristal, LNCA (Qué.) 18 F4
Lac-Croche, LNCA (Qué.) 18 F4
Lac-Daigle, LNCA (Qué.) 18 D4
Lac-Danford, LNCA (Qué.) 18 D4
Lac-Darey, LNCA (Qué.) 18 G2
Lac-David, LNCA (Qué.) 18 E3
Lac-de-l'Achigan, LNCA (Qué.) 18 F4
Lac-Delage, V (Qué.) 15 F3
Lac-de-la-Montagne-Noire, LNCA (Qué.) 18 F4
Lac-de-l'Est, LNCA (Qué.) 15 E2
Lac-Déligny, LNCS (Qué.) 16 A1
Lac-de-l'Orignal, LNCA (Qué.) 18 F4
Lac-des-Aigles, LNCA (Qué.) 14 G4
Lac-des-Becs-Scie, LNCA (Qué.) 18 F4
Lac-des-Echos, LNCA (Qué.) 14 G4
Lac-des-Ecorces, VL (Qué.) 18 E4
Lac-Désert, LNCA (Qué.) 18 E4
Lac-des-Français, LNCA (Qué.) 18 F4
Lac-Deshênes, LNCA (Qué.) 14 D4
Lac-des-Iles, LNCA (Qué.) 18 E4
Lac-des-Loups, LNCA (Qué.) 17 B1
Lac-des-Lys, LNCA (N.-B.) 13 C4
Lac-Desmarais, LNCA (Qué.) 18 E4
Lac des Mille Lacs 22A1, RI (Ont.) 27 C3
Lac-des-Neiges, LNCA (Qué.) 15 B1
Lac-des-Pins, LNCA (Qué.) 18 F4
Lac-des-Pins, LNCA (Qué.) 16 B1
Lac-des-Plages, LNCA (Qué.) 18 E4
Lac-des-Plaines, LNCS (Qué.) 15 G4
Lac-des-Quatorze-Iles, LNCA (Qué.) 18 F4
Lac-des-Seize-Iles, LNCA (Qué.) 18 F4
Lac-des-Seize-Iles-Sud, LNCA (Qué.) 18 F4
Lac-des-Sept-Iles, LNCA (Qué.) 15 A3
Lac-Dion, LNCA (Qué.) 15 C3
Lac-Doucet, LNCA (Qué.) 16 B1
Lac-Drolet, LNCA (Qué.) 16 F3
Lac-du-Bois-Franc, LNCA (Qué.) 18 F4
Lac du Bonnet, VL (Man.) 28 C1
Lac-du-Brochet, LNCA (Qué.) 18 D4
Lac-du-Cerf, LNCA (Qué.) 18 E4
Lac-du-Chevreuil, LNCA (Qué.) 18 F4
Lac-Duffy, LNCA (Qué.) 18 F4
Lac-Duhamel, LNCA (Qué.) 18 E4
Lac-du-Sacré-Coeur, LNCA (Qué.) 15 A3
Lac-Echo, LNCA (Qué.) 18 F4
Lac-Echo, LNCA (Qué.) 18 E4
Lac-Echo, LNCS (Qué.) 18 F4
Lac-Edouard, LNCA (Qué.) 18 H2
Lac-Emmuraillé, LNCA (Qué.) 14 B2
Lac-en-Coeur, LNCA (Qué.) 18 F4
Lac-Equerre, LNCA (Qué.) 18 E4
Lac-Etchemin, V (Qué.) 15 C4
Lac-Fortune, LNCA (Qué.) 18 A2
Lac-François, LNCA (Qué.) 18 F4
Lac-Frontière, LNCA (Qué.) 15 D3
Lac-Gagnon, LNCA (Qué.) 18 F4
Lac-Gatineau, LNCA (Qué.) 18 D4
Lac-Gauthier, LNCA (Qué.) 18 F4
Lac-Gélinas, LNCA (Qué.) 18 E4
Lac-Gémont, LNCA (Qué.) 18 F4
Lac-Grosleau, LNCA (Qué.) 18 E4
Lac-Guindon, LNCA (Qué.) 18 F4
Lachenaie, V (Qué.) 17 H3
La Chevrotière, LNCA (Qué.) 16 D1
Lachine, C (Qué.) 17 G4
Lachkaltsap 9, RI (C.-B.) 42 D4
Lachkul-jeets 6, RI (C.-B.) 41 D2
Lachmach 16, RI (C.-B.) 38 H2
Lachtesk 12, RI (C.-B.) 42 D4
Lachtesk 12A, RI (C.-B.) 42 D4
Lac-Humqui, LNCA (Qué.) 13 A3
Lachute, C (Qué.) 17 F1
Lac-Joannès, LNCA (Qué.) 18 A2
Lac-Jolicoeur, LNCA (Qué.) 18 F4
Lackaway 2, RI (C.-B.) 38 H2
Lac-Keatley, LNCA (Qué.) 18 E4
Lackzuswadda 9, RI (C.-B.) 41 D2
Lac-Labelle, LNCA (Qué.) 18 E4
Lac La Biche, V (Alb.) 33 F2
Lac La Biche Mission, LNCA (Alb.) 33 F2
Lac-Labrie, LNCA (Qué.) 19 E3
Lac la Croix, LNCS (Ont.) 27 B3
Lac-Lafontaine, LNCS (Qué.) 16 B1
Lac la Hache, LNCA (C.-B.) 36 C2
Lac La Hache 220, RI (Sask.) 44 F3
Lac-Lajoie, LNCA (Qué.) 18 F4
Lac la Martre, LNCA (T.N.-O.) 45 E2
Lac-La Motte, LNCA (Qué.) 18 B1
Lac-Lamoureux, LNCA (Qué.) 18 E4
Lac la Nonne, LNCA (Alb.) 33 D3
Lac-Laperrière, LNCS (Qué.) 18 A3
Lac-Lapierre, LNCA (Qué.) 18 F4
Lac la Ronge 156, RI (Sask.) 32 E1
Lac-Lasalle, LNCA (Qué.) 18 F4
Lac-Lavoie, LNCA (Qué.) 13 B3
Lac-Légaré, LNCA (Qué.) 15 G1
Lac Le Jeune, LNCA (C.-B.) 35 D1
Lac-Loïs, LNCA (Qué.) 18 A1
Lac-Long-Nord, LNCA (Qué.) 18 F4
Lac-Long-Sud, LNCA (Qué.) 18 F4
Laclu, LNCA (Ont.) 28 F2
Lac Magloire, LNCA (Alb.) 43 H3
Lac-Mance, LNCA (Qué.) 18 A1
Lac-Manitou-Sud, LNCA (Qué.) 18 F4
Lac-Marois, LNCA (Qué.) 18 F4
Lac-Martin, LNCA (Qué.) 16 B1
Lac-Masketsi, LNCA (Qué.) 18 H3
Lac-Maskinongé, LNCA (Qué.) 18 E4
Lac-Matambin, LNCA (Qué.) 16 A1
Lac-McDonald, LNCA (Qué.) 18 E4
Lac-McGregor, LNCA (Qué.) 17 C1
Lac-Meach, LNCA (Qué.) 17 D3
Lac-Mégantic, V (Qué.) 16 F3
Lac-Memphrémagog, LNCA (Qué.) 16 C4
Lac-Michaudville, LNCS (Qué.) 18 E4
Lac-Mitis, LNCA (Qué.) 13 A3
Lac-Montjoie, LNCS (Qué.) 16 D4
Lac-Moore, LNCA (Qué.) 18 E4
Lac-Morin, LNCA (Qué.) 18 F4
Lac-Morin, LNCA (Qué.) 15 F3
Lac-Noir, LNCA (Qué.) 18 G4
Lacolle, VL (Qué.) 16 A4
Lacombe, V (Alb.) 33 D4
La Conception, LNCA (Qué.) 18 E4
La Conception-Station, LNCA (Qué.) 18 E4
Laconia, LNCA (N.-E.) 10 E2
Lacordaire, LNCA (Sask.) 31 F4
La Corey, LNCA (Alb.) 33 G2
La Corne, LNCA (Qué.) 18 B1
La Corniche, LNCA (Qué.) 18 F4
Lacoste, LNCA (Qué.) 18 E4
Lac-Ouareau, LNCA (Qué.) 18 F4
Lac-Ouimet, LNCA (Qué.) 18 E4
Lac-Ouimet, LNCA (Qué.) 18 F4
La Coulée, LNCA (Qué.) 13 B2
La Coulée, LNCA (Man.) 28 B2
Lac-Paradis, LNCS (Qué.) 18 D4
Lac-Paré, LNCA (Qué.) 18 F4
Lac-Pauzé, LNCA (Qué.) 18 F4
Lac Pelletier, LNCA (Sask.) 31 D3
Lac-Pemichangan, LNCA (Qué.) 18 D4
Lac-Pérodeau, LNCA (Qué.) 18 E3
Lac-Pimbina, LNCA (Qué.) 18 F4
Lac-Pinault, LNCA (Qué.) 13 B2
Lac-Poisson-Blanc, LNCA (Qué.) 18 D4
Lac-Poulin, VL (Qué.) 16 F2
Lac-Provost, LNCA (Qué.) 18 F4
Lac-Quenouille, LNCA (Qué.) 18 F4
Lac-Quinn, LNCA (Qué.) 18 F4
Lac-Rémi, LNCA (Qué.) 18 E4
La Crete, LNCA (Alb.) 44 A3
Lac-Rimouski, LNCA (Qué.) 14 H4
La Croche, LNCA (Qué.) 18 G2
Lac-Rocher, LNCA (Qué.) 16 A2
Lacroixville, LNCA (Qué.) 18 F4
Lac-Rouge-Nord, LNCA (Qué.) 18 F4
Lac-Saguay, LNCA (Qué.) 18 E4
Lac-St-Amour, LNCA (Qué.) 18 F4
Lac-St-Augustin-Nord, LNCA (Qué.) 15 F4
Lac-St-Augustin-Sud, LNCA (Qué.) 15 F4

Little Harbour, LNCS (N.-E.) 9 D3
Little Harbour Deep, LNCA (T.-N.) 5 G3
Little Harbour East, LNCA (T.-N.) 2 F2
Little Harbour East, LNCA (T.-N.) 2 D2
Little Harbour Road, LNCA (N.-E.) 9 D1
Little Hawk Lake, LNCA (Ont.) 24 D2
Little Heart's Ease, LNCA (T.-N.) 2 F1
Little Hills 158, RI (Sask.) 32 E1
Little Hills 158A, RI (Sask.) 32 E1
Little Hills 158B, RI (Sask.) 32 E1
Little Judique, LNCA (N.-E.) 8 C3
Little Judique Ponds, LNCA (N.-E.) 8 C3
Little Lake, LNCA (N.-B.) 11 C2
Little Lake, LNCA (Ont.) 23 E4
Little Lake, LNCS (Ont.) 21 A1
Little Lepreau, LNCA (N.-B.) 11 C3
Little Liscomb, LNCA (N.-E.) 9 F3
Little Longlac, LNCA (Ont.) 27 G2
Little Long Rapids, LNCA (Ont.) 20 C4
Little Lorraine, LNCA (N.-E.) 8 F3
Little Mabou, LNCA (N.-E.) 8 C3
Little Narrows, LNCA (N.-E.) 8 D3
Little Paradise, LNCA (T.-N.) 2 D3
Little Pine & Lucky Man 116, RI (Sask.) 32 A4
Little Pond, LNCA (N.-E.) 8 E3
Little Pond, LNCA (I.-P.-E.) 7 E4
Little Port, LNCA (T.-N.) 4 C1
Little Port L'Hebert, LNCA (N.-E.) 10 D3
Little Pumbly Cove, LNCA (T.-N.) 5 G4
Little Rapids, LNCA (T.-N.) 4 D1
Little Rapids, LNCA (Ont.) 26 B4
Little Red River, LNCA (Alb.) 44 B3
Little Red River 106C, RI (Sask.) 32 D3
Little Red River 106D, RI (Sask.) 32 D3
Little Ridge, LNCA (N.-B.) 11 G2
Little Ridge < Sandy Bay 5, LNCA (Man.) 29 G3
Little River, LNCA (N.-E.) 10 A2
Little River, LNCA (N.-E.) 9 A1
Little River, LNCA (N.-B.) 11 G1
Little River, LNCA (N.-E.) 8 E2
Little River, LNCA (C.-B.) 38 C1
Little River, LNCA (Yukon) 45 B3
Little River Harbour, LNCA (N.-E.) 10 A4
Little St Lawrence, LNCA (T.-N.) 2 C4
Little Salmon, LNCA (Yukon) 45 B3
Little Sands, LNCA (I.-P.-E.) 7 D4
Little Saskatchewan 48, RI (Man.) 29 G1
Little Saskatchewan 48B, RI (Man.) 29 G1
Little Seldom < Seldom – Little Seldom, LNCA (T.-N.) 3 E1
Little Shemogue, LNCA (N.-B.) 7 B4
Little Shippegan, LNCA (N.-B.) 13 G4
Little Smoky, LNCA (Alb.) 33 A2
Little Smoky, LNCA (Alb.) 33 B1
Little Springs 8, RI (C.-B.) 36 B2
Little Springs 18, RI (C.-B.) 36 B2
Little Tancook, LNCA (N.-E.) 9 A4
Little Teslin Lake, LNCA (Yukon) 45 B3
Little Tracadie, LNCA (N.-E.) 12 G1
Littlewood, LNCA (Ont.) 22 E2
Little Woody, LNCA (Sask.) 31 F4
Livelong, LNCA (Sask.) 32 B3
Liverpool, V (N.-E.) 10 D3
Living Springs, LNCA (Ont.) 23 E3
Livingstone, LNCA (Yukon) 45 B3
Livingstone Cove, LNCA (N.-E.) 8 B4
Livingstone Creek, LNCA (Ont.) 26 B4
Lizard Lake, LNCA (Sask.) 31 D1
Lizard Point 62, RI (Man.) 29 E3
Lloy, LNCA (N.-E.) 9 C4
Lloyd, LNCA (Ont.) 17 B2
Lloydminster (p), C (Alb.) 33 H3
Lloydminster (p), C (Sask.) 33 H3
Lloyds Hill, LNCA (Alb.) 31 B1
Lloydtown, LNCA (Ont.) 21 A2
L'Oasis, LNCA (Qué.) 18 H3
Lobo, LNCA (Ont.) 22 D1
Lobster Cove < Rocky Harbour (COMM), LNCA (T.-N.) 5 F4
Lobster Harbour, LNCA (T.-N.) 3 D1
Lobstick, LNCA (Alb.) 33 C3
Lochaber, LNCA (N.-E.) 9 E2
Lochaber, LNCA (Qué.) 17 D1
Lochaber Mines, LNCA (N.-E.) 9 E3
Lochalsh, LNCA (Ont.) 26 B2
Lochalsh, LNCA (Ont.) 23 B3
Loch Broom, LNCA (N.-E.) 9 D1
Lochearn, LNCA (Alb.) 33 C4
Lochiel, LNCA (Ont.) 17 E1
Lochinvar, LNCA (Ont.) 17 E1
Lochinvar, LNCA (Alb.) 33 D4
Loch Katrine, LNCA (N.-E.) 9 F2
Lochlin, LNCA (Ont.) 23 H1
Loch Lomond, LNCA (N.-E.) 8 E4
Loch Lomond, LNCA (N.-B.) 11 E3
Loch Lomond West, LNCA (N.-E.) 8 E4
Lochside, LNCA (N.-E.) 8 E4
Lochside, LNCA (N.-E.) 8 D4
Lochview Road, LNCA (N.-E.) 9 B3
Lochwinnoch, LNCA (Ont.) 17 A1
Lockeport, V (N.-E.) 10 C4
Lockeport, LNCA (C.-B.) 41 B2
Lockeport Station, LNCA (N.-E.) 10 D4
Lockerby, LNCA (Ont.) 23 C2
Locke Road, LNCA (I.-P.-E.) 7 A3
Lockhart, LNCA (Alb.) 33 D4
Lockharts Mill, LNCA (N.-B.) 12 A3
Lockhartville, LNCA (N.-E.) 9 A3
Lockleven, LNCA (T.-N.) 4 B3
Lockport, LNCA (Man.) 28 A1
Lock's Cove, LNCA (T.-N.) 5 H2
Locks Cove, LNCA (T.-N.) 4 G4
Locks Harbour, LNCA (T.-N.) 3 B2
Locksley, LNCA (Ont.) 24 G1
Lockstead, LNCA (N.-B.) 12 E3
Lockston, LNCA (T.-N.) 3 G4
Lockwood, VL (Sask.) 31 G1
Lodge, LNCA (T.-N.) 5 H1
Lodgepole, LNCA (Alb.) 33 C4
Lodgeroom Corners, LNCA (Ont.) 24 F4
Lodi, LNCA (Ont.) 17 E2
Logan Lake, VL (C.-B.) 35 C1
Logan's 6, RI (C.-B.) 35 D2
Loganville, LNCA (N.-E.) 9 C1
Loggiecroft, LNCA (N.-B.) 12 G3
Loggie Lodge, LNCA (N.-B.) 12 C2
Loggieville, VL (N.-B.) 12 F2
Log Valley, LNCA (Sask.) 31 E3
Logy Bay, LNCA (T.-N.) 2 H2
Lohbiee 3, RI (C.-B.) 37 E1
Lokla 4, RI (C.-B.) 37 G3
Lombardy, LNCA (Ont.) 17 B3
Lombell, LNCA (Alb.) 33 C2
Lomond, LNCA (T.-N.) 5 F4
Lomond, VL (Alb.) 34 G3
Londesborough, LNCA (Ont.) 23 B3
London, C (Ont.) 22 E2
Londonderry, LNCA (N.-E.) 9 B2
Londonderry, LNCA (N.-B.) 11 F2
Londonderry Station, LNCA (N.-E.) 9 B2
London Settlement, LNCA (N.-B.) 11 D2
Lone Butte, LNCA (C.-B.) 36 D3
Lonebutte, LNCA (Alb.) 34 G2
Lonely Lake, LNCA (Man.) 29 G2
Lone Pine, LNCA (Alb.) 33 C2
Lone Prairie, LNCA (C.-B.) 43 E4
Lone Rock, LNCA (Sask.) 32 A4
Lonesand, LNCA (Man.) 28 C3
Lonesome Butte, LNCA (Sask.) 31 F4
Lonesome Cove, LNCA (T.-N.) 5 G2
Lone Spruce, LNCA (Man.) 29 G3
Lone Spruce, LNCA (Sask.) 29 C1
Long Bay, LNCA (Ont.) 25 B2
Longbeach, LNCA (C.-B.) 34 B4
Long Beach, LNCA (Ont.) 21 B4
Long Beach, LNCA (T.-N.) 2 F1
Long Beach, LNCA (T.-N.) 2 G1
Long Beach, LNCA (N.-E.) 8 F3
Long Beach, LNCA (T.-N.) 2 G4
Long Beach, LNCA (T.-N.) 3 F4
Long Beach, LNCA (Ont.) 21 C1
Longbow Lake, LNCA (Ont.) 28 F2
Long Cove < Norman's Cove – Long Cove, LNCA (T.-N.) 2 F2
Long Creek, LNCA (I.-P.-E.) 7 C4
Long Creek, LNCA (N.-B.) 11 E1
Longford, LNCA (Ont.) 23 G1
Long Harbour < Long Harbour – Mount Arlington Heights, LNCA (T.-N.) 2 F3
Long Harbour – Mount Arlington Heights, DAL (T.-N.) 2 F3
Long Hill, LNCA (N.-E.) 8 E3
Longhope, LNCA (Sask.) 32 B3
Long Island Main, LNCA (N.-E.) 8 E3
Longlac, LNCA (Ont.) 27 G1
Long Lake, LNCA (Ont.) 17 A3
Long Lake, LNCA (Man.) 30 D4
Long Lake 58, RI (Ont.) 27 G1
Long Lake 77, RI (Ont.) 27 G1
Long Neck Island 9, RI (C.-B.) 38 E4
Long Plain 6, RI (Man.) 29 G4
Long Point, LNCA (Ont.) 22 G2
Long Point, LNCA (N.-E.) 8 C4
Long Point, LNCA (N.-B.) 11 E2
Long Point, LNCA (T.-N.) 4 B1
Long Point, LNCA (Ont.) 17 B3
Long Point, LNCA (Ont.) 23 H2
Long Reach, LNCA (N.-B.) 11 D2
Long River, LNCA (I.-P.-E.) 7 C3
Long Sault, LNCA (Ont.) 17 E2
Longs Creek, LNCA (N.-B.) 11 C1
Long Settlement, LNCA (N.-B.) 12 A4
Long Spruce, LNCA (Man.) 30 D1
Longtinville, LNCA (Ont.) 17 D2
Long Tunnel 5, RI (C.-B.) 35 B3
Long Tunnel 5A, RI (C.-B.) 35 B3
Longue-Pointe-de-Mingan, LNCA (Qué.) 19 H3
Longueuil, C (Qué.) 17 H4
Longview, LNCA (C.-B.) 38 E1
Longview, VL (Alb.) 34 E3
Longwood, LNCA (Ont.) 22 D2
Longworth, LNCA (C.-B.) 40 D2
Loni Beach, LNCA (Man.) 30 C4
Lonira, LNCA (Alb.) 33 C2
Lonsdale, LNCA (Ont.) 21 G1
Looma, LNCA (Alb.) 33 E3
Loomis, LNCA (Sask.) 31 D4
Loon, LNCA (Ont.) 27 E3
Loon Bay, LNCA (T.-N.) 3 D2
Loon Lake, LNCA (Alb.) 44 A4
Loon Lake, LNCA (C.-B.) 36 D4
Loon Lake, VL (Sask.) 32 A2
Loon Lake 4, RI (C.-B.) 36 D4
Loon Lake 10, RI (C.-B.) 36 B2
Loon River, LNCA (Sask.) 32 B2
Loon Straits, LNCA (Man.) 30 C4
Loos, LNCA (C.-B.) 40 E2
Lorado, LNCA (Sask.) 44 D2
Loran, LNCA (T.-N.) 5 H1
Loranger, LNCA (Qué.) 18 E4
Lord's Cove, COMM (T.-N.) 2 B4
Lords Cove, LNCA (N.-B.) 11 B3
Lords Mills, LNCA (Ont.) 17 C3
Lordsvale, LNCA (Qué.) 17 C1
Loreburn, LNCA (T.-N.) 2 F1
Loreburn, VL (Sask.) 31 F2
Loree, LNCA (Ont.) 23 E2
Lorenzo, LNCA (Sask.) 32 C4
Lorette, LNCA (Man.) 28 A2
Lorette 7, RI (Qué.) 15 F3
Lorette 7A, RI (Qué.) 15 F3
Loretteville, C (Qué.) 15 F3
Loretto, LNCA (Ont.) 21 A1
Loretto < Cape St George – Petit Jardin – Grand Jardin – De Grau – Marches Point - Loretto, LNCA (T.-N.) 4 A2
Lories < Point May (COMM), LNCA (T.-N.) 2 B4
L'Orignal, VL (Ont.) 17 E1
Lorimer Lake, LNCA (Ont.) 24 A1
Loring, LNCA (Ont.) 24 A1
Lorin Meadow 9, RI (C.-B.) 40 C3
Lorlie, LNCA (Sask.) 29 B2
Lorne, LNCA (N.-B.) 13 D4
Lorne, LNCA (N.-E.) 9 D2
Lorne, LNCA (Ont.) 17 E1
Lorne, LNCA (Ont.) 23 B2
Lorne, LNCA (Ont.) 25 D1
Lorne Beach, LNCA (Ont.) 23 B2
Lornevale, LNCA (N.-E.) 9 B2
Lorne Valley, LNCA (I.-P.-E.) 7 D4
Lorneville, LNCA (N.-E.) 7 B4
Lorneville, LNCA (Ont.) 21 C1
Lorrain, LNCA (Ont.) 26 F3
Lorraine, V (Qué.) 17 G3
Lorrain Valley, LNCA (Ont.) 26 F3
Lorrainville, VL (Qué.) 18 A3
Losier Settlement, LNCA (N.-B.) 12 G1
Lost Channel, LNCA (Ont.) 21 F1
Lost Channel, LNCA (Ont.) 25 F2
Lost Nation, LNCA (Ont.) 24 F2
Lost-River, LNCA (Qué.) 18 F4
Lost River, LNCA (Sask.) 32 F3
Lotbinière, VL (Qué.) 16 D1
Lothian, LNCA (Ont.) 23 B3
Lothrop, LNCA (Alb.) 43 G3
Lots-Renversés, LNCA (Qué.) 15 G1
Lotus, LNCA (Ont.) 21 C1
Loughborough 3, RI (C.-B.) 37 A3
Loughbreeze, LNCA (Ont.) 21 E2
Lougheed, VL (Alb.) 33 F4
Louisa, LNCA (Qué.) 18 F4
Louisa-Beach, LNCA (Qué.) 18 F4
Louisbourg, V (N.-E.) 8 F3
Louisbourg Road, LNCA (N.-E.) 8 F3
Louis Bull 138B, RI (Alb.) 33 E4
Louis Creek, LNCA (C.-B.) 36 F3
Louis Creek 4, RI (C.-B.) 36 F4
Louisdale, LNCA (N.-E.) 8 D4
Louise, LNCA (Ont.) 23 C2
Louiseville, V (Qué.) 16 B2
Louis Head, LNCA (N.-E.) 10 D4
Louis Squinas Ranch 14, RI (C.-B.) 40 A3
Louisville, LNCA (N.-E.) 9 C1
Louisville, LNCA (Ont.) 22 C3
Lourdes, COMM (T.-N.) 4 B2
Lourdes, LNCA (Qué.) 16 A2
Lourdes, LNCA (Qué.) 16 D1
Lourdes-de-Blanc-Sablon, LNCA (Qué.) 5 G2
Lousana, LNCA (Alb.) 34 F1
Louvicourt, LNCA (Qué.) 18 C2
Lovat, LNCA (N.-E.) 9 D2
Lovat, LNCA (Ont.) 23 C2
Love, VL (Sask.) 32 F3
Lovering, LNCA (Ont.) 23 F1
Loverna, VL (Sask.) 31 B1
Lovett, LNCA (Ont.) 21 F2
Lovettville, LNCA (Alb.) 33 B4
Low, LNCA (Qué.) 18 D4
Low Bush River, LNCA (Ont.) 26 F1
Lowe Farm, LNCA (Man.) 29 H4
Lower Anfield, LNCA (N.-B.) 12 A2
Lower Argyle, LNCA (N.-E.) 10 B4
Lower Barnaby, LNCA (N.-B.) 12 E3
Lower Barneys River, LNCA (N.-E.) 8 A4
Lower Bedeque, LNCA (I.-P.-E.) 7 B3
Lower Bella Coola, LNCS (C.-B.) 41 G3
Lower Blomidon, LNCA (N.-E.) 11 H3
Lower Bloomfield, LNCA (N.-B.) 12 A4
Lower Branch, LNCA (N.-E.) 10 E2
Lower Brighton, LNCA (N.-B.) 12 A3
Lower Burlington, LNCA (N.-E.) 9 A3
Lower Burton, LNCA (N.-B.) 11 D1
Lower Caledonia, LNCA (N.-E.) 9 E2
Lower California, LNCA (N.-B.) 12 A3
Lower Cambridge, LNCA (N.-B.) 11 D2
Lower Canard, LNCA (N.-E.) 11 H3
Lower Cape, LNCA (N.-B.) 11 G1
Lower Caverhill, LNCA (N.-B.) 11 B1
Lower Chatham Head, LNCA (N.-B.) 12 F2
Lower Clarks Harbour, LNCA (N.-E.) 10 B4
Lower Concession, LNCA (N.-E.) 10 A2
Lower Cove, LNCA (T.-N.) 4 B2
Lower Cove, LNCA (N.-E.) 11 H2
Lower Cove, LNCA (N.-B.) 11 E2
Lower Coverdale, LNCA (N.-B.) 11 G1
Lower Dacre, LNCA (Ont.) 24 G2
Lower Darnley, LNCA (I.-P.-E.) 7 B3
Lower Debert, LNCA (N.-E.) 9 B2
Lower Derby, LNCA (N.-B.) 12 E2
Lower Durham, LNCA (N.-B.) 11 C1
Lower East Chezzetcook, LNCA (N.-E.) 9 C4
Lower East Pubnico, LNCA (N.-E.) 10 B4
Lower Economy, LNCA (N.-E.) 9 A2
Lower Eel Brook, LNCA (N.-E.) 10 B3
Lower Fishpot Lake 24A, RI (C.-B.) 40 B3
Lower Five Islands, LNCA (N.-E.) 9 A2
Lower-Flodden, LNCS (Qué.) 16 C3
Lower Freetown, LNCA (I.-P.-E.) 7 B3
Lower Glencoe, LNCA (N.-E.) 9 F2
Lower Grant Road, LNCA (N.-E.) 10 E2
Lower Greenfield, LNCA (N.-B.) 12 A3
Lower Greenville, LNCA (N.-E.) 9 B1
Lower Gulf Shore, LNCA (N.-E.) 9 B1
Lower Hainesville, LNCA (N.-B.) 11 B1
Lower Hamilton, LNCA (I.-P.-E.) 7 B3
Lower Harmony, LNCA (N.-E.) 9 C2
Lower Hat Creek 2, RI (C.-B.) 36 C4
Lower Hillsdale, LNCA (N.-E.) 8 C4
Lower Holleford, LNCA (Ont.) 17 A3
Lower Island Cove, LNCA (T.-N.) 2 H1
Lower Jemseg, LNCA (N.-B.) 11 D2
Lower Jordan Bay, LNCA (N.-E.) 10 C4
Lower Kars, LNCA (N.-B.) 11 E2
Lower Kingston, LNCA (N.-B.) 11 E2
Lower Kintore, LNCA (N.-B.) 12 A3
Lower Kootenay 1A, RI (C.-B.) 34 C4
Lower Kootenay 1B, RI (C.-B.) 34 C4
Lower Kootenay 1C, RI (C.-B.) 34 C4
Lower Kootenay 2, RI (C.-B.) 34 C4
Lower Kootenay 3, RI (C.-B.) 34 C4
Lower Kootenay 4, RI (C.-B.) 34 C4
Lower Kootenay 5, RI (C.-B.) 34 C4
Lower Laberge, LNCA (Yukon) 45 B3
Lower LaHave, LNCA (N.-E.) 10 E2
Lower Lance Cove, LNCA (T.-N.) 2 F1
Lower Langside, LNCA (Ont.) 23 B3
Lower L'Ardoise, LNCA (N.-E.) 8 D4
Lower Lincoln, LNCA (N.-B.) 11 C1
Lower Line Queensbury, LNCA (N.-B.) 11 C1
Lower Little Ridge, LNCA (N.-B.) 11 A3
Lower Maccan, LNCA (N.-E.) 11 H2
Lower Main River, LNCA (N.-B.) 12 G3
Lower Malpeque, LNCA (I.-P.-E.) 7 B3
Lower Meaghers Grant, LNCA (N.-E.) 9 C3
Lower Melbourne, LNCA (N.-E.) 10 A3
Lower Middle River, LNCA (N.-E.) 8 D3
Lower Millstream, LNCA (N.-B.) 11 E2
Lower Montague, LNCA (I.-P.-E.) 7 E4
Lower Mount Thom, LNCA (N.-E.) 9 D2
Lower Mount William, LNCS (N.-E.) 9 D2
Lower Napan, LNCA (N.-B.) 12 F2
Lower New Annan, LNCA (I.-P.-E.) 7 B3
Lower Newcastle, LNCA (N.-B.) 12 F2
Lower New Cornwall, LNCA (N.-E.) 10 E2
Lower Newtown, LNCA (I.-P.-E.) 7 D4
Lower Nicola, LNCA (C.-B.) 35 C2
Lower Nine Mile River, LNCA (N.-E.) 9 B3
Lower Northampton, LNCA (N.-B.) 11 A1
Lower Northfield, LNCA (N.-E.) 10 E2
Lower North Grant, LNCA (N.-E.) 8 B4
Lower Ohio, LNCA (N.-E.) 10 C3
Lower Onslow, LNCA (N.-E.) 9 C2
Lower Perth, LNCA (N.-B.) 12 A3
Lower Pleasant Valley, LNCA (N.-E.) 9 C2
Lower Portage, LNCA (N.-B.) 12 A2
Lower Post, LNCA (C.-B.) 45 C4
Lower Prince William, LNCA (N.-B.) 11 B1
Lower Prospect, LNCA (N.-E.) 9 B4
Lower Queensbury, LNCA (N.-B.) 11 B1
Lower Ridge, LNCA (N.-B.) 11 F1
Lower River Hébert, LNCA (N.-E.) 11 H2
Lower River Inhabitants, LNCA (N.-E.) 8 C4
Lower Rockport, LNCA (N.-B.) 11 H2
Lower Rollo Bay, LNCA (I.-P.-E.) 7 E3
Lower Rose Bay, LNCA (N.-E.) 10 E2
Lower Royalton, LNCA (N.-B.) 12 A3
Lower Sackville, LNCA (N.-E.) 9 B3
Lower St-Charles, LNCA (N.-B.) 12 G3
Lower St Esprit, LNCA (N.-E.) 8 E4
Lower St Marys, LNCA (N.-B.) 11 C1
Lower Sandy Point, LNCA (N.-E.) 10 C4
Lower Saulnierville, LNCA (N.-E.) 10 A2
Lower Selma, LNCA (N.-E.) 9 B2
Lower Shag Harbour, LNCA (N.-E.) 10 B4
Lower Shawniken 4A, RI (C.-B.) 35 B1
Lower Shinimicas, LNCA (N.-E.) 7 B4
Lower Ship Harbour, LNCA (N.-E.) 9 D3
Lower Similkameen 2, RI (C.-B.) 35 E4
Lower South River, LNCA (N.-E.) 8 B4
Lower Springfield, LNCA (N.-E.) 8 B4
Lower Stafford, LNCA (Ont.) 24 G1
Lower Stoneridge, LNCA (N.-B.) 11 C1
Lower Three Fathom Harbour, LNCA (N.-E.) 9 C4
Lower Tower Hill, LNCA (N.-B.) 11 B3
Lower Truro, LNCA (N.-E.) 9 C2
Lower Tryon, LNCA (I.-P.-E.) 7 C4
Lower Turtle Creek, LNCA (N.-B.) 11 G1
Lower Vaughan, LNCA (N.-E.) 9 A3
Lower Wakefield, LNCA (N.-B.) 12 A4
Lower Washabuck, LNCA (N.-E.) 8 D3
Lower Waterville, LNCA (N.-B.) 12 A4
Lower Wedgeport, LNCA (N.-E.) 10 B4
Lower Wentworth, LNCA (N.-E.) 9 B1
Lower West Jeddore, LNCA (N.-E.) 9 C4
Lower West Pubnico, LNCA (N.-E.) 10 B4
Lower West River, LNCA (N.-E.) 8 B4
Lower Whitehead, LNCA (N.-E.) 9 G2
Lower Windsor, LNCA (N.-B.) 12 B4
Lower Wingham, LNCA (Ont.) 23 B3
Lower Wolfville, LNCA (N.-E.) 11 H3
Lower Woods Harbour, LNCA (N.-E.) 10 B4
Lower Woodstock, LNCA (N.-B.) 11 A1
Lower Zeballos, LNCA (C.-B.) 39 E3
Lowland, LNCA (Man.) 28 B1
Low Landing, LNCA (N.-E.) 10 C2
Low Point, LNCA (T.-N.) 2 H1
Low Point, LNCA (N.-E.) 8 C4
Low Point, LNCA (I.-P.-E.) 7 B3
Lowther, LNCA (Ont.) 20 C4
Lowther, LNCA (Ont.) 28 E2
Lowther, CFS/SFC, RM (Ont.) 20 C4
Loyal, LNCA (Ont.) 23 B3
Loyalist, LNCA (I.-P.-E.) 7 C4
Loyalist, LNCA (Alb.) 31 B1
Lubicon Lake, LNCA (Alb.) 44 A4
Lucan, VL (Ont.) 22 D1
Lucasville, LNCA (N.-E.) 9 B3
Lucasville, LNCA (Ont.) 22 B2
Lucerne (Qué.) 17 D4
Lucerne, LNCA (C.-B.) 40 G3
Luceville, VL (Qué.) 14 G2
Lucille, LNCA (Ont.) 23 E3
Lucknow, VL (Ont.) 23 B3
Lucky Lake, VL (Sask.) 31 E2
Lucyville, LNCA (T.-N.) 6 G3
Ludgate, LNCA (Ont.) 25 F2
Ludlow, LNCA (N.-B.) 12 D3
Lueck Mill, LNCA (Ont.) 23 C2
Lugar, LNCA (N.-B.) 12 E1
Luke, LNCA (Man.) 30 D1
Lukerville, LNCA (Ont.) 22 A3
Luke's Arm < Cottle's Island – Luke's Arm, LNCA (T.-N.) 3 D2
Lukseetsissum 9, RI (C.-B.) 35 A4
Lulu 5, RI (C.-B.) 35 D4
Lumberton, LNCA (C.-B.) 34 C4
Lumby, VL (C.-B.) 35 G2
Lumina, LNCA (Ont.) 24 C2
Lumley, LNCA (Ont.) 22 D1
Lumsden, V (Sask.) 31 G3
Lumsden, V (T.-N.) 3 F2
Lumsden Beach, VE (Sask.) 31 G2
Lumsden Dam, LNCA (N.-E.) 10 E1
Lumsden Road, LNCA (N.-B.) 12 E2
Lund, LNCA (C.-B.) 37 C4
Lundar, LNCA (Man.) 29 G3
Lundar Beach, LNCA (Man.) 29 G2
Lundbreck, LNCA (Alb.) 34 E4
Lundy, LNCA (N.-E.) 9 G2
Lundys Corners, LNCA (Ont.) 17 A1
Lunenburg, V (N.-E.) 10 E2
Lunenburg, LNCA (Ont.) 17 E2
Lunge Lodge, LNCA (Ont.) 25 G1
Lunnford, LNCA (Alb.) 33 D2
Lure, LNCA (Alb.) 34 G1
Lurgan, LNCA (Sask.) 32 F4
Lurgan Beach, LNCA (Ont.) 23 B3
Luscar, LNCA (Alb.) 33 A4
Luschers Trailer Court, LNCS (C.-B.) 34 B4
Luseland, V (Sask.) 31 C1
Lushes Bight < Lushes Bight – Beaumont – Beaumont North, LNCA (T.-N.) 3 B1
Lushes Bight – Beaumont – Beaumont North, COMM (T.-N.) 3 B1
Luskville, LNCA (Qué.) 17 B1
Lussier, LNCA (Qué.) 18 F4
Lust Subdivision, LNCA (C.-B.) 40 C3
Luton, LNCA (Ont.) 22 E2
Lutose, LNCA (Alb.) 44 A2
Lutterworth, LNCA (Ont.) 24 C3
Luxton, LNCA (C.-B.) 38 E4
Luzan, LNCA (Alb.) 33 F3
Lyacksun 3, RI (C.-B.) 38 E2
Lyalta, LNCA (Alb.) 34 F2
Lydgate, LNCA (N.-E.) 10 C4
Lydiatt, LNCA (Man.) 28 B1
Lyleton, LNCA (Man.) 29 D4
Lymburn, LNCA (Alb.) 43 F4
Lyn, LNCA (Ont.) 17 C3
Lynch Corner, LNCA (N.-B.) 11 D2
Lynche River, LNCA (N.-E.) 8 D4
Lyndale, LNCA (I.-P.-E.) 7 D4
Lyndale, LNCS (Ont.) 22 E2
Lynden, LNCA (Ont.) 22 G1
Lyndhurst, LNCA (Ont.) 17 B3
Lyndon, LNCA (Alb.) 34 E3
Lynedoch, LNCA (Ont.) 22 F2
Lynhurst, LNCS (Ont.) 22 E2
Lynn, LNCA (N.-E.) 9 A2
Lynn Acres Mobile Home Park, LNCS (C.-B.) 35 E4
Lynnfield, LNCA (N.-B.) 11 B2
Lynn Lake, LNCA (Man.) 30 A1
Lynnville, LNCA (Ont.) 22 G2
Lynwood, LNCS (Ont.) 22 C3
Lynwood Village, LNCA (Ont.) 17 D4
Lyons, LNCA (Ont.) 22 E2
Lyons Brook, LNCA (N.-E.) 9 D1
Lyonshall, LNCA (Man.) 29 F4
Lyster, VL (Qué.) 15 A4
Lyttleton, LNCA (N.-B.) 12 E2
Lytton, LNCA (Qué.) 18 D3
Lytton, VL (C.-B.) 35 B2
Lytton 3A, RI (C.-B.) 35 A1
Lytton 4A, RI (C.-B.) 35 A1
Lytton 4B, RI (C.-B.) 35 A1
Lytton 4C, RI (C.-B.) 35 A1
Lytton 4D, RI (C.-B.) 35 A1
Lytton 4E, RI (C.-B.) 35 A1
Lytton 4F, RI (C.-B.) 35 A1
Lytton 5A, RI (C.-B.) 35 A1
Lytton 6B, RI (C.-B.) 35 A1
Lytton 9A, RI (C.-B.) 35 A1
Lytton 9B, RI (C.-B.) 35 A2
Lytton 13A, RI (C.-B.) 35 A1
Lytton 21A, RI (C.-B.) 35 B2
Lytton 26A, RI (C.-B.) 35 B2
Lytton 27B, RI (C.-B.) 35 B2
Lytton 31, RI (C.-B.) 35 B2
Lytton 32, RI (C.-B.) 35 A1
Lytton 33, RI (C.-B.) 35 A1

M

Maahpe 4, RI (C.-B.) 39 F4
Mabee's Corners, LNCA (Ont.) 22 F2
Mabel Lake, LNCA (C.-B.) 35 G1
Maberly, LNCA (Ont.) 17 A3
Mabou, LNCA (N.-E.) 8 C3
Mabou Harbour, LNCA (N.-E.) 8 C3
Mabou Harbour Mouth, LNCA (N.-E.) 8 C3
Mabou Mines, LNCA (N.-E.) 8 C3
Mabou Station, LNCA (N.-E.) 8 C3
Macabee, LNCA (N.-B.) 13 C4
Macalister, LNCA (C.-B.) 40 C3
Macamic, V (Qué.) 18 A1
MacAulays Hill, LNCA (N.-E.) 8 E3
MacBains Corner, LNCA (N.-E.) 9 C1
Maccan, LNCA (N.-E.) 11 H2
MacCormicks Corner, LNCA (N.-E.) 8 C3
Macdiarmid, LNCA (Ont.) 27 F2
Macdonald, LNCA (Man.) 29 G3
MacDonald Bay, LNCA (Ont.) 24 E3
MacDonald Beach, LNCA (Ont.) 23 G1
MacDonalds Glen, LNCA (N.-E.) 8 C3
MacDonalds Grove, LNCA (Ont.) 17 E2
MacDonalds Point, LNCA (N.-B.) 11 D2
MacDougall, LNCA (N.-B.) 12 G4
MacDougall, LNCA (I.-P.-E.) 7 B3
Macdowall, LNCA (Sask.) 32 D4
Macduff, LNCA (Ont.) 26 B1
Maces Bay, LNCA (N.-B.) 11 C3
Maceys Bay, LNCA (Ont.) 23 F1
MacGillivrays Bridge, LNCA (Ont.) 17 E2
MacGregor, VL (Man.) 29 G3
MacGregor's Bay Area, LNCS (Ont.) 24 G1
Machta 16, RI (C.-B.) 39 D3
MacIntosh Mill, LNCA (N.-B.) 12 B3
MacIntyre Lake, LNCA (N.-E.) 8 C4
MacKay, LNCA (Alb.) 33 C3
MacKays Corner, LNCA (N.-E.) 9 D1
Mackdale, LNCA (N.-E.) 8 C4
Mackenzie, DM (C.-B.) 43 C4
Mackenzie, LNCA (Ont.) 27 E3
Mackenzie, District of/de, D (T.N.-O.) 1
Mackey, LNCA (Ont.) 18 B4
Mackies, LNCA (Ont.) 27 D3
MacKinnons Brook, LNCA (N.-E.) 8 C3
Macklin, V (Sask.) 31 B1
Macksville, LNCA (Ont.) 22 D2
Macksville, LNCA (Ont.) 22 D2
MacLarens Landing, LNCA (Ont.) 17 B1
MacLean Park, LNCA (Ont.) 17 A4
MacLean Settlement, LNCA (N.-B.) 11 C1
MacLennan, LNCA (Ont.) 26 B4
MacLeod, LNCA (Ont.) 27 G2
MacLeod Settlement, LNCA (N.-E.) 8 C3
MacLeods Point, LNCA (N.-E.) 8 E3
MacNeils Vale, LNCA (N.-E.) 8 D3
MacNutt, VL (Sask.) 29 D2
Macoah 1, RI (C.-B.) 38 B3
Macoun, VL (Sask.) 29 D4
Macpès, LNCA (Qué.) 14 G3
MacPhees Corner, LNCA (N.-E.) 9 B3
MacPherson Lake, LNCA (N.-E.) 9 G2
Macrorie, VL (Sask.) 31 E2
Macson, LNCA (Alb.) 31 B3
Mactaquac, LNCA (N.-B.) 11 C1
Mactaquac Heights, LNCS (N.-B.) 11 C1
MacTier, LNCA (Ont.) 24 A2
Macton, LNCA (Ont.) 23 D4
Macworth, LNCA (Sask.) 31 F4
Madawaska, LNCA (Ont.) 24 E2
Madden, LNCA (Alb.) 34 E2
Maddington-Falls, LNCA (Qué.) 16 C2
Maddox Cove < Petty Harbour – Maddox Cove, LNCA (T.-N.) 2 H2
Madeira Park, LNCA (C.-B.) 38 D1
Madeleine-Centre, LNCA (Qué.) 13 F1
Maders Cove, LNCA (N.-E.) 10 E2
Madison, VL (Sask.) 31 C2
Madoc, VL (Ont.) 24 F4
Madoc Junction, LNCA (Ont.) 21 F1
Madran, LNCA (N.-B.) 13 E4
Madrid, LNCA (Sask.) 31 G3
Madsen, LNCA (Ont.) 30 D4
Maecks Subdivision, LNCA (Ont.) 24 B1
Mafeking, LNCA (Man.) 30 A3
Mafeking, LNCA (Ont.) 23 B3
Magaguadavic, LNCA (N.-B.) 11 B2
Maganktoon 56, RI (C.-B.) 42 D4
Magenta, LNCA (Qué.) 16 B4
Magna Bay, LNCA (C.-B.) 36 H4
Magnet, LNCA (Man.) 29 F2
Magnetawan, VL (Ont.) 24 B1
Magnetawan 1, RI (Ont.) 25 F2
Magnolia, LNCA (Alb.) 33 C3
Magnolia Bridge, LNCA (Alb.) 33 C3
Magog, C (Qué.) 16 C4
Magoon-Point, LNCA (Qué.) 16 C4
Magpie, LNCA (Qué.) 19 G3
Magpie, LNCA (Ont.) 26 A2
Magpie Mine, LNCA (Ont.) 26 A2
Magrath, V (Alb.) 34 F4
Ma-guala 6, RI (C.-B.) 38 E2
Magundy, LNCA (N.-B.) 11 B1
Maguse River, LNCA (T.N.-O.) 46 B3
Magwekstala 10, RI (C.-B.) 41 G4
Magyar, LNCA (Sask.) 31 H2
Maharg, LNCA (C.-B.) 36 D4
Mahaska, LNCA (Alb.) 33 B3
Mahatta River, LNCA (C.-B.) 39 C1
Mahers, LNCA (T.-N.) 2 G3
Mahmalillikullah 1, RI (C.-B.) 39 E1
Mahone Bay, V (N.-E.) 10 E2
Mahoneys Beach, LNCA (N.-E.) 8 B4
Mahoneys Corner, LNCA (N.-E.) 9 B1
Mahood Falls, LNCA (C.-B.) 36 E2
Mahope 3, RI (C.-B.) 39 C2
Mahpahkum 12, RI (C.-B.) 39 D1
Mah-te-nicht 8, RI (C.-B.) 39 C1
Maiangowi Settlement < Wikwemikong Unceded 26, LNCA (Ont.) 25 C2
Maidens, LNCA (Ont.) 26 G3
Maidstone, V (Sask.) 32 A4
Maidstone, LNCA (Ont.) 22 A3
Maidstone, LNCA (T.-N.) 4 B3
Mailhot, LNCA (Qué.) 15 A4
Maillard, LNCA (Qué.) 15 C2
Main-à-Dieu, LNCA (N.-E.) 8 F3
Main Brook, V (T.-N.) 5 H2
Main Centre, LNCA (Sask.) 31 E3
Mainland, LNCA (T.-N.) 4 A2
Main Point, LNCA (T.-N.) 3 E2
Mainstream, LNCA (N.-B.) 12 B4
Mainsville, LNCA (Ont.) 17 D3
Mair, LNCA (Sask.) 29 D4
Mair Mills, LNCA (Ont.) 23 E2
Maisonnette, LNCA (N.-B.) 13 G4
Maison-St-Bernard, LNCA (Qué.) 15 C3
Maitland, LNCA (Ont.) 17 C3
Maitland, LNCA (N.-E.) 10 E2
Maitland, LNCA (N.-E.) 9 B2
Maitland Bridge, LNCA (N.-E.) 10 C2
Maitland Forks, LNCA (N.-E.) 10 E2
Majestic, LNCA (Alb.) 31 B2
Major, VL (Sask.) 31 C1
Majorville, LNCA (Alb.) 34 F3
Maka 8, RI (C.-B.) 35 B2
Makaoo 120 (p), RI (Sask.) 33 H3
Makaoo 120 (p), RI (Alb.) 33 H3
Makaroff, LNCA (Man.) 29 D2
Makepeace, LNCA (Alb.) 34 G2
Makinak, LNCA (Man.) 29 F2
Makinson, LNCA (C.-B.) 34 A3
Makinsons, LNCA (T.-N.) 2 G2
Makkovik, COMM (T.-N.) 6 F2
Maklaksadagmaks 41, RI (C.-B.) 42 C4
Maklaksadagmaks 42, RI (C.-B.) 42 C4
Makwa, VL (Sask.) 32 B2
Makwa Lake 129, RI (Sask.) 32 A2
Makwa Lake 129A, RI (Sask.) 32 B2
Makwa Lake 129B, RI (Sask.) 32 A2
Makwa Lake 129C, RI (Sask.) 32 B2
Malachan 11, RI (C.-B.) 38 C3
Malachi, LNCA (Ont.) 28 E1
Malagash, LNCA (N.-E.) 9 C1
Malagash Mine, LNCA (N.-E.) 9 C1
Malagash Point, LNCA (N.-E.) 9 C1
Malagash Station, LNCA (N.-E.) 9 C1
Malagawatch, LNCA (N.-E.) 8 D4
Malagawatch 4, RI (N.-E.) 8 D4
Malahat, LNCA (C.-B.) 38 E4
Malahat 11, RI (C.-B.) 38 E4
Malahide, LNCA (Ont.) 22 F2
Malakoff, LNCA (N.-B.) 11 H1
Malakoff, LNCA (Ont.) 17 C2
Malakwa, LNCA (C.-B.) 36 H4
Malartic, V (Qué.) 18 B2
Malauze, LNCA (N.-B.) 13 C4
Malay Falls, LNCA (N.-E.) 9 E3
Malcolm, LNCA (Ont.) 23 C2
Malcolm Island 8, RI (C.-B.) 39 D1
Malden, LNCA (N.-B.) 7 B4
Malden Centre, LNCA (Ont.) 22 A4
Maleb, LNCA (Alb.) 34 H4
Malherbe, LNCA (Qué.) 14 B3
Malibu < Swaywelat 12, LNCA (C.-B.) 37 E4
Malignant Cove, LNCA (N.-E.) 8 B4
Maliseet < Tobique 20, LNCA (N.-B.) 12 A3
Malksope 7, RI (C.-B.) 39 D2
Mallaig, LNCA (Alb.) 33 F2
Mallard, LNCA (Man.) 29 F1
Mall Bay, LNCA (T.-N.) 2 F4
Mallorytown, LNCA (Ont.) 17 C3
Mallorytown Landing, LNCA (Ont.) 17 C3
Malmaison, LNCA (Qué.) 16 A4
Malmo, LNCA (Alb.) 33 E4
Malone, LNCA (Ont.) 24 F4
Malonton, LNCA (Man.) 29 H3
Malpeque, LNCA (I.-P.-E.) 7 B3
Maltais, LNCA (N.-B.) 13 C4
Maltampec, LNCA (N.-B.) 12 G1
Malvina, LNCA (Qué.) 16 E4
Mamalilaculla < Mahmalillikullah 1, LNCA (C.-B.) 39 E1
Ma-Me-O Beach, VE (Alb.) 33 D4
Mammamattawa, LNCA (Ont.) 20 B4
Mammin River 25, RI (C.-B.) 41 B1
Manassette Lake, LNCA (N.-E.) 9 G2
Manche-d'Epée, LNCA (Qué.) 13 F1
Manchester, LNCA (Ont.) 21 C1
Manchester, LNCA (N.-E.) 9 G2
Mandaumin, LNCA (Ont.) 22 C2
Manders, LNCA (Ont.) 28 G4
M and M Trailer Court, LNCS (C.-B.) 34 D4
Manganese Mines, LNCA (N.-E.) 9 C2
Manhattan Beach, LNCA (Man.) 29 F4
Manic-Cinq, LNCA (Qué.) 19 C2
Manigotagan, LNCA (Man.) 30 C4
Manilla, LNCA (Ont.) 21 C1
Manion Corners, LNCA (Ont.) 17 B2
Manir, LNCA (Alb.) 43 G4
Manitou, LNCA (Qué.) 19 G3
Manitou, VL (Man.) 29 G4
Manitou Beach, VE (Sask.) 31 G1
Manitou Dock, LNCA (Ont.) 24 A2
Manitou Falls, LNCA (Ont.) 27 A1
Manitou Rapids 11, RI (Ont.) 28 G4
Manitouwadge, LNCA (Ont.) 27 H2
Manitowaning, LNCA (Ont.) 25 C2
Maniwaki, V (Qué.) 18 D4
Maniwaki 18, RI (Qué.) 18 D4
Mankota, VL (Sask.) 31 E4
Manley, LNCA (Ont.) 23 C4
Manly, LNCA (Alb.) 33 D3
Manly Corner, LNCA (Alb.) 33 D3
Mann, LNCA (Qué.) 13 C3
Manners Sutton, LNCA (N.-B.) 11 B2
Manneville, LNCA (Qué.) 18 B1
Mannheim, LNCA (Ont.) 22 F1
Mannhurst, LNCA (N.-B.) 11 F1
Manning, V (Alb.) 43 H2
Manning Park, LNCA (C.-B.) 35 C4
Mann Mountain Settlement, LNCA (N.-B.) 13 C4
Mann Point, LNCA (T.-N.) 3 E2
Mann-Settlement, LNCA (Qué.) 13 C4
Mann Siding, LNCA (N.-B.) 12 B1
Mannville, VL (Alb.) 33 G3
Manola, LNCA (Alb.) 33 D2
Manomin, LNCA (Ont.) 28 H4
Manor, VL (Sask.) 29 D4
Manordale, LNCA (Ont.) 17 E4
Manotick, LNCA (Ont.) 17 C2
Manotick Station, LNCA (Ont.) 17 E4
Manouane, LNCA (Qué.) 18 F2
Manouane < Manuan 26, LNCA (Qué.) 18 F3
Manseau, VL (Qué.) 16 D1
Mansfield, LNCA (Ont.) 17 B1
Mansfield, LNCA (Ont.) 23 E2
Mansfield, LNCA (Ont.) 17 C2
Mansfield, LNCA (N.-E.) 9 A1
Manson, LNCA (Man.) 29 D3
Manson Creek, LNCA (C.-B.) 42 H3
Mansons Landing, LNCA (C.-B.) 37 B4
Mansonville, LNCA (Qué.) 16 C4
Mantario, VL (Sask.) 31 C2
Mantua, LNCA (N.-E.) 9 A3
Manuan 26, RI (Qué.) 18 F3
Manuels, LNCA (N.-B.) 12 G2
Manuel's Cove, LNCA (T.-N.) 3 D1

Manvers, LNCA (Ont.) 21 D1
Manyberries, LNCA (Alb.) 31 B4
Mapes, LNCA (C.-B.) 40 B2
Maple Beach, LNCA (Ont.) 21 B1
Maple Brook, LNCA (N.-E.) 8 C4
Maple Creek, V (Sask.) 31 C3
Mapledale, LNCA (N.-B.) 11 A1
Maple Glen, LNCA (N.-B.) 12 E2
Maple Green, LNCA (N.-B.) 13 C4
Maple-Grove, V (Qué.) 17 G1
Maple Grove, LNCA (N.-B.) 12 C4
Maple Grove, LNCA (Ont.) 17 B4
Maple Grove, LNCA (N.-E.) 9 B2
Maple-Grove, LNCA (Qué.) 16 E2
Maplegrove, LNCA (Ont.) 21 A1
Maple Grove, LNCA (Ont.) 23 E3
Maple Hill, LNCA (I.-P.-E.) 7 D3
Maple-Hill, LNCA (Qué.) 15 A4
Maple Hill, LNCA (Ont.) 17 B4
Maple Hill, LNCA (Ont.) 21 B1
Maple Hill, LNCA (Ont.) 23 C2
Maplehurst, LNCA (N.-B.) 12 A3
Maple Island, LNCA (Ont.) 24 A1
Maple Lake, LNCA (Ont.) 24 D3
Maple Lake Park, LNCS (Ont.) 22 F1
Maple Lane, LNCA (Ont.) 23 D3
Maple Lawn, LNCA (Ont.) 17 A4
Maple Leaf, LNCA (Ont.) 24 E2
Maple-Leaf, LNCA (Qué.) 16 E4
Maplemore, LNCA (Qué.) 17 F2
Maple Plains, LNCA (I.-P.-E.) 7 C4
Maple Point 11, RI (C.-B.) 41 D2
Maple Ridge, DM (C.-B.) 38 G2
Maple Ridge, LNCA (N.-B.) 11 B1
Maple Ridge, LNCA (Ont.) 17 D2
Maple-Ridge, LNCA (Qué.) 17 B1
Maple Ridge, LNCA (Ont.) 24 C2
Mapleton, LNCA (N.-E.) 9 A1
Mapleton, LNCA (Ont.) 22 E2
Mapleton, LNCA (N.-B.) 11 F1
Maple Valley, LNCA (Ont.) 23 E2
Maple Valley, LNCA (Ont.) 23 G1
Mapleview, LNCA (N.-B.) 12 B2
Maple View, LNCA (Ont.) 21 F1
Maplewood, LNCA (N.-E.) 10 E2
Maplewood, LNCA (N.-B.) 11 B1
Maplewood, LNCA (Ont.) 22 F1
Maplewood, LNCA (I.-P.-E.) 7 C4
Mapova, LNCA (Alb.) 33 E2
Maquapit Lake, LNCA (N.-B.) 11 D1
Maquazneecht Island 17, RI (C.-B.) 39 D1
Mar, LNCA (Ont.) 25 E4
Mara, LNCA (C.-B.) 35 F1
Mara Beach, LNCA (Ont.) 23 G2
Mara Lake, LNCA (C.-B.) 36 H4
Marathon, LNCA (Ont.) 27 G3
Marathon, LNCA (Ont.) 17 B1
Marathon Village, LNCA (Ont.) 17 B1
Marble Canyon 3, RI (C.-B.) 36 C4
Marblehead, LNCA (C.-B.) 34 B3
Marble Hill, LNCA (N.-E.) 8 C3
Marble Mountain, LNCA (N.-E.) 8 D4
Marble Rock, LNCA (Ont.) 17 B4
Marbleton, VL (Qué.) 16 E3
Marcelin, VL (Sask.) 32 D4
Marcelville, LNCA (N.-B.) 12 F3
Marchand, LNCA (Man.) 28 B2
Marchantgrove, LNCA (Sask.) 32 D3
Marches Point < Cape St George – Petit Jardin – Grand Jardin – De Grau – Marches Point – Loretto, LNCA (T.-N.) 4 A2
Marchhurst, LNCA (Ont.) 17 D4
Marchmont, LNCA (Ont.) 23 F1
Marchwell, LNCA (Sask.) 29 D2
Marcil, LNCA (Qué.) 13 F3
Marco, LNCA (Man.) 29 E3
Marconi Towers, LNCA (N.-E.) 8 F3
Marcotte, LNCA (Qué.) 18 A1
Marden, LNCA (Ont.) 23 E4
Marean Lake, LNCA (Sask.) 32 F4
Mare-du-Sault, LNCA (Qué.) 15 B1
Marelan, LNCA (Qué.) 17 F1
Marengo, VL (Sask.) 31 C2
Marentette Beach, LNCA (Ont.) 22 B4
Mareuil, LNCA (Qué.) 16 C3
Margaree, LNCA (T.-N.) 4 A4
Margaree, LNCA (N.-E.) 8 D2
Margaree 25, RI (N.-E.) 8 D3
Margaree Brook, LNCA (N.-E.) 8 D3
Margaree Centre, LNCA (N.-E.) 8 D3
Margaree Forks, LNCA (N.-E.) 8 D3
Margaree Harbour, LNCA (N.-E.) 8 D2
Margaree Valley, LNCA (N.-E.) 8 D3
Margaret, LNCA (Man.) 29 F4
Margaret Bay, LNCA (C.-B.) 41 F4
Margaretsville, LNCA (N.-E.) 10 D1
Margate, LNCA (I.-P.-E.) 7 B3
Margie, LNCA (Alb.) 33 F1
Margo, VL (Sask.) 29 B1
Margo Lake, LNCA (Ont.) 27 G1
Marguerite, LNCA (C.-B.) 40 C3
Maria, LNCA (Qué.) 13 E3
Maria 2, RI (Qué.) 13 E3
Maria-de-Kent, LNCA (N.-B.) 12 G4
Maria-Ouest, LNCA (Qué.) 13 D3
Mariapolis, LNCA (Man.) 29 G4
Mariatown, LNCA (Ont.) 17 D3
Maricourt (Wakeham), LNCA (Qué.) 46 F3
Marie, LNCA (I.-P.-E.) 7 D3
Marie Hill, LNCA (Sask.) 32 A3
Marie Joseph, LNCA (N.-E.) 9 E3
Marienthal, LNCA (Sask.) 29 B4
Marie-Reine, LNCA (Alb.) 43 H3
Marieton, LNCA (Sask.) 31 G2
Marieval < Cowessess 73, LNCA (Sask.) 29 C3
Marieville, V (Qué.) 16 A3
Marilla, LNCA (C.-B.) 41 G1
Marina, LNCA (Alb.) 43 F3
Marina Estates, LNCA (Ont.) 21 B1
Marinette, LNCA (N.-E.) 9 D3
Marion, LNCA (Qué.) 18 F4
Marion Bridge, LNCA (N.-E.) 8 F3
Marion Bridge Road, LNCA (N.-E.) 8 F3
Marionville, LNCA (Ont.) 17 D2
Mariposa, LNCA (Ont.) 21 C1
Mariposa Beach, LNCA (Ont.) 23 G1
Maritana, LNCA (Qué.) 17 G2
Marius < Sandy Bay 5, LNCA (Man.) 29 G3
Markale 14, RI (C.-B.) 39 D2
Mark-Crossing, LNCA (Qué.) 18 D4
Markdale, VL (Ont.) 23 D2
Markerville, LNCA (Alb.) 34 E1
Markham, V (Ont.) 21 B2
Markhamville, LNCA (N.-B.) 11 F2
Markinch, VL (Sask.) 31 H2
Markland, LNCA (T.-N.) 2 F3
Markland, LNCA (Man.) 29 H3
Markstay, LNCA (Ont.) 25 F1
Marktosis < Marktosis 15, LNCA (C.-B.) 39 F4
Marktosis 15, RI (C.-B.) 39 F4
Marlbank, LNCA (Ont.) 21 G1
Marlboro, LNCA (Alb.) 33 B3
Marlin, LNCA (Sask.) 32 B3
Marlington, LNCA (Qué.) 16 C4
Marmion, LNCA (Ont.) 23 C2
Marmora, VL (Ont.) 24 F4
Marne, LNCA (N.-B.) 11 A1
Marnoch, LNCA (Ont.) 23 B3
Maroon Hill, LNCA (N.-E.) 9 B3
Marquette, LNCA (Man.) 29 H3
Marquis, VL (Sask.) 31 F3
Marquise, LNCA (T.-N.) 2 F3
Marriott, LNCA (Sask.) 31 D1
Marriotts Cove, LNCA (N.-E.) 10 E2
Marron Valley, LNCA (C.-B.) 35 E4
Marrtown, LNCA (N.-B.) 11 E1
Marsboro, LNCA (Qué.) 16 F3
Marsboro Survey, LNCS (Ont.) 22 G1
Marsden, VL (Sask.) 32 A4
Marsh, LNCA (N.-E.) 8 A4
Marshall, VL (Sask.) 32 A3
Marshall Bay, LNCA (Ont.) 17 B1
Marshall's Corners, LNCA (Ont.) 26 F2
Marshalls Crossing, LNCA (N.-E.) 9 D1
Marshalltown, LNCA (N.-E.) 10 B2
Marsh Brook, LNCA (N.-E.) 8 D2
Marshdale, LNCA (N.-E.) 9 D2
Marshes (West Bay), LNCA (N.-E.) 8 D4
Marshfield, LNCA (I.-P.-E.) 7 D4
Marshfield, LNCA (Ont.) 22 A4
Marsh Hill, LNCA (Ont.) 21 B1
Marsh Lake, LNCA (Yukon) 45 B3
Marshville, LNCA (N.-E.) 9 C1
Marshy Hope, LNCA (N.-E.) 8 A4
Marsoui, VL (Qué.) 13 D1
Marston, LNCA (Ont.) 22 F2
Marsville, LNCA (Ont.) 23 E3
Martel, LNCA (C.-B.) 35 B1
Martels Corners, LNCA (Ont.) 17 D1
Marten Falls 65, RI (Ont.) 20 A3
Marten River, LNCA (Ont.) 26 F3
Marten River, LNCA (Alb.) 44 A4
Martensville, V (Sask.) 31 F1
Marter, LNCA (Ont.) 26 F2
Marthaville, LNCA (Ont.) 22 C2
Martigny, LNCA (Qué.) 17 F1
Martin, LNCA (Qué.) 13 F3
Martin, LNCA (Qué.) 16 A4
Martin, LNCA (Ont.) 27 C2
Martin and Henry Trautrim Subdivision, LNCA (Ont.) 18 C4
Martin-Corner, LNCA (Qué.) 16 C4
Martindale, LNCA (Qué.) 18 D4
Martineau, LNCA (Qué.) 15 C3
Martin Farm, LNCA (Ont.) 23 F2
Martin House, LNCA (T.N.-O.) 45 B2
Martinique, LNCA (N.-E.) 8 D4
Martin-Lake, LNCA (Qué.) 17 B1
Martins Brook, LNCA (N.-E.) 10 E2
Martins Corner, LNCA (Ont.) 17 A1
Martins Corners, LNCA (Ont.) 17 D1
Martin Siding, LNCA (N.-B.) 12 A2
Martins Point, LNCA (N.-E.) 10 E2
Martins River, LNCA (N.-E.) 10 E2
Martintown, LNCA (Ont.) 17 E2
Martinvale, LNCA (I.-P.-E.) 7 D4
Martin Valley, LNCS (C.-B.) 41 F3
Martinville, LNCA (Qué.) 16 D4
Martinville, LNCA (Ont.) 23 F2
Martock, LNCA (N.-E.) 9 A3
Martyrs Shrine, LNCA (Ont.) 23 F1
Marvelville, LNCA (Ont.) 17 D2
Marvins Island, LNCA (N.-E.) 10 E2
Marwayne, VL (Alb.) 33 G3
Mary Cove 12, RI (C.-B.) 41 E2
Marydale, LNCA (N.-E.) 8 B4
Maryfield, VL (Sask.) 29 D4
Marygrove, LNCA (Ont.) 23 F1
Maryhill, LNCA (Ont.) 23 E4
Maryland, LNCA (Qué.) 17 B1
Mary March, LNCA (T.-N.) 4 F1
Marysburg, LNCA (Sask.) 31 G1
Mary's Harbour, COMM (T.-N.) 5 H1
Marystown, V (T.-N.) 2 C3
Marysvale, LNCA (T.-N.) 2 G2
Marysville, LNCA (Ont.) 21 H1
Marysville, LNCA (Ont.) 21 G1
Maryvale, LNCA (N.-E.) 8 B4
Maryville, LNCA (N.-E.) 8 C3
Maryville, LNCA (Sask.) 32 F4
Mascarene, LNCA (N.-B.) 11 C3
Mascouche, V (Qué.) 18 G4
Masefield, LNCA (Sask.) 31 D4
Masit 13, RI (C.-B.) 38 B3
Maskawata, LNCA (Man.) 29 E4
Maskinongé, VL (Qué.) 16 B2
Maskinonge Park, LNCA (Ont.) 21 B1
Mason Creek, LNCA (C.-B.) 43 C2
Mason Landing, LNCA (Yukon) 45 B3
Mason Point, LNCA (N.-E.) 8 C3
Masons Beach, LNCA (N.-E.) 10 E2
Masons Point, LNCA (N.-E.) 9 A4
Massanoga, LNCA (Ont.) 24 G3
Massawippi, LNCA (Qué.) 16 D4
Masset, VL (C.-B.) 41 B1
Masset 1, RI (C.-B.) 41 B1
Massey, V (Ont.) 25 C1
Massey Drive, DAL (T.-N.) 4 D1
Massie, LNCA (Ont.) 23 D2
Massive, LNCA (Alb.) 34 D2
Masson (Qué.) 17 E3
Masstown, LNCA (N.-E.) 9 B2
Massueville, VL (Qué.) 16 B2
Matachewan, LNCA (Ont.) 26 E2
Matachewan 72, RI (Ont.) 26 E2
Matador, LNCA (Sask.) 31 D2
Matagami, V (Qué.) 20 E4
Matamec, LNCA (Qué.) 19 F3
Matane, V (Qué.) 13 B2
Matane-Est, LNCA (Qué.) 13 B2
Matapédia, LNCA (Qué.) 13 C4
Matapédia-Ouest, LNCA (Qué.) 13 C4
Matawatchan, LNCA (Ont.) 24 G2
Matchlee 13, RI (C.-B.) 39 F3
Mates Corner, LNCA (N.-B.) 7 A4
Mather, LNCA (Man.) 29 F4
Mathers Corners, LNCA (Ont.) 21 D1
Matheson, LNCA (Ont.) 26 E1
Matheson Island, LNCA (Man.) 30 C4
Matlaten 4, RI (C.-B.) 37 A3
Matsayno 5, RI (C.-B.) 37 B3
Matsqui, DM (C.-B.) 38 H3
Matsqui 4, RI (C.-B.) 38 G3
Matsqui Main 2, RI (C.-B.) 38 H2
Mattagami 71, RI (Ont.) 26 D2
Mattawa, V (Ont.) 18 A4
Mattes, LNCA (Sask.) 32 C3
Matthews, LNCA (N.-B.) 12 E2
Matthews Crossing, LNCA (Alb.) 33 C3
Mattice, LNCA (Ont.) 20 B4
Mattie Settlement, LNCA (N.-E.) 8 C4
Mattis Point, LNCA (T.-N.) 4 C2
Matzhiwin, LNCA (Alb.) 34 G2
Maugerville, LNCA (N.-B.) 11 D1
Mauriceville, LNCA (Qué.) 15 B2
Mauvais Rocher 5, RI (C.-B.) 36 D4
Mavillette, LNCA (N.-E.) 10 A3
Mavis Mills, LNCA (N.-B.) 12 C4
Mawcook, LNCA (Qué.) 16 B3
Mawer, LNCA (Sask.) 31 F2
Maxim, LNCA (Sask.) 31 H4
Maxim Creek 11A, RI (C.-B.) 42 G4
Maximeville, LNCA (I.-P.-E.) 7 A3
Maxim Lake 11, RI (C.-B.) 42 G4
Maxim Lake 12A, RI (C.-B.) 42 G4
Maxstone, LNCA (Sask.) 31 F4
Maxville, VL (Ont.) 17 E2
Maxwell, LNCA (Ont.) 23 E2
Maxwell, LNCA (N.-B.) 11 A1
Maxwell, LNCA (Ont.) 24 E2
Maxwell Crossing, LNCA (N.-B.) 11 B3
Maxwellton, LNCA (N.-E.) 10 A3
Maybank, LNCA (Qué.) 17 F2
Maycroft, LNCA (Alb.) 34 E3
Mayerthorpe, V (Alb.) 33 C3
Mayerville, LNCA (Ont.) 17 D2
Mayfair, LNCA (Sask.) 32 C4
Mayfair, LNCA (Ont.) 22 D2
Mayfeld, LNCA (Man.) 29 G3
Mayfield, LNCA (I.-P.-E.) 7 C3
Mayfield, LNCA (N.-B.) 11 B3
Mayflower, LNCA (N.-E.) 10 A3
Mayhews Landing, LNCA (Ont.) 24 F2
Maymont, VL (Sask.) 32 C4
Maynard, LNCA (Ont.) 17 C3
Mayne, LNCA (C.-B.) 38 F3
Mayne Corners, LNCA (Ont.) 23 C3
Mayne Island 6, RI (C.-B.) 38 F3
Maynooth, LNCA (Ont.) 24 E2
Maynooth Station, LNCA (Ont.) 24 E2
Mayo, LNCA (Yukon) 45 B2
Mayo, LNCA (Qué.) 17 D1
Mayton, LNCA (Alb.) 34 E1
Mayview, LNCA (Sask.) 32 D3
Mazenod, VL (Sask.) 31 F3
Mazeppa, LNCA (Alb.) 34 E3
Mazerolle Settlement, LNCA (N.-B.) 11 C1
McAdam, VL (N.-B.) 11 B2
McAdams Lake, LNCA (N.-E.) 8 E3
McAlpine, LNCA (Ont.) 17 E1
McAlpine Corners, LNCA (Ont.) 24 E2
McAndrew, LNCA (T.-N.) 2 F3
McArras Brook, LNCA (N.-E.) 8 A4
McArthurs Mills, LNCA (Ont.) 24 F2
McArthur Subdivision, LNCS (Ont.) 25 A1
McAuley, LNCA (Man.) 29 D3
McBean, LNCA (Qué.) 18 D4
McBean Harbour < Spanish River 5, LNCA (Ont.) 25 B2
McBride, VL (C.-B.) 40 E2
McCabe Creek, LNCA (Yukon) 45 B3
McCain Settlement, LNCA (N.-B.) 11 E2
McCallum, LNCA (T.-N.) 2 A2
McCallum Settlement, LNCA (N.-E.) 9 C2
McCann's Shore, LNCA (Ont.) 17 B2
McCarleys Corners, LNCA (Ont.) 17 C2
McCartney's Flat 4, RI (C.-B.) 35 A1
McCluskey, LNCA (N.-B.) 12 A2
McCluskeys Corners, LNCA (Ont.) 27 D3
McConnell, LNCA (Man.) 29 E3
McConnell, LNCA (Qué.) 16 D4
McConnell Creek, LNCA (C.-B.) 42 G1
McCool, LNCA (Ont.) 26 F2
McCord, LNCA (Sask.) 31 E4
McCormick, LNCA (Ont.) 17 E1
McCourts-Corner, LNCA (Qué.) 16 D3
McCracken Landing, LNCA (Ont.) 21 E1
McCrackens Landing, LNCA (Ont.) 24 E4
McCrackins Beach, LNCA (Ont.) 23 G1
McCrae, LNCA (Ont.) 24 F3
McCreadyville, LNCA (N.-E.) 8 E3
McCreary, VL (Man.) 29 F2
McCrearys, LNCA (Ont.) 17 B2
McCreary's Shore, LNCA (Ont.) 17 B2
McCrimmon, LNCA (Ont.) 17 E1
McCulloch, LNCA (C.-B.) 35 F3
McCulloughs Landing, LNCA (Ont.) 17 B2
McDame, LNCA (C.-B.) 45 C4
McDames Creek 2, RI (C.-B.) 45 C4
McDiarmid's Shore, LNCA (Ont.) 17 B2
McDonald, LNCA (Man.) 28 A1
McDonald Court, LNCA (Ont.) 21 A3
McDonald Hills, LNCA (Sask.) 31 H2
McDonald Lake 1, RI (C.-B.) 45 B4
McDonalds Corners, LNCA (Ont.) 17 A2
McDonalds Landing, LNCA (C.-B.) 41 G1
McDonalds Landing, LNCA (C.-B.) 34 B4
McDougall, LNCA (Ont.) 17 A1
McDougall Mills, LNCA (Ont.) 27 B1
McDougalls Landing, LNCA (Man.) 28 E2
McEachern, LNCA (Sask.) 31 E4
McElhanney, LNCA (Sask.) 32 G4
McFerson, LNCA (Ont.) 25 A1
McGary Flats, LNCA (Ont.) 24 E2
McGaw, LNCA (Ont.) 23 B3
McGee, LNCA (Sask.) 31 D2
McGillivray, LNCA (C.-B.) 37 G3
McGinleys Corner, LNCA (N.-B.) 11 G1
McGinnis Creek, LNCA (Ont.) 28 F4
McGivney, LNCA (N.-B.) 12 C4
McGowans Corner, LNCA (N.-B.) 11 D1
McGrath, LNCA (Ont.) 24 G2
McGrath Corner, LNCA (N.-B.) 12 A3
McGraths Cove, LNCA (N.-E.) 9 B4
McGraths Mountain, LNCA (N.-E.) 8 A4
McGraw Brook, LNCA (N.-B.) 12 D3
McGregor, LNCA (Ont.) 22 A3
McGregor, LNCA (C.-B.) 40 D1
McGregor Bay, LNCA (Ont.) 25 D2
McGregor Brook, LNCA (N.-B.) 11 E2
McGuire, LNCA (C.-B.) 37 F4
McGuire, LNCA (Ont.) 24 G1
McGuire Settlement, LNCA (Ont.) 24 G4
McIntosh, LNCA (Ont.) 28 H1
McIntosh, LNCA (Ont.) 23 C3
McIntosh Mills, LNCA (Ont.) 17 C3
McIntyre, LNCA (Ont.) 23 E2
McIntyre, LNCA (Ont.) 17 A4
McIntyres Mountain, LNCA (N.-E.) 8 C4
McIver, LNCA (Ont.) 23 C1
McIvers, COMM (T.-N.) 4 C1
McKague, LNCA (Sask.) 32 F4
McKay Meadow 4, RI (C.-B.) 40 C3
McKay's, LNCA (T.-N.) 4 B3
McKay Section, LNCA (N.-E.) 9 A3
McKay Siding, LNCA (N.-E.) 9 C2
McKeaghan, LNCA (N.-B.) 12 A4
McKearney Ranch, LNCA (C.-B.) 43 D3
McKee, LNCA (Qué.) 17 B1
McKeens Corner, LNCA (N.-B.) 11 C1
McKees Mills, LNCA (N.-B.) 12 G4
McKellar, LNCA (Ont.) 24 A2
McKendrick, LNCA (N.-B.) 13 C4
McKenna, LNCA (N.-B.) 12 A4
McKenzie Corner, LNCA (N.-B.) 11 A1
McKenzie Island, LNCA (Ont.) 30 D4
McKenzie Lake, LNCA (Ont.) 24 E2
McKenzie Subdivision, LNCS (Alb.) 34 E1
McKerrow, LNCA (Ont.) 25 C1
McKinleyville, LNCA (N.-B.) 12 E3
McKinnons Harbour, LNCA (N.-E.) 7 H4
McLaren, LNCA (Sask.) 32 A3
McLaren's Bay, LNCA (Ont.) 18 A3
McLaren's Beach, LNCA (Ont.) 21 C1
McLarens Settlement, LNCA (Ont.) 17 A1
McLaughlin, LNCA (Alb.) 33 H4
McLean, LNCA (Ont.) 17 A3
McLean, VL (Sask.) 31 H3
McLean Ranch, LNCA (C.-B.) 43 D3
McLean Settlement, LNCA (N.-B.) 12 G4
McLean's Lake 3, RI (C.-B.) 36 C4
McLean's Trailer Park, LNCS (Ont.) 23 E3
McLeese Lake, LNCA (C.-B.) 36 B1
McLellans Brook, LNCA (N.-E.) 8 A4
McLellans Mountain, LNCA (N.-E.) 8 A4
McLennan, V (Alb.) 33 B1
McLennan's Beach, LNCA (Ont.) 21 B1
McLeod Hill, LNCA (N.-B.) 11 C1
McLeod Lake, LNCA (C.-B.) 43 C4
McLeod Lake 1, RI (C.-B.) 43 C4
McLeod Lake 5, RI (C.-B.) 43 C4
McLeod River, LNCA (Alb.) 33 B3
McLeods, LNCA (N.-B.) 13 C4
McLeod Subdivision, LNCS (C.-B.) 43 E3
McLeod Valley, LNCA (Alb.) 33 B3
M'Clintock, LNCA (Man.) 46 B4
McLure, LNCA (C.-B.) 36 F4
McMahon, LNCA (Sask.) 31 E3
McManus Siding, LNCA (N.-B.) 12 A2
McMasterville, VL (Qué.) 16 A3
McMillan Island 6, RI (C.-B.) 38 G2
McMillans Corners, LNCA (Ont.) 17 E2
McMinn, LNCA (N.-B.) 11 B3
McMonagle Corner, LNCA (N.-B.) 12 A3
McMorran, LNCA (Sask.) 31 D2
McMunn, LNCA (Man.) 28 D2
McMurchy Settlement, LNCA (Ont.) 23 E2
McMurrich, LNCA (Ont.) 24 B2
McNab, LNCA (Alb.) 34 G4
McNab Creek, LNCA (C.-B.) 38 F1
McNabs Island, LNCA (N.-E.) 9 B4
McNairn, LNCA (N.-B.) 12 G4
McNallys, LNCA (N.-B.) 11 C1
McNamee, LNCA (N.-B.) 12 D3
McNaughton Shore, LNCA (Ont.) 17 B2
McNeill, LNCA (Alb.) 31 B3
McNeills Mills, LNCA (I.-P.-E.) 7 B3
McNeish, LNCA (N.-B.) 13 D3
McNutts Island, LNCA (N.-E.) 10 C4
McPhail Cove, LNCA (Sask.) 32 D3
McPhail Point, LNCS (C.-B.) 38 E4
McPhersons Mills, LNCA (N.-E.) 8 A4
McQuade, LNCA (N.-B.) 12 G4
McQuesten, LNCA (Yukon) 45 B2
McQuesten 3, RI (Yukon) 45 B2
McRae, LNCA (Alb.) 33 F2
McReynolds, LNCA (Ont.) 17 C3
McRoberts Corner, LNCA (Ont.) 17 C3
McTaggart, VL (Sask.) 31 H4
McTavish, LNCA (Man.) 29 H4
McVeigh, LNCA (Man.) 30 A1
McVicar, LNCA (Ont.) 25 D4
McWatters, LNCA (Qué.) 18 A2
McWilliams, LNCS (Ont.) 22 E1
Meacham, VL (Sask.) 31 F1
Meachen, LNCA (C.-B.) 34 C4
Mead, LNCA (Ont.) 20 B4
Meadow, LNCA (N.-E.) 8 E3
Meadow, LNCA (N.-B.) 11 G1
Meadow Bank, LNCA (I.-P.-E.) 7 C4
Meadow Brook, LNCA (N.-B.) 11 G1
Meadowbrook, LNCA (Alb.) 33 D2
Meadowbrook, LNCS (C.-B.) 34 C4
Meadowbrook, LNCS (C.-B.) 38 B1
Meadow Creek, LNCA (C.-B.) 34 B3
Meadow Creek 3, RI (C.-B.) 36 G4
Meadow Green, LNCA (N.-E.) 8 B4
Meadow Lake, V (Sask.) 32 B2
Meadow Lake 105, RI (Sask.) 32 B2
Meadow Lake 105A, RI (Sask.) 32 B2
Meadowlands, LNCA (Ont.) 17 E4
Meadowlands, LNCA (Man.) 29 F2
Meadow Lee, LNCA (Man.) 29 H3
Meadow Portage, LNCA (Man.) 29 F1
Meadows, COMM (T.-N.) 4 C1
Meadows, LNCA (C.-B.) 34 B4
Meadows, LNCA (Man.) 29 H3
Meadowside, LNCA (Ont.) 25 H1
Meadow Springs, LNCA (N.-E.) 8 A4
Meadows Road, LNCA (N.-E.) 8 E3
Meadowvale, LNCA (N.-E.) 9 C2
Meadowvale, LNCA (N.-E.) 10 D1
Meadowvale, LNCA (Man.) 28 B1
Meadowview, LNCA (Alb.) 33 D3
Meadowville, LNCA (N.-E.) 9 D1
Meaford, V (Ont.) 23 D1
Meagher, LNCA (N.-E.) 9 C3
Meagher, LNCA (N.-E.) 10 D2
Meaghers Grant, LNCA (N.-E.) 9 C3
Meagwan 8, RI (C.-B.) 41 B1
Meander River, LNCA (Alb.) 44 A2
Meanlaw 24, RI (C.-B.) 41 D1
Meanook, LNCA (Alb.) 33 E2
Mearns, LNCA (Alb.) 33 D3
Mears, LNCA (Man.) 29 E2
Meat Cove, LNCA (N.-E.) 8 E1
Meath Park, VL (Sask.) 32 E3
Meaux, LNCA (Qué.) 26 G3
Mechanic Settlement, LNCA (N.-B.) 11 F2
Medford, LNCA (N.-E.) 11 H3
Medford, LNCA (N.-B.) 12 A2
Medicine Hat, C (Alb.) 31 B3
Medicine Lodge, LNCA (Alb.) 33 A3
Medika, LNCA (Man.) 28 C2
Medina, LNCA (Ont.) 22 E1
Medina Corners < Six Nations 40, LNCA (Ont.) 22 G1
Medley < Cold Lake, CFB/BFC, LNCA (Alb.) 33 G2
Medonte, LNCA (Ont.) 23 F1
Medora, LNCA (Man.) 29 E4
Medstead, VL (Sask.) 32 B3
Meductic, VL (N.-B.) 11 A1
Medway, LNCA (N.-E.) 10 E3
Medway River 11, RI (N.-E.) 10 D2
Meeting Creek, LNCA (Alb.) 33 E4
Meeting Lake, LNCA (Sask.) 32 C3
Meetoos, LNCA (Sask.) 32 C3
Meetup 2, RI (C.-B.) 39 F1
Meilleurs Bay, LNCA (Ont.) 18 B4
Meiseners Section, LNCA (N.-E.) 10 D2
Melançon, LNCA (Qué.) 18 H1
Melancthon, LNCA (Ont.) 23 E3
Melanson, LNCA (N.-E.) 9 A3
Melanson Settlement, LNCA (N.-B.) 11 G1
Melaval, LNCA (Sask.) 31 F4
Melboro, LNCA (Qué.) 16 C3
Melbourne, LNCA (Ont.) 22 D2
Melbourne, LNCA (N.-E.) 10 A3
Melbourne, LNCA (Man.) 29 F3
Melbourne, VL (Qué.) 16 C3
Melbourne-Ridge, LNCA (Qué.) 16 C3
Meldrum Bay, LNCA (Ont.) 25 A2
Meldrum Creek, LNCA (C.-B.) 36 B1
Meleb, LNCA (Man.) 29 H2
Melford, LNCA (N.-E.) 8 C4
Melfort, V (Sask.) 32 E4
Melita, V (Man.) 29 E4
Mellor, LNCA (T.N.-O.) 44 B2
Mellowdale, LNCA (Alb.) 33 D2
Melnice, LNCA (Man.) 30 C4
Melocheville, VL (Qué.) 17 G2
Melrose, COMM (T.-N.) 3 G4
Melrose, LNCA (N.-B.) 7 B4
Melrose, LNCA (Ont.) 21 G1
Melrose, LNCA (N.-E.) 9 E2
Melrose, LNCA (Ont.) 22 D1
Melrose, LNCA (Man.) 28 B1
Melrose Hill, LNCA (N.-E.) 8 C3
Melvern Square, LNCA (N.-E.) 10 D1
Melville, C (Sask.) 29 C2
Melville, LNCA (I.-P.-E.) 7 D4
Melville, LNCA (N.-E.) 9 C1
Melville, LNCA (Ont.) 21 F2
Melville Beach < Shesheep 74A, LNCA (Sask.) 29 C3
Melvin, LNCA (Ont.) 17 D2
Memel Settlement, LNCA (N.-B.) 11 G1
Memramcook, LNCA (N.-B.) 11 H1
Memramcook East, LNCA (N.-B.) 11 H1
Memramcook West, LNCA (N.-B.) 11 G1
Menaik, LNCA (Alb.) 33 E4
Ménard, LNCA (Qué.) 15 D3
Ménard, LNCS (Qué.) 16 B3
Mendenhall Landing, LNCA (Yukon) 45 A3
Mendham, VL (Sask.) 31 C2
Menie, LNCA (Ont.) 21 E1
Menihek, LNCA (T.-N.) 6 C3
Menisino, LNCA (Man.) 28 C3
Menneval, LNCA (N.-B.) 13 B4
Mennon, LNCA (Sask.) 31 E1
Mennonite Corner, LNCA (Ont.) 23 D4
Menoke Beach, LNCA (Ont.) 23 G1
Menzie, LNCA (Man.) 29 E3
Meota, VL (Sask.) 32 B4
Merasheen, COMM (T.-N.) 2 E3
Mercer's Cove, LNCA (T.-N.) 2 B3
Mercier, V (Qué.) 17 G2
Mercier-de-Caplan, LNCA (Qué.) 13 E3
Mercoal, LNCA (Alb.) 33 A3
Meredith Settlement, LNCA (N.-B.) 11 B2
Merid, LNCA (Sask.) 31 B2
Merigomish, LNCA (N.-E.) 8 A4
Merigomish Harbour 31, RI (N.-E.) 8 A4
Merivale, LNCA (Ont.) 17 E4
Merivale Gardens, LNCA (Ont.) 17 E4
Merland, LNCA (N.-E.) 8 C4
Merle, LNCA (Sask.) 32 F4
Merlin, LNCA (Ont.) 22 C3
Mermaid, LNCA (I.-P.-E.) 7 D4
Merrickville, VL (Ont.) 17 C2
Merridale, LNCA (Man.) 29 D2
Merritt, V (C.-B.) 35 C2
Merritts Harbour, LNCA (T.-N.) 3 D1
Merryflat, LNCA (Sask.) 31 B4
Mersey Point, LNCA (N.-E.) 10 D3
Mertz's Corner, LNCA (Ont.) 23 F1
Merville, LNCA (C.-B.) 38 B1
Mervin, VL (Sask.) 32 B3
Mesachie Lake, LNCA (C.-B.) 38 D3
Meskanaw, LNCA (Sask.) 32 E4
Messines, LNCA (Qué.) 18 D4
Métabetchouan, V (Qué.) 18 H1
Metagama, LNCA (Ont.) 26 D3
Metcalfe, LNCA (Ont.) 17 D2
Metchosin, LNCA (C.-B.) 38 E4
Meteghan, LNCA (N.-E.) 10 A3
Meteghan Centre, LNCA (N.-E.) 10 A2
Meteghan River, LNCA (N.-E.) 10 A2
Meteghan Station, LNCA (N.-E.) 10 A2
Metigoshe, LNCA (Man.) 29 E4
Metinota, VL (Sask.) 32 B4
Metis, LNCA (Alb.) 43 H1
Metiskow, LNCA (Alb.) 33 G4
Métis-sur-Mer, VL (Qué.) 14 H2
Metlakatla < Tsimpsean 2, LNCA (C.-B.) 42 C4
Metropolitan, LNCA (Ont.) 22 E1
Metz, LNCA (Ont.) 23 D3
Mewassin, LNCA (Alb.) 33 D3
Me-yan-law 47, RI (C.-B.) 42 C4
Meyanlow 58, RI (C.-B.) 42 D4
Meyersburg, LNCA (Ont.) 21 E1
Meyers Flat, LNCA (C.-B.) 35 E4
Meyronne, VL (Sask.) 31 E4
Miami, LNCA (Man.) 29 G4
Miami Beach, LNCA (Ont.) 21 B1
Mica Creek, LNCA (C.-B.) 34 A1
Michael's Bay, LNCA (Ont.) 25 C3
Michael's Harbour, LNCA (T.-N.) 3 D2
Michaudville, LNCA (Qué.) 16 A3
Michel < Peter Pond Lake 193, LNCA (Sask.) 44 D4
Michelle Creek 22, RI (C.-B.) 40 B3
Michelle Creek 23, RI (C.-B.) 40 B3
Michell Pierre 12, RI (C.-B.) 42 G3
Michichi, LNCA (Alb.) 34 G1
Michigan Centre, LNCA (Alb.) 33 D3
Michipicoten, LNCA (Ont.) 26 A2
Michipicoten River, LNCA (Ont.) 26 A2
Micksburg, LNCA (Ont.) 24 G1
Micmac, LNCA (N.-E.) 8 A4
Micmac < Shubenacadie 14, LNCA (N.-E.) 9 B3
Micoua, LNCA (Qué.) 19 C3
Midale, V (Sask.) 29 B4
Middle Amherst Cove, LNCA (T.-N.) 3 G4
Middle Arm, COMM (T.-N.) 3 A1
Middle Arm, LNCA (T.-N.) 5 G4
Middle Barneys River, LNCA (N.-E.) 8 A4
Middle-Bay, LNCA (Qué.) 5 F2
Middle Beaverbank, LNCA (N.-E.) 9 B3
Middleboro, LNCA (N.-E.) 9 B1
Middlebro, LNCA (Man.) 28 D3
Middle Brook < Dark Cove – Middle Brook - Gambo, LNCA (T.-N.) 3 E3
Middle Cape, LNCA (N.-E.) 8 E4
Middlechurch, LNCA (Man.) 28 A1
Middle Clyde River, LNCA (N.-E.) 10 C3
Middle Country Harbour, LNCA (N.-E.) 9 F2
Middle Cove, LNCA (T.-N.) 2 H2
Middle Creek, LNCA (Alb.) 33 G3
Middle District, LNCS (N.-B.) 11 B2
Middle East Pubnico, LNCA (N.-E.) 10 B4
Middlefield, LNCA (N.-E.) 10 D2
Middle Hainesville, LNCA (N.-B.) 11 B1
Middle LaHave, LNCA (N.-E.) 10 E2
Middle Lake, VL (Sask.) 32 E4
Middle Manchester, LNCA (N.-E.) 9 G2
Middlemarch, LNCA (Ont.) 22 E2
Middle Melford, LNCA (N.-E.) 8 C4
Middlemiss, LNCA (Ont.) 22 D2
Middle Musquodoboit, LNCA (N.-E.) 9 C3
Middle New Cornwall, LNCA (N.-E.) 10 E2
Middle Ohio, LNCA (N.-E.) 10 C3
Middle Pereaux, LNCA (N.-E.) 11 H3
Middle Pond, LNCS (T.-N.) 2 H3
Middleport, LNCA (Ont.) 22 G1
Middle Porters Lake, LNCA (N.-E.) 9 C4
Middle River, LNCA (N.-E.) 8 D3
Middle River, LNCA (N.-E.) 10 E2
Middle River, LNCS (N.-B.) 12 E1
Middle River < Gelangle 1, LNCA (C.-B.) 42 H4
Middle Sackville, LNCA (N.-E.) 9 B3
Middlesex, LNCA (N.-B.) 11 G1
Middle Southampton, LNCA (N.-B.) 11 B1
Middle Stewiacke, LNCA (N.-E.) 9 C2
Middleton, V (N.-E.) 10 D1
Middleton, LNCA (I.-P.-E.) 7 B4
Middleton, LNCA (N.-B.) 11 H1
Middleton, LNCA (N.-E.) 9 C1
Middleton, LNCA (N.-E.) 9 F2
Middleton Corner, LNCA (N.-E.) 9 C1
Middle Village, LNCA (N.-E.) 9 A4
Middleville, LNCA (Ont.) 17 B2
Middle West Pubnico, LNCA (N.-E.) 10 B4
Middlewood, LNCA (N.-E.) 10 E2
Midgell, LNCA (I.-P.-E.) 7 D3
Midgic, LNCA (N.-B.) 7 A4
Midhurst, LNCA (Ont.) 21 A1
Midhurst Station, LNCS (Ont.) 21 A1
Midland, V (Ont.) 23 F1
Midland, LNCA (N.-B.) 11 F2
Midland, LNCA (N.-B.) 11 E1
Midland Point, LNCA (Ont.) 23 F1
Midlothian, LNCA (Ont.) 24 B1
Midnight Lake, LNCA (Sask.) 32 B3
Midville Branch, LNCA (N.-E.) 10 E2
Midway, LNCA (N.-B.) 11 G2
Midway, VL (C.-B.) 35 G4
Miette, LNCA (Alb.) 40 H2
Miette Hotsprings, LNCA (Alb.) 40 H2
Miguasha, LNCA (Qué.) 13 D3
Miguasha-Ouest, LNCA (Qué.) 13 D3
Mikado, LNCA (Sask.) 29 C2
Milan, LNCA (Qué.) 16 F3
Milberta, LNCA (Ont.) 26 F2
Milburn, LNCA (I.-P.-E.) 7 A3
Milburn, LNCA (I.-P.-E.) 7 D3
Milburn, LNCA (Ont.) 17 B4
Milby, LNCA (Qué.) 16 D4
Milden, VL (Sask.) 31 E2
Mildmay, VL (Ont.) 23 C3
Mildred, LNCA (Sask.) 32 C3
Mildred Lake, LNCA (Alb.) 44 C4
Mile 108 Recreational Ranch, LNCS (C.-B.) 36 D2
Mile 304 Alaska Highway, LNCS (C.-B.) 45 D4
Mile 99 Cariboo Highway, LNCS (C.-B.) 36 D2
Miles Cove, COMM (T.-N.) 3 B2
Milestone, V (Sask.) 31 H3
Milford, LNCA (Ont.) 21 G2
Milford, LNCA (N.-E.) 10 C2
Milford Bay, LNCA (Ont.) 24 B3
Milford Haven, LNCA (N.-E.) 9 G2
Milford Haven, LNCA (Ont.) 26 B4
Milford Station, LNCA (N.-E.) 9 B3
Militia Point, LNCA (N.-E.) 8 D4
Milkish, LNCA (N.-B.) 11 D2
Milk River, V (Alb.) 34 G4
Millar, LNCA (Ont.) 27 D3
Millar Hill, LNCA (Ont.) 24 C2
Millars Corner, LNCA (Ont.) 17 A1
Millars Corners, LNCA (Ont.) 17 C2
Millarton, LNCA (Ont.) 23 B2
Millarville, LNCA (Alb.) 34 E2
Millbank, LNCA (Ont.) 23 D4
Millbank, LNCA (N.-B.) 12 F2
Mill Bank Acres, LNCS (N.-B.) 11 C1
Mill Bay, LNCA (C.-B.) 38 E4
Mill Bay, LNCA (C.-B.) 42 D4
Millbridge, LNCA (Ont.) 24 F3
Millbrook, LNCA (N.-E.) 9 D2
Mill Brook, LNCA (N.-E.) 9 C1
Millbrook, VL (Ont.) 21 D1
Millbrook 27, RI (N.-E.) 9 C2
Mill Cove, LNCA (N.-E.) 9 A4
Millcove, LNCA (I.-P.-E.) 7 D3
Mill Cove, LNCA (N.-B.) 11 D1
Mill Cove, CFS/SFC, RM (N.-E.) 9 A4
Mill Creek, LNCA (N.-E.) 8 E3
Mill Creek, LNCA (N.-E.) 11 H2
Milldale, LNCA (Ont.) 22 F2
Mille-Isles, LNCA (Qué.) 18 F4
Millerand, LNCA (Qué.) 7 F1
Millerand, LNCA (Ont.) 25 G1
Miller Creek, LNCA (N.-E.) 9 A3
Millerdale, LNCA (Sask.) 31 C1
Millerfield, LNCA (Alb.) 34 G2
Miller Lake, LNCA (Ont.) 25 D4
Miller Lake East, LNCA (Ont.) 25 D4
Miller Lake West, LNCA (Ont.) 25 D4
Miller Line Cache, LNCA (N.-B.) 12 A1
Miller Road, LNCA (N.-E.) 9 B1
Millers Corner, LNCA (N.-E.) 9 B2
Millers Corner, LNCA (Ont.) 17 A4
Millers Landing, LNCA (C.-B.) 38 F2
Miller's Passage, LNCA (T.-N.) 2 B2
Millerton, LNCA (N.-B.) 12 E2
Millertown, COMM (T.-N.) 4 F1
Millertown Junction, LNCA (T.-N.) 4 G1
Millet, VL (Alb.) 33 E4
Milleton, LNCA (Sask.) 32 A3
Millfield, LNCA (Qué.) 15 A4
Millgrove, LNCA (Ont.) 22 H1
Millhaven, LNCA (Ont.) 17 A4
Millicent, LNCA (Alb.) 34 G2
Millington, LNCA (Qué.) 16 C4
Million, LNCA (Man.) 29 F2
Mill Pond, LNCA (N.-E.) 8 E3
Mill River East, LNCA (I.-P.-E.) 7 A2
Mill Road, LNCA (N.-E.) 10 E1
Mill Road, LNCA (I.-P.-E.) 7 A3
Mills Corners, LNCA (Ont.) 17 C2
Mill Section, LNCA (N.-E.) 9 A3
Mill Settlement, LNCA (N.-B.) 11 C2

N

Netherhill, VL (Sask.) 31 C2
Netherton, LNCA (Sask.) 29 C1
Netla, LNCA (T.N.-O.) 45 D3
Netley, LNCA (Man.) 30 C4
Netook, LNCA (Alb.) 34 E1
Ne-tsaw-greece 10, RI (C.-B.) 42 G3
Nettle Island 5, RI (C.-B.) 38 B3
Neuanlage, LNCA (Sask.) 31 F1
Neubois, LNCA (Qué.) 15 B4
Neudorf, VL (Sask.) 29 C3
Neuenburg, LNCA (Man.) 29 H4
Neuhoffnung, LNCA (Sask.) 31 D3
Neuhorst, LNCA (Sask.) 31 F1
Neuhorst, LNCA (Man.) 29 H4
Neustadt, VL (Ont.) 23 C3
Neutral Hills, LNCA (Alb.) 31 B1
Neutral Valley, LNCA (Alb.) 31 B1
Neuville, VL (Qué.) 15 A3
Nevada Valley, LNCA (N.-E.) 8 C3
Neveton, LNCA (Man.) 29 H3
Neville, VL (Sask.) 31 E3
Nevis, LNCA (Alb.) 33 E4
New Acadia, LNCA (I.-P.-E.) 7 E3
New Aiyansh < New Aiyansh 1, LNCA (C.-B.) 42 D3
New Aiyansh 1, RI (C.-B.) 42 D3
New Albany, LNCA (N.-E.) 10 D1
New Albany, LNCA (N.-E.) 10 D2
New Annan, LNCA (I.-P.-E.) 7 B3
New Argyle, LNCA (I.-P.-E.) 7 C4
Newark, LNCA (Ont.) 22 F2
New Avon, LNCA (N.-B.) 11 D1
Newaygo, LNCA (Qué.) 18 F4
New Bandon, LNCA (N.-B.) 12 D3
New Bandon, LNCA (N.-B.) 12 F1
New Bella Bella < Bella Bella 1, LNCA (C.-B.) 41 E3
New Bercthal, LNCA (Man.) 29 H4
Newbliss, LNCA (Ont.) 17 C3
New Bonaventure, LNCA (T.-N.) 3 G4
Newboro, VL (Ont.) 17 B3
New Boston, LNCA (N.-E.) 8 F3
New Bothwell, LNCA (Man.) 28 A2
Newboyne, LNCA (Ont.) 17 B3
New Bridge, LNCA (T.-N.) 2 G3
Newbridge, LNCA (N.-B.) 11 A1
Newbridge, LNCA (Ont.) 23 C3
New Brigden, LNCA (Alb.) 31 B1
New Brighton, LNCA (C.-B.) 38 E2
New Britain, LNCA (N.-E.) 9 A2
Newbrook, LNCA (Alb.) 33 E2
Newburg, LNCA (N.-B.) 11 A1
Newburgh, VL (Ont.) 24 H4
Newburne, LNCA (N.-E.) 10 E2
New Burnt Cove, LNCA (T.-N.) 2 F1
Newbury, VL (Ont.) 22 D2
Newby, LNCA (Sask.) 32 A4
New California, LNCA (Ont.) 22 A4
New Campbellton, LNCA (N.-E.) 8 E3
New Canaan, LNCA (N.-E.) 9 A2
New Canaan, LNCA (N.-B.) 11 F1
New Canaan, LNCA (Ont.) 22 A3
New Canada, LNCA (N.-E.) 10 D2
New-Carlisle, LNCA (Qué.) 13 F4
New-Carlisle-East, LNCA (Qué.) 13 F4
New-Carlisle-West, LNCA (Qué.) 13 F4
New Carlow, LNCA (Ont.) 24 F2
Newcastle, V (Ont.) 21 C2
Newcastle, V (N.-B.) 12 E2
Newcastle Centre, LNCA (N.-B.) 11 E1
Newcastle Creek, LNCA (N.-B.) 11 D1
New Chelsea, LNCA (T.-N.) 2 G1
New Chester, LNCA (N.-E.) 9 E3
New Clew < New Clew 10, LNCA (C.-B.) 41 B2
New Clew 10, RI (C.-B.) 41 B2
Newcomb Corner, LNCA (N.-E.) 9 C3
Newcombville, LNCA (N.-E.) 10 E2
New Credit < New Credit 40A, LNCA (Ont.) 22 G1
New Credit 40A, RI (Ont.) 22 G1
New Cumberland, LNCA (N.-E.) 10 E2
Newdale, LNCA (Man.) 29 E3
New Dayton, LNCA (Alb.) 34 G4
New Denmark, LNCA (N.-B.) 12 A2
New Denmark Corner, LNCA (N.-B.) 12 A2
New Denmark Station, LNCA (N.-B.) 12 A2
New Denver, VL (C.-B.) 34 B3
New Dominion, LNCA (I.-P.-E.) 7 C4
New Dominion, LNCA (N.-E.) 8 E3
New Dublin, LNCA (Ont.) 17 C3
New Dundee, LNCA (Ont.) 22 F1
New Durham, LNCA (Ont.) 22 F1
New Edinburgh, LNCA (N.-E.) 10 B2
Newellton, LNCA (N.-E.) 10 B4
New Elm, LNCA (N.-E.) 10 D2
New England, LNCA (Sask.) 32 E4
New England Settlement, LNCA (N.-B.) 11 D1
New-Erin, LNCA (Qué.) 17 F2
New Ferolle, LNCA (T.-N.) 5 G2
New Fish Creek, LNCA (Alb.) 33 A1
New Flos, LNCA (Ont.) 21 A1
Newfoundout, LNCA (Ont.) 24 G2
New France, LNCA (N.-E.) 8 B4
New France, LNCA (N.-E.) 10 B2
New Gairloch, LNCA (N.-E.) 9 D2
New Gamebridge Beach, LNCA (Ont.) 23 G2
Newgate, LNCA (C.-B.) 34 D4
New Germany, LNCA (N.-E.) 10 D2
New Glasgow, V (N.-E.) 9 D1
New Glasgow, LNCA (I.-P.-E.) 7 C3
New Glasgow, LNCA (Ont.) 22 D3
New-Glasgow, VL (Qué.) 18 F4
New Glasgow Mills, LNCA (I.-P.-E.) 7 C3
New Glen, LNCA (N.-E.) 8 D3
New Grafton, LNCA (N.-E.) 10 C2
New Hamburg, LNCA (Ont.) 22 F1
New Harbour, LNCA (T.-N.) 2 F2
New Harbour, LNCA (N.-E.) 9 G2
New Harbour, LNCA (T.-N.) 2 D2
New Harbour, LNCA (T.-N.) 4 F4
New Harbour, LNCA (N.-E.) 9 A4
New Harbour East, LNCA (N.-E.) 9 G2
New Harbour West, LNCA (N.-E.) 9 G2
New Harmony, LNCA (I.-P.-E.) 7 E3
New Harris Forks, LNCA (N.-E.) 8 E3
New Harris Settlement, LNCA (N.-E.) 8 E3
New Haven, LNCA (I.-P.-E.) 7 C4
New Haven, LNCA (N.-E.) 8 E1
New Hazelton, LNCA (C.-B.) 42 F3
New Hermon, LNCA (Ont.) 24 F2
New Horton, LNCA (N.-B.) 11 G2
Newington, LNCA (Ont.) 17 E2
New-Ireland, LNCA (Qué.) 16 E2
New Jersey, LNCA (N.-B.) 12 F2
New Kew, LNCA (Alb.) 33 F3
New Kitseguecla 2, RI (C.-B.) 42 F3
New Lairg, LNCA (N.-E.) 9 D2
Newlands, LNCA (C.-B.) 40 D1
New Line Road, LNCA (N.-B.) 11 F2
New Liskeard, V (Ont.) 26 F3
New London, LNCA (I.-P.-E.) 7 C3
New-London, LNCA (Qué.) 16 D3
New Lowell, LNCA (Ont.) 23 E2
New Lunnon, LNCA (Alb.) 33 E3
Newman's Beach, LNCA (Ont.) 21 C1
Newmans Cove, LNCA (T.-N.) 3 G4
Newmanville, LNCA (Ont.) 17 C2
Newmarket, V (Ont.) 19 B2
Newmarket, LNCA (N.-B.) 11 C1
New Maryland, LNCA (N.-B.) 11 C1
New Melbourne, LNCA (T.-N.) 2 G1
New-Mexico, LNCA (Qué.) 16 E4
New Mills, LNCA (N.-B.) 13 D4
New Minas, LNCA (N.-E.) 11 H3
New Norway, VL (Alb.) 33 E4
New Osgoode, LNCA (Sask.) 32 F4
New Osnaburgh < Osnaburgh 63B, LNCA (Ont.) 30 F4
New Perlican, DAL (T.-N.) 2 G2
New Perth, LNCA (I.-P.-E.) 7 D4
Newport, LNCA (Qué.) 13 G3
Newport, LNCA (I.-P.-E.) 7 E4
Newport, LNCA (Ont.) 22 G1
Newport, LNCA (T.-N.) 3 F3
Newport-Centre, LNCA (Qué.) 13 G3
Newport Corner, LNCA (N.-E.) 9 A3
Newport-Ouest, LNCA (Qué.) 13 G3
Newport-Point, LNCA (Qué.) 13 G3
Newport Station, LNCA (N.-E.) 9 A3
New Post 69, RI (Ont.) 20 C4
New Prospect, LNCA (N.-E.) 9 A2
New Prussia, LNCA (Ont.) 23 D4
New-Richmond, V (Qué.) 13 E3
New River Beach, LNCA (N.-B.) 11 C3
New Rosa, LNCA (Man.) 28 A3
New Ross, LNCA (N.-E.) 10 E1
New Ross 20, RI (N.-E.) 10 E1
New Russel, LNCA (N.-E.) 10 E1
Newry, LNCA (Ont.) 23 C4
New Salem, LNCA (N.-E.) 11 G2
New Sarepta, VL (Alb.) 33 E3
New Sarum, LNCA (Ont.) 22 E2
New Scotland, LNCA (N.-B.) 12 G4
New Scotland, LNCA (Ont.) 21 A2
New Scotland, LNCA (Ont.) 22 C3
New Songhees 1A, RI (C.-B.) 38 F4
Newstead < Comfort Cove – Newstead, LNCA (T.-N.) 3 D2
New Thunderchild 115B, RI (Sask.) 32 B3
New Thunderchild 115C, RI (Sask.) 32 B3
Newton, LNCA (Ont.) 23 C4
Newton, LNCA (I.-P.-E.) 7 B3
Newton, LNCA (Man.) 29 H3
Newton Mills, LNCA (N.-E.) 9 D2
Newton Robinson, LNCA (Ont.) 21 A1
Newtonville, LNCA (N.-E.) 10 E1
Newtown, V (T.-N.) 3 F1
Newtown, LNCA (N.-B.) 11 F1
Newtown, LNCA (N.-E.) 9 E2
Newtown Cross, LNCA (I.-P.-E.) 7 D4
New Truro Road, LNCA (N.-E.) 9 C1
New Tusket, LNCA (N.-E.) 10 B2
New Uhthoff, LNCA (Ont.) 23 F1
New Victoria, LNCA (N.-E.) 8 F3
Newville, LNCA (T.-N.) 3 D1
New Waterford, V (N.-E.) 8 F3
New Westminster, C (C.-B.) 38 G2
New Yarmouth, LNCA (N.-E.) 11 G2
New Zealand, LNCA (I.-P.-E.) 7 E3
New Zion, LNCA (N.-B.) 11 D1
Neys, LNCA (Ont.) 27 G3
Nezah, LNCA (Ont.) 27 F2
Niagara, LNCA (C.-B.) 35 H4
Niagara Falls, C (Ont.) 21 B4
Niagara-on-the-Lake, V (Ont.) 21 B3
Nicabong, LNCA (Qué.) 18 C4
Nicholas Denys, LNCA (N.-B.) 12 E1
Nicholson, LNCA (Ont.) 34 B2
Nicholson, LNCA (Ont.) 26 B2
Nicholsons Point, LNCA (Ont.) 17 A4
Nicholsville, LNCA (T.-N.) 5 G4
Nicholsville, LNCA (N.-E.) 10 D1
Nickel Centre, V (Ont.) 25 E1
Nickel Palm 4, RI (C.-B.) 35 A1
Nickel Plate, LNCA (C.-B.) 35 E4
Nickeyeah 25, RI (C.-B.) 35 B2
Nickey's Nose Cove, LNCA (T.-N.) 3 B1
Nicoelton 6, RI (C.-B.) 35 B1
Nicola, LNCA (C.-B.) 35 C2
Nicola Lake 1, RI (C.-B.) 35 D2
Nicola Mameet 1, RI (C.-B.) 35 C2
Nicolet, V (Qué.) 16 B2
Nicolston, LNCA (Ont.) 21 A1
Nicomen, LNCA (C.-B.) 38 H2
Nicomen 1, RI (C.-B.) 35 B2
Nicomen Island, LNCS (C.-B.) 38 H2
Nictau, LNCA (N.-B.) 12 B2
Nictaux, LNCA (N.-E.) 10 D1
Nictaux East, LNCA (N.-E.) 10 D1
Nictaux Falls, LNCA (N.-E.) 10 D1
Nictaux South, LNCA (N.-E.) 10 D1
Nictaux West, LNCA (N.-E.) 10 D1
Nier, LNCA (Alb.) 34 E2
Nies Beach, LNCA (Sask.) 32 D3
Nigadoo, VL (N.-B.) 12 E1
Nigadoo North, LNCS (N.-B.) 12 E1
Night < Sarcee 145, LNCA (Alb.) 34 E2
Nightingale, LNCA (Alb.) 34 F2
Nile, LNCA (Ont.) 23 B3
Niles Corners, LNCA (Ont.) 21 F2
Nilestown, LNCA (Ont.) 22 E2
Nilrem, LNCA (Alb.) 33 G4
Nimpkish, LNCA (C.-B.) 39 E2
Nimpkish 2, RI (C.-B.) 39 E1
Nimpo Lake, LNCA (C.-B.) 40 A3
Ninastoko, LNCA (Alb.) 34 F4
Nine Mile Creek, LNCA (I.-P.-E.) 7 C4
Nine Mile Creek 4, RI (C.-B.) 35 D3
Nine Mile Narrows, LNCS (C.-B.) 34 B4
Nine Mile River, LNCA (N.-E.) 9 B3
Ninette, LNCA (Man.) 29 F4
93 Mile, LNCA (C.-B.) 36 D3
Nineveh, LNCA (N.-E.) 10 D2
Nineveh, LNCA (N.-E.) 8 D3
Ninga, LNCA (Man.) 29 F4
Ninstints, LNCA (C.-B.) 41 B3
Niobe, LNCA (Alb.) 34 E1
Niobe, LNCA (Alb.) 43 G4
Niobe, LNCS (Ont.) 27 B3
Nipawin, V (Sask.) 32 F3
Nipigon, LNCA (Ont.) 27 F2
Nipissing, LNCA (Ont.) 25 H2
Nipissing 10, RI (Ont.) 25 G1
Nipissing Beach, LNCA (Ont.) 25 H1
Nippers Harbour, COMM (T.-N.) 3 B1
Nisbet, LNCA (Alb.) 34 E1
Nishanocknawnak 35, RI (C.-B.) 42 D4
Nisku, LNCA (Alb.) 33 E3
Nisutlin 14, RI (Yukon) 45 B4
Nitchequon, LNCA (Qué.) 6 A3
Nithburg, LNCA (Ont.) 23 D4
Nith Grove, LNCA (Ont.) 24 C2
Nithi River, LNCA (C.-B.) 40 A2
Nitinat, LNCA (C.-B.) 38 C3
Niton, LNCA (Alb.) 33 C3
Niton Junction, LNCA (Alb.) 33 C3
Nitro, LNCA (Qué.) 17 G2
Niverville, VL (Man.) 28 A2
Niweme, LNCA (Ont.) 25 F3
Nixon, LNCA (Ont.) 22 G2
Nixon, LNCA (N.-B.) 11 G1
Nkaih 10, RI (C.-B.) 35 A1
Nobbs Siding, LNCA (Ont.) 24 F3
Nobel, LNCA (Ont.) 24 A2
Nobleford, VL (Alb.) 34 F3
Nobleton, LNCA (Ont.) 21 A2
Nobleville, LNCA (Sask.) 32 F4
Nocten 19, RI (C.-B.) 35 B2
No-cut 5, RI (C.-B.) 42 G3
Noddy Bay, LNCA (T.-N.) 5 H2
Noel, LNCA (N.-E.) 9 B2
Noel Road, LNCA (N.-E.) 9 B2
Noel Shore, LNCA (N.-E.) 9 B2
Noels Pond, LNCA (T.-N.) 4 C2
Noelville, LNCA (Ont.) 25 F1
Noggin Cove, LNCA (T.-N.) 3 E2
Nogies Creek, LNCA (Ont.) 24 D4
Nohomeen 23, RI (C.-B.) 35 B2
Noinville, LNCA (N.-B.) 12 F3
Nojack, LNCA (Alb.) 33 C3
Nokomis, V (Sask.) 31 G2
Nolalu, LNCA (Ont.) 27 D3
Nolan, LNCA (Alb.) 34 F4
Nolans Corners, LNCA (Ont.) 17 C2
Nominingue, LNCA (Qué.) 18 E4
Nooaitch 10, RI (C.-B.) 35 B2
Nooaitch Grass 9, RI (C.-B.) 35 C2
Noonan, LNCA (N.-B.) 11 C1
Noonla 6, RI (C.-B.) 40 B2
Nooseseck 2, RI (C.-B.) 41 F3
Noota 4, RI (C.-B.) 41 F3
Nootka, LNCA (C.-B.) 39 E3
Nora, LNCA (Sask.) 29 B1
Noral, LNCA (Alb.) 33 F2
Noralee, LNCA (C.-B.) 41 G1
Noranda, C (Qué.) 18 A1
Norbertville, VL (Qué.) 16 D2
Norbestos, LNCA (Qué.) 16 D3
Norboro, LNCA (I.-P.-E.) 7 C3
Norbuck, LNCA (Alb.) 33 D4
Norbury, LNCA (Sask.) 32 C3
Nordegg, LNCA (Alb.) 33 B4
Nordin, LNCA (N.-B.) 12 E2
Norembega, LNCA (Ont.) 26 E1
Norfolk, LNCA (Alb.) 34 E2
Norgate, LNCA (Man.) 29 F3
Norge, LNCA (Sask.) 31 E4
Norglenwold, VE (Alb.) 33 D4
Norham, LNCA (Ont.) 21 E1
Norland, LNCA (Ont.) 23 H1
Norma, LNCA (Alb.) 33 F3
Norman, LNCA (Ont.) 22 E2
Norman, LNCA (Man.) 29 E3
Normandale, LNCA (Ont.) 22 G2
Normandeau, LNCA (Alb.) 33 F2
Normandie, LNCA (N.-B.) 12 G3
Normandin, VL (Qué.) 18 G1
Normandville, LNCA (Alb.) 43 H3
Norman's Cove < Norman's Cove – Long Cove, LNCA (T.-N.) 2 F2
Norman's Cove – Long Cove, DR (T.-N.) 2 F2
Norman Wells, LNCA (T.N.-O.) 45 C2
Normétal, LNCA (Qué.) 18 A1
Norquay, V (Sask.) 29 D1
Norris Arm, V (T.-N.) 3 C3
Norris Lake, LNCA (Man.) 29 H3
Norris Point, COMM (T.-N.) 5 F4
North Ainslie, LNCA (N.-E.) 8 D3
North Alton, LNCA (N.-E.) 10 E1
Northam, LNCA (I.-P.-E.) 7 B3
Northampton, LNCA (N.-B.) 11 A1
North Augusta, LNCA (Ont.) 17 C3
Northbank, LNCA (Alb.) 33 E2
North Battleford, C (Sask.) 32 B4
North Bay, C (Ont.) 26 G4
North Bay, LNCA (T.-N.) 4 C3
North Bay 5, RI (C.-B.) 36 G4
North Bedeque, LNCA (I.-P.-E.) 7 B3
North Bend, LNCA (C.-B.) 35 B2
North Bloomfield, LNCA (N.-E.) 8 A4
North Boat Harbour, LNCA (T.-N.) 5 H2
North Bonaparte, LNCA (C.-B.) 36 D3
North Branch, LNCA (Ont.) 28 G4
North Branch, LNCA (Ont.) 17 E2
Northbrook, LNCA (Ont.) 24 G3
North Brookfield, LNCA (N.-E.) 10 D2
North Bruce, LNCA (Ont.) 23 B2
North Bulkley, LNCA (C.-B.) 42 G4
North Buxton, LNCA (Ont.) 22 C3
North Cape Highlands, LNCA (N.-E.) 8 C3
North Carleton, LNCA (I.-P.-E.) 7 B4
North Chegoggin, LNCA (N.-E.) 10 A3
North-Clarendon, LNCA (Qué.) 17 A1
Northcliffe, LNCA (Alb.) 34 F4
North Cooking Lake, LNCA (Alb.) 33 E3
Northcote, LNCA (Ont.) 17 A1
North Cove, LNCA (T.-N.) 6 H3
North Cowichan, DM (C.-B.) 38 E3
Northcrest, LNCS (Ont.) 22 E1
North Earltown, LNCA (N.-E.) 9 C1
Northeast Arm Harbour Deep, LNCA (T.-N.) 5 G3
North East Croque, LNCA (T.-N.) 5 H2
Northeast Crouse, LNCA (T.-N.) 5 H2
North East Harbour, LNCA (N.-E.) 10 C4
Northeast Harbour Buffet, LNCA (T.-N.) 2 E2
Northeast Mabou, LNCA (N.-E.) 8 C3
North East Margaree, LNCA (N.-E.) 8 D3
North East Point, LNCA (N.-E.) 10 B4
North Ekfrid, LNCA (Ont.) 22 D2
North Enmore, LNCA (I.-P.-E.) 7 B3
Northern Arm, DAL (T.-N.) 3 C2
Northern Bay, LNCA (T.-N.) 2 G1
Northern Harbour, LNCA (N.-B.) 11 B3
Northern Light, LNCA (Sask.) 32 E4
Northern Pine, LNCA (Sask.) 32 A2
Northern Valley, LNCA (Alb.) 33 G3
North Esk Boom, LNCA (N.-B.) 12 E2
Northfield, LNCA (N.-E.) 10 C2
Northfield, LNCA (Ont.) 17 E2
Northfield, LNCA (N.-E.) 9 B2
Northfield, LNCA (N.-E.) 10 D2
Northfield Station, LNCA (Ont.) 17 E2
North Forks, LNCA (N.-B.) 11 E1
North Fourchu, LNCA (N.-E.) 8 F4
North Framboise, LNCA (N.-E.) 8 E4
North Galiano, LNCA (C.-B.) 38 E3
Northgate, LNCA (Sask.) 29 C4
North-Georgetown, LNCA (Qué.) 17 G2
North Glanford, LNCA (Ont.) 21 A3
North Glen, LNCA (N.-E.) 8 E4
North Gower, LNCA (Ont.) 17 C2
North Grand Pré, LNCA (N.-E.) 9 A3
North Grant, LNCA (N.-E.) 8 B4
North Greville, LNCA (N.-E.) 11 H2
North Hall, LNCA (Ont.) 22 F2
North Harbour, LNCA (T.-N.) 2 E2
North Harbour, LNCA (T.-N.) 2 F3
North-Hatley, VL (Qué.) 16 D4
North Head, VL (N.-B.) 11 C4
North-Hill, LNCA (Qué.) 16 E3
North Intervale, LNCA (N.-E.) 9 F2
North Kemptville, LNCA (N.-E.) 10 B3
North Kingston, LNCA (N.-E.) 10 D1
North Knife Lake, LNCA (Man.) 46 A4
North Lake, LNCA (I.-P.-E.) 7 F3
North Lake, LNCA (N.-B.) 11 A1
North Lakeside (Williams Lake), LNCS (C.-B.) 36 B1
North Lakevale, LNCA (N.-E.) 8 B4
North Lancaster, LNCA (Ont.) 17 F2
Northland, LNCA (Ont.) 26 B3
Northleigh, LNCA (Alb.) 33 C3
North Lochaber, LNCA (N.-E.) 9 E2
North-Low, LNCA (Qué.) 18 D4
North Lunenburg, LNCA (Ont.) 17 E2
Northmark, LNCA (Alb.) 43 G4
North Medford, LNCA (N.-E.) 11 H3
North Middleboro, LNCA (N.-E.) 9 B1
North Milton, LNCA (I.-P.-E.) 7 C3
North Monetville, LNCA (Ont.) 25 F1
North-Nation-Mills, LNCA (Qué.) 17 D1
North Noel Road, LNCA (N.-E.) 9 B2
North Ogden, LNCA (N.-E.) 9 F2
North-Onslow, LNCA (Qué.) 17 B1
North Pine, LNCA (C.-B.) 43 E3
Northport, LNCA (N.-E.) 7 B4
North Port, LNCA (Ont.) 21 G1
North Portage, LNCA (Ont.) 24 C2
North Portal, VL (Sask.) 29 C4
North Preston, LNCA (N.-E.) 9 B3
North Range, LNCA (N.-E.) 10 B2
North Range Corner, LNCS (N.-E.) 10 B2
North Renous, LNCA (N.-B.) 12 E3
North Ridge, LNCA (Ont.) 22 A3
North Ridge, LNCA (N.-B.) 12 B3
North River, COMM (T.-N.) 2 G2
North River, LNCA (I.-P.-E.) 7 C4
North River, LNCA (N.-E.) 10 D2
North River, LNCA (N.-E.) 9 C2
North River, LNCA (T.-N.) 6 G3
North River, LNCA (Man.) 46 B3
North River Bridge, LNCA (N.-E.) 8 E3
North River Centre, LNCA (N.-E.) 8 E3
North Riverside, LNCA (N.-E.) 9 F2
North Road, LNCA (N.-B.) 11 B4
North Rogersville, LNCA (N.-B.) 12 F3
Northrups Corner, LNCA (N.-B.) 11 E2
North Russell, LNCA (Ont.) 17 D2
North Rustico, VL (I.-P.-E.) 7 C3
North Rustico Harbour, LNCA (I.-P.-E.) 7 C3
North Saanich, DM (C.-B.) 38 F4
North St Eleanors, LNCA (I.-P.-E.) 7 B3
North Salem, LNCA (N.-E.) 9 B3
Norths Corner, LNCA (N.-E.) 11 H3
North Seguin, LNCA (Ont.) 24 A2
North Seneca, LNCA (Ont.) 22 H1
North Shore, LNCA (N.-E.) 9 C1
North Shore, LNCA (N.-E.) 8 E2
Northside, LNCA (Sask.) 32 D3
Northside East Bay, LNCA (N.-E.) 8 E3
North Side Whycocomagh Bay, LNCA (N.-E.) 8 D3
North Spirit Lake, LNCA (Ont.) 30 E3
North Star, LNCA (Alb.) 43 H2
North Star, LNCA (Sask.) 32 E4
North-Sutton, LNCA (Qué.) 16 B4
North Sydney, V (N.-E.) 8 F3
North Tacla Lake 7, RI (C.-B.) 42 G3
North Tacla Lake 7A, RI (C.-B.) 42 G3
North Tacla Lake 8, RI (C.-B.) 42 G3
North Tacla Lake 10, RI (C.-B.) 42 G3
North Tacla Lake 11A, RI (C.-B.) 42 G3
North Tacla Lake 12, RI (C.-B.) 42 H3
North Tay, LNCA (N.-B.) 12 C4
North Tetagouche, LNCA (N.-B.) 12 E1
North Thamesville, LNCA (Ont.) 22 C2
North Thompson 1, RI (C.-B.) 36 F3
North Tilley, LNCA (N.-B.) 12 A3
North Tryon, LNCA (I.-P.-E.) 7 C4
North Valley, LNCA (Ont.) 17 D2
North Vancouver, C (C.-B.) 38 F2
North Vancouver, DM (C.-B.) 38 F2
North View, LNCA (N.-B.) 12 B2
Northville, LNCA (N.-E.) 11 H3
Northville, LNCA (Ont.) 22 C1
Northville, LNCA (Alb.) 33 C3
North Wallace, LNCA (N.-E.) 9 B1
North Wallace Bay, LNCA (N.-E.) 9 B1
Northway, LNCA (Sask.) 32 E4
Northwest, LNCA (N.-E.) 10 E2
Northwest Angle 33B, RI (Ont.) 28 E2
Northwest Angle 34C, RI (Man.) 28 E3
Northwest Angle 34C & 37B, RI (Ont.) 28 E2
Northwest Angle 37C, RI (Man.) 28 E3
North West Arm, LNCA (N.-E.) 8 E3
Northwest Bay < Rainy Lake 17A, LNCA (Ont.) 28 H4
North West Brook, LNCA (T.-N.) 2 F1
Northwest Cove, LNCA (N.-E.) 9 A4
North West Harbour, LNCA (N.-E.) 10 C4
Northwest Point, LNCA (Man.) 28 E2
North West River, DAL (T.-N.) 6 F3
North Weyburn, LNCA (Sask.) 29 B4
North-Whitton, LNCA (Qué.) 16 F3
North Williamston, LNCA (N.-E.) 10 C1
North Wiltshire, LNCA (I.-P.-E.) 7 C4
North Winchester, LNCA (Ont.) 17 D2
Northwood, LNCA (Ont.) 22 C3
North Woodslee, LNCA (Ont.) 22 B3
North Woolwich, LNCA (Ont.) 23 D4
North York, BOR (Ont.) 21 B2
Norton, VL (N.-B.) 11 E2
Nortondale, LNCA (N.-B.) 11 B1
Norway, LNCA (I.-P.-E.) 7 B2
Norway-Bay, LNCA (Qué.) 17 B1
Norway House, LNCA (Man.) 30 C2
Norway House 17, RI (Man.) 30 C2
Norway Point, LNCA (Ont.) 24 C2
Norwich, LNCA (Ont.) 22 F1
Norwich Gore, LNCA (Ont.) 22 F1
Norwood, LNCA (N.-E.) 10 B3
Norwood, VL (Ont.) 21 E1
Nosbonsing, LNCA (Ont.) 18 A4
Notch Hill, LNCA (C.-B.) 36 G4
Notigi, LNCA (Man.) 30 B1
Notikewin, LNCA (Alb.) 43 H2
Notre-Dame, LNCA (Qué.) 17 H4
Notre-Dame, LNCA (N.-B.) 12 G4
Notre-Dame-de-Beaulac, LNCA (Qué.) 18 F4
Notre-Dame-de-Ham, LNCA (Qué.) 16 D2
Notre-Dame-de-la-Doré, LNCA (Qué.) 18 G1
Notre-Dame-de-la-Merci, LNCA (Qué.) 18 F4
Notre-Dame-de-la-Paix, LNCA (Qué.) 18 E4
Notre-Dame-de-l'Isle-Verte, LNCA (Qué.) 14 E4
Notre-Dame-de-Lourdes, LNCA (N.-B.) 12 A2
Notre Dame de Lourdes, VL (Man.) 29 G4
Notre-Dame-de-Montauban, VL (Qué.) 18 H3
Notre-Dame-de-Pierreville, LNCA (Qué.) 16 B2
Notre-Dame-de-Pontmain, LNCA (Qué.) 18 D4
Notre-Dame-des-Bois, LNCA (Qué.) 16 F4
Notre-Dame-des-Champs, LNCA (Ont.) 17 D1
Notre-Dame-des-Erables, LNCA (N.-B.) 12 F1
Notre-Dame-des-Monts, LNCA (Qué.) 15 C1
Notre-Dame-des-Pins, LNCA (Qué.) 15 C4
Notre-Dame-des-Prairies, LNCA (Qué.) 16 A2
Notre-Dame-de-Stanbridge, LNCA (Qué.) 16 B4
Notre-Dame-du-Bon-Conseil, VL (Qué.) 16 C2
Notre-Dame-du-Lac, V (Qué.) 15 G1
Notre Dame du Lac, LNCA (Ont.) 25 G1
Notre-Dame-du-Laus, LNCA (Qué.) 18 D4
Notre-Dame-du-Nord, LNCA (Qué.) 26 G2
Notre-Dame-du-Portage, LNCA (Qué.) 14 E4
Notre-Dame-du-Rosaire, LNCA (Qué.) 15 C3
Notre-Dame-du-Rosaire, LNCA (Qué.) 14 A2
Notre-Dame-du-Sourire, LNCS (Qué.) 17 G2
Notre Dame Junction, LNCA (T.-N.) 3 C2
Nottawa, LNCA (Ont.) 23 E2
Nottingham, LNCA (Sask.) 29 D4
Nottingham Island, LNCA (T.N.-O.) 46 E3
Nourse, LNCA (Man.) 28 B1
Nouveau-Comptoir (Wemindji), LNCA (Qué.) 20 E2
Nouvelle, LNCA (Qué.) 13 D3
Nouvelle-Ouest, LNCA (Qué.) 13 D3
Novar, LNCA (Ont.) 24 B2
Novra, LNCA (Man.) 30 A3
Noyan, LNCA (Qué.) 16 A4
Noyes Crossing, LNCA (Alb.) 33 D3
Nuchaquis 2, RI (C.-B.) 38 B3
Nuchatl 1, RI (C.-B.) 39 E3
Nuchatl 2, RI (C.-B.) 39 E3
Nuchatlitz < Nuchatl 1, LNCA (C.-B.) 39 E3
Nudell Bush, LNCA (Ont.) 17 D2
Nugent, LNCA (Alb.) 33 D4
Nukko Lake, LNCA (C.-B.) 40 C1
Numogate, LNCA (Ont.) 17 B2
Numukamis 1, RI (C.-B.) 38 B3
Nunalla, LNCA (Man.) 46 B3
Nunatak, LNCA (T.N.-O.) 46 F1
Nursery, LNCA (C.-B.) 35 H4
Nutak, LNCA (T.-N.) 6 E1
Nutimik Lake, LNCA (Man.) 28 D1
Nut Lake 90, RI (Sask.) 29 B1
Nut Mountain, LNCA (Sask.) 29 B1
Nuttby, LNCA (N.-E.) 9 C2
Nuuautin 2, RI (C.-B.) 35 B2
Nuuautin 2A, RI (C.-B.) 35 B2
Nuuautin 2B, RI (C.-B.) 35 B2
Nuwata, LNCA (T.N.-O.) 46 E2
Nyanza, LNCA (N.-E.) 7 H4
Nym Lake, LNCS (Ont.) 27 B3

O

Oakbank, LNCA (Man.) 28 B1
Oak Bay, DM (C.-B.) 38 F4
Oak Bay, LNCA (N.-B.) 11 B3
Oak-Bay, LNCA (Qué.) 13 C3
Oak Bluff, LNCA (Man.) 28 A2
Oak Brae, LNCA (Man.) 29 F2
Oakburn, LNCA (Man.) 29 E3
Oakdale, LNCA (Ont.) 22 C2
Oakdene Point, LNCA (Ont.) 21 C1
Oakfield, LNCA (N.-E.) 9 B3
Oakfield, LNCA (N.-E.) 8 F3
Oak Flats, LNCA (Ont.) 17 A3
Oakgrove, LNCA (Ont.) 17 A1
Oak Haven, LNCA (N.-B.) 11 B3
Oak Heights, LNCA (Ont.) 21 E1
Oak Hill, LNCA (N.-E.) 10 E2
Oak Hill, LNCA (N.-B.) 11 B3
Oak Lake, V (Man.) 29 E4
Oak Lake, LNCA (Ont.) 24 E4
Oak Lake, LNCA (Ont.) 21 F1
Oak Lake 59, RI (Man.) 29 E4
Oak Lake 59A, RI (Man.) 29 E4
Oak Lake Beach, LNCA (Man.) 29 E4
Oakland, LNCA (N.-E.) 10 E2
Oakland, LNCA (Ont.) 22 G1
Oakland, LNCA (N.-B.) 12 A4
Oakland, LNCA (Ont.) 22 B3
Oakland, LNCA (Man.) 29 G3
Oaklawn Beach, LNCA (Ont.) 24 B4
Oak Leaf, LNCA (Ont.) 17 B3
Oak Mountain, LNCA (N.-B.) 11 A1
Oakner, LNCA (Man.) 29 E3
Oak Orchard, LNCA (Ont.) 24 D4
Oak Park, LNCA (N.-E.) 10 B4
Oak Point, LNCA (Man.) 29 H3
Oak Point, LNCA (N.-B.) 11 D2
Oak Point, LNCA (N.-B.) 12 F2
Oak River, LNCA (Man.) 29 E3
Oakshela, LNCA (Sask.) 29 C3
Oak Valley, LNCA (Ont.) 17 D2
Oakview, LNCA (Man.) 29 G2
Oakville, V (Ont.) 22 H1
Oakville, LNCA (Man.) 29 H3
Oakville, LNCA (N.-B.) 12 A4
Oakwood, LNCA (Ont.) 21 C1
Oalthkyim 4, RI (C.-B.) 38 E2
Oasis, LNCA (C.-B.) 34 B4
Oasis Trailer Court, LNCS (N.-E.) 8 B4
Oatfield, LNCA (Man.) 29 G2
Oatswish 13, RI (C.-B.) 41 E2
Oba, LNCA (Ont.) 20 B4
Obabikong 35B, RI (Ont.) 28 G3
Obadjiwan 15E, RI (Ont.) 26 A3
Oban, LNCA (N.-E.) 8 D4
Oban, LNCA (Sask.) 31 D1
Obaska, LNCA (Qué.) 18 C2
Obed, LNCA (Alb.) 33 A3
Obedjiwan < Obedjiwan 28, LNCA (Qué.) 18 E1
Obedjiwan 28, RI (Qué.) 18 E1
Oberlin, LNCA (Alb.) 34 F1
Oberon, LNCA (Man.) 29 F3
O'Brien, LNCA (Ont.) 26 F3
O'Brien, LNCA (Ont.) 26 E2
O'Briens Landing, LNCA (Ont.) 27 C1
Occosh 8, RI (C.-B.) 39 D3
Ocean Falls, LNCA (C.-B.) 41 F3
Ocean Pond, LNCA (T.-N.) 2 G3
Ocean View, LNCA (I.-P.-E.) 7 D4
Oceanview, LNCA (N.-E.) 8 F4
Ochapowace 71, RI (Sask.) 29 C3
O'Chiese 203, RI (Alb.) 33 C4
O'Chiese Cemetery 203A, RI (Alb.) 34 D1
Ochre Beach, LNCA (Man.) 29 F2
Ochre Pit Cove, LNCA (T.-N.) 2 G2
Ochre River, LNCA (Man.) 29 F2
Oclucje 7, RI (C.-B.) 39 E3
O'Connor, LNCA (Ont.) 27 D3
Oconto, LNCA (Ont.) 17 A3
Odanak < Odanak 12, LNCA (Qué.) 16 B2
Odanak 12, RI (Qué.) 16 B2
Odell, LNCA (N.-B.) 12 B3
Odelltown, LNCA (Qué.) 16 A4
Oderin, LNCA (T.-N.) 2 D3
Odessa, LNCA (Ont.) 17 A4
Odessa, VL (Sask.) 29 B3
Odhill, LNCA (Man.) 30 B2
O'Donnell Landing, LNCA (Ont.) 21 C1
O'Donnells, LNCA (T.-N.) 2 F3
O'Donnells, LNCA (N.-B.) 12 D3
Off Lake Corner, LNCA (Ont.) 28 G4
Ogden, LNCA (N.-E.) 9 F2
Ogden, LNCA (C.-B.) 37 G2
Ogdensburg, LNCA (Qué.) 17 F1
Ogema, V (Sask.) 31 G4
Ogilvie, LNCA (Man.) 29 G3
Ogilvie, LNCA (N.-E.) 11 G3
Ogilvie, LNCA (Yukon) 45 A2
Ogoki, LNCA (Ont.) 20 A3
O'Grady Settlement, LNCA (Ont.) 24 F2
Ohamil 1, RI (C.-B.) 35 A4
O'Hanly < Black River 9, LNCA (Man.) 30 C4
Ohaton, LNCA (Alb.) 33 E4
Ohio, LNCA (N.-E.) 8 B4
Ohio, LNCA (N.-E.) 10 B2
Ohio, LNCA (N.-E.) 10 A3
Ohio-du-Barachois, LNCA (N.-B.) 7 A4
Ohsweken < Six Nations 40, LNCA (Ont.) 22 G1
Oil City, LNCA (Ont.) 22 C2
Oil Springs, VL (Ont.) 22 C2
Oinimitis 14, RI (C.-B.) 38 A2
Ojibway Island, LNCA (Ont.) 25 F3
Oka, LNCA (Qué.) 17 G1
Oka 16, RI (Qué.) 17 F1
Okanagan 1, RI (C.-B.) 35 F1
Okanagan Centre, LNCA (C.-B.) 35 F2
Okanagan Falls, LNCA (C.-B.) 35 E4
Okanagan Landing, LNCA (C.-B.) 35 F2
Okanese 82, RI (Sask.) 29 B2
Oka-sur-le-Lac, V (Qué.) 17 G1
Oke, LNCA (Alb.) 33 A3
Oke 10, RI (C.-B.) 39 E3
Okeamin 5, RI (C.-B.) 38 A2
Okema Beach, LNCA (Sask.) 32 D3
Okla, LNCA (Sask.) 29 C1
Okno, LNCA (Man.) 29 H2
Okotoks, V (Alb.) 34 E2
Olalla, LNCA (C.-B.) 35 E4
Old Altona, LNCA (Man.) 29 H4
Old Barns, LNCA (N.-E.) 9 C2
Old Bonaventure, LNCA (T.-N.) 3 G4
Oldcastle, LNCA (Ont.) 22 A3
Old-Chelsea, LNCA (Qué.) 17 D3
Old Clemenes 16, RI (C.-B.) 36 B2
Old Cobequid Road, LNCA (N.-E.) 9 B3
Old Country Meadow 4, RI (C.-B.) 40 B2
Old Crow, LNCA (Yukon) 45 B1
Old Cut, LNCA (Ont.) 22 G2
Oldenberg, LNCA (Man.) 29 H4
Old England, LNCA (Man.) 28 A1
Old Entrance, LNCA (Alb.) 40 H2
Oldfield, LNCA (Ont.) 22 B3
Old Fort, LNCA (Ont.) 23 F1
Old Fort, LNCA (Alb.) 44 C3
Old Fort < Nedoats 11, LNCA (C.-B.) 42 G3
Old Fort 157B, RI (Sask.) 32 E1
Old Fort Nelson, LNCA (C.-B.) 45 D4
Old Fort Providence, LNCA (T.N.-O.) 44 B1
Old Fort Rae, LNCA (T.N.-O.) 45 E3
Oldham, LNCA (N.-E.) 9 B3
Old-Harry, LNCA (Qué.) 7 G1
Old Hogem, LNCA (C.-B.) 42 H3
Old Holland Road, LNCA (N.-E.) 9 B3
Old Main Centre, LNCA (Sask.) 31 E3
Old Perlican, V (T.-N.) 2 G1
Old Ridge, LNCA (N.-B.) 11 B3
Olds, V (Alb.) 34 E1
Old Shop, LNCA (T.-N.) 2 F2
Old Spring Bay, LNCA (Ont.) 25 B2
Old Stittsville, LNCA (Ont.) 17 D4
Old Town, LNCA (C.-B.) 34 C4
Old Wives, LNCA (Sask.) 31 F3
Old Woman's River, LNCS (Ont.) 23 C1
O'Leary, VL (I.-P.-E.) 7 A3
Olga, LNCA (Sask.) 31 C4
Olha, LNCA (Man.) 29 E3
Olinda, LNCA (Ont.) 22 B4
Oliphant, LNCA (Ont.) 23 C1
Olive, LNCA (Ont.) 27 A3
Oliver, LNCA (Ont.) 22 A3
Oliver, LNCA (Ont.) 27 D3
Oliver, LNCA (Qué.) 16 C4
Oliver, LNCA (Ont.) 22 E1
Oliver, LNCA (Alb.) 33 E3
Oliver, VL (C.-B.) 35 E4
Olivet, LNCA (Ont.) 23 D3
Olscamps, LNCA (Qué.) 18 G3
Omaktai, LNCA (Alb.) 34 F4
Ombabika, LNCA (Ont.) 27 F1
Omemee, VL (Ont.) 21 D1
Omer, LNCA (Qué.) 18 D4
Omerville, VL (Qué.) 16 C4
Omineca 1, RI (C.-B.) 41 G1
Omoah 9, RI (C.-B.) 38 B3
Ompah, LNCA (Ont.) 17 A2
Onadsilth 9, RI (C.-B.) 38 A2
Onakawana, LNCA (Ont.) 20 C4

Onanole, LNCA (Man.) 29 F3
Onaping Falls, V (Ont.) 26 E4
One Arrow 95, RI (Sask.) 32 D4
Onefour, LNCA (Alb.) 31 B4
100 Mile House, VL (C.-B.) 36 D2
105 Mile House, LNCA (C.-B.) 36 D2
One Hundred and Five Mile Post 2, RI (C.-B.) 36 D4
150 Mile House, LNCA (C.-B.) 36 C1
Oneida 41, RI (Ont.) 22 D2
O'Neil, LNCA (N.-B.) 11 G1
O'Neil, LNCA (Qué.) 17 F2
One Man Lake 29, RI (Ont.) 30 D4
One Mile 6, RI (C.-B.) 35 C3
One Mile Point 1, RI (C.-B.) 45 B4
Onion Lake, LNCA (Sask.) 32 A3
Onondaga, LNCA (Ont.) 22 G1
Onoway, VL (Alb.) 33 D3
Onslow, LNCA (N.-E.) 9 C2
Onslow-Corners, LNCA (Qué.) 17 B1
Onslow Mountain, LNCA (N.-E.) 9 C2
Oolahwan, LNCA (Qué.) 18 F4
Oona River, LNCA (C.-B.) 41 C1
Oo-oolth 8, RI (C.-B.) 38 A3
Ootischenia, LNCA (C.-B.) 34 B4
Ootsa, LNCA (C.-B.) 41 G1
Ootsa Lake, LNCA (C.-B.) 41 G1
Oo-za-we-kwun, LNCS (Man.) 29 E3
Opal, LNCA (Alb.) 33 E3
Opasatika, LNCA (Ont.) 20 C4
Opasquia, LNCA (Ont.) 30 D3
Opatseeah 13, RI (C.-B.) 38 C3
Opemit 4, RI (C.-B.) 39 E3
Open Bay 8, RI (C.-B.) 37 B4
Open Hall, LNCA (T.-N.) 3 G4
Openit 27, RI (C.-B.) 39 F4
Ophir, LNCA (Ont.) 26 B4
Opitsat < Opitsat 1, LNCA (C.-B.) 39 G4
Opitsat 1, RI (C.-B.) 39 G4
Ops, LNCA (Ont.) 21 C1
Orangedale, LNCA (N.-E.) 8 D4
Orangedale East, LNCA (N.-E.) 8 D3
Orange Hill, LNCA (N.-B.) 11 E2
Orangeville, V (Ont.) 23 E3
Oranmore, LNCA (Ont.) 24 A1
Orcadia, LNCA (Sask.) 29 C2
Orchard Beach, LNCA (Ont.) 21 B1
Orchard Grove, LNCA (Ont.) 21 B1
Orchards Corner, LNCA (N.-B.) 12 A3
Orchardside, LNCA (Ont.) 17 D2
Orchardville, LNCA (Ont.) 23 D3
Ordale, LNCA (Sask.) 32 D3
O'Regan's, LNCA (T.-N.) 4 A3
Oregon, LNCA (N.-E.) 8 E3
Oregon Jack Creek 2, RI (C.-B.) 35 B1
Oregon Jack Creek 3, RI (C.-B.) 35 B1
Oregon Jack Creek 5, RI (C.-B.) 35 B1
Orford Bay 4, RI (C.-B.) 37 C3
Orford-Centre, LNCS (Qué.) 16 D4
Oriel, LNCA (Ont.) 22 F1
Orient, LNCA (Ont.) 17 D1
Orient Bay, LNCA (Ont.) 27 F2
Orillia, C (Ont.) 23 G1
Orion, LNCA (Alb.) 31 A4
Orkney, LNCA (Sask.) 31 D4
Orkney, LNCS (Ont.) 22 G1
Orkney Beach, LNCA (Ont.) 23 G1
Orland, LNCA (Ont.) 21 E1
Orleans, LNCA (Ont.) 17 F3
Orley, LNCA (Sask.) 32 G4
Orlo, LNCA (Qué.) 18 D4
Ormeaux, LNCA (Sask.) 32 C3
Ormiston, LNCA (Sask.) 31 G4
Ormond, LNCA (Ont.) 17 D2
Ormond Beach, LNCA (Ont.) 22 E2
Ormonde Creek 8, RI (C.-B.) 40 A1
Ormsby, LNCA (Ont.) 24 F3
Ormstown, VL (Qué.) 17 G2
Oro Beach, LNCA (Ont.) 21 B1
Oro Lea Beach, LNCA (Ont.) 21 A1
Orolow, LNCA (Sask.) 32 C4
Oromocto, V (N.-B.) 11 C1
Oromocto 26, RI (N.-B.) 11 C1
Oro Park, LNCA (Ont.) 21 B1
Oro Station, LNCA (Ont.) 21 B1
Orr Lake, LNCA (Ont.) 23 F1
Orr's Lake, LNCA (Ont.) 22 G1
Orrville, LNCA (Ont.) 24 A2
Orton, LNCA (Ont.) 23 E3
Orton, LNCA (Alb.) 34 F4
Ortonville, LNCA (N.-B.) 12 A2
Orwell, LNCA (Ont.) 22 E2
Orwell, LNCA (I.-P.-E.) 7 D4
Orwell Cove, LNCA (I.-P.-E.) 7 D4
Osaca, LNCA (Ont.) 21 D2
Osage, VL (Sask.) 29 B3
Osborne, LNCA (Man.) 29 H4
Osborne, LNCA (Ont.) 22 C2
Osborne Acres, LNCS (Alb.) 33 D3
Osborne Corner, LNCA (N.-B.) 11 G1
Osborne Corners, LNCA (Ont.) 22 G1
Osborne Harbour, LNCA (N.-E.) 10 C4
Oscar Lake, LNCA (Sask.) 32 C4
Osceola, LNCA (Ont.) 24 G1
Oschawwinna 3, RI (C.-B.) 42 F4
Osgoode, LNCA (Ont.) 17 C2
Osgoode Gardens, LNCS (Ont.) 17 E4
Oshawa, C (Ont.) 21 C2
Oskélanéo, LNCA (Qué.) 18 E2
Osland, LNCA (C.-B.) 41 D1
Osler, VL (Sask.) 31 F1
Osmond, LNCA (T.-N.) 4 A4
Osnabruck Centre, LNCA (Ont.) 17 E2
Osnaburg 63A, RI (Ont.) 30 F4
Osnaburg 63B, RI (Ont.) 30 F4
Osnaburgh House, LNCA (Ont.) 30 F4
Oso, LNCA (Ont.) 17 A3
Osogoos, UL (C.-B.) 35 F4
Osoyoos 1, RI (C.-B.) 35 F4
Osoyoos 3, RI (C.-B.) 35 F4
Osprey Lake, LNCA (C.-B.) 35 D3
Ospringe, LNCA (Ont.) 23 E4
Osseo, LNCA (Ont.) 26 F2
Ossossane Beach, LNCA (Ont.) 23 E1
Ostenfeld, LNCA (Man.) 28 B2
Osterwick, LNCA (Man.) 29 H4
Ostrander, LNCA (Ont.) 22 F2
Ostrea Lake, LNCA (N.-E.) 9 C3
Ostrom, LNCA (Ont.) 26 D3
Oswald, LNCA (Man.) 29 H3
Othello, LNCA (C.-B.) 35 B4
Otoreke, LNCA (Qué.) 18 F4
Otosquen, LNCA (Sask.) 32 H3
O-tsaw-las 5, RI (C.-B.) 39 E1
Ottawa, C (Ont.) 17 E4
Ottawa Brook, LNCA (N.-E.) 8 D3
Ottawa (South/Sud), CFB/BFC, RM (Ont.) 17 C2
Otter, LNCA (Ont.) 26 F3
Otter < Sarcee 145, LNCA (Alb.) 34 E2
Otter Brook, LNCA (N.-E.) 9 C2
Otterburne, LNCA (Man.) 28 A2
Otterburn-Park, V (Qué.) 16 A3
Otter Cove, LNCA (N.-B.) 11 C3
Otter Creek, LNCA (N.-E.) 9 A3
Otter Creek, LNCA (Ont.) 23 C3
Otter Falls, LNCA (Man.) 28 D1
Otter-Lake, LNCA (Qué.) 18 D4
Otter Lake 2, RI (C.-B.) 35 F1
Ottermere, LNCA (Ont.) 28 E1
Otter Point, LNCA (C.-B.) 38 E4
Otter Rapids, LNCA (Ont.) 20 C4
Otter's Point, LNCA (T.-N.) 4 D4
Otterville, LNCA (Ont.) 22 F2
Otthon, LNCA (Sask.) 29 C2
Otto, LNCA (Man.) 29 H3
Ouchton 3, RI (C.-B.) 39 B1
Ouellette, LNCA (Ont.) 25 F2
Ouiatchouan 5, RI (Qué.) 18 H1
Ouimet, LNCA (Ont.) 27 E3
Oungah, LNCA (Ont.) 22 B3
Oungre, LNCA (Sask.) 29 B4
Ououkinsh 5, RI (C.-B.) 39 D2
Ous 17, RI (C.-B.) 39 F3
Oustic, LNCA (Ont.) 23 E4
Outer Cove, LNCA (T.-N.) 2 H2
Outlet, LNCA (Ont.) 21 G2
Outlet, LNCA (Ont.) 17 B3
Outlook, V (Sask.) 31 E2
Outlook, LNCA (Ont.) 26 B4
Outram, LNCA (N.-E.) 10 C1
Outram, LNCA (Sask.) 29 B4
Outremont, C (Qué.) 17 H1
Outs 3, RI (C.-B.) 38 B3
Ouvry, LNCA (Ont.) 22 C3
Overflowing River, LNCA (Man.) 30 A3
Overlea, LNCA (Alb.) 33 D1
Overstoneville, LNCA (Man.) 28 A3
Overton, LNCA (N.-E.) 10 A3
Overton, LNCA (Man.) 29 G2
Owaissa, LNCA (Ont.) 26 F3
Owakonze, LNCA (Ont.) 27 C3
Owen Bay, LNCA (C.-B.) 37 B3
Owenbrook, LNCA (Ont.) 24 E3
Owendale, LNCA (Alb.) 34 F4
Owen Sound, C (Ont.) 23 C2
Owh-wis-too-a-wan 18, RI (C.-B.) 41 G4
Owl River, LNCA (Alb.) 33 F2
Owlseye, LNCA (Alb.) 33 F2
Owls Head Harbour, LNCA (N.-E.) 9 D3
Owossitsa 6, RI (C.-B.) 39 E3
Owun 24, RI (C.-B.) 41 A1
Oxarat, LNCA (Sask.) 31 C4
Oxbow, V (Sask.) 29 D4
Oxbow, LNCA (N.-B.) 12 B2
Oxdrift, LNCA (Ont.) 27 A1
Oxenden, LNCA (Ont.) 23 C1
Oxford, V (N.-E.) 9 B1
Oxford Centre, LNCA (Ont.) 22 F1
Oxford House < Oxford House 24, LNCA (Man.) 30 D2
Oxford House 24, RI (Man.) 30 D2
Oxford Junction, LNCA (N.-E.) 9 B1
Oxford Mills, LNCA (Ont.) 17 C2
Oxford Station, LNCA (Ont.) 17 C2
Oxley, LNCA (Ont.) 22 A4
Oxmead, LNCA (Ont.) 23 D1
Oxtongue Lake, LNCA (Ont.) 24 C2
Oxville, LNCA (Alb.) 33 H4
O-ya-kum-la 11, RI (C.-B.) 39 C1
Oyama, LNCA (C.-B.) 35 F2
Oyees 9, RI (C.-B.) 38 C3
Oyen, V (Alb.) 31 B2
Oyster Bay 12, RI (C.-B.) 38 E3
Oyster Bed Bridge, LNCA (I.-P.-E.) 7 C3
Oyster River, LNCA (C.-B.) 38 B1
Ozada < Stony 142, 143, 144, LNCA (Alb.) 34 D2
Ozanam, LNCA (Qué.) 15 D2
Ozerna, LNCA (Man.) 29 F3

P

Pa-aat 6, RI (C.-B.) 41 D1
Pabineau 11, RI (N.-B.) 12 E1
Pabos (Qué.) 13 G3
Pabos-Mills, LNCA (Qué.) 13 G3
Pabos-Nord, LNCA (Qué.) 13 G3
Pa-cat'l-lin-ne 3, RI (C.-B.) 39 C1
Pacheena 1, RI (C.-B.) 38 D4
Pacific Junction, LNCA (N.-B.) 11 G1
Pacific Shore Trailer Court, LNCS (C.-B.) 38 D2
Packington, LNCA (Qué.) 15 G1
Pack River 2, RI (C.-B.) 43 C4
Packs Harbour, LNCA (T.-N.) 6 G3
Pacquet, COMM (T.-N.) 5 H3
Paddle Prairie, LNCA (Alb.) 43 H1
Paddling Lake, LNCA (Sask.) 32 C3
Paddock's Bight, LNCA (T.-N.) 3 B1
Paddockwood, VL (Sask.) 32 E3
Padlei, LNCA (T.N.-O.) 44 H1
Padloping Island, LNCA (T.N.-O.) 46 G1
Padoue, LNCA (Qué.) 13 A2
Padstow, LNCA (Alb.) 33 C3
Pageant, LNCA (Alb.) 34 F3
Paget, LNCA (Ont.) 25 F1
Pagwa River, LNCA (Ont.) 20 B4
Pahas 11, RI (C.-B.) 41 F4
Pahonan, LNCA (Sask.) 32 E4
Painchaud, LNCA (Qué.) 15 D2
Paincourt, LNCA (Ont.) 22 B3
Painsec, LNCA (N.-B.) 11 G1
Pain-Sec, LNCA (Qué.) 15 C3
Painsec Junction, LNCA (N.-B.) 11 G1
Painswick, LNCA (Ont.) 21 A1
Paisley, VL (Ont.) 23 C2
Paisley Brook, LNCA (Sask.) 31 G4
Pakan, LNCA (Alb.) 33 F3
Pakashan 150D, RI (Alb.) 33 B1
Pakenham, LNCA (Ont.) 17 B1
Pakesley, LNCA (Ont.) 25 F2
Pakowki, LNCA (Alb.) 31 A4
Pakwaw Lake < Shoal Lake 28A, LNCA (Sask.) 32 G3
Paldi, LNCA (C.-B.) 38 E3
Palling, LNCA (C.-B.) 42 G4
Palmarolle, LNCA (Qué.) 18 A1
Palm Beach, LNCA (Ont.) 24 B4
Palmer, VL (Sask.) 31 F3
Palmer Rapids, LNCA (Ont.) 24 F2
Palmer Road, LNCA (I.-P.-E.) 7 A2
Palmers Pond 1, RI (N.-B.) 11 H1
Palmerston, V (Ont.) 23 D3
Palmyra, LNCA (Ont.) 22 D3
Palo, LNCA (Sask.) 31 D1
Pambrun, LNCA (Sask.) 31 E3
Panet, LNCA (Qué.) 15 D3
Pangman, VL (Sask.) 31 H4
Pangnirtung, HAM (T.N.-O.) 46 G2
Panmure, LNCA (Ont.) 17 B2
Panmure Island, LNCA (I.-P.-E.) 7 E4
Panorama Trailer Court, LNCS (C.-B.) 36 B1
Pansy, LNCA (Man.) 28 B3
Panuke Road, LNCA (N.-E.) 9 A3
Papekwatchin 4, RI (C.-B.) 38 H2
Papinachois, LNCA (Qué.) 14 G1
Papineauville, VL (Qué.) 17 E1
Papsilqua 2, RI (C.-B.) 35 B3
Papsilqua 2A, RI (C.-B.) 35 B3
Papsilqua 2B, RI (C.-B.) 35 B3
Papsilqua 13, RI (C.-B.) 35 B1
Papyum 27, RI (C.-B.) 35 B2
Papyum 27A, RI (C.-B.) 35 B2
Papyum Graveyard 27C, RI (C.-B.) 35 B2
Paquette, LNCA (Qué.) 16 E4
Paquette, LNCA (Ont.) 22 A3
Paquetville, VL (N.-B.) 12 F1
Paquin, LNCA (Qué.) 18 A2
Paradis, LNCA (Qué.) 18 C2
Paradis, LNCS (Qué.) 16 D1
Paradis Bay, LNCA (Ont.) 26 F3
Paradise, V (T.-N.) 2 H2
Paradise, LNCA (N.-E.) 10 C1
Paradise, LNCA (T.-N.) 3 C2
Paradise, LNCA (T.-N.) 6 F2
Paradise Beach, LNCA (Ont.) 21 B1
Paradise Gardens, LNCS (T.N.-O.) 44 A2
Paradise Hill, VL (Sask.) 32 A3
Paradise Point, LNCA (T.-N.) 6 G3
Paradise River, LNCA (T.-N.) 6 G3
Paradise Valley, VL (Alb.) 33 G4
Paradise Valley, LNCS (C.-B.) 38 C1
Paradise Valley Trailer Court, LNCS (C.-B.) 38 C1
Parc-Bleu, LNCA (Qué.) 18 G4
Parc-d'Avignon, LNCA (Qué.) 17 G2
Parc-de-la-Chaudière, LNCA (Qué.) 15 B4
Parc-de-l'Amitié, LNCS (Qué.) 14 E4
Parc-Lemieux, LNCA (Qué.) 15 G4
Parc-le-Rousson, LNCS (Qué.) 17 F2
Parc-Lookout, LNCA (Qué.) 18 F4
Parc-Montcalm, LNCA (Qué.) 18 F4
Parc-Rémillard, LNCS (Qué.) 17 H4
Parc-Roco, LNCA (Qué.) 16 A1
Parc-Roy, LNCA (Qué.) 15 B3
Parc-St-Philippe, LNCS (Qué.) 17 H4
Pardee, LNCA (Ont.) 27 D3
Pardy Island, LNCA (T.-N.) 2 C4
Parent, VL (Qué.) 18 E2
Parham, LNCA (Ont.) 17 A3
Paris, V (Ont.) 22 G1
Paris, LNCA (Yukon) 45 A2
Parisville, LNCA (Qué.) 16 D1
Parkbeg, LNCA (Sask.) 31 F3
Parkbend, LNCA (Alb.) 34 F4
Park Bluff, LNCA (Sask.) 32 B3
Park Corner, LNCA (I.-P.-E.) 7 C3
Park Court, LNCA (Alb.) 33 C3
Parkdale, V (I.-P.-E.) 7 C4
Parkdale, LNCA (N.-E.) 10 E1
Parkdale, LNCA (N.-E.) 9 B4
Parkdale, LNCA (Man.) 28 A1
Parker, LNCA (Ont.) 23 D3
Parker Ridge, LNCA (N.-B.) 12 C4
Parker Road, LNCA (N.-E.) 10 D1
Parkers Corners, LNCA (Ont.) 17 E1
Parkers Cove, COMM (T.-N.) 2 D3
Parkers Cove, LNCA (N.-E.) 10 C1
Parkerview, LNCA (Sask.) 29 C2
Park Head, LNCA (Ont.) 23 C1
Parkhill, V (Ont.) 22 D1
Parkhurst, LNCA (Qué.) 15 A4
Parkindale, LNCA (N.-B.) 11 G1
Parkinson, LNCA (Ont.) 26 C4
Parkland, LNCA (Alb.) 34 F3
Parkland, LNCA (C.-B.) 43 E3
Park Lane, LNCS (Ont.) 26 E1
Parkman, LNCA (Sask.) 29 D4
Parks, LNCA (C.-B.) 34 B4
Parks Corner, LNCA (Man.) 29 E3
Parkside, VL (Sask.) 32 D3
Parkside Beach, LNCA (Ont.) 24 B4
Parksville, VL (C.-B.) 38 D2
Park Valley, LNCA (Sask.) 32 D3
Parkville Trailer Park, LNCS (C.-B.) 38 D2
Parkwood Estates, LNCS (I.-P.-E.) 7 C4
Parkwood Hills, LNCA (Ont.) 17 E4
Parlee Brook, LNCA (N.-B.) 11 F2
Parleeville, LNCA (N.-B.) 11 E2
Parrsboro, V (N.-E.) 11 H2
Parry, LNCA (Sask.) 31 G4
Parry Island < Parry Island 16, LNCA (Ont.) 24 A2
Parry Island 16, RI (Ont.) 24 A2
Parry Sound, V (Ont.) 24 A2
Parsnips 5, RI (C.-B.) 43 C4
Parson, LNCA (C.-B.) 34 C2
Parsons Point < Indian Bay (COMM), LNCA (T.-N.) 3 F3
Parson's Pond, COMM (T.-N.) 5 F3
Parthia, LNCA (Ont.) 20 C4
Partridge Hill, LNCA (Alb.) 33 E3
Partridge Valley, LNCA (N.-B.) 11 E1
Pasadena, V (T.-N.) 4 D1
Pascal, LNCA (Sask.) 32 C3
Pascalis, LNCA (Qué.) 18 B2
Pascobac, LNCA (N.-B.) 11 E2
Pashilqua 2, RI (C.-B.) 37 H3
Pashilqua 2A, RI (C.-B.) 37 H3
Pasley Island, LNCA (C.-B.) 38 E2
Paspébiac, LNCA (Qué.) 13 F4
Paspébiac-Est, LNCA (Qué.) 13 F4
Paspébiac-Ouest, LNCA (Qué.) 13 F4
Pasqua, LNCA (Sask.) 31 G3
Pasqua 79, RI (Sask.) 29 B3
Pass Creek, LNCA (C.-B.) 34 B4
Pass Creek Park, LNCS (C.-B.) 34 B4
Passekeag, LNCA (N.-B.) 11 E2
Pass Island, LNCA (T.-N.) 2 A2
Pass Lake, LNCA (Ont.) 27 E3
Passmore, LNCA (C.-B.) 34 B4
Pasteur, LNCA (Qué.) 15 D2
Pas Trail, LNCA (Sask.) 32 F3
Paswegin, LNCA (Sask.) 31 H1
Paterson, LNCA (C.-B.) 34 A4
Paterson, LNCA (Man.) 30 B2
Path End < St Mary's (COMM), LNCS (T.-N.) 2 F4
Pathlow, LNCA (Sask.) 32 E4
Patience, LNCA (Alb.) 33 D4
Patricia, LNCA (Alb.) 34 G2
Patrick's Cove, LNCA (T.-N.) 2 E4
Patrick's Harbour, LNCA (T.-N.) 2 A2
Patrickton, LNCA (Qué.) 13 E3
Patrieville, LNCA (N.-B.) 15 G1
Patterson, LNCA (N.-B.) 11 C2
Patterson, LNCA (Qué.) 17 C1
Patterson Park, LNCS (Alb.) 33 E3
Pattersons Corners, LNCA (Ont.) 17 C2
Patterson Siding, LNCA (N.-B.) 12 E2
Patton, LNCA (Ont.) 26 C4
Patuanak < Wapachewunak 192D, LNCA (Sask.) 44 D4
Paudash, LNCA (Ont.) 24 E3
Paudash Lake, LNCA (Ont.) 24 E3
Paugan-Falls, LNCA (Qué.) 18 D4
Paugh Lake, LNCA (Ont.) 24 F1
Paukeanum 3, RI (C.-B.) 37 B4
Paulatuk, LNCA (T.N.-O.) 45 D1
Paul Lake, LNCS (C.-B.) 36 F4
Paul's 6, RI (C.-B.) 35 B3
Paul's Basin 2, RI (C.-B.) 35 C2
Paungassi, LNCA (Man.) 30 D3
Pavilion, LNCA (C.-B.) 36 C4
Pavilion 1, RI (C.-B.) 36 C4
Pavilion 1A, RI (C.-B.) 36 C4
Pavilion 3A, RI (C.-B.) 36 C4
Pavilion 4, RI (C.-B.) 36 C4
Pawala 5, RI (C.-B.) 39 G1
Pawistik, LNCA (Man.) 30 A1
Paxson, LNCA (Alb.) 33 E2
Paykulkum 14, RI (C.-B.) 37 E4
Payne, LNCA (Ont.) 22 B2
Payne's Cove, LNCA (T.-N.) 5 G2
Paynes Mills, LNCA (Ont.) 22 E2
Paynton, VL (Sask.) 32 B4
Pays Plat, LNCA (Ont.) 27 F3
Pays Plat 51, RI (Ont.) 27 F3
Peabody, LNCA (Qué.) 16 C4
Peabody, LNCA (Ont.) 23 C2
Peace Grove, LNCA (Alb.) 43 G3
Peace Point, LNCA (Alb.) 44 C2
Peace River, V (Alb.) 43 H3
Peace River Crossing 151A, RI (Alb.) 43 H3
Peaches Cove, LNCA (T.-N.) 2 E2
Peachland, DM (C.-B.) 35 E3
Peachytown, LNCS (T.-N.) 2 H2
Peacock, LNCA (Alb.) 34 F3
Peakes, LNCA (I.-P.-E.) 7 D4
Peakes Road, LNCA (I.-P.-E.) 7 D4
Pearce, LNCA (Alb.) 34 F4
Pearceley, LNCA (Ont.) 24 B1
Pearceton, LNCA (Qué.) 16 B4
Pearl, LNCA (Ont.) 27 E3
Pearl Lake, LNCA (Ont.) 23 C2
Pearse Island 43, RI (C.-B.) 42 D4
Pearson, LNCA (Ont.) 26 F2
Pearsonville, LNCA (N.-B.) 11 E1
Peas Brook, LNCA (N.-E.) 9 G2
Peavey, LNCA (Alb.) 33 D3
Peavine, LNCA (Alb.) 33 C2
Pebble Beach, LNCA (Man.) 29 G2
Pebble Beach, LNCS (C.-B.) 38 C1
Peck Meadow Corner, LNCA (N.-E.) 10 E1
Pecten, LNCA (Alb.) 34 E4
Pedley, LNCA (Alb.) 33 A3
Peebles, LNCA (Sask.) 29 C3
Peekaboo Point, LNCA (Ont.) 23 F1
Peel, LNCA (N.-B.) 12 A4
Peepabun, LNCA (Ont.) 23 E3
Peepeekisis 81, RI (Sask.) 29 B2
Peerless, LNCA (Sask.) 32 A2
Peerless Lake, LNCA (Alb.) 44 B4
Peers, LNCA (Alb.) 33 B3
Peesane, LNCA (Sask.) 32 F4
Pefferlaw, LNCA (Ont.) 21 B1
Peffers, LNCA (Ont.) 23 C4
Peggys Cove, LNCA (N.-E.) 9 A4
Pegleg 3, RI (C.-B.) 35 B2
Pegleg 3A, RI (C.-B.) 35 B2
Peguis, LNCA (Man.) 28 B1
Peguis 1B, RI (Man.) 29 H2
Peguis 1C, RI (Man.) 29 H2
Peigan 147, RI (Alb.) 34 F4
Peigan 147B, RI (Alb.) 34 E4
Pekisko, LNCA (Alb.) 34 E3
Pelee Island, LNCA (Ont.) 22 B4
Pelee Island South, LNCA (Ont.) 22 B4
Pelerin, LNCA (N.-B.) 12 G4
Pelham, V (Ont.) 21 B4
Pelican Narrows, LNCA (Sask.) 32 G1
Pelican Narrows 184B, RI (Sask.) 32 G1
Pelican Point, LNCA (Sask.) 31 G2
Pelican Portage, LNCA (Alb.) 44 B4
Pelican Rapids, LNCA (Man.) 30 A3
Pellegrin, LNCA (Qué.) 13 G2
Pellerin, LNCA (Qué.) 15 D2
Pelletier, LNCA (Qué.) 13 B2
Pelletier, LNCA (Qué.) 15 E1
Pelletier Bridge, LNCA (Ont.) 28 F1
Pelletiers Mill, LNCA (N.-B.) 15 G2
Pel-looth'l-kai 17, RI (C.-B.) 41 G4
Pelly, VL (Sask.) 29 D1
Pelly Bay, HAM (T.N.-O.) 46 C1
Pelly Crossing, LNCA (Yukon) 45 B3
Pelly Lakes, LNCA (Yukon) 45 C3
Pemberton, VL (C.-B.) 37 G3
Pemberton Meadows, LNCA (C.-B.) 37 F3
Pemberton Ridge, LNCA (N.-B.) 11 A2
Pembina, LNCA (Alb.) 33 C3
Pembina Forks, LNCA (Alb.) 33 B4
Pembina Heights, LNCA (Alb.) 33 D2
Pembridge, LNCA (Alb.) 33 D3
Pembroke, C (Ont.) 18 C4
Pembroke, LNCA (N.-E.) 10 A3
Pembroke, LNCA (N.-E.) 9 A2
Pembroke, LNCA (N.-B.) 11 A1
Pembroke, LNCA (I.-P.-E.) 7 E4
Pemburton Hill, LNCA (Alb.) 33 D3
Pemmican Portage < Cumberland 20, LNCA (Sask.) 32 H3
Pémonca, LNCA (Qué.) 18 G1
Pemukan, LNCA (Alb.) 31 B1
Pemynoos 9, RI (C.-B.) 35 B1
Pender Island, LNCA (C.-B.) 38 F3
Pender Island 8, RI (C.-B.) 38 F3
Pendleton, LNCA (Ont.) 17 D1
Pendleton Bay, LNCA (C.-B.) 40 A1
Pendryl, LNCA (Alb.) 33 D4
Peneece 19, RI (C.-B.) 41 G4
Peneetle 22, RI (C.-B.) 39 G4
Penetanguishene, V (Ont.) 23 F1
Penetanguishene, LNCA (T.-N.) 2 H2
Pengelly Landing, LNCA (Ont.) 21 D1
Penguin Arm, LNCA (T.-N.) 5 F4
Penhall, LNCA (Ont.) 20 B4
Penhold, VL (Alb.) 34 E1
Penhold, CFB/BFC, RM (Alb.) 34 E1
Peninsular Park, LNCA (Ont.) 21 A1
Penn, LNCA (Sask.) 32 C3
Pennal 19, RI (N.-E.) 10 E1
Pennant, VL (Sask.) 31 D3
Pennant, LNCS (N.-E.) 9 B4
Pennfield, LNCA (N.-B.) 11 C3
Pennfield Corner, LNCA (N.-B.) 11 C3
Pennfield Ridge, LNCA (N.-B.) 11 C3
Pennfield Station, LNCA (N.-B.) 11 C3
Penniac, LNCA (N.-B.) 11 C1
Penny, LNCA (C.-B.) 40 D2
Peno, LNCA (Alb.) 33 E3
Penobsquis, LNCA (N.-B.) 11 F2
Penouille (Qué.) 13 H2
Pense, VL (Sask.) 31 G3
Pensons Arm, LNCA (T.-N.) 6 H4
Penticton, C (C.-B.) 35 E3
Penticton 1, RI (C.-B.) 35 E3
Penticton 3A, RI (C.-B.) 35 E3
Pentledge 2, RI (C.-B.) 38 B1
Pentz, LNCA (N.-E.) 10 E2
Penville, LNCA (Ont.) 21 A1
Penzance, VL (Sask.) 31 G2
Peoria, LNCA (Alb.) 43 G4
Perbeck, LNCA (Alb.) 34 F1
Percé, C (Qué.) 13 H2
Percival, LNCA (Sask.) 29 C3
Percy Boom, LNCA (Ont.) 21 E1
Perdue, VL (Sask.) 31 E1
Pereaux, LNCA (N.-E.) 11 H3
Péribonka, LNCA (Qué.) 18 H1
Périgord, LNCA (Sask.) 29 B1
Perivale, LNCA (Ont.) 25 B2
Perkins, LNCA (Qué.) 17 C1
Perkinsfield, LNCA (Ont.) 23 E1
Perkins-sur-le-Lac, LNCA (Qué.) 17 C1
Perm, LNCA (Ont.) 23 E2
Perotte, LNCA (N.-E.) 10 C1
Perow, LNCA (C.-B.) 42 G4
Perrault, LNCA (Ont.) 24 G2
Perrault Falls, LNCA (Ont.) 27 A1
Perrets 11, RI (C.-B.) 37 H4
Perretton, LNCA (Ont.) 24 G1
Perrins Corners, LNCA (Ont.) 17 C3
Perry, LNCA (Ont.) 21 B4
Perry, LNCA (Ont.) 26 A2
Perryboro, LNCA (Qué.) 16 E4
Perry Island, LNCA (T.N.-O.) 45 G1
Perry Point, LNCA (N.-B.) 11 E2
Perrys, LNCA (C.-B.) 34 B4
Perry's Corners, LNCA (Ont.) 22 F1
Perry's Cove, LNCA (T.-N.) 2 G2
Perry Settlement, LNCA (N.-B.) 11 F1
Perry Siding, LNCA (C.-B.) 34 B4
Perrys Lane, LNCA (Ont.) 22 F1
Perrytown, LNCA (Ont.) 21 D2
Perryvale, LNCA (Alb.) 33 E2
Perth, V (Ont.) 17 B2
Perth-Andover, VL (N.-B.) 12 A3
Perth Road, LNCA (Ont.) 17 A3
Perthuis, LNCA (Qué.) 18 H3
Petaguishene Beach, LNCA (Ont.) 23 E1
Petaigan, LNCA (Sask.) 32 F3
Petain, LNCA (N.-E.) 9 C4
Petawawa, LNCA (Ont.) 24 G1
Petawawa, CFB/BFC, RM (Ont.) 18 C4
Petawawa Point, LNCA (Ont.) 24 G1
Peter Alec 6, RI (C.-B.) 41 G1
Peterbell, LNCA (Ont.) 26 C1
Peterborough, C (Ont.) 21 D1
Peter Pond Lake 193, RI (Sask.) 44 D4
Peters 1, RI (C.-B.) 35 A4
Peters 1A, RI (C.-B.) 35 A4
Peters 2, RI (C.-B.) 35 A4
Petersburg, LNCA (Ont.) 23 D4
Peters Corners, LNCA (Ont.) 22 G1
Petersfield, LNCA (Man.) 30 C4
Peters Mills, LNCA (N.-B.) 12 G3
Peterson, LNCA (Sask.) 31 F1
Peterson Corner, LNCA (Ont.) 24 C3
Peter's River < St Vincent's – St Stephens – Peter's River, LNCA (T.-N.) 2 F4
Peters Road, LNCA (I.-P.-E.) 7 E4
Peterview, DAL (T.-N.) 3 C2
Peterville, LNCA (I.-P.-E.) 7 A2
Pete Suckers 13, RI (C.-B.) 36 B2
Pethericks Corners, LNCA (Ont.) 21 E1
Petherton, LNCA (Ont.) 23 D3
Petit-Bécancour, LNCA (Qué.) 16 D2
Petit-Bégin, LNCA (Qué.) 14 A2
Petit-Canada, LNCA (N.-B.) 18 A3
Petit-Canada, LNCS (Qué.) 16 E4
Petit-Cap (Qué.) 13 H1
Petit-Cap, LNCA (N.-B.) 7 A4
Petit-Cap, LNCA (Qué.) 15 C2
Petit-Cherbourg, LNCA (Qué.) 13 B2
Petit-Chertsey, LNCA (Qué.) 18 F4
Petit-Chockpish, LNCA (N.-B.) 12 G3
Petitcodiac, VL (N.-B.) 11 F1
Petit-de-Grat, LNCA (N.-E.) 8 D4
Petite-Aldouane, LNCA (N.-B.) 12 G3
Petite-Allemagne, LNCA (Qué.) 18 E4
Petite-Angleterre, LNCA (Qué.) 16 E4
Petite-Anse, LNCA (Qué.) 13 G1
Petite-Baie, LNCS (Qué.) 7 F1
Petite-Ferme, LNCA (Qué.) 15 C2
Petite-France, LNCA (Qué.) 17 H2
Petite-France, LNCA (Qué.) 16 A4
Petite-Lamèque, LNCA (N.-B.) 13 G4
Petite-Matane, LNCA (Qué.) 13 B2
Petite-Presqu'île, LNCA (Qué.) 17 D1
Petite-Réserve, LNCA (N.-B.) 12 B1
Petite-Rivière, LNCA (Qué.) 15 C2
Petite-Rivière, LNCA (N.-E.) 10 E2
Petite-Rivière-à-la-Truite, LNCA (N.-B.) 15 G2
Petite-Rivière-au-Renard (Qué.) 13 H1
Petite-Rivière-de-l'Ile, LNCA (N.-B.) 13 G4
Petite-Rivière-Est, LNCA (Qué.) 13 H3
Petite-Rivière-Ouest (Qué.) 13 H3
Petite-Rivière-Pabos, LNCA (Qué.) 13 G3
Petite-Romaine, LNCA (Qué.) 14 E3
Petites, LNCA (T.-N.) 4 B4
Petites-Bergeronnes, LNCA (Qué.) 14 E3
Petit Etang, LNCA (N.-E.) 8 D2
Petite-Tourelle, LNCA (Qué.) 13 D1
Petite-Vallée, LNCA (Qué.) 13 F1
Petit Forte, LNCA (T.-N.) 2 D3
Petit Jardin < Cape St George – Petit Jardin – Grand Jardin – De Grau – Marches Point – Loretto, LNCA (T.-N.) 4 A2
Petit-Lac, LNCA (Qué.) 16 F2
Petit-Lac, LNCA (Qué.) 16 E4
Petit-Lac-Brompton, LNCS (Qué.) 16 D3
Petit-Lac-Long, LNCA (Qué.) 18 F4
Petit-Large, LNCA (N.-B.) 12 G3
Petit-Nicolet, LNCA (Qué.) 16 D3
Petit-Ouest, LNCA (N.-B.) 12 B1
Petit-Pabos (Qué.) 13 G3
Petit-Paquetville, LNCA (N.-B.) 12 F1
Petit Pokemouche, LNCS (N.-B.) 12 G1
Petit-Pré, LNCA (Qué.) 15 G3
Petit-Québec, LNCA (Qué.) 16 E4
Petit-Rocher, VL (N.-B.) 12 E1
Petit-Rocher-Nord, LNCA (N.-B.) 13 E4
Petit-Rocher-Station, LNCS (N.-B.) 12 E1
Petit-Rocher-Sud, LNCA (N.-B.) 12 E1
Petit-Saguenay, LNCA (Qué.) 14 D3
Petits-Escoumins, LNCA (Qué.) 14 E3
Petits-Méchins, LNCA (Qué.) 13 C1
Petley, LNCA (T.-N.) 2 F1
Petlura, LNCA (Man.) 29 E2
Petrel, LNCA (Man.) 29 F3
Petrie Shore, LNCA (Ont.) 17 B2
Petrofka, LNCA (Sask.) 32 C4
Petrolia, V (Ont.) 22 C2
Pettapiece, LNCA (Man.) 29 E3
Pettigrew Settlement, LNCA (N.-E.) 11 H2
Petty Harbour, LNCA (T.-N.) 5 H1
Petty Harbour < Petty Harbour – Maddox Cove, LNCA (T.-N.) 2 H3
Petty Harbour – Maddox Cove, DR (T.-N.) 2 H3
Petworth, LNCA (Ont.) 17 A4
Pevensey, LNCA (Ont.) 24 B1
Peveril, LNCA (Qué.) 17 F2
Phantom Beach, LNCA (Sask.) 32 H2
Pheasant Forks, LNCA (Sask.) 29 C2
Phelpston, LNCA (Ont.) 23 F2
Philémon, LNCA (Qué.) 18 D3
Philip Depot, LNCA (Ont.) 24 D1
Philips, LNCA (Alb.) 33 F4
Philipsburg, VL (Qué.) 16 A4
Philips Harbour, LNCA (N.-E.) 9 G2
Philipsville, LNCA (Ont.) 17 B3
Phillips Arm < Matsayno 5, LNCA (C.-B.) 37 B3
Phillipsburg, LNCA (Ont.) 23 D4
Phillips Head, LNCA (T.-N.) 3 C2
Phillips Subdivision, LNCS (C.-B.) 36 F2
Phillipston, LNCA (Ont.) 21 F1
Phillipstown, LNCA (N.-B.) 11 E1
Philmar, LNCS (Ont.) 21 E1
Philomena, LNCA (Alb.) 33 F1
Phil's Trailer Court, LNCS (Ont.) 17 D1
Phinneys Cove, LNCA (N.-E.) 10 C1
Phippen, LNCA (Sask.) 32 B4
Phoenix, LNCA (C.-B.) 35 G4
Piapot, VL (Sask.) 31 C3
Piapot 75, RI (Sask.) 31 H2
Pibroch, LNCA (Alb.) 33 D2
Picadilly, LNCA (N.-B.) 11 F2
Picard, LNCA (Qué.) 15 E1
Piccadilly, LNCA (T.-N.) 4 B2
Piccadilly, LNCA (N.-B.) 12 A3
Piccadilly, LNCA (Ont.) 17 A3
Piccaire, LNCA (T.-N.) 2 B2
Pickardville, LNCA (Alb.) 33 D2
Pickerel < French River 13, LNCA (Ont.) 25 F2
Pickerel Lake, LNCA (Ont.) 24 B1
Pickerel River, LNCA (Ont.) 25 F2
Pickering, V (Ont.) 21 B2
Pick Eyes, LNCA (T.-N.) 2 B4
Pickle Crow, LNCA (Ont.) 30 F4
Pickle Lake, LNCA (Ont.) 30 F4
Picnic Grove, LNCA (Ont.) 17 F2
Picoudi, LNCA (Qué.) 16 B2
Pic River, LNCA (Ont.) 27 H3
Pic River 50, RI (Ont.) 27 H3
Picton, V (Ont.) 21 G2
Pictou, V (N.-E.) 9 D1
Pictou Island, LNCA (N.-E.) 9 D1
Pictou Landing, LNCA (N.-E.) 9 D1
Picture Butte, V (Alb.) 34 F3
Pidgeon, LNCA (Qué.) 15 A4
Pied-de-la-Montagne, LNCA (Qué.) 18 G4
Pied-du-Lac, LNCA (Qué.) 15 F1
Piedmont, LNCA (Qué.) 18 F4
Piedmont, LNCA (N.-E.) 8 A4
Pierceland, VL (Sask.) 32 A2
Piercemont, LNCA (N.-B.) 12 A3
Pierces Corners, LNCA (Ont.) 17 C2
Pierrefonds, C (Qué.) 17 F4
Pierreville, VL (Qué.) 16 B2
Pierson, LNCA (Man.) 29 D4
Pigeon Cove, LNCA (T.-N.) 5 G2
Pigeon Hill, LNCA (N.-B.) 13 H4
Pigeon-Hill, LNCA (Qué.) 16 B4
Pigeon Lake, LNCA (Man.) 29 H3
Pigeon Lake 138A, RI (Alb.) 33 D4
Pigeon Mountain, LNCA (Alb.) 34 D2
Pigeon River, LNCA (Ont.) 27 D4
Pigeon River 13A, RI (Man.) 30 C3
Pikangikum < Pikangikum 14, LNCA (Ont.) 30 D4
Pikangikum 14, RI (Ont.) 30 D4
Pike Bay, LNCA (Ont.) 23 C1
Pike Creek, LNCA (Ont.) 22 A3
Pike Lake, LNCA (Sask.) 31 E1
Pike-River, LNCA (Qué.) 16 A4
Pikes Arm, LNCA (T.-N.) 3 D1
Pikes Peak, LNCA (Sask.) 32 A3
Pikwitonei, LNCA (Man.) 30 C1
Pilger, VL (Sask.) 31 G1
Pilley's Island, COMM (T.-N.) 3 B2
Pilot Butte, VL (Sask.) 31 H3
Pilot Mound, VL (Man.) 29 G4
Pinacle-Nord, LNCA (Qué.) 16 B4
Pinantan, LNCS (C.-B.) 36 F4
Pinantan Lake, LNCA (C.-B.) 36 F4
Pinawa, LNCA (Man.) 28 C1
Pinawa Bay, LNCA (Man.) 30 C4
Pincebec, LNCA (Qué.) 16 A1
Pinchards Island, LNCA (T.-N.) 3 F2
Pincher, LNCA (Alb.) 34 E4
Pincher Creek, V (Alb.) 34 E4
Pinchi < Pinchie 2, LNCA (C.-B.) 40 B1
Pinchie 2, RI (C.-B.) 40 B1
Pinchie Lake 7, RI (C.-B.) 40 B1
Pinchie Lake 7A, RI (C.-B.) 40 B1
Pinchie Lake 10, RI (C.-B.) 40 B1
Pinchie Lake 12, RI (C.-B.) 40 B1
Pinchi Lake, LNCA (C.-B.) 40 B1
Pincourt, V (Qué.) 17 F4
Pincourt, LNCA (Qué.) 17 G3
Pinder, LNCA (N.-B.) 11 B1
Pineal Lake, LNCA (Ont.) 26 B3
Pineau, LNCA (N.-B.) 12 F3
Pine Beach, LNCA (Ont.) 23 G2
Pine Bluff, LNCA (Sask.) 32 E4
Pine Bluff 20A, 20B, RI (Sask.) 32 G2
Pine Creek 66A, RI (Man.) 29 E1
Pine Creek Station, LNCA (Man.) 29 G3
Pine-Croft, LNCA (Qué.) 18 F4
Pinedale, LNCA (Ont.) 21 C1
Pinedale, LNCA (Alb.) 33 B3
Pine Dock, LNCA (Man.) 30 C4
Pine Falls, LNCA (Man.) 30 C4
Pine Glen, LNCA (N.-B.) 11 G1
Pineglen, LNCA (Ont.) 17 E4
Pineglen Annex, LNCA (Ont.) 17 E4
Pine Grove, LNCA (N.-E.) 10 E2
Pinegrove, LNCA (Ont.) 17 B1
Pine Grove, LNCA (N.-E.) 9 C3
Pine Grove, LNCA (Ont.) 17 B4
Pine Grove, LNCA (Ont.) 17 B2
Pinegrove, LNCA (Ont.) 21 G1
Pinegrove, LNCA (C.-B.) 40 D3
Pine Grove, LNCS (Ont.) 22 G2
Pine-Hill, LNCA (Qué.) 17 F1
Pine Hill, LNCA (Ont.) 17 F2
Pine Hill, LNCA (Ont.) 17 B4
Pinehouse Lake, LNCA (Sask.) 32 D1
Pinehurst, LNCA (N.-E.) 10 E2
Pinehurst, LNCA (Ont.) 22 C3

Pinehurst Park, LNCA (Ont.) 22 G1
Pine Lake, LNCA (Alb.) 34 F1
Pine-Lodge, LNCS (Qué.) 17 B1
Pine Meadows, LNCA (Ont.) 24 G1
Pine Point, V (T.N.-O.) 44 B2
Pine Point, LNCA (Ont.) 21 C1
Pine Portage, LNCA (Ont.) 27 E2
Pine Ridge, LNCA (Man.) 28 B1
Pine Ridge, LNCA (N.-B.) 12 G3
Pine Ridge Valley Trailer Park, LNCS (Man.) 28 A1
Pine River, LNCA (Man.) 29 E1
Pine River, LNCA (Ont.) 23 B3
Pine River, LNCA (Sask.) 44 E4
Pine Springs, LNCA (Ont.) 24 C2
Pine Tree, LNCA (N.-E.) 9 D1
Pinette, LNCA (I.-P.-E.) 7 D4
Pinevale, LNCA (N.-E.) 8 B4
Pine Valley, LNCA (C.-B.) 36 B1
Pine Valley, LNCA (Ont.) 24 G1
Pine Valley, LNCA (C.-B.) 43 D4
Pineview, LNCA (C.-B.) 40 C2
Pineville, LNCA (N.-B.) 12 E3
Pinewood, LNCA (Ont.) 28 G4
Piney, LNCA (Man.) 28 C3
Pingle, LNCA (Alb.) 44 C4
Pinguet, LNCA (Qué.) 15 D2
Pinkerton, LNCA (Ont.) 23 C2
Pinkerton, LNCA (Ont.) 21 A1
Pinkham, LNCA (Sask.) 31 C2
Pink Mountain, LNCA (C.-B.) 43 D2
Pinkneys Point, LNCA (N.-E.) 10 A4
Pinkut Lake 23, RI (C.-B.) 40 A1
Pinnacle, LNCA (Qué.) 16 D3
Pinniquine, LNCA (N.-B.) 15 G2
Pintendre, LNCA (Qué.) 15 G4
Pinware, LNCA (T.-N.) 5 G2
Pioneer, LNCA (Alb.) 33 B3
Pioneer Trailer Park, LNCS (Ont.) 26 B4
Piopolis, LNCA (Qué.) 16 F3
Pipers Cove, LNCA (N.-E.) 8 D3
Pipers Glen, LNCA (N.-E.) 8 D3
Piperville, LNCA (Ont.) 17 F4
Pipestone, LNCA (Man.) 29 E4
Pipestone, LNCA (Alb.) 33 D4
Pipestone Creek, LNCA (Alb.) 43 G4
Pipseul 3, RI (C.-B.) 35 C1
Pirate Harbour, LNCA (N.-E.) 8 C4
Pirmez Creek, LNCA (Alb.) 34 E2
Pirogue, LNCA (N.-B.) 12 G3
Pisquid, LNCA (I.-P.-E.) 7 D3
Pisquid West, LNCA (I.-P.-E.) 7 D3
Pitchers Farm, LNCA (N.-E.) 8 B4
Pitlochrie, LNCA (Alb.) 33 F1
Pitman, LNCA (Sask.) 31 G3
Pit Siding, LNCA (Man.) 30 C1
Pitsite, LNCA (Ont.) 24 B2
Pitt Island 27, RI (C.-B.) 41 D1
Pitt Lake 4, RI (C.-B.) 38 G2
Pitt Meadows, DM (C.-B.) 38 G2
Pitt Polder, LNCS (C.-B.) 38 G2
Pitts Ferry, LNCA (Ont.) 17 B4
Pitts Harbour, LNCA (T.-N.) 5 H1
Pittston, LNCA (Ont.) 17 D3
Piusville, LNCA (I.-P.-E.) 7 A2
Pivot, LNCA (Alb.) 31 B3
Piyami, LNCA (Alb.) 34 F3
Place-Desranleau, LNCA (Qué.) 16 A4
Place-Dupras, LNCS (Qué.) 16 A2
Place-Laurentienne, LNCS (Qué.) 15 E3
Placentia, V (T.-N.) 2 F3
Placentia Junction, LNCA (T.-N.) 2 F3
Place-Ruisseau-des-Noyers, LNCS (Qué.) 16 A4
Place-Versailles, LNCA (Qué.) 16 A2
Plage-Cantin, LNCA (Qué.) 15 A3
Plage-Croteau, LNCS (Qué.) 16 D2
Plage-Denoncourt, LNCA (Qué.) 16 B2
Plage-Héritage, LNCA (Qué.) 18 D4
Plage-Lemieux, LNCA (Qué.) 15 A4
Plage-Maurice, LNCA (Qué.) 15 A3
Plage-Nando, LNCA (Qué.) 18 H3
Plage-Orange, LNCA (Qué.) 18 B2
Plage-Paquette, LNCA (Qué.) 16 D2
Plage-Paul, LNCA (Qué.) 18 D4
Plage-St-Blaise, LNCS (Qué.) 16 A4
Plage-St-François, LNCA (Qué.) 17 F2
Plage-St-Laurent, LNCA (Qué.) 15 F4
Plage-Somerville, LNCA (Qué.) 17 F2
Plage-Southière, LNCA (Qué.) 16 C4
Plainfield, LNCA (N.-E.) 9 D1
Plainfield, LNCA (Ont.) 21 F1
Plain View, LNCA (Sask.) 29 C2
Plainville, LNCA (Ont.) 21 D1
Plaisance, LNCA (Qué.) 17 D1
Plaister Mines, LNCA (N.-E.) 8 E3
Plamondon, VL (Alb.) 33 F2
Plantagenet, VL (Ont.) 17 E1
Plassey, LNCA (Sask.) 31 F1
Plaster Cove, LNCA (N.-E.) 8 D3
Plaster Rock, VL (N.-B.) 12 B2
Plateau, LNCA (N.-E.) 8 D2
Plate Cove East, COMM (T.-N.) 3 G4
Plate Cove West, COMM (T.-N.) 3 F4
Plato, VL (Sask.) 31 D2
Plattsville, LNCA (Ont.) 22 F1
Playfairville, LNCA (Ont.) 17 B2
Pleasant Bay, LNCA (N.-E.) 8 D1
Pleasant Camp, LNCA (C.-B.) 45 A4
Pleasant Corners, LNCA (Ont.) 17 E1
Pleasantdale, LNCS (Sask.) 32 F4
Pleasantfield, LNCA (N.-E.) 10 D2
Pleasant Grove, LNCA (I.-P.-E.) 7 D3
Pleasant Harbour, LNCA (N.-E.) 9 D3
Pleasant Heights, LNCS (Sask.) 29 C2
Pleasant Hill, LNCA (N.-E.) 8 C4
Pleasant Hills, LNCA (N.-E.) 9 B2
Pleasant Home, LNCA (Man.) 29 H3
Pleasant Lake, LNCA (N.-E.) 10 B4
Pleasant Park, LNCA (Ont.) 22 A3
Pleasant Point, LNCA (Ont.) 21 C1
Pleasant Point, LNCA (N.-E.) 9 C4
Pleasant Point, LNCA (N.-E.) 10 D4
Pleasant Point, LNCA (Man.) 29 F4
Pleasant Ridge, LNCA (N.-B.) 12 F3
Pleasant Ridge, LNCA (N.-B.) 11 B2
Pleasant Ridge, LNCA (N.-B.) 11 E1
Pleasant River, LNCA (N.-E.) 10 D2
Pleasant Vale, LNCA (N.-B.) 11 G1
Pleasant Valley, LNCA (N.-E.) 9 C2
Pleasant Valley, LNCA (I.-P.-E.) 7 C3
Pleasant Valley, LNCA (N.-E.) 10 B3
Pleasant Valley, LNCA (N.-E.) 9 D3
Pleasant Valley, LNCA (N.-E.) 8 B4
Pleasant Valley, LNCA (N.-E.) 9 D2
Pleasant Valley, LNCA (N.-B.) 11 C1
Pleasant Valley, LNCA (Ont.) 17 D2
Pleasant Valley, LNCA (Ont.) 17 D2
Pleasant Valley, LNCA (Ont.) 24 H1
Pleasant Valley, LNCA (Ont.) 25 D2
Pleasant Valley, LNCA (Sask.) 32 E4
Pleasant View, LNCA (I.-P.-E.) 7 A2
Pleasant View, LNCA (Ont.) 24 G1
Pleasant View, LNCA (Alb.) 33 E1
Pleasantview Acreages, LNCS (Alb.) 33 E3
Pleasant Villa, LNCA (N.-B.) 11 D2
Pleasantville, LNCA (N.-E.) 10 E2
Plenty, VL (Sask.) 31 D1
Plessisville, V (Qué.) 16 D2
Plevna, LNCA (Ont.) 24 G3
Plourde, LNCA (Qué.) 13 A2
Plover Mills, LNCA (Ont.) 22 E1
Plumas, LNCA (Man.) 29 F3
Plum Coulee, VL (Man.) 29 H4
Plum Hollow, LNCA (Ont.) 17 B3
Plummer, LNCA (Ont.) 26 B4
Plum Point, LNCA (T.-N.) 5 G2
Plumweseep, LNCA (N.-B.) 11 F2
Plunkett, VL (Sask.) 31 G1
Plymouth, LNCA (N.-E.) 9 D2
Plymouth, LNCA (N.-E.) 10 B3
Plymouth, LNCA (N.-B.) 11 A1
Plymouth Park, LNCA (N.-E.) 9 D2
Plympton, LNCA (N.-E.) 10 B2
Plympton Station, LNCA (N.-E.) 10 B2
Pocahontas, LNCA (Alb.) 40 H2
Pockwock, LNCA (N.-E.) 9 B3
Pocologan, LNCA (N.-B.) 11 C3
Poe, LNCA (Alb.) 33 F3
Pohénégamook, V (Qué.) 15 F1
Point Aconi, LNCA (N.-E.) 8 E3
Point Alexander, LNCA (Ont.) 18 B4
Point Alexandria, LNCA (Ont.) 17 B4
Point Alison, VE (Alb.) 33 D3
Point Anne, LNCA (Ont.) 21 F1
Point au Gaul, COMM (T.-N.) 2 B4
Point au Mal, LNCA (T.-N.) 4 B2
Point aux Carr, LNCA (N.-B.) 12 F2
Point Brule < Chipewyab 201F, LNCA (Alb.) 44 C3
Point-Comfort, LNCA (Qué.) 18 D4
Point Cross, LNCA (N.-E.) 8 D2
Point de Bute, LNCA (N.-B.) 7 A4
Point Deroche, LNCA (I.-P.-E.) 7 D3
Point-du-Jour, LNCA (Qué.) 16 B3
Pointe-à-Bouleau, LNCA (N.-B.) 12 G1
Pointe-à-la-Frégate, LNCA (Qué.) 13 G1
Pointe-à-la-Garde, LNCA (Qué.) 13 C3
Pointe-à-Maurier, LNCA (Qué.) 5 D3
Pointe-à-Neuf-Pas, LNCA (Qué.) 16 A2
Pointe-Alexandre, LNCA (N.-B.) 13 G4
Pointe au Baril, LNCA (Ont.) 25 F3
Pointe au Baril Station, LNCA (Ont.) 25 F3
Pointe-au-Boisvert, LNCA (Qué.) 14 F2
Pointe-au-Bouleau, LNCA (Qué.) 14 E4
Pointe-au-Chêne, LNCA (Qué.) 17 E1
Pointe-au-Père, LNCA (Qué.) 14 G3
Pointe-au-Pic, VL (Qué.) 15 D1
Pointe-au-Platon, LNCA (Qué.) 16 D1
Pointe-au-Sable, LNCA (Qué.) 17 F1
Pointe-au-Sable (Pointe-aux-Dorés), LNCS (Qué.) 17 F1
Pointe-aux-Anglais, LNCA (Qué.) 19 E3
Pointe-aux-Anglais, LNCA (Qué.) 17 F1
Pointe-aux-Loups, LNCA (Qué.) 7 F1
Pointe-aux-Orignaux, LNCA (Qué.) 15 D1
Pointe-aux-Outardes, VL (Qué.) 14 G1
Pointe-aux-Pins, LNCA (Qué.) 15 F4
Pointe-aux-Trembles, C (Qué.) 17 H3
Pointe-aux-Trembles-Ouest, LNCA (Qué.) 15 A3
Pointe-Basse, LNCA (Qué.) 7 F1
Pointe-Bleue < Ouiatchouan 5, LNCA (Qué.) 18 H1
Pointe-BrAlé, LNCA (N.-B.) 12 G1
Pointe-Calumet, VL (Qué.) 17 F4
Pointe-Canot, LNCA (N.-B.) 13 G4
Pointe-Carleton, LNCA (Qué.) 5 A4
Pointe-Castagner, LNCA (Qué.) 17 F2
Pointe-Chambord, LNCA (Qué.) 18 H1
Pointe-Claire, C (Qué.) 17 F4
Pointe-de-l'Orignal, LNCA (Qué.) 15 F4
Pointe-de-l'Ouest, LNCA (Qué.) 19 H3
Pointe-de-Rivière-Ouelle, LNCA (Qué.) 15 D1
Pointe-des-Cascades, VL (Qué.) 17 G1
Pointe-des-Monts, LNCA (Qué.) 13 B1
Pointe du Bois, LNCA (Man.) 30 C4
Pointe-du-Chêne, LNCA (N.-B.) 7 A4
Pointe-du-Domaine, LNCA (Qué.) 17 F4
Pointe-du-Hameau, LNCS (Qué.) 16 B2
Pointe-du-Lac, LNCA (Qué.) 16 B2
Pointe-du-Lac, LNCA (Qué.) 18 H1
Pointe-du-Moulin, V (Qué.) 17 G1
Point Edward, LNCA (N.-E.) 8 E3
Point Edward, VL (Ont.) 22 B1
Pointe-Fortune, LNCA (Ont.) 17 F1
Pointe-Fortune, VL (Qué.) 17 F1
Pointe-Fraser, LNCA (Qué.) 17 F2
Pointe-Gatineau (Qué.) 17 E4
Pointe-Jaune (Qué.) 13 G1
Pointe-Lalonde, LNCA (Qué.) 17 F2
Pointe-Lebel, VL (Qué.) 14 H1
Pointe-Leblanc, LNCA (Qué.) 17 F2
Pointe-Martel, LNCA (Qué.) 18 A3
Pointe-Mistassini, LNCA (Qué.) 13 A1
Pointe-Parent, LNCA (Qué.) 5 B3
Pointe-Piché, LNCA (Qué.) 26 F3
Pointe-St-Gilles, LNCA (Qué.) 15 A3
Pointe-St-Méthode, LNCA (Qué.) 18 H1
Pointe-St-Pierre (Qué.) 13 H2
Pointe-Sapin, LNCA (N.-B.) 12 G2
Pointe-Sapin-Centre, LNCA (N.-B.) 12 G2
Pointe-Sauvage, LNCA (N.-B.) 12 G1
Pointe-Verte, VL (N.-B.) 13 E4
Point Gardiner, LNCA (N.-B.) 12 F2
Point Grondine 3, RI (Ont.) 25 E2
Point Hill, LNCA (N.-E.) 8 E3
Point La Haye < Gaskiers – Point La Haye, LNCA (T.-N.) 2 F4
Point Lance, COMM (T.-N.) 2 E4
Point La Nim, LNCA (N.-B.) 13 D3
Point Leamington, V (T.-N.) 3 C2
Point May, COMM (T.-N.) 2 B4
Point May < Point May (COMM), LNCA (T.-N.) 2 B4
Point Michaud, LNCA (N.-E.) 8 E4
Point of Bay, COMM (T.-N.) 3 C2
Point of Mara Beach, LNCA (Ont.) 23 G2
Point Pleasant, LNCA (I.-P.-E.) 7 E4
Point Pleasant, LNCA (Ont.) 24 D4
Point Pleasant, LNCA (Ont.) 21 D1
Point Prim, LNCA (I.-P.-E.) 7 D4
Point Rosie, LNCA (T.-N.) 2 C3
Point Tupper, LNCA (N.-E.) 8 C4
Point Verde, LNCA (T.-N.) 2 E3
Poirier, LNCA (N.-B.) 12 G4
Poirierville, LNCA (N.-E.) 8 D4
Poison Creek 17, RI (C.-B.) 42 G4
Poison Creek 17A, RI (C.-B.) 42 G4
Poissant, LNCA (Qué.) 18 E3
Poisson-Blanc, LNCA (Qué.) 18 G1
Poitras Siding, LNCA (N.-B.) 12 A2
Pokemouche, LNCA (N.-B.) 12 G1
Pokemouche 13, RI (N.-B.) 12 G1
Pokeshaw, LNCA (N.-B.) 13 F4
Pokesudie, LNCA (N.-B.) 13 G4
Pokheitsk 10, RI (C.-B.) 35 B1
Pokiok, LNCA (N.-B.) 11 B1
Pokiok Settlement, LNCA (N.-B.) 11 B1
Poland, LNCA (Ont.) 17 A2
Pole Hill, LNCA (N.-B.) 12 B4
Pole Island 14, RI (C.-B.) 41 E3
Police Meadow 2, RI (C.-B.) 42 H1
Pollards Point, LNCA (T.-N.) 5 G4
Pollett River, LNCA (N.-B.) 11 F1
Pollockville, LNCA (Alb.) 34 G2
Polonia, LNCA (Man.) 29 F3
Polsons Brook, LNCA (N.-E.) 9 F2
Poltimore, LNCA (Qué.) 18 D4
Polwarth, LNCA (Sask.) 32 D3
Pomeroy, LNCA (N.-B.) 11 C2
Pomeroy, LNCA (Man.) 29 H4
Pomeroy Ridge, LNCA (N.-B.) 11 A3
Pomona, LNCA (Ont.) 23 D2
Pomquet, LNCA (N.-E.) 8 B4
Pomquet & Afton 23, RI (N.-E.) 8 B4
Pomquet Forks, LNCA (N.-E.) 8 B4
Pomquet Station, LNCA (N.-E.) 8 B4
Poncheville, LNCA (Qué.) 13 B2
Pond Cove, LNCA (T.-N.) 5 G2
Pond Inlet, LNCA (T.N.-O.) 47 F3
Ponds, LNCA (N.-E.) 8 A4
Pondville, LNCA (N.-E.) 8 D4
Pondville South, LNCA (N.-E.) 8 D4
Ponhook Lake 10, RI (N.-E.) 10 D3
Ponoka, V (Alb.) 33 D4
Ponsonby, LNCA (Ont.) 23 E4
Pontbriand, LNCA (Qué.) 15 B4
Pont-Château, LNCA (Qué.) 17 F1
Pont-de-la-Noreau, LNCA (Qué.) 16 D1
Pont-du-Gouvernement, LNCA (Qué.) 18 F4
Pont-du-Milieu, LNCA (N.-B.) 12 G3
Ponteix, V (Sask.) 31 E4
Pontgravé, LNCA (N.-B.) 12 G1
Pontiac, LNCA (Qué.) 17 B1
Pont-Lafrance, LNCA (N.-B.) 12 G1
Pont-Landry, LNCA (N.-B.) 12 G1
Pont-Laval, LNCA (Qué.) 14 F2
Pont-Mousseau, LNCA (Qué.) 18 F4
Ponton, LNCA (Man.) 30 B2
Pontrilas, LNCA (Sask.) 32 E3
Pont-Rouge, VL (Qué.) 15 A3
Pontypool, LNCA (Ont.) 21 C1
Poodiac, LNCA (N.-B.) 11 E2
Pooeyelth 3, RI (C.-B.) 35 B2
Poole, LNCA (Ont.) 23 C4
Pooles Corner, LNCA (I.-P.-E.) 7 D4
Pooles Resort, LNCA (Ont.) 17 C4
Pool's Cove, COMM (T.-N.) 2 C2
Pool's Island < Badger's Quay – Valleyfield – Pool's Island, LNCA (T.-N.) 3 F3
Poor Man 88, RI (Sask.) 31 H2
Pope, LNCA (Man.) 29 E3
Pope Landing, LNCA (C.-B.) 38 D1
Popelogan Depot, LNCA (N.-B.) 12 C1
Popes Harbour, LNCA (N.-E.) 9 D3
Popes Harbour, LNCA (T.-N.) 2 F1
Popkum, LNCA (C.-B.) 35 A4
Popkum 1, RI (C.-B.) 35 A4
Poplar, LNCA (Ont.) 25 B2
Poplar Bay, VE (Alb.) 33 D4
Poplar Creek, LNCA (C.-B.) 34 B3
Poplar Dale, LNCA (Ont.) 26 B4
Poplarfield, LNCA (Man.) 29 H2
Poplar Grove, LNCA (I.-P.-E.) 7 B3
Poplar Grove, LNCA (N.-E.) 9 A3
Poplar Grove, LNCA (Ont.) 21 H1
Poplar Hill, LNCA (Ont.) 22 D1
Poplar Hill, LNCA (Ont.) 30 D3
Poplar Hill, LNCA (N.-E.) 9 D1
Poplar Hill, LNCA (Alb.) 43 F4
Poplar Hills Survey, LNCS (Ont.) 22 G1
Poplar Lodge, LNCA (Ont.) 27 F2
Poplar Park, LNCA (Man.) 30 C4
Poplar Point, LNCA (Man.) 29 H3
Poplar Point, LNCA (I.-P.-E.) 7 E4
Poplar Ridge, LNCA (Alb.) 43 G3
Poplar Ridge, LNCS (Alb.) 33 C3
Poplar River 16, RI (Man.) 30 C3
Popple Depot, LNCA (N.-B.) 12 D1
Poquiosin & Skamain 13, RI (C.-B.) 38 F1
Porcher Island, LNCA (C.-B.) 41 C1
Porcupine Plain, V (Sask.) 32 G4
Porpoise Bay, LNCS (C.-B.) 38 E2
Portage, LNCA (N.-E.) 8 E3
Portage, LNCA (I.-P.-E.) 7 B3
Portage-de-la-Nation, LNCA (Qué.) 17 E1
Portage-des-Roches, LNCA (Qué.) 14 B3
Portage-du-Cap, LNCA (Qué.) 7 F1
Portage-du-Fort, VL (Qué.) 17 A1
Portage-du-Lac, LNCA (N.-B.) 15 G2
Portage-Griffon (Qué.) 13 H1
Portage la Prairie, C (Man.) 29 G3
Portage la Prairie, CFB/BFC, RM (Man.) 29 G3
Portage Vale, LNCA (N.-B.) 11 F1
Port Alberni, C (C.-B.) 38 C2
Port Albert, LNCA (T.-N.) 3 D2
Port Albert, LNCA (Ont.) 23 B3
Port Albion, LNCA (C.-B.) 38 A3
Port Alice, VL (C.-B.) 39 D2
Port Alma, LNCA (Ont.) 22 C3
Port Anson, COMM (T.-N.) 3 B2
Port Anson, LNCA (Ont.) 24 B1
Portapique, LNCA (N.-E.) 9 B2
Portapique Mountain, LNCA (N.-E.) 9 B2
Port au Bras, COMM (T.-N.) 2 C3
Port au Choix, V (T.-N.) 5 G3
Port-au-Persil, LNCA (Qué.) 14 D4
Port au Port < Berry Head, Port au Port, LNCA (T.-N.) 4 B2
Port au Port West – Aguathuna – Felix Cove, V (T.-N.) 4 B2
Port-au-Saumon, LNCA (Qué.) 14 D4
Port-aux-Quilles, LNCA (Qué.) 14 D4
Port Ban, LNCA (N.-E.) 8 C3
Port Bickerton, LNCA (N.-E.) 9 F3
Port Blandford, DAL (T.-N.) 3 E4
Port Bolster, LNCA (Ont.) 21 B1
Port Britain, LNCA (Ont.) 21 D2
Port Bruce, LNCA (Ont.) 22 E2
Port Burwell, LNCA (T.N.-O.) 46 G3
Port Burwell, VL (Ont.) 22 F2
Port Caledonia, LNCA (N.-E.) 8 F3
Port Carling, LNCA (Ont.) 24 B2
Port Carmen, LNCA (Ont.) 24 B1
Port-Cartier, V (Qué.) 19 E3
Port Clements, VL (C.-B.) 41 B1
Port Clyde, LNCA (N.-E.) 10 C4
Port Cockburn, LNCA (Ont.) 24 A2
Port Colborne, C (Ont.) 21 B4
Port Coquitlam, C (C.-B.) 38 G2
Port Crewe, LNCA (Ont.) 22 C3
Port Cunnington, LNCA (Ont.) 24 C2
Port-Daniel, LNCA (Qué.) 13 G3
Port-Daniel-Centre, LNCA (Qué.) 13 G3
Port-Daniel-Est, LNCA (Qué.) 13 G3
Port-Daniel-Ouest, LNCA (Qué.) 13 G3
Port de Grave, LNCA (T.-N.) 2 G2
Port Dufferin, LNCA (N.-E.) 9 E3
Port Dufferin West, LNCA (N.-E.) 9 E3
Port Edward, VL (C.-B.) 41 C1
Port Elgin, V (Ont.) 23 B2
Port Elgin, VL (N.-B.) 7 A4
Port Elmsley, LNCA (Ont.) 17 B2
Porten Settlement, LNCA (N.-B.) 11 A1
Porter, LNCA (N.-E.) 9 C3
Porter, LNCA (Sask.) 32 B4
Porter Brook, LNCA (N.-B.) 12 D3
Porter Cove, LNCA (N.-B.) 12 D3
Porter Landing, LNCA (C.-B.) 45 B4
Porter Road, LNCA (N.-B.) 11 E2
Porter's Hill, LNCA (Ont.) 23 B4
Porters Lake, LNCA (N.-E.) 9 C3
Porterville, LNCA (T.-N.) 3 C2
Port Essington, RI (C.-B.) 41 D1
Port Essington < Port Essington, LNCA (C.-B.) 41 D1
Port Felix, LNCA (N.-E.) 9 G2
Port Felix East, LNCA (N.-E.) 9 G2
Port Franks, LNCA (Ont.) 22 C1
Port George, LNCA (N.-E.) 10 C1
Port Glasgow, LNCA (Ont.) 22 D3
Port Greville, LNCA (N.-E.) 11 H2
Port Hardy, DM (C.-B.) 39 D1
Port Hastings, LNCA (N.-E.) 8 C4
Port Hawkesbury, V (N.-E.) 8 C4
Port Hilford, LNCA (N.-E.) 9 F3
Port Hill, LNCA (I.-P.-E.) 7 B3
Port Hood, LNCA (N.-E.) 8 C3
Port Hood Island, LNCA (N.-E.) 8 C3
Port Hood Station, LNCA (N.-E.) 8 C3
Port Hope, V (Ont.) 21 D2
Port Hope Simpson, COMM (T.-N.) 6 H4
Port Howe, LNCA (N.-E.) 9 B1
Portia, LNCA (Man.) 29 F2
Portier Pass 5, RI (C.-B.) 38 E3
Port Joli, LNCA (N.-E.) 10 D3
Port Kirwan, COMM (T.-N.) 2 H4
Port Lambton, LNCA (Ont.) 22 B2
Portland, LNCA (Ont.) 17 B3
Portland, LNCA (T.-N.) 3 F4
Portland Creek, LNCA (T.-N.) 5 F3
Port La Tour, LNCA (N.-E.) 10 C4
Port Law, LNCA (Ont.) 23 D2
Port-Lewis, LNCA (Qué.) 17 F2
Port L'Hebert, LNCA (N.-E.) 10 D3
Portlock, LNCA (Ont.) 26 B4
Port Loring, LNCA (Ont.) 24 A1
Port Lorne, LNCA (N.-E.) 10 C1
Port Maitland, LNCA (N.-E.) 10 A3
Port Malcolm, LNCA (N.-E.) 8 C4
Port McNeill, VL (C.-B.) 39 D1
Port McNicoll, VL (Ont.) 23 F1
Port Medway, LNCA (N.-E.) 10 E3
Port Mellon, LNCA (C.-B.) 38 E2
Port-Menier, LNCA (Qué.) 19 H3
Port Metcalf, LNCA (Ont.) 17 B4
Port Milford, LNCA (Ont.) 21 G2
Port Moody, C (C.-B.) 38 G2
Port Morien, LNCA (N.-E.) 8 F3
Port Mouton, LNCA (N.-E.) 10 D3
Port Nelson, LNCA (T.-N.) 3 F3
Portneuf, V (Qué.) 16 D1
Portneuf-Station, LNCA (Qué.) 16 D1
Portneuf-sur-Mer, LNCA (Qué.) 14 F2
Port Neville, LNCA (C.-B.) 39 F1
Port Neville 4, RI (C.-B.) 39 G1
Port-Nouveau-Québec, LNCA (Qué.) 46 G4
Porto Rico, LNCA (C.-B.) 34 B4
Port Perry, LNCA (Ont.) 21 C1
Port Philip, LNCA (N.-E.) 9 B1
Port-Pic, LNCA (Qué.) 14 F3
Portree, LNCA (N.-E.) 8 D2
Portreeve, LNCA (Sask.) 31 C2
Port Renfrew, LNCA (C.-B.) 38 D4
Port Rexton, COMM (T.-N.) 3 G4
Port Richmond, LNCA (N.-E.) 8 C4
Port Rowan, LNCA (Ont.) 22 G2
Port Royal, LNCA (N.-E.) 8 D4
Port Royal, LNCA (N.-E.) 10 B1
Port Royal, LNCA (Ont.) 22 F2
Port Royal, LNCA (T.-N.) 2 E2
Port-St-François, LNCA (Qué.) 16 B2
Port-St-Servan, LNCA (Qué.) 5 F2
Port Sandfield, LNCA (Ont.) 24 B2
Port Saunders, V (T.-N.) 5 G3
Port Saxon, LNCA (N.-E.) 10 C4
Port Severn, LNCA (Ont.) 23 F1
Port Shoreham, LNCA (N.-E.) 9 G2
Port Simpson, LNCA (C.-B.) 42 C4
Port Simpson 1, RI (C.-B.) 42 C4
Port Stanley, VL (Ont.) 22 E2
Port Stanton, LNCA (Ont.) 23 G1
Port Talbot, LNCA (Ont.) 22 E2
Portugal Cove, LNCA (T.-N.) 2 H2
Portugal Cove South, COMM (T.-N.) 2 G4
Portuguese Cove, LNCA (N.-E.) 9 B4
Port Union, V (T.-N.) 3 G4
Port View Beach, LNCA (Ont.) 21 C1
Port Wade, LNCA (N.-E.) 10 B1
Port Washington, LNCA (C.-B.) 38 F3
Port Williams, LNCA (N.-E.) 11 H3
Poste-de-la-Baleine, LNCA (Qué.) 20 E1
Postville, COMM (T.-N.) 6 F3
Potato Point 3, RI (C.-B.) 37 C2
Potato River 156A, RI (Sask.) 32 E1
Pottageville, LNCA (Ont.) 21 A2
Potter, LNCA (Ont.) 26 E1
Potters Landing, LNCA (Ont.) 23 F1
Potton-Springs, LNCA (Qué.) 16 C4
Pouce Coupe, VL (C.-B.) 43 F4
Pouch Cove, V (T.-N.) 2 H2
Poulamon, LNCA (N.-E.) 8 D4
Poularies, LNCA (Qué.) 18 A1
Pouliot, LNCA (Qué.) 14 F4
Pound Cove < Westport, LNCA (T.-N.) 5 G4
Poundmaker 114, RI (Sask.) 32 B4
Povungnituk, LNCA (Qué.) 46 E3
Powassan, V (Ont.) 25 H2
Powell, LNCA (Man.) 30 A3
Powell River, DM (C.-B.) 38 C1
Powells Corners, LNCA (Ont.) 22 F2
Powerscourt, LNCA (Qué.) 17 F2
Powers Creek, LNCA (N.-B.) 12 A2
Powerview, VL (Man.) 30 C4
Powles Corners, LNCA (Ont.) 21 C1
Pownal, LNCA (I.-P.-E.) 7 D4
Poyam 9, RI (C.-B.) 37 F4
Pradine Subdivision, LNCS (C.-B.) 40 C3
Prairie Echo, LNCA (Alb.) 33 B1
Prairie Grove, LNCA (Man.) 28 A2
Prairie River, LNCA (Sask.) 32 G4
Prairie Siding, LNCA (Ont.) 22 B3
Prairie View, LNCA (Sask.) 31 E3
Pratt, LNCA (Man.) 29 G4
Pratts Camp, LNCA (N.-B.) 12 C2
Prawda, LNCA (Man.) 28 D2
Pré-d'en-Haut, LNCA (N.-B.) 11 G1
Pré-Ste-Marie, LNCA (Sask.) 32 F4
Précieux-Sang (Qué.) 16 C2
Precious Corners, LNCA (Ont.) 21 D2
Preeceville, V (Sask.) 29 C1
Preissac, LNCA (Qué.) 18 B1
Prelate, VL (Sask.) 31 C2
Premier Lake, LNCA (C.-B.) 34 D3
Prémont, LNCA (Qué.) 16 B1
Preneveau, LNCA (Ont.) 21 E1
Prentiss, LNCA (Alb.) 33 D4
Prescott, V (Ont.) 17 C3
Prespatou, LNCA (C.-B.) 43 E2
Presque, LNCA (T.-N.) 2 D3
Presqu'ile Point, LNCA (Ont.) 21 E2
Press, LNCA (Qué.) 18 C2
Preston, LNCA (N.-E.) 9 B3
Prestonvale, LNCA (Ont.) 17 B2
Prestville, LNCA (Alb.) 43 G4
Pretty Valley, LNCA (Man.) 29 D1
Prevo, LNCA (Alb.) 33 D4
Prévost, LNCA (Qué.) 18 F4
Price, LNCA (N.-B.) 11 G1
Price, VL (Qué.) 14 H2
Price Road, LNCA (N.-B.) 12 A2
Prices Corner, LNCA (Ont.) 23 F1
Prices Corners, LNCA (Ont.) 23 E3
Price Settlement, LNCA (N.-B.) 12 F2
Priceville, LNCA (Ont.) 23 D2
Priceville, LNCA (N.-B.) 12 D3
Priddis, LNCA (Alb.) 34 E2
Priest Pond, LNCA (I.-P.-E.) 7 E3
Priest's Valley 6, RI (C.-B.) 35 F2
Priestville, LNCA (N.-E.) 9 D2
Primate, VL (Sask.) 31 C1
Prime, LNCA (N.-B.) 15 H2
Prime Brook, LNCA (N.-E.) 8 F3
Primrose, LNCA (I.-P.-E.) 7 E4
Primrose, LNCA (Ont.) 23 E3
Primrose, LNCA (N.-B.) 11 E2
Prince, LNCA (Sask.) 32 B4
Prince Albert, C (Sask.) 32 E3
Prince Albert, LNCA (N.-E.) 10 D1
Prince Albert, LNCA (Ont.) 21 C1
Princedale, LNCA (N.-E.) 10 C1
Prince George, C (C.-B.) 40 C2
Prince Leboo Island 32, RI (C.-B.) 42 C4
Prince of Wales, LNCA (N.-B.) 11 D3
Princeport, LNCA (N.-E.) 9 B2
Princeport Road, LNCA (N.-E.) 9 B2
Prince Rupert, C (C.-B.) 41 C1
Princess, LNCA (Alb.) 34 H2
Princess Harbour, LNCA (Man.) 30 C3
Princess Park, LNCA (N.-B.) 11 D1
Princeton, LNCA (Ont.) 22 F1
Princeton, LNCA (T.-N.) 3 F4
Princeton, VL (C.-B.) 35 D3
Princeville, V (Qué.) 16 D2
Princeville, LNCA (N.-E.) 8 C4
Prince William, LNCA (N.-B.) 11 B1
Prince William Station, LNCA (N.-B.) 11 B2
Pritchard, LNCA (C.-B.) 35 E1
Pritchard Mobile Subdivision, LNCA (C.-B.) 35 E1
Procter, LNCA (C.-B.) 34 B4
Profits Corner, LNCA (I.-P.-E.) 7 A2
Progress, LNCA (C.-B.) 43 E4
Progreston, LNCA (Ont.) 22 H1
Projet-Saddlebrook, LNCS (Qué.) 17 F1
Prongua, LNCA (Sask.) 32 B4
Pronto Mine Townsite, LNCS (Ont.) 25 A1
Prophet Beach, LNCA (Ont.) 23 G2
Prophet River < Prophet River 4, LNCA (C.-B.) 43 D1
Prophet River 4, RI (C.-B.) 43 D1
Prospect, LNCA (N.-E.) 9 B4
Prospect, LNCA (N.-E.) 10 E1
Prospect, LNCA (Ont.) 17 C2
Prospect, LNCA (Ont.) 21 C2
Prospect Hill, LNCA (Ont.) 22 E1
Prospector, LNCA (Man.) 30 A2
Prospect Valley, LNCA (Alb.) 33 G4
Prosperity, LNCA (Ont.) 23 B3
Prosser Brook, LNCA (N.-B.) 11 G1
Proton Station, LNCA (Ont.) 23 D2
Proulx, LNCA (Ont.) 17 E1
Proulxville, LNCA (Qué.) 16 C1
Provancher, LNCA (Qué.) 13 D3
Providence Bay, LNCA (Ont.) 25 B3
Province-Hill, LNCA (Qué.) 16 C4
Provost, V (Alb.) 33 H4
Prowseton, LNCA (T.-N.) 2 E2
Prud'homme, VL (Sask.) 31 F1
Pryors Beach, LNCA (Sask.) 31 G2
Psacelay 77, RI (C.-B.) 41 D1
Public Landing, LNCA (N.-B.) 11 D2
Pubnico, LNCA (N.-E.) 10 B4
Puce, LNCA (Ont.) 22 A3
Puckatholetchin 11, RI (C.-B.) 35 B3
Puffer, LNCA (Alb.) 33 G4
Pughs Crossing, LNCA (N.-B.) 11 C1
Pugwash, LNCA (N.-E.) 9 B1
Pugwash Junction, LNCA (N.-E.) 9 B1
Pugwash Point, LNCA (N.-E.) 9 B1
Pugwash River, LNCA (N.-E.) 9 B1
Pukaskwa Depot, LNCA (Ont.) 27 H3
Pukatawagan < Pukatawagan 198, LNCA (Man.) 30 A1
Pukatawagan 198, RI (Man.) 30 A1
Pulcah 15, RI (C.-B.) 39 C1
Pulp River, LNCA (Man.) 29 E1
Pulteney, LNCA (Alb.) 34 F3
Pumbly Cove, LNCA (T.-N.) 5 G4
Punchaw, LNCA (C.-B.) 40 C2
Punkeydoodles Corners, LNCA (Ont.) 22 F1
Punnichy, VL (Sask.) 31 H2
Puntledge, LNCA (C.-B.) 38 B1
Puntzi Lake 2, RI (C.-B.) 40 B4
Purbeck's Cove, LNCA (T.-N.) 5 G4
Purcell's Harbour, LNCA (T.-N.) 3 D1
Purdy, LNCA (Ont.) 24 F2
Purdy Corners, LNCA (Ont.) 21 E2
Purlbrook, LNCA (N.-E.) 8 B4
Purple Grove, LNCA (Ont.) 23 B3
Purple Hill, LNCA (Ont.) 23 E3
Purple Hill, LNCA (Ont.) 21 C1
Purple Springs, LNCA (Alb.) 34 G3
Purple Valley, LNCA (Ont.) 23 C1
Purtuniq, LNCA (Qué.) 46 F3
Purves, LNCA (Man.) 29 G4
Pusey, LNCA (Ont.) 24 E3
Pushthrough, LNCA (T.-N.) 2 A2
Puskiakiwenin 122, RI (Alb.) 33 G3
Puslinch, LNCA (Ont.) 23 E4
Putkwa 14, RI (C.-B.) 35 B2
Putnam, LNCA (Ont.) 22 E1
Pynns, LNCA (T.-N.) 4 D1

Q

Quaal 3, RI (C.-B.) 41 D1
Quaal 3A, RI (C.-B.) 41 D1
Quaaout 1, RI (C.-B.) 36 G4
Quabbin, LNCA (Ont.) 17 C3
Quaco Road, LNCA (N.-B.) 11 E2
Quadeville, LNCA (Ont.) 24 F2
Quadra, LNCA (Man.) 29 E3
Quaee 7, RI (C.-B.) 41 G4
Quai-de-Rivière-Ouelle, LNCA (Qué.) 15 D1
Quai-de-St-Juste, LNCA (Qué.) 15 G1
Quaker Brook, LNCA (N.-B.) 12 A3
Qualark 4, RI (C.-B.) 35 B3
Qualicum, RI (C.-B.) 38 C2
Qualicum Beach, VL (C.-B.) 38 D2
Qualicum Beach Trailer Park, LNCS (C.-B.) 38 C2
Qualicum Park, LNCA (Ont.) 17 D4
Quaniwsom 2, RI (C.-B.) 37 D3
Quan-skum-ksin-mich-mich 4, RI (C.-B.) 42 F3
Qu'Appelle, V (Sask.) 29 B3
Quarindale, LNCA (Ont.) 23 D4
Quarry St Anns, LNCA (N.-E.) 8 E3
Quarryville, LNCA (N.-B.) 12 E3
Quartcha 3, RI (C.-B.) 41 F3
Quartier-St-Thomas, LNCA (Qué.) 15 E1
Quathiaski Cove, LNCA (C.-B.) 37 B4
Quatlenemo 5, RI (C.-B.) 35 A1
Quatleyo 12, RI (C.-B.) 39 C1
Quatre-Chemins, LNCA (Qué.) 15 C4
Quatre-Chemins, LNCA (Qué.) 15 B3
Quatre-Chemins, LNCA (Qué.) 15 C4
Quatre-Coins, LNCA (N.-B.) 12 A2
Quatre-Coins, LNCA (N.-B.) 15 G1
Quatre Fourches, LNCA (Alb.) 44 C3
Quatre-Milles, LNCA (N.-B.) 12 B1
Quatsino, LNCA (C.-B.) 39 C1
Quatsino 18, RI (C.-B.) 39 C1
Quattishe 1, RI (C.-B.) 39 C1
Quay 4, RI (C.-B.) 41 G4
Quckwa 7, RI (C.-B.) 41 E3
Québec, C (Qué.) 15 G3
Quebec Harbour, LNCA (Ont.) 27 H4
Queen Charlotte, LNCA (C.-B.) 41 B2
Queens Acres, LNCA (Ont.) 21 H1
Queens Bay, LNCA (C.-B.) 34 B4
Queensborough, LNCA (Ont.) 24 F4
Queen's Cove, LNCA (T.-N.) 2 F1
Queensland, LNCA (N.-E.) 9 A4
Queens Line, LNCA (Ont.) 17 A1
Queensport, LNCA (N.-E.) 9 G2
Queenstown, LNCA (N.-B.) 11 D2
Queenstown, LNCA (Alb.) 34 F3
Queens Valley, LNCA (Man.) 28 B1
Queensville, LNCA (Ont.) 21 B1
Queensville, LNCA (N.-E.) 8 C4
Queenswood Heights, LNCA (Ont.) 17 F3
Queenswood Village, LNCA (Ont.) 17 F3
Queesidaquah 4, RI (C.-B.) 38 D4
Quequa 6, RI (C.-B.) 37 C4
Querrin, LNCA (Sask.) 31 G4
Quesnel, V (C.-B.) 40 C3
Quesnel 1, RI (C.-B.) 40 C3
Quesnel Forks, LNCA (C.-B.) 40 D3
Quesnel View, LNCA (C.-B.) 40 C3
Quetico, LNCA (Ont.) 27 C3
Queylus, LNCA (Qué.) 15 B2
Quibell, LNCA (Ont.) 28 H1
Quick, LNCA (C.-B.) 42 F4
Quigley, LNCA (Alb.) 44 C4
Quilchena, LNCA (C.-B.) 35 D2
Quill Creek, LNCA (Yukon) 45 A3
Quill Lake, VL (Sask.) 31 H1
Quimper, LNCA (Sask.) 31 E4
Quinan, LNCA (N.-E.) 10 B3
Quinaquilth 4, RI (C.-B.) 38 B3
Quineex 8, RI (C.-B.) 39 C2
Quinn, LNCA (Ont.) 22 B3
Quinn Settlement, LNCA (Ont.) 17 B2
Quinogag 61, RI (C.-B.) 42 D3
Quinsam, LNCA (C.-B.) 37 B4
Quinsam 12, RI (C.-B.) 37 B4
Quinton, VL (Sask.) 31 H2
Quirpon, LNCA (T.-N.) 5 H2
Quisibis, LNCA (N.-B.) 15 H2
Quisitis 9, RI (C.-B.) 38 A3
Quispamsis, VL (N.-B.) 11 E2
Quortsowe 13, RI (C.-B.) 38 A2
Quyon, LNCA (Qué.) 17 B1
Quyon Ferry Landing, LNCA (Ont.) 17 B1

R

Rabbit Lake, VL (Sask.) 32 C3
Race Horse Camp, LNCA (Ont.) 24 F1
Racine, LNCA (Qué.) 16 C3
Rackety, LNCA (Ont.) 23 H1
Rackham, LNCA (Man.) 29 F3
Radford, LNCA (Qué.) 17 A1
Radisson, V (Sask.) 32 C4
Radisson, LNCA (Qué.) 20 E2
Radium, LNCA (C.-B.) 34 C3
Radium Hot Springs, LNCA (C.-B.) 34 C3
Radnor, LNCA (Alb.) 34 E2
Radnor-des-Forges, LNCA (Qué.) 16 C1
Radville, V (Sask.) 31 H4
Radway, VL (Alb.) 33 E2
Rae-Edzo, HAM (T.N.-O.) 45 E3
Rae Lakes, LNCA (T.N.-O.) 45 E3
Rafter, LNCA (Man.) 30 A1
Raft River Trailer Park, LNCS (C.-B.) 36 F2
Ragaot, LNCA (Qué.) 15 A4
Ragged Point, LNCS (T.-N.) 3 D1
Ragged Reef, LNCA (N.-E.) 11 H2
Raglan, LNCA (Ont.) 22 C3
Ragueneau (Qué.) 14 G1
Railton, LNCA (Ont.) 17 A4
Rainbow, LNCA (Alb.) 34 G2
Rainbow, LNCS (Ont.) 22 B1
Rainbow Haven, LNCA (N.-E.) 9 B4
Rainbow Lake, VL (Alb.) 45 E4
Rainier, LNCA (Alb.) 34 G3
Rainy Hollow, LNCA (C.-B.) 45 A4
Rainy Lake 17A, RI (Ont.) 28 H4
Rainy Lake 17B, RI (Ont.) 28 H4
Rainy Lake 18C, RI (Ont.) 28 H4
Rainy Lake 26A, RI (Ont.) 27 A3
Rainy Lake 26B, RI (Ont.) 27 A3
Rainy Lake 26C, RI (Ont.) 27 A3
Rainy River, V (Ont.) 28 F4
Raith, LNCA (Ont.) 27 D3
Raleigh, COMM (T.-N.) 5 H2
Raley, LNCA (Alb.) 34 F4
Ralls Island, LNCA (Man.) 30 A2
Ralph, LNCA (Sask.) 29 B4

Ralston, LNCA (Alb.) **34 H3**
Rama, VL (Sask.) **29 C1**
Rama 32, RI (Ont.) **23 G1**
Ramage, LNCA (C.-B.) **36 F4**
Rama Road < Rama 32, LNCA (Ont.) **23 G1**
Ramea, V (T.-N.) **4 E4**
Rameau, LNCA (Qué.) **13 H2**
Ramore, LNCA (Ont.) **26 F2**
Rampart House, LNCA (Yukon) **45 A1**
Ramsay Lodge, LNCA (N.-B.) **12 D2**
Ramsay Sheds, LNCA (N.-B.) **12 C1**
Ramsayville, LNCA (Ont.) **17 E4**
Ramsey, LNCA (Ont.) **26 D3**
Ramseys, LNCA (N.-E.) **9 C3**
Ranch, LNCA (Alb.) **33 D1**
Rancheria, LNCA (Yukon) **45 B4**
Randall Corner, LNCA (N.-B.) **11 D1**
Randboro, LNCA (Qué.) **16 E4**
Randolph, LNCA (Ont.) **23 E1**
Randolph, LNCA (Man.) **28 B2**
Randwick, LNCA (Ont.) **23 E2**
Ranfurly, LNCA (Alb.) **33 F3**
Rang-Cinq-et-Six, LNCA (N.-B.) **12 A1**
Rang-des-Bossé, LNCA (N.-B.) **15 H1**
Rang-des-Bourgoin, LNCA (N.-B.) **12 A2**
Rang-des-Collin, LNCA (N.-B.) **15 G2**
Rang-des-Couturier, LNCA (N.-B.) **15 H1**
Rang-des-Deschêne, LNCA (N.-B.) **15 H2**
Rang-des-Hamelins, LNCS (Qué.) **18 G3**
Rang-des-Lavoie, LNCA (N.-B.) **15 H2**
Rang-des-Morneault, LNCA (N.-B.) **15 G2**
Rang-Dix, LNCA (N.-B.) **12 B1**
Rang-Dix-Huit, LNCA (N.-B.) **12 B1**
Rang-Double-Nord, LNCA (N.-B.) **12 B1**
Rang-Double-Sud, LNCA (N.-B.) **12 B1**
Rang-Douze-Nord, LNCA (N.-B.) **12 B1**
Rang-Douze-Sud, LNCA (N.-B.) **12 B1**
Range 13, RI (C.-B.) **35 E4**
Ranger, LNCA (Sask.) **32 C3**
Ranger Lake, LNCA (Ont.) **26 B3**
Rangeton, LNCA (Alb.) **33 C3**
Rangeview, LNCA (Sask.) **31 C4**
Rang-Quatorze, LNCA (N.-B.) **12 B1**
Rang-St-David, LNCA (Qué.) **15 G2**
Rang-Ste-Marie, LNCA (Qué.) **14 C3**
Rang-St-Georges, LNCA (N.-B.) **12 F1**
Rang-St-Joseph, LNCA (N.-B.) **15 G2**
Rang-St-Nicolas, LNCA (Qué.) **15 B2**
Rang-Seize, LNCA (N.-B.) **12 B1**
Rang-Sept, LNCA (N.-B.) **12 B1**
Rang-Sept-et-Huit, LNCA (N.-B.) **12 B1**
Rankin, LNCA (Ont.) **24 G1**
Rankin, LNCA (Ont.) **18 A4**
Rankin Inlet, HAM (T.N.-O.) **46 B2**
Rankin Location 15D, RI (Ont.) **26 B4**
Rankinville, LNCA (N.-E.) **8 C3**
Rannoch, LNCA (Ont.) **22 E1**
Ranoke, LNCA (Ont.) **20 C4**
Rantem, LNCA (T.-N.) **2 F2**
Rapid City, V (Man.) **29 F3**
Rapide-Blanc, LNCA (Qué.) **18 G2**
Rapide-Danseur, LNCA (Qué.) **18 A1**
Rapide-des-Chiens, LNCA (Qué.) **18 E3**
Rapide-des-Pins, LNCA (Qué.) **18 E3**
Rapide-Deux, LNCA (Qué.) **18 A2**
Rapide-Dufort, LNCA (Qué.) **18 D4**
Rapides-des-Joachims, LNCA (Qué.) **18 B4**
Rapide-Sept, LNCA (Qué.) **18 B2**
Rapid Lake, RI (Qué.) **18 C3**
Rapids Depot, LNCA (N.-B.) **13 A4**
Rapid Valley, LNCA (Ont.) **17 B4**
Rapid View, LNCA (Sask.) **32 B2**
Raspberry, LNCA (C.-B.) **34 B4**
Ratcliffe, LNCA (Sask.) **31 H4**
Rathburn, LNCA (Ont.) **23 G1**
Ratho, LNCA (Ont.) **22 F1**
Rathwell, LNCA (Man.) **29 G4**
Rathwell's Shore, LNCA (Ont.) **17 B2**
Ratner, LNCA (Sask.) **32 F3**
Rat Portage 38A, RI (Ont.) **28 F2**
Rat Rapids, LNCA (Ont.) **30 F4**
Rat River, LNCA (T.N.-O.) **44 C1**
Ratter Corner, LNCA (N.-B.) **11 E2**
Rattling Brook, LNCA (T.-N.) **3 A1**
Rattling Brook, LNCA (T.-N.) **3 C3**
Rattling Brook Depot, LNCA (T.-N.) **3 B3**
Ratzburg, LNCA (Ont.) **23 D4**
Raudot, LNCA (Qué.) **14 F4**
Raven, LNCA (Alb.) **34 E1**
Ravendale, LNCA (Sask.) **32 G3**
Ravenhead, LNCA (Sask.) **32 C4**
Ravenna, LNCA (Ont.) **23 G2**
Ravenscrag, LNCA (Sask.) **31 C4**
Ravenshoe, LNCA (Ont.) **21 B1**
Ravensview, LNCA (Ont.) **17 B4**
Ravenswood, LNCA (Ont.) **22 C1**
Ravensworth, LNCA (Ont.) **24 C1**
Ravignan-Nord, LNCA (Qué.) **15 D4**
Ravine, LNCA (Alb.) **33 C3**
Rawcliffe, LNCA (Qué.) **17 F1**
Rawdon, VL (Qué.) **18 F4**
Rawdon Gold Mines, LNCA (N.-E.) **9 B3**
Rawebb, LNCA (Man.) **30 A2**
Raymond, V (Alb.) **34 G4**
Raymond, LNCA (Ont.) **24 B2**
Raymond Point, LNCA (T.-N.) **2 B2**
Raymonds Corners, LNCA (Ont.) **17 A3**
Raymore, V (Sask.) **31 H2**
Raynardton, LNCA (N.-E.) **10 B3**
Rayside, LNCA (Ont.) **22 E1**
Rayside-Balfour, V (Ont.) **26 E4**
Reaboro, LNCA (Ont.) **21 C1**
Reaburn, LNCA (Man.) **29 H3**
Read, LNCA (Ont.) **21 G1**
Readford, LNCA (Yukon) **45 A2**
Reading, LNCA (Ont.) **23 E3**
Read Island, LNCA (C.-B.) **37 B4**
Read Island, LNCA (T.N.-O.) **47 B4**
Readlyn, LNCA (Sask.) **31 G4**
Rear Balls Creek, LNCA (N.-E.) **8 E3**
Rear Big Hill, LNCA (N.-E.) **8 E3**
Rear Big Pond, LNCA (N.-E.) **8 E3**
Rear Black River, LNCA (N.-E.) **8 D4**
Rear Boisdale, LNCA (N.-E.) **8 E3**
Rear Christmas Island, LNCA (N.-E.) **8 E3**
Rear Dunvegan, LNCA (N.-E.) **8 D3**
Rear Estmere, LNCA (N.-E.) **8 D3**
Rear Forks, LNCA (N.-E.) **8 D3**
Rear Judique Chapel, LNCA (N.-E.) **8 C4**
Rear Judique South, LNCA (N.-E.) **8 C4**
Rear Little River, LNCA (N.-E.) **8 E2**
Rear Monastery, LNCA (N.-E.) **8 C4**
Rear of East Bay, LNCA (N.-E.) **8 E3**
Rébéca, LNCA (Qué.) **15 C1**
Reco, LNCA (Alb.) **33 B4**
Rectory-Hill, LNCA (Qué.) **15 A4**
Redan, LNCA (Ont.) **17 C3**
Red Bank, LNCA (N.-B.) **12 E2**
Redbank, LNCA (N.-B.) **11 E1**
Red Bank 4, RI (N.-B.) **12 E2**
Red Bank 7, RI (N.-B.) **12 E2**
Red Bay, COMM (T.-N.) **5 G1**
Red Bay, LNCA (Ont.) **25 H2**
Redberry, LNCA (Sask.) **32 C4**
Redberry Park, LNCA (Sask.) **32 C4**
Red Bluff, LNCA (C.-B.) **40 C3**
Red Bluff 88, RI (C.-B.) **42 D4**
Red Brook < Cape St George – Petit Jardin – Grand Jardin – De Grau – Marches Point – Loretto, LNCA (T.-N.) **4 A2**
Redcliff, V (Alb.) **31 B3**
Red Cliff, LNCA (T.-N.) **3 G4**
Red Cliff 13, RI (C.-B.) **42 D4**
Red Cove, LNCA (T.-N.) **2 B2**
Red Cross, LNCA (Sask.) **32 A3**
Red Deer, C (Alb.) **34 E1**
Red Deer Hill, LNCA (Sask.) **32 D4**
Red Deer Junction, LNCA (Alb.) **33 D4**
Red Deer Lake, LNCA (Man.) **30 A3**
Reddendale, LNCA (Ont.) **17 A4**
Redditt, LNCA (Ont.) **28 F1**
Red Earth < Carrot River 29A, LNCA (Sask.) **32 G3**
Red Earth 29, RI (Sask.) **32 G3**
Red Earth Creek, LNCA (Alb.) **44 A4**
Redelback Development, LNCS (Alb.) **34 G3**
Redfield, LNCA (Sask.) **32 C4**
Red Harbour, COMM (T.-N.) **2 C3**
Red Head Cove, LNCA (T.-N.) **2 H1**
Red House, LNCA (I.-P.-E.) **7 E4**
Redickville, LNCA (Ont.) **23 E2**
Red Island, LNCA (T.-N.) **2 E3**
Red Island, LNCA (T.-N.) **4 E4**
Red Islands, LNCA (N.-E.) **8 D4**
Red Jacket, LNCA (Sask.) **29 D3**
Red Lake, LNCA (Ont.) **30 D4**
Red Lake Road, LNCA (Ont.) **28 H1**
Redland, LNCA (Alb.) **34 F2**
Red-Mill, LNCA (Qué.) **16 C1**
Redmondville, LNCA (N.-B.) **12 F2**
Red-Mountain, LNCA (Qué.) **16 E3**
Rednersville, LNCA (Ont.) **21 F1**
Redonda Bay, LNCA (C.-B.) **37 C3**
Redpass Junction, LNCA (C.-B.) **40 G3**
Red Pheasant, LNCA (Sask.) **32 B4**
Red Pheasant 108, RI (Sask.) **32 B4**
Red Point, LNCA (I.-P.-E.) **7 E3**
Red Point, LNCA (N.-E.) **8 D3**
Red Point, LNCA (T.-N.) **6 H3**
Red Point East, LNCA (N.-E.) **8 D3**
Red Rapids, LNCA (N.-B.) **12 A3**
Red River, LNCA (N.-E.) **8 D1**
Red Rock, LNCA (Ont.) **27 F2**
Red Rock, LNCA (C.-B.) **40 C2**
Red Rock, LNCA (N.-B.) **12 C4**
Red Rock, LNCA (N.-B.) **12 D3**
Red Rock 53, RI (Ont.) **27 E2**
Red Rock Lake, LNCA (Man.) **28 D1**
Red Rose, LNCA (Man.) **29 H2**
Red Star, LNCA (Alb.) **43 G3**
Redstone, LNCA (C.-B.) **40 B4**
Redstone Cemetery 1B, RI (C.-B.) **40 B4**
Redstone Flat 1, RI (C.-B.) **40 B4**
Redstone Flat 1A, RI (C.-B.) **40 B4**
Red Sucker Lake, LNCA (Man.) **30 D2**
Redvers, V (Sask.) **29 D4**
Redwater, V (Alb.) **33 E3**
Redwater Creek 30, RI (C.-B.) **40 B3**
Red Willow, LNCA (Alb.) **33 E4**
Red Wing, LNCA (Ont.) **23 D2**
Red Wing Terrace, LNCS (Sask.) **32 D3**
Redwood, LNCA (Ont.) **24 B2**
Reeces Corners, LNCA (Ont.) **22 C2**
Reeder, LNCA (Man.) **29 E3**
Reed River 36A, RI (Man.) **28 E3**
Reeds Point, LNCA (N.-B.) **11 E2**
Reedy Creek, LNCA (Man.) **29 G2**
Reefs Harbour, LNCA (T.-N.) **5 G2**
Rees, LNCA (N.-B.) **11 E1**
Reesor, LNCA (Ont.) **20 C4**
Reeve, LNCA (Man.) **29 F3**
Reevecraig, LNCA (Ont.) **17 C2**
Refuge Cove, LNCA (C.-B.) **37 C4**
Refuge Cove 6, RI (C.-B.) **39 F4**
Regan, LNCA (Ont.) **27 H3**
Regent, LNCA (Man.) **29 E4**
Regina, C (Sask.) **31 H3**
Regina Beach, VL (Sask.) **31 G2**
Regway, LNCA (Sask.) **31 H4**
Reid, LNCA (N.-E.) **9 C3**
Reid Lake, LNCA (C.-B.) **40 C2**
Reid's Corners, LNCA (Ont.) **23 B3**
Reid's Mill, LNCA (Ont.) **22 G1**
Reids Mills, LNCA (Ont.) **17 C2**
Reidsville, LNCA (Ont.) **22 G1**
Reidville, COMM (T.-N.) **5 G4**
Reidville, LNCA (Qué.) **16 D4**
Reidville, LNCA (Ont.) **21 G1**
Reindeer Station, LNCA (T.N.-O.) **45 C1**
Reinfeld, LNCA (Man.) **29 H4**
Reinland, LNCA (Man.) **29 H4**
Reiswig, LNCA (C.-B.) **35 G2**
Relessey, LNCA (Ont.) **23 E3**
Reliance, LNCA (Sask.) **31 E4**
Reliance, LNCA (T.N.-O.) **44 D1**
Rembrandt, LNCA (Man.) **29 H2**
Remicks, LNCA (Ont.) **27 D3**
Rémigny, LNCA (Qué.) **18 A2**
Remo, LNCS (C.-B.) **42 E4**
Renabie, LNCA (Ont.) **26 B2**
Renata, LNCA (C.-B.) **35 H3**
Renauds Mills, LNCA (N.-B.) **12 G4**
Rencontre East, COMM (T.-N.) **2 C2**
Rencontre West, LNCA (T.-N.) **4 F4**
Reneault, LNCA (Qué.) **18 A1**
Renews < Renews – Cappahayden, LNCA (T.-N.) **2 H4**
Renews – Cappahayden, COMM (T.-N.) **2 H4**
Renforth, VL (N.-B.) **11 D3**
Renfrew, V (Ont.) **17 A1**
Renfrew, LNCA (N.-E.) **9 B3**
Rennie, LNCA (Man.) **28 D1**
Rennies Road, LNCA (I.-P.-E.) **7 C3**
Reno, LNCA (Alb.) **43 H3**
Renous, LNCA (N.-B.) **12 E3**
Renous 12, RI (N.-B.) **12 E3**
Renown, LNCA (Sask.) **31 G1**
Renversy, LNCA (Qué.) **16 B1**
Renwer, LNCA (Man.) **29 E1**
Renwick, LNCA (Ont.) **22 B3**
Repentigny, V (Qué.) **18 G4**
Repulse Bay, LNCA (T.N.-O.) **46 D2**
Reserve, LNCA (Sask.) **32 G4**
Reserve Mines, LNCA (N.-E.) **8 F3**
Reserve Rows, LNCA (N.-E.) **8 F3**
Resolute, LNCA (T.N.-O.) **47 D3**
Resolution Island, LNCA (T.N.-O.) **46 G3**
Resource, LNCA (Sask.) **32 F4**
Restigouche < Restigouche 1, LNCA (Qué.) **13 C4**
Restigouche 1, RI (Qué.) **13 C3**
Reston, LNCA (Man.) **29 E4**
Restoule, LNCA (Ont.) **25 H2**
Retallack, LNCA (C.-B.) **34 B3**
Retlaw, LNCA (Alb.) **34 G3**
Revelstoke, C (C.-B.) **34 A2**
Revenue, LNCA (Sask.) **31 C1**
Révillart, LNCS (Qué.) **18 B2**
Reward, LNCA (Sask.) **31 C1**
Rex, LNCA (Sask.) **32 A3**
Rexons Cove, LNCA (T.-N.) **6 H4**
Rexton, VL (N.-B.) **12 G3**
Reykjavik, LNCA (Man.) **29 G2**
Reynaud, LNCA (Sask.) **32 E4**
Reynoldscroft, LNCA (N.-E.) **10 C4**
Rhein, VL (Sask.) **29 D2**
Rheinfeld, LNCA (Sask.) **31 E3**
Rheinland, LNCA (Sask.) **31 F1**
Rhineland, LNCA (Sask.) **31 E3**
Rhodena, LNCA (N.-E.) **8 C4**
Rhodes, LNCA (Ont.) **22 C3**
Rhodes Corner, LNCA (N.-E.) **10 E2**
Rhone, LNCA (C.-B.) **35 G4**
Ribstone, LNCA (Alb.) **33 H4**
Riceburg, LNCA (Qué.) **16 B4**
Rice Point, LNCA (I.-P.-E.) **7 C4**
Riceton, LNCA (Sask.) **31 H3**
Riceville, LNCA (N.-B.) **15 G2**
Riceville, LNCA (Ont.) **17 E1**
Riceville, LNCA (N.-B.) **11 A1**
Richan, LNCA (Ont.) **27 A1**
Richard, VL (Sask.) **32 C4**
Richard's Harbour, LNCA (T.-N.) **2 A2**
Richards Landing, LNCA (Ont.) **26 B4**
Richardson, LNCA (N.-B.) **11 B3**
Richardson, LNCA (Sask.) **31 H3**
Richardsville, LNCA (N.-B.) **13 C4**
Richard-Village, LNCA (N.-B.) **12 F3**
Rich Bar, LNCA (C.-B.) **40 C3**
Rich Bar 4, RI (C.-B.) **40 C3**
Richdale, LNCA (Alb.) **34 G1**
Riche-en-Bois, LNCA (Qué.) **18 F4**
Richelieu, V (Qué.) **16 A3**
Richer, LNCA (Man.) **28 B2**
Richfield, LNCA (N.-E.) **10 B3**
Rich Hill, LNCA (Ont.) **21 A2**
Richibucto, VL (N.-B.) **12 G3**
Richibucto 15, RI (N.-B.) **12 G3**
Richibucto-Village, LNCA (N.-B.) **12 G3**
Rich Lake, LNCA (Alb.) **33 F2**
Richland, LNCA (Man.) **28 B1**
Richlea, LNCA (Sask.) **31 D2**
Richmond, DM (C.-B.) **38 F2**
Richmond, V (Qué.) **16 C3**
Richmond, LNCA (Ont.) **17 C2**
Richmond, LNCA (I.-P.-E.) **7 B3**
Richmond, LNCA (Ont.) **22 F2**
Richmond, LNCA (N.-E.) **9 B1**
Richmond Corner, LNCA (N.-B.) **11 A1**
Richmond Hill, V (Ont.) **21 B2**
Richmond Park, LNCA (Alb.) **33 E1**
Richmond Road, LNCA (N.-E.) **10 A3**
Richmound, VL (Sask.) **31 C3**
Rich Valley, LNCA (Alb.) **33 D3**
Richwood, LNCA (Ont.) **22 F1**
Ricinus, LNCA (Alb.) **34 D1**
Ricketts Bridge, LNCA (T.-N.) **2 H2**
Rideau Ferry, LNCA (Ont.) **17 B3**
Rideau Glen, LNCA (Ont.) **17 E4**
Ridgeclough, LNCA (Alb.) **33 H4**
Ridgedale, VL (Sask.) **32 F4**
Ridgetown, V (Ont.) **22 C3**
Ridgeville, LNCA (Man.) **28 A3**
Ridgewood Road Subdivision, LNCS (C.-B.) **34 B4**
Riding Mountain, LNCA (Man.) **29 F3**
Ridley, LNCA (Man.) **29 G1**
Rife, LNCA (Alb.) **33 G2**
Rigaud, V (Qué.) **17 F1**
Rigolet, LNCA (T.-N.) **6 G3**
Riley Brook, LNCA (N.-B.) **12 B2**
Riley Creek 1B, RI (C.-B.) **35 A1**
Rimbey, V (Alb.) **33 D4**
Rimington, LNCA (Ont.) **24 F4**
Rimouski, C (Qué.) **14 G3**
Rimouski-Est, VL (Qué.) **14 G3**
Rio Grande, LNCA (N.-B.) **12 E1**
Rio Grande, LNCA (Alb.) **43 F4**
Riondel, LNCA (C.-B.) **34 B4**
Riou, LNCA (Qué.) **14 F4**
Ripley, VL (Ont.) **23 B3**
Ripley Loop, LNCA (N.-E.) **9 B1**
Ripon, VL (Qué.) **18 E4**
Ripple, LNCA (Ont.) **27 G3**
Ripples, LNCA (N.-B.) **11 D1**
Riske Creek, LNCA (C.-B.) **36 A2**
Ritchance, LNCA (Ont.) **17 E1**
Ritchie, LNCS (N.-B.) **11 B1**
Rivard, LNCA (Qué.) **16 D4**
Riverbank, LNCA (N.-B.) **12 A4**
Riverbank, LNCA (N.-B.) **11 E2**
Riverbank, LNCA (Ont.) **23 D3**
Riverbend, LNCA (Alb.) **33 E3**
River Bend Trailer Court, LNCS (C.-B.) **34 A2**
River Bennet, LNCA (N.-E.) **8 E3**
River Bourgeois, LNCA (N.-E.) **8 D4**
River Canard, LNCA (Ont.) **22 A3**
River Centre, LNCA (N.-E.) **8 C3**
Rivercourse, LNCA (Alb.) **33 H4**
Rivercrest, LNCA (Man.) **28 A1**
Riverdale, LNCA (N.-E.) **10 B2**
Riverdale, LNCA (I.-P.-E.) **7 C4**
Riverdale, LNCA (Man.) **29 F3**
Riverdale Subdivision, LNCS (C.-B.) **35 F1**
River de Chute, LNCA (N.-B.) **12 A3**
River de Chute Siding, LNCA (N.-B.) **12 A3**
River Denys, LNCA (N.-E.) **8 D4**
River Denys Centre, LNCA (N.-E.) **8 C4**
River Denys Road, LNCA (N.-E.) **8 C4**
River Drive Park, LNCA (Ont.) **21 B1**
Riverfield, LNCA (Qué.) **17 G2**
River Glade, LNCA (N.-B.) **11 F1**
Riverhead, COMM (T.-N.) **2 G4**
Riverhead, LNCA (T.-N.) **2 G2**
Riverhead, LNCA (N.-E.) **10 B4**
River Head, LNCA (N.-E.) **10 D3**
River Hebert, LNCA (N.-E.) **11 H2**
River Hills, LNCA (Man.) **28 C1**
Riverhurst, VL (Sask.) **31 E2**
River John, LNCA (N.-E.) **9 C1**
River Jordan, LNCA (C.-B.) **38 D4**
River of Ponds, COMM (T.-N.) **5 G3**
River Philip, LNCA (N.-E.) **9 A1**
River Philip Centre, LNCA (N.-E.) **9 A1**
Riverport, LNCA (N.-E.) **10 E2**
River Ryan, LNCA (N.-E.) **8 F3**
Rivers, V (Man.) **29 E3**
Riversdale, LNCA (Ont.) **23 B3**
Riversdale, LNCA (N.-E.) **9 C2**
Riversdale, LNCA (N.-B.) **11 F1**
Riverside, LNCA (N.-E.) **9 A3**
Riverside, LNCA (Man.) **29 H4**
Riverside, LNCA (N.-E.) **9 C2**
Riverside, LNCA (N.-E.) **8 C4**
Riverside, LNCA (Ont.) **24 A3**
Riverside, LNCA (Ont.) **22 D2**
Riverside, LNCA (Man.) **28 A1**
Riverside, LNCS (Sask.) **31 H4**
Riverside-Albert, VL (N.-B.) **11 G2**
Riverside Corner, LNCA (N.-E.) **9 B3**
Riverside Heights, LNCA (Ont.) **17 D2**
Riverside Park, LNCS (N.-E.) **10 E2**
Riverside Trailer Park, LNCS (Ont.) **22 C3**
Rivers Inlet, LNCA (C.-B.) **41 F4**
Riverstown, LNCA (Ont.) **23 D3**
River Tillard, LNCA (N.-E.) **8 D4**
Riverton, LNCA (N.-E.) **9 D2**
Riverton, LNCA (I.-P.-E.) **7 D4**
Riverton, VL (Man.) **30 C4**
Rivervale, LNCA (C.-B.) **34 B4**
River Valley, LNCA (Ont.) **26 F4**
River Valley, LNCA (Ont.) **21 F1**
Riverview, V (N.-B.) **11 G1**
Riverview, LNCA (N.-E.) **9 B1**
Riverview, LNCA (Alb.) **33 G3**
Riverview, LNCA (Ont.) **23 E3**
River View, LNCA (N.-B.) **11 F2**
Riverview, LNCA (Ont.) **24 G1**
Riverview Beach, LNCA (Ont.) **21 B1**
Riverview Heights, LNCA (Ont.) **17 C3**
Riverview Park, LNCS (Alb.) **34 E1**
Riverville, LNCA (N.-E.) **8 C3**
Rivière-à-Claude, LNCA (Qué.) **13 E1**
Rivière-à-la-Chaloupe, LNCA (Qué.) **19 G3**
Rivière-à-la-Truite, LNCA (N.-B.) **15 G1**
Rivière-à-Pierre, LNCA (Qué.) **18 H3**
Rivière-au-Portage, LNCA (N.-B.) **12 G2**
Rivière-au-Renard (Qué.) **13 H1**
Rivière-au-Tonnerre, LNCA (Qué.) **19 G3**
Rivière-aux-Graines, LNCA (Qué.) **19 G3**
Rivière-aux-Rats, LNCA (Qué.) **18 G3**
Rivière-Barry, LNCA (Qué.) **18 C4**
Rivière-Beaudette, VL (Qué.) **17 F2**
Rivière-Bersimis, LNCA (Qué.) **14 G2**
Rivière-Bleue, LNCA (Qué.) **15 F1**
Rivière-Boisvert, LNCA (Qué.) **20 G4**
Rivière-Bonaventure, LNCA (Qué.) **13 F3**
Rivière-Brochu, LNCA (Qué.) **19 E3**
Rivière-Cabano, LNCA (Qué.) **15 F1**
Rivière-Caplan, LNCA (Qué.) **13 E3**
Rivière-de-la-Chaloupe, LNCA (Qué.) **5 A4**
Rivière-des-Caps, LNCA (Qué.) **14 E4**
Rivière-des-Fèves, LNCA (Qué.) **17 G2**
Rivière-des-Hurons, LNCA (Qué.) **16 A3**
Rivière-des-Plantes, LNCA (Qué.) **15 B4**
Rivière-des-Roches, LNCA (Qué.) **15 B2**
Rivière-du-Gouffre, LNCA (Qué.) **15 C1**
Rivière-du-Loup, C (Qué.) **14 E4**
Rivière-du-Moulin-Développement, LNCS (Qué.) **15 B4**
Rivière-du-Portage, LNCA (N.-B.) **12 G1**
Rivière-Eperlan, LNCA (Qué.) **14 F2**
Rivière-Eternité, LNCA (Qué.) **14 C3**
Rivière-Gilbert, LNCA (Qué.) **15 C4**
Rivière-Héva, LNCA (Qué.) **18 B2**
Rivière-Lafleur, LNCA (Qué.) **15 H3**
Rivière-la-Madeleine, LNCA (Qué.) **13 F1**
Rivière-Loïs, LNCA (Qué.) **18 A1**
Rivière-Manie, LNCA (Qué.) **15 E2**
Rivière-Matane, LNCA (Qué.) **13 B2**
Rivière-Matawin, LNCA (Qué.) **18 G3**
Rivière-Mékinac, LNCA (Qué.) **18 G3**
Rivière-Metgermette-Nord, LNCA (Qué.) **16 G2**
Rivière-Mont-Louis, LNCA (Qué.) **13 E1**
Rivière-Nouvelle, LNCS (Qué.) **13 F3**
Rivière-Ouelle, LNCA (Qué.) **15 D1**
Rivière-Ouelle-Station, LNCA (Qué.) **15 D1**
Rivière-Paspébiac, LNCA (Qué.) **13 F3**
Rivière-Pentecôte, LNCA (Qué.) **19 E3**
Rivière-Pigou, LNCA (Qué.) **19 F3**
Rivière-Plate, LNCA (Qué.) **14 F4**
Rivière-Port-Daniel, LNCA (Qué.) **13 G3**
Rivière-Portneuf, LNCA (Qué.) **14 F2**
Rivière Qui Barre, LNCA (Alb.) **33 D3**
Rivière-Ste-Marguerite, LNCA (Qué.) **14 D3**
Rivière-Ste-Marguerite-en-Bas, LNCA (Qué.) **19 E3**
Rivière-St-François, LNCA (Qué.) **16 C3**
Rivière-St-Jean, LNCA (Qué.) **19 H3**
Rivière-St-Paul, LNCA (Qué.) **5 F2**
Rivière-Susie, LNCA (Qué.) **18 D2**
Rivière-Thompson, LNCA (Qué.) **18 B2**
Rivière-Trois-Pistoles, LNCA (Qué.) **14 F3**
Rivière-Turgeon, LNCA (Qué.) **18 A1**
Rivière-Verte, LNCA (Qué.) **14 E4**
Rivière-Verte, VL (N.-B.) **15 H3**
Rivière Veuve, LNCA (Ont.) **25 F1**
Rivington, LNCA (Qué.) **18 E4**
Rivulet, LNCA (N.-E.) **8 D2**
Roach, LNCA (N.-B.) **11 C2**
Roaches Line, LNCA (T.-N.) **2 G2**
Roachvale, LNCA (N.-E.) **9 F2**
Roachville, LNCA (N.-B.) **11 E2**
Roadene, LNCA (Sask.) **31 D3**
Robb, LNCA (Alb.) **33 A3**
Robbins Range, LNCA (C.-B.) **35 E1**
Robbtown, LNCA (Ont.) **23 D3**
Roberge, LNCA (Qué.) **16 D2**
Roberta, LNCA (N.-E.) **8 D4**
Robert's Arm, V (T.-N.) **3 B2**
Roberts Creek, LNCA (C.-B.) **38 E2**
Roberts Island, LNCA (N.-E.) **10 B3**
Robertson, LNCA (I.-P.-E.) **7 D4**
Robertson's Shore, LNCA (Ont.) **17 B2**
Robertsonville, VL (Qué.) **15 B4**
Robertsville, LNCA (Ont.) **17 A2**
Robertville, LNCA (N.-B.) **12 E1**
Roberval, C (Qué.) **18 H1**
Robichaud, LNCA (N.-B.) **7 A4**
Robichaud, LNCA (Qué.) **13 E3**
Robichaud Settlement, LNCA (N.-B.) **12 F2**
Robidoux, LNCA (Qué.) **13 E3**
Robinhood, LNCA (Sask.) **32 B3**
Robin Landing, LNCA (Ont.) **21 E1**
Robins, LNCA (N.-E.) **8 D4**
Robinson, LNCA (Alb.) **33 C3**
Robinson, LNCA (Yukon) **45 B3**
Robinson Corner, LNCA (N.-E.) **9 A3**
Robinsons, LNCA (T.-N.) **4 B2**
Robinsons Corner, LNCA (N.-E.) **10 E2**
Robinsonville, LNCA (N.-B.) **13 C4**
Robitaille, LNCA (Qué.) **13 D3**
Roblin, V (Man.) **29 D2**
Roblin, LNCA (Ont.) **21 G1**
Roblindale, LNCA (Ont.) **21 G1**
Roblin Mills, LNCA (Ont.) **21 G1**
Rob Roy, LNCA (Ont.) **23 E2**
Robsart, VL (Sask.) **31 C4**
Robson, LNCA (C.-B.) **34 B4**
Robson, LNCA (Qué.) **16 C3**
Rocaille, LNCA (Qué.) **16 C3**
Rocanville, V (Sask.) **29 D3**
Roc-d'Or, LNCA (Qué.) **18 B2**
Rochebaucourt, LNCA (Qué.) **18 C1**
Rochefort, LNCA (Ont.) **24 F2**
Roche Percée, VL (Sask.) **29 C4**
Roche-Plate, LNCA (Qué.) **15 F3**
Rocher Fendu, LNCA (Ont.) **24 H1**
Rocher-Percé, LNCA (Qué.) **18 H1**
Rocher River, LNCA (T.N.-O.) **44 C1**
Roches Point, LNCA (Ont.) **21 B1**
Rochester, LNCA (Alb.) **33 E2**
Rochette, LNCA (Qué.) **15 D1**
Rocheville, LNCA (N.-B.) **12 F1**
Rochfort Bridge, LNCA (Alb.) **33 C3**
Rochon Sands, VL (Alb.) **33 E4**
Rock Barra, LNCA (I.-P.-E.) **7 E3**
Rock Bay, LNCA (C.-B.) **37 B3**
Rockburn, LNCA (Qué.) **17 G2**
Rock Chapel, LNCA (Ont.) **21 A3**
Rockcliffe Park, VL (Ont.) **17 E4**
Rockcliffe Survey, LNCA (Ont.) **21 A3**
Rock Creek, LNCA (Yukon) **45 A2**
Rock Creek, LNCA (C.-B.) **35 G4**
Rockcroft, LNCA (Ont.) **24 D4**
Rockdale, LNCA (N.-E.) **8 D4**
Rockdale, LNCA (Ont.) **17 D1**
Rockdale, LNCA (Ont.) **24 F4**
Rock Dell, LNCA (Sask.) **29 C2**
Rock Elm, LNCA (N.-E.) **8 E3**
Rockfield, LNCA (N.-E.) **9 D1**
Rockfield, LNCA (Ont.) **17 C3**
Rockford, LNCA (Ont.) **23 C2**
Rockford, LNCA (Sask.) **29 C1**
Rock-Forest, LNCA (Qué.) **16 D4**
Rockglen, V (Sask.) **31 F4**
Rock Harbour, LNCA (T.-N.) **2 C3**
Rockhaven, VL (Sask.) **32 B4**
Rockhurst, LNCA (Qué.) **17 C1**
Rockingham, LNCA (Ont.) **24 F2**
Rock-Island, V (Qué.) **16 D4**
Rock Lake, LNCA (Ont.) **26 B4**
Rock Lake, LNCA (Ont.) **26 D2**
Rockland, V (Ont.) **17 D1**
Rockland, LNCA (N.-E.) **10 D1**
Rockland, LNCA (N.-E.) **10 D4**
Rockley, LNCA (N.-E.) **9 B1**
Rocklin, LNCA (N.-E.) **9 D2**
Rocklyn, LNCA (Ont.) **23 D2**
Rock Mills, LNCA (Ont.) **23 D2**
Rockport, LNCA (Ont.) **17 C4**
Rockport, LNCA (N.-B.) **11 H2**
Rocksprings, LNCA (Ont.) **17 C3**
Rockton, LNCA (Ont.) **22 G1**
Rockville, LNCA (N.-E.) **10 A3**
Rockville, LNCA (N.-B.) **11 F2**
Rockville, LNCA (Ont.) **25 C2**
Rockville Notch, LNCA (N.-E.) **10 D1**
Rockway-Valley, LNCA (Qué.) **18 E4**
Rockwood, LNCA (Ont.) **23 E4**
Rockwynn, LNCA (Ont.) **24 B1**
Rocky Bay, LNCA (N.-E.) **8 D4**
Rocky Bay 1, RI (Ont.) **27 F2**
Rockyford, VL (Alb.) **34 F2**
Rocky Harbour, COMM (T.-N.) **5 F4**
Rocky Harbour < Rocky Harbour (COMM), LNCA (T.-N.) **5 F4**
Rocky Inlet, LNCA (Ont.) **27 A3**
Rocky Lake 21L, RI (Man.) **32 H2**
Rocky Lane, LNCA (Alb.) **44 A3**
Rocky Mountain, LNCA (N.-E.) **9 E2**
Rocky Mountain House, V (Alb.) **33 C4**
Rocky Point, LNCA (I.-P.-E.) **7 C4**
Rocky Point, LNCA (Ont.) **17 D4**
Rocky Point 3, RI (I.-P.-E.) **7 C4**
Rocky Rapids, LNCA (Alb.) **33 C3**
Rocky Ridge, LNCA (N.-E.) **8 C3**
Rocky Saugeen, LNCA (Ont.) **23 D2**
Rocky View, LNCA (Alb.) **34 E2**
Rockyview, LNCA (C.-B.) **34 C4**
Roddickton, V (T.-N.) **5 H2**
Rodef, LNCA (Alb.) **33 E3**
Rodgers, LNCA (Sask.) **31 F3**
Rodgers Cove, LNCA (T.-N.) **3 D2**
Rodney, LNCA (N.-E.) **9 A1**
Rodney, VL (Ont.) **22 D2**
Roeberta Park, LNCA (Ont.) **21 A1**
Roebuck, LNCA (Ont.) **17 C3**
Roe Lake, LNCA (C.-B.) **36 E3**
Rogerdale, LNCA (Qué.) **17 F1**
Rogers, LNCA (C.-B.) **34 B2**
Rogers, LNCA (N.-E.) **9 C1**
Rogers, LNCA (Man.) **29 E3**
Rogers Hill, LNCA (N.-E.) **9 D1**
Rogers Hill Cross Roads, LNCA (N.-E.) **9 D1**
Rogers Pass, LNCA (C.-B.) **34 B2**
Rogersville, VL (N.-B.) **12 F3**
Roggan-River, LNCA (Qué.) **20 D2**
Rohallion, LNCA (Ont.) **23 G1**
Rokeby, LNCA (Sask.) **29 C2**
Rokeby, LNCA (Ont.) **22 C2**
Rolag Subdivision, LNCS (Alb.) **34 F4**
Roland, LNCA (Man.) **29 H4**
Rolla, LNCA (C.-B.) **43 F3**
Rollet, LNCA (Qué.) **18 A2**
Rollingdam, LNCA (N.-B.) **11 B3**
Rolling Hills, LNCA (Alb.) **34 G3**
Rolling River 67, RI (Man.) **29 F3**
Rollo Bay, LNCA (I.-P.-E.) **7 E3**
Rolly View, LNCA (Alb.) **33 E3**
Rolphton, LNCA (Ont.) **18 B4**
Roma, LNCA (Alb.) **43 H3**
Romaine, LNCA (Qué.) **5 C3**
Romaine 2, RI (Qué.) **5 C3**
Romaines < Berry Head, Port au Port, LNCA (T.-N.) **4 B2**
Roma Junction, LNCA (Alb.) **43 H3**
Romance, LNCA (Sask.) **31 G1**
Roman Valley, LNCA (N.-E.) **9 F2**
Romieu, LNCA (Qué.) **13 C1**
Romieu-Sud, LNCA (Qué.) **13 C1**
Ronalane, LNCA (Alb.) **34 H3**
Ronan, LNCA (Alb.) **33 C3**
Rondeau Park, LNCA (Ont.) **22 C3**
Rooney, LNCA (Qué.) **18 D4**
Roosville, LNCA (C.-B.) **34 D4**
Root Lake, LNCA (Man.) **32 H2**
Root Lake 231, RI (Man.) **32 H2**
Roper's Meadow 14, RI (C.-B.) **36 B2**
Roquemaure, LNCA (Qué.) **18 A1**
Rorketon, LNCA (Man.) **29 F2**
Roros, LNCA (Alb.) **33 H4**
Rosa, LNCA (Man.) **28 B3**
Rosaireville, LNCA (N.-B.) **12 F3**
Rosalind, VL (Alb.) **33 F4**
Rosborough Settlement, LNCA (N.-B.) **11 B1**
Rose, LNCA (N.-E.) **9 B1**
Roseau Rapids 2A, RI (Man.) **28 A3**
Roseau River, LNCA (Man.) **28 B3**
Roseau River 2, RI (Man.) **28 A3**
Rosebank, LNCA (I.-P.-E.) **7 A2**
Rosebank, LNCA (Man.) **29 H4**
Rosebank, LNCA (Ont.) **17 A1**
Rose Bay, LNCA (N.-E.) **10 E2**
Roseberry, LNCA (I.-P.-E.) **7 D4**
Rosebery, LNCA (C.-B.) **34 B3**
Rose Blanche < Rose Blanche – Harbour Le Cou, LNCA (T.-N.) **4 B4**
Rose Blanche – Harbour Le Cou, DAL (T.-N.) **4 B4**
Rosebud, LNCA (Alb.) **34 F2**
Roseburn, LNCA (N.-E.) **8 C3**
Rosedale, LNCA (Ont.) **17 A4**
Rosedale, LNCA (Ont.) **23 H1**
Rosedale, LNCA (N.-B.) **12 A4**
Rosedale, LNCA (N.-E.) **8 C3**
Rosedale, LNCA (Ont.) **17 C2**
Rosedale, LNCA (Alb.) **34 F2**
Rosedale, LNCS (Alb.) **33 D4**
Rosedale Point, LNCA (Ont.) **27 G2**
Rosedale Terrace, LNCA (Ont.) **17 E2**
Rosedene, LNCA (Ont.) **21 B2**
Rosefield, LNCA (Sask.) **31 E4**
Rosegrove Beach, LNCA (Ont.) **26 F2**
Rosehall, LNCA (Ont.) **21 F2**
Rose Harbour, LNCA (C.-B.) **41 C3**
Rosehaven, LNCA (Ont.) **17 D2**
Rosehill, LNCA (I.-P.-E.) **7 B3**
Rose Hill, LNCA (Ont.) **24 G2**
Rose Island, LNCA (Ont.) **24 E3**
Roseisle, LNCA (Man.) **29 G4**
Rose Lake, LNCA (C.-B.) **42 G4**
Roseland, LNCA (N.-E.) **9 C3**
Roseland, LNCA (Man.) **29 F4**
Roselea, LNCA (Alb.) **33 C2**
Rose Lynn, LNCA (Alb.) **34 G2**
Rosemary, VL (Alb.) **34 G2**
Rosemère, V (Qué.) **17 F3**
Rosemont, LNCA (Ont.) **23 E3**
Rosenburg, LNCA (Man.) **29 H2**
Rosendale, LNCA (Ont.) **23 D4**
Roseneath, LNCA (Ont.) **21 E1**
Roseneath, LNCA (I.-P.-E.) **7 D4**
Rosenfeld, LNCA (Man.) **29 H4**
Rosengard, LNCA (Man.) **28 B2**
Rosengart, LNCA (Man.) **29 H4**
Rosengart, LNCA (Sask.) **31 E3**
Rosenheim, LNCA (Alb.) **31 B1**
Rosenhof, LNCA (Sask.) **31 E3**
Rosenort, LNCA (Man.) **29 H4**
Rosenort, LNCA (Sask.) **31 E3**
Rosenthal, LNCA (Ont.) **24 F2**
Rose Point, LNCA (Ont.) **24 A2**
Rose Prairie, LNCA (C.-B.) **43 E3**
Roseray, LNCA (Sask.) **31 D3**
Rosetown, V (Sask.) **31 D2**
Rosetown, LNCA (Man.) **29 H4**
Rosetta, LNCA (Ont.) **17 B2**
Rosevale, LNCA (N.-B.) **11 G1**
Rose Valley, V (Sask.) **29 B1**
Rose Valley, LNCA (I.-P.-E.) **7 C4**
Rosevear, LNCA (Alb.) **33 B3**
Roseville, LNCA (Ont.) **22 F1**
Roseville, LNCA (Ont.) **21 B1**
Roseville, LNCA (I.-P.-E.) **7 A2**
Roseway, LNCA (N.-E.) **10 C4**
Rosewood, LNCA (Man.) **28 B2**
Roslin, LNCA (Ont.) **21 F1**
Roslin, LNCA (N.-E.) **9 B1**
Ross, LNCA (C.-B.) **34 B4**
Ross, LNCA (N.-B.) **11 C1**
Ross, LNCA (Man.) **28 B2**
Rossburn, VL (Man.) **29 E3**
Rossclair, LNCA (Ont.) **24 B3**
Ross Corner, LNCA (N.-E.) **11 G3**
Ross Corner, LNCA (I.-P.-E.) **7 B3**
Ross Corner, LNCA (N.-B.) **11 G2**
Rossdale, LNCA (Man.) **28 A1**
Rosseau, VL (Ont.) **24 B2**
Rosseau Falls, LNCA (Ont.) **24 B2**
Rosseau Road, LNCA (Ont.) **24 A2**
Rossendale, LNCA (Man.) **29 G4**
Rossendale, LNCA (N.-E.) **9 B1**
Rosser, LNCA (Man.) **29 H3**
Ross Ferry, LNCA (N.-E.) **8 E3**
Ross Haven, VE (Alb.) **33 D3**
Rossington, LNCA (Alb.) **33 D2**
Rossland, C (C.-B.) **34 A4**
Rosslyn Village, LNCA (Ont.) **27 D3**
Rossmere, LNCA (Ont.) **27 D3**
Rossmore, LNCA (Ont.) **21 F1**
Rossmount, LNCA (Ont.) **21 D2**
Rossport, LNCA (Ont.) **27 F3**
Ross River, LNCA (Yukon) **45 B3**
Rossville, LNCA (N.-B.) **11 B1**
Rossville < Norway House 17, LNCA (Man.) **30 C2**
Rossway, LNCA (N.-E.) **10 B2**
Rosswood, LNCA (C.-B.) **42 E4**
Rosthern, V (Sask.) **32 D4**
Rostock, LNCA (Ont.) **23 C4**
Rostrevor, LNCA (Ont.) **24 B2**
Rosyth, LNCA (Alb.) **33 G4**
Rothermere, LNCA (Sask.) **32 C3**
Rothesay, V (N.-B.) **11 D2**
Rothsay, LNCA (Ont.) **23 D3**
Rothwell Heights, LNCA (Ont.) **17 E4**
Rothwell Village, LNCA (Ont.) **17 E4**
Rouge Harbour, LNCA (T.-N.) **3 B1**
Rougemont, VL (Qué.) **16 A3**
Rougemont-Station, LNCS (Qué.) **16 B3**
Rouge-Valley, LNCA (Qué.) **18 E4**
Rough Water Road, LNCS (N.-B.) **12 E1**
Rouleau, V (Sask.) **31 G3**
Rouleau-Siding, LNCA (Qué.) **18 D2**
Roulier, LNCA (Qué.) **18 A2**
Roulston Corner, LNCA (N.-E.) **9 B3**
Roundabout, LNCA (T.-N.) **2 B4**
Round Bay, LNCA (N.-E.) **10 C4**
Round Cove, LNCA (T.-N.) **2 B2**
Round Harbour, LNCA (T.-N.) **3 B1**
Round Harbour, LNCA (T.-N.) **2 A2**
Round Hill, LNCA (N.-E.) **10 C1**
Round Hill, LNCA (Alb.) **33 E3**
Round Island, LNCA (N.-E.) **8 F3**
Round Lake, LNCA (Ont.) **24 E4**
Round Lake, LNCA (C.-B.) **42 F4**
Round Lake Centre, LNCA (Ont.) **24 F1**
Round Prairie, LNCA (C.-B.) **34 D3**
Round Valley, LNCA (Alb.) **33 C3**
Rounthwaite, LNCA (Man.) **29 F4**
Roussillon, LNCA (Qué.) **17 F1**
Route 34 Trailer Park, LNCS (Ont.) **17 D1**
Routhier, LNCA (Ont.) **17 E1**
Routhierville, LNCA (Qué.) **13 B3**
Routledge, LNCA (Man.) **29 E4**
Rouyn, C (Qué.) **18 A2**
Rowan Mills, LNCA (Ont.) **22 F2**
Rowanton, LNCA (Qué.) **18 B4**
Rowatt, LNCA (Sask.) **31 H3**
Rowena, LNCA (N.-B.) **12 A3**

Rowena, LNCA (Ont.) **17 D2**
Rowland, LNCA (Ont.) **24 F2**
Rowletta, LNCA (Sask.) **31 F3**
Rowley, LNCA (Alb.) **34 F1**
Rows Corners, LNCA (Ont.) **17 C3**
Roxana, LNCA (Alb.) **43 H3**
Roxboro, V (Qué.) **17 F4**
Roxbury, LNCA (I.-P.-E.) **7 A3**
Roxbury, LNCA (N.-E.) **10 C1**
Roxham, LNCA (Qué.) **17 H2**
Roxton-Est, LNCA (Qué.) **16 C3**
Roxton-Falls, VL (Qué.) **16 C3**
Roxton-Pond, LNCA (Qué.) **16 B3**
Roxton-Sud, LNCA (Qué.) **16 B3**
Roxville, LNCA (N.-E.) **10 B2**
Roy, LNCA (N.-B.) **12 G4**
Roy, LNCA (C.-B.) **37 A3**
Royal Beach, LNCA (Ont.) **21 B1**
Royal Lake, LNCA (Sask.) **32 C4**
Royal Park, LNCA (Alb.) **33 F3**
Royal Road, LNCA (N.-B.) **11 C1**
Royalties, LNCA (Alb.) **34 E3**
Royalton, LNCA (N.-B.) **12 A3**
Royalty Junction, LNCA (I.-P.-E.) **7 C4**
Royce, LNCA (Alb.) **43 G3**
Roydale, LNCA (Alb.) **33 C3**
Royston, LNCA (C.-B.) **38 C1**
Roytal, LNCA (Alb.) **31 B3**
Royville, LNCA (Qué.) **16 B3**
Ruarkville, LNCS (Alb.) **34 F1**
Ruby, LNCA (Ont.) **24 G1**
Ruby Beach, LNCA (Sask.) **32 H4**
Ruby Creek 2, RI (C.-B.) **35 A4**
Ruby Mine, LNCA (Ont.) **24 F2**
Ruddell, VL (Sask.) **32 C4**
Ruddock, LNCA (Man.) **30 A1**
Rudlang Subdivision, LNCS (C.-B.) **36 F2**
Ruel, LNCA (Ont.) **26 D3**
Rugby, LNCA (Ont.) **23 F2**
Ruisseau-à-la-Loutre, LNCA (Qué.) **13 B1**
Ruisseau-à-l'Eau-Chaude, LNCA (Qué.) **15 C4**
Ruisseau-à-Rebours, LNCA (Qué.) **13 E1**
Ruisseau-à-Sem, LNCA (Qué.) **13 B1**
Ruisseau-Castor, LNCA (Qué.) **13 D1**
Ruisseau-des-Anges, LNCA (Qué.) **18 F4**
Ruisseau-des-Olives, LNCA (Qué.) **13 E1**
Ruisseau-Gagnon, LNCA (Qué.) **13 B2**
Ruisseau-Leblanc, LNCA (Qué.) **13 E3**
Ruisseau-Noir, LNCA (Qué.) **14 F4**
Ruisseau-St-Georges, LNCA (Qué.) **16 A2**
Ruisseau-Vacher, LNCA (Qué.) **16 A2**
Ruisseau-Vert, LNCA (Qué.) **14 G1**
Ruiters-Corners, LNCA (Qué.) **16 C4**
Rumsey, VL (Alb.) **34 F1**
Runciman, LNCA (Sask.) **32 F4**
Runnymede, LNCA (Sask.) **29 D2**
Runnymede, LNCA (Qué.) **13 C4**
Rupert, LNCA (Qué.) **17 C1**
Rupert, LNCA (C.-B.) **45 B4**
Rupert Acres Trailer Park, LNCS (Ont.) **26 B4**
Rusagonis, LNCA (N.-B.) **11 C1**
Rusagonis Station, LNCA (N.-B.) **11 C2**
Ruscom Station, LNCA (Ont.) **22 B3**
Rush Lake, LNCA (Alb.) **34 F4**
Rush Lake, VL (Sask.) **31 E3**
Rushoon, COMM (T.-N.) **2 D3**
Rush Point, LNCA (Ont.) **24 E4**
Rushton Island 90, RI (C.-B.) **41 C1**
Rushy Pond, LNCA (T.-N.) **3 B3**
Ruskview, LNCA (Ont.) **23 E2**
Russeldale, LNCA (Ont.) **22 E1**
Russell, V (Man.) **29 D2**
Russell, LNCA (Ont.) **17 D2**
Russell Landing, LNCA (Ont.) **24 C2**
Russellville, LNCA (N.-B.) **12 F2**
Russeltown-Flats, LNCA (Qué.) **17 G2**
Rusticoville, LNCA (I.-P.-E.) **7 C3**
Rusylvia, LNCA (Alb.) **33 G3**
Rutan, LNCA (Sask.) **31 F1**
Ruthenia, LNCA (Man.) **29 E2**
Rutherford, LNCA (Ont.) **22 C2**
Rutherglen, LNCA (Ont.) **18 A4**
Ruthilda, VL (Sask.) **31 D1**
Ruthledge, LNCA (Qué.) **17 B1**
Ruthven, LNCA (Ont.) **22 B4**
Rutland, LNCA (Sask.) **32 A4**
Ruttan Mine, LNCA (Man.) **30 B1**
Rutter, LNCA (Ont.) **25 F2**
Ryan Farm, LNCA (Ont.) **17 E4**
Ryanville, LNCA (Qué.) **18 D4**
Rycroft, VL (Alb.) **43 G4**
Rydal Bank, LNCA (Ont.) **26 B4**
Rye, LNCA (Ont.) **24 B1**
Ryerson, LNCA (Sask.) **29 D4**
Rykerts, LNCA (C.-B.) **34 C4**
Ryland, LNCA (Ont.) **20 B4**
Ryley, VL (Alb.) **33 F3**
Rylstone, LNCA (Ont.) **21 E1**

S

Saagoombahlah 14, RI (C.-B.) **41 F4**
Saaiyouck 6, RI (C.-B.) **37 B3**
Saanich, DM (C.-B.) **38 F4**
Sabaskong Bay 32C, RI (Ont.) **28 G3**
Sabaskong Bay 35C, RI (Ont.) **28 G3**
Sabaskong Bay 35D, RI (Ont.) **28 G3**
Sabaskong Bay 35F, RI (Ont.) **28 G3**
Sabaskong Bay 35H, RI (Ont.) **28 G3**
Sabine, LNCA (Alb.) **34 F1**
Sable, LNCA (Ont.) **22 D1**
Sable River, LNCA (N.-E.) **10 D3**
Sable River West, LNCA (N.-E.) **10 D3**
Sabourins Crossing, LNCA (Ont.) **17 C2**
Sabrevois, LNCA (Qué.) **16 A4**
Sachawil 5, RI (C.-B.) **38 B3**
Sachigo Lake < Sachigo Lake 1, LNCA (Ont.) **30 E2**
Sachigo Lake 1, RI (Ont.) **30 E2**
Sachigo Lake 2, RI (Ont.) **30 E2**
Sachigo Lake 3, RI (Ont.) **30 E2**
Sachsa 4, RI (C.-B.) **38 B3**
Sachs Harbour, LNCA (T.N.-O.) **47 A3**
Sachteen 2, RI (C.-B.) **37 G4**
Sachteen 2A, RI (C.-B.) **37 G4**
Sackanitecla 2, RI (C.-B.) **40 B2**
Sackum 3, RI (C.-B.) **35 B1**
Sackville, V (N.-B.) **11 H1**
Sackville, LNCS (N.-E.) **9 B3**
Sacré-Coeur-de-Marie, LNCA (Qué.) **15 B4**
Sacré-Coeur-Saguenay, LNCA (Qué.) **14 D3**
Saddle Horse 2, RI (C.-B.) **40 C4**
Saddle Lake < Saddle Lake 125, LNCA (Alb.) **33 F3**
Saddle Lake 125, RI (Alb.) **33 F3**
Saddle Rock 9, RI (C.-B.) **35 B3**
Sadowa, LNCA (Ont.) **23 G1**
Safe Harbour, LNCA (T.-N.) **3 F3**
Sagamok < Spanish River 5, LNCA (Ont.) **25 C1**
Saganaga Lake, LNCA (Ont.) **27 C3**
Sagard, LNCA (Qué.) **14 D4**
Sagathun, LNCA (Sask.) **31 C3**
Sagehill, LNCA (Sask.) **31 F1**
Sage Mesa, LNCS (C.-B.) **35 E3**
Saginaw, LNCA (Ont.) **21 C1**
Saglouc, LNCA (Qué.) **46 E3**
Sagona Island, LNCA (T.-N.) **2 B3**
Sahanatien < Gibson 31, LNCA (Ont.) **23 F1**
Sahara Heights, LNCA (C.-B.) **38 C2**
Sahhacum 1, RI (C.-B.) **38 H3**
Sahhaltkum 4, RI (C.-B.) **36 G4**
Sahtlam, LNCA (C.-B.) **38 E3**
Sailors Encampment, LNCA (Ont.) **26 B4**
St-Adalbert, LNCA (Qué.) **15 D3**
St-Adélard, LNCA (Qué.) **13 F3**
St-Adelme-de-Matane, LNCA (Qué.) **13 B2**
St-Adelme-Sud, LNCA (Qué.) **13 B2**
St-Adelphe, LNCA (Qué.) **16 C1**
St Adolphe, LNCA (Man.) **28 A2**
St-Adolphe, LNCA (Qué.) **15 B2**
St-Adolphe-d'Howard, LNCA (Qué.) **18 F4**
St-Adrien, LNCA (Qué.) **16 D3**
St-Adrien-d'Irlande, LNCA (Qué.) **15 A4**
St-Agapitville, VL (Qué.) **15 A3**
St Agatha, LNCA (Ont.) **23 D4**
St-Agricole, LNCA (Qué.) **13 A2**
St-Aimé-des-Lacs, LNCA (Qué.) **15 D1**
St-Alban, VL (Qué.) **16 D1**
St Alban's, V (T.-N.) **2 B2**
St Albert, V (Alb.) **33 D3**
St-Albert, LNCA (Ont.) **17 D2**
St-Albert, LNCA (Qué.) **16 D2**
St-Alexandre, VL (Qué.) **16 A4**
St-Alexandre-de-Kamouraska, LNCA (Qué.) **14 E4**
St-Alexandre-des-Lacs, LNCA (Qué.) **13 B3**
St-Alexis, LNCA (Qué.) **13 B4**
St-Alexis, VL (Qué.) **18 G4**
St-Alexis-de-Matapédia, LNCA (Qué.) **13 B4**
St-Alexis-des-Monts, LNCA (Qué.) **16 A1**
St-Alfred, LNCA (Qué.) **15 B4**
St Almo, LNCA (N.-B.) **12 B3**
St Alphege, LNCA (Sask.) **31 D1**
St-Alphonse, LNCA (Qué.) **18 F4**
St Alphonse, LNCA (N.-E.) **10 A3**
St Alphonse, LNCA (Man.) **29 G4**
St-Alphonse-de-Caplan, LNCA (Qué.) **13 E3**
St-Alphonse-de-Granby, LNCA (Qué.) **16 B4**
St-Amable, LNCA (Qué.) **16 A3**
St-Amand, LNCA (N.-B.) **12 A2**
St-Amateur, LNCA (N.-B.) **12 F1**
St Ambroise, LNCA (Man.) **29 H3**
St-Ambroise, VL (Qué.) **14 A2**
St-Ambroise-de-Kildare, LNCA (Qué.) **18 G4**
St-Amédée, LNCA (Qué.) **17 E1**
St-Amédée-de-Péribonca, LNCA (Qué.) **18 H1**
St-Amour, LNCA (Ont.) **17 E1**
St-Anaclet, LNCA (Qué.) **14 G3**
St-André, VL (N.-B.) **12 A2**
St-André-Avellin, VL (Qué.) **17 D1**
St-André-de-Restigouche, LNCA (Qué.) **13 C3**
St-André-de-Shédiac, LNCA (N.-B.) **7 A4**
St-André-du-Lac-St-Jean, VL (Qué.) **18 H1**
St-André-Est, VL (Qué.) **17 F1**
St-André-Station, LNCA (Qué.) **15 E1**
St Andrews, V (N.-B.) **11 B3**
St Andrews, LNCA (Ont.) **17 E2**
St Andrew's, LNCA (T.-N.) **4 A4**
St Andrews, LNCA (N.-E.) **8 B4**
St Andrews, LNCA (I.-P.-E.) **7 D3**
St Andrews, LNCA (Man.) **28 A1**
St Andrews Channel, LNCA (N.-E.) **8 E3**
St-Anicet, LNCA (Qué.) **17 F2**
St Ann, LNCA (I.-P.-E.) **7 C3**
St Annes, LNCA (T.-N.) **2 E3**
St Anns, LNCA (Ont.) **21 A4**
St Anns, LNCA (N.-E.) **8 E3**
St-Anselme, VL (Qué.) **15 H4**
St Anthony, V (T.-N.) **5 H2**
St Anthony, LNCA (I.-P.-E.) **7 A3**
St Anthony Bight, LNCA (T.-N.) **5 H2**
St-Antoine, V (Qué.) **18 F4**
St Antoine, LNCA (Sask.) **29 D4**
St-Antoine, VL (N.-B.) **12 G4**
St-Antoine-Abbé, LNCA (Qué.) **17 G2**
St-Antoine-de-Tilly, LNCA (Qué.) **15 E4**
St-Antoine-sur-Richelieu, LNCA (Qué.) **16 A3**
St-Antonin, LNCA (Qué.) **14 E4**
St-Apollinaire, LNCA (Qué.) **15 A3**
St-Armand-Centre, LNCA (Qué.) **16 B4**
St-Armand-Station, LNCA (Qué.) **16 A4**
St-Arsène, LNCA (Qué.) **14 E4**
St-Arthur, LNCA (N.-B.) **13 C4**
St-Athanase, LNCA (Qué.) **15 E1**
St-Athanase, LNCA (N.-B.) **12 F3**
St-Aubert, LNCA (Qué.) **15 D2**
St-Aubin, LNCA (N.-B.) **13 C4**
St-Augustin, LNCA (Qué.) **5 E2**
St-Augustin, LNCA (Qué.) **15 F4**
St-Augustin, LNCA (Qué.) **18 H1**
St Augustine, LNCA (Ont.) **23 B3**
St Barbe, LNCA (T.-N.) **5 G2**
St-Barnabé-Nord, LNCA (Qué.) **16 B1**
St-Barnabé-Sud, LNCA (Qué.) **16 B3**
St-Barthélemy, LNCA (Qué.) **16 A2**
St-Barthélemy-Station, LNCA (Qué.) **16 A2**
St-Basile, VL (N.-B.) **15 H2**
St Basile 10, RI (N.-B.) **15 H2**
St-Basile-de-Tableau, LNCA (Qué.) **14 C3**
St-Basile-le-Grand, V (Qué.) **16 A3**
St-Basile-Sud, VL (Qué.) **18 H3**
St Benedict, VL (Sask.) **32 E4**
St-Benjamin, LNCA (Qué.) **15 C4**
St-Benoît-de-Matapédia, LNCA (Qué.) **13 B4**
St-Benoît-du-Lac, LNCA (Qué.) **16 C4**
St-Benoît-Labre, LNCA (Qué.) **16 F2**
St Benoni, LNCA (N.-E.) **10 A2**
St Bernard, LNCA (N.-E.) **10 A2**
St-Bernard, VL (Qué.) **15 B4**
St-Bernard-de-Lacolle, LNCA (Qué.) **16 A4**
St-Bernard-des-Lacs, LNCA (Qué.) **13 D1**
St-Bernardin, LNCA (Ont.) **17 E1**
St Bernard's, COMM (T.-N.) **2 D2**
St-Bernard-sur-Mer, LNCA (Qué.) **15 C1**
St-Blaise, LNCA (Qué.) **16 A4**
St-Bonaventure, LNCA (Qué.) **16 B2**
St-Boniface-de-Shawinigan, VL (Qué.) **16 B1**
St Boswells, LNCA (Sask.) **31 E3**
St Brendan's, COMM (T.-N.) **3 F3**
St Brendan's < St Brendan's (COMM), LNCA (T.-N.) **3 F3**
St Bride's, COMM (T.-N.) **2 E4**
St Brides, LNCA (Alb.) **33 F3**
St Brieux, VL (Sask.) **32 E4**
St-Bruno, VL (Qué.) **14 A3**
St-Bruno-de-Kamouraska, LNCA (Qué.) **15 E1**
St-Bruno-de-Montarville, V (Qué.) **16 A3**
St-Cajetan, LNCA (Qué.) **18 D4**
St-Calixte-de-Kilkenny, LNCA (Qué.) **18 F4**
St-Calixte-Nord, LNCA (Qué.) **18 F4**
St-Camille, LNCA (Qué.) **16 D3**
St-Camille, LNCA (N.-B.) **12 G2**
St-Camille-de-Bellechasse, LNCA (Qué.) **15 D4**
St Carols, LNCA (T.-N.) **5 H2**
St-Casimir, VL (Qué.) **16 C1**
St-Casimir-Est, VL (Qué.) **16 C1**
St-Cassien-des-Caps, LNCA (Qué.) **15 C2**
St Catharines, C (Ont.) **21 B3**
St Catherines, LNCA (I.-P.-E.) **7 C4**
St Catherines, LNCA (I.-P.-E.) **7 E3**
St Catherine's < Mount Carmel – Mitchells Brook – St Catherine's, LNCA (T.-N.) **2 G3**
St Catherines River, LNCA (N.-E.) **10 D3**
St-Célestin-Station, LNCA (Qué.) **16 C2**
St-Césaire, V (Qué.) **16 B4**
St Chads, LNCA (T.-N.) **3 F3**
St Charles, LNCA (Ont.) **25 F1**
St-Charles, LNCA (N.-B.) **12 G3**
St-Charles, LNCA (Qué.) **14 A3**
St Charles, LNCA (I.-P.-E.) **7 E3**
St-Charles, VL (Qué.) **15 H4**
St-Charles, LNCS (Qué.) **18 H3**
St-Charles-de-Drummond, LNCA (Qué.) **16 C2**
St-Charles-de-Mandeville, LNCA (Qué.) **16 A1**
St-Charles-de-Montcalm, LNCA (Qué.) **18 F4**
St-Charles-des-Grondines, VL (Qué.) **16 D1**
St-Charles-Garnier, LNCA (Qué.) **14 H3**
St-Charles-Nord, LNCA (N.-B.) **12 G3**
St-Charles-sur-Richelieu, VL (Qué.) **16 A3**
St-Chrétien, LNCA (Qué.) **14 D4**
St Christopher, LNCA (Ont.) **21 C1**
St Chrysostome, LNCA (I.-P.-E.) **7 A3**
St-Chrysostome, VL (Qué.) **17 G2**
St Clair Beach, VL (Ont.) **22 A3**
St Claire Gardens, LNCA (Ont.) **17 E4**
St-Claude, LNCA (Qué.) **16 D3**
St Claude, VL (Man.) **29 G4**
St-Claude-Nord, LNCA (Qué.) **16 D3**
St-Clément, LNCA (Qué.) **14 F4**
St Clements, LNCA (Ont.) **23 D4**
St-Cléophas, LNCA (Qué.) **13 A2**
St-Cléophas, LNCA (Qué.) **16 A2**
St-Cléophas-de-Brandon, LNCA (Qué.) **16 A2**
St-Clet, LNCA (Qué.) **17 F1**
St Cloud, LNCA (Ont.) **25 E1**
St-Coeur-de-Marie, VL (Qué.) **14 A2**
St-Colomban, LNCA (Qué.) **17 F1**
St Columba, LNCA (N.-E.) **8 D3**
St Columban, LNCA (Ont.) **23 B4**
St-Côme, LNCA (Qué.) **18 F4**
St-Conrad, LNCA (Qué.) **13 C3**
St-Constant, V (Qué.) **17 G4**
St Croix, LNCA (N.-E.) **9 A3**
St Croix, LNCA (N.-B.) **11 A2**
St Croix 34, RI (N.-E.) **9 A3**
St Croix Cove, LNCA (N.-E.) **10 C1**
St-Cuthbert, LNCA (Qué.) **16 A2**
St-Cyprien, LNCA (Qué.) **14 F4**
St-Cyprien, LNCA (Qué.) **15 D4**
St-Cyr, LNCA (Qué.) **16 D3**
St-Cyriac, LNCA (Qué.) **14 A3**
St-Cyrille, LNCA (N.-B.) **12 G4**
St-Cyrille, VL (Qué.) **16 C2**
St-Cyrille-de-L'Islet, LNCA (Qué.) **15 D2**
St Cyr Lake, LNCA (Sask.) **32 B2**
St-Damase, VL (Qué.) **16 B3**
St-Damase-de-Matane, LNCA (Qué.) **13 A2**
St-Damase-des-Aulnaies, LNCA (Qué.) **15 D2**
St-Damase-de-Thetford, LNCS (Qué.) **15 A4**
St-Damien, LNCA (N.-B.) **12 G4**
St-Damien-de-Brandon, LNCA (Qué.) **16 A1**
St-Damien-de-Buckland, LNCA (Qué.) **15 C3**
St-Damien-Station, LNCA (Qué.) **15 C3**
St-Daniel, LNCA (Qué.) **16 E2**
St-David, LNCA (N.-B.) **12 G4**
St-David-de-Falardeau, LNCA (Qué.) **14 B2**
St-David-de-l'Auberivière, V (Qué.) **15 G4**
St-David-d'Yamaska, LNCA (Qué.) **16 B2**
St David Ridge, LNCA (N.-B.) **11 B3**
St David's, LNCA (T.-N.) **4 B3**
St Davids, LNCA (Ont.) **17 F1**
St-Denis, LNCA (Sask.) **31 F1**
St-Denis, VL (Qué.) **16 A3**
St-Denis-de-Brompton, LNCA (Qué.) **16 D3**
St-Denis-de-la-Bouteillerie, LNCA (Qué.) **15 D1**
St-Denis-sur-Mer, LNCA (Qué.) **15 D1**
St-Didace, LNCA (Qué.) **16 A1**
St-Dominique, LNCA (Qué.) **17 F1**
St-Dominique, VL (Qué.) **16 B3**
St-Dominique-du-Rosaire, LNCA (Qué.) **18 B1**
St-Donat-de-Montcalm, LNCA (Qué.) **18 F4**
St-Donat-de-Rimouski, LNCA (Qué.) **14 H3**
Ste-Adélaïde-de-Pabos, LNCA (Qué.) **13 G3**
Ste-Adèle, V (Qué.) **18 F4**
Ste Agathe, LNCA (Man.) **28 A2**
Ste-Agathe, VL (Qué.) **15 A4**
Ste-Agathe-des-Monts, V (Qué.) **18 F4**
Ste-Agathe-Sud, VL (Qué.) **18 F4**
Ste-Agnès-de-Bellecombe, LNCA (Qué.) **18 A2**
Ste-Agnès-de-Charlevoix, LNCA (Qué.) **15 D1**
Ste-Agnès-de-Dundee, LNCA (Qué.) **17 F2**
Ste Amélie, LNCA (Man.) **29 F2**
Ste-Anastasie, LNCA (Qué.) **15 A4**
Ste-Angèle-de-Laval (Qué.) **16 C1**
Ste-Angèle-de-Mérici, VL (Qué.) **14 H2**
Ste-Angèle-de-Monnoir, LNCA (Qué.) **16 A4**
Ste-Angélique, LNCA (Qué.) **18 H3**
Ste-Anne, LNCA (N.-B.) **12 E1**
Ste Anne, VL (Man.) **28 B2**
Ste-Anne-de-Beaupré, V (Qué.) **15 B2**
Ste-Anne-de-Bellevue, V (Qué.) **17 F4**
Ste-Anne-de-Kent, LNCA (N.-B.) **12 G3**
Ste-Anne-de-Larochelle, LNCA (Qué.) **16 C4**
Ste-Anne-de-Madawaska, VL (N.-B.) **15 H2**
Ste-Anne-de-Prescott, LNCA (Ont.) **17 F1**
Ste-Anne-des-Monts, V (Qué.) **13 D1**
Ste-Anne-de-Sorel, LNCA (Qué.) **16 B2**
Ste-Anne-des-Plaines, LNCA (Qué.) **18 F4**
Ste-Anne-du-Lac, VL (Qué.) **18 E3**
Ste-Anne-du-Lac, VL (Qué.) **16 E2**
Ste Anne du Ruisseau, LNCA (N.-E.) **10 B3**
Ste-Apolline, LNCA (Qué.) **15 D3**
Ste-Apolline-Station, LNCA (Qué.) **15 D3**
Ste-Aurélie, LNCA (Qué.) **15 C4**
Ste-Barbe, LNCA (Qué.) **17 F2**
Ste-Béatrix, LNCA (Qué.) **18 G4**
Ste-Blandine, LNCA (Qué.) **14 G3**
Ste-Brigide-d'Iberville, LNCA (Qué.) **16 A4**
Ste-Brigitte-de-Laval, LNCA (Qué.) **15 G3**
Ste-Brigitte-des-Saults, LNCA (Qué.) **16 C2**
Ste-Catherine, V (Qué.) **17 G4**
Ste-Catherine, LNCA (Qué.) **15 A3**
Ste-Catherine-Station, LNCA (Qué.) **15 E3**
Ste-Cécile, LNCA (N.-B.) **13 G4**
Ste-Cécile-de-Frontenac, LNCA (Qué.) **16 F3**
Ste-Cécile-de-Lévrard, LNCA (Qué.) **16 C1**
Ste-Cécile-de-Masham, LNCA (Qué.) **17 B1**
Ste-Cécile-de-Milton, LNCA (Qué.) **16 B3**
Ste-Cécile-Station, LNCA (Qué.) **16 F3**
Ste-Christine, LNCA (Qué.) **18 H3**
Ste-Christine, LNCA (Qué.) **16 C3**
Ste-Claire, LNCA (Qué.) **15 B3**
Ste-Claire-de-Bonaventure, LNCA (Qué.) **13 E3**
Ste-Clothilde-de-Horton, VL (Qué.) **16 C2**
Ste-Clotilde-de-Ch1teauguay, LNCA (Qué.) **17 G2**
Ste-Croix, VL (Qué.) **15 A3**
Ste-Croix-Est, LNCA (Qué.) **15 A3**
St-Edmond, LNCA (Qué.) **18 B2**
St-Edmond-de-Berthier, LNCA (Qué.) **16 A2**
St-Edmond-de-Grantham, LNCA (Qué.) **16 B2**
St-Edmond-de-Pabos, LNCA (Qué.) **13 G3**
St-Edmond-les-Plaines, LNCA (Qué.) **18 G1**
St-Edouard, LNCA (Qué.) **16 D1**
St-Edouard, LNCA (Qué.) **16 B3**
St Edouard, LNCA (Alb.) **33 G3**
St-Edouard-de-Kent, LNCA (N.-B.) **12 G3**
St-Edouard-de-Maskinongé, LNCA (Qué.) **16 A1**
St-Edouard-de-Napierville, LNCA (Qué.) **16 A4**
St Edward, LNCA (I.-P.-E.) **7 A2**
Ste-Edwidge, LNCA (Qué.) **16 D4**
Ste-Elisabeth, LNCA (Qué.) **16 A2**
Ste-Elisabeth-de-Proulx, LNCA (Qué.) **18 H1**
Ste-Elisabeth-de-Warwick, LNCA (Qué.) **16 D2**
Ste Elizabeth, LNCA (Man.) **28 A3**
Ste-Emélie-de-l'Energie, LNCA (Qué.) **18 F4**
Ste-Eulalie, LNCA (Qué.) **16 C2**
Ste-Euphémie, LNCA (Qué.) **15 C3**
Ste-Famille, LNCA (Qué.) **15 H3**
Ste-Famille-d'Aumond, LNCA (Qué.) **18 D4**
Ste-Félicité, LNCA (Qué.) **15 D3**
Ste-Félicité, VL (Qué.) **13 B2**
Ste-Félicité-Ouest, LNCA (Qué.) **13 B2**
Ste-Flavie, LNCA (Qué.) **14 H2**
Ste-Florence, LNCA (Qué.) **13 B3**
Ste-Foy, C (Qué.) **15 F4**
Ste-Françoise, LNCA (Qué.) **14 F3**
Ste-Françoise, LNCA (Qué.) **16 D1**
Ste-Geneviève, V (Qué.) **17 F4**
Ste-Geneviève, LNCA (Man.) **28 B2**
Ste-Geneviève-de-Batiscan, LNCA (Qué.) **16 C1**
Ste-Germaine, LNCA (Qué.) **18 A1**
Ste-Germaine-Station, LNCA (Qué.) **15 C4**
Ste-Gertrude (Qué.) **16 C2**
Ste-Gertrude-de-Villeneuve, LNCA (Qué.) **18 B1**
Ste-Hedwidge-de-Roberval, LNCA (Qué.) **18 H1**
Ste-Hélène, LNCA (Qué.) **18 A1**
Ste-Hélène-de-Bagot, VL (Qué.) **16 B3**
Ste-Hélène-de-Chester, LNCA (Qué.) **16 D2**
Ste-Hélène-de-Kamouraska, LNCA (Qué.) **15 E1**
Ste-Hélène-de-la-Croix, LNCA (Qué.) **13 F4**
Ste-Hénédine, LNCA (Qué.) **15 B3**
Ste-Irène-de-Matapédia, LNCA (Qué.) **13 A3**
Ste-Jeanne-d'Arc, VL (Qué.) **18 H1**
Ste-Jeanne-d'Arc-de-Matane, LNCA (Qué.) **13 A2**
Ste-Julie, V (Qué.) **16 A3**
Ste-Julienne, LNCA (Qué.) **18 F4**
Ste-Julie-Station, LNCA (Qué.) **15 A4**
Ste-Justine, LNCA (Qué.) **15 C4**
Ste-Justine-de-Newton, LNCA (Qué.) **17 F1**
Ste-Justine-Station, LNCA (Qué.) **15 C4**
Ste-Justine-Station, LNCA (Qué.) **17 F1**
St Eleanors, VL (I.-P.-E.) **7 B3**
St-Elie, LNCA (Qué.) **16 B1**
St-Elie-d'Orford, LNCA (Qué.) **16 D4**
St Elmo, LNCA (Ont.) **17 E2**
St-Eloi, LNCA (Qué.) **14 F4**
St-Eloi-Station, LNCA (Qué.) **14 F4**
Ste-Louise, LNCA (Qué.) **15 D2**
Ste-Louise, LNCA (N.-B.) **12 E1**
Ste-Louise-Station, LNCA (Qué.) **15 D2**
St-Elphège, LNCA (Qué.) **16 B2**
Ste-Luce, LNCA (Qué.) **14 G2**
Ste-Lucie-de-Beauregard, LNCA (Qué.) **15 D3**
Ste-Lucie-de-Doncaster, LNCA (Qué.) **18 F4**
St-Elzéar, VL (Qué.) **15 B4**
St-Elzéar-de-Bonaventure, LNCA (Qué.) **13 F3**
St-Elzéar-de-Témiscouata, LNCA (Qué.) **15 F1**
Ste-Madeleine, VL (Qué.) **16 A3**
Ste-Marcelline-de-Kildare, LNCA (Qué.) **18 G4**
Ste-Marguerite, LNCA (Qué.) **18 F4**
Ste-Marguerite-de-Dorchester, LNCA (Qué.) **15 B4**
Ste-Marguerite-de-Lingwick, LNCA (Qué.) **16 E3**
Ste-Marguerite-Marie, LNCA (Qué.) **13 B3**
Ste-Marie, V (Qué.) **15 B4**
Ste-Marie, VL (Qué.) **16 C1**
Ste-Marie-de-Charlevoix, LNCA (Qué.) **15 C1**
Ste-Marie-de-Kent, LNCA (N.-B.) **12 G4**
Ste-Marie-d'Ely, LNCA (Qué.) **16 C3**
Ste-Marie-Salomée, LNCA (Qué.) **16 A2**
Ste-Marie-sur-Mer, LNCA (N.-B.) **13 G4**
Ste-Marthe, VL (Qué.) **17 F1**
Ste-Marthe-de-Gaspé, LNCA (Qué.) **13 D1**
Ste-Marthe-Rocanville, LNCA (Sask.) **29 D3**
Ste-Marthe-sur-le-Lac, V (Qué.) **17 F4**
Ste-Martine, LNCA (Qué.) **17 G2**
Ste-Mathilde, LNCA (Qué.) **14 D4**
Ste-Mélanie, LNCA (Qué.) **16 A2**
St-Emile, VL (Qué.) **15 F3**
St-Emile-de-Suffolk, LNCA (Qué.) **18 E4**
Ste-Marthe (Qué.) **16 C1**
Ste-Monique, LNCA (Qué.) **18 H1**
Ste-Monique, VL (Qué.) **16 C2**
Ste-Odile (Qué.) **14 G3**
Ste-Paula, LNCA (Qué.) **13 A2**
Ste-Perpétue, LNCA (Qué.) **16 C2**
Ste-Perpétue-de-L'Islet, LNCA (Qué.) **15 D2**
Ste-Perpétue-Station, LNCA (Qué.) **16 C2**
St-Ephrem-de-Tring, VL (Qué.) **16 F2**
St-Ephrem-Station, LNCA (Qué.) **16 F2**
St-Epiphane, LNCA (Qué.) **14 E4**
Ste-Praxède, LNCA (Qué.) **16 E2**
Ste-Pudentienne, VL (Qué.) **16 B3**
Ste-Rita, LNCA (Qué.) **14 F4**
Ste Rita, LNCA (Man.) **28 C1**
Ste-Rosalie, VL (Qué.) **16 B3**
Ste-Rose-de-Prescott, LNCA (Ont.) **17 E1**
Ste-Rose-de-Watford, LNCA (Qué.) **15 C4**
Ste Rose du Lac, VL (Man.) **29 F2**
Ste-Rose-du-Nord, LNCA (Qué.) **14 C3**
Ste-Rose-Gloucester, LNCA (N.-B.) **12 G1**
Ste-Rose-Station, LNCA (Qué.) **15 C4**
Ste-Rosette, LNCA (N.-B.) **12 E1**
Ste-Sabine, LNCA (Qué.) **16 B4**
Ste-Sabine-de-Bellechasse, LNCA (Qué.) **15 C4**
Ste-Sabine-Station, LNCA (Qué.) **15 D4**
Ste-Séraphine, LNCA (Qué.) **16 C2**
Ste-Sophie, LNCA (Qué.) **18 F4**
Ste-Sophie-de-Lévrard, LNCA (Qué.) **16 C1**
Ste-Sophie-de-Mégantic, LNCA (Qué.) **15 A4**
St-Esprit, LNCA (Qué.) **18 F4**
St Esprit, LNCA (N.-E.) **8 E4**
Ste-Thècle, VL (Qué.) **18 H3**
Ste-Thérèse, C (Qué.) **17 F3**
Ste-Thérèse-de-Gaspé, LNCA (Qué.) **13 H3**
Ste-Thérèse-de-Gatineau, LNCA (Qué.) **18 D4**
St-Etienne, LNCA (Qué.) **14 D3**
St-Etienne-de-Beauharnois, LNCA (Qué.) **17 G2**
St-Etienne-de-Bolton, LNCA (Qué.) **16 C4**
St-Etienne-de-Lauzon, LNCA (Qué.) **15 F4**
St-Etienne-de-Restigouche, LNCA (Qué.) **13 C3**
St-Etienne-des-Grès, LNCA (Qué.) **16 B1**
St-Eugène, LNCA (Qué.) **15 C2**
St-Eugène, LNCA (Ont.) **17 F1**
St-Eugène, LNCA (Qué.) **18 H1**
St-Eugène, LNCA (Qué.) **16 B3**
St-Eugène-de-Chazel, LNCA (Qué.) **18 A1**
St-Eugène-de-Grantham, LNCA (Qué.) **16 B3**
St-Eugène-de-Guigues, LNCA (Qué.) **18 A2**
St Eugene Mission, LNCA (C.-B.) **34 C4**
Ste-Ursule, LNCA (Qué.) **16 B2**
Ste-Ursule-Station, LNCA (Qué.) **16 B1**
St-Eusèbe, LNCA (Qué.) **15 F1**
St-Eusèbe-Ouest, LNCA (Qué.) **15 F1**
St-Eustache, V (Qué.) **17 F4**
St Eustache, LNCA (Man.) **29 H3**
St-Evariste-de-Forsyth, LNCA (Qué.) **16 F2**
Ste-Véronique, LNCA (Qué.) **18 E4**
Ste-Victoire, LNCA (Qué.) **16 A2**
St-Fabien, LNCA (Qué.) **14 F3**
St-Fabien, LNCA (N.-B.) **12 G4**
St-Fabien-sur-Mer, LNCA (Qué.) **14 F3**
St-Faustin, LNCA (Qué.) **18 F4**
St-Félicien, V (Qué.) **18 H1**
St Felix, LNCA (I.-P.-E.) **7 B2**
St-Félix-de-Kingsey, LNCA (Qué.) **16 C3**
St-Félix-de-Valois, VL (Qué.) **16 A2**
St-Félix-d'Otis, LNCA (Qué.) **14 C3**
St-Ferréol-les-Neiges, LNCA (Qué.) **15 B2**
St-Fidèle, LNCA (Qué.) **14 D4**
St-Fidèle-de-Restigouche, LNCA (Qué.) **13 C3**
Saintfield, LNCA (Ont.) **21 C1**
St Fintan's, LNCA (T.-N.) **4 B3**
St-Flavien, VL (Qué.) **15 A4**
St-Fortunat, LNCA (Qué.) **16 E2**
St Francis, LNCA (Alb.) **33 D3**
St Francis Harbour, LNCA (N.-E.) **9 G2**
St-François, LNCA (Qué.) **15 C2**
St-François-d'Assise, LNCA (Qué.) **13 B4**
St-François-de-Kent, LNCA (N.-B.) **12 G4**
St-François-de-Madawaska, VL (N.-B.) **15 G2**
St-François-de-Masham, LNCA (Qué.) **17 B1**
St-François-de-Sales, LNCA (Qué.) **18 H1**
St-François-du-Lac, VL (Qué.) **16 B2**
St-François-Montmagny, LNCA (Qué.) **15 C3**
St-François-Station, LNCA (Qué.) **15 C3**
St François Xavier, LNCA (Man.) **29 H3**
St-François-Xavier-de-Brompton, LNCA (Qué.) **16 D3**
St-François-Xavier-de-Viger, LNCA (Qué.) **14 F4**
St-Frédéric, LNCA (Qué.) **15 B4**
St-Front, LNCA (Sask.) **32 F4**
St-Fulgence, LNCA (Qué.) **14 B3**
St-Gabriel, V (Qué.) **16 A2**
St-Gabriel, LNCS (Qué.) **15 C1**
St-Gabriel-de-Gaspé, LNCA (Qué.) **13 G2**
St-Gabriel-de-Kamouraska, LNCA (Qué.) **15 D2**
St-Gabriel-de-Kent, LNCA (N.-B.) **12 G3**
St-Gabriel-de-Rimouski, LNCA (Qué.) **14 H3**
St-Gédéon, LNCA (Qué.) **18 H1**
St-Gédéon, VL (Qué.) **16 G3**
St-Gédéon-Est, LNCA (Qué.) **16 G3**
St-Gédéon-Station, LNCA (Qué.) **18 H1**
St-Gédéon-sur-le-Lac, LNCA (Qué.) **18 H1**
St George, V (N.-B.) **11 C3**
St George, LNCA (Ont.) **22 G1**
St-Georges, V (Qué.) **17 G2**
St George's, V (T.-N.) **4 C2**
St-Georges, LNCA (Man.) **30 C4**
St Georges, LNCA (I.-P.-E.) **7 E4**
St-Georges, VL (Qué.) **16 B1**
St Georges Channel, LNCA (N.-E.) **8 D4**
St-Georges-de-Bagot, LNCA (Qué.) **16 B3**
St-Georges-de-Cacouna, VL (Qué.) **14 E4**
St-Georges-de-Malbaie (Qué.) **13 H2**
St-Georges-de-Windsor, VL (Qué.) **16 D3**
St George's Hill, LNCA (Sask.) **44 D4**
St-Georges-Ouest, V (Qué.) **16 G2**
St-Gérard, VL (Qué.) **16 E3**
St-Gérard-des-Laurentides, LNCA (Qué.) **16 B1**
St-Gérard-d'Yamaska, LNCA (Qué.) **16 B2**
St-Germain-de-Grantham, VL (Qué.) **16 C3**
St-Germain-de-Kamouraska, LNCA (Qué.) **15 E1**
St-Gervais, LNCA (Qué.) **15 H4**
St Gilbert, LNCA (I.-P.-E.) **7 B3**
St-Gilbert, LNCA (Qué.) **16 D1**
St-Gilles, LNCA (Qué.) **15 A4**
St-Godefroi, LNCA (Qué.) **13 F3**
St-Grégoire (Qué.) **16 C2**
St-Grégoire, LNCA (N.-B.) **12 G4**
St-Grégoire, VL (Qué.) **16 A4**
St-Grégoire-de-Greenlay, VL (Qué.) **16 D3**
St Gregor, VL (Sask.) **31 G1**
St-Guillaume, VL (Qué.) **16 B2**
St-Guillaume-Nord, LNCA (Qué.) **18 F3**
St-Guy, LNCA (Qué.) **14 F4**
St Helens, LNCA (Ont.) **23 B3**
St-Hélier, LNCA (Qué.) **13 G1**
St-Henri-de-Lévis, LNCA (Qué.) **15 G4**
St-Henri-de-Taillon, LNCA (Qué.) **18 H1**
St-Herménégilde, VL (Qué.) **16 D4**
St-Hilaire, VL (N.-B.) **15 G2**
St-Hilaire-de-Dorset, LNCA (Qué.) **16 F3**
St-Hilarion, LNCA (Qué.) **15 C1**
St-Hilarion-du-Lac, LNCA (Qué.) **15 C1**
St-Hilarion-Nord, LNCA (Qué.) **15 C1**
St Hippolyte, LNCA (Sask.) **32 B3**
St-Hippolyte-de-Kilkenny, LNCA (Qué.) **18 F4**
St-Honoré, LNCA (Qué.) **14 B2**
St-Honoré, LNCA (Qué.) **16 F2**
St-Honoré-de-Témiscouata, LNCA (Qué.) **14 F4**
St-Honoré-Station, LNCA (Qué.) **14 F4**
St Hubert, LNCA (I.-P.-E.) **7 B3**
St-Hubert, C (Qué.) **17 H4**
St-Hubert-de-Témiscouata, LNCA (Qué.) **14 F4**
St Hubert Mission, LNCA (Sask.) **29 C3**
St-Hugues, VL (Qué.) **16 B3**
St-Hyacinthe, C (Qué.) **16 B3**
St-Ignace, LNCA (N.-B.) **12 F3**
St-Ignace-de-Loyola, LNCA (Qué.) **16 A2**
St-Ignace-de-Stanbridge, LNCA (Qué.) **16 B4**
St-Ignace-du-Lac, LNCA (Qué.) **18 F3**
St-Irénée, LNCA (N.-B.) **12 G1**
St-Irénée, LNCA (Qué.) **15 D1**
St-Irénée-les-Bains, LNCA (Qué.) **15 D1**
St-Isadore, LNCA (Qué.) **13 B4**
St-Isidore, LNCA (Qué.) **17 G2**
St-Isidore, LNCA (N.-B.) **12 F1**
St Isidore, LNCA (Alb.) **43 H3**
St-Isidore, VL (Qué.) **15 B3**
St-Isidore-d'Auckland, LNCA (Qué.) **16 E4**
St-Isidore-de-Bellevue, LNCA (Sask.) **32 D4**
St-Isidore-de-Gaspé, LNCA (Qué.) **13 H3**
St Isidore de Prescott, VL (Ont.) **17 E1**
St-Isidore-Jonction, LNCA (Qué.) **17 G1**
St Ives, LNCA (Ont.) **22 E1**
St Jacobs, LNCA (Ont.) **23 D4**
St-Jacques, VL (Qué.) **18 G4**
St-Jacques, VL (N.-B.) **15 H1**
St Jacques < St Jacques – Coomb's Cove, LNCA (T.-N.) **2 C2**
St Jacques – Coomb's Cove, DAL (T.-N.) **2 C2**
St-Jacques-le-Majeur-de-Wolfestown, LNCA (Qué.) **16 E2**
St-Jacques-le-Mineur, LNCA (Qué.) **16 A4**
St-Jacques-Nord, LNCA (Qué.) **18 G4**
Saint-Jean (N.-B.) *voir* Saint John
St-Jean, C (Qué.) **16 A4**
St Jean Baptiste, LNCA (Man.) **29 H4**
St-Jean-Baptiste, LNCA (Qué.) **15 D2**
St-Jean-Baptiste-de-Restigouche, LNCA (N.-B.) **12 B1**
St-Jean-Baptiste-de-Rouville, LNCA (Qué.) **16 A3**
St-Jean-Chrysostome, V (Qué.) **15 B3**
St-Jean-de-Boischatel, VL (Qué.) **15 G3**
St-Jean-de-Brébeuf, LNCA (Qué.) **15 A4**
St-Jean-de-Cherbourg, LNCA (Qué.) **13 B2**
St-Jean-de-Dieu, LNCA (Qué.) **14 F4**
St-Jean-de-la-Lande, LNCA (Qué.) **16 F2**
St-Jean-de-la-Lande, LNCA (Qué.) **15 G1**

St-Jean-de-Matapédia, LNCA (Qué.) 13 B4
St-Jean-de-Matha, LNCA (Qué.) 16 A2
St-Jean-des-Piles, LNCA (Qué.) 16 B1
St-Jean-d'Orléans, LNCA (Qué.) 15 H3
St-Jean-Port-Joli, LNCA (Qué.) 15 D2
St-Jean-Port-Joli-Station, LNCA (Qué.) 15 D2
St-Jean-sur-Lac, LNCA (Qué.) 18 D4
St-Jean-Vianney, LNCA (Qué.) 16 F3
St-Jean-Vianney, VL (Qué.) 14 B3
St-Jérôme, C (Qué.) 17 G1
St-Joachim, LNCA (Qué.) 15 B2
St Joachim, LNCA (Ont.) 22 B3
St-Joachim-de-Courval, LNCA (Qué.) 16 C2
St-Joachim-de-Shefford, LNCA (Qué.) 16 C3
St-Joachim-de-Tourelle, LNCA (Qué.) 13 D1
Saint Joe 10, RI (C.-B.) 41 E2
St-Jogues, LNCA (Qué.) 13 F3
St-Jogues-Sud, LNCA (Qué.) 13 F3
Saint John, C (N.-B.) 11 D3
St John Island, LNCA (T.-N.) 5 G2
St John's, C (T.-N.) 2 H2
St Johns < Six Nations 40, LNCA (Ont.) 22 G1
St Jones Within, LNCA (T.-N.) 2 F1
St Jones Without, LNCA (T.-N.) 2 F1
St Joseph, LNCA (N.-E.) 8 B4
St Joseph, LNCA (Man.) 29 H4
St Joseph, LNCA (N.-E.) 10 B2
St-Joseph, LNCA (N.-B.) 12 F3
St Joseph, LNCA (Ont.) 22 D1
St-Joseph, VL (N.-B.) 11 G1
St-Joseph-de-Beauce, V (Qué.) 15 B4
St-Joseph-de-Kamouraska, LNCA (Qué.) 15 E1
St-Joseph-de-Kent, LNCA (N.-B.) 12 G4
St-Joseph-de-la-Rive, VL (Qué.) 15 C1
St-Joseph-de-Lepage, LNCA (Qué.) 14 H2
St-Joseph-de-Madawaska, LNCA (N.-B.) 15 H1
St-Joseph-de-Matapédia, LNCA (Qué.) 13 B4
St-Joseph-de-Mékinac, LNCA (Qué.) 18 G3
St-Joseph-de-Sorel, V (Qué.) 16 A2
St-Joseph-du-Lac, LNCA (Qué.) 17 G1
St Joseph du Moine, LNCA (N.-E.) 8 D2
St Joseph Mission, LNCA (C.-B.) 36 C1
St Joseph's, COMM (T.-N.) 2 G3
St Joseph's, COMM (T.-N.) 2 D3
St Josephs Colony, LNCA (Sask.) 31 H3
St Josephs Cove, LNCA (T.-N.) 2 B1
St-Jovite, VL (Qué.) 18 E4
St-Jude, LNCA (Qué.) 16 B3
St-Jules-de-Beauce, LNCA (Qué.) 15 B4
St-Jules-de-Cascapédia, LNCA (Qué.) 13 E3
St-Julien, LNCA (Qué.) 16 E2
St-Julien, LNCA (Sask.) 32 D4
St Julien's, LNCA (T.-N.) 5 H2
St-Juste-de-Bretenières, LNCA (Qué.) 15 D3
St-Juste-du-Lac, LNCA (Qué.) 15 G1
St-Justin, LNCA (Qué.) 16 A2
St Kyran's, LNCA (T.-N.) 2 E3
St Labre, LNCA (Man.) 28 C3
St-Lambert, C (Qué.) 17 H4
St-Lambert-de-Lévis, LNCA (Qué.) 15 B3
St-Laurent, LNCA (Qué.) 15 H3
St-Laurent, LNCA (N.-B.) 12 E1
St Laurent, LNCA (Man.) 29 H3
St-Laurent, C (Qué.) 17 G4
St-Laurent-du-Fleuve, LNCA (Qué.) 16 A2
St-Laurent-Grandin, LNCA (Sask.) 32 D4
St Lawrence, V (T.-N.) 2 C4
St Lawrence, LNCA (I.-P.-E.) 7 A2
St Lawrence Woods, LNCA (Ont.) 17 B4
St-Lazare, LNCA (Qué.) 15 C3
St-Lazare, LNCA (Qué.) 17 F1
St-Lazare, LNCA (N.-B.) 12 G4
St-Lazare, VL (Man.) 29 D3
St-Lazare-de-Vaudreuil, LNCA (Qué.) 17 F1
St-Léandre, LNCA (Qué.) 13 A2
St-Léolin, LNCA (N.-B.) 12 F1
St-Léon, LNCA (Qué.) 16 B1
St Leon, LNCA (Man.) 29 G4
St-Léonard, C (Qué.) 17 G3
St-Léonard, V (N.-B.) 12 A2
St-Léonard-d'Aston, VL (Qué.) 16 C2
St-Léonard-de-Portneuf, LNCA (Qué.) 18 H3
St-Léonard-Parent, LNCA (N.-B.) 12 A2
St Leonards, LNCA (T.-N.) 2 E3
St-Léon-de-Chicoutimi, LNCA (Qué.) 14 A2
St-Léon-de-Standon, LNCA (Qué.) 15 C4
St-Léon-le-Grand, LNCA (Qué.) 13 B3
St-Liboire, VL (Qué.) 16 B3
St-Liguori, LNCA (Qué.) 18 G4
St Lina, LNCA (Alb.) 33 F2
St Louis, VL (Sask.) 32 D4
St Louis, VL (I.-P.-E.) 7 A2
St-Louis-de-Bonsecours, LNCA (Qué.) 16 B3
St-Louis-de-Champlain, LNCA (Qué.) 16 B1
St-Louis-de-Gonzague, LNCA (Qué.) 17 G2
St-Louis-de-Gonzague, LNCA (Qué.) 15 D4
St-Louis-de-Kent, VL (N.-B.) 12 G3
St-Louis-de-Masham, LNCA (Qué.) 17 B1
St-Louis-de-Terrebonne, LNCA (Qué.) 17 G3
St-Louis-du-Ha! Ha!, LNCA (Qué.) 15 F1
St-Luc, V (Qué.) 16 A4
St-Luc, LNCA (Qué.) 15 C4
St-Luc, LNCA (N.-B.) 12 F3
St-Luc-de-Laval, LNCA (Qué.) 14 F2
St-Luc-de-Matane, LNCA (Qué.) 13 B2
St-Lucien, LNCA (Qué.) 16 C2
St-Ludger, VL (Qué.) 16 F3
St Luke, LNCA (Sask.) 29 C3
St Lunaire < St Lunaire – Griquet, LNCA (T.-N.) 5 H2
St Lunaire – Griquet, COMM (T.-N.) 5 H2
St Lupicin, LNCA (Man.) 29 G4
St-Magloire, LNCA (Qué.) 15 D3
St-Majoric, LNCA (Qué.) 16 C2
St-Majorique (Qué.) 13 G2
St-Malachie, LNCA (Qué.) 15 C4
St-Malachie-d'Ormstown, LNCA (Qué.) 17 G2
St-Malachie-Station, LNCA (Qué.) 15 C3
St Malo, LNCA (Man.) 28 A3
St-Malo, LNCA (Qué.) 16 E4
St-Marc, LNCA (Qué.) 16 A3
St-Marc-des-Carrières, VL (Qué.) 16 D1
St-Marcel, LNCA (N.-B.) 12 H4
St-Marcel-de-L'Islet, LNCA (Qué.) 15 D3
St-Marcel-de-Richelieu, LNCA (Qué.) 16 B3
St-Marcellin, LNCA (Qué.) 14 G3
St Margarets, LNCA (N.-B.) 12 F2
St Margarets, LNCA (I.-P.-E.) 7 E3
St Margarets, CFS/SFC, RM (N.-B.) 12 F2
St Margaret Village, LNCA (N.-E.) 8 E1
St Marks, LNCA (Man.) 29 H3
St Martin, LNCA (N.-E.) 10 A3
St Martin, LNCA (Man.) 29 G1
St-Martin-de-Kent, LNCA (N.-B.) 12 G4
St-Martin-de-Restigouche, LNCA (N.-B.) 12 B1
St Martins, VL (N.-B.) 11 E3
St Mary's, COMM (T.-N.) 2 F4
St Mary's, V (Ont.) 22 E1
St Marys, LNCA (N.-E.) 8 D4
St Mary's < St Mary's (COMM), LNCA (T.-N.) 2 F4
St Mary's 1A, RI (C.-B.) 34 C4
St Mary's 24, RI (N.-B.) 11 C1
St Marys River, LNCA (N.-E.) 9 F3
St Marys Road, LNCA (I.-P.-E.) 7 E4
St-Mathias, LNCA (Qué.) 16 A3
St-Mathias-de-Bonneterre, LNCA (Qué.) 16 E4
St-Mathieu, LNCA (Qué.) 14 F3
St-Mathieu-de-Laprairie, LNCA (Qué.) 17 H2
St-Maure, LNCA (N.-B.) 13 D4
St-Maurice, LNCA (Qué.) 16 C1
St-Maurice, LNCA (N.-B.) 12 G3
St-Maurice-de-Dalquier, LNCA (Qué.) 18 B1
St-Médard, LNCA (Qué.) 14 F4
St-Méthode, LNCA (Qué.) 18 H1
St-Méthode-de-Frontenac, LNCA (Qué.) 16 F2
St Michael, LNCA (Alb.) 33 E3
St Michaels, LNCA (T.-N.) 2 H3
St-Michel-de-Bellechasse, LNCA (Qué.) 15 H3
St-Michel-de-Napierville, LNCA (Qué.) 17 H2
St-Michel-des-Saints, LNCA (Qué.) 18 F3
St-Michel-de-Wentworth, LNCA (Qué.) 18 F4
St-Modeste, LNCA (Qué.) 14 E4
St-Modeste-Station, LNCA (Qué.) 14 E4
St-Moïse, LNCA (Qué.) 13 A2
St-Narcisse, LNCA (Qué.) 16 C1
St-Narcisse-de-Rimouski, LNCA (Qué.) 14 G3
St-Narcisse-Station, LNCS (Qué.) 16 C1
St-Nazaire, LNCA (Qué.) 16 B3
St-Nazaire-de-Berry, LNCA (Qué.) 18 B1
St-Nazaire-de-Buckland, LNCA (Qué.) 15 C3
St-Nazaire-de-Chicoutimi, LNCA (Qué.) 14 A2
St-Nérée, LNCA (Qué.) 15 C3
St-Nicéphore, LNCA (Qué.) 16 C3
St Nicholas, LNCA (I.-P.-E.) 7 B3
St-Nicolas, V (Qué.) 15 F4
St-Nicolas-Est, LNCA (Qué.) 18 F4
St-Nicolas-Ouest, LNCA (Qué.) 18 F1
St-Nil, LNCA (Qué.) 13 B2
St Ninian, LNCA (N.-E.) 8 C3
St-Noël, VL (Qué.) 13 A2
St-Norbert, LNCA (Qué.) 16 A2
St-Norbert, LNCA (N.-B.) 12 G3
St-Octave, LNCA (Qué.) 14 H2
St-Octave-de-l'Avenir, LNCA (Qué.) 13 C1
St-Odilon, LNCA (Qué.) 15 C4
St Ola, LNCA (Ont.) 24 F3
St-Olivier, LNCA (N.-B.) 12 G3
St-Omer, LNCA (Qué.) 13 D3
St-Omer, LNCA (Qué.) 15 E2
St-Onésime, LNCA (Qué.) 15 D2
St-Onge, LNCA (Ont.) 17 D2
St Ouens, LNCA (Man.) 28 B1
St-Ours, V (Qué.) 16 A2
St-Pacôme, VL (Qué.) 15 D2
St-Pacôme-Station, LNCA (Qué.) 15 D2
St-Pamphile, V (Qué.) 15 E3
St-Pascal, V (Qué.) 15 E1
St-Pascal, LNCA (Ont.) 17 D1
St-Patrice, LNCA (Qué.) 14 E4
St-Patrice-de-Beaurivage, VL (Qué.) 15 B4
St Patrick Road, LNCA (I.-P.-E.) 7 D4
St Patricks, LNCA (T.-N.) 3 B1
St Patricks, LNCA (I.-P.-E.) 7 C3
St Patricks Channel, LNCA (N.-E.) 8 D3
St Paul, V (Alb.) 33 G3
St-Paul, LNCA (Qué.) 16 B3
St-Paul, LNCA (N.-B.) 12 G4
St-Paul-de-la-Croix, LNCA (Qué.) 14 F4
St-Paul-de-Montminy, LNCA (Qué.) 15 C3
St-Paul-d'Industrie, LNCA (Qué.) 16 A2
St-Paul-du-Nord, LNCA (Qué.) 14 F2
St-Paul-Est, LNCA (Qué.) 15 C3
St-Paulin, VL (Qué.) 16 B1
St-Paulin-Dalibaire, LNCA (Qué.) 13 C1
St-Paul-l'Ermite, V (Qué.) 16 A3
St Pauls, COMM (T.-N.) 5 F4
St Pauls, LNCA (Ont.) 21 A1
St Pauls, LNCA (N.-E.) 9 D2
St Pauls Station, LNCA (Ont.) 22 E1
St Peter and St Paul, LNCA (I.-P.-E.) 7 A2
St Peter's, LNCA (N.-E.) 8 D4
St Peters, VL (I.-P.-E.) 7 E3
St Peters Colony, LNCA (Sask.) 31 H3
St Peters Fishing Station 1A, RI (Man.) 30 C4
St Peters Harbour, LNCA (I.-P.-E.) 7 D3
St-Philémon, LNCA (Qué.) 15 C3
St-Philémon-Nord, LNCA (Qué.) 15 C3
St-Philémon-Sud, LNCA (Qué.) 15 C3
St-Philibert, LNCA (Qué.) 15 C4
St Philip, LNCA (I.-P.-E.) 7 A3
St-Philippe, LNCA (N.-B.) 11 B1
St-Philippe-d'Argenteuil, LNCA (Qué.) 17 F1
St-Philippe-de-Chester, LNCA (Qué.) 16 D2
St-Philippe-de-Laprairie, LNCA (Qué.) 16 A4
St-Philippe-de-Néri, LNCA (Qué.) 15 D1
St Philips, LNCA (Sask.) 29 D1
St Phillips, LNCA (T.-N.) 2 H2
St-Pie, VL (Qué.) 16 B3
St-Pie-de-Guire, LNCA (Qué.) 16 B2
St-Pierre, V (Qué.) 17 G4
St-Pierre, LNCA (Qué.) 16 A2
St-Pierre, LNCA (Qué.) 15 G3
St-Pierre, LNCA (Qué.) 17 G2
St Pierre, VL (Man.) 28 A2
St-Pierre, VL (Qué.) 16 A2
St-Pierre-Baptiste, LNCA (Qué.) 15 A4
St-Pierre-de-Broughton, LNCA (Qué.) 15 B4
St-Pierre-de-Kent, LNCA (N.-B.) 12 G3
St-Pierre-de-Témiscouata, LNCA (Qué.) 14 F4
St-Pierre-de-Wakefield, LNCA (Qué.) 17 C1
St-Pierre-Montmagny, LNCA (Qué.) 15 C3
St Pierre Sud, LNCA (Man.) 28 A2
St-Placide, VL (Qué.) 17 F1
St-Placide-de-Charlevoix, LNCA (Qué.) 15 C2
St-Polycarpe, VL (Qué.) 17 F2
St-Pons, LNCA (N.-B.) 12 G1
St-Prime, VL (Qué.) 18 H1
St-Prosper, LNCA (Qué.) 16 C1
St-Prosper-de-Dorchester, LNCA (Qué.) 15 C4
St-Quentin, VL (N.-B.) 12 B1
St Raphael, LNCA (I.-P.-E.) 7 B3
St-Raphaël, VL (Qué.) 15 C3
St-Raphaël-de-l'Ile-Bizard, LNCA (Qué.) 17 G1
St Raphaels, LNCA (Ont.) 17 E2
St-Raphaël-sur-Mer, LNCA (N.-B.) 13 G4
St-Raymond, V (Qué.) 18 H3
St Raymond, LNCA (Man.) 28 B2
St-Rédempteur, LNCA (Qué.) 17 F1
St-Rédempteur, VL (Qué.) 15 G4
St-Régis, LNCA (Qué.) 17 E2
St-Régis Akwesasne 15, RI (Qué.) 17 F2
St-Régis Akwesasne 59, RI (Ont.) 17 E2
St-Rémi, V (Qué.) 17 H2
St-Rémi-de-Tingwick, LNCA (Qué.) 16 D3
St-René, LNCA (Qué.) 16 G2
St-René-de-Matane, LNCA (Qué.) 13 B2
St-Robert, LNCA (Qué.) 16 B2
St Roch, LNCA (I.-P.-E.) 7 B2
St-Roch, LNCA (Qué.) 18 A2
St-Roch-de-l'Achigan, LNCA (Qué.) 18 G4
St-Roch-de-Mékinac, LNCA (Qué.) 18 G3
St-Roch-de-Richelieu, LNCA (Qué.) 16 A2
St-Roch-des-Aulnaies, LNCA (Qué.) 15 D2
St-Romain, LNCA (Qué.) 16 F3
St-Romuald-d'Etchemin, C (Qué.) 15 G4
St-Rosaire, LNCA (Qué.) 16 D2
St Rose, LNCA (N.-E.) 8 D3
St-Samuel-de-Horton, LNCA (Qué.) 16 C2
St-Samuel-Station, LNCA (Qué.) 16 F3
Saints-Anges, LNCA (Qué.) 15 B4
St-Sauveur, LNCA (N.-B.) 12 F1
St-Sauveur-des-Monts, VL (Qué.) 18 F4
St-Sébastien, LNCA (Qué.) 16 F4
St-Sébastien, LNCA (Qué.) 16 A4
St-Sébastien-Station, LNCA (Qué.) 16 F3
St-Sévère, LNCA (Qué.) 16 B1
St-Sévère-Nord, LNCA (Qué.) 16 B1
St-Séverin-de-Beauce, LNCA (Qué.) 15 B4
St Shotts, COMM (T.-N.) 2 F4
St-Siméon, VL (Qué.) 14 D4
St-Siméon-de-Bonaventure, LNCA (Qué.) 13 E3
St-Siméon-Est, LNCA (Qué.) 13 E3
St-Siméon-Ouest, LNCA (Qué.) 13 E3
St-Simon-de-Bagot, LNCA (Qué.) 16 B3
St-Simon-de-Rimouski, LNCA (Qué.) 14 F3
St-Simon-les-Mines, LNCA (Qué.) 15 C4
St-Simon-sur-Mer, LNCA (Qué.) 14 F3
St-Sixte, LNCA (Qué.) 17 D1
Sts-Martyrs-Canadiens, LNCA (Qué.) 16 E3
St-Sosime, LNCA (N.-B.) 12 F4
Sts Rest, LNCA (N.-E.) 9 B2
St-Stanislas, LNCA (Qué.) 18 H1
St-Stanislas-de-Champlain, LNCA (Qué.) 16 C1
St-Stanislas-de-Kostka, LNCA (Qué.) 17 F2
St Stephen, V (N.-B.) 11 B3
St Stephens < St Vincent's – St Stephens – Peter's River, LNCA (T.-N.) 2 F4
St-Sulpice, LNCA (Qué.) 16 A3
St-Sylvère, VL (Qué.) 16 C2
St-Sylvestre, VL (Qué.) 15 B4
St-Télesphore, LNCA (Qué.) 17 F2
St Teresa, LNCA (T.-N.) 4 B2
St Teresa, LNCA (I.-P.-E.) 7 D4
St-Tharcisius, LNCA (Qué.) 13 B2
St-Théodore, LNCA (Qué.) 18 F4
St-Théodore-d'Acton, LNCA (Qué.) 16 B3
St-Théophile, LNCA (Qué.) 16 G2
St Theresa Point < Island Lake 22, LNCA (Man.) 30 D2
St Thomas, C (Ont.) 22 E2
St Thomas, LNCA (T.-N.) 2 H2
St Thomas, LNCA (N.-B.) 12 A4
St-Thomas-d'Aquin, LNCA (Qué.) 16 B3
St-Thomas-de-Caxton, LNCA (Qué.) 16 B1
St-Thomas-de-Cloridorme, LNCA (Qué.) 13 G1
St-Thomas-de-Joliette, LNCA (Qué.) 16 A2
St-Thomas-de-Kent, LNCA (N.-B.) 12 G4
St-Thuribe, LNCA (Qué.) 16 C1
St-Timothée, VL (Qué.) 17 G2
St Timothy, LNCA (I.-P.-E.) 7 A3
St-Tite, V (Qué.) 16 C1
St-Tite-des-Caps, LNCA (Qué.) 15 C2
St-Ubalde, LNCA (Qué.) 18 H3
St-Ulric, VL (Qué.) 13 A2
St-Urbain-de-Charlevoix, LNCA (Qué.) 15 C1
St-Urbain-de-Ch1teauguay, LNCA (Qué.) 17 G2
St-Valentin, LNCA (Qué.) 16 A4
St-Valère, LNCA (Qué.) 16 D2
St-Valérien, LNCA (Qué.) 16 B3
St-Valérien-de-Rimouski, LNCA (Qué.) 14 G3
St-Vallier, VL (Qué.) 15 B3
St-Vallier-Station, LNCA (Qué.) 15 C3
St Veronica's, LNCA (T.-N.) 2 B1
St-Vianney, LNCA (Qué.) 13 B2
St-Viateur, LNCA (Qué.) 16 A2
St-Victor, VL (Qué.) 15 B4
St Victor, VL (Sask.) 31 F4
St-Victor-de-Bonaventure, LNCA (Qué.) 13 C3
St-Victor-Station, LNCA (Qué.) 15 B4
St Vincent, LNCA (Alb.) 33 G2
St Vincent's < St Vincent's – St Stephens – Peter's River, LNCA (T.-N.) 2 F4
St Vincent's – St Stephens – Peter's River, DAL (T.-N.) 2 F4
St-Vital-de-Clermont, LNCA (Qué.) 18 A1
St Walburg, V (Sask.) 32 A3
St-Wenceslas, VL (Qué.) 16 C2
St-Wilfrid, LNCA (N.-B.) 12 F2
St Williams, LNCA (Ont.) 22 G2
St-Yvon, LNCA (Qué.) 13 G1
St-Zacharie, LNCA (Qué.) 16 D3
St-Zacharie, VL (Qué.) 15 C4
St-Zénon, LNCA (Qué.) 18 F3
St-Zéphirin, LNCA (Qué.) 16 B2
St-Zotique, VL (Qué.) 17 F2
Sakamayack, LNCA (Sask.) 32 C1
Sakami, LNCA (Qué.) 20 F2
Sakimay 74, RI (Sask.) 29 C3
Salaberry, LNCA (Qué.) 16 E2
Salaberry-de-Valleyfield, C (Qué.) 17 F2
Salaquo 4, RI (C.-B.) 40 C2
Salem, LNCA (Ont.) 23 D4
Salem, LNCA (N.-B.) 11 G1
Salem, LNCA (N.-E.) 9 A1
Salem, LNCA (N.-B.) 11 F1
Salem, LNCA (Ont.) 17 A3
Salem, LNCA (Ont.) 21 E2
Salem, LNCA (Ont.) 23 E3
Salem, LNCA (Ont.) 23 C2
Salem, LNCA (Ont.) 23 C3
Salem Corners, LNCA (Ont.) 21 C1
Salem Road, LNCA (N.-E.) 8 E4
Salford, LNCA (Ont.) 22 F1
Salina, LNCA (N.-B.) 11 E2
Salisbury, VL (N.-B.) 11 F1
Sallahlus 20, RI (C.-B.) 38 D1
Sallahlus 20A, RI (C.-B.) 38 D1
Sally's Cove, COMM (T.-N.) 5 F4
Salmo, VL (C.-B.) 34 B4
Salmon Arm, DM (C.-B.) 35 F1
Salmon-Bay, LNCA (Qué.) 5 F2
Salmon Bay 3, RI (C.-B.) 37 C3
Salmon Beach, LNCA (N.-B.) 12 F1
Salmon Cove, V (T.-N.) 2 G2
Salmon Creek, LNCA (N.-B.) 11 E1
Salmon Creek, LNCA (N.-B.) 11 E1
Salmon Creek 3, RI (C.-B.) 45 B4
Salmonhurst Corner, LNCA (N.-B.) 12 A2
Salmonier, LNCA (T.-N.) 2 C3
Salmon Lake 7, RI (C.-B.) 35 E2
Salmon Point, LNCA (Ont.) 21 G2
Salmon River, LNCA (N.-E.) 9 C2
Salmon River, LNCA (N.-E.) 10 A3
Salmon River, LNCA (N.-B.) 11 F2
Salmon River, LNCA (N.-E.) 8 D4
Salmon River 1, RI (C.-B.) 35 F1
Salmon River 1, RI (C.-B.) 39 G2
Salmon River Bridge, LNCA (N.-E.) 9 C3
Salmon River Lake, LNCA (N.-E.) 9 F2
Salmon River Meadow 7, RI (C.-B.) 40 A3
Salmon River Road, LNCA (N.-E.) 8 E4
Salmon Valley, LNCA (C.-B.) 40 C1
Salmonville, LNCA (Ont.) 22 E1
Salomé, LNCA (Qué.) 16 A2
Saltair, LNCA (C.-B.) 38 E3
Salt Channel 21D, RI (Man.) 30 A2
Saltcoats, V (Sask.) 29 D2
Saltery Bay, LNCA (C.-B.) 38 D1
Saltford, LNCA (Ont.) 23 B3
Salt Harbour, LNCA (T.-N.) 3 D1
Salt Pans, LNCA (T.-N.) 3 D2
Salt Point, LNCA (Man.) 29 F1
Salt Prairie, LNCA (Alb.) 33 B1
Salt River, LNCA (T.N.-O.) 44 C2
Salt Springs, LNCA (N.-E.) 9 D2
Salt Springs, LNCA (N.-E.) 9 A1
Salt Springs, LNCA (N.-E.) 8 B4
Salt Springs, LNCA (N.-B.) 11 E2
Salt Springs Station, LNCA (N.-E.) 9 A1
Salvador, VL (Sask.) 31 C1
Salvage, DAL (T.-N.) 3 F3
Salvail, LNCA (Qué.) 16 A3
Salvus 26, RI (C.-B.) 42 D4
Sam Adams 12, RI (C.-B.) 35 B2
Samahquam 1, RI (C.-B.) 37 G4
Sambro, LNCA (N.-E.) 9 B4
Sambro Creek, LNCA (N.-E.) 9 B4
Sambro Head, LNCA (N.-E.) 9 B4
Samburg, LNCA (Sask.) 32 E3
Sammit Lake, LNCA (C.-B.) 45 C4
Samp Hill, LNCA (N.-B.) 11 F1
Sampsons Cove, LNCA (N.-E.) 8 D4
Sampson's Meadow 11, RI (C.-B.) 36 B2
Sampson's Meadow 11A, RI (C.-B.) 36 B2
Sampsonville, LNCA (N.-E.) 8 D4
Samson 137, RI (Alb.) 33 E4
Samson 137A, RI (Alb.) 33 E4
Sanborn, LNCA (Qué.) 16 E2
Sanca, LNCA (C.-B.) 34 C4
San Clara, LNCA (Man.) 29 D2
Sanctuary, LNCA (Sask.) 31 D2
Sand Banks, LNCA (Ont.) 21 F2
Sand-Bay, LNCA (Qué.) 17 A1
Sand Bay Corner, LNCA (Ont.) 17 B3
Sand Beach, LNCA (N.-E.) 10 A3
Sand Beach, LNCA (Sask.) 32 C4
Sand Brook, LNCA (N.-B.) 11 C2
Sand Castle Beach, LNCA (Ont.) 23 E1
Sandfield, LNCA (N.-E.) 8 E3
Sandfield, LNCA (Ont.) 25 C3
Sandfield Mills, LNCA (Ont.) 17 E2
Sandford, LNCA (N.-E.) 10 A3
Sandford, LNCA (Ont.) 21 B1
Sandford, LNCA (Ont.) 23 B3
Sandford, LNCA (Qué.) 18 H2
Sand-Hill, LNCA (Qué.) 16 D4
Sandhurst, LNCA (Ont.) 21 G1
Sandhurst Shores, LNCA (Ont.) 21 G1
Sandilands, LNCA (Man.) 28 C3
Sand Island 4, RI (C.-B.) 41 C1
Sandison, LNCA (Ont.) 22 G3
Sand Lake, LNCA (N.-E.) 8 F3
Sand Lake, LNCA (Ont.) 24 C1
Sandon, LNCA (C.-B.) 34 B3
Sandown, LNCA (Ont.) 17 E1
Sand Point, LNCA (N.-E.) 9 C1
Sand Point, LNCA (Ont.) 17 B1
Sand Point, LNCA (N.-B.) 11 D3
Sand Point, LNCA (C.-B.) 39 E3
Sand Point, LNCS (N.-E.) 8 C4
Sandridge, LNCA (Man.) 29 H3
Sandringham, COMM (T.-N.) 3 F4
Sandringham, LNCA (Ont.) 17 E2
Sand River, LNCA (N.-E.) 11 G2
Sandspit, LNCA (C.-B.) 41 B2
Sandtown, LNCA (Ont.) 17 D2
Sandwith, LNCA (Sask.) 32 B3
Sandy Bay, LNCA (Sask.) 32 G1
Sandy Bay 5, RI (Man.) 29 G3
Sandy Bay Landings, LNCA (N.-E.) 10 D3
Sandy Beach (Qué.) 13 H2
Sandy Beach, VE (Alb.) 33 D3
Sandy Beach, VE (Sask.) 29 B2
Sandy Beach, LNCA (Ont.) 17 B1
Sandy Beach, LNCA (Ont.) 23 G1
Sandy Beach, LNCA (Alb.) 33 E3
Sandy Cove, COMM (T.-N.) 3 F4
Sandy Cove, LNCA (Ont.) 21 A1
Sandy Cove, LNCA (N.-E.) 10 A2
Sandy Cove, LNCA (N.-E.) 9 B4
Sandy Cove, LNCA (N.-E.) 10 D3
Sandy Cove, St Barbe North, COMM (T.-N.) 5 G2
Sandycove Acres, LNCS (Ont.) 21 A1
Sandy-Creek, LNCA (Qué.) 18 C4
Sandy Harbour, LNCA (T.-N.) 2 E2
Sandy Harry 4, RI (C.-B.) 36 B2
Sandy Hill, LNCA (Ont.) 17 E1
Sandy Hook, LNCA (T.-N.) 6 H4
Sandy Hook, LNCA (Ont.) 17 B1
Sandy Hook, LNCA (Man.) 30 C4
Sandy Lake, LNCA (Man.) 29 E3
Sandy Lake, LNCA (Alb.) 44 B4
Sandy Lake, LNCA (Sask.) 44 E4
Sandy Lake < Sandy Lake 88, LNCA (Ont.) 30 D3
Sandy Lake 88, RI (Ont.) 30 E3
Sandy Narrows < Sandy Narrows 184C, LNCA (Sask.) 32 G1
Sandy Narrows 184C, RI (Sask.) 32 G1
Sandy Point, LNCA (N.-E.) 10 C4
Sandy Point, LNCA (Ont.) 23 H2
Sandy Point, LNCA (T.-N.) 3 C2
Sandy Point, LNCA (T.-N.) 4 E3
Sandy Point Beach, LNCA (Ont.) 24 B4
Sanford, LNCA (Man.) 29 H4
Sangaree, LNCA (N.-E.) 8 F3
Sangudo, VL (Alb.) 33 C3
Sanikiluaq, HAM (T.N.-O.) 46 E4
San Jose 6, RI (C.-B.) 36 B1
Sanklksgamal 80, RI (C.-B.) 42 D3
Sanmaur, LNCA (Qué.) 18 F2
Sans Souci, LNCA (Ont.) 24 A2
Saouchten 18, RI (C.-B.) 41 B1
Saouk 16, RI (C.-B.) 38 C3
Sapawe, LNCA (Ont.) 27 B3
Sapin-Court, LNCA (N.-B.) 12 F3
Sapton, LNCA (Man.) 28 B1
Saratoga, LNCA (Ont.) 23 B3
Sarawak, LNCA (Ont.) 23 C1
Sarcee 145, RI (Alb.) 34 E2
Sarita, LNCA (C.-B.) 38 B3
Sarnia, C (Ont.) 22 B2
Sarnia 45, RI (Ont.) 22 B2
Sarque 5, RI (C.-B.) 38 C3
Sarsfield, LNCA (Ont.) 17 D1
Sarto, LNCA (Man.) 28 B2
Saseenos, LNCA (C.-B.) 38 E4
Saskatchewan Beach, VE (Sask.) 31 G2
Saskatoon, C (Sask.) 31 F1
Satellite Slopes, LNCA (N.-E.) 9 D2
Satunquin 5, RI (C.-B.) 41 B1
Saturna, LNCA (C.-B.) 38 F3
Saturna Island 7, RI (C.-B.) 38 F3
Sauble Beach, LNCA (Ont.) 23 C1
Sauble Beach North, LNCA (Ont.) 23 C1
Sauble Beach South < Saugeen 29, LNCA (Ont.) 23 C1
Sauble Falls, LNCA (Ont.) 23 C1
Saucier, LNCA (Qué.) 13 A2
Saugeen 29, RI (Ont.) 23 C2
Saugeen Hunting Ground 60A, RI (Ont.) 25 D4
Saughanaught 22, RI (C.-B.) 38 D1
Saulnierville, LNCA (N.-E.) 10 A2
Saulnierville Station, LNCA (N.-E.) 10 A2
Sault-au-Mouton, VL (Qué.) 14 F2
Saulteaux, LNCA (Alb.) 33 D1
Saulteaux 159, RI (Sask.) 32 B3
Saulteaux 159A, RI (Sask.) 32 B3
Sault Ste Marie, C (Ont.) 26 A4
Sault-St-Lin, LNCA (Qué.) 18 F4
Saumarez, LNCA (N.-B.) 12 G1
Saunders, LNCA (Alb.) 33 C4
Saurin, LNCA (Ont.) 23 F1
Sauvé, LNCA (Qué.) 13 D1
Savage Cove, LNCA (T.-N.) 5 G2
Savage Harbour, LNCA (I.-P.-E.) 7 D3
Savanne, LNCA (Ont.) 27 D2
Savant Lake, LNCA (Ont.) 27 C1
Savary Island, LNCA (C.-B.) 37 C4
Savey 15, RI (C.-B.) 39 E3
Savoie, LNCA (Qué.) 15 A4
Savona, LNCA (C.-B.) 36 E4
Savoy Landing, LNCA (N.-B.) 12 G1
Sawback, LNCA (Alb.) 34 D2
Sawbill, LNCA (Man.) 44 G3
Sawdy, LNCA (Alb.) 33 E2
Sawlog Bay, LNCA (Ont.) 23 F1
Sawmill Bay, LNCA (T.N.-O.) 45 E2
Sawquamain 19A, RI (C.-B.) 38 D1
Sawridge 150G, RI (Alb.) 33 D1
Sawridge 150H, RI (Alb.) 33 C1
Sawyerville, VL (Qué.) 16 E4
Saxby-Corner, LNCA (Qué.) 16 B4
Sayabec, VL (Qué.) 13 A2
Say-la-quas 10, RI (C.-B.) 38 E3
Sayward, VL (C.-B.) 39 G2
Scamakounst 19, RI (C.-B.) 42 D2
Scandia, LNCA (Alb.) 34 G3
Scandinavia, LNCA (Man.) 29 F3
Scanterbury < Brokenhead 4, LNCA (Man.) 30 C4
Scapa, LNCA (Alb.) 34 G1
Scarborough, BOR (Ont.) 21 B2
Scarlet Park, LNCA (Ont.) 23 G1
Scarsdale, LNCA (N.-E.) 10 E2
Scarth, LNCA (Man.) 29 E4
Scatarie Island, LNCA (N.-E.) 8 G3
Scaucy 5, RI (C.-B.) 35 B3
Sceptre, VL (Sask.) 31 C2
Schaltuuch 27, RI (C.-B.) 38 E2
Schantzenfeld, LNCA (Sask.) 31 E3
Schanzenfeld, LNCA (Man.) 29 H4
Schefferville (Lac John), RI (Qué.) 6 C3
Schefferville (Matimekosh), RI (Qué.) 6 C3
Schefferville, V (Qué.) 6 C3
Schelowat 1, RI (C.-B.) 35 A4
Schikaelton 16, RI (C.-B.) 35 B1
Schindelsteddle, LNCA (Ont.) 22 F1
Schist Lake, LNCA (Man.) 32 H2
Schkam 2, RI (C.-B.) 35 B4
Schnares Crossing, LNCA (N.-E.) 10 E2
Schoenfeld, LNCA (Sask.) 31 E3
Schoenweise, LNCA (Sask.) 31 F1
Schoenwiese, LNCA (Man.) 29 H4
Schoenwiese, LNCA (Sask.) 31 E3
Schomberg, LNCA (Ont.) 21 A2
Schomberg Heights, LNCA (Ont.) 23 F3
Schooner Pond, LNCA (N.-E.) 8 F3
Schreiber, LNCA (Ont.) 27 G3
Schuler, LNCA (Alb.) 31 B3
Schutt, LNCA (Ont.) 24 F2
Schwartz, LNCA (Qué.) 18 D4
Schyan, LNCA (Qué.) 18 C4
Schyan-Point, LNCA (Qué.) 18 C4
Science Hill, LNCA (Ont.) 22 E1
Sclanders, LNCA (Sask.) 31 G1
Sclater, LNCA (Man.) 29 E1
Scoble West, LNCA (Ont.) 27 D3
Scollard, LNCA (Alb.) 34 F1
Scone, LNCA (Ont.) 23 C2
Scotch Bay, LNCA (Man.) 29 G2
Scotch Block, LNCA (Ont.) 26 C4
Scotch Bush, LNCA (Ont.) 24 E2
Scotch Bush, LNCA (Ont.) 24 G2
Scotch Corners, LNCA (Ont.) 17 B2
Scotch Creek, LNCA (C.-B.) 36 G4
Scotch Creek 4, RI (C.-B.) 36 G4
Scotchfort, LNCA (I.-P.-E.) 7 D3
Scotchfort 4, RI (I.-P.-E.) 7 D3
Scotch Hill, LNCA (N.-E.) 8 D2
Scotch Hill, LNCA (N.-E.) 9 D1
Scotch Lake, LNCA (N.-E.) 8 E3
Scotch Lake, LNCA (N.-B.) 11 B1
Scotch Line, LNCA (Ont.) 17 B3
Scotch Point, LNCA (Ont.) 17 B3
Scotch Ridge, LNCA (N.-B.) 11 B3
Scotch-Road, LNCA (Qué.) 17 E1
Scotch Settlement, LNCA (N.-B.) 11 C1
Scotch Settlement, LNCA (N.-B.) 12 G4
Scotch Settlement, LNCA (Ont.) 17 B4
Scotch Settlement < Saugeen 29, LNCA (Ont.) 23 C2
Scotchtown, LNCA (N.-E.) 8 F3
Scotchtown, LNCA (N.-B.) 11 D1
Scotch Village, LNCA (N.-E.) 9 A3
Scotfield, LNCA (Alb.) 34 H1
Scotford, LNCA (Alb.) 33 E3
Scotia, LNCA (Ont.) 24 B2
Scotland, LNCA (Ont.) 22 G1
Scots Bay, LNCA (N.-E.) 11 H3
Scots Bay Road, LNCA (N.-E.) 11 H3
Scotsburn, LNCA (N.-E.) 9 D1
Scotsguard, LNCA (Sask.) 31 D4
Scotstown, V (Qué.) 16 E3
Scotsville, LNCA (N.-E.) 8 D3
Scotswood, LNCA (Alb.) 43 G3
Scott, V (Sask.) 31 D1
Scott, LNCA (Qué.) 15 B4
Scott Road, LNCA (N.-B.) 11 F1
Scott Settlement, LNCA (Ont.) 24 E2
Scott Settlement, LNCA (Ont.) 24 E3
Scott Settlement, LNCS (N.-E.) 11 A1
Scotts Hill, LNCA (Man.) 28 C1
Scott Siding, LNCA (N.-B.) 11 A1
Scotts Landing, LNCA (Ont.) 24 E3
Scott Subdivision, LNCS (C.-B.) 40 C3
Scottsville, LNCA (Ont.) 22 E2
Scoudouc, LNCA (N.-B.) 11 G1
Scout Lake, LNCA (Sask.) 31 F4
Scovil, LNCA (N.-B.) 11 D2
Scowban 28, RI (C.-B.) 42 D3
Scowlitz 1, RI (C.-B.) 35 A4
Scrabble Hill, LNCA (N.-E.) 9 B2
Scroggie Creek, LNCA (Yukon) 45 A2
Scudder, LNCA (Ont.) 22 B4
Scugog, LNCA (Ont.) 21 C1
Scugog 34, RI (Ont.) 21 C1
Scugog Centre, LNCA (Ont.) 21 C1
Scugog Point, LNCA (Ont.) 21 C1
Scuttsap 11, RI (C.-B.) 41 D1
Scuttsap 11A, RI (C.-B.) 41 D1
Seabird Island, RI (C.-B.) 35 A4
Seabird Mobile Home Park, LNCS (C.-B.) 38 E3
Sea Breeze, LNCA (Ont.) 24 C2
Seabright, LNCA (N.-E.) 9 A4
Seabrook, LNCA (N.-E.) 10 B2
Seacliffe, LNCA (Ont.) 22 B4
Seacow Pond, LNCA (I.-P.-E.) 7 B2
Seacrest Subdivision, LNCS (C.-B.) 38 D2
Seafoam, LNCA (N.-E.) 9 C1
Seaford, LNCA (C.-B.) 37 C4
Seaforth, V (Ont.) 23 B4
Seaforth, LNCA (N.-E.) 9 C4
Seagrave, LNCA (Ont.) 21 C1
Seagrove, LNCA (N.-E.) 7 B4
Seah 5, RI (C.-B.) 35 A1
Seaichem 16, RI (C.-B.) 38 F1
Sea Island 3, RI (C.-B.) 38 F2
Seaks 3, RI (C.-B.) 42 D3
Seaks 60, RI (C.-B.) 42 E3
Seal Bay Subdivision, LNCS (C.-B.) 38 C1
Seal Bight, LNCA (T.-N.) 5 H1
Seal Cove, COMM (T.-N.) 2 A2
Seal Cove, DAL (T.-N.) 3 A1
Seal Cove, LNCA (T.-N.) 2 G3
Seal Cove, LNCA (N.-E.) 8 D4
Seal Cove, VL (N.-B.) 11 C4
Seal Harbour, LNCA (N.-E.) 9 F2
Seal Island, LNCA (N.-E.) 10 B4
Seal Islands Harbour, LNCA (T.-N.) 6 H3
Seal River, LNCA (I.-P.-E.) 7 E4
Seal River, LNCA (I.-P.-E.) 7 D4
Searchmont, LNCA (Ont.) 26 B3
Searletown, LNCA (I.-P.-E.) 7 B3
Searston, LNCA (T.-N.) 4 A3
Searsville, LNCA (N.-B.) 11 E2
Sea Side, LNCA (N.-B.) 13 D4
Seaside Park, LNCA (C.-B.) 38 E2
Seaspunkut 4, RI (C.-B.) 40 A1
Sea View, LNCA (I.-P.-E.) 7 B3
Seaview, LNCA (N.-E.) 8 D4
Seba Beach, VE (Alb.) 33 C3
Sebastopol, LNCA (Ont.) 22 F1
Sebright, LNCA (Ont.) 23 G1
Sebright, LNCA (Man.) 28 B1
Sebringville, LNCA (Ont.) 22 E1
Sechelt, VL (C.-B.) 38 E2
Seckerton, LNCA (Ont.) 22 B2
Second Falls, LNCA (N.-B.) 11 C3
Second North River, LNCA (N.-B.) 11 F1
Second Peninsula, LNCA (N.-E.) 10 E2
Secord, LNCA (Ont.) 25 E1
Secretan, LNCA (Sask.) 31 F3
Secret Cove, LNCA (C.-B.) 38 D1
Sedalia, LNCA (Alb.) 31 B1
Seddons Corner, LNCA (Man.) 28 C1
Sedgewick, V (Alb.) 33 F4
Sedley, VL (Sask.) 31 H3
Seebe, LNCA (Alb.) 34 D2
Seech, LNCA (Man.) 29 E3
Seekaskootch 119, RI (Sask.) 32 A3
Seektukis 24, RI (C.-B.) 39 F4
Seeley, LNCA (Ont.) 17 C3
Seeleys Bay, LNCA (Ont.) 17 B3
Seeleys Cove, LNCA (N.-B.) 11 C3
Seffernsville, LNCA (N.-E.) 10 E1
Seguin Falls, LNCA (Ont.) 24 B2
Seine River 22A2, RI (Ont.) 27 C2
Seine River 23B, RI (Ont.) 27 A3

Seine River Village < Seine River 23A, LNCA (Ont.) 27 A3
Sekaleton 21, RI (C.-B.) 38 D1
Sekaleton 21A, RI (C.-B.) 38 D1
Selby, LNCA (Ont.) 21 G1
Seldom < Seldom – Little Seldom, LNCA (T.-N.) 3 E1
Seldom – Little Seldom, DR (T.-N.) 3 E1
Selfridge Corner, LNCA (N.-E.) 10 D1
Selim, LNCA (Ont.) 27 F3
Selkirk, V (Man.) 28 A1
Selkirk, LNCA (Î.-P.-E.) 7 E3
Sellars, LNCA (Ont.) 27 D3
Sellarsville, LNCA (Qué.) 13 C4
Selma, LNCA (N.-E.) 9 B2
Selma Park, LNCA (C.-B.) 38 E2
Selton, LNCA (Ont.) 17 B4
Selton, LNCA (Ont.) 22 C3
Selwyn, LNCA (Ont.) 21 D1
Selwyn, LNCA (Yukon) 45 A3
Semach 2, RI (C.-B.) 39 B1
Semans, VL (Sask.) 31 G2
Semiahmoo, RI (C.-B.) 38 G3
Semiwagan Ridge, LNCA (N.-B.) 12 E3
Senanus Island 10, RI (C.-B.) 38 E4
Senate, LNCA (Sask.) 31 C4
Senecal, LNCA (Ont.) 17 E1
Senkiw, LNCA (Man.) 28 A3
Senlac, VL (Sask.) 32 A4
Senneterre, V (Qué.) 18 C1
Senneville, VL (Qué.) 17 F4
Sentinel, LNCA (Alb.) 34 E4
Seouls Corners, LNCA (Ont.) 17 A3
Separation Point, LNCA (T.-N.) 6 G3
Sept-Chutes, LNCA (Qué.) 15 B2
Sept-Îles, C (Qué.) 19 F3
Serath, LNCA (Sask.) 31 H2
Serpent River, LNCA (Ont.) 25 B1
Serpent River 7, RI (Ont.) 25 B1
Sesekinika, LNCA (Ont.) 26 F2
Seshelt 2, RI (C.-B.) 38 E2
Seton Lake 5, RI (C.-B.) 37 H2
Seton Lake 5A, RI (C.-B.) 37 H2
Seton Portage, LNCA (C.-B.) 37 H2
Seven Islands 27, RI (Qué.) 19 F3
Seven Islands 27A, RI (Qué.) 19 F3
Seven Islands Crossing, LNCA (T.N.-O.) 45 C2
Seven Mile Corner, LNCA (C.-B.) 43 F3
Seven Mile Narrows, LNCA (Ont.) 24 A2
Seven Persons, LNCA (Alb.) 31 A3
Seven Sisters Falls, LNCA (Man.) 28 C1
Seventeen Mile, LNCA (Yukon) 45 B3
70 Mile House, LNCA (C.-B.) 36 D3
Severn Bridge, LNCA (Ont.) 23 G1
Severn Falls, LNCA (Ont.) 23 F1
Seville, LNCA (Ont.) 22 F2
Sevogle, LNCA (N.-B.) 12 E2
Sewall, LNCA (C.-B.) 41 B1
Sewell, LNCA (Man.) 29 H4
Sewell Inlet, LNCA (C.-B.) 41 B2
Sexsmith, VL (Alb.) 43 G4
Seymour Arm, LNCA (C.-B.) 36 H3
Seymour Beach, LNCS (Ont.) 22 A4
Seymour Creek 2, RI (C.-B.) 38 F2
Seymour Lake, LNCA (C.-B.) 42 F4
Seymour Landing, LNCA (C.-B.) 38 F2
Seymour Meadows 19, RI (C.-B.) 40 B4
Seymourville, LNCA (Man.) 30 C4
Shabaqua, LNCA (Ont.) 27 D3
Shabaqua Corners, LNCA (Ont.) 27 D3
Shackan 11, RI (C.-B.) 35 B2
Shackleton, VL (Sask.) 31 D3
Shad Bay, LNCA (N.-E.) 9 B4
Shady Acres Trailer Court, LNCS (C.-B.) 40 C3
Shady Grove, LNCA (Sask.) 31 G1
Shady Nook, LNCA (Ont.) 24 G1
Shag Harbour, LNCA (N.-E.) 10 B4
Shakespeare, LNCA (Ont.) 22 F1
Shalalth < Slosh 1, LNCA (C.-B.) 37 H2
Shale Banks, LNCA (Alb.) 40 G2
Shalloway, LNCA (T.-N.) 2 C4
Shalloway Cove < St Brendan's (COMM), LNCA (T.-N.) 3 F3
Shallow Lake, VL (Ont.) 23 C1
Shamattawa, LNCA (Man.) 30 E1
Shamblers Cove, LNCA (T.-N.) 3 F3
Shames, LNCA (C.-B.) 42 E4
Shampers, LNCA (N.-B.) 11 D2
Shamrock, LNCA (Î.-P.-E.) 7 C4
Shamrock, LNCA (Ont.) 17 A1
Shamrock, VL (Sask.) 31 F3
Shandro, LNCA (Alb.) 33 F3
Shands, LNCA (Ont.) 23 E3
Shanes, LNCA (Ont.) 17 B3
Shanick, LNCA (Ont.) 24 F4
Shanklin, LNCA (N.-B.) 11 E2
Shanks, LNCA (Qué.) 16 D4
Shanly, LNCA (Ont.) 17 D2
Shannon, LNCA (N.-B.) 11 E2
Shannon, LNCA (Qué.) 15 F3
Shannon Bay, LNCA (C.-B.) 41 A1
Shannon Creek 28, RI (C.-B.) 38 E2
Shannon Hall, LNCA (Ont.) 24 B2
Shannons Corners, LNCA (Ont.) 17 A4
Shannonvale, LNCA (N.-B.) 13 D4
Shannonville, LNCA (Ont.) 21 F1
Shanty Bay, LNCA (Ont.) 21 A1
Shantz, LNCA (Alb.) 34 E1
Sharbot Lake, LNCA (Ont.) 17 A3
Sharon, LNCA (Ont.) 21 B1
Sharon, LNCA (Ont.) 22 E2
Sharpewood, LNCA (Man.) 29 H2
Sharples, LNCA (Alb.) 34 F2
Sharps Corners, LNCA (Ont.) 21 G1
Sharpton, LNCA (Ont.) 17 A4
Sharrow, LNCA (Alb.) 31 B2
Shaughnessy, LNCA (Alb.) 34 F3
Shaunavon, V (Sask.) 31 D4
Shaver Subdivision, LNCS (Ont.) 22 E2
Shaw, LNCA (Alb.) 33 A3
Shawanaga < Shawanaga 17, LNCA (Ont.) 25 G3
Shawanaga 17, RI (Ont.) 25 G3
Shawanaga 17B, RI (Ont.) 25 F3
Shawanaga Landing < Shawanaga 17B, LNCA (Ont.) 25 F3
Shawbridge, LNCA (Qué.) 18 F4
Shaw Brook, LNCA (N.-B.) 12 G4
Shawinigan, C (Qué.) 16 B1
Shawinigan-Nord, LNCA (Qué.) 16 B1
Shawinigan-Sud, V (Qué.) 16 B1
Shaw Island, LNCA (N.-E.) 10 E2
Shawmere, LNCA (Ont.) 26 C2
Shawnigan, LNCA (C.-B.) 38 E3
Shawniken 3, RI (C.-B.) 35 B1
Shawniken 4B, RI (C.-B.) 35 B1
Shawville, VL (Qué.) 17 A1
Sheahan Estates, LNCA (Ont.) 17 D4
Shea Heights, LNCA (T.-N.) 2 H2
Shearer Dale, LNCA (C.-B.) 43 F3
Shearwater, LNCA (C.-B.) 41 E3
Shearwater, CFB/BFC, RM (N.-E.) 9 B4
Sheaton, LNCA (Ont.) 17 C3
Sheaves Cove < Cape St George – Petit Jardin – Grand Jardin – De Grau – Marches Point – Loretto, LNCA (T.-N.) 4 A2
Shebandowan, LNCA (Ont.) 27 D3
Sheba's Island, LNCS (Ont.) 21 F2
Shebeshekong, LNCA (Ont.) 25 G3
Shedden, LNCA (Ont.) 22 E2
Shediac, V (N.-B.) 12 H4
Shediac Bridge, LNCA (N.-B.) 12 H4
Shediac Cape, LNCA (N.-B.) 12 H4
Shediac Ridge, LNCA (N.-B.) 12 F3
Shediac River, LNCA (N.-B.) 12 G4
Sheenboro, LNCA (Qué.) 18 C4
Sheepherders Junction, LNCA (N.-E.) 9 D2
Sheerness, LNCA (Alb.) 34 G2
Sheerway, LNCA (Qué.) 18 B4
Sheet Harbour, LNCA (N.-E.) 9 D3
Sheet Harbour 36, RI (N.-E.) 9 D3
Sheet Harbour Passage, LNCA (N.-E.) 9 E3
Sheet Harbour Road, LNCA (N.-E.) 9 D3
Sheffield, LNCA (Ont.) 22 G1
Sheffield, LNCA (N.-B.) 11 D1
Sheffield Mills, LNCA (N.-E.) 11 H3
Sheganny 14, RI (C.-B.) 41 D2
Sheguiandah, LNCA (Ont.) 25 C2
Sheguiandah 24, RI (Ont.) 25 C2
Sheho, VL (Sask.) 29 C2
Sheila, LNCA (N.-B.) 12 G1
Shekatika, LNCA (Qué.) 5 F2
Shelburne, V (N.-E.) 10 C3
Shelburne, VL (Ont.) 23 E3
Shelburne, CFS/SFC, RM (N.-E.) 10 C4
Shelburne Falls, LNCS (N.-E.) 10 C3
Sheldon, LNCA (Ont.) 23 E3
Sheldon Corners, LNCA (Ont.) 17 B3
Sheldrake, LNCA (Qué.) 19 G3
Sheldrake Lake, LNCA (N.-E.) 9 B4
Shellbrook, V (Sask.) 32 D3
Shelley, LNCA (C.-B.) 40 C2
Shelley, LNCA (Man.) 28 C1
Shell Island 3, RI (C.-B.) 39 D1
Shell Lake, VL (Sask.) 32 C3
Shellmouth, LNCA (Man.) 29 D2
Shell Valley, LNCA (Man.) 29 D2
Shelter Point, LNCA (C.-B.) 37 B4
Shemogue, LNCA (N.-B.) 7 A4
Shenston, LNCA (Ont.) 28 G4
Shenstone, LNCA (N.-B.) 11 G1
Shepard, LNCA (Alb.) 34 E2
Shepody, LNCA (N.-B.) 11 G2
Sheppardton, LNCA (Ont.) 23 B3
Shep's Subdivision, LNCS (Ont.) 22 G1
Sheptetski, LNCA (Qué.) 18 B1
Sheraton, LNCA (C.-B.) 40 A1
Sheraton Creek 19, RI (C.-B.) 40 A1
Sherbrooke, C (Qué.) 16 D4
Sherbrooke, LNCA (N.-E.) 9 F3
Sherbrooke, LNCA (Î.-P.-E.) 7 B3
Shergrove, LNCA (Man.) 29 F2
Sherose Island, LNCA (N.-E.) 10 B4
Sherridon, LNCA (Man.) 30 A1
Sherrington, LNCA (Qué.) 17 H2
Sherwood, LNCA (Ont.) 26 B4
Sherwood, LNCA (N.-E.) 9 A3
Sherwood, VL (Î.-P.-E.) 7 C4
Sherwood Park, LNCA (Alb.) 33 E3
Sherwood Springs, LNCA (Ont.) 17 C3
Sherwood Village, LNCA (Ont.) 22 B2
Shesheep 74A, RI (Sask.) 29 C3
Sheshegwaning < Sheshegwaning 20, LNCA (Ont.) 25 A2
Sheshegwaning 20, RI (Ont.) 25 A2
Sheslay, LNCA (C.-B.) 45 B4
Shetland, LNCA (Ont.) 22 C2
Shetland Trailer Park, LNCS (Ont.) 26 B4
Shevlin, LNCA (Man.) 29 D2
Shickshock, LNCA (Qué.) 13 D1
Shields Crossing, LNCA (Ont.) 24 G1
Shigawake, LNCA (Qué.) 13 F3
Shigawake-Est, LNCA (Qué.) 13 F3
Shillington, LNCA (Ont.) 26 E1
Shilo < Shilo, CFB/BFC, LNCA (Man.) 29 F4
Shilo, CFB/BFC, RM (Man.) 29 F4
Shiloh, LNCA (Ont.) 21 E1
Shiloh, LNCA (Ont.) 23 E3
Shingle Point 4, RI (C.-B.) 38 E3
Shinimicas Bridge, LNCA (N.-E.) 9 A1
Shining Bank, LNCA (Alb.) 33 B3
Shining Tree, LNCA (Ont.) 26 E3
Shinnickburn, LNCA (N.-B.) 12 E3
Ship Cove, LNCA (T.-N.) 4 B2
Ship Cove, LNCA (T.-N.) 5 H2
Ship Cove, LNCA (T.-N.) 2 G2
Ship Cove, LNCA (T.-N.) 2 E3
Ship Harbour, LNCA (T.-N.) 2 F3
Ship Harbour, LNCA (N.-E.) 9 D3
Ship Island, LNCA (T.-N.) 3 D1
Shipka, LNCA (Ont.) 22 D1
Shipman, LNCA (Sask.) 32 E3
Shippegan, V (N.-B.) 12 G1
Shippegan Portage, LNCA (N.-B.) 12 G1
Shipshaw (Qué.) 14 B3
Shirley, LNCA (Ont.) 21 C1
Shirley, LNCA (C.-B.) 38 E4
Shirleys Bay, LNCA (Ont.) 17 D4
Shoal Arm, LNCA (T.-N.) 3 B1
Shoal Bay, LNCA (T.-N.) 3 E1
Shoal Brook, LNCA (T.-N.) 5 F4
Shoal Cove, LNCA (T.-N.) 5 G2
Shoal Cove, LNCA (T.-N.) 5 G2
Shoal Creek, LNCA (Alb.) 33 D2
Shoal Harbour, V (T.-N.) 2 F1
Shoal Lake, VL (Man.) 29 E3
Shoal Lake < Shoal Lake 39A, LNCA (Ont.) 28 E2
Shoal Lake 28A, RI (Sask.) 32 G3
Shoal Lake 31J, RI (Ont.) 28 E2
Shoal Lake 34B1, RI (Ont.) 28 E2
Shoal Lake 34B2, RI (Ont.) 28 E2
Shoal Lake 37A (p), RI (Ont.) 28 E2
Shoal Lake 37A (p), RI (Man.) 28 E2
Shoal Lake 39 (p), RI (Ont.) 28 E2
Shoal Lake 39 (p), RI (Man.) 28 E2
Shoal Lake 39A (p), RI (Ont.) 28 E2
Shoal Lake 39A (p), RI (Man.) 28 E2
Shoal Lake 40 (p), RI (Ont.) 28 E2
Shoal Lake 40 (p), RI (Man.) 28 E2
Shoal Point, LNCA (T.-N.) 4 A3
Shoe Cove, LNCA (T.-N.) 2 H2
Shoe Cove, LNCA (T.-N.) 3 B1
Shonts, LNCA (Alb.) 33 E3
Shoomart 5, RI (C.-B.) 39 E3
Sho-ook 5, RI (C.-B.) 35 B2
Shooter Hill, LNCA (Sask.) 31 E2
Shoowahtlans 4, RI (C.-B.) 41 C1
Shoreacres, LNCA (C.-B.) 34 B4
Shore Acres, LNCA (Ont.) 21 A1
Shoreholme, LNCA (C.-B.) 34 A3
Shore's Cove, LNCA (T.-N.) 2 H3
Shorncliffe, LNCA (Man.) 29 E2
Short Beach, LNCA (N.-E.) 10 A3
Shortdale, LNCA (Man.) 29 E2
Short Subdivision, LNCS (C.-B.) 40 C3
Shoskhost 7, RI (C.-B.) 35 B2
Shouldice, LNCA (Alb.) 34 F2
Shouldice, LNCA (Ont.) 23 C1
Shrewsbury, LNCA (Ont.) 22 C3
Shrewsbury, LNCA (Qué.) 18 F4
Shrigley, LNCA (Ont.) 23 E2
Shrypttahooks 7, RI (C.-B.) 35 B3
Shubenacadie, LNCA (N.-E.) 9 C3
Shubenacadie 13, RI (N.-E.) 9 B3
Shubenacadie 14, RI (N.-E.) 9 B3
Shubenacadie East, LNCA (N.-E.) 9 C3
Shulie, LNCA (N.-E.) 11 H2
Shulus < Nicola Mameet 1, LNCA (C.-B.) 35 C2
Shumal Creek 81, RI (C.-B.) 42 D3
Shumal Creek 84, RI (C.-B.) 42 D3
Shunacadie, LNCA (N.-E.) 8 E3
Shunnon Bay, LNCA (C.-B.) 41 A2
Shuouchten 15, RI (C.-B.) 35 B2
Shuswap, RI (C.-B.) 34 C3
Shuswap, LNCA (C.-B.) 36 G4
Shuswap < Shuswap, LNCA (C.-B.) 34 C3
Shuswap Falls, LNCA (C.-B.) 35 G1
Shuswap Lake Estates, LNCS (C.-B.) 36 G4
Shutty Bench, LNCA (C.-B.) 34 B3
Siakin 4, RI (C.-B.) 37 C3
Sibbald, LNCA (Alb.) 31 B2
Siberia, LNCA (Ont.) 24 F2
Sibleys Cove, LNCA (T.-N.) 2 G1
Sicamous, LNCA (C.-B.) 36 H4
Sicamous 3, RI (C.-B.) 36 H4
Sidcup, LNCA (Alb.) 33 G4
Sidewood, LNCA (Sask.) 31 C3
Sidina 6, RI (C.-B.) 42 F3
Sidley, LNCA (C.-B.) 35 F4
Sidney, V (C.-B.) 38 F3
Sidney, LNCA (Man.) 29 G3
Siegas, LNCA (N.-B.) 15 H2
Siegas Lake Settlement, LNCA (N.-B.) 12 A2
Siegs Corner, LNCA (Man.) 28 C1
Sienna, LNCA (Qué.) 18 E4
Sifton, LNCA (Man.) 29 E2
Sight Point, LNCA (N.-E.) 8 C3
Siglunes, LNCA (Man.) 29 G2
Signet, LNCA (Ont.) 23 D3
Sikanni Chief, LNCA (C.-B.) 43 D2
Sik-e-dahk 2, RI (C.-B.) 42 F3
Silas, LNCA (Sask.) 32 G4
Silberfeld, LNCA (Man.) 29 H4
Silcote, LNCA (Ont.) 23 D1
Silicon 2, RI (C.-B.) 37 H2
Sillery, C (Qué.) 15 G4
Sillikers, LNCA (N.-B.) 12 E2
Sillsville, LNCA (Ont.) 21 G1
Siloam, LNCA (Ont.) 21 B1
Silton, VL (Sask.) 31 G2
Silver, LNCA (Man.) 29 H2
Silver Bay, LNCA (Man.) 29 G2
Silver Beach, VE (Alb.) 33 D4
Silver Birch Beach, LNCA (Ont.) 23 E1
Silver Centre, LNCA (Ont.) 26 F3
Silver Corners, LNCA (Ont.) 23 C4
Silver-Creek, LNCA (Qué.) 17 D1
Silver Creek, LNCA (C.-B.) 35 F1
Silver Creek, LNCA (Yukon) 45 A3
Silver Creek Subdivision, LNCS (C.-B.) 35 B4
Silverdale, LNCA (T.-N.) 3 B1
Silverdale, LNCA (Ont.) 21 B4
Silver Falls, LNCA (Man.) 30 C4
Silver Fox Island, LNCA (T.-N.) 3 F3
Silver Grove, LNCA (Sask.) 32 D4
Silver Harbour, LNCA (Ont.) 27 E3
Silver Heights, LNCA (Alb.) 34 H1
Silver Hill, LNCA (Ont.) 22 F2
Silver Islet, LNCA (Ont.) 27 E3
Silver Lake, LNCA (Ont.) 24 G4
Silver Lake, LNCA (Ont.) 23 H1
Silver Mine, LNCA (N.-E.) 8 E4
Silver Mountain, LNCA (Ont.) 27 D3
Silver Park, LNCA (Sask.) 32 F4
Silver Plains, LNCA (Man.) 28 A2
Silver Point, LNCA (T.-N.) 5 F4
Silver Point Road, LNCA (N.-E.) 10 E2
Silver Ridge, LNCA (Man.) 29 G2
Silver River, LNCA (C.-B.) 35 A3
Silver Salmon Lake 5, RI (C.-B.) 45 B4
Silver Sands, VE (Alb.) 33 D3
Silvers Corners, LNCA (Ont.) 17 A4
Silverton, LNCA (T.-N.) 5 F4
Silverton, VL (C.-B.) 34 B3
Silverton Station, LNCA (Man.) 29 E2
Silver Valley, LNCA (Alb.) 43 F3
Silver Water, LNCA (Ont.) 25 A2
Silverwood, LNCA (Man.) 29 D2
Silverwood, LNCA (Alb.) 43 G4
Simcoe, V (Ont.) 22 G2
Simcoe Beach, LNCA (Ont.) 21 A1
Simcoe Island, LNCA (Ont.) 17 A4
Simcoe Lodge, LNCA (Ont.) 23 G1
Simcoeside, LNCA (Ont.) 23 G2
Sim Creek 5, RI (C.-B.) 37 A2
Simmie, LNCA (Sask.) 31 D3
Simms Settlement, LNCA (N.-E.) 9 A4
Simonds, LNCA (N.-B.) 12 A4
Simonet, LNCA (Qué.) 18 H1
Simon Lakes, LNCA (Alb.) 44 A4
Simon Subdivision, LNCS (Ont.) 21 D1
Simons Valley, LNCA (Alb.) 34 E2
Simoom Sound, LNCA (C.-B.) 39 F1
Simpson, VL (Sask.) 31 G2
Simpson Corner, LNCA (N.-B.) 11 B3
Simpson Corners, LNCA (Ont.) 23 E3
Simpson Ranch, LNCA (C.-B.) 43 D3
Simpsons Corner, LNCA (N.-E.) 10 D2
Simpsons Field, LNCA (N.-B.) 12 C1
Sinclair, LNCA (Man.) 29 D4
Sinclair Mills, LNCA (C.-B.) 40 D2
Sinclair Shore, LNCA (Ont.) 17 B2
Sinclairville, LNCA (Ont.) 21 A4
Sine, LNCA (Ont.) 21 F1
Singer, LNCA (Qué.) 18 E4
Singhampton, LNCA (Ont.) 23 E2
Sinkut Lake 8, RI (C.-B.) 40 B2
Sinnce-tah-lah 2, RI (C.-B.) 40 C3
Sinnett, LNCA (Sask.) 31 G1
Sintaluta, V (Sask.) 29 B3
Sion, LNCA (Alb.) 33 D3
Sioux Lookout, V (Ont.) 27 B1
Sioux Lookout, CFS/SFC, RM (Ont.) 27 B1
Sioux Narrows, LNCA (Ont.) 28 G2
Sioux Valley 58, RI (Man.) 29 E4
Sipiwesk, LNCA (Man.) 30 C1
Sirdar, LNCA (C.-B.) 34 C4
Sirko, LNCA (Man.) 28 C3
Sirois, LNCA (N.-B.) 15 H2
Siska Flat 3, RI (C.-B.) 35 B2
Siska Flat 5A, RI (C.-B.) 35 B2
Siska Flat 5B, RI (C.-B.) 35 B2
Siska Flat 8, RI (C.-B.) 35 B2
Sissiboo, LNCS (N.-E.) 10 B2
Sissiboo Falls, LNCA (N.-E.) 10 B2
Sisson Brook, LNCA (N.-B.) 12 B2
Sisson Ridge, LNCA (N.-B.) 12 B2
Sisson Settlement, LNCA (N.-B.) 11 C1
Sistonens Corners, LNCA (Ont.) 27 D3
Six Mile Brook, LNCA (N.-E.) 9 D2
Six Mile Meadow 6, RI (C.-B.) 40 B1
Six Mile Road, LNCA (N.-E.) 9 B1
Six-Milles, LNCA (N.-B.) 12 B1
Six Nations 40, RI (Ont.) 22 G1
Six Nations Corner < Six Nations 40, LNCA (Ont.) 22 G1
Six Roads, LNCA (N.-B.) 12 G1
Sixtymile, LNCA (Yukon) 45 A2
Sixty Nine Corners < Six Nations 40, LNCA (Ont.) 22 G1
Skaigha 2, RI (C.-B.) 41 B2
Skaro, LNCA (Alb.) 33 E3
Skawahlook 1, RI (C.-B.) 35 A4
Skawahlum 10, RI (C.-B.) 35 B3
Skaynaneichst 12, RI (C.-B.) 35 B1
Skedance 8, RI (C.-B.) 41 B2
Skedans < Skedance 8, LNCA (C.-B.) 41 B2
Skeikut 9, RI (C.-B.) 35 B1
Skemeoskuankin 7 & 8, RI (C.-B.) 35 E4
Skerryvore, LNCA (Ont.) 25 F3
Skhpowtz 4, RI (C.-B.) 35 B1
Skibbereen < Harbour Main (COMM), LNCA (T.-N.) 2 G3
Skibi Lake, LNCA (Ont.) 27 G1
Skibo, LNCA (Ont.) 26 C4
Skidegate, LNCA (C.-B.) 41 B2
Skidegate 1, RI (C.-B.) 41 B2
Skidegate Mission < Skidegate 1, LNCA (C.-B.) 41 B2
Skiff, LNCA (Alb.) 34 G4
Skiff Lake, LNCA (N.-B.) 11 A1
Skilak 14, RI (C.-B.) 41 E2
Skin Lake 15, RI (C.-B.) 41 G1
Skinners Pond, LNCA (Î.-P.-E.) 7 A2
Skins Lake 16A, RI (C.-B.) 41 G1
Skins Lake 16B, RI (C.-B.) 41 H1
Skipness, LNCA (Ont.) 23 C2
Skir Dhu, LNCA (N.-E.) 8 E2
Sklahhesten 5, RI (C.-B.) 37 H4
Sklahhesten 5A, RI (C.-B.) 37 H4
Sklahhesten 5B, RI (C.-B.) 37 H4
Skookumchuck, LNCA (C.-B.) 34 D3
Skookumchuck < Skookumchuck 4, LNCA (C.-B.) 38 G1
Skookumchuck 4, RI (C.-B.) 37 H4
Skookumchuck 4A, RI (C.-B.) 37 H4
Skookumchuck 27, RI (C.-B.) 38 E1
Skoonkoon 2, RI (C.-B.) 35 B1
Skowishin 7, RI (C.-B.) 37 F4
Skowishin Graveyard 10, RI (C.-B.) 37 F4
Skownan, LNCA (Man.) 29 F1
Skowquiltz River 3, RI (C.-B.) 41 F2
Skuet 6, RI (C.-B.) 35 B3
Skulkayn 10, RI (C.-B.) 35 A4
Skulkayn 11, RI (C.-B.) 35 A4
Skull Creek, LNCA (Sask.) 31 C3
Skumalasph 16, RI (C.-B.) 35 A4
Skuppah 1, RI (C.-B.) 35 B2
Skuppah 2A, RI (C.-B.) 35 B2
Skuppah 2B, RI (C.-B.) 35 B2
Skuppah 3A, RI (C.-B.) 35 B2
Skuppah 4, RI (C.-B.) 35 B2
Skuppah 4A, RI (C.-B.) 35 B2
Skutz 7, RI (C.-B.) 38 E3
Skutz 8, RI (C.-B.) 38 D3
Skwahla 2, RI (C.-B.) 35 A4
Skwah4, RI (C.-B.) 35 A4
Skwali 3, RI (C.-B.) 35 A4
Skwawkweehm 17, RI (C.-B.) 37 E4
Skway 5, RI (C.-B.) 38 H2
Skwayaynope 26, RI (C.-B.) 35 B2
Skweahm 10, RI (C.-B.) 38 H2
Skye, LNCA (Ont.) 17 E1
Skye Glen, LNCA (N.-E.) 8 D3
Skye Mountain, LNCA (N.-E.) 8 D3
Skylake, LNCA (Man.) 29 H2
Skyline, LNCA (Ont.) 17 E4
Slabtown, LNCA (Ont.) 24 G1
Slabtown, LNCA (Ont.) 23 C4
Slade, LNCA (Ont.) 23 B2
Slate Falls, LNCA (Ont.) 24 G2
Slate River Valley, LNCA (Ont.) 27 D3
Slaterville, LNCS (C.-B.) 34 C4
Slave Falls, LNCA (Man.) 28 D1
Slave Lake, V (Alb.) 33 C1
Slavey Creek, LNCA (Alb.) 44 A2
Slawa, LNCA (Alb.) 33 G3
Slayathlum 16, RI (C.-B.) 37 D4
Sleeman, LNCA (Ont.) 28 F4
Sleetsis 6, RI (C.-B.) 35 B1
Slemon Park < Summerside, CFB/BFC, LNCA (Î.-P.-E.) 7 B3
Slesse Park Subdivision, LNCS (C.-B.) 35 A4
Sliammon < Sliammon 1, LNCA (C.-B.) 38 C1
Sliammon 1, RI (C.-B.) 38 C1
Slocan, VL (C.-B.) 34 B4
Slocan Park, LNCA (C.-B.) 34 B4
Slooks 21, RI (C.-B.) 42 D3
Slosh 1, RI (C.-B.) 37 H2
Slosh 1A, RI (C.-B.) 37 H2
Sluice Point, LNCA (N.-E.) 10 B3
Small Island 4, RI (C.-B.) 39 F1
Small Point < Small Point – Kingston – Broad Cove – Blackhead – Adams Cove, LNCA (T.-N.) 2 G2
Small Point – Kingston – Broad Cove – Blackhead – Adams Cove, DAL (T.-N.) 2 G2
Smeaton, VL (Sask.) 32 E3
Smelt Bay, LNCS (C.-B.) 37 B4
Smelt Brook, LNCA (N.-E.) 8 E1
Smeshalin 18, RI (C.-B.) 38 D1
Smiley, VL (Sask.) 31 C1
Smith, LNCA (Alb.) 33 D1
Smith Corner, LNCA (N.-B.) 11 E2
Smith Cove, LNCA (N.-E.) 9 E3
Smithdale, LNCA (Ont.) 23 E2
Smithers, V (C.-B.) 42 F4
Smithers Landing, LNCA (C.-B.) 42 G3
Smithfield, LNCA (Ont.) 21 F1
Smithfield, LNCA (N.-B.) 11 C1
Smithfield, LNCA (N.-E.) 9 E2
Smithfield, LNCA (N.-E.) 9 C2
Smithfield, LNCA (Alb.) 33 D3
Smith Hill, LNCA (Man.) 29 F4
Smithmill, LNCA (Alb.) 43 H3
Smith River, LNCA (C.-B.) 45 C4
Smiths Corner, LNCA (N.-E.) 9 A3
Smiths Corner, LNCA (N.-B.) 12 F3
Smith's Corners < Six Nations 40, LNCA (Ont.) 22 G1
Smiths Cove, LNCA (N.-E.) 10 B2
Smiths Creek, LNCA (N.-B.) 11 F2
Smiths Crossing, LNCA (N.-B.) 12 E3
Smith Settlement, LNCA (N.-E.) 9 C3
Smith Settlement, LNCA (N.-B.) 7 B4
Smiths Falls, V (Ont.) 17 B2
Smith's Harbour, LNCA (T.-N.) 3 B1
Smithsville, LNCA (N.-E.) 10 C4
Smithtown, LNCA (N.-B.) 11 E2
Smithville, LNCA (Ont.) 21 A4
Smithville, LNCA (N.-E.) 8 C3
Smokey, LNCA (T.-N.) 6 G3
Smoking Tent, LNCA (Sask.) 32 H4
Smoky Burn, LNCA (Sask.) 32 G3
Smoky Falls, LNCA (Ont.) 20 C4
Smoky Heights, LNCA (Alb.) 43 G4
Smoky Lake, V (Alb.) 33 E2
Smoky Ridge, LNCA (Sask.) 32 H4
Smooth Cove, LNCA (T.-N.) 2 G1
Smooth Rock Falls, V (Ont.) 26 D1
Smooth Town < Six Nations 40, LNCA (Ont.) 22 G1
Smuts, LNCA (Sask.) 31 F1
Snack Cove, LNCA (T.-N.) 6 H3
Snag, LNCA (Yukon) 45 A3
Snag Junction, LNCA (Yukon) 45 A3
Snake 5, RI (C.-B.) 45 D4
Snake Falls, LNCA (Ont.) 30 D4
Snake River < Snake 5, LNCA (C.-B.) 45 D4
Snare Lakes, LNCA (T.N.-O.) 45 E3
Snare River, LNCA (T.N.-O.) 45 E3
Snaring, LNCA (Alb.) 40 G3
Sniatyn, LNCA (Alb.) 33 F3
Snider Mountain, LNCA (N.-B.) 11 E1
Snipe Lake, LNCA (Sask.) 31 C2
Snooks Arm, LNCA (T.-N.) 3 B1
Snooks Harbour, LNCA (T.-N.) 2 F1
Snowball, LNCA (Ont.) 21 A2
Snowden, LNCA (Sask.) 32 E3
Snowdons Corners, LNCA (Ont.) 17 C3
Snowdrift, LNCA (T.N.-O.) 44 C1
Snowflake, LNCA (Man.) 29 G4
Snow Lake, LNCA (Man.) 30 B2
Snow Road Station, LNCA (Ont.) 17 A2
Snowville, LNCA (Ont.) 25 C3
Snug Cove, LNCA (Alb.) 33 F2
Snug Cove, LNCA (C.-B.) 38 F2
Snug Harbour, LNCA (Ont.) 21 C1
Snug Harbour, LNCA (Ont.) 25 F3
Snug Harbour, LNCA (T.-N.) 6 H4
Snug Haven, LNCA (Ont.) 25 F3
Soapstone Mine, LNCA (N.-E.) 8 D3
Sober Island, LNCA (N.-E.) 9 E3
Soda Creek, LNCA (C.-B.) 36 B1
Soda Creek 1, RI (C.-B.) 36 B1
Sointula, LNCA (C.-B.) 39 E1
Sokal, LNCA (Sask.) 32 D4
Soldatquo 12, RI (C.-B.) 35 B1
Soldiers Cove, LNCA (N.-E.) 8 E4
Soldier's Cove, LNCA (T.-N.) 2 E2
Soldiers Cove West, LNCA (N.-E.) 8 D4
Solmesville, LNCA (Ont.) 21 G1
Solomon, LNCA (Alb.) 40 H2
Solsgirth, LNCA (Man.) 29 E3
Solsqua, LNCS (C.-B.) 36 H4
Sombra, LNCA (Ont.) 22 B2
Somerset, LNCA (N.-E.) 10 D1
Somerset, LNCA (N.-E.) 10 E2
Somerset, VL (Man.) 29 G4
Somerville, LNCA (N.-B.) 12 A4
Somme, LNCA (Sask.) 32 G4
Somme, LNCA (Man.) 28 C3
Sommerfeld, LNCA (Man.) 29 H4
Sommers Road, LNCS (N.-E.) 8 B4
Songis, LNCA (Ont.) 18 A4
Sonningdale, LNCA (Sask.) 32 C4
Sonora, LNCA (N.-E.) 9 F3
Sonya, LNCA (Ont.) 21 C1
Sooke, LNCA (C.-B.) 38 E4
Sooke 1, RI (C.-B.) 38 E4
Sooke 2, RI (C.-B.) 38 E4
Soowahlie 14, RI (C.-B.) 35 A4
Sopers < Mount Moriah, LNCA (T.-N.) 4 C1
Soperton, LNCA (Ont.) 17 B3
Sophe 14, RI (C.-B.) 39 E3
Sop's Arm, LNCA (T.-N.) 5 G4
Sops Island, LNCA (T.-N.) 5 G4
Sorel, C (Qué.) 16 A2
Sormany, LNCA (N.-B.) 12 E1
Sorrel Ridge, LNCA (N.-B.) 11 B2
Sorrento, LNCA (C.-B.) 36 G4
Soucy, LNCA (Qué.) 16 B2
Soucy, LNCA (N.-B.) 15 G2
Sounding Lake, LNCA (Alb.) 31 B1
Sourdough Inn, LNCA (Yukon) 45 A3
Souris, V (Man.) 29 E4
Souris, V (Î.-P.-E.) 7 E3
Souris Line Road, LNCA (Î.-P.-E.) 7 E3
Souris River, LNCA (Î.-P.-E.) 7 E3
Souris West, LNCA (Î.-P.-E.) 7 E3
Sour Spring < Six Nations 40, LNCA (Ont.) 22 G1
South Allan, LNCA (Sask.) 31 F1
South Alton, LNCA (N.-E.) 10 E1
Southampton, V (Ont.) 23 B2
Southampton, LNCA (N.-E.) 9 A1
Southampton, LNCA (N.-B.) 11 B1
Southampton, LNCA (Î.-P.-E.) 7 E3
South Athol, LNCA (N.-E.) 9 A1
South Augusta, LNCA (Ont.) 17 C3
Southbank, LNCA (C.-B.) 41 G1
South Bar, LNCA (N.-E.) 8 F3
South-Barnston, LNCA (Qué.) 16 D4
South Bay, LNCA (Ont.) 21 G2
South Bay, LNCA (Ont.) 23 F1
South Baymouth, LNCA (Ont.) 25 C3
South Beach, LNCA (Man.) 30 C4
South Beach, LNCA (Ont.) 24 E4
South Beach, LNCA (Man.) 28 D1
South Berwick, LNCA (N.-E.) 10 D1
South-Bolton, LNCA (Qué.) 16 C4
South Branch, LNCA (T.-N.) 4 A3
South Branch, LNCA (N.-B.) 12 G3
South Branch, LNCA (N.-E.) 9 C2
South Branch, LNCA (N.-B.) 11 F2
South Branch, LNCA (Ont.) 17 C3
South Brook, COMM (T.-N.) 4 D1
South Brook, V (T.-N.) 3 A2
South Brook, LNCA (N.-E.) 9 A2
South Brook, LNCA (T.-N.) 3 A1
South Brookfield, LNCA (N.-E.) 10 D2
South Buxton, LNCA (Ont.) 22 C3
South Canaan, LNCA (N.-E.) 10 B3
South Cape Highlands, LNCA (N.-E.) 8 C3
South Chegoggin, LNCA (N.-E.) 10 A3
South City Trailer Court, LNCS (C.-B.) 34 A1
South Cove, LNCA (N.-E.) 8 D3
South Dawson, LNCA (C.-B.) 43 F4
South Deerfield, LNCA (N.-E.) 10 B3
South Dummer, LNCA (Ont.) 21 E1
Southeast Arm, LNCA (T.-N.) 3 C2
South East Bight, LNCA (T.-N.) 2 D3
South East Passage, LNCA (N.-E.) 9 B4
Southend < Southend 200, LNCA (Sask.) 44 F4
Southend 200, RI (Sask.) 44 F4
Southern Arm, LNCA (T.-N.) 3 B1
Southern Bay, LNCA (T.-N.) 3 F4
Southern Harbour, V (T.-N.) 2 F2
South Esk, LNCA (N.-B.) 12 E2
Southesk, LNCA (Alb.) 34 G3
Southey, VL (Sask.) 31 H2
South Farmington, LNCA (N.-E.) 10 D1
Southfield, LNCA (N.-B.) 11 E2
South Fork, LNCA (Sask.) 31 D4
South Freetown, LNCA (Î.-P.-E.) 7 B3
Southgate, LNCA (Ont.) 22 E1
South Gillies, LNCA (Ont.) 27 D3
South Gloucester, LNCA (Ont.) 17 E4
South Gnadenthal, LNCA (Sask.) 31 E3
South Gordonsville, LNCA (N.-B.) 12 A4
South Gower, LNCA (Ont.) 17 C2
South Granville, LNCA (Î.-P.-E.) 7 C3
South Greenfield, LNCA (N.-B.) 11 A1
South Greenwood, LNCA (N.-E.) 10 D1
South Harbour, LNCA (N.-E.) 8 E1
South Haven, LNCA (N.-E.) 8 E3
South Hazelton, LNCA (C.-B.) 42 G3
South Indian Lake, LNCA (Man.) 30 B1
South Ingonish Harbour, LNCA (N.-E.) 8 E2
South Johnville, LNCA (N.-B.) 12 A3
South Junction, LNCA (Man.) 28 D3
South Knife Lake, LNCA (Man.) 46 A4
South Knowlesville, LNCA (N.-B.) 12 B4
South Kouchibouguac, LNCA (N.-B.) 12 G3
South Lake, LNCA (Î.-P.-E.) 7 F3
South Lake Ainslie, LNCA (N.-E.) 8 D3
South Lakeside (Williams Lake), LNCS (C.-B.) 36 B1
South Lancaster, LNCA (Ont.) 17 F2
South Lochaber, LNCA (N.-E.) 9 E2
South Magnetawan, LNCA (Ont.) 25 G2
South Maitland, LNCA (N.-E.) 9 B2
South Manchester, LNCA (N.-E.) 9 G2
South March, LNCA (Ont.) 17 D4
South Melville, LNCA (Î.-P.-E.) 7 C4
South Merland, LNCA (N.-E.) 8 C4
South Middleboro, LNCA (N.-E.) 9 B1
South Middleton, LNCA (Ont.) 22 F2
South Milford, LNCA (N.-E.) 10 C2
South Mindoka, LNCA (Ont.) 26 F2
South Monaghan, LNCA (Ont.) 21 D1
South Mountain, LNCA (Ont.) 17 D2
South Musquash, LNCA (N.-B.) 11 D3
South Napanee, LNCA (Ont.) 21 G1
South Nepa 7, RI (C.-B.) 35 B1
South Ohio, LNCA (N.-E.) 10 A3
South Pender, LNCA (C.-B.) 38 F3
Southport, LNCA (T.-N.) 2 F1
Southport, VL (Î.-P.-E.) 7 C4
South Portage, LNCA (N.-B.) 12 C4
South Portage, LNCA (Ont.) 24 C2
South Port Morien, LNCA (N.-E.) 8 F3
South Pugwash, LNCA (N.-E.) 9 B1
South Quinan, LNCA (N.-E.) 10 B3
South Range, LNCA (N.-E.) 10 B2
South Range Corner, LNCA (N.-E.) 10 B2
South Rawdon, LNCA (N.-E.) 9 B3
South Ridge, LNCA (N.-B.) 12 B3
South River, V (T.-N.) 2 G2
South River, LNCA (N.-B.) 12 G1
South River, VL (Ont.) 24 B1
South River Lake, LNCA (N.-E.) 9 F2
South River Station, LNCA (N.-E.) 8 B4
South Rustico, LNCA (Î.-P.-E.) 7 C3
South Saanich 1, RI (C.-B.) 38 E4
South St-Norbert, LNCA (N.-B.) 12 G4
South Salt Springs, LNCA (N.-E.) 8 B4
South Scots Bay, LNCA (N.-E.) 11 H3
South Section, LNCA (N.-E.) 9 C3
South Shalalth, LNCA (C.-B.) 37 H2
South Shore, LNCA (N.-E.) 9 C1
South Side, LNCA (N.-E.) 10 B4
Southside Antigonish Harbour, LNCA (N.-E.) 8 B4
South Side Basin of River Denys, LNCA (N.-E.) 8 D4
South Side of Baddeck River, LNCA (N.-E.) 8 D3
South Side of Boulardarie, LNCA (N.-E.) 8 E3
South Side River Bourgeois, LNCA (N.-E.) 8 D4
South Side River Denys, LNCA (N.-E.) 8 C4
South Side Whycocomagh Bay, LNCA (N.-E.) 8 D3
South Slocan, LNCA (C.-B.) 34 B4
South Star, LNCA (Sask.) 32 F4
South Tetagouche, LNCA (N.-B.) 12 E1
South Tilley, LNCA (N.-B.) 12 A3
South Touchwood, LNCA (Sask.) 31 H2
South Tremont, LNCA (N.-E.) 10 D1
South Tweedside, LNCA (N.-B.) 11 B2
South Uniacke, LNCA (N.-E.) 9 B3
South Victoria, LNCA (N.-E.) 9 B1
South View, VE (Alb.) 33 D3
Southview, LNCS (C.-B.) 38 C1
Southview Beach, LNCA (Ont.) 23 G2
Southview Cove, LNCA (Ont.) 23 G2
Southville, LNCA (N.-E.) 10 B2
South Wallace Bay, LNCA (N.-E.) 9 B1
South Waterville, LNCA (N.-E.) 10 E1
South Waterville, LNCA (N.-B.) 11 B1
South Wellington, LNCA (C.-B.) 38 E3
South West Arm, LNCA (T.-N.) 3 F3
Southwest Cove, LNCA (N.-E.) 9 D3
Southwest Crouse < Conche, LNCA (T.-N.) 5 H2
Southwest Lot 16, LNCA (Î.-P.-E.) 7 B3
Southwest Mabou, LNCA (N.-E.) 8 C3
South West Margaree, LNCA (N.-E.) 8 D3
South West Port Mouton, LNCA (N.-E.) 10 D3
Southwest Ridge, LNCA (N.-E.) 8 C3
South Wilberforce, LNCA (Ont.) 24 E3
South Williamston, LNCA (N.-E.) 10 C1
Southwold, LNCA (Ont.) 22 E2
South Woodslee, LNCA (Ont.) 22 B3
South Wynhurst, LNCA (Ont.) 21 B1
Sovereign, VL (Sask.) 31 E2
Sowchea 3, RI (C.-B.) 40 B1
Sowchea 3A, RI (C.-B.) 40 B1
Sowden, LNCA (Ont.) 27 C2
Sowerby, LNCA (Ont.) 26 B4

Westmeath, LNCA (Ont.) 18 C4
West Middle River, LNCA (N.-E.) 8 D3
West Middle Sable, LNCA (N.-E.) 10 D3
Westminster, LNCA (Ont.) 17 E1
West Moberly Lake 168A, RI (C.-B.) 43 D3
West Montrose, LNCA (Ont.) 23 D4
West Montrose, LNCA (N.-E.) 9 B2
Westmoreland, LNCA (I.-P.-E.) 7 C4
Westmount, C (Qué.) 17 G4
Westmount, LNCA (N.-E.) 8 F3
West New Annan, LNCA (N.-E.) 9 C1
West Northfield, LNCA (N.-E.) 10 E2
Weston, LNCA (N.-E.) 10 D1
Weston, LNCA (N.-B.) 12 A4
West Osgoode, LNCA (Ont.) 17 C2
Westover, LNCA (Ont.) 22 G1
West Paradise, LNCA (N.-E.) 10 C1
West Pennant, LNCA (N.-E.) 9 B4
West Petpeswick, LNCA (N.-E.) 9 C3
West Pine Ridge, LNCA (Man.) 28 A1
Westplain, LNCA (Ont.) 21 G1
West Plains, LNCA (Sask.) 31 C4
West Point, LNCA (I.-P.-E.) 7 A3
West Point, LNCA (T.-N.) 4 C4
West Poplar, LNCA (Sask.) 31 F4
Westport, COMM (T.-N.) 5 G4
Westport, LNCA (N.-E.) 10 A2
Westport, VL (Ont.) 17 B3
West Port Clyde, LNCA (N.-E.) 10 C4
West Pubnico, LNCA (N.-E.) 10 B4
West Pugwash, LNCA (N.-E.) 9 B1
West Quaco, LNCA (N.-B.) 11 E3
West Quoddy, LNCA (N.-E.) 9 E3
Westray, LNCA (Man.) 30 A2
Westree, LNCA (Ont.) 26 D3
West River, LNCA (N.-E.) 8 B4
West River, LNCA (N.-B.) 11 G2
West River, LNCA (Ont.) 25 C1
West River Station, LNCA (N.-E.) 9 D2
West Roachvale, LNCA (N.-E.) 9 F2
West Royalty, LNCA (I.-P.-E.) 7 C4
West St Andrews, LNCA (N.-E.) 9 C3
West St Modeste, COMM (T.-N.) 5 G2
West St Peters, LNCA (I.-P.-E.) 7 D3
West Scotch Settlement, LNCA (N.-B.) 11 E2
West Sechelt, LNCS (C.-B.) 38 E2
West Sheet Harbour, LNCA (N.-E.) 9 D3
West Side, LNCA (N.-E.) 10 A4
West Springhill, LNCA (N.-E.) 10 C2
West Tarbot, LNCA (N.-E.) 8 E3
West Tatamagouche, LNCA (N.-E.) 9 C1
West Vancouver, DM (C.-B.) 38 F2
Westview, LNCA (Sask.) 29 C2
Westview, LNCA (Ont.) 21 E1
Westville, V (N.-E.) 9 D2
Westward Ho, LNCA (Alb.) 34 E1
West Waterville, LNCA (N.-B.) 11 B1
West Wentworth, LNCA (N.-E.) 9 B1
Westwold, LNCA (C.-B.) 35 E1
Westwood, LNCA (Ont.) 17 B1
Westwood, LNCA (Ont.) 21 E1
Wetaskiwin, C (Alb.) 33 E4
Wexford, LNCA (Ont.) 17 D3
Weybridge, LNCA (T.-N.) 2 F1
Weyburn, C (Sask.) 31 H4
Weymont < Weymontachi 23, LNCA (Qué.) 18 F2
Weymontachi 23, RI (Qué.) 18 F2
Weymouth, LNCA (N.-E.) 10 B2
Weymouth Falls, LNCA (N.-E.) 10 B2
Weymouth Mills, LNCA (N.-E.) 10 B2
Weymouth North, LNCA (N.-E.) 10 B2
Whale Cove, LNCA (T.N.-O.) 46 B3
Whale Island 8, RI (C.-B.) 38 E4
Whalen Corners, LNCA (Ont.) 22 E1
Whale's Gulch, LNCA (T.-N.) 3 D1
Whaletown, LNCA (C.-B.) 37 B4
Wharncliffe, LNCA (Ont.) 26 B4
Wharton, LNCA (N.-E.) 11 H2
Wheatland, LNCA (Qué.) 16 C3
Wheatland, LNCA (Man.) 29 E3
Wheatley, VL (Ont.) 22 B4
Wheatley River, LNCA (I.-P.-E.) 7 C3
Wheaton Settlement, LNCA (N.-B.) 11 F1
Wheatstone, LNCA (Sask.) 31 G4
Wheel In Trailer Park, LNCS (C.-B.) 43 E3
Whelan, LNCA (Sask.) 32 A2
Whim Road, LNCA (I.-P.-E.) 7 E4
Whiskey Gap, LNCA (Alb.) 34 F4
Whispering Pines 4, RI (C.-B.) 36 F4
Whispering Winds Trailer Court, LNCS (C.-B.) 34 D4
Whistler, VL (C.-B.) 37 F4
Whitbourne, V (T.-N.) 2 F3
Whitburn, LNCA (Alb.) 43 F3
Whitby, V (Ont.) 21 C2
Whitchurch-Stouffville, V (Ont.) 21 B2
White Bear, LNCA (Sask.) 31 D2
White Bear 70, RI (Sask.) 29 C4
Whitebeech, LNCA (Sask.) 29 D1
Whitebread, LNCA (Ont.) 22 B2
Whiteburn Mines, LNCA (N.-E.) 10 D2
Whitecap < White Cap 94, LNCA (Sask.) 31 E1
White Cap 94, RI (Sask.) 31 E1
Whitechurch, LNCA (Ont.) 23 B3
White City, VL (Sask.) 31 H3
Whitecourt, V (Alb.) 33 C2
Whitecroft, LNCA (Alb.) 33 E3
White-Deer, LNCA (Qué.) 18 D4
Whitedog < Islington 29, LNCA (Ont.) 28 E1
White Elk < Sarcee 145, LNCA (Alb.) 34 E2
Whitefish Bay < Whitefish Bay 32A, LNCA (Ont.) 28 G2
Whitefish Bay 32A, RI (Ont.) 28 G2
Whitefish Bay 33A, RI (Ont.) 28 G3
Whitefish Bay 34A, RI (Ont.) 28 G2
Whitefish Falls, LNCA (Ont.) 25 C2
Whitefish Lake 6, RI (Ont.) 25 D1
Whitefish Lake 6, RI (C.-B.) 40 A1
Whitefish River 4, RI (Ont.) 25 C2
Whitefish Station, LNCA (T.N.-O.) 45 B1
Whitefish Station, LNCA (Yukon) 45 B1
White Fox, VL (Sask.) 32 F3
White Fsh Lake 128, RI (Alb.) 33 F2
Whitehall, LNCA (Ont.) 24 B2
White Head, LNCA (N.-B.) 11 C4
Whitehead, LNCA (N.-B.) 11 D2
Whitehead, LNCA (N.-E.) 9 G2
White Hill, LNCA (N.-E.) 9 D2
Whitehorse, C (Yukon) 45 B3
White Horse Plain Trailer Court, LNCS (Man.) 29 H3
White Lake, LNCA (Ont.) 17 A1
White Lake, LNCA (Man.) 28 D1
White Lake, LNCA (Ont.) 21 F1
White Lake, LNCS (C.-B.) 36 G4
Whitelaw, LNCA (Alb.) 43 G3
Whitemouth, LNCA (Man.) 28 C1
Whitemud Creek, LNCA (Alb.) 33 A1
White Oak, LNCA (Ont.) 22 E2
White Pass, LNCA (C.-B.) 45 B4
White Point, LNCA (N.-E.) 10 D3
White Point, LNCA (N.-E.) 8 E1
White Rapids, LNCA (N.-B.) 12 E3
White River, LNCA (Ont.) 26 A1
White Rock, C (C.-B.) 38 G3
White Rock, LNCA (N.-E.) 10 E1
White Rock, LNCA (T.-N.) 2 F1
Whites, LNCA (Qué.) 17 F2
Whites, LNCA (Ont.) 22 E2
Whitesand, LNCA (Sask.) 29 C2
White Sands, LNCA (I.-P.-E.) 7 E4
Whites Bluff, LNCA (N.-B.) 11 D2
Whites Brook, LNCA (N.-B.) 12 B1
Whites Corner, LNCA (N.-E.) 11 G3
Whites Cove, LNCA (N.-B.) 11 D1
White Settlement, LNCA (N.-E.) 9 B2
Whiteside, LNCA (N.-E.) 8 D4
Whiteside, LNCA (Ont.) 24 B3
Whites Lake, LNCA (N.-E.) 9 B4
Whites Mills, LNCA (N.-B.) 11 D2
Whites Mountain, LNCA (N.-B.) 11 F1
White Spruce < Yorkton, CFS/SFC, LNCA (Sask.) 29 C2
Whites Settlement, LNCA (N.-B.) 12 G4
White Star, LNCA (Sask.) 32 D3
Whitestone, LNCA (Ont.) 24 A1
Whitestone Village, LNCA (Yukon) 45 B2
White Water, LNCA (N.-E.) 11 H3
Whitewater, LNCA (Man.) 29 E4
Whiteway, COMM (T.-N.) 2 G2
Whitewood, V (Sask.) 29 C3
Whitewood Grove, LNCA (Ont.) 26 F2
Whitfield, LNCA (Ont.) 23 E2
Whitford, LNCA (Alb.) 33 F3
Whitkow, LNCA (Sask.) 32 C4
Whitla, LNCA (Alb.) 31 A3
Whitney, LNCA (Ont.) 24 E2
Whitney, LNCA (N.-B.) 12 E2
Whitney, LNCA (Alb.) 34 F3
Whittier Ridge, LNCA (N.-B.) 11 B3
Whittington, LNCA (Ont.) 23 E3
Whittome, LNCA (Sask.) 32 F4
Whitworth, LNCA (Qué.) 14 E4
Whitworth 21, RI (Qué.) 14 F4
Whonnock 1, RI (C.-B.) 38 G2
Whyac < Wyah 3, LNCA (C.-B.) 38 C3
Whycocomagh, LNCA (N.-E.) 8 D3
Whycocomagh 2, RI (N.-E.) 8 D3
Whycocomagh Portage, LNCA (N.-E.) 8 D3
Whycocomagh Reserve < Whycocomagh 2, LNCA (N.-E.) 8 D3
Whyeek 4, RI (C.-B.) 35 B2
Whynachts Point, LNCA (N.-E.) 9 A4
Whynotts Settlement, LNCA (N.-E.) 10 E2
Wiarton, V (Ont.) 23 C1
Wick, LNCA (Ont.) 21 C1
Wickham, LNCA (Qué.) 16 C3
Wickham, LNCA (N.-B.) 11 D2
Wicklow, LNCA (N.-B.) 12 A3
Wicklow, LNCA (Ont.) 21 E2
Wideview, LNCA (Sask.) 31 E4
Widewater, LNCA (Alb.) 33 C1
Wies Subdivision, LNCS (Ont.) 22 F2
Wiggins Mill, LNCA (N.-B.) 11 B1
Wights Corners, LNCA (Ont.) 17 C3
Wigle, LNCA (Ont.) 22 B4
Wigwam-Beach < Caughnawaga 14, LNCA (Qué.) 17 G4
Wigwam Inn, LNCA (C.-B.) 38 G2
Wikwemikong < Wikwemikong Unceded 26, LNCA (Ont.) 25 C2
Wikwemikong Unceded 26, RI (Ont.) 25 C3
Wikwemikonsing < Wikwemikong Unceded 26, LNCA (Ont.) 25 D2
Wilberforce, LNCA (Ont.) 24 E3
Wilbert, LNCA (Sask.) 32 A4
Wilburn, LNCA (N.-E.) 8 D3
Wilcox, VL (Sask.) 31 G3
Wilcox Lake, LNCA (Ont.) 23 D2
Wild Bight, COMM (T.-N.) 3 B1
Wild Bight, LNCA (T.-N.) 5 H2
Wildcat, LNCA (Alb.) 34 E2
Wildcat 12, RI (N.-E.) 10 D2
Wild Cove, LNCA (T.-N.) 3 A1
Wild Cove, LNCA (T.-N.) 5 H3
Wild Cove < Norris Point, LNCA (T.-N.) 5 F4
Wild Goose, LNCA (Ont.) 27 E3
Wild Horse, LNCA (Alb.) 31 B4
Wildmere, LNCA (Alb.) 33 G3
Wild Rose, LNCA (Sask.) 32 D3
Wildwood, VL (Alb.) 33 C3
Wildwood Trailer Park, LNCS (C.-B.) 36 F2
Wile Settlement, LNCA (N.-E.) 9 A3
Wileville, LNCA (N.-E.) 10 E2
Wileys Corner, LNCA (N.-B.) 11 B3
Wiley Subdivision, LNCS (C.-B.) 42 G4
Wilfrid, LNCA (Ont.) 21 B1
Wilhelm, LNCS (Ont.) 22 B4
Wilkesport, LNCA (Ont.) 22 B2
Wilkie, V (Sask.) 32 B4
Wilkins, LNCA (N.-E.) 10 D3
Wilkinson, LNCA (Ont.) 17 A3
Willard Lake, LNCA (Ont.) 28 G1
Willen, LNCA (Man.) 29 D3
Willesden Green, LNCA (Alb.) 33 D4
Willetsholme, LNCA (Ont.) 17 B4
William McKenzie 151K, RI (Alb.) 44 A4
Williams 2, RI (C.-B.) 35 A4
Williams Beach, LNCA (C.-B.) 38 B1
Williamsburg, LNCA (Ont.) 17 D2
Williamsburg, LNCA (N.-B.) 12 C4
Williamsdale, LNCA (N.-E.) 9 A1
Williamsford, LNCA (Ont.) 23 D2
Williams Harbour, LNCA (T.-N.) 6 H4
Williams Lake, V (C.-B.) 36 B1
Williams Lake 1, RI (C.-B.) 36 B1
Williamsons Landing, LNCA (C.-B.) 38 E2
Williams Point, LNCA (N.-E.) 8 B4
Williams Point, LNCA (Ont.) 21 C1
Williamsport, LNCA (T.-N.) 5 H3
Williams Prairie Meadow 1A, RI (C.-B.) 40 B1
Williamstown, LNCA (Ont.) 17 E2
Williamstown, LNCA (N.-B.) 12 A4
Williamstown, LNCA (N.-B.) 12 E2
Willingdon, VL (Alb.) 33 F3
Williscroft, LNCA (Ont.) 23 C2
Willisville, LNCA (Ont.) 25 C2
Willmar, LNCA (Sask.) 29 C4
Willowbank, LNCA (Ont.) 17 B4
Willow Bay, LNCA (Ont.) 21 B4
Willow Beach, LNCA (Ont.) 21 B1
Willow Beach, LNCA (Ont.) 22 A4
Willow Beach, LNCA (Ont.) 24 B3
Willow Beach Mobile Home, LNCS (C.-B.) 35 F4
Willowbrook, LNCA (C.-B.) 43 E3
Willowbrook, VL (Sask.) 29 C2
Willow Bunch, V (Sask.) 31 G4
Willow Creek, LNCA (Sask.) 31 C4
Willow Creek, LNCA (Alb.) 34 G2
Willowdale, LNCA (N.-E.) 9 E2
Willowdale, LNCA (N.-E.) 9 B4
Willow Drive, LNCS (Alb.) 34 E4
Willow Grove, LNCA (N.-B.) 11 E3
Willow Grove, LNCA (Ont.) 23 C4
Willow Meadow 9, RI (C.-B.) 40 A3
Willowood, LNCA (Ont.) 22 A4
Willow Point, LNCA (C.-B.) 34 B4
Willow River, LNCA (C.-B.) 40 D2
Willow River, LNCA (C.-B.) 40 C1
Willows, LNCA (Sask.) 31 F4
Willows Trailer Court, LNCS (C.-B.) 42 F4
Willowvale, LNCA (Sask.) 31 F4
Willowvale, LNCA (C.-B.) 40 B1
Willow Valley, LNCA (C.-B.) 43 E3
Willowview, LNCA (Man.) 29 H2
Wilmer, LNCA (C.-B.) 34 C3
Wilmer, LNCA (Ont.) 17 A3
Wilmot, LNCA (N.-E.) 10 D1
Wilmot, LNCA (N.-B.) 12 A4
Wilmot, LNCA (N.-B.) 11 B2
Wilmot, LNCA (I.-P.-E.) 7 E4
Wilmot, VL (I.-P.-E.) 7 B3
Wilmot Centre, LNCA (Ont.) 22 F1
Wilmot Valley, LNCA (I.-P.-E.) 7 B3
Wilnaskancaud 3, RI (C.-B.) 41 C1
Wilno, LNCA (Ont.) 24 F2
Wilskaskammel 14, RI (C.-B.) 42 D4
Wilson, LNCA (Ont.) 24 G2
Wilson, LNCA (Ont.) 26 F2
Wilson, LNCA (Alb.) 34 G4
Wilson Creek, LNCA (C.-B.) 38 E2
Wilson Landing, LNCA (C.-B.) 35 F2
Wilson Point, LNCA (Ont.) 23 G1
Wilson Point, LNCA (N.-B.) 13 H4
Wilsons Beach, LNCA (N.-B.) 11 B3
Wilsons Cove, LNCA (N.-E.) 9 E3
Wilsons-Mills, LNCA (Qué.) 15 A4
Wilsonvale, LNCA (Qué.) 17 F2
Wilsonwood, LNCS (Ont.) 22 C3
Wilstead, LNCA (Ont.) 17 B4
Wilton, LNCA (Ont.) 17 A4
Wiltondale, LNCA (T.-N.) 5 F4
Wiltsetown, LNCA (Ont.) 17 C3
Wiltshire Park, LNCA (Ont.) 22 B1
Wimborne, LNCA (Alb.) 34 F1
Wimmer, LNCA (Sask.) 31 H1
Winch, LNCA (C.-B.) 35 B2
Winche 7, RI (C.-B.) 38 B2
Winchelsea, LNCA (Ont.) 22 D1
Winchester, VL (Ont.) 17 D2
Winchester Springs, LNCA (Ont.) 17 D2
Windermere, LNCA (C.-B.) 34 C3
Windermere, LNCA (Ont.) 24 B2
Windermere, LNCA (N.-E.) 10 D1
Windermere Country Estates, LNCS (Alb.) 33 D3
Windfall, LNCA (Ont.) 22 F1
Windfall, LNCA (Ont.) 22 B3
Windfall, LNCA (Alb.) 33 B2
Windham Centre, LNCA (Ont.) 22 G2
Windham Hill, LNCA (N.-E.) 9 A1
Windigo, LNCA (Qué.) 18 G2
Windon, LNCA (I.-P.-E.) 7 D3
Windsor, C (Ont.) 22 A3
Windsor, V (T.-N.) 3 B3
Windsor, V (Qué.) 16 D3
Windsor, V (N.-E.) 9 A3
Windsor, LNCA (N.-B.) 12 B4
Windsor Forks, LNCA (N.-E.) 9 A3
Windsor Heights, LNCA (T.-N.) 2 H2
Windsor Junction, LNCA (N.-E.) 9 B3
Windsor Park Village, LNCA (Ont.) 17 E4
Windsor Road, LNCA (N.-E.) 10 E2
Windthorst, VL (Sask.) 29 C3
Windward Sands, LNCS (Ont.) 21 D1
Windygates, LNCA (Man.) 29 G4
Windy Lake, LNCA (Ont.) 26 D4
Windy Mouth 7, RI (C.-B.) 36 C2
Windy Point, LNCA (Ont.) 27 A3
Wine Harbour, LNCA (N.-E.) 9 F3
Wine River, LNCA (N.-B.) 12 F3
Winfield, LNCA (Alb.) 33 D4
Winfield, LNCA (Ont.) 23 D4
Winfield, LNCA (C.-B.) 35 F2
Wingard, LNCA (Sask.) 32 D4
Wingdam, LNCA (C.-B.) 40 D3
Winger, LNCA (Ont.) 21 B4
Wingham, V (Ont.) 23 C3
Wingle, LNCA (Ont.) 24 F2
Wings Point, LNCA (T.-N.) 3 D2
Winisk, LNCA (Ont.) 20 B1
Winisk 90, RI (Ont.) 20 A1
Winkler, V (Man.) 29 H4
Winlaw, LNCA (C.-B.) 34 B4
Winneway, LNCA (Qué.) 18 A2
Winnifred, LNCA (Alb.) 34 H3
Winnipeg, C (Man.) 28 A1
Winnipeg Beach, V (Man.) 30 C4
Winnipegosis, VL (Man.) 29 F1
Winsloe, LNCA (I.-P.-E.) 7 C4
Winsloe North, LNCA (I.-P.-E.) 7 C3
Winslow, LNCA (Ont.) 21 A4
Winston, LNCA (N.-B.) 12 F2
Winter, LNCA (Sask.) 32 A4
Winterbourne, LNCA (Ont.) 23 D4
Winter Brook, LNCA (T.-N.) 3 F4
Winterburn, LNCA (Alb.) 33 D3
Winter Harbour, LNCA (C.-B.) 39 C1
Winterhouse, LNCA (T.-N.) 4 B1
Winter House Brook < Woody Point (COMM), LNCA (T.-N.) 5 F4
Winterhouse Cove, LNCA (T.-N.) 3 A1
Winterland, COMM (T.-N.) 2 C3
Winterton, V (T.-N.) 2 G1
Winthorpe, LNCA (Sask.) 29 B2
Winthrop, LNCA (Ont.) 23 B4
Winton, LNCA (Sask.) 32 E4
Winton Crossing, LNCA (N.-B.) 12 D1
Wirral, LNCA (N.-B.) 11 C2
Wisbeach, LNCA (Ont.) 22 D1
Wisemans Corners, LNCA (Ont.) 24 B1
Wiseton, VL (Sask.) 31 E2
Wishart, VL (Sask.) 31 H1
Wishart Point, LNCA (N.-B.) 12 G1
Wisla, LNCA (Man.) 29 E3
Wistaria, LNCA (C.-B.) 41 G1
Wiste, LNCA (Alb.) 31 B1
Wisteria Landing, LNCA (C.-B.) 41 G1
Witchekan, LNCA (Sask.) 32 C3
Witchekan Lake 117, RI (Sask.) 32 C3
Withrow, LNCA (Alb.) 33 D4
Witless Bay, LNCA (T.-N.) 2 H3
Wittenburg, LNCA (N.-E.) 9 C3
Wivenhoe, LNCA (Man.) 30 D1
Wiwa Hill, LNCA (Sask.) 31 F3
Woburn, LNCA (Qué.) 16 F4
Wodehouse, LNCA (Ont.) 23 D2
Woermke, LNCA (Ont.) 24 G2
Woito, LNCA (Ont.) 24 G1
Woking, LNCA (Alb.) 43 G4
Wokitsas 14, RI (C.-B.) 38 C3
Wolf < Sarcee 145, LNCA (Alb.) 34 E2
Wolf-Bay, LNCA (Qué.) 5 D3
Wolf Creek, LNCA (Alb.) 33 B3
Wolf Creek 3, RI (C.-B.) 35 D3
Wolfe, LNCA (Ont.) 24 G2
Wolfes Landing, LNCA (N.-E.) 8 F4
Wolford Chapel, LNCA (Ont.) 17 C3
Wolf Subdivision, LNCS (C.-B.) 40 C3
Wolftown, LNCA (Ont.) 24 G1
Wolfville, V (N.-E.) 11 H3
Wolfville Ridge, LNCA (N.-E.) 11 H3
Wollaston Lake, LNCA (Sask.) 44 F3
Wolseley, V (Sask.) 29 B3
Wolseley, LNCA (Ont.) 23 C1
Wolseley Bay, LNCA (Ont.) 25 F2
Wolverine, LNCA (Sask.) 31 G1
Wolverine Beach, LNCA (Ont.) 23 F1
Wolverton, LNCA (Ont.) 22 F1
Wonowon, LNCA (C.-B.) 43 D2
Wood Bay, LNCA (Man.) 29 G4
Woodbend, LNCA (Alb.) 33 D3
Woodbend Crescents, LNCS (Alb.) 33 D3
Woodbine, LNCA (N.-E.) 8 E3
Woodboro Subdivision, LNCS (Ont.) 21 D1
Woodbridge, LNCA (Ont.) 17 B1
Woodburn, LNCA (Ont.) 21 A4
Woodburn, LNCA (N.-E.) 9 D1
Woodburn, LNCA (Ont.) 17 B4
Woodcock, LNCA (C.-B.) 42 E3
Woodfield, LNCA (N.-E.) 8 A4
Woodford, LNCA (Ont.) 23 D1
Woodford Cove, LNCA (T.-N.) 3 B1
Woodgreen, LNCA (Ont.) 22 D2
Woodham, LNCA (Ont.) 22 E1
Woodhaven, LNCA (C.-B.) 38 G2
Wood Hill, LNCA (Sask.) 32 C3
Woodhouse, LNCA (Alb.) 34 F3
Woodhurst, LNCA (N.-B.) 7 A4
Woodington, LNCA (Ont.) 24 B2
Wood Islands, LNCA (I.-P.-E.) 7 D4
Woodland, LNCA (N.-B.) 11 C3
Woodland, LNCA (Ont.) 21 E1
Woodland Acres, LNCS (Ont.) 21 D1
Woodland Beach, LNCA (Ont.) 23 E1
Wood Landing, LNCA (Ont.) 23 F1
Woodland Park, LNCS (Alb.) 33 D3
Woodlands, LNCA (Man.) 29 H3
Woodlands, LNCA (N.-B.) 11 C1
Woodlands Trailer Park, LNCS (Man.) 29 H3
Woodlawn, LNCA (Ont.) 17 B1
Woodley, LNCA (Sask.) 29 C4
Woodmans Point, LNCA (N.-B.) 11 D2
Woodmore, LNCA (Man.) 28 A3
Wood Mountain, VL (Sask.) 31 F4
Wood Mountain 160, RI (Sask.) 31 F4
Woodnorth, LNCA (Man.) 29 E4
Woodpecker Hall, LNCA (N.-B.) 11 E2
Wood Point, LNCA (N.-B.) 11 H1
Woodridge, LNCA (Man.) 28 C3
Woodridge, LNCA (Ont.) 17 C3
Woodridge, LNCA (Ont.) 17 B1
Woodrous, LNCA (Ont.) 21 G2
Woodrow, VL (Sask.) 31 F4
Woods, LNCA (Ont.) 25 G3
Woods Bay, LNCS (Ont.) 24 A2
Woodsdale, LNCA (C.-B.) 35 F2
Woodside, LNCA (N.-E.) 11 H3
Woodside, LNCA (N.-B.) 11 C2
Woodside, LNCA (N.-B.) 7 A4
Woodside, LNCA (Man.) 29 G3
Woodside, LNCA (Qué.) 15 A4
Woodside, LNCA (Ont.) 23 E3
Wood's Island, COMM (T.-N.) 5 F4
Woods Landing, LNCA (C.-B.) 36 H4
Woodstock, C (Ont.) 22 F1
Woodstock, COMM (T.-N.) 3 B1
Woodstock, V (N.-B.) 11 A1
Woodstock, LNCA (I.-P.-E.) 7 A3
Woodstock 23, RI (N.-B.) 11 A1
Woodstock Road, LNCA (N.-B.) 11 B1
Woodvale, LNCA (I.-P.-E.) 7 A2
Woodvale, LNCA (Ont.) 17 E4
Woodview, LNCA (Ont.) 21 D1
Woodview, LNCA (Ont.) 24 E4
Woodville, LNCA (N.-E.) 11 G3
Woodville, LNCA (T.-N.) 4 A3
Woodville, LNCA (N.-E.) 9 A3
Woodville, LNCA (N.-B.) 12 A2
Woodville, LNCA (Ont.) 21 G1
Woodville, VL (Ont.) 21 C1
Woodville Mills, LNCA (I.-P.-E.) 7 E4
Woodwards Cove, LNCA (N.-B.) 11 C4
Woody Cove < Rocky Harbour (COMM), LNCA (T.-N.) 5 F4
Woody Island, COMM (T.-N.) 2 E2
Woody Lake 184D, RI (Sask.) 32 G1
Woody Point, COMM (T.-N.) 5 F4
Woody Point < Woody Point (COMM), LNCA (T.-N.) 5 F4
Woolchester, LNCA (Alb.) 31 B3
Wooler, LNCA (Ont.) 21 E1
Woolford, LNCA (Alb.) 34 F4
Worby, LNCA (Man.) 29 G4
Worcester, LNCA (Sask.) 29 B4
Wordsworth, LNCA (Sask.) 29 C4
Worsley, LNCA (Alb.) 43 G3
Woss, LNCA (C.-B.) 39 E2
Wostok, LNCA (Alb.) 33 E3
Wottonville, VL (Qué.) 16 D3
Woyenne 27, RI (C.-B.) 42 G4
Wreck Cove, LNCA (N.-E.) 8 E2
Wreck Cove < St Jacques – Coomb's Cove, LNCA (T.-N.) 2 B2
Wrentham, LNCA (Alb.) 34 G4
Wright, LNCA (C.-B.) 36 C2
Wright, LNCA (Qué.) 18 D4
Wrightmans Corners, LNCA (Ont.) 22 D1
Wrigley, LNCA (T.N.-O.) 45 D3
Wrigley Corners, LNCA (Ont.) 22 G1
Wroxeter, LNCA (Ont.) 23 C3
Wroxton, VL (Sask.) 29 D2
Wudzimagon 61, RI (C.-B.) 42 D4
Wunnumin 1, RI (Ont.) 30 F3
Wunnumin 2, RI (Ont.) 30 F3
Wunnummin Lake < Wunnumin 1, LNCA (Ont.) 30 F3
Wya 7, RI (C.-B.) 38 A3
Wyah 3, RI (C.-B.) 38 C3
Wyandot, LNCA (Ont.) 23 D3
Wyborn, LNCA (Ont.) 20 B4
Wyclese 27, RI (C.-B.) 41 F4
Wycliffe, LNCA (C.-B.) 34 C4
Wycott's Flat 6, RI (C.-B.) 36 B2
Wyebridge, LNCA (Ont.) 23 F1
Wyeclif, LNCA (Alb.) 33 E3
Wyecombe, LNCA (Ont.) 22 F2
Wyers Brook, LNCA (N.-B.) 13 C4
Wyevale, LNCA (Ont.) 23 F1
Wyley, LNCA (Sask.) 29 B3
Wyman, LNCA (Qué.) 17 B1
Wymark, LNCA (Sask.) 31 E3
Wymbolwood Beach, LNCA (Ont.) 23 E1
Wynd, LNCA (Alb.) 40 G3
Wyndham Hills, LNCA (Ont.) 22 G1
Wynhurst Beach, LNCA (Ont.) 21 B1
Wynndel, LNCA (C.-B.) 34 C4
Wynot, LNCA (Sask.) 31 H2
Wynton, LNCA (C.-B.) 45 B4
Wynyard, V (Sask.) 31 H1
Wyoming, VL (Ont.) 22 C2
Wyse, LNCA (Ont.) 18 A3
Wyses Corner, LNCA (N.-E.) 9 C3
Wyvern, LNCA (N.-E.) 9 A2

Y

Yaalstrick 1, RI (C.-B.) 38 H2
Yaculta < Cape Madge 10, LNCA (C.-B.) 37 B4
Yagan 3, RI (C.-B.) 41 B1
Yahk, LNCA (C.-B.) 34 C4
Yakats 5, RI (C.-B.) 39 D2
Yaku < Kioosta 15, LNCA (C.-B.) 41 A1
Yakweakwioose 12, RI (C.-B.) 35 A4
Yaladelassla 4, RI (C.-B.) 40 B2
Yale, LNCA (C.-B.) 35 B3
Yale 18, RI (C.-B.) 35 B3
Yale 19, RI (C.-B.) 35 B3
Yale 20, RI (C.-B.) 35 B3
Yale 21, RI (C.-B.) 35 B3
Yale 22, RI (C.-B.) 35 B3
Yale 23, RI (C.-B.) 35 B3
Yale 24, RI (C.-B.) 35 B3
Yale 25, RI (C.-B.) 35 B3
Yale Town 1, RI (C.-B.) 35 B3
Yamachiche, VL (Qué.) 16 B2
Yamaska, VL (Qué.) 16 B2
Yamaska-Est, VL (Qué.) 16 B2
Yan < Yan 7, LNCA (C.-B.) 41 B1
Yan 7, RI (C.-B.) 41 B1
Yankee Flats, LNCA (C.-B.) 35 F1
Yankee Line, LNCA (N.-E.) 8 D3
Yankeetown, LNCA (N.-E.) 9 B3
Yarbo, VL (Sask.) 29 D3
Yarker, LNCA (Ont.) 17 A4
Yarksis < Yarksis 11, LNCA (C.-B.) 39 G4
Yarksis 11, RI (C.-B.) 39 G4
Yarm, LNCA (Qué.) 17 B1
Yarmouth, V (N.-E.) 10 A3
Yarmouth 33, RI (N.-E.) 10 A3
Yarmouth Bar, LNCA (N.-E.) 10 A3
Yarmouth Centre, LNCA (Ont.) 22 E2
Yasitkun 21, RI (C.-B.) 41 A1
Yates, LNCA (Alb.) 33 B3
Yatton, LNCA (Ont.) 23 D4
Yatze 13, RI (C.-B.) 41 A1
Yawaucht 11, RI (C.-B.) 35 A1
Yekwaupsum 18, RI (C.-B.) 38 F1
Yekwaupsum 19, RI (C.-B.) 38 F1
Yelakin 4, RI (C.-B.) 35 B3
Yelakin 4A, RI (C.-B.) 35 B3
Yellertlee 12, RI (C.-B.) 41 E3
Yellow Creek, VL (Sask.) 32 E4
Yellow Girl Bay 32B, RI (Ont.) 28 G2
Yellow Grass, V (Sask.) 31 H3
Yellowknife, C (T.N.-O.) 44 B1
Yellowstone, VE (Alb.) 33 D3
Yelverton, LNCA (Ont.) 21 C1
Yensischuck 3, RI (C.-B.) 40 B1
Yeoford, LNCA (Alb.) 33 D4
Yeo Island 13, RI (C.-B.) 41 E3
Yeovil, LNCA (Ont.) 23 D3
Yerexville, LNCA (Ont.) 21 G2
Ymir, LNCA (C.-B.) 34 B4
Yoho, LNCA (N.-B.) 11 C2
Yoho, LNCA (C.-B.) 34 C2
Yonge Mills, LNCA (Ont.) 17 C3
Yookwitz 12, RI (C.-B.) 38 F1
York (Qué.) 13 G2
York, BOR (Ont.) 21 B2
York, LNCA (I.-P.-E.) 7 D4
York, LNCS (Ont.) 21 F1
Yorke Settlement, LNCA (N.-E.) 11 H2
York Factory, LNCA (Man.) 30 E1
York Harbour, COMM (T.-N.) 4 C1
York Landing, LNCA (Man.) 30 C1
York Mills, LNCA (N.-B.) 11 B2
York Point, LNCA (I.-P.-E.) 7 C4
Yorkton, C (Sask.) 29 C2
Yorkton, CFS/SFC, RM (Sask.) 29 C2
Youbou, LNCA (C.-B.) 38 D3
Young, VL (Sask.) 31 F1
Young Point, LNCA (Man.) 30 A2
Young Ridge, LNCA (N.-B.) 12 F3
Youngs Cove, LNCA (N.-E.) 10 C1
Youngs Cove, LNCA (N.-B.) 11 E1
Young's Cove, LNCA (Ont.) 21 D1
Youngs Cove Road, LNCA (N.-B.) 11 E1
Youngs Harbour, LNCA (Ont.) 21 B1
Youngs Point, LNCA (Ont.) 24 E4
Youngstown, VL (Alb.) 34 H1
Youngstown, LNCS (Ont.) 21 D1
Youngsville, LNCA (Ont.) 22 E1
Yreka, LNCA (C.-B.) 39 D1
Yukon Crossing, LNCA (Yukon) 45 B3
Yuquot < Yuquot 1, LNCA (C.-B.) 39 E3
Yuquot 1, RI (C.-B.) 39 E3

Z

Zacht 5, RI (C.-B.) 35 B2
Zadow, LNCA (Ont.) 24 G1
Zaimoetz 5, RI (C.-B.) 42 E4
Zaitscullachan 9, RI (C.-B.) 38 H2
Zala, LNCA (Sask.) 31 H2
Zama Lake 210, RI (Alb.) 45 E4
Zamora, LNCA (C.-B.) 35 G4
Zaulzap 29, RI (C.-B.) 42 D3
Zaulzap 29A, RI (C.-B.) 42 D3
Zawale, LNCA (Alb.) 33 F3
Zayas Island 32A, RI (C.-B.) 42 C4
Zbaraz, LNCA (Man.) 29 H2
Zealand, LNCA (N.-B.) 11 C1
Zealand, LNCA (Ont.) 17 A3
Zealandia, V (Sask.) 31 E1
Zeballos, VL (C.-B.) 39 E3
Zehner, LNCA (Sask.) 31 H3
Zelana, LNCA (Man.) 29 E2
Zelena, LNCA (Man.) 29 D2
Zelma, VL (Sask.) 31 F1
Zenda, LNCA (Ont.) 22 F1
Zeneta, LNCA (Sask.) 29 D3
Zenon Park, VL (Sask.) 32 F4
Zephyr, LNCA (Ont.) 21 B1
Zeta, LNCA (Ont.) 26 F2
Zhoda, LNCA (Man.) 28 B3
Zimagord 3, RI (C.-B.) 42 E4
Zincton, LNCA (C.-B.) 34 B3
Zion, LNCA (Ont.) 21 D2
Zion, LNCA (Ont.) 21 D1
Zion, LNCA (Ont.) 23 H2
Zion, LNCA (Ont.) 23 D2
Zion, LNCA (Ont.) 23 C1
Zion, LNCA (Ont.) 23 B3
Zion Hill, LNCA (Ont.) 21 F1
Zion Line, LNCA (Ont.) 17 A1
Zionville, LNCA (N.-B.) 11 C1
Ziska, LNCA (Ont.) 24 B3
Zoht 4, RI (C.-B.) 35 C2
Zoht 5, RI (C.-B.) 35 C2
Zoht 14, RI (C.-B.) 35 C2
Zoria, LNCA (Man.) 29 E2
Zuber Corners, LNCA (Ont.) 23 D4
Zurich, VL (Ont.) 23 B4

ENTITÉS

Guagus Lake (N.-B.) 12 D2
Guay, Lac (Qué.) 26 G3
Guéguen, Lac (Qué.) 18 C2
Guenyveau, Lac (Qué.) 46 F4
Guérard, Lac (Qué.) 6 D2
Guernesé, Lac (Qué.) 5 F1
Guers, Lac (Qué.) 6 C1
Guichon, Mount (C.-B.) 35 C1
Guichon Creek (C.-B.) 35 C2
Guillaume-Delisle, Lac (Qué.) 46 E4
Guillemard Bay (T.N.-O.) 47 D4
Guillemot, Lac (Qué.) 6 B3
Guinecourt, Lac (Qué.) 19 C2
Guines, Lac (Qué.) 5 C1
Gulatch Lake (C.-B.) 36 C2
Gulch Cape (T.-N.) 46 H3
Gulch Cove (T.-N.) 4 F4
Gulch Island (T.-N.) 3 F3
Gulf of Boothia
voir Boothia, Golfe de
Gulf Islands (C.-B.) 38 E3
Gull Bay (T.N.-O.) 20 D3
Gull Bay (Ont.) 27 E2
Gull Cove (T.-N.) 2 E4
Gull Creek (Sask.) 32 E3
Gull Island (T.-N.) 2 H3
Gull Island (T.-N.) 3 C1
Gull Island (T.-N.) 3 B2
Gull Island (T.N.-O.) 20 E3
Gull Island Point (T.-N.) 2 F4
Gull Lake (T.-N.) 3 C3
Gull Lake (T.-N.) 6 F4
Gull Lake (Ont.) 24 C3
Gull Lake (Ont.) 26 F3
Gull Lake (Ont.) 30 E4
Gull Lake (Alb.) 33 D4
Gull Pond (T.-N.) 2 H3
Gull Pond (T.-N.) 3 A1
Gull Pond (T.-N.) 3 A1
Gull Pond (T.-N.) 3 F2
Gull Pond (T.-N.) 3 E3
Gull Pond (T.-N.) 3 E4
Gull Pond (T.-N.) 3 F3
Gull Pond (T.-N.) 3 F4
Gull River (Ont.) 27 D2
Gull Rock (N.-E.) 10 A2
Gull Rock (N.-E.) 10 D4
Gulliver Lake (Ont.) 27 C2
Gulliver River (Ont.) 27 B2
Gullivers Head (N.-E.) 10 B2
Gullrock Lake (Ont.) 30 D4
Gullwing Lake (Ont.) 27 A1
Gulp Pond (T.-N.) 4 G2
Gulquac Lake (N.-B.) 12 C2
Gulquac River (N.-B.) 12 B2
Gun Creek (C.-B.) 37 F2
Gun Lake (Ont.) 28 F1
Gun Lake (C.-B.) 37 G2
Gundy Lake (Ont.) 28 E2
Gunisao Lake (Man.) 30 C3
Gunisao River (Man.) 30 C2
Gurd Island (C.-B.) 41 C1
Gustafsen Lake (C.-B.) 36 C3
Gutah Creek (C.-B.) 43 E1
Guthrie Lake (Man.) 30 A1
Guyer, Lac (Qué.) 20 F2
Guyon Island (N.-E.) 8 F4
Gwillim Lake (C.-B.) 43 E4
Gypsum Lake (Man.) 29 G1
Gypsum Point (T.N.-O.) 44 B1
Gyrfalcon Islands (T.N.-O.) 46 G4

H

Ha! Ha!, Baie des (Qué.) 5 E2
Ha! Ha!, Baie des (Qué.) 14 B3
Ha! Ha!, Lac (Qué.) 14 B4
Ha! Ha!, Rivière des (Qué.) 14 B4
Haakon Fiord (T.N.-O.) 47 D2
Hache, Lac la (C.-B.) 36 C2
Hackett Lake (Sask.) 32 C2
Hadley Bay (T.N.-O.) 47 C4
Haggard Creek (C.-B.) 36 F3
Haggerty Creek (Ont.) 22 C2
Hague Creek (Sask.) 32 F2
Haig, Mount (Alb./C.-B.) 34 E4
Haig Lake (Alb.) 44 A4
Haig River (Alb.) 43 G1
Haig-Thomas Island (T.N.-O.) 47 D2
Haihte Lake (C.-B.) 39 F2
Haldane River (T.N.-O.) 45 D2
Haldimand, Cap (Qué.) 13 H2
Hale Lake (Man.) 30 C1
Haley Lake (Ont.) 17 B2
Halfway Cove Lake (N.-E.) 9 G2
Halfway Inlet (Ont.) 28 H4
Halfway Lake (Man.) 30 B2
Halfway Point (Ont.) 20 D3
Halfway Pond (T.-N.) 3 G4
Halfway River (N.-E.) 11 H2
Halfway River (Man.) 30 B2
Halfway River (C.-B.) 43 C2
Haliburton Lake (Ont.) 24 D2
Halifax, Aéroport int. (N.-E.) 9 B3
Halifax Harbour (N.-E.) 9 B4
Halkett Lake (Sask.) 32 D3
Hall, Mount (C.-B.) 38 E3
Hall, Rivière (Qué.) 13 F3
Hall Basin (T.N.-O.) 47 H1
Hall Lake (T.N.-O.) 46 D1
Hall Peninsula (T.N.-O.) 46 G2
Hallam Peak (C.-B.) 36 H1
Hallett Lake (C.-B.) 40 A2
Halliday Lake (T.N.-O.) 44 D1
Halls Bay (T.-N.) 3 A2
Halls Lake (Ont.) 24 D2
Hamber Provincial Park (C.-B.) 40 H3
Hamelin Creek (Alb.) 43 F3
Hamill, Mount (C.-B.) 34 C3
Hamill Creek (C.-B.) 34 C3
Hamilton Branch (N.-E.) 10 C3
Hamilton Harbour (Ont.) 22 H1
Hamilton Inlet (T.-N.) 6 G3
Hamilton Sound (T.-N.) 3 E2
Hammil Lake (C.-B.) 38 D1
Hammond River (N.-B.) 11 E2
Hammone, Lac (Qué.) 5 G1
Hanbury River (T.N.-O.) 45 G3
Hanctin, Lac (Qué.) 6 B4
Handhills Lake (Alb.) 34 G2
Hankin Peak (C.-B.) 42 C1
Hannah Bay (T.N.-O.) 20 D3
Hannah Lake (Ont.) 25 D1
Hannah Lake (Sask.) 44 F3
Hanover Lake (Ont.) 27 G1
Hansen Lagoon (C.-B.) 39 B1
Hansine Lake (T.N.-O.) 46 D2
Hanson Island (C.-B.) 39 E1
Hanson Lake (Sask.) 32 G2
Hansteen Lake (T.N.-O.) 47 D4
Hantzsch River (T.N.-O.) 46 F1
Happotiyik Lake (T.N.-O.) 46 B2
Happy Isle Lake (Ont.) 24 D1
Hara Lake (Sask.) 44 F2
Harbledown Island (C.-B.) 39 E1
Harbottle Lake (Man.) 44 H2
Harbour Breton (T.-N.) 2 B3
Harbour Fiord (T.N.-O.) 47 E2
Harbour Island (N.-E.) 9 F3
Harbour My God Point (T.-N.) 2 C3
Hardiman Bay (Ont.) 26 D2
Hardiman Lake (Ont.) 26 D2
Harding Lake (Man.) 30 B1
Harding Lake (T.N.-O.) 44 B1
Harding Point (T.N.-O.) 47 D3
Harding River (T.N.-O.) 45 E1
Hardinge Bay (T.N.-O.) 47 B2
Hardings Island (N.-E.) 10 D4
Hardisty Lake (T.N.-O.) 45 E2
Hardwicke Island (C.-B.) 39 G2
Hardwood Islands (Ont.) 25 G1
Hardy Bay (C.-B.) 39 D1
Hardy Bay (T.N.-O.) 47 B3
Hardy Creek (Ont.) 22 D2
Hardy Island (C.-B.) 38 D1
Hare Bay (T.-N.) 3 E1
Hare Bay (T.-N.) 4 G4
Hare Bay (T.-N.) 5 H2
Hare Bay Head (T.-N.) 3 E1
Hare Fiord (T.N.-O.) 47 E1
Hare Hill (T.-N.) 2 C3
Hare Hill (T.-N.) 4 C2
Hare Indian River (T.N.-O.) 45 C2
Hare Island (T.-N.) 3 E1
Hares Islands (T.-N.) 6 F2
Hargrave Lake (Man.) 30 B2
Hargrave River (Man.) 30 B2
Harkin Bay (T.N.-O.) 46 E2
Harmon, Port (T.-N.) 4 B2
Harmon Lake (Ont.) 27 D1
Harmony Lake (N.-E.) 10 C2
Haro Strait (C.-B.) 38 F4
Harold Price Creek (C.-B.) 42 F3
Harp Lake (T.-N.) 6 E2
Harper Creek (C.-B.) 36 F3
Harper Creek (Alb.) 44 B3
Harper Lake (Sask.) 32 E3
Harper Lake (Sask.) 44 D2
Harpers Lake (N.-E.) 10 C3
Harpoon Brook (T.-N.) 4 F2
Harpoon Hill (T.-N.) 4 F2
Harricana, Rivière (Qué.) 20 E4
Harrington, Iles (Qué.) 5 E3
Harriott Lake (Sask.) 44 F4
Harriott River (Sask.) 44 F4
Harris Creek (C.-B.) 35 G2
Harris Creek (C.-B.) 38 D3
Harris Lake (Ont.) 27 A2
Harrison, Cape (T.-N.) 6 G2
Harrison Islands (T.N.-O.) 46 C1
Harrison Lake (N.-E.) 11 H2
Harrison Lake (C.-B.) 35 A3
Harrison River (C.-B.) 35 A4
Harrop Lake (Man.) 30 C3
Harrowby Bay (T.N.-O.) 45 C1
Harry Lake (Sask.) 32 C1
Harrys River (T.-N.) 4 C2
Hart Jaune, Rivière (Qué.) 19 D1
Hart Ranges (C.-B.) 40 E1, 43 C4
Hart River (Yukon) 45 B2
Hartlen Point (N.-E.) 9 B4
Harvey, Lac (Qué.) 14 B3
Harwood Island (C.-B.) 38 C1
Hasbala Lake (Man./Sask.) 44 G2
Haslam Creek (C.-B.) 38 D3
Haslam Lake (C.-B.) 37 D4
Hassel Sound (T.N.-O.) 47 D2
Hasté, Lac (Qué.) 6 B4
Hastings Arm (C.-B.) 42 D3
Hastings Lake (Alb.) 33 E3
Haswell Point (T.N.-O.) 47 A3
Hat Creek (C.-B.) 36 C4
Hat Island (T.N.-O.) 45 G1
Hatchet Lake (Sask.) 44 F3
Hathaway Creek (C.-B.) 39 C1
Hathaway Lake (C.-B.) 36 E2
Hatton Headland (T.N.-O.) 46 G3
Haughton, Cape (T.N.-O.) 47 D4
Haultain Lake (Sask.) 44 E4
Haultain River (Sask.) 44 E4
Haute, Isle (N.-E.) 11 G3
Hautes terres du Cap-Breton, Parc national des (N.-E.) 8 D2
voir aussi Cape Breton Highlands National Park
Havik Lake (Ont.) 28 G1
Havre, Ile du (Qué.) 19 H3
Havre Aubert, Ile du (Amherst) (Qué.) 7 F1
Havre aux Maisons, Ile du (Qué.) 7 F1
Hawcos Pond (T.-N.) 2 G3
Hawk Hill Lake (T.N.-O.) 44 H1
Hawk Lake (Ont.) 28 G2
Hawkcliff Lake (Ont.) 28 H2
Hawke Bay (T.-N.) 6 H3
Hawke River (T.-N.) 6 H4
Hawkes Point (T.N.-O.) 47 C3
Hawkesbury Island (C.-B.) 41 E2
Hawkins Creek (C.-B.) 36 D2
Hawkins Lake (Sask.) 44 F1
Hawkrock River (Sask.) 44 E3
Hawks, Cape (T.N.-O.) 47 F2
Hawks Creek (C.-B.) 36 B1
Haworth Lake (C.-B.) 43 B1
Hay, Cape (T.N.-O.) 47 B3
Hay, Cape (T.N.-O.) 47 F3
Hay Bay (Ont.) 21 G1
Hay Creek (Ont.) 20 D3
Hay Island (Ont.) 23 C1
Hay Island (Ont.) 28 F2
Hay Islands (T.N.-O.) 47 D3
Hay Lake (Ont.) 24 E2
Hay Lake (Sask.) 31 C3
Hay Point (T.N.-O.) 47 B3
Hay River
voir Foin, Rivière au
Hayes Creek (C.-B.) 35 D3
Hayes River (Man.) 30 D1
Hayes River (T.N.-O.) 46 C1
Haylmore Creek (C.-B.) 37 G3
Haynes Lake (T.-N.) 3 C3
Hayter Peninsula (Ont.) 28 G2
Hazel Creek (Man.) 28 C1
Hazelton Mountains (C.-B.) 42 E4
Hazen, Lake (T.N.-O.) 47 F1
Hazen Strait (T.N.-O.) 47 C2
Head Lake (Ont.) 24 C3
Head River (Ont.) 24 C3
Headwall Creek (C.-B.) 37 D2
Heakamie Glacier (C.-B.) 37 C2
Healey Lake (Ont.) 25 G4
Healey Lake (T.N.-O.) 45 G2
Hearne, Cape (T.N.-O.) 45 E1
Hearne Bay (T.N.-O.) 44 G2
Hearne Lake (T.N.-O.) 44 C1
Hearne Point (T.N.-O.) 47 C3
Heart Lake (Man.) 28 D1
Heart Lake (Alb.) 33 F1
Heart Point (T.-N.) 2 H3
Heart River (Alb.) 43 H3
Heater Point (C.-B.) 39 C2
Heath, Pointe (Qué.) 5 B4
Heathcote Lake (Ont.) 27 C1
Heaven Lake (Ont.) 27 D2
Hebb Lake (N.-E.) 10 E2
Hébécourt, Lac (Qué.) 26 G1
Heber River (C.-B.) 39 G3
Hébert, Lac (Qué.) 20 F4
Hébert, Lac (Qué.) 26 F2
Hébert River (N.-B.) 11 H2
Hebron Fiord (T.-N.) 6 E1
Hécate, Détroit d' (C.-B.) 41 C2
nom officiel Hecate Strait
Hecate Channel (C.-B.) 39 E3
Hecate Island (C.-B.) 41 E4
Hecate Strait
voir Hécate, Détroit d'
Hecla, Cape (T.N.-O.) 47 F1
Hecla and Griper Bay (T.N.-O.) 47 C2
Hecla Provincial Park (Man.) 30 C4
Hector, Mount (Alb.) 34 C1
Hector Lake (Ont.) 28 H3
Hector Lake (Ont.) 30 G3
Heddery Creek (Sask.) 44 D4
Heddery Lake (Sask.) 44 D4
Hedley Creek (C.-B.) 35 D4
Heffley Lake (C.-B.) 36 F4
Heger, Mount (C.-B.) 36 E2
Helen Bay (Ont.) 25 B2
Helen Island (T.N.-O.) 46 C1
Helen Lake (Ont.) 27 F2
Helena Island (T.N.-O.) 47 D2
Helena Lake (C.-B.) 36 C2
Helene Lake (Sask.) 32 B3
Hell Gate (T.N.-O.) 47 E2
Helldiver Lake (Sask.) 32 H3
Heller Creek (C.-B.) 36 E4
Helmcken Island (C.-B.) 39 G2
Helmer Lake (Sask.) 44 D3
Hemlock Creek (N.-E.) 10 C3
Hemloe Island (N.-E.) 9 F3
Hemming Lake (C.-B.) 37 B3
Hemphill, Cape (T.N.-O.) 47 C2
Hénault, Lac (Qué.) 18 B3
Henday Lake (Sask.) 44 F3
Henderson Lake (Ont.) 26 C2
Henderson Lake (C.-B.) 38 B2
Hendriksen Strait (T.N.-O.) 47 D2
Heninga Lake (T.N.-O.) 44 H1
Henri, Rivière (Qué.) 16 E1
Henrietta Island (T.-N.) 6 G3
Henrietta Marie, Cape (Ont.) 20 C1
Henry, Cape (C.-B.) 41 A2
Henry Island (N.-E.) 8 C3
Henry Kater, Cape (T.N.-O.) 47 H4
Henry Kater Peninsula (T.N.-O.) 47 H4
Henvey Inlet (Ont.) 25 F2
Hepburn Island (T.N.-O.) 45 F1
Hepburn Lake (Sask.) 44 F4
Hepburn Lake (T.N.-O.) 45 E2
Herbert Inlet (C.-B.) 39 G4
Herbert Lake (Sask.) 44 F2
Herbert River (N.-E.) 9 B3
Herblet Lake (Man.) 30 B2
Hereford, Mont (Qué.) 16 E4
Heritage Lake (Sask.) 32 E3
Herman Lake (Sask.) 32 F2
Hermitage Bay (T.-N.) 2 A2
Hernando Island (C.-B.) 37 C4
Hérodier, Lac (Qué.) 6 C1
Heron Channel (N.-B.) 13 D4
Heron Island (N.-B.) 13 D4
Heron Lake (Ont.) 27 A2
Hérons, Ile aux (Qué.) 17 G4
Herrick Creek (C.-B.) 40 E1
Herrick Lake (Ont.) 27 H3
Herrick Low Lake (Sask.) 31 C1
Herring Cove (N.-B.) 11 C4
Herring Cove Lake (N.-E.) 10 D3
Herring Head (T.-N.) 3 D1
Herschel, Cape (T.N.-O.) 47 F2
Herschel Island (Yukon) 45 B1
Hervé, Lac (Qué.) 6 A3
Hesquiat Harbour (C.-B.) 39 F4
Hesquiat Lake (C.-B.) 39 F4
Hesquiat Peninsula (C.-B.) 39 F4
Hess River (Yukon) 45 B3
Hewett, Cape (T.N.-O.) 47 H4
Hewitt Lake (Sask.) 33 H3
Heydon Lake (C.-B.) 39 G1
Heywood Island (Ont.) 25 C2
Hibben Island (C.-B.) 41 B2
Hickory Creek (Ont.) 22 C1
Hicks Lake (T.N.-O.) 44 G1
Hickson Lake (Sask.) 44 F4
Hidden Bay (Sask.) 44 F3
Hidden Lake (C.-B.) 35 G1
Hidden Lake (T.N.-O.) 44 C1
High Capes (N.-E.) 8 E1
High Hill Lake (Man.) 30 C1
High Hill River (Man.) 30 D1
High Lake (Man./Ont.) 28 E2
Highbank Lake (Ont.) 20 A3
Highfall, Ruisseau (Qué.) 6 C1
Highfield Reservoir (Sask.) 31 E3
Highlands River (T.-N.) 4 B3
Highrock Lake (Man.) 30 B1
Highrock Lake (Sask.) 44 E4
Highstone Lake (Ont.) 27 B1
Highwind Lake (Ont.) 28 G2
Highwood River (Alb.) 34 D3
Hihium Creek (C.-B.) 36 D4
Hihium Lake (C.-B.) 36 D4
Hill Island Lake (T.N.-O.) 44 D2
Hill Lake (Ont.) 27 C1
Hill Lake (Ont.) 28 H3
Hillock Lake (Ont.) 28 G2
Hills, Lake of the (T.-N.) 4 E2
Hillsborough Bay (I.-P.-E.) 7 D4
Hinde Lake (T.N.-O.) 44 F1
Hinds Brook (T.-N.) 4 E1
Hinds Lake (T.-N.) 4 F1
Hines Creek (Alb.) 43 G3
Hines Lake (Sask.) 32 C3
Hiuihill Creek (C.-B.) 36 G4
Hiver, Lac de l' (Qué.) 20 H2
Hives Lake (Sask.) 32 E1
Hjalmar Lake (T.N.-O.) 44 D1
Hjalmarson Lake (Man.) 44 G3
Hoards Creek (Ont.) 24 F4
Hoare Bay (T.N.-O.) 46 G2
Hobiton Lake (C.-B.) 38 C3
Hobson Lake (C.-B.) 40 E3
Hocking Lake (Sask.) 44 E3
Hodges Hill (T.-N.) 3 B3
Hoeya Head (C.-B.) 39 G1
Hoeya Sound (C.-B.) 39 G1
Hog Island (I.-P.-E.) 7 B3
Hog Island (N.-E.) 10 B4
Hogan Lake (Ont.) 24 D1
Hogem Ranges (C.-B.) 42 G3
Hohoae Island (C.-B.) 39 D2
Holberg Inlet (C.-B.) 39 C1
Holden Lake (N.-E.) 10 E1
Hole in the Wall *(chenal)* (C.-B.) 37 B3
Holgar Lake (Sask.) 44 E4
Holinshead Lake (Ont.) 27 D2
Holland Harbour (N.-E.) 9 F3
Holland River (Ont.) 23 F3
Holmer, Lac (Qué.) 20 H2
Holmes Lake (Man.) 30 C1
Holmes River (C.-B.) 40 F2
Holton Island (T.-N.) 6 G3
Holyrood Bay (T.-N.) 2 F4
Holyrood Pond (T.-N.) 2 F4
Homan Bay (T.N.-O.) 47 C4
Homards, Baie des (Qué.) 19 E3
Homathko Icefield (C.-B.) 37 C1
Homathko River (C.-B.) 37 C1
Home, Cape (T.N.-O.) 47 E3
Home Bay (T.N.-O.) 46 F1
Home Pond (T.-N.) 3 E3
Homfray Channel (C.-B.) 37 C3
Hominka River (C.-B.) 40 D1
Hone River (T.N.-O.) 46 F2
Honguedo, Détroit d' (Qué.) 19 H4
Hood River (T.N.-O.) 45 F2
Hook Point (Ont.) 20 C1
Hooker Lake (Ont.) 27 C1
Hoole River (Yukon) 45 B3
Hoomak Lake (C.-B.) 39 F2
Hooper, Cape (T.N.-O.) 46 F1
Hooper, Mount (C.-B.) 38 C3
Hooper Inlet (T.N.-O.) 46 D1
Hooper Island (T.N.-O.) 45 B1
Hooper Point (C.-B.) 41 C1
Hope, Cape (T.N.-O.) 45 E1
Hope Bay (Ont.) 23 C1
Hope Bay (T.N.-O.) 45 F1
Hope Island (Ont.) 23 E1
Hope Island (C.-B.) 41 F4
Hope Lake (Ont.) 28 H2
Hopeall Bay (T.-N.) 2 F2
Hopeall Head (T.-N.) 2 F2
Hopes Advance, Cap (Qué.) 46 F3
Hopes Advance Bay (T.N.-O.) 46 F3
Hopewell Islands (T.N.-O.) 46 E4
Hopkins Bay (Ont.) 25 D4
Hopton Lake (T.N.-O.) 44 H1
Horn Lake (Ont.) 24 B1
Horn Lake (Ont.) 24 B2
Horn River (T.N.-O.) 45 E3
Hornaday River (Alb.) 44 C2
Hornaday River (T.N.-O.) 45 D1
Hornby Bay (T.N.-O.) 45 E2
Hornby Island (C.-B.) 38 C1
Horne Lake (C.-B.) 38 C2
Hornell Lake (T.N.-O.) 45 E3
Horner Lake (Ont.) 26 B4
Hornet Creek (C.-B.) 35 A3
Horsburgh Point (Ont.) 25 D3
Horse Chops *(pointe)* (T.-N.) 3 G4
Horse Island (Man.) 30 B3
Horse Islands (T.-N.) 5 H3
Horse Lake (C.-B.) 36 D2
Horse River (Alb.) 44 C4
Horsefly Lake (C.-B.) 36 D1
Horsefly Lake (C.-B.) 40 E3
Horsefly Lake Reservoir (Alb.) 34 G4
Horsefly River (C.-B.) 36 D1
Horsehead Creek (Sask.) 32 B3
Horseshoe Lake (Ont.) 24 D3
Horseshoe Lake (Man.) 28 D1
Horseshoe Lake (Ont.) 30 F3
Horseshoe Lake (Alb.) 33 G4
Horseshoe Lake (C.-B.) 37 D4
Horsethief Creek (C.-B.) 34 C3
Horsfall Island (C.-B.) 41 E3
Horton Lake (T.N.-O.) 45 D2
Horton River (T.N.-O.) 45 D1
Horwood Lake (Ont.) 26 D2
Hosea Lake (Ont.) 30 F1
Hoskyn Channel (C.-B.) 37 B4
Hospital Pond (T.-N.) 4 F2
Hostile Lake (T.N.-O.) 44 E2
Hotchkiss River (Alb.) 43 G2
Hotel Lake (T.N.-O.) 44 D2
Hotham Sound (C.-B.) 37 D4
Hotnarko Lake (C.-B.) 41 H3
Hottah Lake (T.N.-O.) 45 E2
Houël, Lac (Qué.) 6 D1
Houghton Lake (Ont.) 27 C1
Houghton Lake (Sask.) 32 E4
House Mountain (C.-B.) 37 C2
House River (Alb.) 44 B4
Houston Point (T.N.-O.) 20 D2
Hoved Island (T.N.-O.) 47 E2
Hovgaard Islands (T.N.-O.) 45 H1
Howard Creek (Sask.) 32 E3
Howard Lake (T.N.-O.) 44 E1
Howe Bay (I.-P.-E.) 7 E4
Howe Island (Ont.) 17 B4
Howe Point (I.-P.-E.) 7 E4
Howe Sound (C.-B.) 38 F2
Howell Point (Man.) 30 B2
Howells River (T.-N.) 6 C3
Howley, Mount (T.-N.) 4 C2
Hozameen Range (C.-B.) 35 C4
Huard, Lac (Qué.) 14 C3
Huard, Lac (Sask.) 32 C3
Huaskin Lake (C.-B.) 41 G4
Hubbart Point (Man.) 46 B3
Huddersfield, Lac (Qué.) 24 H1
Hudson, Baie d' (T.N.-O.) 46 C3
nom officiel Hudson Bay
Hudson, Détroit d' (T.N.-O.) 46 F3
nom officiel Hudson Strait
Hudson Bay
voir Hudson, Baie d'
Hudson Bay Mountain (C.-B.) 42 F4
Hudson Strait
voir Hudson, Détroit d'
Hudwin Lake (Man.) 30 C3
Hughes Lake (T.-N.) 4 D1
Hughes River (Man.) 44 G4
Hughson Bay (Ont.) 25 B3
Huit Milles, Lac des (Qué.) 13 B2
Humamilt Lake (C.-B.) 36 H3
Humber Arm (T.-N.) 4 C1
Humber Bay (Ont.) 21 B2
Humber River (T.-N.) 4 D1
Humber River (Ont.) 23 F3
Humboldt Bay (Ont.) 27 F1
Hume River (T.N.-O.) 45 C2
Humphries Head (T.N.-O.) 47 B2
Humqui, Lac (Qué.) 13 A3
Humqui, Rivière (Qué.) 13 B3
Hunaechin Creek (C.-B.) 37 E3
Hunakwa Lake (C.-B.) 36 H3
Hungerford Point (Ont.) 25 C3
Hungry Bay (Ont.) 21 F1
Hungry Grove Pond (T.-N.) 2 C2
Hungry Hill (T.-N.) 4 F1
Hunt Island (Ont.) 27 E1
Hunt Lake (Sask.) 32 E1
Hunt River (T.-N.) 6 F2
Hunter, Cape (T.N.-O.) 47 G4
Hunter Bay (Sask.) 32 F1
Hunter Creek (Sask.) 44 E3
Hunter Island (C.-B.) 41 E3
Hunter Point (C.-B.) 41 A2
Hunting Lake (Sask.) 32 B3
Hunting River (Man.) 30 C1
Huntingdon Island (T.-N.) 6 G3
Hunts Ponds (T.-N.) 3 D3
Hurault, Lac (Qué.) 6 A3
Hurd, Cape (Ont.) 25 C4
Hurds Lake (Ont.) 17 A1
Hurley River (C.-B.) 37 F2
Hurloc Head (T.-N.) 3 F4
Huron, Lac (Qué.) 14 H3
Huron, Lac (Ont.) 25 B3, 26 B4
nom officiel Huron, Lake
Huron, Lake
voir Huron, Lac
Hurons, Rivière des (Qué.) 15 F3
Hurst, Lac (Qué.) 6 C2
Hurst Island (C.-B.) 39 D1
Hurwitz Lake (T.N.-O.) 44 H1
Hustan Lake (C.-B.) 39 E2
Hut Point (T.N.-O.) 46 D2
Hutchison Bay (T.N.-O.) 45 C1
Hutte Sauvage, Lac de la (Qué.) 6 D2
Hyde Inlet (T.N.-O.) 47 F3
Hyde Lake (T.N.-O.) 46 B3
Hydraulic Lake (C.-B.) 35 F3
Hyland River (Yukon) 45 C3
Hyndman Lake (T.N.-O.) 45 C1
Hyperite Point (T.N.-O.) 47 E2

I

Ian Calder Lake (T.N.-O.) 46 B1
Ian Lake (C.-B.) 41 A1
Ibbett Bay (T.N.-O.) 47 B2
Ice Lake (Ont.) 25 B2
Iceberg Point (T.N.-O.) 47 E1
Icewall Creek (C.-B.) 37 D2
Iconoclast Mountain (C.-B.) 34 B2
Ida, Mount (C.-B.) 35 F1
Ideal Lake (C.-B.) 35 F2
Igelstrom Lake (Ont.) 30 E2
Iglosiatik Island (T.-N.) 6 F2
Iglusuaktalialuk Island (T.-N.) 6 E1
Ignace, Rivière (Qué.) 18 C3
Ignerit Point (T.N.-O.) 46 E1
Ikirtuuq, Lac (Qué.) 6 B1
Ikpik Bay (T.N.-O.) 46 E1
Ile au Castor, Lac de l' (Qué.) 5 E2
Ile-à-la-Crosse, Lac (Sask.) 32 C1
Ile d'Orléans, Chenal de l' (Qué.) 15 B2
Ile-du-Prince-Edouard, Parc national de l' (I.-P.-E.) 7 C3
voir aussi Prince Edward Island National Park
Ile Verte, Lac de l' (Qué.) 14 D1
Iles, Baie des (T.-N.) 5 F4
nom officiel Islands, Bay of
Iles, Grand lac des (Qué.) 16 A1
Iles, Lac des (Qué.) 15 A1
Iles, Lac des (Qué.) 16 E3
Iles, Lac des (Qué.) 18 D4
Iles, Lac des (Ont.) 27 D2
Iles, Lac des (Sask.) 32 A2
Iles de la Baie-Georgienne, Parc national des (Ont.) 25 D3
voir aussi Georgian Bay Islands National Park
Illuvertalik Island (T.-N.) 6 E1
Iluikoyak Island (T.-N.) 6 F2
Imikula Lake (T.N.-O.) 44 H1
Imperial Eagle Channel (C.-B.) 38 B3
Incomappleux River (C.-B.) 34 B2
Indata Lake (C.-B.) 43 A4
Indian Arm (T.-N.) 3 D2
Indian Arm (T.-N.) 3 F4
Indian Arm (C.-B.) 38 G2
Indian Arm Brook (T.-N.) 3 C2
Indian Arm Pond (T.-N.) 3 C3
Indian Bay (T.-N.) 3 F3
Indian Bay (N.-E.) 8 F3
Indian Bay (Man./Ont.) 28 E2
Indian Bay Big Pond (T.-N.) 3 E3
Indian Bay Pond (T.-N.) 3 E3
Indian Brook (T.-N.) 3 A2
Indian Brook (N.-E.) 8 E2
Indian Creek (Ont.) 17 B2
Indian Harbour (N.-E.) 9 F3
Indian Harbour Point (Ont.) 25 C3
Indian Head Range (T.-N.) 4 C2
Indian Island (T.-N.) 4 C4
Indian Island (N.-E.) 10 E3
Indian Lake (N.-B.) 11 D1
Indian Lake (N.-B.) 12 B4
Indian Lake (Ont.) 26 D3
Indian Lake (Ont.) 27 B2
Indian Lake (Ont.) 28 G1
Indian Pond (T.-N.) 3 A2
Indian River (Ont.) 17 B2
Indian River (Ont.) 21 D1
Indian River (Ont.) 24 F1
Indian River (C.-B.) 38 F1
Indicateur, Lac (Qué.) 19 A1
Indiens, Lac des (Man.) 44 H3
nom officiel Southern Indian Lake
Indin Lake (T.N.-O.) 45 E3
Ingalls Lake (T.N.-O.) 44 E2
Ingenika River (C.-B.) 43 A2
Inglesby Lake (Ont.) 24 G4
Inglis Bay (T.N.-O.) 46 C1
Ingonish Island (N.-E.) 8 E2
Ingonish River (N.-E.) 8 E2
Ingornachoix Bay (T.-N.) 5 F3
Ingray Lake (T.N.-O.) 45 E3
Inhabitants, River (N.-E.) 8 C4
Inhabitants Bay (N.-E.) 9 G2
Inkaneep Creek (C.-B.) 35 F4
Inland Lake (Man.) 29 F1
Inland Lake (C.-B.) 37 C4
Inner Basin (C.-B.) 39 E3
Inner Bay (Ont.) 22 G2
Inner Gooseberry Islands (T.-N.) 3 F3
Inner Pond (T.-N.) 5 G3
Innes Island (Ont.) 25 B2
Innetalling Island (T.N.-O.) 20 E1
Innuksuac, Rivière (Qué.) 46 E4
Inonoaklin Creek (C.-B.) 35 H2
Insula Lake (T.N.-O.) 44 E2
Interior Plateau
voir Intra-Cordilléran, Plateau
Intra-Cordilléran, Plateau 5
nom officiel Interior Plateau
Intrepid Inlet (T.N.-O.) 47 B2
Inugsuin Fiord (T.N.-O.) 47 G4
Inuktorfik Lake (T.N.-O.) 47 F4
Inulik Lake (T.N.-O.) 45 E2
Investigator Point (T.N.-O.) 47 B3
Invincible Point (T.N.-O.) 47 C2
Inzana Lake (C.-B.) 43 B4
Iona Islands (T.-N.) 2 F3
Iosegun Lake (Alb.) 33 B2
Iosegun River (Alb.) 33 B2
Ipiatik River (Alb.) 33 G1
Ireland Creek (C.-B.) 35 G1
Irish Lake (Ont.) 17 C3
Irish River (N.-B.) 11 E2
Iron Creek (Alb.) 33 F4
Iron Island (Ont.) 25 G1
Iron Mountain (C.-B.) 35 C2
Iron Rapids (C.-B.) 36 B2
Ironbound Islands (T.-N.) 6 G2
Ironwood Lake (Alb.) 33 F2
Iroquois, Pointe (Qué.) 15 D1
Iroquois Lake (Sask.) 32 C3
Iroquois River (T.N.-O.) 45 C1
Irvine Inlet (T.N.-O.) 46 F2
Irving Lake (C.-B.) 39 F3
Isaac Lake (Ont.) 23 C1
Isaac Lake (C.-B.) 40 E2
Isabella, Cape (T.N.-O.) 47 F2
Isabella Bay (T.N.-O.) 47 H4
Isachsen, Cape (T.N.-O.) 47 D2
Isachsen Peninsula (T.N.-O.) 47 D2
Isbister River (Man.) 30 D3
Ishkheenickh River (C.-B.) 42 D4
Ishpatina Ridge (Ont.) 26 E3
Isidore, Lac (Qué.) 14 E1
Isinglass Lake (Ont.) 28 H3
Isintok Creek (C.-B.) 35 E3
Iskut River (C.-B.) 42 C2
Iskwao Creek (Sask.) 31 F2
Island Lake (N.-B.) 12 C2
Island Lake (N.-B.) 12 E2
Island Lake (Ont.) 25 G2
Island Lake (Ont.) 28 F2
Island Lake (Man.) 30 D2
Island Point (T.-N.) 3 B1
Island Pond (T.-N.) 2 EI
Island Pond (T.-N.) 3 B3
Island Pond (T.-N.) 3 D3
Island Pond (T.-N.) 3 D4
Island Pond (T.-N.) 3 E2
Island Pond (T.-N.) 4 D2
Island Pond (T.-N.) 4 G2
Island Pond West (T.-N.) 2 D1
Islands, Bay of (T.-N.) 6 F2
voir aussi Iles, Baie des (T.-N.)
Islands, Bay of (Ont.) 25 C2
Isle Lake (Alb.) 33 C3
Isle aux Morts Harbour (T.-N.) 4 A4
Isle aux Morts River (T.-N.) 4 B4
Isolillock Peak (C.-B.) 35 B4
Isortoq River (T.N.-O.) 47 F4
Isthmus Bay (Ont.) 25 D4
Isurtuq River (T.N.-O.) 46 F1
Italia Lake (C.-B.) 36 E2
Itchen Lake (T.N.-O.) 45 F2
Ithingo Lake (Sask.) 44 D4
Itirbilung Fiord (T.N.-O.) 47 H4
Itomamis, Lac (Qué.) 6 B4
Itomamo, Lac (Qué.) 14 C1
Ivanhoe Lake (Ont.) 26 C2
Ivanhoe Lake (T.N.-O.) 44 E2
Ivanhoe River (Ont.) 26 C2
Ivry, Lac (Qué.) 5 E2

J

Jaab Lake (Ont.) 20 C3
Jack, Cape (N.-E.) 8 C4
Jack Lake (Ont.) 24 E3
Jackfish Channel (Ont.) 27 G3
Jackfish Creek (Alb.) 33 G2
Jackfish Lake (Ont.) 28 H4
Jackfish Lake (Man.) 29 G3
Jackfish Lake (Sask.) 32 B4
Jackfish River (Alb.) 44 B2
Jackman Sound (T.N.-O.) 46 G3
Jackpine River (Ont.) 26 B2
Jackpine River (Ont.) 27 F2
Jack's Island (T.-N.) 3 D1
Jacks Lake (N.-B.) 12 C2
Jackson Creek (Man./Sask.) 29 D4
Jackson Inlet (T.N.-O.) 47 E3
Jacob Island (T.N.-O.) 20 D3
Jacobs Lake (T.N.-O.) 44 H1
Jacques, Lac à (T.N.-O.) 45 C2
Jacques-Cartier, Baie de (Qué.) 5 F2
Jacques-Cartier, Détroit de (Qué.) 5 A3
Jacques-Cartier, Lac (Qué.) 15 B1
Jacques-Cartier, Mont (Qué.) 13 E1
Jacques-Cartier, Petit lac (Qué.) 15 A1
Jacques-Cartier, Rivière (Qué.) 15 A2
Jacques Island (T.-N.) 4 C4
Jacquet River (N.-B.) 13 D4
Jadel Lake (Man.) 28 E1
Jalobert, Lac (Qué.) 14 C2
Jambon, Pointe (Qué.) 19 E3
James, Baie (T.N.-O.) 20 D2
nom officiel James Bay
James Anderson, Cape (T.N.-O.) 46 C1
James Bay (Ont.) 25 D2
voir aussi James, Baie (T.N.-O.)
James Creek (Alb.) 44 A2
James Lake (Man.) 44 H3
James River (Alb.) 34 D1
James River (T.N.-O.) 45 F2
James Ross, Cape (T.N.-O.) 47 B3
James Ross Strait (T.N.-O.) 45 G1
Jameson, Cape (T.N.-O.) 47 G4
Jameson Islands (T.N.-O.) 45 F1
Jamieson Creek (C.-B.) 36 F4
Jamyn, Lac (Qué.) 5 F1
Jan Lake (Sask.) 32 G1
Janet Head (Ont.) 25 B2
Jannière, Lac (Qué.) 6 D3
Jansen Lake (Sask.) 31 G1
Janvrin Island (N.-E.) 9 G2
Jardine Brook (N.-B.) 12 A1
Jardins, Lac des (Qué.) 18 B3
Jarvis Lake (Ont.) 24 F4
Jarvis Lake (T.N.-O.) 44 F1
Jasper, Parc national de (Alb.) 40 H3
voir aussi Jasper National Park
Jasper National Park (Alb.) 40 H3
voir aussi Jasper, Parc national de
Jaune, Rivière (Qué.) 15 F3
Jean, Lake (Ont.) 27 F2
Jean de Gaunt Island (T.-N.) 2 E2
Jean-Péré, Lac (Qué.) 18 C3
Jeanette Bay (T.-N.) 6 G3
Jeanette Lake (Ont.) 30 E4
Jeannette Lake (Sask.) 32 B2
Jeannettes Creek (Ont.) 22 B3
Jeannin, Lac (Qué.) 6 C2
Jeannotte, Rivière (Qué.) 18 H2
Jeddore Harbour (N.-E.) 9 C3
Jeddore Head (N.-E.) 9 C4
Jeddore Lake (T.-N.) 2 B1
Jedediah Island (C.-B.) 38 D2
Jenkins Island (C.-B.) 38 D2
Jenne Lake (T.N.-O.) 44 F2
Jennejohn Lake (T.N.-O.) 44 B1
Jenness Island (T.N.-O.) 47 C2
Jenny Lind Island (T.N.-O.) 45 G1
Jens Munk Island (T.N.-O.) 46 D1
Jensen, Cape (T.N.-O.) 46 E1
Jermain, Cape (T.N.-O.) 46 D1
Jervis Inlet (C.-B.) 37 E4
Jervis Island (C.-B.) 38 D2
Jesse Lake (C.-B.) 41 E1
Jessica Lake (Man.) 28 D1
Jessie Lake (Ont.) 27 F2
Jessie Point (Ont.) 25 B2
Jésus, Ile (Qué.) 17 F3
Jewakwa, Mount (C.-B.) 37 C1
Jewakwa Glacier (C.-B.) 37 C1
Jewakwa River (C.-B.) 37 C2
Jewel Lake (C.-B.) 35 G4
Jewett Lake (Sask.) 44 F4
Jim Brown Creek (C.-B.) 37 D3
Jim Creek (C.-B.) 36 E2
Jim Lake (C.-B.) 36 D3
Jim Lake (T.N.-O.) 44 F1
Joannès, Lac (Qué.) 26 G2
Jock River (Ont.) 17 C2
Jocko Point (Ont.) 25 H1
Jocko River (Ont.) 26 G4
Joe Batt's Arm (T.-N.) 3 E1
Joe Batt's Point (T.-N.) 3 E1
Joe Batts Pond (T.-N.) 3 D3
Joe Glodes Brook (T.-N.) 4 G1
Joe Glodes Pond (T.-N.) 4 G1
Joes Lake (T.-N.) 3 A3
Joffre Creek (C.-B.) 37 G3
Jog Lake (Ont.) 27 H1
Jogues, Lac (Qué.) 6 B1
Jogues, Lac (Qué.) 14 A2
Johan Peninsula (T.N.-O.) 47 F2
John, Cape (T.-N.) 4 A3
John, Cape (N.-E.) 9 C1
John, River (N.-E.) 9 C1
John Bay (N.-E.) 9 C1
John Creek (Ont.) 25 D1
John Dyer, Cape (T.N.-O.) 47 D3
John Halket Island (T.N.-O.) 47 C4
John Hart Lake (C.-B.) 37 B4
John Island (Ont.) 25 B1
John Jay, Mount (C.-B.) 42 C2
John Richardson Bay (T.N.-O.) 47 F1
Johnny Hoe River (T.N.-O.) 45 D3
Johns Island (N.-E.) 10 B4
Johnson Island (T.N.-O.) 46 E4
Johnson Lake (C.-B.) 36 G3
Johnson Point (T.N.-O.) 47 F3
Johnson River (T.N.-O.) 45 D3
Johnsons Point (N.-E.) 9 C1
Johnstone Strait (C.-B.) 39 F1
Joint Lake (Man.) 30 D2
Joir, Rivière (T.-N.) 5 D1
Joli, Lake (N.-E.) 10 C2
Joli, Port (N.-E.) 10 D3
Jolicoeur, Rivière (Qué.) 20 E3
Jolliet, Lacs (Qué.) 20 F3
Jolly Lake (T.N.-O.) 45 F3
Jonathans Pond (T.-N.) 3 D3
Joncas, Lac (Qué.) 18 B3
Jonchée, Lac (Qué.) 5 C2
Jones, Cape (T.N.-O.) 46 B3
Jones Creek (C.-B.) 36 C1
Jones Sound (T.N.-O.) 47 E3
Jordan Lake (N.-E.) 10 C3
Jordan Lake (Man.) 44 G3
Jordan River (N.-E.) 10 C3
Jordan River (Sask.) 32 F4
Jordan River (C.-B.) 38 D4
Joseph, Lac (T.-N.) 6 D4
Joseph, Lac (Qué.) 16 E2
Joseph, Lake (Ont.) 24 A2
Joseph, Petit lac (T.-N.) 6 D4
Joseph, Pointe (Qué.) 5 B4
Joseph, Rivière (Qué.) 19 F2
Joseph Creek (C.-B.) 36 F3
Joseph Henry, Cape (T.N.-O.) 47 F1
Joseph Lake (Alb.) 33 E3
Josephine Bay (T.N.-O.) 45 H1
Jost Lake (T.N.-O.) 44 F1
Joubert, Lac (Qué.) 20 H2
Joubert Creek (Man.) 28 A2
Jourimain Island (N.-B.) 7 B4
Joy Bay (T.N.-O.) 46 F3
Joy Island (T.N.-O.) 20 D1
Juan de Fuca, Détroit de (C.-B.) 38 D4
nom officiel Juan de Fuca Strait
Juan de Fuca Strait
voir Juan de Fuca, Détroit de
Juan Perez Sound (C.-B.) 41 B3
Jubilee Lake (T.-N.) 2 C1
Jude Island (T.-N.) 2 D3
Judge Daly Promontory (T.N.-O.) 47 F1
Judge Howay, Mount (C.-B.) 38 H2
Juet, Lac (Qué.) 46 E3
Jugeborg Fiord (T.N.-O.) 47 E1
Juillet, Lac (Qué.) 6 D3
Julia Bay (Ont.) 25 F2
Julia Point (Ont.) 25 B2
Julian, Lac (Qué.) 20 E2
Julian Peak (C.-B.) 37 D3
Juliet Creek (C.-B.) 35 B3
July Mountain (C.-B.) 35 B3
Jumbo Mountain (C.-B.) 34 C3

Jump Creek (C.-B.) 38 D3
Jumper Brook (T.-N.) 3 D2
Jumpers Brook (T.-N.) 3 C3
Jumping Lake (Sask.) 32 E4
Jumpingpound Creek (Alb.) 34 D2
Junction Bay (T.N.-O.) 46 D2
Jungersen River (T.N.-O.) 47 F4
Jupiter, Rivière (Qué.) 5 A4

K

Kabania Lake (Ont.) 30 G3
Kabika River (Ont.) 26 F1
Kabinakagami Lake (Ont.) 26 A1
Kabinakagami River (Ont.) 20 B4
Kabinakagamisis Lake (Ont.) 26 A1
Kabitotikwia Lake (Ont.) 27 E2
Kachiyaskunusi, Lac (Qué.) 20 G1
Kaegudeck Lake (T.-N.) 2 C1
Kagawong Lake (Ont.) 25 B2
Kagianagami Lake (Ont.) 30 G4
Kagiano Lake (Ont.) 27 G2
Kagloryuak River (T.N.-O.) 47 B4
Kagungatak Island (T.-N.) 6 F2
Kahntah River (C.-B.) 43 E1
Kaiashkons Lake (Ont.) 28 H3
Kains Lake (C.-B.) 39 C1
Kaipit Creek (C.-B.) 39 E2
Kaipit Lake (C.-B.) 39 E2
Kaipokok Bay (T.-N.) 6 F3
Kaipokok River (T.-N.) 6 F3
Kairolik Fiord (T.N.-O.) 46 G2
Kakagi Lake (Ont.) 28 G3
Kakiattukallak, Lac (Qué.) 6 A1
Kakiddi Lake (C.-B.) 42 C1
Kakinagimak Lake (Sask.) 32 G1
Kakisa Lake (T.N.-O.) 44 A1
Kakwa River (Alb.) 40 F1
Kakweiken River (C.-B.) 37 A2
Kalamalka Lake (C.-B.) 35 F2
Kaleet River (T.N.-O.) 45 H1
Kalliecahoolie Lake (Man.) 30 D2
Kalone Peak (C.-B.) 41 G3
Kalzas River (Yukon) 45 B3
Kamaniskeg Lake (Ont.) 24 F2
Kamatsi Lake (Sask.) 44 G4
Kamilukuak Lake (T.N.-O.) 44 F1
Kamilukuak River (T.N.-O.) 44 F1
Kaminak Lake (T.N.-O.) 46 B3
Kaminuriak Lake (T.N.-O.) 46 B2
Kamiskotia Lake (Ont.) 26 D1
Kamiskotia River (Ont.) 26 D2
Kamloops Lake (C.-B.) 36 E4
Kamouraska, Iles de (Qué.) 15 D1
Kamouraska, Rivière (Qué.) 15 E1
Kamuchawie Lake (Man./Sask.) 44 G4
Kanaaupscow, Rivière (Qué.) 20 F1
Kanairiktok Bay (T.-N.) 6 F2
Kanairiktok River (T.-N.) 6 E3
Kananaskis River (Alb.) 34 D2
Kanasuta, Rivière (Qué.) 26 G2
Kane Basin (T.N.-O.) 47 F1
Kangeeak Point (T.N.-O.) 46 G1
Kangilo Fiord (T.N.-O.) 46 F1
Kangok Fiord (T.N.-O.) 46 F1
Kanim Lake (C.-B.) 39 F4
Kanish Bay (C.-B.) 37 B3
Kano Inlet (C.-B.) 41 A2
Kanuchuan Lake (Ont.) 30 G3
Kaouk Mountain (C.-B.) 39 E2
Kaouk River (C.-B.) 39 E2
Kapesakosi Lake (Ont.) 28 H2
Kapikik Lake (Ont.) 30 E4
Kapikotongwa River (Ont.) 27 F1
Kapiskau River (Ont.) 20 B3
Kaposvar Creek (Sask.) 29 C2
Kappan, Mount (C.-B.) 41 H3
Kapuskasing Lake (Ont.) 26 C2
Kapuskasing River (Ont.) 26 C1
Karloske River (Man.) 30 D1
Karsakuwigamak Lake (Man.) 44 H4
Kasabonika Lake (Ont.) 30 G2
Kasasway Lake (Ont.) 26 D2
Kasba Lake (T.N.-O.) 44 F2
Kashabowie Lake (Ont.) 27 C3
Kashagawigamog Lake (Ont.) 24 D3
Kashawegama Lake (Ont.) 27 C1
Kashe Lake (Ont.) 24 B3
Kashegaba Lake (Ont.) 25 G2
Kashutl Inlet (C.-B.) 39 D2
Kashwakamak Lake (Ont.) 24 G3
Kaskattama River (Man.) 30 F1
Kasmere Lake (Man.) 44 G2
Kasshabog Lake (Ont.) 24 E4
Katah Creek (C.-B.) 43 E1
Katamiagamak Lake (Ont.) 28 H3
Katatota Island (Ont.) 27 F2
Katchewanooka Lake (Ont.) 24 E4
Kate Harbour (T.-N.) 3 F4
Kater, Cape (T.N.-O.) 47 E4
Kater Point (T.N.-O.) 45 F1
Kates Needle *(mont)* (C.-B.) 42 B1
Kathawachaga Lake (T.N.-O.) 45 F2
Kathleen, Mount (C.-B.) 35 E3
Kathleen Lake (C.-B.) 39 D2
Katimik Lake (Man.) 30 B3
Kattaktoc, Cap (Qué.) 46 G3
Kattawagami Lake (Ont.) 20 D4
Kattawagami River (Ont.) 20 D4
Kaumajet Mountains (T.-N.) 6 E1
Kauwinch River (C.-B.) 39 D2
Kawagama Lake (Ont.) 24 D2
Kawashkagama Lake (Ont.) 27 G1
Kawawaymog Lake (Ont.) 24 C1
Kawaweogama Lake (Ont.) 27 D1
Kawigamog Lake (Ont.) 25 F2
Kawinaw Lake (Man.) 30 B3
Kawnipi Lake (Ont.) 27 C3
Kay Point (Yukon) 45 B1
Kaye, Cape (T.N.-O.) 47 E4
Kazan Lake (Sask.) 32 B1
Kazan River (T.N.-O.) 44 G1
Kazchek Lake (C.-B.) 43 A4
Kean Point (T.N.-O.) 45 G1
Kearney Head (T.-N.) 2 E2
Keary Lake (C.-B.) 37 G2
Keating, Lac (Qué.) 6 C2
Keats Island (C.-B.) 38 E2
Kebskwasheshi Lake (Ont.) 26 C3
Kechika River (C.-B.) 45 C4
Kecil Lake (Ont.) 25 B1
Kedgwick, Lac (Qué.) 14 H3
Kedgwick, Rivière (Qué.) 14 H4
voir aussi Kedgwick River (N.B.)
Kedgwick River (N.-B.) 13 A4
voir aussi Kedgwick, Rivière (Qué.)
Keefe Lake (Sask.) 44 F3
Keeha Bay (C.-B.) 38 B3
Keele River (T.N.-O.) 45 C3
Keeley Lake (Sask.) 32 B1
Keeley River (Sask.) 32 B1
Keep Lake (Sask.) 32 H1
Keeper River (Ont.) 30 D3
Keewatin River (Man.) 44 G4
Keezhik Lake (Ont.) 30 G3
Keg Lake (Sask.) 32 C3
Keg Lake (Sask.) 32 F1
Keg River (Alb.) 43 H1
Kégashka, Lac (Qué.) 5 C3
Kégashka, Rivière (Qué.) 5 C3
Kegeshook Lake (N.-E.) 10 B3
Keglo Bay (T.N.-O.) 46 G3
Keith Arm (T.N.-O.) 45 D2
Keith Bay (T.N.-O.) 46 C1
Keith Lake (Sask.) 44 E4
Kéjimkujik, Parc national de (N.-E.) 10 C2
voir aussi Kejimkujik National Park
Kejimkujik Lake (N.-E.) 10 C2
Kejimkujik National Park (N.-E.) 10 C2
voir aussi Kéjimkujik, Parc national de
Kekek, Rivière (Qué.) 18 D2
Kekertaluk Island (T.N.-O.) 46 F1
Keller Lake (Sask.) 44 E4
Keller Lake (T.N.-O.) 45 D3
Kellett, Cape (T.N.-O.) 47 A3
Kellett River (T.N.-O.) 46 C1
Kellett River (T.N.-O.) 47 A3
Kellett Strait (T.N.-O.) 47 B2
Kelly Bay (Sask.) 44 F3
Kelly Lake (Ont.) 25 E1
Kelly Lake (T.N.-O.) 45 C2
Kelly River (C.-B.) 35 F4
Kellys Island (T.-N.) 2 G2
Kelsey Creek (Sask.) 32 F3
Kelsey Lake (Man.) 30 A2
Keltie Inlet (T.N.-O.) 46 F2
Kelvin Island (Ont.) 27 E1
Kemano River (C.-B.) 41 E2
Kemp River (Alb.) 43 H1
Kempenfelt Bay (Ont.) 23 F2
Kemps Point (N.-E.) 8 E4
Kempt, Lac (Qué.) 18 F3
Kempt, Rivière (Qué.) 13 C3
Kempt Back Lake (N.-E.) 10 B3
Kempt Head (N.-E.) 8 E3
Kempton Lake (N.-E.) 10 D3
Kenamu River (T.-N.) 6 F4
Kendall, Cape (T.N.-O.) 45 E1
Kendall, Cape (T.N.-O.) 46 C2
Kenemich River (T.-N.) 6 F3
Kenilworth Lake (Alb.) 33 G3
Kennebec Lake (Ont.) 24 G3
Kennebecasis Bay (N.-B.) 11 D3
Kennebecasis River (N.-B.) 11 E2
Kennedy, Mount (C.-B.) 37 A2
Kennedy Channel (T.N.-O.) 47 F1
Kennedy Head (T.-N.) 5 H1
Kennedy Island (C.-B.) 41 C1
Kennedy Lake (Ont.) 26 D3
Kennedy Lake (Sask.) 32 G3
Kennedy Lake (C.-B.) 38 A3
Kennedy Lakes (N.-B.) 12 D3
Kennedy River (C.-B.) 38 B2
Kennetcook River (N.-E.) 9 A3
Kenney Dam/Barrage (C.-B.) 40 A2
Kennisis Lake (Ont.) 24 D2
Kenny Point (Ont.) 25 B2
Kénogami, Lac (Qué.) 14 A3
Kenogami Lake (Ont.) 26 F2
Kenogami River (Ont.) 20 B4
Kenogaming Lake (Ont.) 26 D2
Kenogamisis Lake (Ont.) 27 G2
Kenogamissi Lake (Ont.) 26 D2
Kent Bay (T.N.-O.) 47 D4
Kent Island (N.-B.) 11 C4
Kent Peninsula (T.N.-O.) 45 F1
Kenyon Lake (Man.) 30 E2
Keogh Lake (C.-B.) 39 D1
Keogh River (C.-B.) 39 D1
Kepenkeck Lake (T.-N.) 2 D1
Kepimits Lake (T.-N.) 6 D4
Keppel Lake (Sask.) 32 B4
Kerbodot, Lac (Qué.) 6 C3
Keremeos Creek (C.-B.) 35 E4
Kergus, Lac (Qué.) 14 E2
Kerman Lake (Man.) 44 H3
Kernertut, Cap (Qué.) 46 G3
Kerouard Islands (C.-B.) 41 C3
Kerrs Point (N.-E.) 8 D1
Kesagami Lake (Ont.) 20 D4
Kesagami River (Ont.) 20 D4
Kesatasew River (Sask.) 32 A1
Keseechewun Lake (Sask.) 44 F2
Keswick River (N.-B.) 11 B1
Kettle Creek (Ont.) 22 E2
Kettle Lake (Man.) 30 D1
Kettle Point (Ont.) 22 C1
Kettle River (Man.) 30 D1
Kettle River (Man.) 30 F1
Kettle River (C.-B.) 35 G4
Kettlestone Bay (T.N.-O.) 46 E3
Key Harbour (Ont.) 25 E2
Key River (Ont.) 25 F2
Keys Lake (Ont.) 28 G1
Khartoum Lake (C.-B.) 37 D4
Khtada Lake (C.-B.) 41 D1
Khuex River (C.-B.) 42 D4
Khutzeymateen Inlet (C.-B.) 42 C4
Kiamika, Réservoir (Qué.) 18 E3
Kidprice Lake (C.-B.) 41 F1
Kiglapait, Cape (T.-N.) 6 F1
Kiglapait Mountains (T.-N.) 6 E1
Kikendatch, Baie (Qué.) 18 F1
Kikerk Lake (T.N.-O.) 45 E2
Kikiktaksoak Island (T.-N.) 6 E1
Kikkertakgoak Islands (T.-N.) 6 F2
Kikkertarjote Island (T.-N.) 6 E1
Kikkertavak Island (T.-N.) 6 F1
Kikkertavak Island (T.-N.) 6 G2
Kikkertoksoak Island (T.N.-O.) 46 G3
Kikupegh Pond (T.-N.) 4 G3
Kikwissi, Lac (Qué.) 26 G3
Kilbella River (C.-B.) 41 F4
Kilburn Lake (N.-B.) 11 B1
Kildare River (I.-P.-E.) 7 B2
Kilekale Lake (T.N.-O.) 45 D2
Kilian Island (T.N.-O.) 47 C3
Killala Lake (Ont.) 27 G2
Killarney, Lac (N.-E.) 9 B1
Killarney Bay (Ont.) 25 D2
Killarney Lake (Ont.) 25 C3
Killarney Lake (Alb.) 33 H4
Killarney Provincial Park (Ont.) 25 D2
Killbear Point Provincial Park (Ont.) 25 G3
Killinek Island (T.-N./T.N.-O.) 46 G3
Killock Bay (Sask.) 44 F3
Kilvert Lake (Ont.) 28 G2
Kimiwan Lake (Alb.) 43 H3
Kimowin River (Sask.) 44 D4
Kimsquit River (C.-B.) 41 F2
Kinashkan Lake (C.-B.) 42 D1
Kindakun Point (C.-B.) 41 A2
Kindiogami Lake (Ont.) 26 C3
King Charles Cape (T.N.-O.) 46 E2
King Christian Island (T.N.-O.) 47 D2
King Edward Point (T.N.-O.) 47 E3
King George, Mount (C.-B.) 34 D3
King George Islands (T.N.-O.) 46 E4
King George IV Lake (T.-N.) 4 D3
King Island (T.-N.) 2 E2
King Island (C.-B.) 41 F3
King Lake (T.N.-O.) 44 C1
King Point (T.N.-O.) 47 C3
King William Island
voir Roi-Guillaume, Ile du
Kingcome Inlet (C.-B.) 41 G4
Kingcome River (C.-B.) 41 G4
Kingfisher Creek (C.-B.) 35 G1
Kingfisher Lake (Ont.) 30 F3
Kinghorn Island (C.-B.) 37 C4
Kinglet, Lac (Qué.) 20 F1
Kingnait Fiord (T.N.-O.) 46 G1
Kings Harbour Brook (T.-N.) 4 E4
Kingscote Lake (Ont.) 24 E2
Kingsley Lake (Man./Sask.) 44 G3
Kingsmere Lake (Sask.) 32 D2
Kingston Lake (Sask.) 44 F3
Kinguk Lake (T.N.-O.) 46 E2
Kingurutik Lake (T.-N.) 6 E2
Kingurutik River (T.-N.) 6 E1
Kinnaird Lake (Alb.) 33 F2
Kinnear River (N.-B.) 12 H4
Kinniwabi Lake (Ont.) 26 B2
Kinoje River (Ont.) 20 C3
Kinojévis, Rivière (Qué.) 26 G1
Kinonge, Rivière (Qué.) 17 E1
Kinskuch River (C.-B.) 42 D3
Kinsman Lake (Man.) 44 H3
Kinushseo River (Ont.) 20 C1
Kinwow Bay (Man.) 29 H1
Kioshkokwi Lake (Ont.) 26 G4
Kipahigan Lake (Man./Sask.) 32 H1
Kipawa, Baie de (Qué.) 18 B3
Kipawa, Lac (Qué.) 26 G3
Kippen Cove (T.-N.) 3 E1
Kirby Lake (Alb.) 33 G1
Kirkness Lake (Ont.) 30 D4
Kirkpatrick Lake (Ont.) 26 C4
Kirkpatrick Lake (Alb.) 34 H1
Kishikas River (Ont.) 30 E3
Kishkutena Lake (Ont.) 28 G3
Kiskatinaw River (C.-B.) 43 E4
Kiski Lake (Man.) 30 B2
Kiskitto Lake (Man.) 30 B2
Kiskittogisu Lake (Man.) 30 B2
Kispiox Range (C.-B.) 42 E3
Kispiox River (C.-B.) 42 E3
Kisseynew Lake (Man.) 32 H1
Kississing Lake (Man.) 32 H1
Kississing River (Man.) 30 A1
Kistigan Lake (Man.) 30 E2
Kitako Lake (Sask.) 32 F4
Kitchener, Cape (T.-N.) 6 G2
Kitchener Lake (C.-B.) 42 F1
Kitchie Lake (Ont.) 20 A2
Kitchigama, Rivière (Qué.) 20 E4
Kiteen River (C.-B.) 42 E3
Kitiga Lake (T.N.-O.) 45 F1
Kitimat Harbour (C.-B.) 41 E1
Kitimat Ranges (C.-B.) 41 E1
Kitimat River (C.-B.) 41 E1
Kitlope River (C.-B.) 41 F2
Kitsumkalum Lake (C.-B.) 42 E4
Kitsumkalum River (C.-B.) 42 E4
Kitwanga Lake (C.-B.) 42 E3
Kiyiu Lake (Sask.) 31 C1
Kiyuk Lake (T.N.-O.) 44 G2
Kjer, Cape (T.N.-O.) 46 C1
Klaklakama Lakes (C.-B.) 39 F2
Klanawa River (C.-B.) 38 C3
Klappan River (C.-B.) 42 D1
Klashwun Point (C.-B.) 41 A1
Klaskino Inlet (C.-B.) 39 C2
Klaskish Inlet (C.-B.) 39 C2
Klaskish River (C.-B.) 39 C2
Klastline Glacier (C.-B.) 37 C1
Klawli River (C.-B.) 43 B4
Kleczkowski, Lac (Qué.) 5 A2
Klesilkwa River (C.-B.) 35 B4
Klinaklini Glacier (C.-B.) 37 A1
Klinaklini River (C.-B.) 37 A1
Klite River (C.-B.) 37 D3
Kloch Lake (C.-B.) 43 B4
Klock, Baie (Qué.) 26 G3
Klondike River (Yukon) 45 B2
Klotz, Lac (Qué.) 46 F3
Klotz Lake (Ont.) 27 H1
Klua Creek (C.-B.) 43 D1
Klua Lakes (C.-B.) 43 D1
Kluane Lake (Yukon) 45 A3
Kluane, Parc national de (Yukon) 45 A3
voir aussi Kluane National Park
Kluane National Park (Yukon) 45 A3
voir aussi Kluane, Parc national de
Knapp Lake (C.-B.) 41 H1
Knee Lake (Man.) 30 D2
Knee Lake (Sask.) 44 F4
Kneehills Creek (Alb.) 34 F1
Kneeland Bay (T.N.-O.) 46 F2
Knickerbocker Inlet (Ont.) 28 F2
Knife Creek (C.-B.) 36 C2
Knife Lake (Man.) 30 D2
Knife Lake (Ont.) 30 E2
Knight Inlet (C.-B.) 39 F1
Knights Island (T.-N.) 3 D2
Knob Hill (C.-B.) 39 C1
Knot Lakes (C.-B.) 41 H3
Knowles Lake (T.N.-O.) 44 D1
Knowlton Lake (Ont.) 17 A3
Knox, Cape (C.-B.) 41 A1
Knox Lake (T.-N.) 6 D3
Knox Lake (C.-B.) 36 B1
Knud Peninsula (T.N.-O.) 47 F2
Koch Creek (C.-B.) 34 A4
Koch Island (T.N.-O.) 46 E1
Koeye Lake (C.-B.) 41 F4
Kogaluc, Rivière (Qué.) 46 E4
Kogaluk Bay (T.N.-O.) 46 E4
Kogaluk River (T.-N.) 6 E2
Kognak River (T.N.-O.) 44 H1
Kogtok River (T.N.-O.) 44 H1
Kohlmeister, Lac (Qué.) 6 C1
Kohn Lake (Sask.) 44 F2
Kokanee Glacier Provincial Park (C.-B.) 34 B3
Kokanee Peak (C.-B.) 34 B4
Kokeragi Point (T.N.-O.) 45 D2
Kokish River (C.-B.) 39 E1
Koksoak, Rivière (Qué.) 6 C1
Kondiaronk, Lac (Qué.) 18 C3
Konigus Creek (C.-B.) 42 D1
Konni Lake (C.-B.) 37 E1
Konth River (T.N.-O.) 44 C2
Koocanusa, Lake (C.-B.) 34 D4
Kookipi Creek (C.-B.) 35 A2
Koona Lake (Man.) 44 G2
Kootenay Lake (C.-B.) 34 B3
Kootenay, Parc national du (C.-B.) 34 C2
voir aussi Kootenay National Park
Kootenay National Park (C.-B.) 34 C2
voir aussi Kootenay, Parc national du
Kootenay River (C.-B.) 34 D3
Kopka River (Ont.) 27 D1
Koprino Harbour (C.-B.) 39 C1
Korak Bay (T.N.-O.) 46 E3
Koroc, Rivière (Qué.) 46 G4
Koshlong Lake (Ont.) 24 D3
Koskaecodde Lake (T.-N.) 2 C1
Kostal Lake (C.-B.) 36 F1
Kotaneelee River (T.N.-O.) 45 D4
Kotcho Lake (C.-B.) 45 D4
Kotsinta Creek (C.-B.) 42 E2
Kouchibouguac, Baie de (N.-B.) 12 G3
nom officiel Kouchibouguac Bay
Kouchibouguac Bay
voir Kouchibouguac, Baie de
Kouchibouguac River (N.-B.) 12 F3
Kouchibouguacis River (N.-B.) 12 F3
Koukdjuak River (T.N.-O.) 46 F1
Kovic, Rivière (Qué.) 46 E3
Kovik Bay (T.N.-O.) 46 E3
Kowesas River (C.-B.) 41 E2
Krusenstern, Cape (T.N.-O.) 45 E1
Krusenstern Lake (T.N.-O.) 47 D4
Kshwan Mountain (C.-B.) 42 D3
Ksituan River (Alb.) 43 G3
Kugaluk River (T.N.-O.) 45 C1
Kugmallit Bay (T.N.-O.) 45 C1
Kugong Island (T.N.-O.) 46 D4
Kukagami Lake (Ont.) 26 E3
Kukamaw, Lac (Qué.) 20 G2
Kukukus Lake (Ont.) 27 B1
Kuldo Creek (C.-B.) 42 E2
Kull Island (T.N.-O.) 46 C1
Kumdis Island (C.-B.) 41 B1
Kumlein Fiord (T.N.-O.) 46 G2
Kunakun Point (C.-B.) 41 A2
Kunghit Island (C.-B.) 41 C3
Kunwak River (T.N.-O.) 46 A2
Kuper Island (C.-B.) 38 E3
Kusawa Lake (Yukon) 45 A3
Kushog Lake (Ont.) 28 G2
Kuskanax Creek (C.-B.) 34 B3
Kustra Lake (Man.) 44 G3
Kuujjua River (T.N.-O.) 47 B4
Kuuk River (T.N.-O.) 47 B4
Kwadacha River (C.-B.) 43 A1
Kwadacha Wilderness Provincial Park (C.-B.) 43 B1
Kwalate Point (C.-B.) 37 A2
Kwataboahegan River (Ont.) 20 C3
Kwatna Inlet (C.-B.) 41 F3
Kwatna River (C.-B.) 41 F3
Kwatsi Bay (C.-B.) 39 F1
Kwejinne Lake (T.N.-O.) 45 E3
Kwikoit Creek (C.-B.) 36 G4
Kwinkwaga Lake (Ont.) 26 A1
Kwoiek Creek (C.-B.) 35 A2
Kwoiek Needle *(mont)* (C.-B.) 35 A2
Kyaska Lake (Sask.) 44 G4
Kynoch Inlet (C.-B.) 41 E3
Kyuquot Channel (C.-B.) 39 D3
Kyuquot Sound (C.-B.) 39 D2

L

Laberge, Lake (Yukon) 45 B3
La Biche River (Alb.) 33 E1
La Biche River (Yukon) 45 D4
Labouchere Channel (C.-B.) 41 F3
Labouchere Passage (C.-B.) 39 D1
La Bouille, Lac (Qué.) 19 C1
Labrador, Mer du (T.-N.) 5 H2
nom officiel Labrador Sea
Labrador Sea
voir Labrador, Mer du
Labrecque, Lac (Qué.) 14 A2
La Butte Creek (Alb.) 44 C2
Labyrinth Bay (Ont.) 28 E2
Labyrinth Bay (T.N.-O.) 45 F1
Labyrinth Lake (T.N.-O.) 44 E2
Lac, Ile du (Qué.) 5 D3
Lac Ile-à-la-Crosse Provincial Park (Sask.) 32 C1
Lac la Ronge Provincial Park (Sask.) 32 E1
L'Acadie, Rivière (Qué.) 17 H1
La Cloche Creek (Ont.) 25 C1
La Cloche Lake (Ont.) 25 C2
La Cloche Mountains (Ont.) 25 C2
Lacombe, Lac (Qué.) 5 A2
La Course, Lac (Qué.) 29 D1
Lacroix, Lac (Qué.) 18 E1
Lacs-Waterton, Parc national des (C.-B.) 34 E4
voir aussi Waterton Lakes National Park
Lacusta Lake (T.N.-O.) 44 E2
Ladder Lake (Sask.) 32 C3
Laderoute Lake (T.N.-O.) 44 G2
Ladle Point (T.-N.) 3 E2
Lady Ann Strait (T.N.-O.) 47 F3
Lady Evelyn Lake (Ont.) 26 F3
Lady Franklin Bay (T.N.-O.) 47 F1
Lady Franklin Island (T.N.-O.) 46 G2
Lady Franklin Point (T.N.-O.) 45 E1
Lady Grey Lake (T.N.-O.) 44 C2
Lady Melville Lake (T.N.-O.) 45 H1
Lady Pond (T.-N.) 2 F1
Lady Richardson Bay (T.N.-O.) 47 A4
Lady Simpson, Cape (T.N.-O.) 46 D1
Laferte River (T.N.-O.) 44 A1
Laflamme, Lac (Qué.) 14 C2
Laflamme, Rivière (Qué.) 18 C1
Lafond Creek (Alb.) 44 A4
La Forest, Lac (Qué.) 6 A2
Laforge, Rivière (Qué.) 20 G2
La Galissonnière, Lac (Qué.) 5 B2
LaHave, Cape (N.-E.) 10 E3
LaHave River (N.-E.) 10 D2
La Hune, Cape (T.-N.) 4 F4
La Hune Bay (T.-N.) 4 F4
La Jannaye, Lac (Qué.) 6 C3
La Justonne, Lac (Qué.) 6 B4
Lake Gillian (T.N.-O.) 46 E1
Lake Nipigon Provincial Park (Ont.) 27 F2
Lake Stream (N.-B.) 12 F4
Lake Stream Lake (N.-B.) 12 F4
Lake Superior Provincial Park (Ont.) 26 A2
Lakelse Lake (C.-B.) 42 E4
Lakeman Island (T.-N.) 3 F3
Lakeview Mountain (C.-B.) 35 D4
Lakitusaki River (Ont.) 20 C2
Laliberté, Rivière (Qué.) 14 F1
La Loche, Lac (Sask.) 44 D4
La Loche Lakes (T.N.-O.) 44 C1
La Loche River (T.N.-O.) 44 C1
La Loche River (Sask.) 44 D4
Lalonde, Lac (Qué.) 18 B3
La Manche River (T.-N.) 2 H3
La Mauricie National Park (Qué.) 18 G3
voir aussi Mauricie, Parc national de la
Lambert, Lac (Qué.) 18 B2
Lambert Channel (C.-B.) 38 C2
Lambly Creek (C.-B.) 35 E2
Lambton, Cape (T.N.-O.) 47 A3
Lamèque, Ile (N.-B.) 13 G4
La Moinerie, Lac (Qué.) 6 C1
La Mothe, Réservoir (Qué.) 14 B2
La Motte, Lac (Qué.) 26 H2
Lampidoes Passage (T.-N.) 2 B2
La Muir, Lake (Ont.) 24 D1
Lancaster, Détroit de (T.N.-O.) 47 E3
nom officiel Lancaster Sound
Lancaster Sound
voir Lancaster, Détroit de
Lance, Point (T.-N.) 2 E4
Lance Cove (T.-N.) 2 E4
Lance River (T.-N.) 2 E4
Landing Lake (Man.) 30 C2
Landon Lake (Alb.) 33 G3
Landry, Cape (T.N.-O.) 47 E4
Landry Lake (Man.) 30 A2
Landryac (Qué.) 5 B3
Lands End *(pointe)* (T.N.-O.) 47 B2
Lanezi Lake (C.-B.) 40 E3
Lang Lake (C.-B.) 36 D2
Langara Island (C.-B.) 41 A1
Langton Bay (T.N.-O.) 45 D1
Langton Lake (Ont.) 28 H1
Lanigan Creek (Sask.) 31 G1
Lansdowne Lake (Sask.) 44 E3
Lansing River (Yukon) 45 B2
Lanz Island (C.-B.) 39 A1
La Pause, Lac (Qué.) 26 G2
Lapeyrère, Lac (Qué.) 18 H3
La Poile Bay (T.-N.) 4 C4
La Poile River (T.-N.) 4 C3
Lapointe, Lac (Qué.) 6 B3
La Potherie, Lac (Qué.) 46 F4
Lardeau River (C.-B.) 34 B3
Larder Lake (Ont.) 26 F2
Laredo Channel (C.-B.) 41 D3
Laredo Inlet (C.-B.) 41 E3
Laredo Sound (C.-B.) 41 E3
L'Argent, Cape (T.-N.) 3 G4
Largepike Lake (T.N.-O.) 44 D2
Laribosière, Lac (Qué.) 20 H2
Larive, Lac (Qué.) 18 B3
Larkin Point (T.-N.) 4 A4
Larocque, Lac (Qué.) 19 C1
Larrey, Lac (Qué.) 14 D2
Larron, Lac (Qué.) 15 F3
Larsen Sound (T.N.-O.) 47 D4
Larus Lake (Ont.) 30 D4
La Salle, Lac (Qué.) 18 H3
La Salle, Lac (Qué.) 20 G2
La Salle River (Man.) 29 H4
La Sarre, Baie (Qué.) 26 G1
La Sarre, Rivière (Qué.) 26 G1
La Savonnière, Lac (Qué.) 20 G2
La Scie Harbour (T.-N.) 3 B1
Laskeek Bay (C.-B.) 41 B2
La Sorbière, Lac (Qué.) 14 C1
Lasqueti Island (C.-B.) 38 D2
L'Assomption, Rivière (Qué.) 16 A2
Last Lake (Man.) 29 G2
Last Mountain Lake
voir Dernière Montagne, Lac de la
Lastman Lake (C.-B.) 37 E1
Latagnant, Lac (Qué.) 6 A3
Latewhos Creek (C.-B.) 35 G1
Latimer Lake (T.N.-O.) 44 F2
Latornell River (Alb.) 40 G1
La Tour, Port (N.-E.) 10 C4
La Tourette, Rivière (Qué.) 19 B3
La Trêve, Lac (Qué.) 20 F4
Laughland Lake (T.N.-O.) 46 C1
Laumet, Lac (Qué.) 6 B3
Launching Point (I.-P.-E.) 7 E4
Laundrie Lake (Ont.) 26 E3
Laurentides, Les *(montagnes)* (Qué.) 6
Laurentides, Parc provincial des (Qué.) 15 A1
Laurie Lake (Man./Sask.) 44 G4
Laurie River (Man.) 44 G4
Laurier, Mount (C.-B.) 43 C2
Laurier Lake (Alb.) 33 G3
Lauzon Lake (Ont.) 25 A1
Lava Lake (C.-B.) 42 E3
Laval, Baie (Qué.) 14 F2
Laval, Lac (Qué.) 14 F1
Laval, Rivière (Qué.) 14 F2
Lavallée Lake (Sask.) 32 D2
La Vallée River (Ont.) 28 H4
Laveille, Lac (Ont.) 24 E1
Lawabiskau River (Ont.) 20 D3
Lawashi River (Ont.) 20 C3
Lawford Lake (Man.) 30 C2
Lawford River (Man.) 30 C2
Lawless Creek (C.-B.) 35 C3
Lawn Bay (T.-N.) 2 B4
Lawn Head (T.-N.) 2 B4
Lawn Point (C.-B.) 39 C2
Lawn Point (C.-B.) 41 B2
Lawrence, Cape (T.N.-O.) 47 F1
Lawrence Bay (Sask.) 44 F4
Lawrence Harbour (T.-N.) 3 C2
Lawrence Lake (Ont.) 28 H3
Lawrence Lake (Sask.) 32 C2
Lawrence Lake (Alb.) 33 D1
Lawrence Point (C.-B.) 37 B3
Lazo, Cape (C.-B.) 38 C1
Leach Bay (T.N.-O.) 46 F2
Leach Island (Ont.) 26 A3
Leaf Lake (Sask.) 32 H4
Leather River (Sask.) 32 F4
Leavitt Bay (Sask.) 44 E4
Le Barbier, Lac (Qué.) 19 C4
Le Black Island (T.-N.) 3 D2
LeBlanc Bay (Sask.) 32 C1
LeBlanc Lake (Sask.) 44 D2
LeBreton, Lac (Qué.) 14 C2
Lebrix Lake (Man.) 30 C2
Le Cocq, Lac (Qué.) 19 D1
Lecointre, Lac (Qué.) 18 D3
Ledge Creek (C.-B.) 35 H1
Le Doré, Lac (Qué.) 5 C2
Lee Creek (Alb.) 34 F4
Lee Point (T.N.-O.) 47 E2
Leech Lake (Sask.) 29 C2
Le Fer, Lac (Qué.) 6 C2
Leftrook Lake (Man.) 30 B1
Le Gal, Lac (Qué.) 5 B3
Leg Pond (T.-N.) 5 G2
Legarde River (Ont.) 27 H1
Legaré, Lac (Qué.) 18 F3
Legend Lake (Alb.) 44 B3
Le Gendre, Lac (Qué.) 6 C1
Le Gentilhomme, Lac (Qué.) 6 C4
Leggat Lake (Ont.) 17 A3
Legoff, Lac (Qué.) 20 F3
Leif, Lac (Qué.) 6 D2
Leith, Point (T.N.-O.) 45 D2
Le Jeune, Lac (C.-B.) 35 D1
Leland Lakes (Alb./T.N.-O.) 44 C2
Le Mare Lake (C.-B.) 39 C2
Le Marié, Lac (Qué.) 14 C2
Lemay, Lac (Qué.) 19 D2
Lemieux Creek (C.-B.) 36 F3
Lemieux Islands (T.N.-O.) 46 G2
Lemmens Inlet (C.-B.) 39 G4
Le Moine, Bay (T.-N.) 4 B4
Le Moine, Cap (N.-E.) 8 D2
Lemoine, Lac (Qué.) 14 A1
Lemoine, Lac (Qué.) 18 B2
Lemotte's Lake (T.-N.) 3 B3
Le Moyne, Lac (Qué.) 6 C1
Lempriere Creek (C.-B.) 36 G1
Lennox Passage (N.-E.) 9 G2
Lenore Lake (Sask.) 32 E4
Lenôtre, Lac (Qué.) 18 D3
Leon Creek (C.-B.) 36 B4
Leonard Lake (Ont.) 24 B3
Leonard Lake (Sask.) 32 H2
Leopold Island (T.N.-O.) 46 G2
Leopold M'Clintock, Cape (T.N.-O.) 47 C2
Lepreau, Point (N.-B.) 11 D3
Lepreau River (N.-B.) 11 C3
Le Rageois, Lac (Qué.) 6 B3
Le Roy, Lac (Qué.) 46 E4
Lescot, Lac (Qué.) 18 B3
Lesdiguières, Lac (Qué.) 46 E3
Leslie, Lac (Qué.) 24 H1
Lessard, Lac (Qué.) 14 F1
Lesser Slave Lake
voir Esclaves, Petit lac des
Lesser Slave Lake Provincial Park (Alb.) 33 D1
Lesser Slave River (Alb.) 33 D1
Lestage, Rivière (Qué.) 46 F3
Lester Creek (Sask.) 32 A1
Lesueur, Lac (Qué.) 18 E3
Le Tort, Lac (Qué.) 5 C2
Levasseur, Lac (Qué.) 18 F1
Lever Lake (T.N.-O.) 45 E2
Leverrier, Lac (Qué.) 15 D3
Levis, Lac (T.N.-O.) 45 E3
Lévy, Pointe de (Qué.) 15 G3
Lewaseechjeech Brook (T.-N.) 4 D2
Lewes Island (T.N.-O.) 45 F1
Lewis Cass, Mount (C.-B.) 42 C2
Lewis Channel (C.-B.) 37 C4
Lewis Creek (Sask.) 31 G2
Lewis Head (T.-N.) 3 F3
Lewis Hills (T.-N.) 4 C1
Lewis Island (T.-N.) 3 F3
Lewis Lake (T.-N.) 3 B2
Lewis Lake (Ont.) 27 C1
Lewis Lake (C.-B.) 37 D4
Lewis Point (C.-B.) 39 E1
Lewis Pond (T.-N.) 3 C3
Leyson Point (T.N.-O.) 46 D2
LG2, Barrage (Qué.) 20 E2
L'Hebert, Port (N.-E.) 10 D3
Li Fiord (T.N.-O.) 47 D1
Liard River
voir Liards, Rivière aux
Liards, Rivière aux (C.-B.) 45 C4
nom officiel Liard River
Lichen Mountain (C.-B.) 36 H3
Lichteneger, Lac (Qué.) 20 F3
Liddon Gulf (T.N.-O.) 47 C3
Liege River (Alb.) 44 B4
Lièvre, Rivière du (Qué.) 18 E3
Lièvres, Ile aux (Qué.) 14 E4
Lighthouse Point (N.-E.) 8 F4
Lighthouse Point (Ont.) 22 B4
Lightning Creek (Sask.) 29 D4
Lillian Lake (C.-B.) 39 F4
Lillooet Glacier (C.-B.) 37 E2
Lillooet Lake (C.-B.) 37 G3
Lillooet River (C.-B.) 37 F3
Lime Lake (Ont.) 24 G4
Limerick Lake (Ont.) 24 F3
Limestone Bay (Man.) 30 B2
Limestone Lake (Man.) 30 C1
Limestone Lake (Sask.) 32 G2
Limestone Point (Man.) 30 B2
Limestone Point Lake (Man.) 30 A2
Limestone River (Man.) 30 D1
Linaluk Island (T.N.-O.) 47 B4
Linbarr Lake (Ont.) 26 A1
Lindstrom Lake (Sask.) 32 F1
Lingan Bay (N.-E.) 8 F3
Lingham Lake (Ont.) 24 F3
Linière, Rivière (Qué.) 16 G2
Link Lake (C.-B.) 41 F3
Linklater Lake (Ont.) 27 E1
Lions Den *(baie)* (T.-N.) 3 F4
Liot Point (T.N.-O.) 47 A3
Lippy Point (C.-B.) 39 B1
Lipsett Lake (Ont.) 26 C2
Liscomb Harbour (N.-E.) 9 E3
Liscomb Island (N.-E.) 9 F3
Liscomb Point (N.-E.) 9 F3
Liscomb River (N.-E.) 9 E3
Listen Lake (Sask.) 32 D2
Little Abitibi Lake (Ont.) 20 D4
Little Abitibi River (Ont.) 20 C4
Little Ausable River (Ont.) 22 D1
Little Barachois Brook (T.-N.) 4 C2
Little Barachois River (T.-N.) 2 F3
Little Bay (T.-N.) 4 F4
Little Bay Arm (T.-N.) 3 B1
Little Bay Head (T.-N.) 4 A4
Little Bay Island (T.-N.) 3 B1
Little Bear Creek (Ont.) 22 B3
Little Bear Lake (Sask.) 32 E2
Little Black Island (T.-N.) 3 D2
Little Bow River (Alb.) 34 F3
Little Bridge Creek (Sask.) 32 F3
Little Bridge Creek (C.-B.) 36 C2
Little Buffalo River (T.N.-O.) 44 C2
Little Cadotte River (Alb.) 43 H2
Little Cape (T.-N.) 2 B3
Little Cape (Ont.) 20 C1
Little Cedar Brook (N.-B.) 12 B1
Little Churchill River (Man.) 30 C1
Little Clarke Lake (Sask.) 32 C2
Little Clay Lake (Ont.) 28 H1
Little Codroy Pond (T.-N.) 4 A3
Little Codroy River (T.-N.) 4 A3
Little Colinet Island (T.-N.) 2 F3
Little Cornwallis Island (T.N.-O.) 47 D3
Little Creek (Ont.) 21 G1
Little Current River (Ont.) 27 G1
Little Cygnet Lake (Man.) 30 D1
Little Denier Island (T.-N.) 3 B2
Little Denier Island (T.-N.) 3 F4
Little Dover (White) Island (N.-E.) 9 H2
Little Duck Lake (Man.) 44 H2
Little Ekwan River (Ont.) 20 B2
Little Emmeline Lake (Sask.) 32 D1
Little Fish Lake (Alb.) 34 G2
Little Flatstone Lake (Sask.) 44 D4
Little Fogo Islands (T.-N.) 3 E1
Little Forks Stream (N.-B.) 12 F4
Little French River (Ont.) 25 G1
Little Gander Pond (T.-N.) 3 C4
Little Garia Bay (T.-N.) 4 B4
Little Grand Lake (T.-N.) 4 D2
Little Green Lake (C.-B.) 36 D3
Little GullLake (T.-N.) 3 B4
Little Gull River (T.-N.) 3 C4
Little Harbour Deep River (T.-N.) 5 G3
Little Harbour River (T.-N.) 2 G3
Little Hope Island (N.-E.) 10 D3
Little Joe Glodes Pond (T.-N.) 4 G1
Little Kashabowie Lake (Ont.) 27 B3
Little Key River (Ont.) 25 F2
Little Klappan River (C.-B.) 42 D1
Little La Cloche Island (Ont.) 25 C2
Little Lake (Ont.) 21 E2
Little Lake (Ont.) 23 F2
Little Lawn Harbour (T.-N.) 2 B4
Little Limestone Lake (Man.) 30 D1
Little Limestone Lake (Man.) 30 B2
Little Liscomb River (N.-E.) 9 E2
Little Magaguadavic Lake (N.-B.) 11 B1
Little Main Restigouche River (N.-B.) 12 A1
Little Maitland River (Ont.) 23 C3
Little Manitou Lake (Sask.) 31 G1
Little Manitou Lake (Sask.) 32 A4
Little Mecatina River (T.-N.) 5 C1
voir aussi Petit Mécatina, Rivière du (Qué.)
Little Missinaibi Lake (Ont.) 26 B2
Little Mortier Bay (T.-N.) 2 C3
Little Mushamush Lake (N.-E.) 10 E2
Little Nictau Lake (N.-B.) 12 C1
Little Nut Lake (Sask.) 29 B1
Little Ocean Pond (T.-N.) 3 E2
Little Otter Creek (Ont.) 22 F2
Little Oyster River (C.-B.) 37 B4
Little Partridge River (Man./T.N.-O.) 44 G2
Little Passage (T.-N.) 2 B2
Little Pic River (Ont.) 27 G2
Little Plate Island (T.-N.) 2 A3
Little Playgreen Lake (Man.) 30 B2
Little Point (T.N.-O.) 47 C3
Little Port Head (T.-N.) 4 C1
Little Quill Lake
voir Plume, Lacs à la
Little Quirke Lake (Ont.) 25 B1
Little Rancheria River (C.-B.) 45 B4
Little Rattling Brook (T.-N.) 3 B3
Little Red Deer River (Alb.) 34 E1
Little Red Indian Pond (T.-N.) 4 G1
Little River (T.-N.) 2 B2
Little River (N.-B.) 11 D1
Little River (N.-B.) 12 A2
Little River (N.-B.) 12 E1
Little River Lake (N.-E.) 11 H3
Little Rocky Lake (T.N.-O.) 44 F1
Little Sachigo Lake (Ont.) 30 E2
Little Salmonier River (T.-N.) 2 F3
Little Salmon Lake (Yukon) 45 B3
Little Salmon River (N.-B.) 11 F2
Little Sand Lake (Man.) 44 H3
Little Sandy Pond (T.-N.) 3 A2
Little Saskatchewan River (Man.) 29 E3
Little Shemogue Harbour (N.-B.) 7 A4
Little Shuswap Lake (C.-B.) 36 G4
Little Sled Lake (Sask.) 32 C2
Little Smoky River (Alb.) 33 A1
Little Southwest Miramichi River (N.-B.) 12 D2
Little Stull Lake (Man.) 30 E2
Little Sturgeon River (Ont.) 25 H1
Little Toba River (C.-B.) 37 D3
Little Tobique River (N.-B.) 12 B1
Little Traverse Bay (Ont.) 23 B1
Little Trout Lake (Ont.) 30 E4
Little Turtle Lake (Ont.) 27 A3
Little Vermilion Lake (Ont.) 30 D4
Little Wawa Lake (Ont.) 26 B2
Little White Lake (C.-B.) 36 C3
Little White Mountain (C.-B.) 35 F3
Little White River (Ont.) 26 C4
Little Whiteshell Lake (Man.) 28 D1
Little Yoho Brook (N.-B.) 11 C2
Littles Point (Ont.) 22 A4
Livain, Lac à (N.-B.) 12 G2
Livernois, Rivière (Qué.) 18 G3
Liverpool, Cape (T.N.-O.) 47 F3
Liverpool Bay (T.N.-O.) 45 C1
Livingstone Lake (Sask.) 44 E3
Livingstone Point (N.-E.) 9 F1
Lizard Head Mountain (C.-B.) 36 F2
Lizard Point (C.-B.) 39 E1

Lizzie Lake (C.-B.) **37 H4**
Lloyd Lake (Ont.) **26 E2**
Lloyd Lake (Sask.) **44 D4**
Lloyds Lake (T.-N.) **4 E2**
Lloyds River (T.-N.) **4 D2**
Lobstick Bay (Ont.) **28 G2**
Lobstick River (Alb.) **33 C3**
Lochaber Lake (N.-E.) **9 E2**
Locke Bay (Ont.) **28 F1**
Locker Point (T.N.-O.) **45 E1**
Lockers Bay (T.-N.) **3 F3**
Lockers Flat Island (T.-N.) **3 F3**
Lockers Reach (T.-N.) **3 F3**
Lockhart Lake (T.N.-O.) **45 F3**
Lockwood Lake (Sask.) **32 A1**
Lodge Creek (Alb./Sask.) **31 B4**
Log Creek (C.-B.) **35 A2**
Logan, Mont (Qué.) **13 C2**
Logan, Mount (Yukon) **45 A3**
Logan, Port (T.N.-O.) **47 D4**
Logan Island (Ont.) **27 E1**
Logan Lake (N.-B.) **12 C2**
Logan Lake (Ont.) **24 C3**
Logan Lake (Alb.) **33 F1**
Logan River (Alb.) **33 F1**
Logans Point (N.-E.) **9 D1**
Loïs, Lac (Qué.) **26 G1**
Lois Lake (C.-B.) **38 D1**
Loks Land *(île)* (T.N.-O.) **46 G2**
Lola Lake (Ont.) **26 A2**
Lolo, Mount (C.-B.) **36 F4**
Lomier, Lac (Qué.) **20 E1**
Lomond, Loch (N.-E.) **8 E4**
Lomond, Loch (N.-B.) **11 E3**
Lomond, Loch (Ont.) **27 E3**
Lona Bay (T.N.-O.) **46 E2**
Lone Cabin Creek (C.-B.) **36 B3**
Lone Island Lake (Man.) **28 D1**
Lone Lake (T.N.-O.) **44 F2**
Lonely Bay (T.N.-O.) **44 B1**
Lonely Island (Ont.) **25 D3**
Lonely Lake (Man.) **29 F2**
Lonely Point (Ont.) **25 B3**
Lonepine Creek (Alb.) **34 E1**
Long, Lac (Qué.) **15 F2**
Long Bay (Ont.) **28 G2**
Long Creek (Sask.) **29 B4**
Long Gull Pond (T.-N.) **4 C2**
Long Harbour (T.-N.) **2 C2**
Long Harbour Head (T.-N.) **2 F3**
Long Harbour River (T.-N.) **2 D2**
Long Island (T.-N.) **2 A2**
Long Island (T.-N.) **2 D3**
Long Island (T.-N.) **2 E2**
Long Island (T.-N.) **3 B1**
Long Island (T.-N.) **3 C2**
Long Island (T.-N.) **3 C3**
Long Island (T.-N.) **6 F2**
Long Island (N.-E.) **9 D4**
Long Island (N.-E.) **10 A2**
Long Island (N.-B.) **11 D2**
Long Island (N.-B.) **11 C4**
Long Island (T.N.-O.) **20 D1**
Long Island (C.-B.) **35 A3**
Long Island Bay (N.-B.) **11 C4**
Long Island Bay (Man.) **29 F1**
Long Island Lake (C.-B.) **36 E3**
Long Island Point (T.-N.) **2 E2**
Long Island Sound (T.N.-O.) **20 D1**
Long Island Tickle (T.-N.) **3 B1**
Long Islands (T.-N.) **3 F4**
Long Lake (T.-N.) **4 E2**
Long Lake (N.-E.) **9 C3**
Long Lake (N.-E.) **10 C1**
Long Lake (N.-B.) **12 C2**
Long Lake (Ont.) **24 B3**
Long Lake (Ont.) **24 H3**
Long Lake (Ont.) **25 E1**
Long Lake (Ont.) **27 G2**
Long Lake (C.-B.) **36 B3**
Long Lake (C.-B.) **41 F4**
Long Ledge (T.-N.) **4 B1**
Long Mountain (C.-B.) **35 F2**
Long Point (T.-N.) **2 E3**
Long Point (T.-N.) **2 H3**
Long Point (T.-N.) **4 B1**
Long Point (T.-N.) **6 F3**
Long Point (T.-N.) **6 G3**
Long Point (N.-E.) **8 C4**
Long Point (N.-E.) **8 E1**
Long Point (Ont.) **17 A4**
Long Point (Ont.) **22 G2**
Long Point (Ont.) **23 E2**
Long Point (Man.) **30 B3**
Long Point Bay (Ont.) **22 G2**
Long Point Island (Ont.) **28 G2**
Long Point Provincial Park (Ont.) **22 G2**
Long Pond (T.-N.) **2 E2**
Long Pond (T.-N.) **3 A2**
Long Pond (T.-N.) **3 E3**
Long Pond (T.-N.) **4 C2**
Long Range Mountains (T.-N.) **5 G3**
Long Reach (N.-B.) **11 D2**
Long Reach (Ont.) **21 G1**
Long Reach Island (T.-N.) **3 F3**
Long Tusket Lake (N.-E.) **10 B2**
Longbeak Point (C.-B.) **38 C1**
Longbow Lake (Ont.) **28 F2**
Longlegged Lake (Ont.) **30 D4**
Longpre Lake (T.N.-O.) **44 H1**
Longrais, Lac (Qué.) **6 C3**
Longue, Pointe (Qué.) **19 H3**
Longue Pointe (Qué.) **20 E2**
Lookout, Cape (Ont.) **20 C1**
Loon, Pointe (Qué.) **20 E3**
Loon Bay (T.-N.) **3 D2**
Loon Creek (C.-B.) **36 D4**
Loon Lake (N.-E.) **9 F2**
Loon Lake (Ont.) **25 A2**
Loon Lake (C.-B.) **36 D4**
Loon Lake (Man./Sask.) **44 G4**
Loon River (Man.) **30 A1**
Loon River (Alb.) **44 A4**
Loon River (Man.) **44 G4**
Loonhaunt Lake (Ont.) **28 H3**
Loonhead Lake (Man.) **30 A2**
Loose Lake (C.-B.) **39 F1**
Loquin, Lac (Qué.) **6 C2**
Lord Mayor Bay (T.N.-O.) **47 E4**
Lord River (C.-B.) **37 E2**
Lorens, Lac (Qué.) **5 C2**
Lorenz Lake (Ont.) **20 B3**
Lorette, Rivière (Qué.) **15 F3**
Lorillard River (T.N.-O.) **46 C2**
Lorimer Lake (Ont.) **25 G3**
Lorimer Lake (Sask.) **32 C1**
Lorna Lake (C.-B.) **37 F1**
Lorne Lake (Ont.) **25 B2**
Lorrain Lake (Ont.) **26 F3**
Loseman Lake (Alb.) **33 G1**
Loss Creek (C.-B.) **38 D4**
Lost Creek (Ont.) **28 H4**
Lost Lake (Ont.) **27 B1**
Lost Lake (Sask.) **32 B2**
Lost Shoe Creek (C.-B.) **38 A3**
Lost Valley Creek (C.-B.) **37 H3**
Lottie Lake (Alb.) **33 F2**
Loudin, Lac (Qué.) **6 B2**
Loudoun Channel (C.-B.) **38 B3**
Louet, Lac (Qué.) **20 H1**
Loughborough Inlet (C.-B.) **37 A3**
Loughborough Lake (Ont.) **17 A4**
Lougheed Island (T.N.-O.) **47 D2**
Louis, Lac (Qué.) **6 C2**
Louis Creek (C.-B.) **36 F4**
Louis Lake (N.-B.) **12 C3**
Louis Napoleon, Cape (T.N.-O.) **47 F1**
Louis Point (C.-B.) **41 A1**
Louisa, Lac (Qué.) **17 F1**
Louisa, Lake (Ont.) **24 D2**
Louisa Lake (Ont.) **27 C3**
Louise Falls (T.N.-O.) **44 A2**
Louise Fiord (T.N.-O.) **47 D2**
Louise Island (C.-B.) **41 B2**
Louison Lake (T.N.-O.) **44 D1**
Louis-XIV, Pointe (Qué.) **20 D1**
Lount Lake (Ont.) **28 F1**
Loup, Rivière du (Qué.) **15 E1**
Loup, Rivière du (Qué.) **16 B1**
Loup Marin, Lac au (Qué.) **14 G1**
Loups, Baie des (Qué.) **5 D3**
Loups, Lac des (Qué.) **18 B3**
Loups Marins, Lac des (Qué.) **46 F4**
Loups Marins, Lacs des (Qué.) **6 A1**
Loups Marins, Petit lac des (Qué.) **20 G1**
Loutre, Lac à la (Qué.) **14 E2**
Loutres, Lac aux (Qué.) **18 D1**
Loutres, Rivière aux (Qué.) **15 E1**
Lovell Lake (Sask.) **32 G1**
Lovering, Lac (Qué.) **16 C4**
Low, Cape (T.N.-O.) **46 D3**
Low, Lac (Qué.) **20 F3**
Low Bush River (Ont.) **26 F1**
Low Point (N.-E.) **8 F3**
Low Point (T.N.-O.) **47 F3**
Low Water Lake (Ont.) **26 D3**
Lowden Lake (Alb.) **34 F1**
Lowe, Mount (C.-B.) **37 B1**
Lower Arrow Lake (C.-B.) **34 A4**
Lower Beverley Lake (Ont.) **17 B3**
Lower Blue Mountain (N.-B.) **12 B2**
Lower Foster Lake (Sask.) **44 E4**
Lower Garry Lake (T.N.-O.) **45 G2**
Lower Manitou Lake (Ont.) **27 A2**
Lower Minnipuka Lake (Ont.) **26 B1**
Lower Point (N.-E.) **11 G2**
Lower Rideau Lake (Ont.) **17 B3**
Lower Savage Islands (T.N.-O.) **46 G3**
Lower Thérien Lake (Alb.) **33 F3**
Lower Twin Lake (Ont.) **27 G1**
Lowther Island (T.N.-O.) **47 D3**
Lowther Lake (Sask.) **32 C2**
Lozeau, Lac (Qué.) **19 H1**
Lubicon Lake (Alb.) **44 A4**
Lubicon River (Alb.) **44 A4**
Lucie, Lac (Qué.) **20 E4**
Luck Lake (Sask.) **31 E2**
Lucknow River (Ont.) **23 B3**
Lucy Lake (Ont.) **27 G1**
Ludgate Lake (N.-B.) **11 D3**
Ludlow Rich, Cape (T.N.-O.) **47 C2**
Ludwig, Cape (T.N.-O.) **47 D2**
Lulu, Lake (Ont.) **28 F2**
Lulu Island (C.-B.) **38 F2**
Lunan Lake (T.N.-O.) **46 B2**
Lunenburg Bay (N.-E.) **9 A4**
Lusignan, Lac (Qué.) **18 F3**
Lussier River (C.-B.) **34 D3**
Luther Lake (Ont.) **23 D3**
Lyal Island (Ont.) **25 D4**
Lyall Point (T.N.-O.) **47 D2**
Lyell, Mount (Alb./C.-B.) **34 B1**
Lyell Island (C.-B.) **41 B3**
Lyle Lake (Alb.) **33 E1**
Lynch, Lac (Qué.) **18 C4**
Lynch Creek (C.-B.) **35 H4**
Lynn River (Ont.) **22 G2**
Lynx Bay (Man.) **29 H1**
Lynx Lake (T.N.-O.) **44 E1**
Lynx Point (Man.) **29 H1**
Lyon, Cape (T.N.-O.) **45 D1**
Lyon Inlet (T.N.-O.) **46 D2**
Lyons Point (T.N.-O.) **47 D3**
Lys, Baie des (Qué.) **18 B2**
Lys Creek (C.-B.) **36 G1**
Lyster, Lac (Qué.) **16 D4**

M

Mabel Lake (C.-B.) **35 G1**
Mabille, Lac (Qué.) **5 A1**
Mabou, Cape (N.-E.) **8 C3**
Mabretou, Lac (T.-N.) **5 C1**
McAdam Lake (N.-B.) **11 B2**
McAleese Lake (T.N.-O.) **44 H2**
MacAllister Lake (Sask.) **32 D1**
Macallum Lake (Sask.) **32 B1**
MacAlpine Lake (T.N.-O.) **45 G2**
Macamic, Lac (Qué.) **26 G1**
McArthur Lake (Sask.) **32 G1**
McArthur Lake (T.N.-O.) **44 E1**
MacAskills Brook (N.-E.) **8 F3**
McBean Bay (T.N.-O.) **47 E4**
McBeth Fiord (T.N.-O.) **47 G4**
McBeth Point (Man.) **29 H1**
McBride Lake (C.-B.) **41 F1**
McCabe Lake (Ont.) **25 B1**
McCallum Lake (Man.) **44 G4**
Maccan River (N.-E.) **9 A1**
McCann Lake (T.N.-O.) **44 E1**
McCarthy Lake (Ont.) **25 B1**
McCauley Island (C.-B.) **41 C2**
McClarty Lake (Man.) **30 A2**
McClelland Lake (Alb.) **44 C3**
Maccles Lake (T.-N.) **3 E4**
M'Clintock, Détroit de (T.N.-O.) **47 C4**
nom officiel M'Clintock Channel
M'Clintock Channel
voir M'Clintock, Détroit de
M'Clure, Détroit de (T.N.-O.) **47 B3**
nom officiel M'Clure Strait
M'Clure Strait
voir M'Clure, Détroit de
McConechy Lake (Sask.) **32 E3**
McConnell River (T.N.-O.) **46 B3**
McCormick Inlet (T.N.-O.) **47 C2**
McCourt Lake (T.N.-O.) **44 G1**
McCoy Head (N.-B.) **11 E3**
McCoy Islands (Ont.) **25 F3**
McCoy Lake (Ont.) **30 E3**
McCraney Lake (Ont.) **24 C1**
McCrea Lake (Ont.) **30 F4**
McCrea River (T.N.-O.) **45 E3**
McCreary Island (Man.) **29 H1**
McCreight Lake (C.-B.) **39 G2**
Macculloch, Cape (T.N.-O.) **47 F3**
McCusker Lake (Ont.) **30 D4**
McCusker Lake (Sask.) **32 B1**
McCusker River (Sask.) **32 B1**
McDonald, Lac (Qué.) **14 F2**
Macdonald Creek (Sask.) **31 E2**
Macdonald Island (T.N.-O.) **46 F2**
McDonald Lake (T.N.-O.) **44 C1**
McDonald Lake (Sask.) **44 E2**
McDiarmid Lake (Ont.) **26 F1**
McDougal Creek (Sask.) **32 F2**
McDougall Lake (N.-B.) **11 C3**
McDougall Lake (C.-B.) **36 F1**
McDougall Sound (T.N.-O.) **47 D3**
McDowell Lake (Ont.) **30 E3**
McDowell River (Ont.) **30 E3**
Maces Bay (N.-B.) **11 C3**
MacFarlane River (Sask.) **44 D3**
McGavock Lake (Man.) **44 G4**
McGillivray, Lac (Qué.) **18 C4**
McGillivray Bay (T.N.-O.) **45 G1**
McGillivray Lake (C.-B.) **36 G4**
McGivern Lake (Ont.) **25 A1**
McGlennon Point (Ont.) **21 E2**
McGregor, Lac (Qué.) **17 C1**
McGregor Bay (Ont.) **25 D2**
McGregor Creek (Ont.) **22 C3**
McGregor Lake (Alb.) **34 F3**
McGregor River (C.-B.) **40 G4**
McGregors Mal Bay *(lac)* (N.-B.) **13 H4**
Machault, Lac (Qué.) **6 D2**
Machawaian Lake (Ont.) **30 G3**
Machete Lake (C.-B.) **36 E3**
Machias Seal Island (N.-B.) **11 B4**
Machichi River (Man.) **30 E1**
Machmell River (C.-B.) **41 G4**
McInnes, Mount (C.-B.) **35 C2**
McInnes Lake (Ont.) **30 D3**
McInnes River (Ont.) **30 D3**
MacInnis Lake (T.N.-O.) **44 C1**
McIntosh Bay (Ont.) **30 D3**
McIntosh Lake (Ont.) **24 C1**
McIntosh Lake (Sask.) **32 E1**
McIntosh Lakes (C.-B.) **36 C1**
McIntyre Bay (Ont.) **27 E2**
McIntyre Bay (C.-B.) **41 B1**
MacIntyre Lake (Sask.) **44 E3**
MacIsaacs Point (N.-E.) **9 F1**
McIvor River (Alb.) **44 C3**
MacIvors Point (I.-P.-E.) **7 C4**
McJack River (C.-B.) **39 B1**
Mackay, Cape (T.N.-O.) **47 C2**
McKay Island (C.-B.) **39 G4**
McKay Lake (T.-N.) **6 D3**
McKay Lake (Ont.) **27 G2**
MacKay Lake (Sask.) **32 E1**
Mackay Lake (T.N.-O.) **45 F3**
MacKay Point (N.-E.) **8 E3**
MacKay River (C.-B.) **36 E1**
MacKay River (Alb.) **44 C4**
McKays Point (N.-E.) **8 C4**
McKeand River (T.N.-O.) **46 F2**
McKellar Lake (Ont.) **28 G1**
McKendrick Lake (N.-B.) **12 D3**
Mackenzie, Fleuve (T.N.-O.) **45 D3**
nom officiel Mackenzie River
MacKenzie Bay (Sask.) **44 E4**
Mackenzie Bay (Yukon) **45 B1**
McKenzie Creek (Ont.) **22 G1**
Mackenzie King Island (T.N.-O.) **47 C2**
McKenzie Lake (Ont.) **24 E2**
McKenzie Lake (Ont.) **27 C3**
McKenzie Lake (Sask.) **32 G2**
MacKenzie Lake (Sask.) **44 F3**
Mackenzie Mountains (T.N.-O.) **45 C2**
Mackenzie River
voir Mackenzie, Fleuve
McKenzies River (N.-E.) **8 D2**
MacKerracher Lake (Man.) **44 H3**
McKiel Lake (N.-B.) **12 C3**
Mackin Creek (C.-B.) **36 A1**
McKinley Bay (T.N.-O.) **45 C1**
McKinley Creek (C.-B.) **36 E1**
McKinley Lake (C.-B.) **36 D1**
McKinney Creek (C.-B.) **35 F4**
Mackintosh Bay (T.N.-O.) **45 D2**
McKnight Lake (Man.) **44 G4**
McKusky Creek (C.-B.) **36 E1**
McLaughlin River (Man.) **30 C2**
McLean Bay (T.N.-O.) **44 D1**
McLean Lake (C.-B.) **36 C4**
McLean Lake (Sask.) **44 D4**
Maclean Strait (T.N.-O.) **47 D2**
McLeese Lake (C.-B.) **36 B1**
McLennan, Lac (Qué.) **18 D3**
McLeod Bay (T.N.-O.) **45 F3**
McLeod Lake (C.-B.) **43 C4**
McLeod River (Alb.) **33 B3**
MacLeod Lake (Man.) **44 H2**
M'Clintock, Cape (T.N.-O.) **47 F1**
M'Clintock Inlet (T.N.-O.) **47 E1**
McLoughlin Bay (T.N.-O.) **45 G1**
Maclure, Lac (Qué.) **14 D3**
M'Clure Bay (T.N.-O.) **47 G3**
McLurg Creek (Sask.) **32 C1**
McMaster Island (N.-B.) **11 B3**
McMillan Lake (Alb.) **33 E1**
MacMillan Lake (Man.) **44 G2**
McMillan Lake (Man.) **44 G4**
Macmillan River (Yukon) **45 B3**
MacMullin Lake (N.-E.) **8 E4**
McNab, Lac (Qué.) **20 E2**
McNabs Island (N.-E.) **10 G2**
McNaughton Lake (C.-B.) **40 G4**
McNaughton Lake (T.N.-O.) **45 G1**
McNaughton River (T.N.-O.) **45 G1**
McNeil Lake (C.-B.) **36 E1**
McNulty Creek (C.-B.) **35 D3**
McNutts Island (N.-E.) **10 C4**
McOrmond Lake (Sask.) **32 G2**
Macoun Islands (Ont.) **27 F2**
Macoun Lake (Sask.) **44 F4**
McParlon Lake (Ont.) **20 D4**
Macpès, Lac (Qué.) **14 G3**
McPhadyen River (T.-N.) **6 C3**
McPhail Creek (C.-B.) **35 C3**
McPherson Island (Ont.) **28 F3**
McQuaby Lake (Ont.) **25 H2**
McQuesten Lake (Yukon) **45 B2**
MacQuoid Lake (T.N.-O.) **46 B2**
McRae Point (Ont.) **23 B2**
McTaggart Lake (Sask.) **44 D3**
Mactaquac Dam/Barrage (N.-B.) **11 C1**
Mactaquac Lake (N.-B.) **11 B1**
Mactaquac Stream (N.-B.) **11 B1**
McTavish Arm (T.N.-O.) **45 E2**
McTavish, Cape (T.N.-O.) **46 D1**
McTavish Lake (Sask.) **44 E4**
McVicar Arm (T.N.-O.) **45 D2**
Mad Dog Lake (T.-N.) **4 C1**
Mad River (Ont.) **23 E2**
Mad River (C.-B.) **36 G2**
Madame, Ile (Qué.) **15 C3**
Madame, Isle (N.-E.) **9 H2**
Madashack Lake (N.-E.) **10 B3**
Madawaska, Rivière (N.-B./Qué.) **15 G1**
voir aussi Madawaska River (N.-B.)
Madawaska Lake (Ont.) **24 D2**
Madawaska River (N.-B.) **15 G1**
voir aussi Madawaska Rivière (Qué., N.-B.)
Madawaska River (Ont.) **24 G2**
Madeleine, Cap de la (Qué.) **13 F1**
Madeleine, Iles de la (Qué.) **7 F1**
Madeleine, Lac (Qué.) **13 E2**
Madeleine, Rivière (Qué.) **13 E1**
Madge Lake (Sask.) **29 D1**
Magaguadavic Lake (N.-B.) **11 B2**
Magaguadavic River (N.-B.) **11 B2**
Maganasipi, Lac (Qué.) **18 A3**
Maggie Lake (C.-B.) **38 B3**
Maggotty Point (T.-N.) **2 F4**
Magill, Lac (Qué.) **16 E3**
Magill Lake (Man.) **30 D2**
Magiss Lake (Ont.) **30 E3**
Magloire, Lac (Alb.) **43 H3**
Magnet Point (Ont.) **27 E3**
Magnetawan River (Ont.) **25 F2**
Magnetic Point (T.N.-O.) **46 F2**
Magog, Lac (Qué.) **16 D4**
Magog Lake (Ont.) **25 A1**
Magpie, Baie de (Qué.) **19 H3**
Magpie, Lac (Qué.) **19 G2**
Magpie, Rivière (Qué.) **19 G2**
Magpie Ouest, Rivière (Qué.) **19 G2**
Magpie River (Ont.) **26 A2**
Maguire, Cape (T.N.-O.) **47 D4**
Maguire, Lac (Qué.) **6 A1**
Maguse Lake (T.N.-O.) **46 B3**
Magusi River (Ont.) **26 F2**
Mahatta Creek (C.-B.) **39 C2**
Mahigan Lake (Sask.) **32 D2**
Mahon, Lac (Qué.) **17 B1**
Mahone Bay (N.-E.) **10 E2**
Mahony Lake (T.N.-O.) **45 D2**
Mahood Lake (C.-B.) **36 E2**
Maicasagi, Lac (Qué.) **20 F4**
Maicasagi, Rivière (Qué.) **20 F4**
Maidmonts Island (T.-N.) **6 E1**
Maidstone Lake (Sask.) **32 A4**
Main Brook (T.-N.) **2 C3**
Main Channel (Ont.) **25 C3**
Main Lake (C.-B.) **37 B4**
Main River (T.-N.) **5 G4**
Maine, Golfe du (N.-E.) **10 A3**
nom officiel Maine, Gulf of
Maine, Gulf of
voir Maine, Golfe du
Mainguy Lake (C.-B.) **37 E1**
Mainland River (Man.) **30 D2**
Mains Lake (N.-B.) **12 D2**
Maison de Pierre, Lac de la (Qué.) **18 E3**
Maitland Island (C.-B.) **41 E1**
Maitland River (Ont.) **23 B3**
Majeau Lake (Alb.) **33 D3**
Major, Lake (N.-E.) **9 B3**
Maka Creek (C.-B.) **35 C3**
Makada Lake (Ont.) **25 E1**
Makinson Inlet (T.N.-O.) **47 E2**
Makkovik, Cape (T.-N.) **6 F2**
Makkovik Bay (T.-N.) **6 G2**
Makkovik River (T.-N.) **6 F3**
Makobe Lake (Ont.) **26 F3**
Makobe River (Ont.) **26 F3**
Makokibatan Lake (Ont.) **30 G4**
Makoop Lake (Ont.) **30 F3**
Makwa Lake (Sask.) **32 A2**
Makwa River (Sask.) **32 B2**
Mal Bay (T.-N.) **2 C2**
Mal Bay Brook (T.-N.) **2 C2**
Malachi Lake (Ont.) **28 E1**
Malagash Point (N.-E.) **9 C1**
Malartic, Lac (Qué.) **18 B2**
Malaspina Strait (C.-B.) **38 D1**
Malbaie, Baie de (Qué.) **13 H2**
Malbaie, Lac (Qué.) **15 B1**
Malbaie, Rivière (Qué.) **13 H2**
Malbaie, Rivière (Qué.) **14 C4**
Malcolm Island (C.-B.) **39 E1**
Malcolm Point (C.-B.) **39 D1**
Male Otter, Lac (Qué.) **6 B3**
Maligne Lake (Alb.) **40 H3**
Malim Creek (C.-B.) **37 D1**
Malksope Inlet (C.-B.) **39 D2**
Mallard Lake (Sask.) **32 B2**
Mallery Lake (T.N.-O.) **46 A2**
Mallet Lake (T.N.-O.) **44 F1**
Malloch, Cape (T.N.-O.) **47 C2**
Malloy Lake (Man.) **28 D1**
Malobès, Lac (Qué.) **14 F3**
Malpèque, Baie de (I.-P.-E.) **7 B3**
nom officiel Malpeque Bay
Malpeque Bay
voir Malpèque, Baie de
Mamakwash Lake (Ont.) **30 E4**
Mamawi Lake (Alb.) **44 C3**
Mameigwess Lake (Ont.) **27 B2**
Mameigwess Lake (Ont.) **30 G3**
Mamen, Cape (T.N.-O.) **47 C2**
Mamit Lake (C.-B.) **35 C1**
Mamozekel River (N.-B.) **12 B2**
Mamquam Lake (C.-B.) **38 F1**
Mamquam Mountain (C.-B.) **38 G1**
Mamquam River (C.-B.) **38 F1**
Man Peak (T.-N.) **3 F3**
Man River (Sask.) **32 G3**
Man of War Point (T.-N.) **6 G3**
Manawan Lake (Sask.) **32 G1**
Manawan Lake (Alb.) **33 D3**
Manchester Lake (T.N.-O.) **44 E1**
Manful Bight (T.-N.) **3 C1**
Manic Deux, Barrage (Qué.) **19 D4**
Manic Deux, Réservoir (Qué.) **19 D4**
Manic Trois, Réservoir (Qué.) **19 D3**
Manicouagan, Péninsule de (Qué.) **14 G1**
Manicouagan, Petit lac (Qué.) **19 D1**
Manicouagan, Petite rivière (Qué.) **6 C4**
Manicouagan, Pointe de (Qué.) **14 H1**
Manicouagan, Réservoir (Qué.) **19 D2**
Manicougan, Rivière (Qué.) **19 D4**
Manigotagan River (Man./Ont.) **30 C4**
Manion Lake (Ont.) **27 A2**
Manitoba, Lac (Man.) **29 G3**
nom officiel Manitoba, Lake
Manitoba, Lake
voir Manitoba, Lac
Manitou, Lac (Qué.) **19 G2**
Manitou, Lac (Qué.) **19 H3**
Manitou, Rivière (Qué.) **19 G2**
Manitou Islands (Ont.) **25 H1**
Manitou Lake (Ont.) **25 C2**
Manitou Lake (Ont.) **26 G4**
Manitou Lake (Sask.) **32 A4**
Manitou River (Ont.) **25 C3**
Manitou Sound (Ont.) **28 H3**
Manitoulin, Ile (Ont.) **25 A2**
nom officiel Manitoulin Island
Manitoulin Island
voir Manitoulin, Ile
Manitouwabing Lake (Ont.) **25 G3**
Manitowaning Bay (Ont.) **25 C2**
Manitowik Lake (Ont.) **26 B2**
Manitung Island (T.N.-O.) **46 F1**
Mann, Ruisseau (Qué.) **13 D3**
Mann Creek (C.-B.) **36 F2**
Mann Lake (Sask.) **32 G4**
Mannessier, Lac (Qué.) **6 B2**
Manning, Cape (T.N.-O.) **47 B2**
Manning Provincial Park (C.-B.) **35 C4**
Manomin Lake (Ont.) **28 H2**
Manouane, Lac (Qué.) **18 F2**
Manouane, Lac (Qué.) **19 B2**
Manouane, Petite rivière (Qué.) **19 A3**
Manouane, Rivière (Qué.) **18 F2**
Manouane, Rivière (Qué.) **19 B3**
Manouanis, Lac (Qué.) **19 B2**
Mansel Island (T.N.-O.) **46 D3**
Manson Passage (C.-B.) **37 C4**
Manson River (C.-B.) **43 B4**
Mantagao Lake (Man.) **29 G2**
Mantagao River (Man.) **29 H1**
Mantario Lake (Man.) **28 E1**
Mantic Lake (T.N.-O.) **44 E1**
Mantle Glacier (C.-B.) **37 C1**
Manuel Lake (T.N.-O.) **45 C2**
Manuels River (T.-N.) **2 H3**
Manvers, Port (T.-N.) **6 F1**
Many Island Lake (Alb./Sask.) **31 B3**
Maple Lake (Ont.) **24 D3**
Maple Lake (Man.) **29 E4**
Maquapit Lake (N.-B.) **11 D1**
Maquatua, Rivière (Qué.) **20 E2**
Maquereau, Pointe au (Qué.) **13 G3**
Maquilla Peak (C.-B.) **39 F2**
Maquinna Point (C.-B.) **39 E4**
Mara Lake (C.-B.) **36 H4**
Mara River (T.N.-O.) **45 F2**
Maraiche Lake (Sask.) **32 H2**
Marais, Rivière aux (Man.) **28 A3**
Marble Island (T.N.-O.) **46 C3**
Marble Lake (T.-N.) **6 C3**
Marc, Ile (T.N.-O.) **47 C3**
Marc Lake (T.-N.) **6 D4**
Marceau, Lac (Qué.) **19 E2**
Marcel, Lac (Qué.) **6 C1**
Marchel Lake (Sask.) **32 G1**
Marchington Lake (Ont.) **27 C1**
Marcopeet Islands (T.N.-O.) **46 D4**
Marest, Lac (Qué.) **20 F1**
Margaree Island (N.-E.) **8 C3**
Margaree River (N.-E.) **8 D2**
Margaret, Cape (T.N.-O.) **47 E4**
Margaret Hamilton Lake (T.-N.) **6 C3**
Margaret Lake (Alb.) **44 B2**
Marguerite Lake (Alb.) **33 G2**
Marguerite Lake (C.-B.) **36 B1**
Marguerite River (Alb.) **44 C3**
Mari Lake (Sask.) **32 H1**
Maria Lake (Ont.) **30 F3**
Maria Lake (Man.) **44 G3**
Maria-Chapdelaine, Lac (Qué.) **14 C1**
Marian Lake (T.N.-O.) **45 E3**
Maribelli Lake (Sask.) **44 F4**
Maricourt, Lac (Qué.) **18 D1**
Marie Lake (Alb.) **33 G2**
Marie-Claire, Lac (Qué.) **5 C3**
Marina Island (C.-B.) **37 B4**
Maringouin, Cape (N.-B.) **11 G2**
Marion, Lac (Qué.) **18 B3**
Marion Lake (Man.) **28 E1**
Marion Lake (Alb.) **34 G1**
Mariposa Brook (Ont.) **21 C1**
Marjorie Lake (T.N.-O.) **46 A2**
Mark Lake (Ont.) **28 G1**
Markale Passage (C.-B.) **39 D2**
Markham Bay (T.N.-O.) **46 F2**
Markham Fiord (T.N.-O.) **47 E1**
Markham Lake (T.N.-O.) **44 F1**
Markham Strait (T.N.-O.) **45 G1**
Marmion Lake (Ont.) **27 B3**
Marne Lake (Ont.) **26 E2**
Marquette, Lac (Qué.) **18 F1**
Marrs Island (N.-E.) **10 G2**
Mars, Rivière à (Qué.) **14 B4**
Mars Island (C.-B.) **39 E1**
Marsac, Lac (Qué.) **19 B1**
Marsal, Lac (Qué.) **19 G2**
Marsh Lake (Yukon) **45 B3**
Marsh Point (N.-E.) **8 C3**
Marsh Point (Man.) **30 E1**
Marsh River (Man.) **28 A2**
Marshall Flowage (N.-E.) **9 D3**
Marshall Lake (Ont.) **27 F1**
Marshall Lake (C.-B.) **37 G2**
Marshall Point (C.-B.) **38 C1**
Marshy Creek (Sask.) **32 C4**
Marshy Point (Man.) **29 G3**
Marsilly, Lac (Qué.) **6 B3**
Marten Lake (Ont.) **26 F3**
Marten River (T.N.-O.) **44 D2**
Marticot Island (T.-N.) **2 D3**
Martigny, Promontoire de (Que.) **3 F3**
Martin Head (N.-B.) **11 F2**
Martin Island (T.-N.) **6 E1**
Martin Lake (T.-N.) **3 B3**
Martin Lake (C.-B.) **39 G1**
Martin Lake (C.-B.) **40 A4**
Martin River (T.N.-O.) **45 D3**
Martineau, Cape (T.N.-O.) **46 D2**
Martineau River (Sask.) **32 A2**
Martinière, Pointe de la (Qué.) **15 G3**
Martins River (N.-E.) **10 E2**
Martre, Lac la (T.N.-O.) **45 E3**
Martre, Rivière à la (Qué.) **20 F3**
Martres, Lac des (Qué.) **14 C4**
Mary Ann Lake (T.-N.) **3 B2**
Mary Frances Lake (T.N.-O.) **45 G3**
Mary Jones Bay (T.N.-O.) **47 E4**
Mary Lake (Ont.) **24 B2**
Mary Lake (T.N.-O.) **44 F1**
Mary March's Brook (T.-N.) **4 G1**
Maryen, Lac (Qué.) **5 D2**
Marys Point (N.-B.) **11 G2**
Mascouche, Rivière (Qué.) **17 G3**
Masères, Lac (Qué.) **18 D1**
Mashagama Lake (Ont.) **26 C3**
Maskinongé, Lac (Qué.) **16 A1**
Maskinongé, Rivière (Qué.) **16 A2**
Maskinonge Lake (Ont.) **26 F3**
Mason Lake (Ont.) **28 E2**
Masons Pond (T.-N.) **3 E3**
Massawippi, Lac (Qué.) **16 D4**
Massé, Lac (Qué.) **14 H3**
Masset Inlet (C.-B.) **41 B1**
Massey Island (T.N.-O.) **47 D3**
Massey Sound (T.N.-O.) **47 D2**
Massinahigan River (Sask.) **32 C1**
Masters Head (T.-N.) **2 F2**
Mastigouche, Rivière (Qué.) **16 A1**
Mastigouche Nord, Rivière (Qué.) **16 A1**
Matagami, Lac (Qué.) **20 E4**
Matamec, Lac (Qué.) **19 F3**
Matane, Lac (Qué.) **13 C2**
Matane, Petite rivière (Qué.) **13 B2**
Matane, Rivière (Qué.) **13 B2**
Matapédia, Lac (Qué.) **13 A2**
Matapédia, Rivière (Qué.) **13 B3**
Matateto River (Ont.) **20 B2**
Matawin, Rivière (Qué.) **18 G3**
Matchedash Bay (Ont.) **24 A3**
Matchi-Manitou, Lac (Qué.) **18 C2**
Matchinameigus Lake (Ont.) **26 B2**
Matchlee Mountain (C.-B.) **39 G3**
Mathevet, Lac (Qué.) **19 D2**
Mathieson Channel (C.-B.) **41 E3**
Matinenda Lake (Ont.) **25 A1**
Matlahaw Point (C.-B.) **39 F4**
Matlset Narrows (C.-B.) **39 G4**
Matonipi, Lac (Qué.) **19 B1**
Matonipi, Rivière (Qué.) **19 C1**
Matonipis, Lac (Qué.) **19 C1**
Matse River (T.-N.) **5 D1**
Matsiu Creek (C.-B.) **39 G1**
Mattagami Lake (Ont.) **26 D2**
Mattagami River (Ont.) **20 C4**
Mattatall Lake (N.-E.) **9 B2**
Mattawa Lake (Ont.) **27 C2**
Mattawishkwia River (Ont.) **20 B4**
Mattawitchewan River (Ont.) **20 B4**
Mattberry Lake (T.N.-O.) **45 E3**
Matthews Lake (Ont.) **26 A1**
Matthews Pond (T.-N.) **2 B1**
Matthews Pond (T.-N.) **3 F4**
Matty Island (T.N.-O.) **45 H1**
Maud Bight (T.N.-O.) **47 F3**
Maud Lake (Ont.) **28 F2**
Maude, Lac (Qué.) **18 D1**
Maunoir, Lac (T.N.-O.) **45 D2**
Maupertuis, Lac (Qué.) **19 A3**
Maurelle Island (C.-B.) **37 B3**
Maurice Point (T.N.-O.) **46 D2**
Mauricie, Parc national de la (Qué.) **18 G3**
voir aussi La Mauricie National Park
Maury Channel (T.N.-O.) **47 D3**
Mauvais Bois, Lac (Qué.) **19 D3**
Mauves, Baie des (Qué.) **19 B2**
Mawdesley Lake (Man.) **30 A2**
Max Lake (Man.) **30 C2**
Maxan Lake (C.-B.) **42 G4**
Maxwell, Lac (Qué.) **5 F1**
Maxwell Bay (T.N.-O.) **47 E3**
May, Mount (Alb.) **40 F2**
May Inlet (T.N.-O.) **47 D3**
May Lake (Ont.) **25 B1**
May Lake (Alb.) **33 G2**
May Lake (C.-B.) **37 B3**
May Lake (Sask.) **44 F4**
May River (Alb.) **33 F1**
Mayer Lake (C.-B.) **41 B1**
Maynard Lake (Ont.) **30 D4**
Maynard Lake (Sask.) **32 F1**
Maynard Lake (C.-B.) **39 D2**
Mayne Island (C.-B.) **38 F3**
Mayne Passage (C.-B.) **37 B3**
Mayo Lake (Ont.) **24 F3**
Mayo Lake (Yukon) **45 B2**
Mayson Lake (C.-B.) **36 E3**
Mayson Lake (Sask.) **44 E3**
Mazana, Lac (Qué.) **18 F3**
Mazana, Rivière (Qué.) **18 E3**
Mazinaw Lake (Ont.) **24 G3**
Meach, Lac (Qué.) **17 D3**
Meach, Ruisseau (Qué.) **17 D3**
Meadow, Rivière (Qué.) **13 A3**
Meadow Brook Lake (N.-B.) **12 E4**
Meadow Creek (C.-B.) **35 C1**
Meadow Lake (Sask.) **32 B3**
Meadow Lake (Sask.) **32 G3**
Meadow Lake (C.-B.) **36 C3**
Meadow Lake Provincial Park (Sask.) **32 A2**
Meadow River (Sask.) **32 B2**
Meager Creek (C.-B.) **37 E3**
Mealy Mountains (T.-N.) **6 F4**
Meares Island (C.-B.) **39 G4**
Mecham, Cape (T.N.-O.) **47 D2**
Mechins, Cap des (Qué.) **13 C1**
Medicine Lake (Alb.) **40 H3**
Medicine River (Alb.) **34 E1**
Meditation Lake (Man.) **28 D1**
Medley River (Alb.) **33 G2**
Medonnegonix Lake (T.-N.) **2 C1**
Meduxnekeag River (N.-B.) **12 A4**
Medway Creek (Ont.) **22 E1**
Medway Head (N.-E.) **10 E3**
Medway River (N.-E.) **10 C2**
Meek Point (T.N.-O.) **47 A3**
Meekwap Lake (Alb.) **33 B2**
Meelpaeg Lake (T.-N.) **4 F2**
Meeting Creek (Alb.) **33 E4**
Meeting Lake (Sask.) **32 C3**
Meeyomoot Lake (Sask.) **32 E2**
Meeyomoot River (Sask.) **32 E2**
Mégantic, Lac (Qué.) **16 F3**
Mégantic, Mont (Qué.) **16 F3**
Megin Lake (C.-B.) **39 F4**
Mégiscane, Lac (Qué.) **18 D1**
Mégiscane, Rivière (Qué.) **18 D1**
Mehatl Creek (C.-B.) **35 A2**
Meighen Island (T.N.-O.) **47 D1**
Meikle River (Alb.) **43 H2**
Meilleur River (T.N.-O.) **45 C3**
Meisners Island (N.-E.) **10 E2**
Meister River (Yukon) **45 B4**
Mékinac, Lac (Qué.) **18 G3**
Melbourne Island (T.N.-O.) **45 G1**
Melchett Lake (Ont.) **30 G4**
Meldrum Bay (Ont.) **25 A2**
Meldrum Creek (C.-B.) **36 A1**
Meldrum Lake (C.-B.) **36 A1**
Mélèzes, Rivière aux (Qué.) **6 B1**
Meliadine Lake (T.N.-O.) **46 B2**
Melville, Ile de (T.N.-O.) **47 C3**
nom officiel Melville Island
Melville, Lake (T.-N.) **6 F3**
Melville, Presqu'île de (T.N.-O.) **46 D1**
nom officiel Melville Peninsula
Melville Hills (T.N.-O.) **45 D1**
Melville Island (C.-B.) **42 C4**
Melville Island
voir Melville, Ile de
Melville Peninsula
voir Melville, Presqu'île de
Melville Sound (Ont.) **23 C1**
Melville Sound (T.N.-O.) **45 F1**
Melvin Lake (Man.) **44 G4**
Melvin River (Alb.) **44 A2**
Memekay River (C.-B.) **39 G2**
Memesagamesing Lake (Ont.) **25 G2**
Memewin, Lac (Qué.) **26 G4**
Memphrémagog, Lac (Qué.) **16 C4**
Memramcook River (N.-B.) **11 H1**
Menako Lakes (Ont.) **30 F3**
Ménascouagama, Lac (Qué.) **5 B2**
Menihek Lakes (T.-N.) **6 C3**
Ménistouc, Lac (Qué.) **6 C4**
Menouow, Lac (Qué.) **20 F2**
Menton, Lac au (Qué.) **19 B4**
Menzies, Mount (C.-B.) **37 B4**
Menzies Bay (C.-B.) **37 B4**
Menzies Lake (N.-B.) **11 D3**
Merasheen Island (T.-N.) **2 E2**
Merchant Lake (Ont.) **24 D1**
Merchants Bay (T.N.-O.) **46 G1**
Mercutio Lake (Ont.) **27 C3**
Mercy Bay (T.N.-O.) **47 B3**
Meridian Lake (T.N.-O.) **44 D1**
Meridian River (Man.) **30 C1**
Merigomish Harbour (N.-E.) **9 E1**
Merry Island (T.N.-O.) **20 E1**
Merry Widow Mountain (C.-B.) **39 D2**
Merryweather Lake (Alb.) **44 B2**
Mersereau Stream (N.-B.) **11 C2**
Mersey River (N.-E.) **10 C2**
Mersey River (N.-E.) **10 D3**
Méruimticook, Lac (Qué.) **15 G1**
Mésaconane, Pointe (Qué.) **20 D3**
Mesgouez, Lac (Qué.) **20 F3**
Mesilinka River (C.-B.) **43 A3**
Meslilloet Mountain (C.-B.) **38 G1**
Mesomikenda Lake (Ont.) **26 D2**
Mesplet, Lac (Qué.) **18 D1**
Mess Creek (C.-B.) **42 C1**
Mestao, Lac (Qué.) **19 C2**
Meta Incognita Peninsula (T.N.-O.) **46 F2**
Meta Lake (Ont.) **27 F1**
Meta Pond (T.-N.) **2 D1**
Métabetchouane, Rivière (Qué.) **18 H2**
Métascouac, Lac (Qué.) **18 H2**
Metchin River (T.-N.) **6 E3**
Metionga Lake (Ont.) **27 C2**
Meux Creek (Ont.) **23 C3**
Meyakumew Lake (Sask.) **32 D1**
Meziadin Lake (C.-B.) **42 D2**
Mica Dam/Barrage (C.-B.) **40 G4**
Michael, Lake (T.-N.) **6 G3**
Michael Lake (Sask.) **44 F3**
Michael's Bay (Ont.) **25 C3**
Michaels River (T.-N.) **5 D1**
Michaud, Point (N.-E.) **8 E4**
Michel, Lake (T.-N.) **5 G3**
Michelsen, Cape (T.N.-O.) **47 C4**
Michikinabish Lake (Man.) **30 D2**
Michipicoten Bay (Ont.) **26 A2**
Michipicoten Island (Ont.) **27 H4**
Michipicoten River (Ont.) **26 A2**
Micmac Lake (T.-N.) **3 A1**
Middle Arm (T.-N.) **3 A1**
Middle Arm (T.-N.) **3 A1**
Middle Arm (T.-N.) **3 E2**
Middle Arm (T.-N.) **3 E3**
Middle Arm (T.-N.) **5 F4**
Middle Aspy River (N.-E.) **8 E2**
Middle Channel (T.N.-O.) **45 B1**
Middle Creek (Alb./Sask.) **31 B4**
Middle Duck Island (Ont.) **25 A2**
Middle Fiord (T.N.-O.) **47 D2**
Middle Foster Lake (Sask.) **44 E4**
Middle Gull Pond (T.-N.) **2 G3**
Middle Head (T.-N.) **2 C4**
Middle Head (N.-E.) **8 E2**
Middle Island (Ont.) **22 B4**
Middle Lake (Sask.) **32 E4**
Middle Lake (T.N.-O.) **46 C1**
Middle Point (T.N.-O.) **47 C2**
Middle Pond (T.-N.) **2 E1**
Middle Ridge (T.-N.) **3 C4**
Middle River (N.-E.) **8 D3**
Middle River (N.-B.) **12 E1**
Middle River (C.-B.) **42 H3**
Middle River Framboise (N.-E.) **8 E4**
Middle Savage Islands (T.N.-O.) **46 F3**
Middle Sister Island (Ont.) **22 A4**
Middle Thames River (Ont.) **22 E1**
Middleton Lake (T.-N.) **3 B3**
Midgell River (I.-P.-E.) **7 E3**
Midland Bay (Ont.) **23 F1**
Midnight Lake (Sask.) **32 B3**
Midsummer Island (C.-B.) **39 E1**
Mietsching Lake (T.N.-O.) **46 D1**
Migtagtin Lake (T.-N.) **6 E2**
Migtagtin River (T.-N.) **6 E2**
Miguasha, Pointe (Qué.) **13 D3**
Miguels Lake (T.-N.) **3 B3**
Mijinemungshing Lake (Ont.) **26 A2**
Mikkwa River (Alb.) **44 C4**
Milbanke Sound (C.-B.) **41 E3**
Milden Lake (Sask.) **31 E2**
Mile Lake (Ont.) **17 A2**
Miles Bay (Ont.) **28 F3**

North Twin Island (T.N.-O.) **20 D2**
North Twin Lake (T.-N.) **3 B2**
North Wabasca Lake (Alb.) **44 B4**
North Washagami Lake (Ont.) **20 B1**
North Washagami River (Ont.) **20 B2**
North West Arm (N.-E.) **8 E3**
North Wind Lake (Ont.) **27 F1**
Northeast Arm (T.-N.) **2 B2**
Northeast Arm (T.-N.) **3 F4**
Northeast Arm (T.-N.) **4 C4**
Northeast Arm (T.-N.) **4 F4**
Northeast Arm (N.-B.) **11 E1**
Northeast Arm (Ont.) **26 F3**
Northeast Arm (C.-B.) **34 A2**
Northeast Bay (Ont.) **26 F1**
Northeast Margaree River (N.-E.) **8 D2**
Northeast Point (T.-N.) **5 H1**
Northeast Point (N.-E.) **8 F1**
Northeast Point (Ont.) **25 D3**
Northeast River (T.-N.) **2 F3**
Norther Head (T.-N.) **2 E4**
Northern Point (T.-N.) **3 G4**
Northern Arm (T.-N.) **3 C2**
Northern Arm (T.-N.) **4 G4**
Northern Arm Brook (T.-N.) **3 B3**
Northern Head (N.-E.) **8 F3**
Northern Head (N.-B.) **11 C4**
Northern Indian Lake (Man.) **46 A4**
Northern Light Lake (Ont.) **27 C3**
Northern Peninsula (Ont.) **28 F2**
Northumberland, Détroit de (N.-E.) **9 C1**
nom officiel Northumberland Strait
Northumberland Strait
voir Northumberland, Détroit de
Northwest, Cape (T.N.-O.) **47 D1**
Northwest Arm (T.-N.) **3 E3**
Northwest Arm (T.-N.) **3 F4**
Northwest Arm (T.-N.) **4 F4**
Northwest Arm (C.-B.) **42 G3**
Northwest Bay (Ont.) **26 F1**
Northwest Bay (Ont.) **28 H4**
Northwest Bay (C.-B.) **38 D2**
Northwest Brook (T.-N.) **2 G4**
Northwest Brook (T.-N.) **3 E3**
Northwest Brook (T.-N.) **4 C3**
Northwest Brook (T.-N.) **4 B4**
Northwest Burnt Island (Ont.) **25 D2**
Northwest Gander River (T.-N.) **3 C4**
Northwest Head (T.-N.) **2 A3**
Northwest Island (T.-N.) **4 E4**
Northwest Millstream (N.-B.) **12 E2**
Northwest Miramichi River (N.-B.) **12 D2**
Northwest (First) Pond (T.-N.) **3 F3**
Northwest Pond (T.-N.) **3 F4**
Northwest River (T.-N.) **3 D4**
Northwest Upsalquitch River (N.-B.) **12 C1**
Norton, Cape (T.N.-O.) **45 H1**
Norton Shaw, Cape (T.N.-O.) **47 F2**
Norvégienne, Baie (T.N.-O.) **47 E2**
nom officiel Norwegian Bay
Norway Bay (T.N.-O.) **47 C4**
Norway Island (T.N.-O.) **47 A3**
Norway Lake (Ont.) **17 A1**
Norwegian Bay
voir Norvégienne, Baie
Nosbonsing, Lake (Ont.) **26 G4**
Nose Creek (Alb.) **40 F1**
Nose Hill (Alb.) **34 H1**
Nose Lake (T.N.-O.) **45 F2**
Nostetuko River (C.-B.) **37 D1**
Notakwanon River (T.-N.) **6 E2**
Notawassi, Lac (Qué.) **18 E3**
Notigi Lake (Man.) **30 B1**
Notikewin River (Alb.) **43 G2**
Notre-Dame, Baie de (T.-N.) **3 C1**
nom officiel Notre Dame Bay
Notre-Dame, Les (*montagnes*) (Qué.) **13 D3**
Notre-Dame, Ruisseau (Qué.) **17 H3**
Notre Dame Bay
voir Notre-Dame, Baie de
Nottawasaga, Baie de (Ont.) **23 E1**
nom officiel Nottawasaga Bay
Nottawasaga Bay
voir Nottawasaga, Baie de
Nottawasaga River (Ont.) **23 F2**
Nottaway, Rivière (Qué.) **20 E4**
Nottingham Island (T.N.-O.) **46 E2**
Notukeu Creek (Sask.) **31 E3**
Nouël, Lac (Qué.) **19 G2**
Noueux, Ruisseau (Qué.) **17 E3**
Nouveau, Lac (Qué.) **6 B3**
Nouveau-Québec, Cratère du (Qué.) **46 F3**
Nouvel, Lacs (Qué.) **19 C3**
Nouvelle, Petite rivière (Qué.) **13 C3**
Nouvelle, Rivière (Qué.) **13 D3**
Nouvelle-France, Cap de (Qué.) **46 F3**
Nova Zembla Island (T.N.-O.) **47 G4**
Novereau, Lac (Qué.) **6 B2**
Nowashe Creek (Ont.) **20 C2**
Nowashe Lake (Ont.) **20 C2**
Nowell Channel (C.-B.) **39 E1**
Nowleye Lake (T.N.-O.) **44 G1**
Nowyak Lake (T.N.-O.) **44 H1**
Noyrot, Lac (Qué.) **5 E2**
Nuchatlitz Inlet (C.-B.) **39 E3**
Nude Creek (C.-B.) **37 C1**
Nudlung Fiord (T.N.-O.) **46 F1**
Nue de Mingan, Ile (Qué.) **19 H3**
Nueltin Lake (Man./T.N.-O.) **44 G2**
Nulki Lake (C.-B.) **40 B2**
Nulluaqluk, Lac (Qué.) **6 B1**
Nuluarniavik, Lac (Qué.) **46 E4**
Numabin Bay (Sask.) **44 F4**
Numao Lake (Man.) **28 D1**
Numas Islands (C.-B.) **39 D1**
Nunaksaluk Island (T.-N.) **6 F3**
Nungesser Lake (Ont.) **30 D4**
Nunim Lake (Sask.) **44 F2**
Nunn Lake (Sask.) **32 F1**
Nut Island (Ont.) **21 H1**
Nut Lake (Sask.) **29 B1**
Nutarawit Lake (T.N.-O.) **46 A2**
Nuvuk Islands (T.N.-O.) **46 E3**
Nyanza Bay (N.-E.) **8 D3**
Nyarling River (T.N.-O.) **44 B2**
Nyel, Lac (Qué.) **5 C2**
Nym Lake (Ont.) **27 B3**

O

Oak Bay (N.-B.) **11 B3**
Oak Island (N.-E.) **9 C1**
Oak Island (N.-E.) **10 E2**
Oak Lake (Ont.) **24 E4**
Oak Lake (Man.) **28 C4**
Oak Lake (Man.) **29 E4**
Oak Lake (Ont.) **30 D4**
Oak Park Lake (N.-E.) **10 B4**
Oak River (Man.) **29 E3**
Oakland Lake (N.-E.) **10 B2**
Oakville Creek (Ont.) **21 A3**
Oba Lake (Ont.) **26 B1**
Oba River (Ont.) **26 B1**
Obabika Lake (Ont.) **26 F3**
Obabikon Lake (Ont.) **28 G3**
Obakamiga Lake (Ont.) **26 A1**
Obalski, Lac (Qué.) **26 H1**
Obamsca, Lac (Qué.) **20 E4**
Obamsca, Rivière (Qué.) **20 E4**
Obatanga Provincial Park (Ont.) **26 A2**
Obatogamau, Lac (Qué.) **20 G4**
Obatogamau, Rivière (Qué.) **20 G4**
Obonga Lake (Ont.) **27 E1**
Obre Lake (T.N.-O.) **44 F2**
O'Brien Lake (T.-N.) **3 D3**
Observatory Inlet (C.-B.) **42 D3**
Obstruction Island (C.-B.) **39 F4**
Ocean Lake (N.-E.) **9 F2**
Ocean Pond (T.-N.) **2 D1**
Ocean Pond (T.-N.) **2 G3**
Ocean Pond (T.-N.) **3 E2**
Ocean Pond (T.-N.) **3 F4**
Ochak Lake (Sask.) **44 F2**
Ochre River (Man.) **29 F2**
O'Connell Lake (C.-B.) **39 C2**
O'Connor Lake (T.N.-O.) **44 C1**
Octave, Rivière (Qué.) **26 H1**
Odei River (Man.) **30 C1**
O'Dell Lake (Ont.) **28 F3**
Odell River (N.-B.) **12 B3**
Oderin Island (T.-N.) **2 D3**
Odessa Lake (Ont.) **21 H1**
Odin, Mount (C.-B.) **35 H1**
Odin Lake (T.N.-O.) **44 E2**
O'Donnell Point (Ont.) **25 G4**
Oeufs, Lac des (Qué.) **20 G1**
Off Lake (Ont.) **28 G4**
Offer Gooseberry Island (T.-N.) **3 F3**
Offer Wadham Island (T.-N.) **3 F1**
Oftedal Lake (T.N.-O.) **44 H1**
Ogascanane, Lac (Qué.) **18 B3**
Ogden Bay (T.N.-O.) **45 G1**
Ogden Channel (C.-B.) **41 C1**
Ogden Point (Ont.) **21 E2**
Ogilvie Mountains (Yukon) **45 A2**
Ogilvie River (Yukon) **45 A2**
Ogle Point (T.N.-O.) **45 H1**
Ogoki Lake (Ont.) **30 G4**
Ogoki Reservoir (Ont.) **30 G4**
Ogoki River (Ont.) **30 H4**
Ohio River (N.-E.) **8 B4**
Ohio River (N.-E.) **10 D2**
Oies, Cap aux (Qué.) **15 D1**
Oies, Ile aux (Qué.) **15 C2**
Oiseau Point (Ont.) **27 H3**
Oiseau River (Man./Ont.) **30 C4**
Oiseaux, Rochers aux (Qué.) **7 H1**
Ojibway Provincial Park (Ont.) **27 B1**
Okak Bay (T.-N.) **6 E1**
Okak Islands (T.-N.) **6 E1**
Okanagan Lake (C.-B.) **35 E3**
Okanagan Mountain Provincial Park (C.-B.) **35 E3**
Okanagan Range (C.-B.) **35 D4**
Okanagan River (C.-B.) **35 F4**
Okaopéo, Lac (Qué.) **19 C3**
Okawakenda Lake (Ont.) **26 E2**
Oke Lake (Ont.) **26 D1**
Okemasis Lake (Sask.) **32 D4**
Okeover Inlet (C.-B.) **37 C4**
Okikendawt Island (Ont.) **25 G2**
Okikodosik Bay (Ont.) **26 F1**
Okipwatsikew Lake (Sask.) **32 G1**
Okisollo Channel (C.-B.) **37 B3**
Okoa Bay (T.N.-O.) **46 F1**
Oktwanch River (C.-B.) **39 F3**
Old Crow River (Yukon) **45 B1**
Old Factory Bay (T.N.-O.) **20 E3**
Old Fort Bay (Alb.) **44 C3**
Old Fort River (Alb.) **44 C3**
Old Mans Pond (T.-N.) **4 D1**
Old Settler, The (*mont*) (C.-B.) **35 A3**
Old Sow Point (T.-N.) **2 G2**
Old Tabusintac Gully (N.-B.) **12 G2**
Old Tracadie Gully (N.-B.) **12 G1**
Old Wives Lake
voir Vieilles Femmes, Lac des
Oldman Creek (Alb.) **33 A3**
Oldman Lake (Alb.) **33 D3**
Oldman Lake (Sask.) **44 D2**
Oldman River (Alb.) **34 F3**
Oldman River (Sask.) **44 D2**
O'Leary Lake (Sask.) **32 H2**
Olga, Lac (Qué.) **20 E4**
Oliver Creek (C.-B.) **36 H2**
Oliver Lake (Sask.) **44 F4**
Oliver Sound (T.N.-O.) **47 F4**
Olomane, Rivière (Qué.) **5 C2**
Olomane Ouest, Rivière (Qué.) **5 C2**
Oman Lake (T.N.-O.) **44 F1**
Oman Lake (Sask.) **44 E2**
Omarolluk Sound (T.N.-O.) **20 E1**
Ombabika Bay (Ont.) **27 F1**
Ombrette, Rivière l' (Qué.) **15 C2**
Omineca Mountains (C.-B.) **42 G1**
Omineca River (C.-B.) **43 A3**
Ominuk, Lac (Qué.) **20 D1**
Ommanney Bay (T.N.-O.) **47 D3**
Onamakawash Lake (Ont.) **27 D1**
Onaman Lake (Ont.) **27 F1**
Onaman River (Ont.) **27 F1**
Onaping Lake (Ont.) **26 D3**
Onaping River (Ont.) **26 E3**
Onatchiway, Lac (Qué.) **14 B1**
Onatchiway, Petit lac (Qué.) **14 B1**
Onion Lake (Ont.) **27 E3**
Onistagane, Lac (Qué.) **19 A2**
Ontaratue River (T.N.-O.) **45 C2**
Ontario, Lac (Ont.) **21 E2**
nom officiel Ontario, Lake
Ontario, Lake
voir Ontario, Lac
Ootsa Lake (C.-B.) **41 G1**
Opachuanau Lake (Man.) **44 H4**
Opakopa Lake (Ont.) **30 E3**
Opapimiskan Lake (Ont.) **30 F3**
Opasatica, Lac (Qué.) **26 G2**
Opasatika Lake (Ont.) **26 C1**
Opasatika River (Ont.) **20 C4**
Opasquia Lake (Ont.) **30 D3**
Opataca, Lac (Qué.) **20 G4**
Opatauaga, Lac (Qué.) **20 F4**
Opawica, Lac (Qué.) **20 F4**
Opawica, Rivière (Qué.) **20 F4**
Opeepeesway Lake (Ont.) **26 D2**
Opémisca, Lac (Qué.) **20 F4**
Open Bay (T.-N.) **6 H3**
Opeongo Lake (Ont.) **24 D1**
Opescal Lake (T.N.-O./Sask.) **44 E2**
Opichuan River (Ont.) **30 G4**
Opikeigen Lake (Ont.) **30 G4**
Opikinimika Lake (Ont.) **26 E3**
Opiminegoka Lake (Man.) **30 C2**
Opinaca, Lac (Qué.) **20 F3**
Opinaca, Petit lac (Qué.) **20 F3**
Opinaca, Rivière (Qué.) **20 F2**
Opingiviksuak Island (T.-N.) **6 E1**
Opinicon Lake (Ont.) **17 B3**
Opinnagau Lake (Ont.) **20 B2**
Opinnagau River (Ont.) **20 C2**
Opiscotéo, Lac (Qué.) **6 C4**
Opiscotiche, Lac (Qué.) **6 C4**
Opitoune, Lac (Qué.) **19 B2**
Opocopa, Lac (Qué.) **6 C4**
Opposite Island (T.N.-O.) **46 D2**
Oppy Lake (C.-B.) **41 G2**
Opuntia Lake (Sask.) **31 D1**
Opuskiamishes River (Man.) **30 E1**
Or, Cape d' (N.-E.) **11 G3**
Orchard Point (C.-B.) **39 C2**
O'Reilly Island (T.N.-O.) **45 G1**
Orford River (C.-B.) **37 C2**
Orient, Pointe (Qué.) **14 F2**
Orignal, Baie à l' (Qué.) **18 B3**
Orignaux, Rivière aux (Qué.) **16 D1**
Orléans, Ile d' (Qué.) **15 B3**
Orloff Lake (Alb.) **33 E1**
Ormonde Island (T.N.-O.) **46 D1**
Oromocto Island (N.-B.) **11 C1**
Oromocto Lake (N.-B.) **11 B2**
Oromocto River (N.-B.) **11 C2**
Orpheus Lake (T.N.-O.) **44 E2**
Orr Lake (Ont.) **23 F1**
Orr Lake (Man.) **30 C1**
Orsogna, Lac (Qué.) **5 E2**
Orton Island (T.N.-O.) **6 F1**
Ortona, Lac (Qué.) **5 E2**
Orwell Bay (I.-P.-E.) **7 D4**
Osawin River (Ont.) **27 H2**
Osborn, Cape (T.N.-O.) **47 E3**
Osborn River (Alb./C.-B.) **43 F2**
Oscar Peak (C.-B.) **42 D4**
Osgoode, Rivière (Qué.) **16 E2**
Oshinow Lake (C.-B.) **39 H4**
Osilinka River (C.-B.) **43 B3**
Oskélanéo, Lac (Qué.) **18 E2**
Osmonton Arm (T.-N.) **3 C2**
Osnaburgh Lake (Ont.) **30 F4**
Osoyoos Lake (C.-B.) **35 F4**
Ospika River (C.-B.) **43 B2**
Ospry Lake (Ont.) **23 C1**
Ospwagan Lake (Man.) **30 B1**
Ossant, Lac (Qué.) **20 G1**
Ossokmanuan Lake (T.-N.) **6 D3**
Ostaboningue, Lac (Qué.) **26 G3**
Osten Lake (Sask.) **32 D2**
O'Sullivan, Lac (Qué.) **18 D2**
O'Sullivan, Rivière (Qué.) **18 D1**
O'Sullivan Lake (Ont.) **27 G1**
Oswald Lake (Ont.) **26 D2**
Oswald Lake (T.N.-O.) **44 D2**
Oswego Creek (Ont.) **21 A4**
Otakus Lake (Ont.) **28 G2**
Otasawian River (Ont.) **20 B4**
Otauwau River (Alb.) **33 C1**
Otelnuc, Lac (Qué.) **6 C2**
Otherside River (Sask.) **44 D3**
Otis, Lac (Qué.) **14 C3**
Otish, Monts (Qué.) **6 A4**
Otnabog Lake (N.-B.) **11 D2**
Otonabee River (Ont.) **21 D1**
Otoskwin River (Ont.) **30 F4**
Ottarasko Creek (C.-B.) **37 C1**
Ottarasko Mountain (C.-B.) **37 C1**
Ottawa Int Airport/Aéroport (Ont.) **17 E4**
Ottawa Islands (T.N.-O.) **46 D4**
Ottawa River (Ont.) **17 A1**
voir aussi Outaouais, Rivière des (Qué.)
Otter Bay (T.-N.) **4 B4**
Otter Creek (Sask.) **32 C3**
Otter Creek (C.-B.) **35 C3**
Otter Island (T.-N.) **3 B1**
Otter Island (Ont.) **27 G3**
Otter Lake (T.-N.) **6 F3**
Otter Lake (Ont.) **17 B3**
Otter Lake (Man.) **29 H2**
Otter Lake (Man.) **29 F3**
Otter Lake (Sask.) **32 G3**
Otter Lake (Sask.) **32 E1**
Otter Lake (Alb.) **33 D1**
Otter Lake (C.-B.) **35 C3**
Otter Lake (T.N.-O.) **44 H1**
Otter Point (C.-B.) **38 E4**
Otter Pond (T.-N.) **2 D1**
Otter River (Ont.) **30 F2**
Otterskin Lake (Ont.) **28 H3**
Ottertail Lake (Ont.) **28 H3**
Ottertail River (Ont.) **27 F1**
Otto Fiord (T.N.-O.) **47 E1**
Otty Lake (Ont.) **17 B3**
Otukamamoan Lake (Ont.) **27 A2**
Ouagama, Lac (Qué.) **20 E4**
Ouasiemsca, Rivière (Qué.) **20 H4**
Ouelle, Rivière (Qué.) **15 D2**
Ouescapis, Lac (Qué.) **20 E4**
Ouest, Pointe de l' (Qué.) **13 G3**
Ouest, Pointe de l' (Qué.) **19 G3**
Oulton Lake (T.N.-O.) **44 C2**
Ououkinsh Inlet (C.-B.) **39 D2**
Ours, Grand lac de l' (T.N.-O.) **45 D2**
nom officiel Great Bear Lake
Ours, Lac à l' (Qué.) **5 A3**
Ours, Rivière aux (Qué.) **14 E2**
Ouse River (Ont.) **21 E1**
Outaouais, Rivière des (Qué.) **17 E1**
voir aussi Ottawa River (Ont.)
Outardes, Baie aux (Qué.) **14 G1**
Outardes, Rivière aux (Qué.) **19 D4**
Outardes Quatre, Réservoir (Qué.) **19 C3**
Outardes Trois, Barrage (Qué.) **19 C4**
Outer Bald Tusket Island (N.-E.) **10 A4**
Outer Cat Island (T.-N.) **3 F2**
Outer Duck Island (Ont.) **25 A3**
Outer Island (N.-E.) **10 B4**
Outer Wood Island (N.-B.) **11 C4**
Outlet Bay (T.N.-O.) **45 F3**
Outram, Mount (C.-B.) **35 B4**
Ovens Point (N.-E.) **9 A4**
Overby Lake (Man.) **44 H2**
Overflow Bay (Man.) **30 A3**
Overflowing River (Man./Sask.) **32 H3**
Overlord Mountain (C.-B.) **37 G4**
Owen Channel (Ont.) **25 C3**
Owen Lake (C.-B.) **36 A1**
Owen Sound (Ont.) **23 C1**
Owikeno Lake (C.-B.) **41 G4**
Owl Lake (Ont.) **27 G2**
Owl River (Alb.) **33 F1**
Owl River (Man.) **46 B4**
Oxford Lake (Man.) **30 C2**
Oxtongue River (Ont.) **24 C2**
Oyama Lake (C.-B.) **35 F2**
Oyster Bay (C.-B.) **39 H3**
Oyster River (C.-B.) **39 H3**
Ozhiski Lake (Ont.) **30 G3**

P

Paces Lake (N.-E.) **9 C3**
Pachena Bay (C.-B.) **38 B3**
Pachena Point (C.-B.) **38 B3**
Pachena River (C.-B.) **38 B3**
Pacific Ocean
voir aussi Pacifique, Océan
Pacific Ranges (C.-B.) **37 D2**
Pacific Rim, Parc national (C.-B.) **38 C4**
voir aussi Pacific Rim National Park
Pacific Rim National Park (C.-B.) **38 B3**
voir aussi Pacific Rim, Parc national
Pacifique, Océan
voir aussi Pacific Ocean
Pacquet Brook (T.-N.) **3 B1**
Pacquet Harbour (T.-N.) **3 B1**
Paddle River (Alb.) **33 C3**
Paddling Lake (Sask.) **32 C4**
Padille Pond (T.-N.) **4 D2**
Padle Fiord (T.N.-O.) **46 G1**
Padliak Inlet (T.N.-O.) **45 G1**
Padliak Inlet (T.N.-O.) **47 C4**
Padloping Island (T.N.-O.) **46 G1**
Pagashi River (Ont.) **20 B3**
Pagato Lake (Sask.) **44 G4**
Pagato River (Sask.) **44 G4**
Pagoda Peak (C.-B.) **37 C1**
Paguchi Lake (Ont.) **27 B2**
Pagwachuan Lake (Ont.) **27 H2**
Pagwachuan River (Ont.) **27 H2**
Paimpont, Lac (Qué.) **5 C3**
Paint Lake (Man.) **30 C1**
Paintearth Creek (Alb.) **33 F4**
Painted Rock Island (Ont.) **28 F3**
Paix, Rivière de la (Alb./C.-B.) **43 H2**
nom officiel Peace River
Pakashkan Lake (Ont.) **27 D2**
Pakeshkag River (Ont.) **25 F2**
Pakowki Lake (Alb.) **31 A4**
Pakwa Lake (Man.) **30 B2**
Pakwash Lake (Ont.) **30 D4**
Palairet, Lac (Qué.) **19 A2**
Palfrey Lake (N.-B.) **11 A2**
Palliser River (C.-B.) **34 D3**
Palmer, Rivière (Qué.) **16 E2**
Palmerston, Cape (C.-B.) **39 B1**
Palmerston, Cape (T.N.-O.) **47 D4**
Palmerston, Mount (C.-B.) **39 F2**
Palmerston Lake (Ont.) **24 H3**
Pamburn, Lac (Qué.) **19 B1**
Pamemen, Lac (Qué.) **20 G2**
Pamialic Bay (T.-N.) **6 G3**
Pamigamachi, Lac (Qué.) **20 E2**
Panache, Lake (Ont.) **25 D1**
Panache, Rivière au (Qué.) **18 D1**
Pancake Bay (Ont.) **26 A3**
Panchia Lake (T.-N.) **6 D4**
Pandora Island (T.N.-O.) **47 D4**
Pandora Peak (C.-B.) **38 C4**
Pangnikto Lake (T.N.-O.) **46 C1**
Pangnirtung Fiord (T.N.-O.) **46 G1**
Panmure Island (I.-P.-E.) **7 E4**
Panny River (Alb.) **44 B3**
Panorama Lake (Ont.) **28 G3**
Pantage Lake (C.-B.) **40 C2**
Panuke Lake (N.-E.) **10 F1**
Papikwan River (Sask.) **32 G3**
Papinachois, Rivière de (Qué.) **14 F1**
Papineau, Lac (Qué.) **18 E4**
Papineau Lake (Ont.) **24 E2**
Paquet Bay (T.N.-O.) **47 F4**
Paquin Lake (Sask.) **32 D2**
Paradis, Lac (Qué.) **14 E3**
Paradis, Lac (Qué.) **19 C2**
Paradise Brook (N.-E.) **10 C1**
Paradise Lake (N.-E.) **10 C1**
Paradise Lake (C.-B.) **35 D2**
Paradise Lake (C.-B.) **35 E3**
Paradise River (T.-N.) **2 D2**
Paradise River (T.-N.) **6 G4**
Paradise Sound (T.-N.) **2 D3**
Paragon Lake (Man.) **44 H3**
Parallel Creek (Alb.) **33 E1**
Paramé, Lac (Qué.) **5 F2**
Parent, Lac (Qué.) **18 C1**
Parisienne, Ile (Ont.) **26 A4**
Park Lake (Sask.) **32 F1**
Park Mountain (C.-B.) **35 G1**
Park Rill (*ruisseau*) (C.-B.) **35 E4**
Parker, Cape (T.N.-O.) **47 F3**
Parker Island (C.-B.) **38 F3**
Parker Lake (Sask.) **32 B1**
Parker Lake (T.N.-O.) **46 B2**
Parkhill Creek (Ont.) **22 D1**
Parkins, Cape (C.-B.) **39 C2**
Parks Creek (Ont.) **21 F1**
Parks Lake (Ont.) **27 F2**
Parr Lake (N.-E.) **10 B3**
Parrott Lakes (C.-B.) **41 G1**
Parry, Archipel de (T.N.-O.) **47 C2**
nom officiel Parry Islands
Parry, Cape (T.N.-O.) **45 D1**
Parry, Détroit de **1**
nom officiel Parry Channel
Parry, Port (T.N.-O.) **45 G1**
Parry Bay (T.N.-O.) **45 F1**
Parry Bay (T.N.-O.) **46 D1**
Parry Channel
voir Parry, Détroit de
Parry Falls (T.N.-O.) **45 F3**
Parry Island (Ont.) **25 G3**
Parry Islands
voir Parry, Archipel de
Parry Passage (C.-B.) **41 A1**
Parry Peninsula (T.N.-O.) **45 D1**
Parry Sound (Ont.) **25 G3**
Parsnip River (C.-B.) **40 D1**
Parson Bay (C.-B.) **39 E1**
Parsons Creek (C.-B.) **38 C3**
Parsons Pond (T.-N.) **3 E4**
Parsons Pond (T.-N.) **5 F3**
Partridge Bay (T.-N.) **6 H3**
Partridge Breast Lake (Man.) **44 H3**
Partridge Creek (Ont.) **24 F3**
Partridge Island (Ont.) **30 G1**
Partridge Point (T.-N.) **5 H3**
Partridge River (Ont.) **20 D3**
Pas d'Eau, Lac (T.-N.) **6 D4**
Pas Perdus, Lac des (Qué.) **14 B4**
Pasayten River (C.-B.) **35 D4**
Pascagama, Lac (Qué.) **18 D1**
Pascagama, Rivière (Qué.) **18 E1**
Pascalis, Lac (Qué.) **18 C2**
Pasfield Lake (Sask.) **44 E3**
Pashkokogan Lake (Ont.) **30 F4**
Paska Lake (C.-B.) **35 C1**
Paskwachi Bay (Man./Sask.) **44 G3**
Pasley Bay (T.N.-O.) **47 D4**
Paspébiac, Baie de (Qué.) **13 F4**
Paspébiac, Pointe de (Qué.) **13 F4**
Pasquatchai River (Man./Ont.) **30 E2**
Pasquia Hills (Sask.) **32 G3**
Pasquia River (Sask./Man.) **32 H3**
Passage Point (T.-N.) **2 B2**
Passamaquoddy Bay (N.-B.) **11 B3**
Passe, La (*chenal*) (Qué.) **7 F1**
Pastecho River (Alb.) **33 D1**
Pasteur, Lac (Qué.) **19 E3**
Pat Creek (C.-B.) **36 H2**
Patamisk, Lac (Qué.) **6 A4**
Patamisk, Lac (Qué.) **20 H2**
Patapédia, Rivière (Qué.) **13 A4**
voir aussi Patapédia River (N.-B.)
Patapédia River (N.-B.) **13 A4**
voir aussi Patapédia, Rivière (Qué.)
Patchepawapoka River (Ont.) **20 C2**
Patewagia, Ruisseau (Qué.) **13 G2**
Patience Lake (Sask.) **31 F1**
Patrick Point (Ont.) **22 D2**
Patricks Pond (T.-N.) **4 G1**
Patten River (Ont.) **26 F1**
Patterson Island (Ont.) **27 G3**
Patterson Lake (Ont.) **17 A2**
Patterson Lake (Ont.) **25 G2**
Patterson Lake (C.-B.) **39 G2**
Patterson Lake (Sask.) **44 D3**
Patterson Lake (Sask.) **44 F2**
Pattullo, Mount (C.-B.) **42 D2**
Patukami, Lac (Qué.) **20 F2**
Paudash Lake (Ont.) **24 E3**
Paugh Lake (Ont.) **24 F1**
Paul, Lac à (Qué.) **19 A3**
Paul Creek (C.-B.) **35 D4**
Paul Island (T.-N.) **6 F2**
Paul Lake (C.-B.) **36 F4**
Paul River (C.-B.) **43 A2**
Paull Lake (Sask.) **44 F4**
Paull River (Sask.) **44 F4**
Pauls Lake (T.-N.) **3 A3**
Pauls Pond (T.-N.) **3 C4**
Pavilion Lake (C.-B.) **36 C4**
Payne, Lac (Qué.) **46 F4**
Payne Bay (T.N.-O.) **46 F3**
Payne River (Ont.) **17 D2**
Paypeeshek River (Ont.) **26 C1**
Peace River
voir Paix, Rivière de la
Peachland Creek (C.-B.) **35 E3**
Peacock Point (Ont.) **22 H2**
Pearce Point (T.N.-O.) **45 D1**
Pearkes, Mount (C.-B.) **37 E4**
Pearl (Big) Island (T.-N.) **5 F4**
Pearl (Green) Island (N.-E.) **10 F2**
Pearse Island (C.-B.) **42 C4**
Pearse Islands (C.-B.) **39 E1**
Pearse Peninsula (C.-B.) **39 E1**
Pearson Creek (C.-B.) **35 G2**
Pearson Lake (Man.) **30 C1**
Peary Channel (T.N.-O.) **47 D2**
Pease Lake (Sask.) **32 D2**
Peases Island (N.-E.) **10 B4**
Pebble Creek (C.-B.) **37 F2**
Pebble Island (T.N.-O.) **20 D2**
Pebonishewi Lake (Ont.) **26 D2**
Pêche, Lac à la (Qué.) **17 B1**
Pêche, Rivière à la (Qué.) **20 E3**
Peche Island (Ont.) **22 A4**
Peck Lake (Sask.) **32 A3**
Peck Lake (Sask.) **33 H3**
Peckford Island (T.-N.) **3 F2**
Pecors Lake (Ont.) **25 B1**
Pecten Harbour (T.N.-O.) **46 E3**
Pedder Point (T.N.-O.) **47 B2**
Peel Inlet (T.N.-O.) **46 B1**
Peel Island (C.-B.) **39 A1**
Peel Point (T.N.-O.) **47 B3**
Peel River (Yukon) **45 B2**
Peel Sound (T.N.-O.) **47 D3**
Peerless Lake (Alb.) **44 B4**
Pefferlaw Brook (Ont.) **23 G2**
Peggys Point (N.-E.) **9 A4**
Pekagoning Lake (Ont.) **27 B2**
Pékans, Rivière aux (Qué.) **6 C4**
Pelée, Ile (Ont.) **22 B4**
nom officiel Pelee Island
Pelee, Point
voir Pelée, Pointe
Pelée, Pointe (Ont.) **22 B4**
nom officiel Pelee, Point
Pelee Island
voir Pelée, Ile
Pelee Passage (Ont.) **22 B4**
Pélerins, Les (*îles*) (Qué.) **14 E4**
Pelican Bay (Man.) **30 A3**
Pélican, Lac (Qué.) **46 F3**
Pelican Lake (Ont.) **27 B1**
Pelican Lake (Man.) **29 F4**
Pelican Lake (Man.) **30 C2**
Pelican Lake (Man.) **30 A3**
Pelican Lake (Sask.) **31 F3**
Pelican Lake (Sask.) **32 G1**
Pelican Lake (Alb.) **44 B4**
Pelican River (Alb.) **44 B4**
Pelicanpouch Lake (Ont.) **28 E1**
Pell Inlet (T.N.-O.) **47 D3**
Pellatt Lake (T.N.-O.) **45 F2**
Pelletier Lake (Man.) **30 C1**
Pelly Bay (T.N.-O.) **46 C1**
Pelly Creek (C.-B.) **43 A2**
Pelly Island (T.N.-O.) **45 B1**
Pelly Lake (C.-B.) **43 A2**
Pelly River (Yukon) **45 B3**
Peltoma Lake (N.-B.) **11 C2**
Pembina River (Man.) **29 F4**
Pembina River (Alb.) **33 C3**
Pembroke, Cape (T.N.-O.) **46 D3**
Pembroke Lake (N.-E.) **8 D2**
Pembroke River (N.-E.) **9 C2**
Pemichangan, Lac (Qué.) **18 D4**
Pemichigamau Lake (Man.) **44 H4**
Pemmican Point (T.N.-O.) **47 A3**
Pen Lake (Ont.) **24 D2**
Penassi Lake (Ont.) **27 C1**
Pendleton Lakes (C.-B.) **36 E2**
Pendrell Sound (C.-B.) **37 C3**
Penetang Harbour (Ont.) **23 E1**
Penetangore River (Ont.) **23 B2**
Penguin Islands (T.-N.) **3 F2**
Penguin Islands (T.-N.) **4 F4**
Peninsula Lake (Ont.) **24 C2**
Pennant Bay (N.-E.) **10 G2**
Pennant Point (N.-E.) **10 G2**
Pennask Lake (C.-B.) **35 D2**
Pennask Mountain (C.-B.) **35 D2**
Penny, Calotte de (T.N.-O.) **46 F1**
nom officiel Penny Ice Cap
Penny Ice Cap
voir Penny, Calotte de
Penny Strait (T.N.-O.) **47 D2**
Pennycutaway River (Man.) **30 D1**
Penrhyn, Cape (T.N.-O.) **46 D1**
Pentecôte, Lac (Qué.) **19 E3**
Pentecôte, Rivière (Qué.) **19 E3**
Penticton Creek (C.-B.) **35 F3**
Penylan Lake (T.N.-O.) **44 E1**
Penzance Lake (T.N.-O.) **44 E2**
Peonan Creek (Sask.) **32 E4**
Peonan Point (Man.) **29 G2**
Pepaw River (Sask.) **32 H4**
Percé, Rocher (Qué.) **13 H2**
Perch Bay (Man.) **44 G3**
Perch Lake (Ont.) **25 C2**
Perch Lake (Ont.) **28 F1**
Perch River (Sask.) **44 F3**
Perches, Lac des (Qué.) **14 E2**
Percival Bay (I.-P.-E.) **7 A3**
Percy Lake (Ont.) **24 D2**
Percy Reach (Ont.) **21 E1**
Perdrix, Rivière des (Qué.) **15 C3**
Perdrix, Rivière de la (Qué.) **26 G1**
Perdu, Lac (Qué.) **19 B2**
Péré, Lac (Qué.) **6 B3**
Péré, Lac (Qué.) **20 H2**
Péribonca, Lac (Qué.) **19 A3**
Péribonca, Rivière (Qué.) **14 B1**
Péribonca, Rivière (Qué.) **19 A1**
Péribonca, Rivière (Qué.) **20 H3**
Perrault Lake (Ont.) **27 A1**
Perrot, Ile (Qué.) **17 F4**
Perry River (C.-B.) **34 A2**
Perry River (T.N.-O.) **45 G1**
Person Lake (T.N.-O.) **44 D1**
Pesika Creek (C.-B.) **43 B2**
Peskawa Lake (N.-E.) **10 C2**
Peskowesk Lake (N.-E.) **10 C2**
Petawaga, Lac (Qué.) **18 D3**
Petawanga Lake (Ont.) **30 G4**
Petawawa River (Ont.) **18 B4**
Peter Hope Lake (C.-B.) **35 D1**
Peter Lake (Sask.) **44 F4**
Peter Lake (T.N.-O.) **46 B1**
Peter Pond Lake (Sask.) **44 D4**
Peter Richards, Cape (T.N.-O.) **47 A3**
Peter Strides Pond (T.-N.) **4 D3**
Peterlong Lake (Ont.) **26 E2**
Peters, Lac (Qué.) **46 F3**
Peters Lake (C.-B.) **35 H1**
Peters Point (T.N.-O.) **46 G3**
Peters Pond (T.-N.) **3 C3**
Peter's River (T.-N.) **2 F4**
Peters River (T.-N.) **3 B3**
Peterson Creek (C.-B.) **36 F3**
Pethei Peninsula (T.N.-O.) **44 C1**
Petit-de-Grat Harbour (N.-E.) **9 H2**
Petit-de-Grat Island (N.-E.) **9 H2**
Petit Mécatina, Ile du (Qué.) **5 E3**
Petit Mécatina, Rivière du (Qué.) **5 D2**
voir aussi Little Mecatina River (T.-N.)
Petit Pabos, Rivière du (Qué.) **13 G3**
Petit Passage (N.-E.) **10 A2**
Petit-Pré, Rivière du (Qué.) **15 G3**
Petit Saguenay, Rivière (Qué.) **14 D4**
Peticodiac River (N.-B.) **11 G1**
Petite Nation, Rivière de la (Qué.) **17 D1**
Petitot River (C.-B.) **45 D4**
Petitsikapau Lake (T.-N.) **6 C3**
Petownikip Lake (Ont.) **30 E3**
Petre, Point (Ont.) **21 G2**
Petrel Channel (C.-B.) **41 D1**
Peuplier, Rivière du (Qué.) **20 E2**
Peyton, Mount (T.-N.) **3 C3**
Phantom Lake (Ont.) **25 H2**
Phantom Lake (C.-B.) **38 E1**
Pheasant Hills (Sask.) **29 B3**
Phelan Lake (Sask.) **32 H1**
Phelps Lake (Sask.) **44 F2**
Phililloo Lake (C.-B.) **36 C2**
Philion Lake (Sask.) **32 D2**
Philip, River (N.-E.) **9 B1**
Philip Creek (C.-B.) **43 C4**
Philip Edward Island (Ont.) **25 D2**
Philipot, Lac (Qué.) **5 C2**
Philippe, Lac (Qué.) **17 C1**
Phillips, Cape (T.N.-O.) **47 D3**
Phillips Arm (C.-B.) **37 B3**
Phillips Bay (Yukon) **45 B1**
Phillips Brook (T.-N.) **4 C4**
Phillips Inlet (T.N.-O.) **47 E1**
Phillips Lake (C.-B.) **37 B3**
Phillips Point (T.N.-O.) **47 F3**
Phillips River (C.-B.) **37 B2**
Philomène, Baie (Qué.) **18 D3**
Philpots Island (T.N.-O.) **47 F3**
Phoenix Island (N.-E.) **9 D3**
Phoque, Rivière au (Qué.) **20 E1**
Piacouadie, Lac (Qué.) **19 A2**
Piacouadie, Lac (Qué.) **20 H3**
Piagochioui, Rivière (Qué.) **20 E2**
Piashti, Lac (Qué.) **5 A3**
Pic Island (Ont.) **27 G3**
Pic River (Ont.) **27 G2**
Picanoc, Rivière (Qué.) **18 D4**
Piccadilly Bay (T.-N.) **4 B2**
Piché Lake (Alb.) **33 F1**
Pichogen River (Ont.) **26 B1**
Pickerel Lake (Ont.) **24 B1**
Pickerel Lake (Ont.) **27 C3**
Pickerel Lake (Ont.) **28 E2**
Pickerel River (Ont.) **25 F2**
Pickle Lake (Ont.) **30 F4**
Pictou Harbour (N.-E.) **9 D1**
Pictou Island (N.-E.) **9 D1**
Pie Island (Ont.) **27 E3**
Pierce Lake (Man./Ont.) **30 E2**
Pierce Lake (Sask.) **32 A2**
Pierre, Rivière à (Qué.) **18 H3**
Pierre Lake (Ont.) **20 D4**
Pierres, Lac (Qué.) **19 G1**
Pierres Brook (T.-N.) **2 H3**
Pierron, Lac (Qué.) **18 F3**
Piers Island (C.-B.) **38 F3**
Pigeon Bay (Ont.) **22 B4**
Pigeon Bay (Man.) **29 H1**
Pigeon Head (T.-N.) **4 B2**
Pigeon Island (T.-N.) **3 E1**
Pigeon Lake (Ont.) **24 D4**
Pigeon Lake (Ont.) **26 E2**
Pigeon Lake (Alb.) **33 D4**
Pigeon Point (Man.) **29 H1**
Pigeon River (Ont.) **21 C1**
Pigeon River (Man.) **30 C3**
Pikangikum Lake (Ont.) **30 D4**
Pikauba, Lac (Qué.) **14 B4**
Pikauba, Rivière (Qué.) **14 A4**
Pike, Mount (C.-B.) **35 C3**
Pike Bay (Ont.) **23 B1**
Pike Lake (Ont.) **17 B3**
Pike Lake Provincial Park (Sask.) **31 E1**
Pikitigushi River (Ont.) **27 E1**
Pikwitonei Lake (Man.) **30 C1**
Piles, Lac des (Qué.) **16 B1**
Piling Bay (T.N.-O.) **46 E1**
Pillet, Lac (Qué.) **5 D3**
Pilley's Island (T.-N.) **3 B2**
Pilley's Tickle (T.-N.) **3 B2**
Pilot Lake (T.N.-O.) **44 C2**
Pim Island (T.N.-O.) **47 F2**
Pimainus Creek (C.-B.) **35 B1**
Pin, Rivière du (Qué.) **16 G1**
Pinacle, Le (*mont*) (Qué.) **16 B4**
Pinaus Lake (C.-B.) **35 E1**
Pinawa Channel (Man.) **28 C1**
Pinchard's Bight (T.-N.) **3 F2**
Pinchards Island (T.-N.) **3 F2**
Pinchgut Lake (T.-N.) **4 D1**
Pinchgut Point (T.-N.) **2 F2**
Pinchi Lake (C.-B.) **40 B1**
Pinder Peak (C.-B.) **39 E2**
Pine, Cape (T.-N.) **2 G4**
Pine Creek (Man.) **28 C3**
Pine Creek (Man.) **30 C2**
Pine Creek (Alb.) **33 E2**
Pine Lake (Ont.) **24 G3**
Pine Lake (Alb.) **34 F1**
Pine Point (Ont.) **27 D4**
Pine River (Ont.) **23 A3**
Pine River (Ont.) **23 E2**
Pine River (C.-B.) **43 D4**
Pine River (Sask.) **44 E3**
Pine Tree Harbour (Ont.) **25 D4**
Pinehouse Lake (Sask.) **32 D1**
Pinehurst Lake (Alb.) **33 F2**
Pineimuta River (Ont.) **30 F3**
Pinery Provincial Park (Ont.) **22 C1**
Pinette Point (I.-P.-E.) **7 D4**
Pinewood River (Ont.) **28 G4**
Pinger Point (T.N.-O.) **46 D1**
Pingston Creek (C.-B.) **35 H1**
Pink River (Sask.) **44 F4**
Pinnacles, The (*pics*) (C.-B.) **35 H2**
Pins, Pointe aux (Ont.) **22 C3**
Pins, Rivière aux (Qué.) **15 E3**
Pins, Rivière des (Qué.) **16 D2**
Pinto Creek (Sask.) **31 E4**
Pinto Creek (Alb.) **40 F1**
Pinto Creek (Alb.) **40 H2**
Pinus Lake (Ont.) **28 G3**
Pinware Bay (T.-N.) **5 G2**
Pinware River (T.-N.) **5 G1**
Pipers Cove (N.-E.) **8 D3**
Pipers Hole River (T.-N.) **2 D1**
Pipestem Inlet (C.-B.) **38 B3**
Pipestone Bay (Ont.) **30 D4**
Pipestone Creek (Man./Sask.) **29 D3**
Pipestone Creek (Alb.) **33 D4**
Pipestone Lake (Ont.) **28 H3**
Pipestone Lake (Man.) **30 C2**
Pipestone Lake (Sask.) **44 E3**
Pipestone River (Ont.) **27 A3**
Pipestone River (Ont.) **30 E3**
Pipestone River (Sask.) **44 E3**
Pipichicau, Rivière (Qué.) **19 C1**
Pipmuacan, Réservoir (Qué.) **14 B1**
Pipmuacan, Réservoir (Qué.) **19 B3**
Pipowitan River (Ont.) **30 G1**
Piraube, Lac (Qué.) **19 A2**
Pisew Lake (Sask.) **32 D1**
Piskahegan Stream (N.-B.) **11 C2**
Pistol Bay (T.N.-O.) **46 B3**
Pistolet Bay (T.-N.) **5 H2**
Pitchimi Lake (Alb.) **44 B2**
Pitmans Pond (T.-N.) **2 G1**
Pitt, Mount (C.-B.) **37 G4**
Pitt Island (C.-B.) **41 D2**
Pitt Lake (C.-B.) **38 G2**
Pitt River (C.-B.) **38 G1**
Pitt Sound Island (T.-N.) **3 F3**
Pitt Sound Reach (T.-N.) **3 F3**
Pitts Pond (T.-N.) **3 E4**
Pitz Lake (T.N.-O.) **46 B2**
Pivabiska River (Ont.) **20 B4**
Piwei River (Sask.) **32 G4**
Placentia Bay
voir Plaisance, Baie de
Placentia Sound (T.-N.) **2 F3**
Placer Mountain (C.-B.) **35 D4**
Plain Lake (Alb.) **33 F3**
Plaisance, Baie de (Qué.) **7 F1**
Plaisance, Baie de (T.-N.) **2 D3**
nom officiel Placentia Bay
Planinshek Lake (Sask.) **32 F1**
Plantes, Rivière des (Qué.) **16 F2**
Plat, Lac (Qué.) **14 D2**
Playgreen Lake (Man.) **30 B2**
Pleasant Bay (N.-E.) **8 D1**
Pledger Lake (Ont.) **20 B3**
Plétipi, Lac (Qué.) **19 B1**
Pleureuse, Pointe (Qué.) **13 E1**
Plonge, Lac la (Sask.) **32 C1**
Plongeon, Lac au (Qué.) **14 D4**
Plover Lake (Alb.) **34 H2**

Pluie, Lac à la (Ont.) **27 A3**
nom officiel Rainy Lake
Pluie, Rivière à la (Ont.) **28 G4**
nom officiel Rainy River
Plum Creek (Man.) **29 E4**
Plum Lakes (Man.) **29 E4**
Plum Point (Ont.) **22 D2**
Plume, Lacs à la (Sask.) **29 A1**
nom officiel Big and Little Quill Lakes
Plumper Islands (C.-B.) **39 E1**
Plumper Sound (C.-B.) **38 F3**
Pocket Knife Lake (T.-N.) **6 F3**
Pockwock Lake (N.-E.) **10 F1**
Pocologan River (N.-B.) **11 C3**
Pogamasing Lake (Ont.) **26 D3**
Pohénégamook, Lac (Qué.) **15 F1**
Poilu Lake (Ont.) **27 G1**
Poincaré, Lac (Qué.) **5 F1**
Point Atkinson (C.-B.) **38 F2**
Point Grey (C.-B.) **38 F2**
Point Lake (T.N.-O.) **45 E2**
Point Pelee National Park (Ont.) **22 B4**
voir aussi Pointe-Pelée, Parc national de la
Point Wolfe River (N.-B.) **11 F2**
Pointe, Lac de la (Qué.) **6 A4**
Pointe-Pelée, Parc national de la (Ont.) **22 B4**
voir aussi Point Pelee National Park
Pointer Lake (Sask.) **32 F1**
Poisson Blanc, Réservoir du (Qué.) **18 D4**
Poissons, Rivière aux (T.-N.) **6 D4**
Poivre, Lac au (Qué.) **14 B1**
Pokei Lake (Ont.) **26 A1**
Pokemouche Gully (N.-B.) **12 G1**
Pokemouche River (N.-B.) **12 F1**
Pokesudie Island (N.-B.) **13 G4**
Polar Bear Provincial Park (Ont.) **20 B1**
Polette, Lac (Qué.) **14 E3**
Pollett River (N.-B.) **11 F1**
Pollock Point (N.-E.) **10 E3**
Polonais, Lac des (Qué.) **18 E3**
Polynia Islands (T.N.-O.) **47 C2**
Pommerel Lake (T.-N.) **5 A1**
Pommeroy, Lac (Qué.) **26 G3**
Pommes, Rivière aux (Qué.) **15 E3**
Pomquet Island (N.-E.) **9 F1**
Ponask Lake (Ont.) **30 E2**
Ponask River (Ont.) **30 E2**
Ponass Lakes (Sask.) **29 B1**
Poncheville, Lac (Qué.) **20 F4**
Pond Inlet (T.N.-O.) **47 F3**
Pondosy Lake (C.-B.) **41 G2**
Ponds, Island of (T.-N.) **6 H3**
Ponhook Lake (N.-E.) **10 D2**
Pons, Rivière (Qué.) **6 B2**
Pontapique River (N.-E.) **9 B2**
Pontax, Rivière (Qué.) **20 E3**
Pontchartrain, Promontoire (Qué.) **46 E3**
Ponton River (Alb.) **44 A3**
Poohbah Lake (Ont.) **27 B3**
Poole Point (T.N.-O.) **46 E1**
Pooley Island (C.-B.) **41 E3**
Pool's Harbour (T.-N.) **3 F3**
Poorfish Lake (T.N.-O.) **44 G2**
Popes Harbour Pond (T.-N.) **2 F1**
Popham Bay (Ont.) **21 E2**
Popham Bay (T.N.-O.) **46 G2**
Popham Point (Ont.) **25 E2**
Poplar Island (Ont.) **28 F3**
Poplar Point (Man.) **30 C3**
Poplar Rapids (Ont.) **26 D1**
Poplar River (Ont.) **20 B3**
Poplar River (Man.) **30 C3**
Poplar River (T.N.-O.) **45 D3**
Porcher Island (C.-B.) **41 C1**
Porcupine, Cape (T.-N.) **6 G3**
Porcupine Bay (T.-N.) **6 H3**
Porcupine Hills (Man./Sask.) **32 H4**
Porcupine River (Sask.) **44 F2**
Porcupine River (Yukon) **45 A1**
Porcus Lake (Ont.) **28 G2**
Porée, Lac (Qué.) **6 B3**
Pork Island (T.-N.) **3 F3**
Port Alberni Harbour (C.-B.) **38 C3**
Port Albert Peninsula (T.-N.) **3 E2**
Port-Daniel, Baie de (Qué.) **13 G3**
Port-Daniel, Petite rivière (Qué.) **13 F3**
Port-Daniel Nord, Rivière (Qué.) **13 G3**
Port Hood Island (N.-E.) **8 C3**
Port Joli Head (N.-E.) **10 D3**
Port Leopold (T.N.-O.) **47 E3**
Port Mouton Head (N.-E.) **10 D3**
Port Mouton Island (N.-E.) **10 D3**
Port-au-Port, Baie de (T.-N.) **4 B1**
nom officiel Port au Port Bay
Port au Port Bay
voir Port-au-Port, Baie de
Port au Port Peninsula (T.-N.) **4 B2**
Portage, Baie du (Qué.) **19 A2**
Portage, Lac du (Qué.) **13 A2**
Portage, Lac du (Qué.) **16 G2**
Portage, Rivière du (Qué.) **14 D3**
Portage Bay (Ont.) **28 H2**
Portage Bay (Man.) **29 G2**
Portage Gully (N.-B.) **12 G2**
Portage Island (N.-B.) **12 F2**
Portage Lake (T.-N.) **4 C2**
Portage Lake (T.-N.) **4 E2**
Porter, Cape (T.N.-O.) **45 H1**
Porter Lake (T.N.-O.) **44 D1**
Porter Lake (Sask.) **44 E4**
Porters Lake (N.-E.) **9 C3**
Porters Lake (N.-E.) **10 B2**
Portland Canal (C.-B.) **42 D3**
Portland Creek Pond (T.-N.) **5 F3**
Portland Inlet (C.-B.) **42 C4**
Portland Island (C.-B.) **38 F3**
Portland Point (C.-B.) **38 A3**
Portneuf, Lac (Qué.) **14 C1**
Portneuf, Rivière (Qué.) **14 E2**
Portneuf Est, Rivière (Qué.) **14 D2**
Portugal Cove Brook (T.-N.) **2 G4**
Poshkokagan Lake (Ont.) **27 E2**
Poste, Baie du (Qué.) **20 G4**
Postill Lake (C.-B.) **35 F2**
Potato Lake (Sask.) **32 H3**
Pothier Lake (Man.) **32 H2**
Pothole Creek (C.-B.) **35 D2**
Potter Island (T.N.-O.) **46 G3**
Pottles Bay (T.-N.) **6 G3**
Potts Lake (Alb.) **44 C2**
Potvin Island (Ont.) **25 E2**
Pouce Coupé River (Alb./C.-B.) **43 F4**
Poulin-de-Courval, Lac (Qué.) **14 C2**
Poulter, Lac (Qué.) **18 C3**
Pourri, Lac (Qué.) **14 C2**
Pouterel, Lac (Qué.) **6 C3**
Poutrincourt, Lac (Qué.) **18 F1**
Poutrincourt, Lac (Qué.) **20 G4**
Povungnituk, Lac de (Qué.) **46 E3**
Povungnituk, Rivière de (Qué.) **46 E3**
Povungnituk Bay (T.N.-O.) **46 E3**
Powder Lake (T.N.-O.) **44 D1**
Powderhorn Lake (T.-N.) **3 A2**
Powell Inlet (T.N.-O.) **47 E3**
Powell Lake (C.-B.) **37 C4**
Powell River (C.-B.) **37 D3**
Power Hill Pond (T.-N.) **3 F2**
Powers Creek (C.-B.) **35 E2**
Powles Head (T.-N.) **2 G4**
Pownal Bay (I.-P.-E.) **7 D4**
Prairie River (Alb.) **34 D1**
Prairies, Lac des (Qué.) **19 B2**
Prairies, Lake of the (Man./Sask.) **29 D2**
Prairies, Rivière des (Qué.) **17 G3**
Praslin, Lac (Qué.) **19 B3**
Pratt, Mount (C.-B.) **37 B3**
Preissac, Lac (Qué.) **26 H2**
Prelude Lake (T.N.-O.) **44 B1**
Premier Lake (Sask.) **44 E2**
Prescott Island (C.-B.) **41 C1**
Prescott Island (T.N.-O.) **47 D3**
Presqu'ile Bay (Ont.) **21 E2**
Press Lake (Ont.) **27 B1**
Pressure Point (T.N.-O.) **47 D3**
Preston Lake (Sask.) **44 D3**
Pretty Girl Lake (C.-B.) **39 F4**
Pretty River (Ont.) **23 E2**
Prévert, Lac (Que) **19 E4**
Prevost Island (C.-B.) **38 F3**
Priam Lake (Ont.) **28 H3**
Price Island (C.-B.) **41 E3**
Pricket Point (T.N.-O.) **46 E2**
Priestley, Mount (C.-B.) **42 E3**
Prim, Point (I.-P.-E.) **7 D4**
Prim, Point (N.-E.) **10 B1**
Primeau Lake (Sask.) **44 E4**
Primrose Lake (Sask.) **32 A1**
Prince-Albert, Parc national du (Sask.) **32 D3**
voir aussi Prince Albert National Park
Prince Albert National Park (Sask.) **32 D2**
voir aussi Prince-Albert, Parc national du
Prince Albert Peninsula (T.N.-O.) **47 B3**
Prince Albert Sound (T.N.-O.) **47 B4**
Prince Alfred, Cape (T.N.-O.) **47 A2**
Prince Alfred Bay (T.N.-O.) **47 D3**
Prince Charles Island (T.N.-O.) **46 E1**
Prince Edward Bay (Ont.) **21 G2**
Prince Edward Island National Park (I.-P.-E.) **7 C3**
voir aussi Ile-du-Prince-Edouard, Parc national de l'
Prince Edward Point (Ont.) **21 G2**
Prince-de-Galles, Cap du (Qué.) **46 F3**
Prince Gustaf Adolf Sea (T.N.-O.) **47 C2**
Prince Leopold Island (T.N.-O.) **47 E3**
Prince Patrick Island (T.N.-O.) **47 B2**
Prince Regent Inlet (T.N.-O.) **47 E4**
Prince of Wales Island (T.N.-O.) **47 D3**
Prince of Wales Reach (C.-B.) **37 E4**
Prince of Wales Strait (T.N.-O.) **47 B3**
Princess Louisa Inlet (C.-B.) **37 E4**
Princess Margaret Range (T.N.-O.) **47 E2**
Princess Marie Bay (T.N.-O.) **47 F2**
Princess Mary Lake (T.N.-O.) **46 B2**
Princess Royal Island (C.-B.) **41 E2**
Princess Royal Reach (C.-B.) **37 E4**
Principe Channel (C.-B.) **41 D2**
Privert, Lac (Qué.) **6 C2**
Profitts Point (I.-P.-E.) **7 B3**
Prophet River (C.-B.) **43 C1**
Prospect Bay (N.-E.) **9 B4**
Prospect Creek (C.-B.) **35 B2**
Prosperous Lake (T.N.-O.) **44 B1**
Proulx Lake (Ont.) **24 D1**
Proulx Lake (Man.) **29 F1**
Providence, Cape (T.N.-O.) **47 C3**
Providence Point (Ont.) **25 B3**
Pryce Channel (C.-B.) **37 C3**
Ptarmigan Fiord (T.N.-O.) **46 G2**
Ptolemy, Mount (Alb./C.-B.) **34 E4**
Pubnico Harbour (N.-E.) **10 B4**
Pubnico Point (N.-E.) **10 B4**
Puddle Pond (T.-N.) **4 D2**
Pugwash River (N.-E.) **9 B1**
Pukaist Creek (C.-B.) **35 B1**
Pukaskwa, Parc national du (Ont.) **27 H3**
voir aussi Pukaskwa National Park
Pukaskwa National Park (Ont.) **27 H3**
voir aussi Pukaskwa, Parc national du
Pukaskwa River (Ont.) **27 H3**
Pukatawagan Lake (Man.) **30 A1**
Pukeashun Mountain (C.-B.) **36 H3**
Pullen Island (T.N.-O.) **45 C1**
Puntledge River (C.-B.) **38 B1**
Puntzi Lake (C.-B.) **40 B4**
Purcell Lake (Ont.) **20 B3**
Purcell Mountains (C.-B.) **34 C2**
Purcell Point (C.-B.) **37 C2**
Purchase Bay (T.N.-O.) **47 B2**
Purden Lake (C.-B.) **40 D2**
Puskuta Lake (Ont.) **26 B1**
Puskwakau River (Sask.) **32 F2**
Puskwaskau Lake (Alb.) **33 A1**
Puskwaskau River (Alb.) **33 A1**
Puslinch Lake (Ont.) **23 E4**
Pusticamica, Lac (Qué.) **20 F4**
Putahow Lake (Man.) **44 G2**
Putahow River (Man./T.N.-O.) **44 G2**
Putnam Island (T.N.-O.) **46 E2**
Puyjalon, Lac (Qué.) **5 A3**
Pye Lake (C.-B.) **39 G2**
Pythonga, Lac (Qué.) **18 D4**

Q

Qilalugalik, Lac (Qué.) **46 E4**
Quaco Bay (N.-B.) **11 E3**
Quaco Head (N.-B.) **11 E3**
Quadra Island (C.-B.) **37 B4**
Quaker Hat *(île)* (T.-N.) **6 G3**
Qualcho Lake (C.-B.) **41 G2**
Qualicum River (C.-B.) **38 C2**
Qualluviartuuq, Lac (Qué.) **46 E3**
Quamichan Lake (C.-B.) **38 E3**
Quantz Lake (Ont.) **20 B3**
Qu'Appelle Dam/Barrage (Sask.) **31 F2**
Qu'Appelle River (Man./Sask.) **29 C3**
Quartz Lake (T.N.-O.) **47 F4**
Quatam River (C.-B.) **37 C3**
Quatse Lake (C.-B.) **39 C1**
Quatsino Sound (C.-B.) **39 C1**
Queen, Cape (T.N.-O.) **46 E2**
Queen Charlotte Channel (C.-B.) **38 F2**
Queen Charlotte Islands
voir Reine-Charlotte, Archipel de la
Queen Charlotte Mountains (C.-B.) **41 A1**
Queen Charlotte Sound
voir Reine-Charlotte, Bassin de la
Queen Charlotte Strait
voir Reine-Charlotte, Détroit de la
Queen Elizabeth Foreland (T.N.-O.) **46 G3**
Queen Elizabeth Islands
voir Reine-Elisabeth, Archipel de la
Queen Maud Gulf
voir Reine-Maud, Golfe de la
Queens Channel (T.N.-O.) **47 D3**
Queens Lake (N.-B.) **11 D2**
Queens Reach (C.-B.) **37 E4**
Queens Sound (C.-B.) **41 E3**
Queest Mountain (C.-B.) **36 H4**
Quennell Lake (C.-B.) **38 E3**
Quénonisca, Lac (Qué.) **20 F4**
Quentin Lake (C.-B.) **43 B1**
Quesnel Lake (C.-B.) **40 E3**
Quesnel River (C.-B.) **40 D3**
Quetico Lake (Ont.) **27 B3**
Quetico Provincial Park (Ont.) **27 B3**
Quévillon, Lac (Qué.) **18 C1**
Quiddy River (N.-B.) **11 F2**
Quiet Lake (Yukon) **45 B3**
Quilchena Creek (C.-B.) **35 D2**
Quinan Lake (N.-E.) **10 B3**
Quinn, Lac (Qué.) **18 D4**
Quinn Lake (Man.) **44 H3**
Quinn Pond (T.-N.) **4 F2**
Quinsam Lake (C.-B.) **39 H3**
Quinsam River (C.-B.) **39 H3**
Quinte, Bay of (Ont.) **21 F1**
Quintette Mountain (C.-B.) **40 E1**
Quinze, Lac des (Qué.) **26 G3**
Quirke Lake (Ont.) **25 B1**
Quirpon Island (T.-N.) **5 H1**
Quisibis, Rivière (N.-B.) **15 H2**
Quisibis Mountain (N.-B.) **12 A1**
Quisitis Point (C.-B.) **38 A3**
Quitting Lake (Alb.) **44 B4**
Quoddy Narrows (N.-B.) **11 C4**
Quoddy River (N.-E.) **9 E3**
Quoich River (T.N.-O.) **46 B2**
Quunnguq Lake (T.N.-O.) **47 B4**
Quyon, Rivière (Qué.) **17 B1**

R

Raanes Peninsula (T.N.-O.) **47 E2**
Rabast, Cap de (Qué.) **19 H3**
Rabbabou Bay (Sask.) **44 F3**
Rabbit, Lac (Qué.) **18 B2**
Rabbit Creek (Sask.) **32 D3**
Rabbit Island (Ont.) **25 D3**
Rabbit Lake (Ont.) **26 F3**
Rabbit Lake (Sask.) **32 C4**
Rabbitskin River (T.N.-O.) **45 D3**
Raby Head (Ont.) **21 C2**
Raccourci, Lac du (Qué.) **14 F1**
Racine de Bouleau, Rivière de la (Qué.) **6 B4**
Racine Lake (Ont.) **26 C2**
Radisson, Pointe (Qué.) **46 F3**
Radisson Lake (Ont.) **26 E2**
Radisson Lake (Sask.) **32 C4**
Radstock Bay (T.N.-O.) **47 E3**
Rae Creek (Yukon) **45 B2**
Rae Isthmus (T.N.-O.) **46 C1**
Rae Lake (T.N.-O.) **45 E3**
Rae River (T.N.-O.) **45 E1**
Rae Strait (T.N.-O.) **45 H1**
Rafael Point (C.-B.) **39 F4**
Raft Cove (C.-B.) **39 B1**
Raft River (C.-B.) **36 G2**
Rafuse Island (N.-E.) **10 E2**
Ragged Harbour (T.-N.) **3 E2**
Ragged Harbour River (T.-N.) **3 E2**
Ragged Head (T.-N.) **2 B4**
Ragged Head (N.-E.) **9 G2**
Ragged Islands (T.-N.) **6 G2**
Ragged Lake (N.-E.) **10 G2**
Ragged Point (T.-N.) **3 E2**
Ragged Point (N.-E.) **11 H2**
Ragged Wood Lake (Ont.) **27 C1**
Rail Creek (C.-B.) **36 C2**
Rail Lake (C.-B.) **36 C2**
Raimbault, Lac (Qué.) **6 B4**
Rainbow Creek (C.-B.) **35 H1**
Rainbow Mountain (C.-B.) **37 F4**
Rainy Lake (T.-N.) **2 C1**
Rainy Lake (T.-N.) **4 E1**
Rainy Lake (Ont.) **24 B1**
voir aussi Pluie, Lac à la
Rainy River
voir Pluie, Rivière à la
Raisin River (Ont.) **17 E2**
Raleigh, Mount (C.-B.) **37 D2**
Raleigh Lake (Ont.) **27 B2**
Ralleau, Lac (Qué.) **6 C1**
Ram Island (N.-E.) **10 D4**
Ram River (Alb.) **34 D1**
Ram River (T.N.-O.) **45 D3**
Ramah Bay (T.-N.) **46 H3**
Rambau, Lac (Qué.) **6 B3**
Ramea Islands (T.-N.) **4 E4**
Ramea Southeast Rocks (T.-N.) **4 E4**
Ramparts River (T.N.-O.) **45 C2**
Ramsay Arm (C.-B.) **37 C3**
Ramsay Island (T.N.-O.) **47 A3**
Ramsey Lake (Ont.) **25 E1**
Ramsey Lake (Ont.) **26 D3**
Ramusio, Lac (Qué.) **6 D3**
Ranch Lake (Sask.) **32 E4**
Rancheria River (Yukon) **45 B4**
Randall River (Sask.) **32 D2**
Random Head Harbour (T.-N.) **2 F1**
Random Island (T.-N.) **2 F1**
Random Sound (T.-N.) **2 F1**
Range Creek (C.-B.) **35 D1**
Ranger Lake (Ont.) **26 B3**
Rankin Inlet (T.N.-O.) **46 B2**
Raper, Cape (T.N.-O.) **47 H4**
Rapides, Grand lac des (Qué.) **19 F3**
Rapides, Lac des (Qué.) **19 F3**
Rapson Bay (Ont.) **30 E2**
Rasmussen Basin (T.N.-O.) **45 H1**
Rat Creek (Alb.) **33 C3**
Rat Lake (Man.) **30 B1**
Rat Lake (Man.) **30 D2**
Rat Portage Bay (Ont.) **28 F2**
Rat River (Man.) **28 A3**
Rat River (Man.) **30 B1**
Ratchford Creek (C.-B.) **36 H3**
Rathouse Bay (Ont.) **30 D3**
Rats, Rivière aux (Qué.) **18 G3**
Rats, Rivière aux (Qué.) **20 H4**
Rattling Brook (T.-N.) **3 C3**
Rattling Lake (T.-N.) **3 C3**
Ratz, Mount (C.-B.) **42 B1**
Raude, Lac (Qué.) **6 D2**
Raush River (C.-B.) **40 F3**
Raven River (Alb.) **34 D1**
Rawalpindi Lake (T.N.-O.) **45 E2**
Rawhide Lake (Ont.) **26 C4**
Ray, Cape (T.-N.) **4 A4**
Ray Lake (T.N.-O.) **46 A3**
Rayfield River (C.-B.) **36 D3**
Raynards Lake (N.-E.) **10 B3**
Raynor Group (C.-B.) **39 D1**
Raza Island (C.-B.) **37 B3**
Raza Passage (C.-B.) **37 B3**
Reach, The *(chenal)* (T.-N.) **3 D2**
Read Head (N.-E.) **9 G2**
Read Island (C.-B.) **37 B4**
Reader Lake (Man.) **32 H2**
Rebecca Spit (C.-B.) **37 B4**
Rebesca Lake (T.N.-O.) **45 E2**
Reboul, Rivière (Qué.) **13 F3**
Recluse, Lac (Qué.) **19 F2**
Red Bluff Lake (C.-B.) **41 D2**
Red Cedar Lake (Ont.) **26 F3**
Red Cliff Pond (T.-N.) **2 C1**
Red Cliff Pond (T.-N.) **3 B1**
Red Cove (T.-N.) **2 F4**
Red Creek (C.-B.) **35 D3**
Red Cross Lake (Man.) **30 E2**
Red Deer Creek (C.-B.) **40 E1**
Red Deer Lake (Ont.) **25 F1**
Red Deer Lake (Ont.) **28 G1**
Red Deer Lake (Alb.) **31 B3**
Red Deer Lake (Man.) **32 H4**
Red Deer Lake (Alb.) **33 E4**
Red Deer Point *(péninsule)* (Man.) **29 F1**
Red Deer River (Alb.) **31 B2**
Red Deer River (Man./Sask.) **32 G4**
Red Earth Creek (Sask.) **32 G3**
Red Harbour Head (T.-N.) **2 C3**
Red Head (T.-N.) **2 F4**
Red Head (N.-E.) **8 E4**
Red Head (N.-E.) **9 A2**
Red Head (N.-E.) **9 G2**
Red Head River (T.-N.) **2 F4**
Red Indian Brook (T.-N.) **4 D1**
Red Indian Lake (T.-N.) **4 F1**
Red Island (T.-N.) **2 E3**
Red Island (T.-N.) **4 A2**
Red Islands (N.-E.) **8 D4**
Red Lake (Ont.) **30 D4**
Red Lake (C.-B.) **36 E4**
Red Landing Head (T.-N.) **2 C3**
Red Mountain (C.-B.) **37 G1**
Red Pillar, The *(mont)* (C.-B.) **38 B2**
Red Point (N.-E.) **9 H2**
Red River (N.-E.) **8 D1**
Red River (T.N.-O.) **44 G2**
voir aussi Rouge, Rivière (Man.)
Red River Floodway (Man.) **28 A2**
Red Rock Lake (N.-B.) **11 C3**
Red Rock Point (T.-N.) **6 G3**
Red Sucker Lake (Man.) **30 D2**
Red Sucker River (Man./Ont.) **30 D2**
Red Wine River (T.-N.) **6 E3**
Redberry Lake (Sask.) **32 C4**
Redcliff Island (T.N.-O.) **44 C1**
Redding Creek (C.-B.) **34 C4**
Redfern Lake (C.-B.) **43 C2**
Redgut Bay (Ont.) **27 A3**
Redhorse Lake (Ont.) **24 H2**
Redman Head (N.-E.) **9 F3**
Redrock Lake (T.N.-O.) **45 E2**
Redstone Lake (Ont.) **24 D2**
Redstone River (Ont.) **26 E2**
Redstone River (T.N.-O.) **45 C3**
Redwater River (Alb.) **33 E2**
Redwillow Creek (Sask.) **32 G3**
Redwillow River (Alb./C.-B.) **43 F4**
Reed Lake (Man.) **30 A2**
Reed Lake (Sask.) **31 E3**
Reed River (Man.) **28 D3**
Reeds Bay (Ont.) **21 H1**
Reedy Lake (Man.) **29 G1**
Reflex Lakes (Alb./Sask.) **33 H4**
Refuge Lagoon (C.-B.) **37 C4**
Reg Christie Creek (C.-B.) **36 G2**
Regina Bay (Ont.) **28 G2**
Reid Island (C.-B.) **38 E3**
Reid Lake (Sask.) **31 D3**
Reindeer Island (Man.) **30 B3**
Reindeer Lake
voir Caribou, Lac du
Reindeer River (Sask.) **44 F4**
Reine-Charlotte, Archipel de la (C.-B.) **41 B2**
nom officiel Queen Charlotte Islands
Reine-Charlotte, Bassin de la (C.-B.) **41 D4**
nom officiel Queen Charlotte Sound
Reine-Charlotte, Détroit de la (C.-B.) **39 D1**
nom officiel Queen Charlotte Strait
Reine-Elisabeth, Archipel de la (T.N.-O.) **47 D1**
nom officiel Queen Elizabeth Islands
Reine-Maud, Golfe de la (T.N.-O.) **45 G1**
nom officiel Queen Maud Gulf
Reita Lake (Alb.) **33 G2**
Relay Creek (C.-B.) **37 G1**
Relay Mountain (C.-B.) **37 F1**
Reliance Mountain (C.-B.) **37 C1**
Remi Lake (Ont.) **20 C4**
Remi Lake Provincial Park (Ont.) **20 C4**
Remi River (Ont.) **20 C4**
Rémigny, Lac (Qué.) **26 G2**
Remote Mountain (C.-B.) **37 B1**
Renard, Lac à (Qué.) **19 G2**
Renard, Lac du (Qué.) **5 B4**
Renard, Pointe au (Qué.) **13 H1**
Renards, Point aux (N.-B.) **12 H4**
Renata Creek (C.-B.) **35 H3**
Rencontre Bay (T.-N.) **4 F4**
Rencontre Brook (T.-N.) **2 C2**
Rencontre Island (T.-N.) **2 C2**
Rencontre Lake (T.-N.) **2 C2**
Rendell Creek (C.-B.) **35 G3**
Renews Harbour (T.-N.) **2 H4**
Renews Head (T.-N.) **2 H4**
Rennell Sound (C.-B.) **41 A2**
Rennie Lake (Ont.) **26 B2**
Rennie Lake (T.N.-O.) **44 E1**
Rennie River (Man.) **28 D1**
Rennison Island (C.-B.) **41 D2**
Renouard, Lac (Qué.) **19 C4**
Renous River (N.-B.) **12 D3**
Repulse Bay (T.N.-O.) **46 D2**
Repulse Island (C.-B.) **37 C4**
Résolution, Lac (Qué.) **6 D2**
Resolution Bay (T.N.-O.) **44 B1**
Resolution Island (T.N.-O.) **46 G3**
Restigouche River (N.-B.) **13 B4**
voir aussi Ristigouche, Rivière (Qué.)
Restless Bay (C.-B.) **39 C2**
Restoule Lake (Ont.) **25 G2**
Retreat Passage (C.-B.) **39 E1**
Revillon Island (T.N.-O.) **20 D1**
Reynolds Creek (Ont.) **22 F2**
Rib Lake (Ont.) **26 F3**
Ribstone Creek (Alb.) **33 G4**
Ribstone Lake (Alb.) **33 G4**
Rice Lake (Ont.) **21 D1**
Rice Lake (Ont.) **26 D2**
Rice Lake (Ont.) **28 E1**
Rice Lake (Sask.) **31 E1**
Rich, Cape (Ont.) **23 D1**
Rich Lake (Alb.) **33 F2**
Richard Collinson, Cape (T.N.-O.) **47 C4**
Richard Collinson Inlet (T.N.-O.) **47 B3**
Richards, Cape (T.N.-O.) **47 E1**
Richards Bay (T.N.-O.) **46 D1**
Richards Island (T.-N.) **3 F4**
Richards Island (T.N.-O.) **45 B1**
Richards Lake (Sask.) **44 E3**
Richardson, Cape (T.N.-O.) **46 D1**
Richardson Island (T.N.-O.) **45 E2**
Richardson Islands (T.N.-O.) **45 F1**
Richardson Lake (Alb.) **44 C3**
Richardson Mountains (Yukon) **45 B1**
Richardson Point (T.N.-O.) **45 H1**
Richardson River (Alb./Sask.) **44 C3**
Richardson River (T.N.-O.) **45 E2**
Richelieu, Rivière (Qué.) **16 A3**
Richibucto Cape (N.-B.) **12 G3**
Richibucto Harbour (N.-B.) **12 G3**
Richibucto River (N.-B.) **12 F3**
Ricketts, Cape (T.N.-O.) **47 E3**
Rideau Canal (Ont.) **17 B3**
Rideau River (Ont.) **17 C2**
Ridge River (Ont.) **20 B4**
Riding Mountain (Man.) **29 E2**
Riding Mountain National Park (Man.) **29 E2**
voir aussi Mont-Riding, Parc national du
Rigaud, Rivière (Qué.) **17 F1**
voir aussi Rigaud River (Ont.)
Rigaud River (Ont.) **17 F1**
voir aussi Rigaud, Rivière (Qué.)
Right Hand Branch Tobique River (N.-B.) **12 B2**
Riley Lake (Ont.) **24 C3**
Rimouski, Petite rivière (Qué.) **14 G3**
Rimouski, Rivière (Qué.) **14 G3**
Riou Lake (Sask.) **44 E3**
Rioulx Creek (C.-B.) **35 H2**
Ripault, Lac (Qué.) **5 A2**
Ripault, Lac (Qué.) **15 C1**
Ripple Mountain (C.-B.) **34 B4**
Riske Creek (C.-B.) **36 A1**
Ristigouche, Rivière (Qué.) **13 B4**
voir aussi Restigouche River (N.-B.)
Rivedoux, Lac (Qué.) **14 D3**
River of Ponds Lake (T.-N.) **5 G3**
Riverhead Brook (T.-N.) **3 D4**
Rivers, Lake of the (Sask.) **31 F3**
Rivers Inlet (C.-B.) **41 F4**
Rivière à Pierre, Baie de la (Qué.) **13 E1**
Road Point (T.-N.) **4 B1**
Roaring Bull Point (N.-E.) **9 D1**
Roaring River (Man.) **29 D1**
Robe Noire, Lac de la (Qué.) **5 A3**
Robert, Lac (Qué.) **20 G4**
Robert Brown, Cape (T.N.-O.) **46 D1**
Robert Peel Inlet (T.N.-O.) **46 F2**
Roberts, Cape (Ont.) **25 A2**
Roberts, Lac (Qué.) **46 F3**
Roberts Bay (Ont.) **25 C3**
Roberts Lake (C.-B.) **39 G2**
Robertson, Lac (Qué.) **5 E2**
Robertson Bay (T.N.-O.) **20 D1**
Robertson Lake (Alb.) **44 B2**
Robertson Point (T.N.-O.) **47 C3**
Robertson River (C.-B.) **38 D3**
Robeson Channel (T.N.-O.) **47 F1**
Robillard Island (T.N.-O.) **47 A3**
Robinhood Bay (T.-N.) **3 G4**
Robinson Sound (T.N.-O.) **46 G2**
Robinsons River (T.-N.) **4 B3**
Roblin Lake (Ont.) **21 F1**
Robson, Mount (C.-B.) **40 F3**
Roche Lake (C.-B.) **35 D1**
Rocher, Lac (Qué.) **20 F4**
Rocher Bay (N.-B.) **11 G2**
Rochers, Baie des (Qué.) **5 E3**
Rochers, Rivière aux (Qué.) **19 E3**
Roches, Lac des (C.-B.) **36 E3**
Rocheuses, Montagnes (Alb./C.-B.) **1**
nom officiel Rocky Mountains
Rochon Lake (Man.) **30 D2**
Rochon Lake (T.N.-O.) **44 F2**
Rock Creek (C.-B.) **35 F4**
Rock Island Lake (Alb.) **33 E1**
Rock Island Lake (Alb.) **33 H3**
Rock Lake (Ont.) **24 D2**
Rock Lake (Ont.) **26 B4**
Rock Lake (Man.) **29 F4**
Rock River (Yukon) **45 B1**
Rock River (Yukon) **45 C4**
Rockinghorse Lake (T.N.-O.) **45 F2**
Rocknest Lake (T.N.-O.) **45 E2**
Rocks, Bay of (N.-E.) **9 H2**
Rocksand River (Ont.) **30 G2**
Rockwell Stream (N.-B.) **11 D2**
Rocky Bay (T.-N.) **3 E2**
Rocky Bay (T.-N.) **6 H3**
Rocky Brook (N.-B.) **12 C3**
Rocky Cove (T.-N.) **6 G3**
Rocky Island Lake (Ont.) **26 C3**
Rocky Lake (Man.) **32 H2**
Rocky Mountains
voir Rocheuses, Montagnes
Rocky Point (T.-N.) **3 E2**
Rocky Pond (T.-N.) **2 F1**
Rocky Pond (T.-N.) **3 A2**
Rocky Pond (T.-N.) **3 B2**
Rocky Pond (T.-N.) **3 D2**
Rocky Ridge (T.-N.) **4 C3**
Rocky Ridge Pond (T.-N.) **3 F2**
Rocky Ridge Pond (T.-N.) **4 D3**
Rocky River (T.-N.) **2 F3**
Rocky River (Alb.) **40 G4**
Rocky Saugeen River (Ont.) **23 D2**
Rodayer, Lac (Qué.) **20 E4**
Roderick Island (C.-B.) **41 E3**
Roderick Lake (Ont.) **30 D4**
Rodeross Lake (T.-N.) **4 F2**
Rodney, Mount (C.-B.) **37 C2**
Rodney Pond (T.-N.) **3 D3**
Roe Lake (Man.) **30 C1**
Roe Lake (Sask.) **44 D4**
Roes Welcome Sound (T.N.-O.) **46 C2**
Roger, Cape (T.-N.) **2 D3**
Roger, Lac (Qué.) **26 G2**
Roger Creek (C.-B.) **37 G4**
Roger Lake (N.-B.) **12 D1**
Roger Lake (C.-B.) **36 D2**
Roger Point (N.-E.) **9 D1**
Rogers Creek (Ont.) **22 H1**
Rogers Head (N.-B.) **11 E3**
Rogers Point (T.-N.) **3 E1**
Rogerson Lake (T.-N.) **4 F2**
Roggan, Lac (Qué.) **20 E2**
Roggan, Rivière (Qué.) **20 E2**
Rognons, Lac aux (Qué.) **15 A1**
Rogue River (Yukon) **45 B3**
Rogues Harbour (T.-N.) **3 B1**
Rohault, Lac (Qué.) **20 G4**
Roi-Guillaume, Ile du (T.N.-O.) **45 G1**
nom officiel King William Island
Rolling Cove (T.-N.) **3 G4**
Rolling Pond (T.-N.) **3 C4**
Rollo Bay (I.-P.-E.) **7 E3**
Rollo Lake (Ont.) **26 C2**
Romaine, Lac (Qué.) **14 E3**
Romaine, Rivière (Qué.) **19 H3**
Romaines Brook (T.-N.) **4 B2**
Romanet, Lac (Qué.) **6 C2**
Romayne, Mount (C.-B.) **37 G3**
Rond, Lac (Qué.) **14 C1**
Rond, Lac (Qué.) **15 G1**
Rond, Lac (Qué.) **18 D3**
Rond, Lac (Qué.) **19 E2**
Ronde, Cap (N.-E.) **9 H1**
Rondeau Harbour (Ont.) **22 C3**
Rondeau Provincial Park (Ont.) **22 D3**
Ronge, Lac la (Sask.) **32 E1**
Root Lake (Man.) **32 H2**
Root River (T.N.-O.) **45 D3**
Roper Bay (Sask.) **44 E4**
Rorey Lake (T.N.-O.) **45 C2**
Rorke Lake (Man./Ont.) **30 E2**
Roscoe Inlet (C.-B.) **41 F3**
Roscoe River (T.N.-O.) **45 D1**
Rose Blanche Brook (T.-N.) **4 B4**
Rose Island (Ont.) **25 G3**
Rose Lake (C.-B.) **36 C1**
Rose Point (N.-E.) **10 E2**
Rose Point (C.-B.) **41 B1**
Roseau River (Man.) **28 B3**
Roseberry River (Ont.) **30 E3**
Roseblade Lake (T.N.-O.) **44 H1**
Rosebud River (Alb.) **34 E2**
Rosée, Lac (Que.) **2**
Roseway, Cape (N.-E.) **10 C4**
Roseway Lake (N.-E.) **10 C3**
Roseway River (N.-E.) **10 C3**
Rosiers, Cap des (Qué.) **13 H2**
Rosiers, Rivière aux (Qué.) **14 G1**
Rosita Lake (C.-B.) **40 C3**
Ross Bay (T.N.-O.) **46 D1**
Ross Creek (Alb.) **31 B3**
Ross Creek (C.-B.) **36 H4**
Ross Island (N.-B.) **11 C4**
Ross Lake (Sask.) **32 C2**
Ross Lake (C.-B.) **36 A1**
Ross Lake (T.N.-O.) **44 C1**
Ross Point (T.N.-O.) **47 C3**
Ross River (Yukon) **45 B3**
Rosse, Cape (T.N.-O.) **47 D3**
Rosseau, Lake (Ont.) **24 B2**
Rossignol, Lac (Qué.) **20 G2**
Rossignol, Lac (N.-E.) **10 C3**
nom officiel Rossignol Lake
Rossignol Lake
voir Rossignol, Lac
Rôti Bay (T.-N.) **4 C4**
Rôti Brook (T.-N.) **4 C4**
Rottenfish River (Ont.) **30 E3**
Rouge, Cap (Qué.) **13 A1**
Rouge, Cape (T.-N.) **6 G3**
Rouge, Rivière (Qué.) **17 E1**
Rouge, Rivière (Qué.) **18 E3**
Rouge, Rivière (Man.) **28 A1**
nom officiel Red River
Rouge River (Ont.) **21 B2**
Rougemont, Lac (Qué.) **6 B1**
Rouget, Lac (Qué.) **20 G2**
Roughrock Lake (Ont.) **28 E1**
Round Head (T.-N.) **3 E1**
Round Head *(mont)* (T.-N.) **4 B2**
Round Hill (T.-N.) **4 C1**
Round Island (N.-E.) **10 B4**
Round Island (N.-E.) **10 E4**
Round Lake (T.-N.) **5 G2**
Round Lake (Ont.) **24 F1**
Round Lake (Ont.) **24 E4**
Round Lake (Ont.) **25 G3**
Round Lake (Ont.) **26 F2**
Round Lake (Sask.) **29 C3**
Round Pond (T.-N.) **2 A1**
Roundeyed, Lac (Qué.) **6 A3**
Route Lake (Ont.) **27 A1**
Rouvray, Lac (Qué.) **14 B1**
Rowan Lake (Ont.) **28 H3**
Rowan's Ravine Provincial Park (Sask.) **31 G2**
Rowdy Lake (Ont.) **30 D4**
Rowley Island (T.N.-O.) **46 E1**
Rowley Lake (T.N.-O.) **44 F2**
Rowley River (T.N.-O.) **47 F4**
Roxton, Etang (Qué.) **16 B3**
Roy, Lac (Qué.) **18 E1**
Roy, Lac (Qué.) **19 B3**
Roy Island (N.-E.) **8 A4**
Royal, Mont (Qué.) **17 G4**
Royal Geographical Society Islands (T.N.-O.) **45 G1**
Royal Oak Creek (Ont.) **23 B3**
Royal Society Fiord (T.N.-O.) **47 G4**
Roz, Lac (Qué.) **20 G1**
Ruaux, Ile aux (Qué.) **15 C2**
Ruby Lake (C.-B.) **38 D1**
Ruffin, Lac (Qué.) **5 B2**
Rufus Lake (Ont.) **26 C1**
Rugby Lake (Ont.) **27 A1**
Ruin Point (T.N.-O.) **46 D2**
Ruis Lake (Alb.) **44 B3**
Rupert, Baie de (T.N.-O.) **20 E3**
nom officiel Rupert Bay
Rupert Bay
voir Rupert, Baie de
Rupert, Rivière de (Qué.) **20 F3**
Rupert Inlet (C.-B.) **39 D1**
Ruscom River (Ont.) **22 B3**
Rush Lake (Ont.) **26 D2**
Rushy Pond (T.-N.) **3 B3**
Russel Island (Ont.) **25 C3**
Russell, Cape (C.-B.) **39 B1**
Russell, Cape (T.N.-O.) **47 B2**
Russell, Lac (Qué.) **18 B3**
Russell Channel (C.-B.) **39 F4**
Russell Creek (Sask.) **31 E3**
Russell Inlet (T.N.-O.) **45 C1**
Russell Island (T.N.-O.) **47 D3**
Russell Lake (Sask.) **32 B3**
Russell Lake (Sask.) **44 E3**
Russell Lake (Man.) **44 G4**
Russell Lake (T.N.-O.) **45 E3**
Russell Point (T.N.-O.) **47 B3**
Russell Pond (T.-N.) **3 E3**
Russells Cove (T.-N.) **2 G1**
Russick Lake (Man.) **32 H1**
Rustico Island (I.-P.-E.) **7 C3**
Rusty Lake (Man.) **44 H4**
Ruth Lake (Ont.) **25 H2**
Ruth Lake (C.-B.) **36 D2**
Rutherford Creek (C.-B.) **37 F3**
Rutledge Lake (T.N.-O.) **44 C1**
Rutledge River (T.N.-O.) **44 C1**
Ruzé, Lac (Qué.) **5 E2**
Ryan Lake (Man.) **44 H3**
Ryan River (C.-B.) **37 F3**
Ryans Bay (T.-N.) **46 H3**
Ryans Brook (T.-N.) **4 A3**
Ryders Brook (T.-N.) **2 F1**

S

Saanich Inlet (C.-B.) **38 E4**
Sabaskong Bay (Ont.) **28 G3**
Sabaskong Peninsula (Ont.) **28 G3**
Sabaskosing Bay (Ont.) **28 F3**
Sabbies River (N.-B.) **12 E3**
Sabine, Cape (T.N.-O.) **47 F2**
Sabine Bay (T.N.-O.) **47 C3**
Sabine Channel (C.-B.) **38 D1**
Sabine Peninsula (T.N.-O.) **47 C2**
Sable, Baie au (Qué.) **18 D3**
Sable, Cape (N.-E.) **10 B4**
Sable, Ile de (N.-E.) **9 H4**
nom officiel Sable Island
Sable, Lac du (Qué.) **6 C3**
Sable, Rivière du (Qué.) **6 C2**
Sable Island
voir Sable, Ile de
Sable Islands (Ont.) **28 F4**
Sable River (N.-E.) **10 C3**
Sables, Baie (Qué.) **5 A4**
Sables, Lac aux (Ont.) **26 D3**
Sables, Lac des (Qué.) **14 E3**
Sables, Réservoir des (Qué.) **18 D4**
Sables, River aux (Ont.) **25 C1**
Sables, Rivière aux (Qué.) **14 C1**
Sabomin Lake (Man.) **30 C2**
Sabourin, Lac (Qué.) **18 B2**
Sabourin Lake (Ont.) **30 D4**
Sacacomie, Lac (Qué.) **16 A1**
Sachigo Lake (Ont.) **30 E2**
Sachigo River (Ont.) **30 E2**
Sacred Bay (T.-N.) **5 H2**
Saddle, Colline (Qué.) **16 F4**
Saddle Back Pond (T.-N.) **3 G4**
Saddle (Burnt) River (Alb.) **43 G4**
Saddle Lake (Man.) **28 D1**
Saddle Lake (Alb.) **33 F2**
Sadler Lake (Sask.) **32 F1**
Saffray, Lac (Qué.) **6 C1**
Saganaga Lake (Ont.) **27 C3**
Saganagons Lake (Ont.) **27 C3**
Saganash Lake (Ont.) **26 C1**
Saganash River (Ont.) **26 C1**
Sagawitchewan River (Man./Ont.) **30 D2**
Sagemace Bay (Man.) **29 F1**
Saglek Bay (T.-N.) **6 E1**
Sagona Island (T.-N.) **2 B3**
Saguenay, Rivière (Qué.) **14 D3**
Sailing Lake (Man.) **28 D1**
Saindon, Lacs (Qué.) **20 G1**
Sainsbury Point (T.N.-O.) **20 D1**
St-Agapit, Ruisseau (Qué.) **15 A3**
St-Amour, Lac (Qué.) **18 D3**
St Andrew, Lake (Man.) **29 H1**
St Andrews Channel (N.-E.) **8 E3**
St Anns Bay (N.-E.) **8 E3**
St Anns Harbour (N.-E.) **8 E3**
St Anthony, Cape (T.-N.) **5 H2**
St Anthony Lake (Ont.) **26 F2**
St Aubyn Bay (Ont.) **25 G3**
St Aubyn Lake (C.-B.) **37 B3**
St-Augustin, Lac (Qué.) **15 F4**
St-Augustin, Rivière (Qué.) **5 E2**
St-Augustin Nord-Ouest, Rivière (Qué.) **5 E2**
St-Barnabé, Ile (Qué.) **14 G3**

South Point (T.-N.) 2 E2
South Point (T.-N.) 2 F4
South Point (T.-N.) 5 H1
South Pond (T.-N.) 3 A2
South Pond (T.-N.) 3 D2
South River (N.-E.) 9 F2
South River (Ont.) 25 H2
South Samson Island (T.-N.) 3 D2
South Saskatchewan River
voir Saskatchewan du Sud, Rivière
South Saugeen River (Ont.) 23 C3
South Scot Lake (Ont.) 28 E1
South Seal River (Man.) 44 H3
South Spicer Island (T.N.-O.) 46 E1
South Stag Island (T.-N.) 6 G3
South Thompson River (C.-B.) 36 G4
South Tweedsmuir Island (T.N.-O.) 46 E1
South Twillingate Island (T.-N.) 3 D1
South Twin Island (T.N.-O.) 20 D2
South Twin Lake (T.-N.) 3 B2
South Wabasca Lake (Alb.) 44 B4
South Wolf Island (T.-N.) 6 H3
Southampton, Cape (T.N.-O.) 46 D3
Southampton Island (T.N.-O.) 46 D2
Southby Lake (T.N.-O.) 44 E2
Southeast Arm (T.-N.) 4 F4
Southeast Arm (Sask.) 32 G2
Southeast River (T.-N.) 2 F3
Southeast Upsalquitch River (N.-B.) 12 C1
Southern Arm (T.-N.) 3 A1
Southern Arm (T.-N.) 3 B1
Southern Bay (T.-N.) 3 F4
Southern Head (T.-N.) 3 B1
Southern Head (T.-N.) 3 C2
Southern Head (T.-N.) 3 G4
Southern Indian Lake
voir Indiens, Lac des
Southern Pond (T.-N.) 3 A1
Southern Pond (T.-N.) 3 E3
Southern Wolf Island (N.-B.) 11 C3
Southgate River (C.-B.) 37 C2
Southwest, Cape (T.N.-O.) 47 E2
Southwest Arm (T.-N.) 2 C3
Southwest Arm (T.-N.) 2 F1
Southwest Arm (T.-N.) 3 A1
Southwest Arm (T.-N.) 3 C2
Southwest Arm (T.-N.) 3 F4
Southwest Brook (T.-N.) 3 C2
Southwest Brook (T.-N.) 4 C2
Southwest Gander River (T.-N.) 3 C4
Southwest Head (N.-B.) 11 B4
Southwest Mabou River (N.-E.) 9 G1
Southwest Margaree River (N.-E.) 8 D3
Southwest Miramichi River (N.-B.) 12 C3
Southwest Point (N.-E.) 8 F1
Southwest Pond (T.-N.) 3 D4
Southwest Pond (T.-N.) 3 E3
Southwest River (T.-N.) 2 E1
Sovereign Lake (Sask.) 44 E2
Sowaqua Creek (C.-B.) 35 B4
Sowden Lake (Ont.) 27 C2
Soyers Lake (Ont.) 24 D3
Spa Lake (C.-B.) 35 F1
Spahats Creek (C.-B.) 36 F2
Spahomin Creek (C.-B.) 35 D2
Spaniard's Bay (T.-N.) 2 G2
Spaniards Cove (T.-N.) 3 G4
Spanish Creek (C.-B.) 36 E2
Spanish River (Ont.) 25 C1
Spar Lake (N.-E.) 9 E3
Sparbo, Cape (T.N.-O.) 47 E3
Spare Point (T.-N.) 2 G2
Sparkling Lake (Ont.) 27 D1
Sparks Lake (T.N.-O.) 44 D1
Sparrow Lake (Ont.) 24 B3
Sparrow Lake (T.N.-O.) 44 B1
Spatsizi River (C.-B.) 42 E1
Spear, Cape (T.-N.) 2 H2
Spear, Cape (N.-B.) 7 B4
Spear Lake (Sask.) 44 D4
Spear Point (T.-N.) 5 H1
Spear Point (T.-N.) 5 G4
Spearfish Lake (T.N.-O.) 44 D2
Spector Lake (Man.) 30 F1
Spednic Lake (N.-B.) 11 A2
Speed River (Ont.) 23 E4
Spence Bay (T.N.-O.) 46 C1
Spence Lake (Man.) 29 F2
Spencer, Cape (N.-B.) 11 E3
Spencer, Cape (N.-E.) 11 G3
Spencer Island (T.N.-O.) 20 D2
Spencer Lake (Alb.) 33 G2
Sphene Lake (Ont.) 28 H3
Spider Bay (Ont.) 25 G4
Spiller Channel (C.-B.) 41 E3
Spillmacheen River (C.-B.) 34 B2
Spinel Lake (C.-B.) 43 A1
Spitfire Lake (T.N.-O.) 44 D2
Spittler Creek (Ont.) 22 F2
Spius Creek (C.-B.) 35 B2
Splatt Bay (Ont.) 21 A4
Split, Cape (N.-E.) 11 H3
Split Island (T.N.-O.) 46 D4
Split Lake (Man.) 30 C1
Split Point (T.-N.) 2 H1
Splitrock Bay (Ont.) 28 G3
Splitrock Island (Ont.) 28 F3
Splitrock River (Ont.) 28 G3
Spokin Lake (C.-B.) 36 C1
Sporting Lake (N.-E.) 10 C2
Spotted Horse Lake (Alb.) 33 D1
Spotted Island (T.-N.) 6 H3
Spout Lake (C.-B.) 36 D1
Sprague Creek (Man.) 28 D3
Spratt Point (Ont.) 23 E1
Spray Lakes Reservoir (Alb.) 34 D2
Spring Lake (C.-B.) 36 D2
Spring Passage (C.-B.) 39 E1
Sproat Lake (C.-B.) 38 B2
Sprott Lake (Man.) 44 H3
Sproule, Pointe (Qué.) 19 E3
Sproule Peninsula (T.N.-O.) 47 C2
Spruce Island (Man.) 30 A3
Spruce Lake (Ont.) 20 B1
Spruce Point (N.-E.) 8 D4
Spruce Pond (T.-N.) 4 D3
Spruce River (Ont.) 27 E2
Spruce River (Ont.) 30 F3
Spruce River (Sask.) 32 D3
Spruce Woods Provincial Park (Man.) 29 G4
Spry, Cape (I.-P.-E.) 7 E4
Spry Bay (N.-E.) 9 D3
Spuzzum Creek (C.-B.) 35 B3
Squally Channel (C.-B.) 41 D2
Squally Point (N.-E.) 11 G2
Squamish Harbour (C.-B.) 38 F1
Squamish River (C.-B.) 38 F1
Square Forks, Rivière (Qué.) 13 D2
Square Island (T.-N.) 6 H4
Square Lake (N.-B.) 7 H4
Square Lake (N.-B.) 12 C2
Square Lake (Alb.) 33 F1
Square Pond (T.-N.) 3 E3
Squatec, Lac (Qué.) 15 G1
Squaw Cap Mountain (N.-B.) 13 C4
Squaw Island (Ont.) 25 D2
Squaw Lake (Ont.) 28 E2
Squaw River (Ont.) 27 G1
Squawk Lake (C.-B.) 36 C1
Squingula River (C.-B.) 42 F2
Squirrel Island (Ont.) 22 B2
Squirrel River (Ont.) 20 B4
Stafford Lake (C.-B.) 37 B2
Stafford River (C.-B.) 37 B2
Stag Island (T.-N.) 3 B1
Stag Island (T.N.-O.) 20 E3
Stag Lake (T.-N.) 4 D1
Stallworthy, Cape (T.N.-O.) 47 D1
Stamp River (C.-B.) 38 B2
Standish Lake (Alb.) 33 G2
Stang, Cape (T.N.-O.) 47 C4
Stanjikoming Bay (Ont.) 28 H4
Stanley Mountain (N.-B.) 12 B3
Stanley Smith Glacier (C.-B.) 37 E2
Stanwell-Fletcher Lake (T.N.-O.) 47 D4
Staples River (Ont.) 24 C4
Stapylton Bay (T.N.-O.) 45 E1
Star Lake (T.-N.) 4 E2
Starnes Fiord (T.N.-O.) 47 E2
States Lake (N.-B.) 13 A4
Statlu Creek (C.-B.) 38 H2
Stave Lake (C.-B.) 38 H2
Stave River (C.-B.) 38 G1
Stawamus River (C.-B.) 38 F1
Steady Brook Lake (T.-N.) 4 D1
Steel Lake (Ont.) 27 G2
Steel River (Ont.) 27 H2
Steele Lake (Alb.) 33 D2
Steen River (Alb.) 44 A2
Steensby Inlet (T.N.-O.) 47 F4
Steepbank River (Alb.) 44 C4
Steephill Lake (Sask.) 44 F4
Steeprock Lake (Man.) 29 F2
Steeprock River (Man.) 30 A3
Stefansson Island (T.N.-O.) 47 C3
Stein Lake (C.-B.) 37 H4
Stein Mountain (C.-B.) 35 A1
Stein River (C.-B.) 35 A2
Stella Lake (C.-B.) 37 A3
Stephen Lake (Ont.) 28 G3
Stephens Island (C.-B.) 41 C1
Stephens Lake (Man.) 30 D1
Stephensons Pond (T.-N.) 4 E3
Stepp Lake (C.-B.) 41 F1
Sterns Lake (T.N.-O.) 44 G1
Stevens Bay (Ont.) 28 G3
Stevens Head (T.N.-O.) 47 B2
Stevens Lake (Man.) 44 G3
Stevens Lakes (C.-B.) 36 G2
Stevens Passage (C.-B.) 38 C1
Stevenson Lake (Man.) 30 C2
Stevenson River (Man.) 30 C2
Stewart Lake (T.N.-O.) 46 C1
Stewart River (Yukon) 45 A2
Stewiake River (N.-E.) 9 C2
Stikelan Creek (C.-B.) 37 D1
Stikine River (C.-B.) 42 B1
Still River (Ont.) 25 F2
Stirling Arm (C.-B.) 38 B2
Stirling Creek (C.-B.) 35 F3
Stobart Creek (C.-B.) 37 G1
Stoco Lake (Ont.) 24 G4
Stoddart Island (N.-E.) 10 B4
Stoke, Rivière (Qué.) 16 D3
Stokes Bay (Ont.) 25 D4
Stokke Creek (C.-B.) 35 A3
Stone Lake (Ont.) 27 F1
Stone Mountain Provincial Park (C.-B.) 45 C4
Stoney Arm (T.-N.) 6 H3
Stoney Brook (N.-E.) 10 C3
Stoney Creek (Ont.) 22 H2
Stoney Point (Ont.) 22 B3
Stony, Pointe (Qué.) 46 G4
Stony Brook (T.-N.) 3 B3
Stony Creek (Man.) 28 E3
Stony Creek (Man./Sask.) 29 D4
Stony Island (T.-N.) 6 H4
Stony Lake (T.-N.) 3 B3
Stony Lake (Ont.) 24 E4
Stony Lake (Sask.) 32 B3
Stony Lake (C.-B.) 40 D2
Stony Lake (Man.) 44 H3
Stony Point (T.-N.) 2 E3
Stony Point (Man.) 29 H1
Stooping River (Ont.) 20 C3
Stor Island (T.N.-O.) 47 E2
Storis Passage (T.N.-O.) 45 G1
Storkerson Bay (T.N.-O.) 47 A3
Storkerson Peninsula (T.N.-O.) 47 C3
Storm, Cape (T.N.-O.) 47 E3
Storm, Lac (Qué.) 20 F4
Stormy Brook (T.-N.) 3 B4
Stormy Lake (Ont.) 27 B2
Stormy Point (T.-N.) 4 A3
Stout Lake (Ont.) 30 D3
Stoyoma Mountain (C.-B.) 35 B2
Straight Lake (Ont.) 28 H2
Strait Lake (C.-B.) 36 G1
Straits Bay (T.N.-O.) 46 E1
Stranby River (C.-B.) 39 B1
Strand Bay (T.N.-O.) 47 D2
Strange Lake (Sask.) 32 D2
Strathcona Fiord (T.N.-O.) 47 E2
Strathcona Islands (T.N.-O.) 46 F2
Strathcona Provincial Park (C.-B.) 39 G3
Strathcona Sound (T.N.-O.) 47 E3
Stratton Inlet (T.N.-O.) 47 E3
Straw Lake (Ont.) 28 H3
Strawberry, Cape (T.-N.) 6 G2
Strawberry Creek (Alb.) 33 D3
Strawberry Island (Ont.) 25 C2
Strawberry Lakes (Sask.) 29 D3
Streatfeild Lake (Ont.) 20 A3
Streatfeild River (Ont.) 20 A2
Strickland Pond (T.-N.) 4 C4
Striding River (T.N.-O./Sask.) 44 F2
Strong Island (T.-N.) 3 C2
Strutton Islands (T.N.-O.) 20 E3
Stuart Channel (C.-B.) 38 E3
Stuart Island (C.-B.) 37 B3
Stuart Lake (C.-B.) 40 B1
Stuart River (C.-B.) 40 B1
Stuarts Lake (N.-E.) 10 D3
Stuarts Point (N.-E.) 10 D3
Stubborn Head (N.-E.) 9 A2
Stukely, Lac (Qué.) 16 C4
Stukemapten Lake (C.-B.) 36 H3
Stull Lake (Man./Ont.) 30 E2
Stull River (Man./Ont.) 30 E2
Stum Lake (C.-B.) 36 A1
Stump Lake (C.-B.) 35 D1
Stupart River (Man.) 30 D1
Stupendous Mountain (C.-B.) 41 G3
Sturge Lake (Ont.) 27 E2
Sturgeon Bay (Man.) 29 H1
Sturgeon Creek (Ont.) 28 G4
Sturgeon Lake (Ont.) 24 D4
Sturgeon Lake (Ont.) 27 C1
Sturgeon Lake (Ont.) 27 B3
Sturgeon Lake (Ont.) 30 E1
Sturgeon Lake (Alb.) 33 A1
Sturgeon River (Ont.) 23 F1
Sturgeon River (Ont.) 25 G1
Sturgeon River (Ont.) 30 D4
Sturgeon River (Sask.) 32 D3
Sturgeon River (Alb.) 33 D3
Sturgeon-weir River (Sask.) 32 G2
Sturges Bourne Islands (T.N.-O.) 46 D2
Styx River (Ont.) 23 C2
Success Point (T.N.-O.) 47 C2
Sucker, Ruisseau (Qué.) 20 E1
Sucker Lake (Ont.) 25 C2
Sucker River (Ont.) 26 E1
Sud, Chenal du (Qué.) 14 E4
Sud, Pointe du (Qué.) 5 B4
Sud, Rivière du (Qué.) 15 C3
Sud-Ouest, Bassin du (Qué.) 13 G2
Sud-Ouest, Cap du (Qué.) 7 F1
Sud-Ouest, Rivière du (Qué.) 14 F3
Sugar Lake (C.-B.) 35 G1
Sugarloaf Head (T.-N.) 2 H2
Sugarloaf Mountain (N.-E.) 8 D2
Suggi Lake (Sask.) 32 G2
Sugluk Inlet (T.N.-O.) 46 E3
Sukunka River (C.-B.) 43 D4
Sullivan Lake (Alb.) 34 G1
Sullivan Lake (C.-B.) 36 F4
Sullivan River (C.-B.) 34 B1
Sulphur Bay (T.N.-O.) 44 B1
Sulphur River (Alb.) 40 G2
Sulphurous Lake (C.-B.) 36 E2
Sumallo River (C.-B.) 35 B4
Sumas River (C.-B.) 38 H2
Summers Creek (C.-B.) 35 D3
Summerside Harbour (I.-P.-E.) 7 B3
Summit Lake (Ont.) 27 G2
Summit Lake (C.-B.) 40 C1
Summit Lake (C.-B.) 42 D2
Sunday Cove Island (T.-N.) 3 B1
Sunday Lake (T.-N.) 3 C3
Sunderland Channel (C.-B.) 39 G1
Sunlight Lake (Ont.) 27 A1
Sunset Creek (C.-B.) 36 H2
Supérieur, Lac (Ont.) 27 F4
nom officiel Superior, Lake
Superior Lake
voir Supérieur, Lac
Sureau, Lac (Qué.) 6 A4
Surf Inlet (C.-B.) 41 E2
Surprise, Lac (Qué.) 20 G4
Surrey Lake (T.N.-O.) 47 C4
Susan Island (C.-B.) 41 E3
Susap Creek (C.-B.) 35 E4
Suskwa River (C.-B.) 42 F3
Sustut Lake (C.-B.) 42 G2
Sustut River (C.-B.) 42 F2
Sutcliffe Lake (T.N.-O.) 44 G1
Sutherland River (C.-B.) 40 A1
Sutil, Cape (C.-B.) 39 C1
Sutil Channel (C.-B.) 37 B4
Sutil Point (C.-B.) 37 B4
Sutlej Channel (C.-B.) 39 E1
Sutton, Monts (Qué.) 16 C4
Sutton Lake (Ont.) 20 B1
Sutton River (Ont.) 20 B1
Sutton River (T.N.-O.) 46 D2
Suwannee Lake (Man.) 44 H4
Svarten, Cape (T.N.-O.) 47 E3
Svendsen Peninsula (T.N.-O.) 47 E2
Sverdrup, Cape (T.N.-O.) 47 C4
Sverdrup Channel (T.N.-O.) 47 D1
Sverdrup Inlet (T.N.-O.) 47 E3
Sverdrup Islands (T.N.-O.) 47 D2
Sverre, Cape (T.N.-O.) 47 D2
Swakum Mountain (C.-B.) 35 C2
Swale Island (T.-N.) 3 F4
Swale Tickle (T.-N.) 3 F4
Swallop Creek (C.-B.) 41 G3
Swalwell Lake (C.-B.) 35 F2
Swampy Bay, Rivière (Qué.) 6 C2
Swan Bay (Sask.) 44 F3
Swan Creek (N.-B.) 11 D2
Swan Hills (Alb.) 33 C2
Swan Island (T.-N.) 3 C2
Swan Lake (Ont.) 28 E1
Swan Lake (Man.) 29 G4
Swan Lake (Man.) 30 A3
Swan Lake (Ont.) 30 E2
Swan Lake (Sask.) 32 G3
Swan Lake (C.-B.) 35 F1
Swan Lake (C.-B.) 42 E3
Swan Lake (Alb.) 44 A4
Swan Lakes (Sask.) 32 D2
Swan River (Ont.) 20 C2
Swan River (Man./Sask.) 29 D1
Swan River (Alb.) 33 C1
Swannell Ranges (C.-B.) 42 G2
Swannell River (C.-B.) 43 A3
Swanson Channel (C.-B.) 38 F3
Swanson Island (C.-B.) 39 E1
Sweet Bay (T.-N.) 3 F4
Swift Current (T.-N.) 2 E2
Swiftcurrent Creek (Sask.) 31 D3
Swinburne, Cape (T.N.-O.) 47 D4
Swindle Island (C.-B.) 41 E3
Sydenham Lake (Ont.) 17 A4
Sydenham River (Ont.) 22 C2
Sydenham River (Ont.) 23 C2
Sydkap Ice Cap (T.N.-O.) 47 E2
Sydney Bay (Ont.) 23 C1
Sydney Harbour (N.-E.) 8 F3
Sydney Inlet (C.-B.) 39 F4
Sydney Lake (Ont.) 30 D4
Sylvan Lake (Alb.) 34 E1
Sylvan Lake (T.N.-O.) 44 E2
Sylvester, Mount (T.-N.) 2 C1
Sylvia, Mount (C.-B.) 43 B1
Sylvia Grinnell Lake (T.N.-O.) 46 F2

T

Tabane Lake (T.N.-O.) 44 G2
Tabasokwia River (Ont.) 30 G2
Table, Cap de la (Qué.) 5 B4
Table Bay (T.-N.) 6 H3
Table Head (T.-N.) 5 H1
Table Head (T.-N.) 5 F3
Table Head (N.-E.) 8 E3
Table Island (T.N.-O.) 47 D2
Table Mountain (T.-N.) 4 B2
Table Mountain (T.-N.) 4 A4
Tabusintac Bay (N.-B.) 12 G1
Tabusintac River (N.-B.) 12 F1
Taché, Lac (Qué.) 14 G3
Taché, Lac (T.N.-O.) 45 D3
Tachick Lake (C.-B.) 40 B2
Tadenet Lake (T.N.-O.) 45 D1
Tadoule Lake (Man.) 44 H3
Tadpole Lake (Ont.) 28 H2
Taffanel, Lac (Qué.) 6 A3
Tagetochlain Lake (C.-B.) 41 F1
Taggart Lake (Sask.) 32 C2
Tagiguak Lake (T.-N.) 6 E2
Tagish Lake (C.-B./Yukon) 45 B4
Tahaetkun Mountain (C.-B.) 35 E2
Tahiryuak Lake (T.N.-O.) 47 B4
Tahoe Lake (T.N.-O.) 47 B4
Tahsis Inlet (C.-B.) 39 E3
Tahsis Mountain (C.-B.) 39 E3
Tahsis River (C.-B.) 39 E3
Tahtsa Lake (C.-B.) 41 F1
Tahtsa Reach (C.-B.) 41 F1
Tahumming River (C.-B.) 37 C3
Taignoagny Lake (T.-N.) 19 G1
Tait Lake (Man.) 32 H1
Taitna Lake (T.N.-O.) 44 F1
Taits Lake (Sask.) 31 C4
Takia River (C.-B.) 41 G3
Takijuq Lake (T.N.-O.) 45 E2
Takla Lake (C.-B.) 42 G3
Taku River (C.-B.) 45 B4
Takwa, Rivière (Qué.) 20 H3
Talbot Creek (Ont.) 22 D2
Talbot Inlet (T.N.-O.) 47 F2
Talbot Lake (Ont.) 24 C3
Talbot Lake (Man.) 30 B2
Talbot River (Ont.) 24 C4
Talchako Mountain (C.-B.) 41 G3
Talchako River (C.-B.) 41 G3
Tally Pond (T.-N.) 4 G2
Talon, Lac (Qué.) 15 D3
Talon, Lake (Ont.) 26 G4
Taltapin Lake (C.-B.) 42 H4
Taltson Lake (T.N.-O.) 44 D1
Taltson River (T.N.-O.) 44 C1
Talunkwan Island (C.-B.) 41 B2
Tamarack Island (Man.) 29 H1
Tamarack Lake (Man.) 29 F2
Tamarack Point (Ont.) 25 D3
Tamihi Creek (C.-B.) 35 A4
Tammarvi River (T.N.-O.) 45 G2
Tangamoug Lake (Ont.) 24 E3
Tanghe Creek (Alb.) 43 F2
Tangier Grand Lake (N.-E.) 9 D3
Tangier Harbour (N.-E.) 9 D3
Tangier Lake (N.-E.) 9 E3
Tanner, Mount (C.-B.) 35 G3
Tanquary Fiord (T.N.-O.) 47 E1
Tantalus, Mount (C.-B.) 38 F1
Tantarie, Lac (Qué.) 15 A2
Tantramar River (N.-B.) 7 A4
Taoti, Rivière (Qué.) 19 F1
Tapani, Lac (Qué.) 18 E3
Tariujaq Arm (T.N.-O.) 47 F4
Tartigou, Rivière (Qué.) 13 A2
Taseko Lakes (C.-B.) 37 E1
Taseko Mountain (C.-B.) 37 E1
Taseko River (C.-B.) 37 E1
Tasiaalujjuaq, Lac (Qué.) 46 F4
Tasiataq, Lac (Qué.) 46 F4
Tasmania Islands (T.N.-O.) 47 D4
Tassialouc, Lac (Qué.) 46 F4
Tassijuak Lake (T.N.-O.) 47 B4
Tasu Sound (C.-B.) 41 B2
Tatachikapika Lake (Ont.) 26 D2
Tatamagouche Bay (N.-E.) 9 C1
Tatchu Point (C.-B.) 39 D3
Tate Lake (T.N.-O.) 45 D2
Tatelkuz Lake (C.-B.) 40 A2
Tathlina Lake (T.N.-O.) 44 A2
Tatinnai Lake (T.N.-O.) 44 H1
Tatla Lake (C.-B.) 40 B4
Tatlatui Lake (C.-B.) 42 F1
Tatlatui Provincial Park (C.-B.) 42 F1
Tatlayoko Lake (C.-B.) 37 D1
Tatlmain Lake (Yukon) 45 B3
Tatlow, Mount (C.-B.) 37 E1
Tatnam, Cape (Man.) 46 B4
Tatuk Lake (C.-B.) 40 B2
Taureau, Réservoir (Qué.) 18 F3
Taverner Bay (T.N.-O.) 46 F1
Tawatinaw River (Alb.) 33 E2
Tawayik Lake (Alb.) 33 E3
Taweel Lake (C.-B.) 36 F2
Taxis River (N.-B.) 12 C4
Tay River (N.-B.) 12 C4
Tay River (Yukon) 45 B3
Tay Sound (T.N.-O.) 47 F4
Taylor Island (T.N.-O.) 45 G1
Taylor Lake (Ont.) 17 B2
Taylor Peak (C.-B.) 42 E1
Taylor River (C.-B.) 38 B2
Taylor River (C.-B.) 42 E1
Taylors Head (N.-E.) 9 D3
Tazin Lake (Sask.) 44 D2
Tazin River (T.N.-O./Sask.) 44 D2
Tchaikazan River (C.-B.) 37 E1
Tchentlo Lake (C.-B.) 43 A4
Tchesinkut Lake (C.-B.) 41 H1
Tchitogama, Lac (Qué.) 14 A2
Teagues Lake (N.-B.) 12 F1
Teakerne Arm (C.-B.) 37 C4
Teaquahan River (C.-B.) 37 C2
Tebesjuak Lake (T.N.-O.) 46 A2
Teeswater River (Ont.) 23 C2
Teggau Lake (Ont.) 28 H2
Tehek Lake (T.N.-O.) 46 B2
Tehery Lake (T.N.-O.) 46 B2
Tejean Lake (T.N.-O.) 44 D1
Telkwa River (C.-B.) 42 F4
Tellot Glacier (C.-B.) 37 B1
Temagami, Lake (Ont.) 26 F3
Témiscamie, Lac (Qué.) 20 H3
Témiscamie, Rivière (Qué.) 19 A1
Témiscamie, Rivière (Qué.) 20 H3
Témiscamingue, Lac (Qué.) 26 F3
voir aussi Timiskaming, Lake (Ont.)
Témiscouata, Lac (Qué.) 15 G1
Temple Bay (T.-N.) 5 H1
Templeman, Mount (C.-B.) 34 B2
Ten Mile Lake (T.-N.) 3 D2
Ten Mile Lake (T.-N.) 5 G2
Ten Mile Lake (T.-N.) 5 H2
Ten Mile Lake (N.-E.) 9 D3
Ten Mile Lake (N.-E.) 10 D3
Ten Mile Lake (Ont.) 25 A1
Ten Mile Point (Ont.) 25 C2
Ten Mile Pond (T.-N.) 3 E3
Tenaka Creek (C.-B.) 43 C1
Tennent Islands (T.N.-O.) 45 G1
Tenny, Cape (N.-E.) 9 A2
Tenquille Creek (C.-B.) 37 G3
Tent Lake (T.N.-O.) 44 D1
Teo Lakes (Sask.) 31 C1
Tepee Lake (Alb.) 44 B4
Terra Nova, Parc national de (T.-N.) 3 F4
voir aussi Terra Nova National Park
Terra Nova Lake (T.-N.) 3 E4
Terra Nova National Park (T.-N.) 3 F4
voir aussi Terra Nova, Parc national de
Terra Nova North River (T.-N.) 3 D4
Terra Nova River (T.-N.) 3 C4
Terra Nova River (T.-N.) 3 E4
Terrace Creek (C.-B.) 35 E2
Terrace Mountain (C.-B.) 35 E2
Terrien, Lac (Qué.) 15 D2
Terror Bay (T.N.-O.) 45 G1
Terror Point (T.N.-O.) 46 D2
Terzaghi, Barrage (C.-B.) 37 H2
Tésécau, Lac (Qué.) 20 F3
Tesla Lake (C.-B.) 41 G2
Teslin Lake (C.-B./Yukon) 45 B4
Teslin River (Yukon) 45 B3
Tessier, Lac (Qué.) 18 E2
Tessik Lake (T.N.-O.) 46 E2
Testu, Lac (Qué.) 6 C2
Tetachuck Lake (C.-B.) 41 G2
Tetagouche River (N.-B.) 12 D1
Tête, Lac de la (Qué.) 18 E1
Tête Blanche, Rivière de la (Qué.) 14 B1
Tétépisca, Lac (Qué.) 19 C2
Tethul River (T.N.-O.) 44 C2
Tetu Lake (Ont.) 28 E1
Texada Island (C.-B.) 38 D1
Texas Creek (C.-B.) 35 A1
Tezwa River (C.-B.) 41 F2
Tezzeron Lake (C.-B.) 40 B1
Thackeray Lake (Sask.) 32 B4
Thaddeus Lake (Ont.) 27 A1
Thames River (Ont.) 22 C3
Thaolintoa Lake (T.N.-O.) 44 H1
The Battlefords Provincial Park (Sask.) 32 B4
The Shoals Provincial Park (Ont.) 26 B2
Thekulthili Lake (T.N.-O.) 44 D1
Thelon River (T.N.-O.) 44 E1
Thémines, Rivière (Qué.) 19 D1
Théodat, Lac (Qué.) 20 F3
Theodosia River (C.-B.) 37 C4
Thesiger Bay (T.N.-O.) 47 A3
Thetis Island (C.-B.) 38 E3
Thévenet, Lac (Qué.) 6 B1
Thévet, Lac (Qué.) 19 H1
Thibault Island (Ont.) 25 A2
Thibaut, Lac (Qué.) 6 C1
Thiboult Bay (T.N.-O.) 47 E4
Thicke Lake (Sask.) 44 E2
Thicksons Point (Ont.) 21 C2
Thirty Mile Lake (T.N.-O.) 46 B2
Thlewiaza River (T.N.-O.) 46 A3
Thluicho Lake (Sask.) 44 D2
Thoa River (T.N.-O.) 44 D2
Thom Bay (T.N.-O.) 47 E4
Thomas Falls (T.-N.) 6 D3
Thomas Hubbard, Cape (T.N.-O.) 47 D1
Thomas Lake (Man.) 30 C1
Thomas Lake (Alb.) 33 F4
Thomas Lake (C.-B.) 38 G1
Thomas Lee Inlet (T.N.-O.) 47 E3
Thomas Point (Ont.) 25 C3
Thomas River (T.-N.) 6 E3
Thomlinson, Mount (C.-B.) 42 F3
Thompson Harbour (T.N.-O.) 46 E3
Thompson Island (Ont.) 27 E3
Thompson River (C.-B.) 35 B1
Thompson Sound (C.-B.) 39 F1
Thomsen River (T.N.-O.) 47 B3
Thomson Arm (Sask.) 31 E2
Thomson Lake (Sask.) 31 F4
Thomson Lake (Sask.) 44 E3
Thonokied Lake (T.N.-O.) 45 F2
Thorah Island (Ont.) 23 G2
Thorburn Lake (T.-N.) 2 E1
Thormanby Islands (C.-B.) 38 D2
Thornbrough Channel (C.-B.) 38 E2
Thorne, Lac (Qué.) 17 B1
Thorne River (Ont.) 30 E2
Thorstein, Cape (T.N.-O.) 47 D2
Thorsteinson Lake (Man.) 44 H3
Thorvald Peninsula (T.N.-O.) 47 F2
Thousand Islands
voir Mille Iles, Les
Three Brooks (T.-N.) 3 B3
Three Brothers Mountain (C.-B.) 35 C4
Three Corner Pond (T.-N.) 3 A2
Three Islands (N.-B.) 11 C4
Three Mile Lake (Ont.) 24 B2
Three Wives Lake (T.N.-O.) 44 F1
Threehills Creek (Alb.) 34 F1
Threenarrows Lake (Ont.) 25 D2
Threepoint Creek (Alb.) 34 E2
Threepoint Lake (Man.) 30 B1
Throat River (Ont.) 30 E3
Thubun Lakes (T.N.-O.) 44 C1
Thubun River (T.N.-O.) 44 C1
Thuchonilini Lake (T.N.-O.) 44 H1
Thultue Lake (Alb.) 44 B2
Thunder Bay (Ont.) 27 E3
Thunder Bay (C.-B.) 38 D1
Thunder Cape (Ont.) 27 E3
Thunder Creek (Sask.) 31 F3
Thunder River (C.-B.) 36 G1
Thurston Lake (Alb.) 44 A2
Thutade Lake (C.-B.) 42 F1
Thuya Creek (C.-B.) 36 E3
Thwart Island (T.-N.) 3 C2
Thynne, Mount (C.-B.) 35 C3
Tibiska Lake (Sask.) 32 D2
Tice Lake (Man.) 44 G2
Tichégami, Rivière (Qué.) 20 G3
Tickle Bay (T.-N.) 2 F2
Tickle Harbour Point (T.-N.) 2 F2
Tide Lake (Ont.) 30 D4
Tide Lake (Alb.) 34 H3
Tidney River (N.-E.) 10 D3
Tidnish River (N.-E.) 9 A1
Tiedemann Glacier (C.-B.) 37 B1
Tikkoatokak Bay (T.-N.) 6 E2
Tilly, Lac (Qué.) 20 G2
Tim River (Ont.) 24 C1
Timber Lake (N.-E.) 9 A3
Timeu Creek (Alb.) 33 C2
Timiskaming, Lake (Ont.) 26 F3
voir aussi Témiscamingue, Lac (Qué.)
Timothy Lake (C.-B.) 36 D2
Tingin Fiord (T.N.-O.) 47 H4
Tinniswood, Mount (C.-B.) 37 E3
Tip Top Mountain (Ont.) 27 H3
Tippo River (Sask.) 32 D1
Tisdall Lake (C.-B.) 36 D1
Titmarsh Lake (Ont.) 27 C3
Tlupana Inlet (C.-B.) 39 F3
Tlupana River (C.-B.) 39 F3
Toad Lake (Ont.) 25 G2
Toba Glacier (C.-B.) 37 D2
Toba Inlet (C.-B.) 37 C3
Toba River (C.-B.) 37 D3
Tobacco Lake (Ont.) 25 B2
Tobeatic Lake (N.-E.) 10 C2
Tobin Lake (Sask.) 32 F3
Tobique River (N.-B.) 12 B3
Toby Creek (C.-B.) 34 C3
Tochatwi Bay (T.N.-O.) 44 D1
Tochatwi Lake (T.N.-O.) 44 D1
Tochcha Lake (C.-B.) 42 G4
Tocheri Lake (Ont.) 26 A1
Tod, Mount (C.-B.) 36 F4
Tod Lake (Man.) 44 G4
Todd, Mount (C.-B.) 38 E4
Todd Mountain (N.-B.) 12 C3
Tofino Creek (C.-B.) 39 G4
Tofino Inlet (C.-B.) 38 A2
Tom, Mount (C.-B.) 37 F1
Tom Browne Lake (C.-B.) 39 G1
Tom Joe Brook (T.-N.) 3 A3
Tom Luscombe Brook (T.-N.) 6 G3
Tomasine, Lac (Qué.) 18 D3
Tomiko Lake (Ont.) 25 G1
Tomiko River (Ont.) 25 H1
Tommy Lakes (C.-B.) 43 D1
Tommy's Arm River (T.-N.) 3 B2
Toney Lake (N.-E.) 10 D3
Tonnerre, Pointe au (Qué.) 19 G3
Toodoggone River (C.-B.) 42 F1
Toothpick Lake (Ont.) 28 G1
Tootyak Lake (T.N.-O.) 46 B3
Top Pond (T.-N.) 4 E3
Top of the World Provincial Park (C.-B.) 34 D3
Topascom Lake (Sask.) 32 G1
Topaze Harbour (C.-B.) 39 G1
Topknot Point (C.-B.) 39 B1
Topsails, The *(falaise)* (T.-N.) 4 F1
Toquart Bay (C.-B.) 38 B3
Toquart Lake (C.-B.) 38 B2
Tor Bay (T.-N.) 2 H2
Tor Bay (N.-E.) 9 G2
Torbay Point (T.-N.) 2 H2
Torch Lake (Sask.) 32 E3
Torch River (Sask.) 32 E3
Torment, Lake (N.-E.) 10 D1
Tormentine, Cape (N.-B.) 7 B4
Tornado Mountain (Alb./C.-B.) 34 E3
Torngat, Monts (Qué.) 46 H4
voir aussi Torngat Mountains (T.-N.)
Torngat Mountains (T.-N.) 46 G3
voir aussi Torngat, Monts (Qué.)
Toronto, Aéroport int. (Ont.) 23 F4
Toronto Island (Ont.) 21 B2
Toronto Lake (Ont.) 27 F1
Torpy River (C.-B.) 40 D2
Torrance Lake (Man.) 44 H3
Tortue, Lac (Qué.) 19 G2
Tortue, Lac à la (Qué.) 16 C1
Tortue, Rivière (Qué.) 19 G2
Totogan Creek (Ont.) 30 F3
Totogan Lake (Ont.) 30 F3
Touak Fiord (T.N.-O.) 46 G2
Touchwood Lake (Man.) 30 D2
Touchwood Lake (Alb.) 33 F2
Touchwood Uplands (Sask.) 29 B2
Touladi, Grand lac (Qué.) 14 G3
Touladi, Lac (Qué.) 15 G1
Touladi, Petit lac (Qué.) 15 G1
Touladi, Rivière (Qué.) 14 G4
Toulnustouc, Rivière (Qué.) 19 D3
Toulnustouc Nord-Est, Rivière (Qué.) 19 E2
Tourbis, Lac (Qué.) 18 F3
Tourgis Lake (T.N.-O.) 45 G2
Tourilli, Rivière (Qué.) 15 A2
Touzel, Lac (Qué.) 19 G3
Towincut Mountain (C.-B.) 38 D3
Tracadie, Baie de (N.-B.) 12 G1
Tracadie Bay (I.-P.-E.) 7 D3
Tracadie River (N.-E.) 9 F1
Tracadigache, Baie (Qué.) 13 D3
Tracadigache, Pointe (Qué.) 13 D3
Tracy, Pointe de (Qué.) 46 F3
Trade Lake (Sask.) 32 F1
Trading River (Ont.) 30 F4
Trail Bay (C.-B.) 38 E2
Train Lake (Sask.) 44 E2
Trainor Lake (T.N.-O.) 45 D4
Tramping Lake (Sask.) 31 D1
Tranquil Creek (C.-B.) 39 G4
Tranquil Inlet (C.-B.) 39 G4
Tranquille River (C.-B.) 36 E4
Transit Head (C.-B.) 37 A2
Transition (Kennedy) Bay (T.N.-O.) 47 D4
Trapp Lake (C.-B.) 35 D1
Trapping Creek (C.-B.) 35 G3
Travaillant Lake (T.N.-O.) 45 C1
Travers Reservoir (Alb.) 34 F3
Traverse, Lake (Ont.) 18 B4
Traverse Bay (Man.) 30 C4
Traverse Brook (T.-N.) 3 E3
Traverspine River (T.-N.) 6 F4
Trebell Lake (T.N.-O.) 44 H2
Tredcroft Creek (C.-B.) 37 D1
Tree River (T.N.-O.) 45 F2
Tremblant, Mont (Qué.) 18 F4
Tremblay, Lac (Qué.) 14 C2
Tremblay, Lac (Qué.) 14 E2
Tremblay Sound (T.N.-O.) 47 F4
Trembleur Lake (C.-B.) 42 H4
Trenche, Rivière (Qué.) 18 G2
Trent Canal (Ont.) 21 D1
Trent River (Ont.) 21 E1
Trent River (C.-B.) 38 B1
Trente et un Milles, Lac des (Qué.) 18 D4
Trépanier Creek (C.-B.) 35 E3
Trepassey Bay (T.-N.) 2 G4
Trepassey Harbour (T.-N.) 2 G4
Treptow Lake (Ont.) 27 G1
Tretheway Creek (C.-B.) 38 H1
Trethewey Lake (Ont.) 26 E3
Trevor Channel (C.-B.) 38 B3
Triangle Island (C.-B.) 39 A1
Tribune Bay (C.-B.) 38 C2
Tribune Channel (C.-B.) 39 F1
Trilsbeck Lake (Ont.) 20 B3
Trincomali Channel (C.-B.) 38 E3
Tring, Ruisseau (Qué.) 16 F2
Trinité, Baie de la (T.-N.) 2 F2
nom officiel Trinity Bay
Trinité, Rivière de la (Qué.) 19 E4
Trinity Bay
voir Trinité, Baie de la
Trinity Creek (C.-B.) 35 G1
Trinity Harbour (T.-N.) 3 G4
Trinity Pond (T.-N.) 3 G4
Trio Mountain (C.-B.) 39 G3
Triquet, Lac (Qué.) 5 D3
Triton Brook (T.-N.) 3 D4
Triton Island (T.-N.) 3 B2
Trodely Island (T.N.-O.) 20 D3
Troilus, Lac (Qué.) 20 G3
Trois Pistoles, Rivière des (Qué.) 14 F4
Trois Saumons, Lac (Qué.) 15 D2
Troitsa Lake (C.-B.) 41 F2
Troitsa Peak (C.-B.) 41 F2
Tromso Fiord (T.N.-O.) 47 G4
Tronka Chua Lake (T.N.-O.) 44 D1
Trophy Mountain (C.-B.) 36 F2
Troubridge, Mount (C.-B.) 38 D1
Trousers Lake (N.-B.) 12 C2
Trout Brook (T.-N.) 4 C2
Trout Creek (C.-B.) 35 E3
Trout Lake (N.-E.) 10 D1
Trout Lake (Ont.) 24 D1
Trout Lake (Ont.) 24 F2
Trout Lake (Ont.) 25 F1
Trout Lake (Ont.) 25 H1
Trout Lake (Ont.) 30 D4
Trout Lake (Sask.) 32 E1
Trout Lake (C.-B.) 34 B3
Trout Lake (Man.) 44 H3
Trout Lake (T.N.-O.) 45 D4
Trout Mountain (C.-B.) 34 B3
Trout River (Alb.) 44 B4
Trout River (T.N.-O.) 45 D3
Troyes, Lac (Qué.) 18 F3
Truax, Mount (C.-B.) 37 G2
Truchon, Ruisseau à (Qué.) 14 E1
Truite, Lac à la (Qué.) 18 B3
Truite, Rivière à la (Qué.) 13 C2
Truro Island (T.N.-O.) 47 D3
Trutch Creek (C.-B.) 43 D1
Tryon, Cape (I.-P.-E.) 7 C3
Tsable River (C.-B.) 38 B1
Tsacha Lake (C.-B.) 40 A3
Tsalwor Lake (Sask.) 44 D2
Tsaydaychuz Peak (C.-B.) 41 G2
Tsayta Lake (C.-B.) 42 H3
Tsaytis River (C.-B.) 41 F2
Tsikwustum Creek (C.-B.) 36 G3
Tsikwustum Lake (C.-B.) 36 H3
Tsileuh Creek (C.-B.) 35 B3
Tsimpsean Peninsula (C.-B.) 42 C4
Tsintsunko Lake (C.-B.) 36 E4
Tsitika River (C.-B.) 39 E2
Tsitsutl Peak (C.-B.) 41 G3
Tsoko Lake (T.N.-O.) 45 D1
Tsolum River (C.-B.) 38 B1
Tsu Lake (T.N.-O.) 44 C2
Tsuius Creek (C.-B.) 35 G1
Tsulquate River (C.-B.) 39 C1
Tsuniah Lake (C.-B.) 37 D1
Tsusiat Lake (C.-B.) 38 C3
Tuadook Lake (N.-B.) 12 C2
Tuaton Lake (C.-B.) 42 E1
Tuber Lake (Man.) 28 E1
Tuchialic Bay (T.-N.) 6 G3
Tuchodi Lakes (C.-B.) 43 B1
Tuchodi River (C.-B.) 43 B1
Tucker Lake (Alb.) 33 G2
Tudor, Lac (Qué.) 6 D2
Tudyah Lake (C.-B.) 43 C4
Tuffin Island (N.-E.) 9 E3
Tug Pond (T.-N.) 2 E1
Tugwell Creek (C.-B.) 38 E4
Tukarak Island (T.N.-O.) 20 E1
Tulabi Lake (Sask.) 32 G2
Tulameen Mountain (C.-B.) 35 B4
Tulameen River (C.-B.) 35 C3
Tulemalu Lake (T.N.-O.) 45 H2
Tully Lake (Ont.) 27 B1
Tumbledown Dick Island (T.-N.) 6 G3
Tumbler Island (T.-N.) 3 F3
Tumbo Island (C.-B.) 38 F3
Tumeka Lake (C.-B.) 42 D1
Tumtum Lake (C.-B.) 36 H2
Tumult Glacier (C.-B.) 37 A1
Tunago Lake (T.N.-O.) 45 D2
Tunkwa Lake (C.-B.) 35 C1
Tunulic, Rivière (Qué.) 6 D1
Tunungayualok Island (T.-N.) 6 F2
Tupper Lake (N.-E.) 10 D2
Turgeon, Lac (Qué.) 26 G1
Turgeon, Rivière (Qué.) 26 G1
Turkey Point (Ont.) 22 G2
Turkey Point Provincial Park (Ont.) 22 G2
Turks Cove (T.-N.) 4 E4
Turnagain Point (Man.) 29 H1
Turnagain Point (T.N.-O.) 45 F1
Turnavik Islands (T.-N.) 6 F2
Turnbull Island (Ont.) 25 A1
Turner, Cape (I.-P.-E.) 7 C3
Turnor Lake (Sask.) 44 D4
Turnour Island (C.-B.) 39 F1
Turret Island (C.-B.) 38 B3
Turtle Lake (Ont.) 25 B1
Turtle Lake (Ont.) 25 C1
Turtle Lake (Man.) 28 D1
Turtle Lake (Sask.) 32 B3
Turtle Mountain Provincial Park (Man.) 29 E4
Turtle River (Man.) 29 F2
Turtlelake River (Sask.) 32 B3
Tusket Islands (N.-E.) 10 A4
Tutizzi Lake (C.-B.) 42 G2
Tuwasus Creek (C.-B.) 37 G4
Tuzcha Lake (C.-B.) 37 E1
Twaal Creek (C.-B.) 35 B1
Twan Creek (C.-B.) 36 A1
Tweed Island (T.-N.) 5 F4
Tweedsmuir Provincial Park (C.-B.) 41 G2
Twelve Mile Lake (Sask.) 31 F4
Twelve Mile Stream (N.-E.) 9 D3
Twenty Mile Creek (Ont.) 21 A4
Twigge Lake (Sask.) 32 G2
Twillick Brook (T.-N.) 2 B1
Twillingate Harbour (T.-N.) 3 D1
Twin Lakes (C.-B.) 35 E4
Twitya River (T.N.-O.) 45 C3
Two Guts Pond (T.-N.) 4 B2

Two River Lake (Ont.) 30 E2
Two Rivers Arm (C.-B.) 38 B2
Two Sisters Mountain (C.-B.) 40 D2
Twoforks River (Sask.) 32 D2
Tyaughton Creek (C.-B.) 37 F2
Tyaughton Lake (C.-B.) 37 G2
Tyee Lake (C.-B.) 36 B1
Tyrrell Arm (T.N.-O.) 46 A2
Tyrrell Lake (Sask.) 32 H1
Tyrrell Lake (T.N.-O.) 45 G3
Tyson Lake (Ont.) 25 E1
Tzartus Island (C.-B.) 38 B3
Tzenzaicut Lake (C.-B.) 40 C3
Tzeo River (C.-B.) 41 G3
Tzoonie River (C.-B.) 38 E1

U

Uchucklesit Inlet (C.-B.) 38 B3
Ucona River (C.-B.) 39 F3
Ugjoktok Bay (T.-N.) 6 F2
Ugjuktok Fiord (T.-N.) 6 E1
Uhlman Lake (Man.) 44 H4
Uist, Lake (N.-E.) 8 E4
Uivak, Cape (T.-N.) 6 E1
Ulloa Islands (C.-B.) 37 C4
Ulvingen Island (T.N.-O.) 47 E2
Umfreville Lake (Ont.) 30 D4
Umiakovik Lake (T.-N.) 6 E1
Uncha Lake (C.-B.) 41 H1
Uneven Lake (Ont.) 27 D1
Ungava, Baie d' (T.N.-O.) 46 G3
nom officiel Ungava Bay
Ungava, Péninsule d' (Qué.) 46 F3
Ungava Bay
voir Ungava, Baie d'
Union, Cape (T.N.-O.) 47 F1
Union Dam Flowage (N.-E.) 9 D3
Union Island (C.-B.) 39 D2
United States Range (T.N.-O.) 47 F1
University River (Ont.) 26 A2
Unknown Lake (Sask.) 44 F3
Unuk River (C.-B.) 42 C2
Unwin Lake (C.-B.) 37 C4
Upana River (C.-B.) 39 F3
Upper Arrow Lake (C.-B.) 34 A3
Upper Beverley Lake (Ont.) 17 B3
Upper Black Island (T.-N.) 3 C2
Upper Campbell Lake (C.-B.) 39 G3
Upper Carp Lake (T.N.-O.) 45 E3
Upper Cumins Lake (Sask.) 32 B1
Upper Foster Lake (Sask.) 44 E4
Upper Goose Lake (Ont.) 30 E4
Upper Harbour Lake (C.-B.) 36 H2
Upper Humber River (T.-N.) 5 G4
Upper Indian Pond (T.-N.) 5 G4
Upper Loon Lake (C.-B.) 36 D3
Upper Manitou Lake (Ont.) 27 A2
Upper Quinsam Lake (C.-B.) 39 G3
Upper Rideau Lake (Ont.) 17 B3
Upper Roslyn Lake (Ont.) 27 F2
Upper Savage Islands (T.N.-O.) 46 F3
Upper Scotch Lake (Ont.) 27 C2
Upper Thérien Lake (Alb.) 33 G3
Upper Trout River Pond (T.-N.) 5 F4
Upper Twin Lake (Ont.) 27 G1
Upper Windigo Lake (Ont.) 30 E3
Upsalquitch Lake (N.-B.) 12 C1
Upsalquitch River (N.-B.) 13 C4
Upwood Point (C.-B.) 38 D2
Ure Creek (C.-B.) 37 G3
Urquhart, Mount (C.-B.) 35 A3
Ursula Channel (C.-B.) 41 E2
Ursus Creek (C.-B.) 39 G4
Uskik Lake (Sask.) 32 G1
Utikuma Lake (Alb.) 44 A4
Utikuma River (Alb.) 44 A4
Utopia, Lake (N.-B.) 11 C3
Uxbridge Brook (Ont.) 23 G2
Uztlius Creek (C.-B.) 35 B3

V

Vachon, Rivière (Qué.) 46 F3
Vail Point (Ont.) 23 D1
Valdes Island (C.-B.) 38 E3
Valen, Isle (T.-N.) 2 E2
Valets, Lac (Qué.) 18 C1
Vallard, Lac (Qué.) 6 B4
Vallerenne, Lac (Qué.) 6 B2
Valley Bay (T.-N.) 6 G3
Valley River (Man.) 29 E2
Valmy, Lac (Qué.) 18 D1
Van Koenig Point (T.N.-O.) 47 E4
Van Scoy Lake (Sask.) 31 E1
Vancouver, Aéroport int. (C.-B.) 38 F2
Vancouver, Ile (C.-B.) 38 B2
nom officiel Vancouver Island
Vancouver Island
voir Vancouver, Ile
Vancouver Island Ranges (C.-B.) 38 B2
Vancouver River (C.-B.) 37 E4
Vandekerckhove Lake (Man.) 44 G4
Vandyck Lake (T.N.-O.) 44 D2
Vanier, Ile (T.N.-O.) 47 D3
Vannes, Lac (Qué.) 6 C2
Vansittart Island (T.N.-O.) 46 D2
Vargas Island (C.-B.) 39 G4
Varket Channel (T.-N.) 3 F3
Varty Lake (Ont.) 24 H4
Vaseux Creek (C.-B.) 35 F4
Vaseux Lake (C.-B.) 35 F4
Vaudray, Lac (Qué.) 26 G2
Vaughan, Lake (N.-E.) 10 B3
Vaujours, Lac (Qué.) 20 G1
Vauquelin, Rivière (Qué.) 20 E1
Vauréal, Rivière (Qué.) 5 A4
Vedan Lake (C.-B.) 37 E1
Vedder River (C.-B.) 35 A4
Veilleux, Rivière (Qué.) 16 G2
Vein Island (Ont.) 27 F3
Vein Lake (Ont.) 27 G2
Veira Lake (T.N.-O.) 44 F1
Vendom Fiord (T.N.-O.) 47 E2
Vendremur, Lac (Qué.) 6 C1
Venetian Lake (Ont.) 26 E3
Venison Creek (Ont.) 22 F2
Vents, Lac des (Qué.) 20 G4
Vera, Cape (T.N.-O.) 47 E3
Vera Lake (T.N.-O.) 44 G1
Verdigris Lake (Alb.) 34 G4
Vermette Lake (Sask.) 32 B1
Vermette Lake (T.N.-O.) 44 E1
Vermeulle, Lac (Qué.) 6 B3
Vermilion Bay (Ont.) 28 H1
Vermilion Lake (Ont.) 25 D1
Vermilion Lake (Ont.) 27 B1
Vermilion Lake (Ont.) 28 F1
Vermilion River (Ont.) 25 D1
Vermilion River (Ont.) 27 B1
Vermilion River (Man.) 29 E2
Vermilion River (Alb.) 33 G3
Vermillon, Rivière (Qué.) 18 G2
Vermont, Lac (Qué.) 14 B2
Vernon, Lake (Ont.) 24 B2
Vernon Creek (C.-B.) 35 F2
Vernon Lake (Alb.) 33 F4
Vernon Lake (C.-B.) 39 F2
Véron, Lac (T.-N.) 19 G1
Versailles Lake (Sask.) 44 F4
Vert Island (Ont.) 27 F2
Vert Lake (C.-B.) 36 B2
Verte, Baie (T.-N.) 5 H3
Verte, Baie (N.-B.) 7 B4
Verte, Ile (Qué.) 14 E4
Verte, Pointe (Qué.) 13 H2
Verte, Rivière (Qué.) 14 E4
Verte, Rivière (N.-B.) 15 H1
voir aussi Green River (N.-B.)
Verton, Lac (Qué.) 5 D2
Vesey Hamilton, Cape (T.N.-O.) 47 B3
Vesle Fiord (T.N.-O.) 47 E2
Veuve River (Ont.) 25 F1
Vezina Lake (T.-N.) 6 D3
Vickers Lake (Ont.) 27 A2
Vicomte-de-Melville, Détroit du (T.N.-O.) 47 C3
nom officiel Viscount Melville Sound
Victor, Lac (Qué.) 5 B3
Victoria, Aéroport int. (C.-B.) 38 F4
Victoria, Grand lac (Qué.) 18 B2
Victoria, Ile (T.N.-O.) 47 B4
nom officiel Victoria Island
Victoria Harbour (I.-P.-E.) 7 C4
Victoria Head (T.N.-O.) 47 F2
Victoria Island
voir Victoria, Ile
Victoria Lake (T.-N.) 4 E2
Victoria Lake (N.-B.) 11 C3
Victoria Lake (Ont.) 24 E1
Victoria Lake (Ont.) 26 F2
Victoria Lake (C.-B.) 39 D2
Victoria Peak (C.-B.) 39 F2
Victoria River (T.-N.) 4 D3
Victoria Strait (T.N.-O.) 45 G1
Victory Lake (T.N.-O.) 44 C1
Vidal Bay (Ont.) 25 A2
Vidal Island (Ont.) 25 A2
Vieillard, Lac du (Qué.) 18 B3
Vieilles Femmes, Lac des (Sask.) 31 F3
nom officiel Old Wives Lake
Vieux, Bay de (T.-N.) 4 E4
Vieux Comptoir, Lac du (Qué.) 20 E2
Vieux Comptoir, Rivière du (Qué.) 20 E2
Vieux Fort, Ile du (Qué.) 5 F2
Vieux Fort, Lac du (Qué.) 5 F2
Vieux Poste, Pointe du (Qué.) 5 B3
Vieuxpont, Lac (Qué.) 6 C2
Vignal, Lac (Qué.) 6 B3
Vigue Creek (C.-B.) 35 H1
Viks Fiord (T.N.-O.) 47 E3
Village, Lacs (Qué.) 20 F3
Village Island (C.-B.) 39 E1
Villebon, Lac (Qué.) 18 C2
Villemontel, Rivière (Qué.) 26 H1
Villenaud, Lac (Qué.) 19 A3
Villiers, Lac (Qué.) 18 F3
Vin, Baie du (N.-B.) 12 F2
nom officiel Vin, Bay du
Vin, Bay du
voir Vin, Baie du
Vincelotte, Lac (Qué.) 20 G1
Viner Sound (C.-B.) 39 F1
Vinet, Lac (Qué.) 20 H1
Viola Lake (Ont.) 28 G2
Viola Lake (C.-B.) 39 D1
Virage Sound (C.-B.) 41 A1
Virgin River (Sask.) 44 D4
Virginia Falls (T.N.-O.) 45 C3
Viscount Island (C.-B.) 39 F1
Viscount Melville Sound
voir Vicomte-de-Melville, Détroit du
Vista Lake (Ont.) 27 C1
Vital, Lac (Qué.) 19 G1
Vital Lake (T.N.-O.) 44 D1
Vivian Island (C.-B.) 38 C1
Voght Creek (C.-B.) 35 C2
Voisey Bay (T.-N.) 6 E2
Voisin, Lac (Sask.) 44 F4
Vrooman Creek (Ont.) 23 G2
Vuich Creek (C.-B.) 35 C4

W

Waba Creek (Ont.) 17 B1
Wababimiga Lake (Ont.) 27 G1
Wabagishik Lake (Ont.) 25 D1
Wabakimi Lake (Ont.) 27 D1
Wabamun Lake (Alb.) 33 D3
Wabano, Rivière (Qué.) 18 F1
Wabasca River (Alb.) 44 A3
Wabaskang Lake (Ont.) 27 A1
Wabassi River (Ont.) 30 G3
Wabatongushi Lake (Ont.) 26 B1
Wabeno Lake (Sask.) 32 D2
Wabigoon Lake (Ont.) 27 A2
Wabigoon River (Ont.) 27 B2
Wabimeig Lake (Ont.) 20 A3
Wabinosh Lake (Ont.) 27 E1
Wabuk Point (Ont.) 20 B1
Wabush Lake (T.-N.) 6 C4
WAC Bennett, Barrage (C.-B.) 43 D3
Wachi Creek (Ont.) 20 B1
Wachigabau, Lac (Qué.) 20 F4
Waconichi, Lac (Qué.) 20 G4
Wacouno, Lac (Qué.) 19 F1
Wacouno, Rivière (Qué.) 19 F2
Waddington, Mount (C.-B.) 37 B1
Waddington Channel (C.-B.) 37 C4
Waddington Glacier (C.-B.) 37 B1
Waddy Lake (Sask.) 44 F4
Wade Lake (T.-N.) 6 D3
Wadham Islands (T.-N.) 3 F1
Wadlin Lake (Alb.) 44 A3
Wager Bay (T.N.-O.) 46 C2
Wagners Lake (N.-E.) 10 B3
Wahemen, Lac (Qué.) 20 H2
Wahkash Creek (C.-B.) 37 B2
Wahkash Point (C.-B.) 37 A2
Wahleach Lake (C.-B.) 35 A4
Wahwashkesh Lake (Ont.) 25 G2
Wakami Lake (Ont.) 26 C3
Wakami Lake Provincial Park (Ont.) 26 C3
Wakami River (Ont.) 26 C2
Wakaw Lake (Sask.) 32 F4
Wakeman River (C.-B.) 41 G4
Wakeman Sound (C.-B.) 41 G4
Wakimika Lake (Ont.) 26 F3
Wakomata Lake (Ont.) 26 C4
Wakonassin River (Ont.) 25 C1
Wakuach, Lac (Qué.) 6 C2
Wakusimi River (Ont.) 26 C1
Wakwayowkastic River (Ont.) 20 D4
Walbran Creek (C.-B.) 38 B4
Wales Island (C.-B.) 42 C4
Wales Island (T.N.-O.) 46 C1
Wales Island (T.N.-O.) 46 F3
Walker, Cape (T.N.-O.) 47 D3
Walker, Lac (Qué.) 19 E3
Walker Bay (T.N.-O.) 47 B3
Walker Creek (Sask.) 44 E4
Walker Inlet (T.N.-O.) 47 B2
Walker Lake (Ont.) 25 D1
Walker Lake (Man.) 30 C2
Walker Lake (Sask.) 44 F2
Walker Lake (T.N.-O.) 46 C1
Walkhouse Point (Ont.) 25 A2
Wall Island (Ont.) 25 D3
Wallaback Lake (N.-E.) 10 E1
Wallace River (N.-E.) 9 B1
Wallubeck Lake (N.-E.) 10 B3
Walmsley Lake (T.N.-O.) 45 F3
Walpole Island (Ont.) 22 B2
Walsh Lake (Sask.) 44 F3
Walsingham, Cape (T.N.-O.) 46 G1
Walter Bathurst, Cape (T.N.-O.) 47 F3
Walter Island (T.N.-O.) 20 D2
Walton River (N.-E.) 9 A2
Wanapitei Lake (Ont.) 26 E3
Wanapitei River (Ont.) 25 E1
Wanaskuch Bay (Sask.) 44 D4
Wandering River (Alb.) 33 F1
Wanipigow River (Man./Ont.) 30 C4
Wapageisi Lake (Ont.) 27 B2
Wapanikskan, Lac (Qué.) 6 B1
Wapata Lake (Sask.) 44 E3
Wapawekka Hills (Sask.) 32 F2
Wapawekka Lake (Sask.) 32 F1
Wapesi Bay (Ont.) 27 B1
Wapesi Lake (Ont.) 27 B1
Wapikaimaski Lake (Ont.) 27 D1
Wapikopa Lake (Ont.) 30 G3
Wapisew Lake (Sask.) 32 G3
Wapiskau River (Sask.) 44 F4
Wapisu Lake (Man.) 30 B1
Wapiti River (Alb./C.-B.) 43 G4
Wapiyao Lake (Sask.) 44 F2
Wapizagonke, Lac (Qué.) 16 B1
Wappau Lake (Alb.) 33 F1
Wapske River (N.-B.) 12 B3
Wapta Icefield (Alb./C.-B.) 34 C1
Wapus Lake (Sask.) 44 G4
Wapustagamau, Lac (Qué.) 5 E2
Waputik Icefield (Alb./C.-B.) 34 C2
War Eagle Lake (Man.) 28 D1
Warburton Bay (T.N.-O.) 45 F3
Ward Hunt Island (T.N.-O.) 47 E1
Ward Inlet (T.N.-O.) 46 G2
Ward Point (C.-B.) 37 C2
Ward Point (T.N.-O.) 47 E3
Warn Bay (C.-B.) 39 G4
Warpath River (Man.) 29 G1
Warren Brook (N.-E.) 8 E2
Warren Point (T.N.-O.) 45 C1
Warrender, Cape (T.N.-O.) 47 F3
Wart, The *(mont)* (C.-B.) 35 D2
Wart Lake (Ont.) 26 B3
Warwick, Cape (T.N.-O.) 46 G3
Wasaksina Lake (Ont.) 26 F3
Wasaw Creek (Ont.) 28 H4
Wasaw Lake (Ont.) 28 H4
Wascana Creek (Sask.) 29 B3
Wasekamio Lake (Sask.) 44 D4
Washademoak Lake (N.-B.) 11 E1
Washburn Lake (T.N.-O.) 47 C4
Washi Lake (Ont.) 30 G4
Washicoutai, Lac (Qué.) 5 C3
Washington, Mount (C.-B.) 38 B1
Washow Bay (Man.) 30 C4
Waskahigan River (Alb.) 33 A2
Waskaiowaka Lake (Man.) 30 C1
Waskesiu Lake (Sask.) 32 D3
Waspison Lake (Sask.) 44 G3
Wassegam Lake (Sask.) 32 D2
Waswanipi, Lac (Qué.) 20 F4
Waswanipi, Rivière (Qué.) 20 F4
Watabeag Lake (Ont.) 26 E2
Watabeag River (Ont.) 26 E2
Watagheistic, Ile (Qué.) 5 D3
Watapi Lake (Sask.) 32 A1
Watch Lake (C.-B.) 36 D3
Watchman Island (T.-N.) 6 E1
Watcomb Lake (Ont.) 27 C1
Waterbury Lake (Sask.) 44 F3
Waterfound River (Sask.) 44 F3
Waterhen Lake (Man.) 29 F1
Waterhen Lake (Sask.) 32 B2
Waterhen Lake (Sask.) 32 E4
Waterhen River (Sask.) 32 B2
Waterloo Lake (N.-E.) 10 D1
Waterton Lakes (Alb.) 34 E4
Waterton Lakes National Park (Alb.) 34 E4
voir aussi Lacs-Waterton, Parc national des
Waterton Reservoir (Alb.) 34 E4
Wathaman Lake (Sask.) 44 F4
Wathaman River (Sask.) 44 F4
Watistiguam River (Ont.) 27 H1
Watopeka, Rivière (Qué.) 16 D3
Watshishou, Lac (Qué.) 5 B3
Watshishou, Rivière (Qué.) 5 A2
Watson, Lac (Qué.) 18 B3
Watson Bar Creek (C.-B.) 36 B4
Watt, Mount (Alb.) 44 A3
Watt Lake (Alb.) 33 F3
Watta Lake (T.N.-O.) 44 C1
Watterson Lake (T.N.-O.) 44 G1
Waubuno Channel (Ont.) 25 G3
Waubuno Creek (Ont.) 22 E1
Waugh River (N.-E.) 9 C1
Waukwass Creek (C.-B.) 39 D1
Waupoos Island (Ont.) 21 G2
Wavey Creek (Man.) 28 A1
Wavy Lake (Ont.) 25 E1
Wavy Lake (Alb.) 33 F4
Wawa, Lac (Qué.) 20 F2
Wawagosic, Rivière (Qué.) 26 G1
Wawang Lake (Ont.) 27 C2
Waweig Lake (Ont.) 27 D1
Wawang Lake (Ont.) 27 G1
Way Bay (T.-N.) 6 D3
Wayagamac, Lac (Qué.) 18 H3
Wayow Lake (Sask.) 44 F2
Weagamow Lake (Ont.) 30 E3
Weart, Mount (C.-B.) 37 G4
Weatherall Bay (T.N.-O.) 47 C3
Weaver Lake (Ont.) 27 D2
Weaver Lake (Man.) 30 C3
Weaver Lake (C.-B.) 35 A4
Webb Bay (T.-N.) 6 E2
Webber Lake (Man.) 30 D2
Webber Pond (T.-N.) 3 C3
Webeck Island (T.-N.) 6 G3
Weber, Mount (C.-B.) 42 E3
Weber Bay (Sask.) 32 C1
Webster Creek (C.-B.) 36 A1
Wecho Lake (T.N.-O.) 45 E3
Wecho River (T.N.-O.) 45 E3
Wedge Mountain (C.-B.) 37 G4
Wedge Point (N.-E.) 10 B4
Weedon, Lac (Qué.) 16 E3
Weedon Lake (C.-B.) 40 C1
Weeks Bay (T.N.-O.) 46 E1
Weikwabinonaw Lake (Ont.) 27 C3
Weir River (Man.) 30 D1
Weir's Pond (T.-N.) 3 E2
Weissener Lake (C.-B.) 43 A1
Weitzel Lake (Sask.) 44 E3
Wekusko Lake (Man.) 30 B2
Welch Peak (C.-B.) 35 A4
Welcome Islands (Ont.) 27 E3
Welcome Lake (Ont.) 26 E3
Weld, Cape (T.N.-O.) 47 F3
Weld Harbour (T.N.-O.) 47 D4
Welland Canal (Ont.) 21 B4
Welland River (Ont.) 21 A4
Wellbore Channel (C.-B.) 39 G1
Wellers Bay (Ont.) 21 F2
Wellington Bay (T.N.-O.) 47 C4
Wellington Channel (T.N.-O.) 47 D3
Wellington Creek (Ont.) 26 D1
Wellman Lake (Man.) 29 E1
Wells Gray Provincial Park (C.-B.) 40 F3
Wells Lake (Sask.) 33 H4
Wells Lake (Man.) 44 G3
Welsford, Cape (T.N.-O.) 46 D2
Welshtown Lake (N.-E.) 10 C3
Wenasaga River (Ont.) 30 E4
Wenebegon Lake (Ont.) 26 C3
Wenebegon River (Ont.) 26 C3
Wentworth Lake (N.-E.) 10 B2
Wentzel Lake (Alb.) 44 B2
Wentzel Lake (T.N.-O.) 45 E2
Wentzel River (Alb.) 44 B3
Wepusko Bay (Sask.) 44 F4
Wernham Lake (Man.) 30 C1
Weslemkoon Lake (Ont.) 24 F3
Wessonneau, Rivière (Qué.) 18 G3
West Arm (T.-N.) 3 C2
West Arm Brook (T.-N.) 3 B2
West Arrowood Creek (Alb.) 34 F3
West Bay (T.-N.) 4 B2
West Bay (N.-E.) 8 D4
West Bay (Ont.) 25 C2
West Bay (Ont.) 25 G1
West Branch Indian Brook (N.-E.) 8 E2
West Branch Lake (N.-E.) 9 D2
West Brook (T.-N.) 3 A2
West Brook (N.-E.) 10 D3
West Catfish Creek (Ont.) 22 E2
West Channel (T.N.-O.) 45 B1
West Churn Creek (C.-B.) 37 G1
West Coteau Lake (Sask.) 31 H4
West Cracroft Island (C.-B.) 39 F1
West End *(pointe)* (N.-E.) 9 D1
West Ford (T.N.-O.) 47 E3
West Hawk Lake (Man.) 28 E2
West Head (T.-N.) 2 E3
West Head (N.-E.) 8 E4
West Humber River (Ont.) 23 F3
West Ironbound Island (N.-E.) 10 E2
West Kabenung Lake (Ont.) 26 A2
West Kettle River (C.-B.) 35 F3
West Kiskatinaw River (C.-B.) 43 E4
West Lake (T.-N.) 3 B3
West Lake (Ont.) 21 F2
West Long Lake (N.-B.) 11 C3
West Micmac Lake (T.-N.) 6 F3
West Nadila Creek (C.-B.) 37 F1
West Point (T.-N.) 4 F4
West Point (I.-P.-E.) 7 A3
West Point (N.-E.) 9 G4
West Point (Ont.) 21 F2
West Pompey Island (T.-N.) 6 G3
West Pond (T.-N.) 3 A2
West Prairie River (Alb.) 33 B1
West Raft River (C.-B.) 36 G2
West Redonda Island (C.-B.) 37 C3
West River (I.-P.-E.) 7 C4
West River (T.N.-O.) 45 C1
West River of Pictou (N.-E.) 9 D1
West River St Marys (N.-E.) 9 E2
West River Sheet Harbour (N.-E.) 9 D3
West Road (Blackwater) River (C.-B.) 40 B4
West Rous Island (Ont.) 25 C2
West Shoal Lake (Man.) 29 H3
West Stony Brook (T.-N.) 3 B3
West Thurlow Island (C.-B.) 39 G2
West Wallace River (N.-E.) 9 B1
Western Arm (T.-N.) 3 B1
Western Bay Head (T.-N.) 2 G2
Western Blue Pond (T.-N.) 5 G3
Western Brook Pond (T.-N.) 5 G3
Western Brook Pond (T.-N.) 5 F4
Western Channel (T.-N.) 2 E2
Western Duck Island (Ont.) 25 A2
Western Head (T.-N.) 3 E1
Western Head (T.-N.) 3 G4
Western Head (N.-E.) 10 D3
Western Head (N.-E.) 10 C4
Western Indian Island (T.-N.) 3 E2
Western Island (T.-N.) 5 H3
Western Islands (Ont.) 25 F4
Western Peninsula (Ont.) 28 F2
Western Point (T.-N.) 5 G1
Western River (T.N.-O.) 45 F2
Westham Island (C.-B.) 38 F3
Weston Island (T.N.-O.) 20 D3
Westwick Lakes (C.-B.) 36 B2
Wetalltok Bay (T.N.-O.) 20 D1
Wetenagami, Rivière (Qué.) 18 D1
Wetetnagami, Lac (Qué.) 18 D1
Wetstone Point (T.-N.) 4 E1
Weyakwin Lake (Sask.) 32 D2
Weyburn Lake (T.N.-O.) 45 E3
Weynton, Cape (T.N.-O.) 46 C1
Whale Channel (C.-B.) 41 D2
Whale Cove (N.-B.) 11 C4
Whale Lake (N.-E.) 10 E2
Whale Point (T.N.-O.) 46 C2
Whalen Lake (C.-B.) 41 E2
Wharton Harbour (T.N.-O.) 46 F2
Wharton Lake (T.N.-O.) 45 H2
Whatshan Lake (C.-B.) 35 H2
Whatshan Peak (C.-B.) 35 H2
Whatshan River (C.-B.) 35 H2
Wheeler, Lac (Qué.) 6 C2
Wheeler, Rivière (Qué.) 6 C2
Wheeler River (Sask.) 44 E4
Whipple Point (N.-E.) 10 A2
Whipsaw Creek (C.-B.) 35 C4
Whirl Creek (Ont.) 23 C4
Whirlwind Lake (T.N.-O.) 44 D2
Whiskey Jack Lake (Man.) 44 G3
Whiskey Lake (Ont.) 25 B1
White Bay (T.-N.) 5 G3
White Bear Bay (T.-N.) 4 E4
White Bear Island (T.-N.) 6 E1
White Bear Islands (T.-N.) 6 G3
White Bear Lake (T.-N.) 4 E3
White Bear Lake (T.-N.) 6 F3
White Bear River (T.-N.) 4 E3
White Bear River (T.-N.) 6 G3
White Capes (N.-E.) 8 D2
White Cloud Island (Ont.) 23 C1
White Earth Creek (Alb.) 33 E2
White Fox River (Sask.) 32 E3
White Gull Creek (Sask.) 32 E3
White Gull Lake (Sask.) 32 E3
White Head Island (N.-B.) 11 C4
White Heron Lake (Sask.) 31 C1
White Island (T.-N.) 3 F1
White Island (T.N.-O.) 46 D2
White Lake (Ont.) 17 A2
White Lake (Ont.) 27 H3
White Lake (Man.) 28 D1
White Lake (C.-B.) 36 C3
White Lake (C.-B.) 36 H4
White Lake Provincial Park (Ont.) 27 H3
White Oak Lake (Ont.) 25 E1
White Otter Lake (Ont.) 27 B2
White Otter River (Ont.) 27 H2
White Owl Lake (Ont.) 26 C3
White Partridge Lake (Ont.) 24 E1
White Point (T.-N.) 2 B3
White Point (N.-E.) 8 E1
White Point (N.-E.) 10 D3
White Point (N.-E.) 10 F2
White River (Ont.) 27 H3
White River (C.-B.) 34 D3
White River (C.-B.) 39 G2
White River (Yukon) 45 A3
White Stone Lake (Man.) 30 C1
White Strait (T.N.-O.) 46 F3
Whitebear Lake (Sask.) 31 D2
Whitebear Point (T.N.-O.) 45 G1
Whitecap Lake (Man.) 30 D1
Whitecap Mountain (C.-B.) 37 G2
Whiteclay Lake (Ont.) 30 G4
Whitedog Lake (Ont.) 28 E1
Whitefish Bay (Ont.) 26 A4
Whitefish Bay (Ont.) 28 G3
Whitefish Lake (Ont.) 25 E1
Whitefish Lake (Ont.) 26 B2
Whitefish Lake (Ont.) 27 A1
Whitefish Lake (Ont.) 27 D3
Whitefish Lake (Man.) 29 D1
Whitefish Lake (Alb.) 33 F2
Whitefish Lake (T.N.-O.) 44 E1
Whitefish River (Ont.) 26 E2
Whitefish River (T.N.-O.) 45 D2
Whitehead Harbour (N.-E.) 9 G2
Whitehead Pond (T.-N.) 2 D1
Whitehills Lake (T.N.-O.) 46 B2
Whiteman Creek (C.-B.) 35 E2
Whitemouth Lake (Man.) 28 D3
Whitemouth River (Man.) 28 C2
Whitemud Lake (Man.) 30 D2
Whitemud River (Man.) 29 F3
Whitemud River (Alb.) 43 G3
Whites Brook (N.-B.) 13 B4
Whitesail Lake (C.-B.) 41 F2
Whitesail Reach (C.-B.) 41 G1
Whitesand Bay (Man./Sask.) 44 G4
Whitesand River (Sask.) 29 C2
Whitesand River (Alb./T.N.-O.) 44 A2
Whiteshell Provincial Park (Man.) 28 D1
Whiteshell River (Man.) 28 D1
Whiteshore Lake (Sask.) 31 D1
Whitestone Lake (Ont.) 25 G3
Whitestone Lake (Ont.) 30 E3
Whitestone River (Yukon) 45 B2
Whiteswan Lake (C.-B.) 34 D3
Whiteswan Lakes (Sask.) 32 E2
Whitewater Creek (Sask.) 31 D4
Whitewater Lake (Ont.) 25 E1
Whitewater Lake (Man.) 29 E2
Whitewater Lake (Man.) 29 E4
Whitewater Lake (Ont.) 30 F4
Whiteway Bay (T.-N.) 2 F2
Whitewolf Lake (T.N.-O.) 45 E2
Whitford Lake (Alb.) 33 F3
Whitley Bay (T.N.-O.) 46 F3
Whitmore Lake (Man.) 44 G2
Whitney Pond (T.-N.) 3 E2
Whitworth Peak (C.-B.) 35 B4
Wholdaia Lake (T.N.-O.) 44 F2
Whymper, Mount (C.-B.) 38 D3
Wiah Point (C.-B.) 41 B1
Wiau Lake (Alb.) 33 F1
Wickaninnish Bay (C.-B.) 38 A3
Wicked Point (Man.) 30 B3
Wickenden, Lac (Qué.) 5 A4
Wicksteed Lake (Ont.) 26 F3
Widgeon Lake (C.-B.) 38 G2
Wignes Lake (T.N.-O.) 44 E2
Wigwam Creek (Ont.) 26 C1
Wigwam River (C.-B.) 34 D4
Wigwascence Lake (Ont.) 30 F3
Wilber Lake (Ont.) 24 G1
Wilberforce Falls (T.N.-O.) 45 F2
Wilbert Hills (C.-B.) 35 D4
Wild Bight (T.-N.) 3 B1
Wild Bight (T.-N.) 3 B1
Wild Bight (T.-N.) 3 B2
Wild Cove (T.-N.) 3 E1
Wild Cove Point (T.-N.) 5 G4
Wild Cove Pond (T.-N.) 3 A1
Wild Cove Pond (T.-N.) 4 C1
Wild Lake (Ont.) 28 G1
Wild Point (T.-N.) 3 E1
Wildgoose Lake (Ont.) 27 G2
Wildhay River (Alb.) 40 H2
Wilding Lake (T.-N.) 4 F2
Wildnest Lake (Sask.) 32 G1
Wildwood Lake (Ont.) 22 E1
Wilkes, Cape (T.N.-O.) 47 F1
Wilkins Strait (T.N.-O.) 47 C2
Wilkinson Creek (C.-B.) 35 F3
Wilkinson Mountain (N.-B.) 12 C2
Will, Mount (C.-B.) 42 E1
Willard Lake (Ont.) 28 G1
Willersted Inlet (T.N.-O.) 45 H1
Willet Lake (Ont.) 27 F1
William, Lac (Qué.) 16 E2
William A. Switzer Provincial Park (Alb.) 40 H2
William Head (C.-B.) 38 E4
William Herschel, Cape (T.N.-O.) 47 E3
William Lake (Man.) 30 B2
William Lake (C.-B.) 39 B1
William River (Man.) 30 B2
William River (Sask.) 44 D3
Williams Lake (Ont.) 27 A1
Williams Lake (Ont.) 30 F3
Williams Lake (C.-B.) 36 B1
Williams Point (T.N.-O.) 47 A4
Williamstown Lake (N.-B.) 12 A4
Willingdon, Mount (Alb.) 34 C1
Willis Bay (T.N.-O.) 47 D4
Willis Creek (C.-B.) 35 D4
Willis Island (T.-N.) 3 F3
Willis Reach (T.-N.) 3 F3
Williston Lake (C.-B.) 43 B3
Willmore Wilderness Provincial Park (C.-B.) 40 F2
Willoughby Point (T.N.-O.) 47 B3
Willow Bunch Lake (Sask.) 31 G4
Willow Creek (Ont.) 23 B2
Willow Creek (Ont.) 23 F2
Willow Creek (Ont.) 23 E3
Willow Creek (Alb.) 34 E3
Willow Lake (T.N.-O.) 44 A1
Willow River (Alb.) 33 D1
Willow River (C.-B.) 40 D2
Willowlake River (T.N.-O.) 45 D3
Wilmot Islands (T.N.-O.) 45 F1
Wilmot River (I.-P.-E.) 7 B3
Wilson, Cape (T.N.-O.) 46 D1
Wilson, Lac (Qué.) 18 D1
Wilson Island (Ont.) 27 F3
Wilson Lake (T.-N.) 6 E3
Wilson Lake (T.N.-O.) 44 D1
Wilson River (Man.) 29 E2
Wilson River (T.N.-O.) 46 B2
Wilton Creek (Ont.) 21 G1
Wimapedi Lake (Man.) 30 B2
Wimapedi River (Man.) 30 B1
Winagami Lake (Alb.) 33 B1
Winagami Lake Provincial Park (Alb.) 33 B1
Winchelsea Islands (C.-B.) 38 D2
Wind River (Yukon) 45 B2
Windermere Lake (Ont.) 26 B2
Windermere Lake (C.-B.) 34 C3
Windfall Creek (Alb.) 33 B2
Windflower Lake (T.N.-O.) 45 E3
Windigo, Rivière (Qué.) 18 G2
Windigo Lake (Ont.) 30 E3
Windigo River (Ont.) 30 E3
Windsor Lake (T.-N.) 2 H2
Windsor Lake (C.-B.) 37 D4
Windsors Mal Bay *(lac)* (N.-B.) 13 H4
Windy Lake (Ont.) 26 D4
Windy Lake (Man.) 28 C2
Windy Lake (Man.) 30 C2
Windy Lake (Sask.) 32 G2
Windy Lake (T.N.-O.) 44 G2
Windy Point (T.-N.) 5 H2
Windy Point (Ont.) 28 F3
Windy Point (C.-B.) 39 F1
Windy River (T.N.-O.) 44 G2
Wine Harbour Bay (N.-E.) 9 F3
Winefred Lake (Alb.) 33 G1
Winefred River (Alb.) 44 C4
Wing Pond (T.-N.) 3 E3
Winging Point (N.-E.) 8 F4
Winisk Lake (Ont.) 30 G3
Winisk River (Ont.) 30 G2
Winisk Wild River Provincial Park (Ont.) 30 G3
Winiskisis Channel (Ont.) 30 G2
Winnange Lake (Ont.) 28 H2
Winnifred Creek (C.-B.) 35 G2
Winnipeg, Aéroport int. (Man.) 28 A1
Winnipeg, Lac (Man.) 30 B3
nom officiel Winnipeg, Lake
Winnipeg, Lake
voir Winnipeg, Lac
Winnipeg River (Man.) 30 C4
Winnipegosis, Lake (Man.) 30 A3
Winokapau Lake (T.-N.) 6 E4
Wintego Lake (Sask.) 32 G1
Winter Harbour (C.-B.) 39 C1
Winter Harbour (T.N.-O.) 47 C3
Winter Island (T.N.-O.) 46 D2
Winter Lake (Sask.) 32 C3
Winter Tickle (T.-N.) 3 C2
Wintering Lake (Ont.) 27 G2
Wintering Lake (Man.) 30 C1
Wishart Peninsula (C.-B.) 39 E1
Wistiwasing Lake (Ont.) 26 G4
Witch Lake (C.-B.) 43 B4
Witchai Lake (Man.) 30 C1
Witchekan Lake (Sask.) 32 C3
Witegoo River (Ont.) 30 F2
Withers Lake (Ont.) 30 E2
Witless Bay (T.-N.) 2 H3
Wiwa Creek (Sask.) 31 E3
Wizard Lake (Alb.) 33 D4
Wolf Lake (T.-N.) 4 F3
Wolf Lake (Alb.) 33 G2
Wolf Lake (C.-B.) 38 B1
Wolf Lake (Yukon) 45 B3
Wolf Mountain (T.-N.) 4 F3
Wolf Pond (T.-N.) 4 F1
Wolf River (Ont.) 25 G2
Wolf River (Alb.) 33 B3
Wolf River (Alb.) 33 G2
Wolf River (C.-B.) 39 G3
Wolf River (Yukon) 45 B3
Wolfe, Point (N.-B.) 11 G2
Wolfe Creek (C.-B.) 35 D4
Wolfe Inlet (I.-P.-E.) 7 A3
Wolfe Island (Ont.) 17 B4
Wolfe Lake (Ont.) 17 A3
Wolfenden, Mount (C.-B.) 39 C2
Wolfes Island (N.-E.) 9 D3
Wollaston, Cape (T.N.-O.) 47 A4
Wollaston Lake (Ont.) 24 E3
Wollaston Lake (Sask.) 44 F3
Wollaston Peninsula (T.N.-O.) 47 B4
Wolseley Lake (Ont.) 27 B3
Wolseley River (Ont.) 25 F1
Wolsey, Lake (Ont.) 25 B2
Wolverine River (Alb.) 43 H1
Wolverine River (C.-B.) 43 E4
Wolverine River (Man.) 44 H2
Wolverine River (T.N.-O.) 45 C1
Wolves, The *(îles)* (N.-B.) 11 C3
Woman Lake (Ont.) 30 E4
Woman River (Ont.) 26 D2
Wonderland Lake (Ont.) 28 G1
Wood Arm (C.-B.) 40 G4
Wood Bay (T.N.-O.) 45 C1
Wood Buffalo, Parc national (Alb./T.N.-O.) 44 B3
voir aussi Wood Buffalo National Park
Wood Buffalo National Park (Alb./T.N.-O.) 44 B3
voir aussi Wook Buffalo, Parc national
Wood Creek (Ont.) 30 G1
Wood Island (N.-B.) 11 C4
Wood Islands (I.-P.-E.) 7 D4
Wood Lake (N.-B.) 11 E2
Wood Lake (Sask.) 32 G1
Wood Lake (C.-B.) 35 F2
Wood Lake (Man.) 44 H3
Wood River (Sask.) 31 E4
Wood River (C.-B.) 40 G4
Woodburn Lake (T.N.-O.) 46 B2
Woodfords Arm (T.-N.) 3 B2
Woodruff Lake (T.N.-O.) 44 E2
Woods, Lake of the
voir Bois, Lac des
Woods, Point of the (Man.) 46 B3
Woods Island (T.-N.) 4 C1
Woods Lake (T.-N.) 6 D3
Woodward Bay (T.N.-O.) 47 E2
Woody Island (T.-N.) 2 E2
Woody River (Man./Sask.) 29 D1
Woollett, Lac (Qué.) 20 G3
Woosey Lake (Man.) 30 B2
Wopmay Lake (T.N.-O.) 45 E2
Wordie Bay (T.N.-O.) 46 E1
Work Channel (C.-B.) 42 C4
Worth Point (T.N.-O.) 47 A3
Worthington Lake (Sask.) 32 A2
Woss Lake (C.-B.) 39 E2
Wouwer Island (C.-B.) 38 B3
Wreck Cove Lakes (N.-E.) 8 E2
Wreck Cove Point (N.-E.) 8 E2
Wreck Island (T.-N.) 4 D4
Wright Point (Ont.) 23 B3
Wrigley Lake (T.N.-O.) 45 C3
Wrong Lake (Man.) 30 C3
Wrottesley, Cape (T.N.-O.) 47 B3
Wrottesley, Mount (C.-B.) 38 F1
Wrottesley Inlet (T.N.-O.) 47 D4
Wuchewun River (Sask.) 32 E2
Wunehikun Bay (Sask.) 32 G1
Wunnummin Lake (Ont.) 30 F3
Wuskwatim Lake (Man.) 30 B1
Wylie Lake (Alb.) 44 C2
Wynniatt Bay (T.N.-O.) 47 C3

Y

Yahk Mountain (C.-B.) 34 D4
Yaholnitsky Creek (Sask.) 32 E2
Yakoun Lake (C.-B.) 41 B2
Yakoun River (C.-B.) 41 B2
Yalakom River (C.-B.) 36 B4
Yamachiche, Rivière (Qué.) 16 B1
Yamaska, Mont (Qué.) 16 B3
Yamaska, Rivière (Qué.) 16 B4
Yamaska Nord, Rivière (Qué.) 16 B4
Yamba Lake (T.N.-O.) 45 F2
Yandle Lake (T.N.-O.) 44 H1
Yasinski, Lac (Qué.) 20 E2
Yates River (Alb./T.N.-O.) 44 A2
Yathkyed Lake (T.N.-O.) 46 A2
Yatisakus, Lac (Qué.) 20 F2
Yatsore Lake (T.N.-O.) 44 D2
Yehiniko Lake (C.-B.) 42 C1
Yellow Bluff (T.N.-O.) 46 C2
Yellow Girl Bay (Ont.) 28 G2
Yellowknife Bay (T.N.-O.) 44 B1
Yellowknife River (T.N.-O.) 45 E3
Yelverton Bay (T.N.-O.) 47 E1
Yeo Channel (Ont.) 25 C3
Yeo Island (Ont.) 25 C3
Yeo Island (C.-B.) 41 E3
Yeoman Island (T.N.-O.) 47 E4
Ymir Mountain (C.-B.) 34 B4
Yohetta Lake (C.-B.) 37 E1
Yoho, Parc national (C.-B.) 34 C2
voir aussi Yoho National Park
Yoho National Park (C.-B.) 34 C2
voir aussi Yoho, Parc national
Yoho Stream (N.-B.) 11 C2
Yoke Lake (Ont.) 28 H3
York, Cape (T.N.-O.) 47 E3
York, Rivière (Qué.) 13 G2
York Harbour (T.-N.) 4 C1
York River (Ont.) 24 F2
York River (Man.) 30 D2
York Sound (T.N.-O.) 46 G3
Yorston Lake (Ont.) 26 E3
Young Creek (Ont.) 22 G2
Young Inlet (T.N.-O.) 47 D2
Young Island (T.N.-O.) 47 D3
Young Lake (C.-B.) 36 D3
Young Lake (Sask.) 44 F2
Young Point (C.-B.) 38 D2
Yser, Lac (Qué.) 18 C2
Ythier, Lac (Qué.) 6 D2
Yukon, Fleuve (Yukon) 45 A2
nom officiel Yukon River
Yukon River
voir Yukon, Fleuve
Yule Lake (C.-B.) 41 E2

Z

Zakwaski Mountain (C.-B.) 35 B2
Zangeza Bay (Man./Sask.) 44 G3

SOURCES

Liste des abréviations utilisées dans cette page :

APC   Archives publiques du Canada
BIC   Banque d'images du Canada
MRO   Musée royal de l'Ontario
WNB   Collection Webster Illustrée, musée du Nouveau-Brunswick

---

L'ordre des noms correspond à l'ordre des illustrations, puis des photographies apparaissent sur une page, de gauche à droite et de haut en bas.

6–7 Globe au Musée national des sciences et de la technologie © Rand McNally & Company, R.L. 80-GP-21/photos de John Evans.
9 *Dégâts matériels (séismes),* extrait de « Looking Inside the Earth », Direction de la physique du globe, Energie, Mines et Ressources Canada. Photos de Crespi-Madrid ; Crombie McNeil ; Commission géologique du Canada, G.S.C. 202872-G.
10 Gracieuseté du Field Museum of Natural History, Chicago (3).
10–11 (Au centre) cartes extraites de « Earth History and Plate Tectonics », Harper and Row Publishers, Inc., © Carl K. Seyfert et Leslie A. Sirkin (5).
11 Photos de Susanne M. Swibold ; Musée national de l'homme, Musées nationaux du Canada.
12 Globe extrait du « The Reader's Digest Complete Atlas of the British Isles » ; (en bas, à droite) illustration par le Smithsonian Institute #72-5994.
13 Cartes du drainage des Grands Lacs, Commission géologique du Canada ; photos d'Harold V. Green ; extrait de « Field Guide to Snow Crystals », par Edward R. Lachapelle, University of Washington Press (2).
15 *Moyenne des températures en janvier et en juillet* et *Moyenne annuelle des précipitations,* tirées de « Hydrological Atlas of Canada », Environnement Canada ; *Le rôle des océans,* avec la permission de la Division des cartes géographiques nationales, Direction des levés et de la cartographie, Energie, Mines et Ressources, Canada.
16 (En haut) carte du Service de l'environnement atmosphérique, Environnement Canada ; *Durée du plein été,* avec la permission du Centre climatique canadien, Service de l'environnement atmosphérique, Environnement Canada ; *Heures d'ensoleillement,* tiré de « Climate Canada », de John Wiley & Sons Canada Limited.
17 Carte (en haut, à droite) et *Jours d'orage,* du Service de l'environnement atmosphérique, Environnement Canada ; *Montréal en mars,* d'Oke (1978) ; « Boundary Layer Climates », Methuen, Londres.
18 *Précipitations nivales moyennes annuelles* et *Epaisseur maximale moyenne de la neige,* tirées de « Hydrological Atlas of Canada », Environnement Canada ; *Enneigement,* gracieuseté des Services de l'environnement atmosphérique, Environnement Canada ; trois illustrations du bas (à droite) tirées d'Oke (1978) ; « Boundary Layer Climates », Methuen, Londres.
18–19 *Manteau nival dans le monde,* par la Direction générale des eaux intérieures, Environnement Canada.

19 Photos de Robert J. Cheng, Atmospheric Sciences Research Center, State University of New York, Albany (3) ; Services de l'environnement atmosphérique, Environnement Canada ; Robert J. Cheng, Atmospheric Sciences Research Center, State University of New York, Albany ; tiré de « Clouds, Rain and Rainmaking », de B. J. Mason, Cambridge University Press/photo de U. Makaya ; Institut national de recherche en hydrologie (3) ; © Dave Timewell/Image Finders ; Patrick Morrow ; Gary Corbett.
22 Photos de BM 2683—Brian Milne/Valan Photo Nature ; Mark K. Peck ; Leonard Lee Rue III ; R. N. Smith ; (en bas) Mary Ferguson ; Harold V. Green.
23 Photos de Norman R. Lightfoot ; Leonard Lee Rue III ; Maxime St-Amour ; Leonard Lee Rue III ; Edgar T. Jones.
24 Photos de Doris Mowry ; Cynthia Chalk ; Mary Ferguson.
25 Photos de Doris Mowry (en bas, à gauche) ; Barbara K. Deans (en haut, à droite) ; MT 654— Mark Tomalty/Valan Photo Nature.
26 Photos de Richard Wright ; © Jack Fields/ Photo Researchers ; Susanne M. Swibold ; Menno Fieguth ; © Bill Brooks/Bruce Coleman Inc.
27 Photos de Rick Filler ; Paul von Baich.
28 MRO (2).
28–29 Avec la permission du musée Glenbow, Calgary.
29 (En haut) avec la permission du Musée national de l'homme, Musées nationaux du Canada (2) ; Collection Lande, service des livres rares des bibliothèques de l'université McGill/photo de Mike Haimes ; MRO ; (en bas) avec la permission du musée Glenbow, Calgary.
30 (En haut, à droite) Mary Evans Picture Library, Londres ; Aldus Books Ltd., Londres ; Naval Museum of Madrid/photo d'Oronoz ; APC C-16105 ; National Art Gallery, Wellington, Nouvelle-Zélande.
30–31 Globe du Musée national des sciences et de la technologie © Rand McNally & Company, R. L. 79-GP-19/photo de John Evans.
31 Bodleian Library, Oxford ; Aldus Books Ltd., Londres ; Galerie nationale du Canada, Ottawa ; National Portrait Gallery, Londres (2) ; BBC Hulton Picture Library, Londres.
32 Parcs Canada ; photo de Ron Webber ; APC C-1080.
33 WNB/photo de Rod Stears ; WNB.
34 WNB #429/photo de Rod Stears ; Archives du Canadien Pacifique ; APC C-605.
35 Institut Glenbow-Alberta ; (détail) « The Taking of Vimy Ridge, Easter Monday, 1917 », de Richard Jack, Musée canadien de la guerre.
37 *Migration interprovinciale,* gracieuseté de la Banque de commerce canadienne impériale.
38 (En haut, à droite) carte d'Environnement Canada. Photos © Allan Harvey/BIC (2).
39 (En haut, à gauche) illustration reproduite avec la permission de Mark London, Héritage Montréal. Photos de la librairie publique de Vancouver ; © John de Visser/BIC ; George Hunter.
44 Photo d'Agriculture Canada ; (en bas, à gauche) illustration reproduite avec la permission d'Allis-Chalmers.
45 *Déficit d'écoulement,* tiré de « The Climates of Canada for Agriculture », The Canada Land Inventory, Environnement Canada.
46–47 Carte du Service canadien des forêts, Environnement Canada.

47 (En bas, à gauche) photo de la librairie publique de Vancouver ; *Risques d'incendie de forêt* et photo (en bas, à droite), du Service canadien des forêts, Environnement Canada.
50 Cartes extraites de « Principal Mineral Areas of Canada », Secteur d'exploitation minérale et Commission géologique du Canada, Energie, Mines et Ressources Canada.
50–51 Illustration publiée avec la permission de Placer Development Ltd.
51 Photos publiées avec la permission de Luscar Ltd. (2).
52 Cartes extraites de « Principal Mineral Areas of Canada », Secteur d'exploitation minérale et Commission géologique du Canada, Energie, Mines et Ressources Canada.
53 Photos © D. Carriere/Geographical Visual Aids, Wiarton (en haut) ; Nova Scotia Power Corporation (à gauche) ; avec la permission des Produits Alcan Canada Limitée/photo de Karl Sliva.
54 APC C-82808 ; photos de MacMillan Bloedel ; Canada Packers/photo de Robert C. Ragsdale ; © E. Otto/Miller Services.
55 Photos de General Motors du Canada Limitée ; Daniel Wiener ; Doris Mowry.
56 Photos de Transport Canada ; Lowry Photography ; B.C. Ferry Corporation ; Photothèque ONF ; BCPR Inc. ; B.C. Ministry of Forests ; MacMillan Bloedel ; Canadien Pacifique.
57 Carte (en haut, à droite), Réseau téléphonique transcanadien ; photos de Canadien Pacifique ; Télésat Canada ; Northern Transportation Co. Ltd./Ranson Photographers, Edmonton ; Transport Canada ; (en bas) Canadien National.
65 Cartes de Parcs Canada.
67 Illustration tirée du « Reader's Digest Library of Modern Knowledge » ; cartes de la Division de la physique du globe, Energie, Mines et Ressources Canada.
68 (En haut, à gauche) carte de la Division de la physique du globe, Energie, Mines et Ressources Canada ; (en bas, à droite) extrait de « Climate Canada », John Wiley & Sons Canada Limited.
78 APC ; photos d'Aéro Photo Inc. (3).
79 Photothèque nationale de l'air, Iconothèque Landsat ; Aéro Photo Inc.

ILLUSTRATEURS : Jim Bruce, George Buctel, Peter Buerschaper, Alan Daniel, Louise Delorme, Diane Desrosiers, Howard S. Friedman, Jean-Claude Gagnon, Réal Lefebvre, Andris Leimanis, Anker Odum, Elayne Sears.

PRODUCTION

COMPOSITION : Centre de traitement typographique de Sélection du Reader's Digest
CARTOGRAPHIE : Aéro Photo Inc., en collaboration avec Sélection du Reader's Digest (Canada) Ltée
SÉPARATION DES COULEURS : Herzig Somerville Limited
IMPRESSION : Lithographie Montréal Ltée
RELIURE : Imprimerie coopérative Harpell
MATÉRIEL DE RELIURE : Boise Cascade (Pajco Division) et Columbia Finishing Mills
PAPIER : Produits forestiers E. B. Eddy Ltée

PAGES DE GARDE DE LA FIN : L'homme et le territoire. La répartition de la population au Canada.